DIN-Taschenbuch 26

Im Bereich der metallischen Werkstoffe bestehen folgende DIN-Taschenbücher:

Stahl und Eisen

DIN-Taschenbuch 4
Stahl und Eisen. Gütenormen 1

DIN-Taschenbuch 155
Stahl und Eisen. Gütenormen 2

DIN-Taschenbuch 28
Stahl und Eisen. Maßnormen

DIN-Taschenbuch 9
Gußrohrleitungen. Normen

DIN-Taschenbuch 15
Stahlrohrleitungen 1
Maße, Technische Lieferbedingungen. Normen

sowie das

DIN-Normenheft 3
Kurz-Namen und Werkstoff-Nummern der Eisenwerkstoffe in DIN-Normen und Stahl-Eisen-Werkstoffblättern
(Neuauflage in Vorbereitung)

Nichteisenmetalle

DIN-Taschenbuch 26
Kupfer und Kupfer-Knetlegierungen. Normen
(Nichteisenmetalle 1)

DIN-Taschenbuch 27
Aluminium, Aluminiumlegierungen. Normen
(Nichteisenmetalle 2)

DIN-Taschenbuch 54
Blei, Magnesium, Nickel, Titan, Zink, Zinn und deren Legierungen. Normen
(Nichteisenmetalle 3)

DIN-Taschenbuch 53
Metallische Gußwerkstoffe
Gütevorschriften, Allgemeintoleranzen, Prüfverfahren. Normen

sowie das

DIN-Normheft 4
Werkstoff-Kurzzeichen und Werkstoff-Nummern für Nichteisenmetalle
(Neuauflage in Vorbereitung)

Prüfverfahren

DIN-Taschenbuch 19
Materialprüfnormen für metallische Werkstoffe 1
Bescheinigungen, Prüfgeräte, Prüfmaschinen, erzeugnisform-unabhängige mechanisch-technologische Prüfverfahren

DIN-Taschenbuch 56
Materialprüfnormen für metallische Werkstoffe 2
Elektrische und magnetische Eigenschaften, Metallographie, Wirkungen der Wärmebehandlung, Verschleiß, Zerstörungsfreie Prüfungen und Strahlenschutz. Normen

DIN-Taschenbuch 205
Materialprüfnormen für metallische Werkstoffe 3
Mechanisch-technologische Prüfverfahren für Erzeugnisformen, Schweißverbindungen, Metallklebungen

DIN-Taschenbuch 175
Prüfnormen für metallische und anorganische nichtmetallische Überzüge

DIN

DIN-Taschenbuch 26

Kupfer und Kupfer-Knetlegierungen

Normen
(Nichteisenmetalle 1)

4. Auflage
Stand der abgedruckten Normen: November 1990

Herausgeber: DIN Deutsches Institut für Normung e.V.

Beuth

Beuth Verlag GmbH · Berlin · Köln

Die Deutsche Bibliothek – CIP-Einheitsaufnahme

Nichteisenmetalle

Hrsg.: DIN, Deutsches Institut für Normung e.V.

Berlin; Köln: Beuth

(DIN-Taschenbuch; ...)

Literaturangaben

1. Kupfer und Kupfer-Knetlegierungen

4. Aufl., Stand der abgedr. Normen: November 1990

1991

Kupfer und Kupfer-Knetlegierungen: Normen

Hrsg.: DIN, Deutsches Institut für Normung e.V.

4. Aufl., Stand der abgedr. Normen: November 1990

Berlin; Köln: Beuth

1991

(Nichteisenmetalle; 1)

(DIN-Taschenbuch; 26)

ISBN 3-410-12500-0

NE: Deutsches Institut für Normung: DIN-Taschenbuch

Titelaufnahme nach RAK entspricht DIN 1505.

ISBN nach DIN 1462. Schriftspiegel nach DIN 1504.

Übernahme der CIP-Titelaufnahme auf Schrifttumskarten durch Kopieren oder Nachdrucken frei.

400 Seiten A5, brosch.

ISSN 0342-801X

(ISBN 3-410-11665-6 3. Aufl. Beuth Verlag)

Printed in Germany. Druck: Oskar Zach GmbH & Co. KG, Berlin

Inhalt

	Seite
Die deutsche Normung	VI
Vorwort	VII
Hinweise für das Anwenden des DIN-Taschenbuches	IX
Hinweise für den Anwender von DIN-Normen	IX
DIN-Nummernverzeichnis	X
Verzeichnis abgedruckter Normen und Norm-Entwürfe (nach Sachgebieten geordnet)	XI
Abgedruckte Normen und Norm-Entwürfe (nach steigenden DIN-Nummern geordnet)	1
Verzeichnis von Internationalen Normen und Norm-Entwürfen der ISO sowie deren Zusammenhang mit DIN	378
Stichwortverzeichnis	382

Die in den Verzeichnissen in Verbindung mit einer DIN-Nummer verwendeten Abkürzungen bedeuten:

T Teil

E Entwurf

A Änderung

Maßgebend für das Anwenden jeder in diesem DIN-Taschenbuch abgedruckten Norm ist deren Fassung mit dem neuesten Ausgabedatum.

Bei den abgedruckten Norm-Entwürfen wird auf den Anwendungswarnvermerk verwiesen.

Vergewissern Sie sich bitte im aktuellen DIN-Katalog mit neuestem Ergänzungsheft oder fragen Sie: (0 30) 26 01 - 2 60.

Die deutsche Normung

Grundsätze und Organisation

Normung ist das Ordnungsinstrument des gesamten technisch-wissenschaftlichen und persönlichen Lebens. Sie ist integrierender Bestandteil der bestehenden Wirtschafts-, Sozial- und Rechtsordnungen.

Normung als satzungsgemäße Aufgabe des DIN Deutsches Institut für Normung e. V.*) ist die planmäßige, durch die interessierten Kreise gemeinschaftlich durchgeführte Vereinheitlichung von materiellen und immateriellen Gegenständen zum Nutzen der Allgemeinheit. Sie fördert die Rationalisierung und Qualitätssicherung in Wirtschaft, Technik, Wissenschaft und Verwaltung. Normung dient der Sicherheit von Menschen und Sachen, der Qualitätsverbesserung in allen Lebensbereichen sowie einer sinnvollen Ordnung und der Information auf dem jeweiligen Normungsgebiet. Die Normungsarbeit wird auf nationaler, regionaler und internationaler Ebene durchgeführt.

Träger der Normungsarbeit ist das DIN, das als gemeinnütziger Verein Deutsche Normen (DIN-Normen) erarbeitet. Sie werden unter dem Verbandszeichen

DIN

vom DIN herausgegeben.

Das DIN ist eine Institution der Selbstverwaltung der an der Normung interessierten Kreise und als die zuständige Normenorganisation für das Bundesgebiet durch einen Vertrag mit der Bundesrepublik Deutschland anerkannt.

Information

Über alle bestehenden DIN-Normen und Norm-Entwürfe informieren der jährlich neu herausgegebene DIN-Katalog für technische Regeln und die dazu monatlich erscheinenden kumulierten Ergänzungshefte.

Die Zeitschrift DIN-MITTEILUNGEN + elektronorm – Zentralorgan der deutschen Normung – berichtet über die Normungsarbeit im In- und Ausland. Deren ständige Beilage „DIN-Anzeiger für technische Regeln“ gibt sowohl die Veränderungen der technischen Regeln sowie die neu in das Arbeitsprogramm aufgenommenen Regelungsvorhaben als auch die Ergebnisse der regionalen und internationalen Normung wieder.

Auskünfte über den jeweiligen Stand der Normungsarbeit im nationalen Bereich sowie in den europäisch-regionalen und internationalen Normenorganisationen vermittelt:
Deutsches Informationszentrum für technische Regeln (DITR) im DIN, Burggrafenstraße 6, D-1000 Berlin 30; Telefon (0 30) 26 01 - 2 60, Telex 185 269 ditr d.

Bezug der Normen und Normungsliteratur

Sämtliche Deutsche Normen und Norm-Entwürfe, Europäische Normen, Internationale Normen sowie alles weitere Normen-Schrifttum sind beziehbar durch den organschaftlich mit dem DIN verbundenen Beuth Verlag GmbH, Burggrafenstraße 6, D-1000 Berlin 30; Telefon: (0 30) 26 01 - 2 60, Telex: 183 622 bvb d/185 730 bvb d, Telefax: (0 30) 26 01 - 2 31, Teletex: 30 21 07 bvb awg.

DIN-Taschenbücher

In DIN-Taschenbüchern sind die für einen Fach- oder Anwendungsbereich wichtigen DIN-Normen, auf Fomat A5 verkleinert, zusammengestellt. Die DIN-Taschenbücher haben in der Regel eine Laufzeit von drei Jahren, bevor eine Neuauflage erscheint. In der Zwischenzeit kann ein Teil der abgedruckten DIN-Normen überholt sein. Maßgebend für das Anwenden jeder Norm ist jeweils deren Fassung mit dem neuesten Ausgabedatum.

---

*) Im folgenden in der Kurzform DIN verwendet

Vorwort

Die vorliegende 4. Auflage des DIN-Taschenbuches 26 enthält 75 Normen und Norm-Entwürfe. Davon sind vier Normen und zwei Norm-Entwürfe neu aufgenommen und vier Normen überarbeitet worden.

Die Norm DIN 17650 „Technische Lieferbedingungen für Bänder für das Bauwesen" ist neu erschienen.

Vier Normen wurden überarbeitet, z. B.

- DIN 1777 und DIN 2076 sind nunmehr endgültige Normen und
- zwei Normen als Folgeausgabe erschienen.

Zu der abgedruckten Norm DIN 17600 Teil 1 bestehen Norm-Entwürfe, und zwar

- Grundbegriffe für Werkstoffe (Teil 1)
- Begriffe für Halbzeug (Teil 2)
- Begriffe für Gußstücke (Teil 3)
- Begriffe für Rohformen (Teil 4)
- Die Norm-Entwürfe DIN 17600 Teil 10 bis Teil 15 enthalten die „Einteilungen der Aluminium-, Kupfer-, Nickel-, Blei-, Zink- und Zinn-Werkstoffe".

Der Norm-Entwurf DIN 1780 ist in die Norm DIN 1777 übernommen worden.

Das Verzeichnis der Internationalen Normen des ISO/TC 26 für Kupfer und Kupferlegierungen und deren Zusammenhang mit DIN-Normen wurde überprüft und auf den neuesten Stand gebracht.

Der Inhalt dieses Taschenbuches entspricht dem Stand der Normung vom 30. November 1990.

Köln, im Mai 1991 H. Mohr

Inserentenverzeichnis

Die inserierenden Firmen und die Aussagen in Inseraten stehen nicht notwendigerweise in einem Zusammenhang mit den in diesem Buch abgedruckten Normen. Aus dem Nebeneinander von Inseraten und redaktionellem Teil kann weder auf die Normgerechtigkeit der beworbenen Produkte oder Verfahren geschlossen werden, noch stehen die Inserenten notwendigerweise in einem besonderen Zusammenhang mit den wiedergegebenen Normen. Die Inserenten dieses Buches müssen auch nicht Mitarbeiter eines Normenausschusses oder Mitglied des DIN sein. Inhalt und Gestaltung der Inserate liegen außerhalb der Verantwortung des DIN.

DKI Deutsches Kupfer-Institut 2. Umschlagseite
1000 Berlin 12

Zuschriften bezüglich des Anzeigenteils werden erbeten an

Darge
Verlag & Werbung
Potsdamer Straße 68
1000 Berlin 30

Hinweise für das Anwenden des DIN-Taschenbuches

Eine **Norm** ist das herausgegebene Ergebnis der Normungsarbeit.

Deutsche Normen (DIN-Normen) sind vom DIN Deutsches Institut für Normung e.V. unter dem Zeichen DIN herausgegebene Normen.

Sie bilden das Deutsche Normenwerk.

Eine **Vornorm** war bis etwa März 1985 eine Norm, zu der noch Vorbehalte hinsichtlich der Anwendung bestanden und nach der versuchsweise gearbeitet werden konnte. Ab April 1985 wird eine Vornorm nicht mehr als Norm herausgegeben. Damit können auch Arbeitsergebnisse, zu deren Inhalt noch Vorbehalte bestehen oder deren Aufstellungsverfahren gegenüber dem einer Norm abweicht, als Vornorm herausgegeben werden (Einzelheiten siehe DIN 820 Teil 4).

Eine **Auswahlnorm** ist eine Norm, die für ein bestimmtes Fachgebiet einen Auszug aus einer anderen Norm enthält, jedoch ohne sachliche Veränderungen oder Zusätze.

Eine **Übersichtsnorm** ist eine Norm, die eine Zusammenstellung aus Festlegungen mehrerer Normen enthält, jedoch ohne sachliche Veränderungen oder Zusätze.

Teil (früher Blatt genannt) kennzeichnet eine Norm, die den Zusammenhang zu anderen Festlegungen – in anderen Teilen – dadurch zum Ausdruck bringt, daß sich die DIN-Nummer nur in der Zählnummer hinter dem Wort Teil unterscheidet. In den Verzeichnissen dieses DIN-Taschenbuches ist deshalb bei DIN-Nummern generell die Abkürzung „T" für die Benennung „Teil" angegeben; sie steht zutreffendenfalls auch synonym für „Blatt".

Ein **Kreuz** hinter dem Ausgabedatum kennzeichnet, daß gegenüber der Norm mit gleichem Ausgabedatum, jedoch ohne Kreuz, eine unwesentliche Änderung vorgenommen wurde. Seit 1969 werden keine neuen Kreuzausgaben mehr herausgegeben.

Ein **Beiblatt** enthält Informationen zu einer Norm, jedoch keine zusätzlichen genormten Festlegungen.

Ein **Norm-Entwurf** ist das vorläufig abgeschlossene Ergebnis einer Normungsarbeit, das in der Fassung der vorgesehenen Norm der Öffentlichkeit zur Stellungnahme vorgelegt wird.

Die Gültigkeit von Normen beginnt mit dem Zeitpunkt des Erscheinens (Einzelheiten siehe DIN 820 Teil 4). Das Erscheinen wird im DIN-Anzeiger angezeigt.

Hinweise für den Anwender von DIN-Normen

Die Normen des Deutschen Normenwerkes stehen jedermann zur Anwendung frei.

Festlegungen in Normen sind aufgrund ihres Zustandekommens nach hierfür geltenden Grundsätzen und Regeln fachgerecht. Sie sollen sich als „anerkannte Regeln der Technik" einführen. Bei sicherheitstechnischen Festlegungen in DIN-Normen besteht überdies eine tatsächliche Vermutung dafür, daß sie „anerkannte Regeln der Technik" sind. Die Normen bilden einen Maßstab für einwandfreies technisches Verhalten; dieser Maßstab ist auch im Rahmen der Rechtsordnung von Bedeutung. Eine Anwendungspflicht kann sich aufgrund von Rechts- oder Verwaltungsvorschriften, Verträgen oder sonstigen Rechtsgründen ergeben. DIN-Normen sind nicht die einzige, sondern eine Erkenntnisquelle für technisch ordnungsgemäßes Verhalten im Regelfall. Es ist auch zu berücksichtigen, daß DIN-Normen nur den zum Zeitpunkt der jeweiligen Ausgabe herrschenden Stand der Technik berücksichtigen können. Durch das Anwenden von Normen entzieht sich niemand der Verantwortung für eigenes Handeln. Jeder handelt insoweit auf eigene Gefahr.

Jeder, der beim Anwenden einer DIN-Norm auf eine Unrichtigkeit oder eine Möglichkeit einer unrichtigen Auslegung stößt, wird gebeten, dies dem DIN unverzüglich mitzuteilen, damit etwaige Mängel beseitigt werden können.

DIN-Nummernverzeichnis

Hierin bedeuten:

● Neu aufgenommen gegenüber der 3. Auflage des DIN-Taschenbuches 26

□ Geändert gegenüber der 3. Auflage des DIN-Taschenbuches 26

○ Zur abgedruckten Norm besteht ein Norm-Entwurf

(En) Von dieser Norm gibt es auch eine vom DIN herausgegebene englische Übersetzung

DIN	Seite	DIN	Seite	DIN	Seite
1707 (En)	1	17 471	150	17 674 T 4 (En)	279
1708 (En)	9	17 600 T 1 ○ (En)	156	17 674 T 5 (En)	282
1733 T 1 □	13	17 650 ● (En)	158	17 675 T 1 (En)	285
1751 (En)	21	17 652 (En)	162	17 675 T 2 (En)	289
1754 T 1 (En)	26	17 657 (En)	165	17 675 T 3 (En)	292
1755 T 1 (En)	31	17 660 (En)	169	17 677 T 1 (En)	295
1755 T 2 (En)	38	17 662 (En)	178	17 677 T 2 (En)	302
1755 T 3 (En)	49	17 663 (En)	183	17 678 T 1 (En)	304
1756 (En)	57	17 664 (En)	189	17 678 T 2 (En)	307
1757 (En)	61	17 665 (En)	195	17 678 T 3 (En)	309
1759 (En)	68	17 666 (En)	201	17 678 T 4 (En)	311
1761 (En)	80	17 670 T 1 (En)	208	17 679 (En)	313
1763 (En)	84	E 17 670 T 1 A 1 ●	224	17 682 (En)	321
1777 □ (En)	88	17 670 T 2 (En)	225	40 500 T 1	324
1782 (En)	96	17 671 T 1 (En)	227	40 500 T 2	328
1785 (En)	100	17 671 T 2 (En)	235	40 500 T 3	332
1786 (En)	107	17 672 T 1 (En)	237	E 40 500 T 4 ●	336
1787 (En)	113	17 672 T 2 (En)	248	40 500 T 5 ● (En)	347
1791 (En)	117	17 673 T 1 (En)	250	50 049 □ (En)	351
2076 □ (En)	122	17 673 T 2 (En)	254	50 911 (En)	355
8513 T 1 (En)	127	17 673 T 3 (En)	257	50 916 T 1	357
8513 T 2 (En)	132	17 673 T 4 (En)	264	50 916 T 2 ● (En)	359
8513 T 3 □ (En)	135	17 674 T 1 (En)	271	59 750	362
8513 T 5 ● (En)	142	17 674 T 2 (En)	274	59 752	367
17 007 T 4 (En)	146	17 674 T 3 (En)	276	59 753	373

Gegenüber der letzten Auflage nicht mehr abgedruckte Normen

DIN	DIN
1701	1719
1704	E 1780*)
1706	40 500 T 4

*) Ersetzt durch DIN 1777

Verzeichnis abgedruckter Normen und Norm-Entwürfe

(nach Sachgebieten geordnet)

DIN	Ausg.	Titel	Seite
		Grundnormen	
17 007 T 4	07.63	Werkstoffnummern; Systematik der Hauptgruppen 2 und 3: Nichteisenmetalle	146
17 600 T 1	12.69	Terminologie der Nichteisenmetalle; Oberbegriff, Ordnungsmerkmale	156
50 049	08.86	Bescheinigungen über Materialprüfungen	351
50 911	06.80	Prüfung von Kupferlegierungen; Quecksilbernitratversuch	355
50 916 T 1	08.76	Prüfung von Kupferlegierungen; Spannungsrißkorrosionsversuch mit Ammoniak, Prüfung von Rohren, Stangen und Profilen	357
50 916 T 2	09.85	Prüfung von Kupferlegierungen; Spannungsrißkorrosionsprüfung mit Ammoniak; Prüfung von Bauteilen	359
		Zusammensetzung	
1707	02.81	Weichlote; Zusammensetzung, Verwendung, Technische Lieferbedingungen	1
1708	01.73	Kupfer; Kathoden und Gußformate	9
1733 T 1	06.88	Schweißzusätze für Kupfer und Kupferlegierungen; Zusammensetzung, Verwendung und Technische Lieferbedingungen	13
1787	01.73	Kupfer; Halbzeug	113
8513 T 1	10.79	Hartlote; Kupferbasislote, Zusammensetzung, Verwendung, Technische Lieferbedingungen	127
8513 T 2	10.79	Hartlote; Silberhaltige Lote mit weniger als 20 Gew.-% Silber, Zusammensetzung, Verwendung, Technische Lieferbedingungen	132
8513 T 3	07.86	Hartlote; Silberhaltige Lote mit mindestens 20% Silber; Zusammensetzung, Verwendung, Technische Lieferbedingungen	135
8513 T 5	02.83	Hartlote; Nickelbasislote zum Hochtemperaturlöten; Verwendung, Zusammensetzung, Technische Lieferbedingungen	142
17 471	04.83	Widerstandslegierungen; Eigenschaften	150
17 657	03.73	Kupfer-Vorlegierungen; Zusammensetzung	165
17 660	12.83	Kupfer-Knetlegierungen; Kupfer-Zink-Legierungen (Messing), (Sondermessing); Zusammensetzung	169
17 662	12.83	Kupfer-Knetlegierungen; Kupfer-Zinn-Legierungen (Zinnbronze); Zusammensetzung	178
17 663	12.83	Kupfer-Knetlegierungen; Kupfer-Nickel-Zink-Legierungen (Neusilber); Zusammensetzung	183
17 664	12.83	Kupfer-Knetlegierungen; Kupfer-Nickel-Legierungen; Zusammensetzung	189

DIN	Ausg.	Titel	Seite
17 665	12.83	Kupfer-Knetlegierungen; Kupfer-Aluminium-Legierungen (Aluminiumbronze); Zusammensetzung	195
17 666	12.83	Niedriglegierte Kupfer-Knetlegierungen; Zusammensetzung	201
		Eigenschaften	
1785	10.83	Rohre aus Kupfer und Kupfer-Knetlegierungen für Kondensatoren und Wärmeaustauscher	100
17 670 T 1	12.83	Bänder und Bleche aus Kupfer und Kupfer-Knetlegierungen; Eigenschaften	208
E 17 670 T 1 A 1	09.88	Bänder und Bleche aus Kupfer und Kupfer-Knetlegierungen; Eigenschaften; Ergänzung A 1	224
17 671 T 1	12.83	Rohre aus Kupfer und Kupfer-Knetlegierungen; Eigenschaften	227
17 672 T 1	12.83	Stangen aus Kupfer und Kupfer-Knetlegierungen; Eigenschaften	237
17 673 T 1	12.83	Gesenkschmiedestücke aus Kupfer und Kupfer-Knetlegierungen; Eigenschaften	250
17 674 T 1	12.83	Strangpreßprofile aus Kupfer und Kupfer-Knetlegierungen; Eigenschaften	271
17 675 T 1	07.80	Platten aus Kupfer und Kupfer-Knetlegierungen, für Kondensatoren und Wärmeaustauscher; Festigkeitseigenschaften	285
17 677 T 1	12.83	Drähte aus Kupfer und Kupfer-Knetlegierungen; Eigenschaften	295
17 678 T 1	12.83	Freiformschmiedestücke aus Kupfer und Kupfer-Knetlegierungen; Eigenschaften	304
17 679	10.83	Rohre aus Kupfer und Kupfer-Knetlegierungen mit gewalzten Rippen für Wärmeaustauscher	313
17 682	08.79	Runde Federdrähte aus Kupfer-Knetlegierungen; Festigkeitseigenschaften, Technische Lieferbedingungen	321
40 500 T 1	04.80	Kupfer für die Elektrotechnik; Bleche und Bänder aus Kupfer und silberlegiertem Kupfer, Technische Lieferbedingungen	324
40 500 T 2	04.80	Kupfer für die Elektrotechnik; Rohre aus Kupfer und silberlegiertem Kupfer, Technische Lieferbedingungen	328
40 500 T 3	04.80	Kupfer für die Elektrotechnik; Stangen, Profile aus Kupfer und silberlegiertem Kupfer, Technische Lieferbedingungen	332
E 40 500 T 4	11.88	Kupfer für die Elektrotechnik; Drähte aus Kupfer und silberlegiertem Kupfer; Technische Lieferbedingungen	336
40 500 T 5	06.83	Kupfer für die Elektrotechnik; Verzinnte Drähte; Technische Lieferbedingungen	347
		Technische Lieferbedingungen	
1733 T 1	06.88	Schweißzusätze für Kupfer und Kupferlegierungen; Zusammensetzung, Verwendung und Technische Lieferbedingungen	13

Rohre

DIN	Ausg.	Titel	Seite
1754 T 1	08.69	Rohre aus Kupfer, nahtlosgezogen; Maßbereiche und Toleranzzuordnungen	26
1755 T 1	08.69	Rohre aus Kupfer-Knetlegierungen, nahtlosgezogen; Maßbereiche und Toleranzzuordnungen	31
1755 T 2	08.69	Rohre aus Kupfer-Knetlegierungen, nahtlosgezogen; Vorzugsmaße für allgemeine Verwendung	38
1755 T 3	08.69	Rohre aus Kupfer-Knetlegierungen, nahtlosgezogen; Vorzugsmaße für Rohrleitungen	49
1786	05.80	Installationsrohre aus Kupfer, nahtlosgezogen	107
59 750	06.74	Rohre aus Kupfer und Kupfer-Knetlegierungen, gepreßt; Maße	362
59 752	11.73	Rohre und Sechskanthohlprofile aus Kupfer-Knetlegierungen, für die spanende Bearbeitung auf Automaten, nahtlosgezogen; Maße	367
59 753	05.80	Rohre aus Kupfer und Kupfer-Knetlegierungen für Kapillarlötverbindungen, nahtlosgezogen; Maße	373

Drähte, Stangen

DIN	Ausg.	Titel	Seite
1756	07.69	Rundstangen aus Kupfer und Kupfer-Knetlegierungen, gezogen; Maße	57
1757	06.74	Drähte aus Kupfer und Kupfer-Knetlegierungen, gezogen; Maße	61
1759	06.74	Rechteckstangen aus Kupfer und Kupfer-Knetlegierungen, gezogen, mit scharfen Kanten; Maße, zulässige Abweichungen, statische Werte	68
1761	07.69	Vierkantstangen aus Kupfer und Kupfer-Knetlegierungen, gezogen, mit scharfen Kanten; Maße	80
1763	07.69	Sechskantstangen aus Kupfer und Kupfer-Knetlegierungen, gezogen, mit scharfen Kanten; Maße	84
1782	07.69	Rundstangen aus Kupfer und Kupfer-Knetlegierungen, gepreßt; Maße	96
2076	12.84	Runder Federdraht; Maße, Gewichte, zulässige Abweichungen	122
17 652	06.82	Vordraht aus Kupfer	162

Strangpreßprofile

DIN	Ausg.	Titel	Seite
17 674 T 3	06.63	Strangpreßprofile aus Kupfer und Kupfer-Knetlegierungen; Gestaltung	276
17 674 T 4	06.63	Strangpreßprofile aus Kupfer und Kupfer-Knetlegierungen, gepreßt; zulässige Abweichungen	279
17 674 T 5	06.63	Strangpreßprofile aus Kupfer und Kupfer-Knetlegierungen, gezogen; zulässige Abweichungen	282
59 752	11.73	Rohre und Sechskanthohlprofile aus Kupfer-Knetlegierungen, für die spanende Bearbeitung auf Automaten, nahtlosgezogen; Maße	367

DIN	Ausg.	Titel	Seite
1785	10.83	Rohre aus Kupfer und Kupfer-Knetlegierungen für Kondensatoren und Wärmeaustauscher	100
8513 T 1	10.79	Hartlote; Kupferbasislote, Zusammensetzung, Verwendung, Technische Lieferbedingungen	127
8513 T 2	10.79	Hartlote; Silberhaltige Lote mit weniger als 20 Gew.-% Silber, Zusammensetzung, Verwendung, Technische Lieferbedingungen	132
8513 T 3	07.86	Hartlote; Silberhaltige Lote mit mindestens 20% Silber; Zusammensetzung, Verwendung, Technische Lieferbedingungen	135
17 471	04.83	Widerstandslegierungen; Eigenschaften	150
17 650	12.88	Bänder und Bleche aus Kupfer für das Bauwesen; Technische Lieferbedingungen	158
17 652	06.82	Vordraht aus Kupfer	162
17 670 T 2	06.69	Bleche und Bänder aus Kupfer und Kupfer-Knetlegierungen; Technische Lieferbedingungen	225
17 671 T 2	06.69	Rohre aus Kupfer und Kupfer-Knetlegierungen; Technische Lieferbedingungen	235
17 672 T 2	06.74	Stangen aus Kupfer und Kupfer-Knetlegierungen; Technische Lieferbedingungen	248
17 673 T 2	12.73	Gesenkschmiedestücke aus Kupfer und Kupfer-Knetlegierungen; Technische Lieferbedingungen	254
17 674 T 2	06.63	Strangpreßprofile aus Kupfer und Kupfer-Knetlegierungen; Technische Lieferbedingungen	274
17 675 T 2	07.80	Platten aus Kupfer und Kupfer-Knetlegierungen, für Kondensatoren und Wärmeaustauscher; Technische Lieferbedingungen	289
17 677 T 2	06.74	Drähte aus Kupfer und Kupfer-Knetlegierungen; Technische Lieferbedingungen	302
17 678 T 2	11.73	Freiformschmiedestücke aus Kupfer und Kupfer-Knetlegierungen; Technische Lieferbedingungen	307
17 679	10.83	Rohre aus Kupfer und Kupfer-Knetlegierungen mit gewalzten Rippen für Wärmeaustauscher	313
17 682	08.79	Runde Federdrähte aus Kupfer-Knetlegierungen; Festigkeitseigenschaften, Technische Lieferbedingungen	321
40 500 T 1	04.80	Kupfer für die Elektrotechnik; Bleche und Bänder aus Kupfer und silberlegiertem Kupfer, Technische Lieferbedingungen	324
40 500 T 2	04.80	Kupfer für die Elektrotechnik; Rohre aus Kupfer und silberlegiertem Kupfer, Technische Lieferbedingungen	328
40 500 T 3	04.80	Kupfer für die Elektrotechnik; Stangen, Profile aus Kupfer und silberlegiertem Kupfer, Technische Lieferbedingungen	332
E 40 500 T 4	11.88	Kupfer für die Elektrotechnik; Drähte aus Kupfer und silberlegiertem Kupfer; Technische Lieferbedingungen	336
40 500 T 5	06.83	Kupfer für die Elektrotechnik; Verzinnte Drähte; Technische Lieferbedingungen	347

DIN	Ausg.	Titel	Seite
		Gesenkschmiedestücke	
17 673 T 3	01.74	Gesenkschmiedestücke aus Kupfer und Kupfer-Knetlegierungen; Grundlagen für die Konstruktion	257
17 673 T 4	01.74	Gesenkschmiedestücke aus Kupfer und Kupfer-Knetlegierungen; Zulässige Abweichungen	264
		Freiformschmiedestücke	
17 678 T 3	12.73	Freiformschmiedestücke aus Kupfer und Kupfer-Knetlegiegungen; Grundlagen für die Konstruktion	309
17 678 T 4	12.73	Freiformschmiedestücke aus Kupfer und Kupfer-Knetlegierungen; Zulässige Abweichungen	311
		Maße für Bänder und Bleche	
1751	06.73	Bleche und Blechstreifen aus Kupfer und Kupfer-Knetlegierungen, kaltgewalzt; Maße	21
1777	01.86	Federbänder aus Kupfer-Knetlegierungen; Technische Lieferbedingungen	88
1791	06.73	Bänder und Bandstreifen aus Kupfer und Kupfer-Knetlegierungen, kaltgewalzt; Maße	117
17 675 T 3	07.80	Platten aus Kupfer und Kupfer-Knetlegierungen, für Kondensatoren und Wärmeaustauscher; Maße	292

DK 621.791.35.04 : 669.1/.8 Februar 1981

Weichlote

Zusammensetzung, Verwendung, Technische Lieferbedingungen

DIN 1707

Soft solder metals; composition, use and technical terms of delivery

Mit DIN 8513 Teil 4
Ersatz für DIN 8512.

Zusammenhang mit der von der International Organization for Standardization (ISO) herausgegebenen Internationalen Norm ISO 3677-1976, siehe Erläuterungen.

Diese Norm wurde in Zusammenarbeit mit dem Deutschen Verband für Schweißtechnik (DVS) aufgestellt.

1 Geltungsbereich

Diese Norm gilt für Lote zum Weichlöten von Werkstücken aus Schwer- und Leichtmetallen.

2 Mitgeltende Normen

DIN 50 049 Bescheinigungen über Werkstoffprüfungen

3 Bezeichnung

Bei der Bezeichnung der Weichlote sind die Kurzzeichen oder Werkstoffnummern nach Tabelle 1 und 2 anzuwenden. Bezeichnung eines Weichlotes mit dem Kurzzeichen L-PbSn8(Sb) oder der Werkstoffnummer 2.3408:

Weichlot DIN 1707 – L – PbSn8(Sb)

oder

Weichlot DIN 1707 – 2.3408

4 Verwendung

Weichlote nach Tabelle 1 und 2 können für den jeweiligen Verwendungszweck nach folgenden bevorzugten Lötverfahren verarbeitet werden:

Flammlöten (WL–FL)
Lotbadlöten (WL–LO)
Kolbenlöten (WL–KO)
Induktionslöten (WL–IL)

Die Verwendung der Weichlote bedingt eine Aufteilung in die folgenden Gruppen:

A Blei-Zinn- und Zinn-Blei-Weichlote
  Ah antimonhaltig
  Aa antimonarm
  Af antimonfrei
B Zinn-Blei-Weichlote mit Kupfer-, Silber- oder Phosphorzusatz
C Sonder-Weichlote
D Weichlote für Aluminium-Werkstoffe

Hinweise für die Verwendung enthalten Tabellen 1 und 2.

Weitere Normen und Erläuterungen siehe Originalfassung der Norm

Fortsetzung Seite 2 bis 8

Normenausschuß Schweißtechnik (NAS) im DIN Deutsches Institut für Normung e.V.
Normenausschuß Nichteisenmetalle (FNNE) im DIN

5 Zusammensetzung und physikalische Eigenschaften (siehe Tabellen 1 und 2)

Tabelle 1. **Weichlote für Schwermetalle – Zusammensetzung, Eigenschaften, Verwendung**

Gruppe		Kurzzeichen	Werkstoffnummer	Zusammensetzung Legierungsbestandteile Gew.-% Sn	Pb	Ag	Andere	ISO-Kurzzeichen
A Blei-Zinn- und Zinn-Blei-Weichlote	Ah antimonhaltig	**L-PbSn12Sb**	2.3412	11,5 bis 12,5	Rest	–	Sb 0,20 bis 0,70	BPb88Sn 250 – 295
		L-PbSn20Sb	2.3420	19,5 bis 20,5	Rest	–	Sb 0,20 bis 1,20	BPb80Sn 186 – 270
		L-PbSn20Sb3	2.3423	19,5 bis 20,5	Rest	–	Sb 1,20 bis 3,00	BPb80SnSb 186 – 270
		L-PbSn25Sb	2.3425	24,5 bis 25,5	Rest	–	Sb 0,20 bis 1,50	BPb75Sn 186 – 260
		L-PbSn30Sb	2.3432	29,5 bis 30,5	Rest	–	Sb 0,50 bis 1,80	BPb70Sn 186 – 250
		L-PbSn35Sb	2.3437	34,5 bis 35,5	Rest	–	Sb 0,50 bis 2,00	BPb65SnSb 186 – 235
		L-PbSn40Sb	2.3442	39,5 bis 40,5	Rest	–	Sb 0,50 bis 2,40	BPb60SnSb 186 – 225
	Aa antimonarm	**L-PbSn8(Sb)**	2.3408	7,5 bis 8,5	Rest	–	Sb 0,12 bis 0,50	BPb92Sn 280 – 305
		L-PbSn30(Sb)	2.3430	29,5 bis 30,5	Rest	–	Sb 0,12 bis 0,50	BPb70Sn 183 – 255
		L-PbSn33(Sb)	2.3433	32,5 bis 33,5	Rest	–	Sb 0,12 bis 0,50	BPb67Sn 183 – 242
		L-PbSn35(Sb)	2.3435	34,5 bis 35,5	Rest	–	Sb 0,12 bis 0,50	BPb65Sn 183 – 245
		L-PbSn40(Sb)	2.3440	39,5 bis 40,5	Rest	–	Sb 0,12 bis 0,50	BPb60Sn 183 – 235
		L-PbSn45(Sb)	2.3445	44,5 bis 45,5	Rest	–	Sb 0,12 bis 0,40	BPb55Sn 183 – 224
		L-Sn50Pb(Sb)	2.3655	49,5 bis 50,5	Rest	–	Sb 0,12 bis 0,50	BSn50Pb 183 – 215
		L-Sn60Pb(Sb)	2.3665	59,5 bis 60,5	Rest	–	Sb 0,12 bis 0,50	BSn60Pb 183 – 190
	Af antimonfrei	**L-PbSn2**	2.3402	1,5 bis 2,5	Rest	–	–	BPb98Sn 320 – 325
		L-PbSn40	2.3441	39,5 bis 40,5	Rest	–	–	BPb60Sn 183 – 235
		L-Sn50Pb	2.3650	49,5 bis 50,5	Rest	–	–	BSn50Pb 183 – 215
		L-Sn60Pb	2.3660	59,5 bis 60,5	Rest	–	–	BSn60Pb 183 – 190
		L-Sn63Pb	2.3663	62,5 bis 63,5	Rest	–	–	BSn63Pb 183
		L-Sn70Pb	2.3670	69,5 bis 70,5	Rest	–	–	BSn70Pb 183 – 192
		L-Sn90Pb	2.3680	89,5 bis 90,5	Rest	–	–	BSn90Pb 183 – 215
B Zinn-Blei-Weichlote mit Kupfer-, Silber- oder Phosphorzusatz		**L-Sn50PbCu**	2.3651	49,5 bis 50,5	Rest	–	Cu 1,2 bis 1,6	BSn50Pb 183 – 215
		L-Sn60PbCu	2.3661	59,5 bis 60,5	Rest	–	Cu 0,1 bis 0,2	BSn60Pb 183 – 190
		L-Sn60PbCu2	2.3662	59,5 bis 60,5	Rest	–	Cu 1,6 bis 2,0	BSn60PbCu 183 – 190
		L-Sn50PbAg	2.3657	49,5 bis 50,5	Rest	3,0 bis 4,0	–	BSn50PbAg 178 – 210
		L-Sn60PbAg	2.3667	59,5 bis 60,5	Rest	3,0 bis 4,0	–	BSn60PbAg 178 – 180
		L-Sn63PbAg	2.3666	62,5 bis 63,5	Rest	1,3 bis 1,5	–	BSn63Pb 178
		L-Sn50PbP	2.3656	49,5 bis 50,5	Rest	–	P 0,001 bis 0,004	BSn50Pb 183 – 215
		L-Sn60PbP	2.3668	59,5 bis 60,5	Rest	–	P 0,001 bis 0,004	BSn60Pb 183 – 190
		L-Sn63PbP	2.3671	62,5 bis 63,5	Rest	–	P 0,001 bis 0,004	BSn63Pb 183
		L-Sn60PbCuP	2.3669	59,5 bis 60,5	Rest	–	Cu 0,1 bis 0,2 P 0,001 bis 0,004	BSn60Pb 183 – 190

Zulässige Beimengungen Gew.-%	Schmelzbereich Solidus °C ≈	Liquidus °C ≈	Dichte kg/dm³ ≈	bevorzugte Lötverfahren [2] WL-FL	WL-LO	WL-KO	WL-IL	Hinweise für die Verwendung
Cu 0,08 Bi 0,25 Fe 0,02 As 0,02 Al+Zn+Cd 0,005 Sonstige: zusammen 0,08	250	295	10,4	x	x			Kühlerbau
	186	270	10,0	x	x			Kühlerbau
	186	270	10,0	x				Karosseriebau (Schmierlot)
	186	260	9,8	x	x			Kühlerbau, Schmierlot
	186	250	9,6	x	x	x		Schmierlot, Bleilötungen
	186	235	9,4	x	x	x		Schmierlot, Bleilötungen
	186	225	9,1	x	x	x		Kühlerbau
	280	305	10,6	x	x		x	Kühlerbau, Thermostate
	183	255	9,7	x	x			Feinblechpackungen
	183	242	9,6	x				Kabelmantel-Lötungen
	183	245	9,5	x				Kabelmantel-Lötungen
	183	235	9,3	x	x	x		Verzinnung, Feinblechpackungen, Feinzink und legiertes Zink, Klempnerarbeiten
	183	224	9,0	x	x	x		Luftfahrtindustrie
	183	215	8,9	x	x	x		Verzinnung, Feinblechpackungen, Feinlötungen, Klempnerarbeiten
	183	190	8,5	x	x	x	x	Verzinnung, Feinlötungen, verzinkte Feinbleche, Elektroindustrie
Sb 0,12 Cu 0,05 Bi 0,10 Fe 0,02 As 0,01 Al+Zn+Cd 0,002 Sonstige: zusammen 0,08	320	325	11,1	x	x			Feinblechpackungen
	183	235	9,3	x	x	x		Feinblechpackungen, Metallwaren
	183	215	8,9	x	x	x		Elektroindustrie, Verzinnung
	183	190	8,5	x	x	x	x	Elektroindustrie, gedruckte Schaltungen, Verzinnung, Edelstähle
	183	183	8,4	x	x	x	x	Elektro- und elektronische Industrie, gedruckte Schaltungen, Miniaturtechnik
	183	192	8,2		x			Bauelementefertigung
	183	215	7,7	x				Zinnwaren
Gesamt 0,2 Sb 0,12 Bi 0,10 Fe 0,02 As 0,01 Al+Zn+Cd 0,002 Sonstige: zusammen 0,08	183	215[1]	8,9			x		Elektrogerätebau, Elektronik, Miniaturtechnik
	183	190	8,5		x			Elektrogerätebau, Elektronik, Miniaturtechnik, gedruckte Schaltungen
	183	190[1]	8,5		x	x		Elektrogerätebau, Elektronik, Miniaturtechnik, gedruckte Schaltungen
Gesamt 0,2 Sb 0,12 Cu 0,05 Bi 0,10 Fe 0,02 As 0,01 Al+Zn+Cd 0,002 Sonstige: zusammen 0,08	178	210	8,9		x	x		Elektrogerätebau, Elektronik, Miniaturtechnik, gedruckte Schaltungen
	178	180	8,5		x	x	x	Elektrogerätebau, Elektronik, Miniaturtechnik, gedruckte Schaltungen
	178	178	8,4		x	x	x	Elektrogerätebau, Elektronik, Miniaturtechnik, gedruckte Schaltungen
Gesamt 0,1 Sb 0,05 Cu 0,01 [3] Bi 0,05 Fe 0,01 As 0,01 Al+Zn+Cd 0,001 Sonstige: zusammen 0,05	183	215	7,9		x			Elektronik, gedruckte Schaltungen, insbesondere beim Schlepp-, Schwall- und Tauchlöten
	183	190	8,5		x			
	183	183	8,4		x			
	183	190	8,5		x			

1) Der Liquiduspunkt bei gekupferten Loten kann sich bis 380 °C verschieben, d. h. bis zu dieser Temperatur befinden sich in der Lotschmelze noch feste Bestandteile. Für einen praktischen Einsatz beim Kolbenlöten mit Lötspitzentemperaturen bis ≈ 350 °C hat dies jedoch keinen nachteiligen Einfluß.

2) Siehe Abschnitt 4

3) Die Grenze von 0,01 % Cu gilt nicht für die Legierung L-Sn60PbCuP.

Tabelle 1. **Weichlote für Schwermetalle – Zusammensetzung, Eigenschaften, Verwendung** (Fortsetzung)

Gruppe	Kurzzeichen	Werkstoffnummer	Zusammensetzung Legierungsbestandteile Gew.-%				ISO-Kurzzeichen
			Sn	Pb	Ag	Andere	
	L-SnIn50	2.3610	49,5 bis 50,5	–	–	In Rest	BSn50In 117 – 125
	L-SnPbCd18	2.3618	Rest	31,0 bis 32,0	–	Cd 17,5 bis 18,5	BSn50PbCd 145
	L-SnCd20	2.3620	Rest	–	–	Cd 19,5 bis 20,5	BSn80Cd 180 – 195
	L-SnAg5	2.3690	Rest	–	3,0 bis 5,0		BSn95Ag 221 – 240
	L-SnSb5	2.3695	Rest	–	–	Sb 4,5 bis 5,5	BSn95Sb 230 – 240
	L-SnCu3	2.3691	Rest	–	–	Cu 2,5 bis 3,5	BSn97Cu 230 – 250
C Sonder- Weichlote	**L-CdZnAg2**	2.2482	–	–	1,5 bis 2,5	Cd Rest Zn 15 bis 17	BCd82ZnAg 270 – 280
	L-CdZnAg5	2.2485	–	–	4,5 bis 5,5	Cd Rest Zn 21 bis 23	BCd73ZnAg 270 – 310
	L-CdZnAg10	2.2468	–	–	9,5 bis 10,5	Cd Rest Zn 21 bis 23	BCd68ZnAg 270 – 380
	L-PbAg3	2.3403	–	Rest	2,1 bis 3,0	–	BPb97Ag 304 – 305
	L-PbAg5	2.3405	–	Rest	4,5 bis 6,0	–	BPb95Ag 304 – 365
	L-PbAg2Sn2	2.3406	1,0 bis 3,0	Rest	1,5 bis 2,0	–	BPb96AgSn 304 – 310
	L-ZnSn20	2.2400	18,0 bis 20,5	0 bis 1,0	–	Zn Rest	BZn80Sn 195 – 385
	L-CdAg5	2.2480	–	–	4,5 bis 5,5	Cd Rest	BCd95Ag 340 – 395

Tabelle 2. **Weichlote für Aluminium-Werkstoffe – Zusammensetzung, Eigenschaften, Verwendung**

Gruppe	Kurzzeichen	Werkstoffnummer	Zusammensetzung Legierungsbestandteile Gew.-%			ISO-Kurzzeichen
			Sn	Zn	Andere	
	L-SnZn10	2.3820	85,0 bis 92,0	8,0 bis 15,0	–	BSn90Zn 200 – 250
D Weichlote für Aluminium- Werkstoffe	**L-SnZn40**	2.3830	55,0 bis 70,0	30,0 bis 45,0	–	BSn60Zn 200 – 340
	L-CdZn20	2.2481	–	17,0 bis 25,0	Cd 75,0 bis 83,0	BCd80Zn 265 – 280
	L-ZnAl5	2.2320	–	94,0 bis 96,0	Al 4,0 bis 6,0	BZn95Al 380 – 390

2) Siehe Abschnitt 4

5) Zur Beschränkung der Beimengungen soll der Einsatz zum Erschmelzen der Weichlote mindestens folgenden Reinheitsgraden entsprechen: Sn 99,9 Gew.-%; Cd 99,9 Gew.-%; Al 99,5 Gew.-%; Zn 99,99 Gew.-%.
Benetzungsfördernde Zusätze können bis zu 1 Gew.-% zugelassen werden, sofern sie keine nachteiligen Wirkungen auf die Lötverbindung hervorrufen.

Zulässige Beimengungen Gew.-%	Schmelzbereich Solidus °C ≈	Schmelzbereich Liquidus °C ≈	Dichte kg/dm³ ≈	bevorzugte Lötverfahren 2) WL-FL	WL-LO	WL-KO	WL-IL	Hinweise für die Verwendung
Gesamt 0,2	117	125	7,2	x		x		Glas-Metall-Lötungen
	145	145	8,5	x	x	x	x	Stufenlötungen, Zinnwaren, Schmelzsicherungen, Kondensatoren, Feinlötungen, Kabellötung, Einbrennlötungen für Keramik
	180	195	7,5		x	x	x	Elektrotechnik
	221	240	7,3	x	x	x	x	Kupferrohrinstallationen (Warmwasser und Heizung), Elektroindustrie, Kälteindustrie, Edelstähle
	230	240	7,3	x	x	x		Kälteindustrie
	230	250[4]	7,3	x	x	x	x	Kupferrohrinstallationen, Klempnerarbeiten, Metallwaren, Elektromotoren Isolierklasse F
	270	280	8,3	x		x		Elektroindustrie, Elektromotoren Isolierstoffklasse F
	270	310	8,3	x		x		Elektroindustrie, Elektromotoren Isolierstoffklasse F
	270	380	8,4	x		x		Elektroindustrie, Elektromotoren Isolierstoffklasse F
	304	305	11,1	x		x		Elektroindustrie, Elektromotoren Isolierstoffklasse F
	304	365	11,2	x		x		Für hohe Betriebstemperaturen, u. a. in der Luftfahrtindustrie
	304	310	11,0	x		x		Elektroindustrie, Elektromotoren Isolierstoffklasse F, Luftfahrtindustrie
	195	385	7,1	x		x		Stufenlötungen (Erstlot)
	340	395	8,3	x				Für hohe Betriebstemperaturen, Elektromotoren Isolierklasse H

2) Siehe Abschnitt 4

4) Der Liquiduspunkt kann sich bis ca. 300 °C verschieben, d. h. bis zu dieser Temperatur befinden sich in der Lotschmelze noch feste Bestandteile; für einen praktischen Einsatz hat dies jedoch keinen nachteiligen Einfluß.

Zulässige Beimengungen Gew.-%	Schmelzbereich Solidus °C ≈	Schmelzbereich Liquidus °C ≈	Dichte kg/dm³ ≈	bevorzugte Lötverfahren 2) WL-FL	WL-LO	WL-KO	WL-IL	Hinweise für die Verwendung
Gesamt 1,0 5)	200	250	7,3	x		x		Reiblöten, vorzugsweise Ultraschall-Löten
	200	340	7,1	x		x		Reiblöten, vorzugsweise für Al-Kabelmäntel, auch Löten mit lotbildenden Flußmitteln (Typ F-LW1) 6)
	265	280	8,1	x		x	x	Löten mit Flußmittel (Typ F-LW2) 6)
	380	390	6,9	x	x			Ultraschall- und Ofenlöten

6) Flußmittel-Typen siehe DIN 8511 Teil 3.

Tabelle 3. **Lieferformen, Maße und Gewichte**

Gruppe		Kurzzeichen	Werkstoff-nummer	Lotblöcke gegossen	Lotstangen gegossen		Lotfäden gegossen		Lotstäbe 7) Durchmesser 9) mm		Lotdraht 8) Durchmesser 9) mm		Lotbänder und -folien 9) gewalzt	
				Gewicht	Länge	Gewicht	Länge	Dicke	gezogen (zh) (.20) ± 0,1	gepreßt gewalzt (gp) (.08) ± 0,3	gezogen (zh) (.20) ± 0,1	gepreßt gewalzt (gp) (.08) ± 0,3	Dicke	Breite
				kg	mm	g	mm	mm					mm	mm
A Blei-Zinn- und Zinn-Blei-Weichlote	Ah antimon-haltig	L-PbSn12Sb L-PbSn20Sb L-PbSn20Sb3 L-PbSn25Sb L-PbSn30Sb L-PbSn35Sb L-PbSn40Sb	2.3412 2.3420 2.3423 2.3425 2.3432 2.3437 2.3442	10 bis 12	400	100 bis 300	400 bis 500	2 bis 4	4 bis 5		4 bis 5		–	–
	Aa antimon-arm	L-PbSn8(Sb) L-PbSn30(Sb) L-PbSn33(Sb) L-PbSn35(Sb) L-PbSn40(Sb) L-PbSn45(Sb) L-Sn50Pb(Sb) L-Sn60Pb(Sb)	2.3408 2.3430 2.3433 2.3435 2.3440 2.3445 2.3655 2.3665	10 bis 12	400	100 bis 300	400 bis 500	2 bis 4	2 bis 5		1 bis 6		– 0,06 bis 0,09	– 5 bis 200
	Af antimon-frei	L-PbSn2 L-PbSn40 L-Sn50Pb L-Sn60Pb L-Sn63Pb L-Sn70Pb L-Sn90Pb	2.3402 2.3441 2.3650 2.3660 2.3663 2.3670 2.3680	10 bis 12	400	100 bis 300	–	–	2 bis 4		1 bis 3		0,1 bis 0,8	5 bis 50

7) bis 9) Siehe Seite 7

B Zinn-Blei-Weichlote mit Kupfer-, Silber- oder Phosphorzusatz	L-Sn50PbCu L-Sn60PbCu L-Sn60PbCu2 L-Sn50PbAg L-Sn60PbAg L-Sn63PbAg	2.3651 2.3661 2.3662 2.3657 2.3667 2.3666	–	400	100 bis 300	–	–	–	0,5 bis 2	–	–
	L-Sn50PbP L-Sn60PbP L-Sn63PbP L-Sn60PbCuP	2.3656 2.3668 2.3671 2.3669	–	400	100 bis 300	–	–	–	–	–	–
C Sonderweichlote	L-SnIn50 L-SnPbCd18 L-SnCd20 L-SnAg5 L-SnSb5 L-SnCu3 L-CdZnAg2 L-CdZnAg5 L-CdZnAg10 L-PbAg3 L-PbAg5 L-PbAg2Sn2 L-ZnSn20 L-CdAg5	2.3610 2.3618 2.3620 2.3690 2.3695 2.3691 2.2482 2.2485 2.2468 2.3403 2.3405 2.3406 2.2400 2.2480	–	400	100 bis 300	–	–	1,5 bis 3	1 bis 3	– 0,1 bis 0,8	– 20 bis 200
								2 bis 3	2 bis 3	–	–
								–	1 bis 3	0,1 bis 0,8	20 bis 200
								2 bis 3	2 bis 3	–	–
D Weichlote für Aluminium-Werkstoffe	L-SnZn10 L-SnZn40 L-CdZn20 L-ZnAl5	2.3820 2.3830 2.2481 2.2320	–	400	100 bis 300	–	–	2 bis 3	–	–	–

7) Kennlänge 500 mm. Für die leeren Fächer bestehen z. Z. keine bevorzugten Werte.

8) Lotdraht als Volldraht oder Röhrenlot mit Flußmittelseele. Für Flußmittelseelen, die nicht nach DIN 8516 klassifiziert sind, gilt folgendes Bestellbeispiel: 100 kg Röhrenlot von Durchmesser 2 mm der Legierung L-Sn60Pb oder der Werkstoffnummer 2.3660, im Zustand gezogen (zh oder Anhängezahl .20 bei Werkstoffnummer), mit einer Füllung aus 2 Gew.-% Flußmittel Typ F-SW24 DIN 8511: 100 kg Röhrenlot 2 DIN 1707 – L-Sn60Pbzh/F-SW24 DIN 8511 – 2.

9) Aus dem angegebenen Bereich ist bei Bestellung ein Wert zu vereinbaren und in der Norm-Bezeichnung anzugeben.

6 Technische Lieferbedingungen

6.1 Lieferformen, Maße, Gewichte, Bezeichnung

6.1.1 Lieferformen, Maße, Gewichte

Die Weichlote werden als Blöcke, Stangen, Fäden, Drähte, Stäbe, Bänder, Folien, Lotformteile, Pulver und als Lotpasten (gemischt mit Weichlötflußmitteln) geliefert. Lieferformen, Maße und Gewichte siehe Tabelle 3.

6.1.2 Bezeichnung

Bezeichnung eines Lotdrahtes aus dem Weichlot mit dem Kurzzeichen L-PbSn30Sb oder der Werkstoffnummer 2.3432 im Zustand gezogen (zh oder Anhängezahl .20 bei Werkstoffnummer) mit 4 mm Durchmesser:

Lotdraht DIN 1707 – L-PbSn30Sbzh-4

oder

Lotdraht DIN 1707 – 2.3432.20-4

Anmerkung: Als Benennungs-Block der Norm-Bezeichnung ist die entsprechende Benennung aus dem Abschnitt 6.3 zu verwenden.

6.2 Bestellbezeichnung

100 kg Lotdraht der Legierung L-PbSn30Sb oder der Werkstoffnummer 2.3432 im Zustand gezogen (zh oder Anhängezahl .20 bei Werkstoffnummer) mit 4 mm Durchmesser auf Spulen:

100 kg Lotdraht DIN 1707 – L-PbSn30Pbzh-4 auf Spulen

oder

100 kg Lotdraht DIN 1707 – 2.3432.20-4 auf Spulen

6.3 Lieferart

Lotstange, Lotfaden und Lotstab gebündelt

Lotdraht, Lotband und Lotfolie auf Spulen, in Rollen oder Bunden

6.4 Oberflächenbeschaffenheit

Die Oberfläche der Lotblöcke, Lotstangen, Lotfäden Lotdrähte, Lotstäbe, Lotbänder, Lotfolien und Lotformteile muß frei von schädlichen Verunreinigungen sein.

6.5 Prüfung und Abnahme

Für die Abnahme kann auf Wunsch eine Werksbescheinigung nach DIN 50 049 ausgestellt werden. Soweit vom Besteller Prüfungen gewünscht werden, sind mit dem Lieferer entsprechende Vereinbarungen zu treffen.

Schiedsanalysen bzw. Probenahme sind nach der neuesten Ausgabe der „Analyse der Metalle" des Chemikerausschusses der Gesellschaft Deutscher Metallhütten- und Bergleute e.V., Band 1: „Schiedsverfahren" bzw. Band 3: „Probenahme" auszuführen (Berlin – Göttingen – Heidelberg: Springer-Verlag).

7 Kennzeichnung

Jeder Block, jede Stange und jede Packung muß gekennzeichnet sein. Die Kennzeichnung soll neben dem Zeichen des Herstellers den Identifizierungs-Block der Norm-Bezeichnung nach Abschnitt 3 (z. B. DIN 1707 – L-PbSn8(Sb) und das ISO-Kurzzeichen nach Tabelle 1 und 2 enthalten.

Auf allen Verpackungen kadmiumhaltiger Lote muß folgender Hinweis enthalten sein:

Kadmiumhaltiges Lot. Überhitzen ist schlechtes Löten und kann zu gesundheitsschädigenden Dämpfen führen.

8 Hinweise für die Arbeitssicherheit

Die im Kurzzeichen mit Cd gekennzeichneten Weichlote enthalten Kadmium in nicht vernachlässigbaren Mengen. Bei unsachgemäßer Verarbeitung, insbesondere erheblicher Überhitzung, können gesundheitsschädliche Kadmiumoxid-Dämpfe entstehen. Die Bestimmungen in UVV-VBG 15 [10]) bezüglich der Belüftung von Werkstatt und Arbeitsplatz sind zu beachten.

Bei nicht genormten kadmiumhaltigen Weichloten muß entsprechend verfahren werden.

---

[10]) VBG 15 „Schweißen, Schneiden und verwandte Arbeitsverfahren", zu beziehen durch Carl Heymanns Verlag, 5 Köln 1, Gereonstraße 18-32

DK 669.333 Januar 1973

	Kupfer Kathoden und Gußformate	DIN 1708

Copper cathodes and refinery shapes
Cathodes et formes brutes d'affinerie en cuivre

Zusammenhang mit mehreren von der International Organization for Standardization (ISO) herausgegebenen Empfehlungen siehe Tabelle.

1. Geltungsbereich

Diese Norm gilt für Kupfersorten, die von den Hütten-, Raffinier- und Umschmelzbetrieben in Form von Kathoden und Gußformaten hergestellt werden (siehe Tabelle).

Diese Norm gilt nicht für:

Halbzeug aus Kupfer, siehe DIN 1787

Gußstücke aus Kupfer, siehe DIN 17 655.

2. Bezeichnung

Zum Bezeichnen der Kupfersorten nach dieser Norm sind die Kurzzeichen oder Werkstoffnummern nach der Tabelle anzuwenden.

3. Verwendung

Die Tabelle gibt Hinweise auf die typischen Eigenschaften und für die bevorzugte Verwendung der einzelnen Kupfersorten. Die aufgeführten Beispiele erheben keinen Anspruch auf Vollständigkeit.

4. Lieferformen

Die handelsüblichen Lieferformen sind in der Tabelle durch X gekennzeichnet.

5. Prüfung der Zusammensetzung

Schiedsanalyse bzw. Probenahme sind nach der neuesten Ausgabe der „Analyse der Metalle" des Chemikerausschusses der Gesellschaft Deutscher Metallhütten- und Bergleute e. V., Band 1: „Schiedsanalysen" bzw. Band 3: „Probenahme", auszuführen (Berlin — Göttingen — Heidelberg, Springer-Verlag).

Auf jeden gefundenen Einzelwert ist die Rundungsregel nach DIN 1333 anzuwenden. Die gerundete Zahl darf die für die Zusammensetzung festgelegten Grenzwerte nicht überschreiten.

Fortsetzung Seite 2 und 3
Erläuterungen Seite 4

Fachnormenausschuß Nichteisenmetalle im Deutschen Normenausschuß (DNA)

Kurzzeichen	Werkstoffnummer	Zusammensetzung in Gew.-%	ISO-Kurzzeichen
Kathodenkupfer			
KE-Cu	**2.0050**	Cu ≧ 99,90 1)	Cu-CATH (ISO/DR 2311)
Sauerstoffhaltiges Kupfer			
E1-Cu58 2)	**2.0061** 2)	Cu ≧ 99,90 1) Sauerstoff 0,005 bis 0,040 3)	Cu-ETP (ISO/R 431)
E2-Cu58 2)	**2.0062** 2)	Cu ≧ 99,90 1) Sauerstoff 0,005 bis 0,040 3)	Cu-FRHC (ISO/R 1428)
E-Cu57 *)	**2.0060**	Cu ≧ 99,90 1) Sauerstoff 0,005 bis 0,040 3)	–
F-Cu	**2.0080**	Cu ≧ 99,90 Sauerstoff 0,015 bis 0,040 3)	Cu-FRTP (ISO/R 1429)
Sauerstofffreies Kupfer, nicht desoxydiert			
OF-Cu	**2.0040**	Cu ≧ 99,95	Cu-OF (in Vorbereitung)
Sauerstofffreies Kupfer, mit Phosphor desoxydiert			
SE-Cu 4)	**2.0070** 4)	Cu ≧ 99,90 1) P ≈ 0,003 5)	–
SW-Cu	**2.0076**	Cu ≧ 99,90 P 0,005 bis 0,014	Cu-DLP (ISO/R 1430)
SF-Cu	**2.0090**	Cu ≧ 99,90 P 0,015 bis 0,040	Cu-DHP (ISO/R 1430)

1) Der Reinheitsgrad gilt als eingehalten, wenn die elektrische Leitfähigkeit im weichen Zustand bei KE-Cu, E1-Cu58 und E2-Cu58 ≧ 58,0 m/Ω · mm², bei E-Cu57 und SE-Cu ≧ 57,0 m/Ω · mm² beträgt. Probenahme und Prüfverfahren sind zu vereinbaren.

2) Diese Kupfersorten werden zur Herstellung von Halbzeug aus E-Cu58 nach DIN 1787 verwendet.

3) Örtliche Überschreitungen des oberen Grenzwertes sind zulässig. Einengungen innerhalb der angegebenen Grenzen sind bei Bestellung zu vereinbaren.

4) SE-Cu wird im allgemeinen mit einer elektrischen Leitfähigkeit im weichen Zustand von ≧ 57,0 m/Ω · mm² geliefert. Auf Vereinbarung kann es auch mit einer elektrischen Leitfähigkeit von ≧ 58,0 m/Ω · mm² und niedrigerem Phosphorgehalt geliefert werden.

5) Phosphor kann ganz oder teilweise durch andere Desoxydationsmittel ersetzt werden.

*) Bisheriges Kurzzeichen E-Cu (siehe DIN 40 500 Blatt 1 bis Blatt 3, Ausgabe September 1970).

Hinweise auf Eigenschaften und Verwendung	Lieferformen			
	Massel Kerbblock	Draht-barren	Rund-barren	Walzflach-barren
Verwendet als Einsatz zum Einschmelzen von Werkstoffen auf Kupferbasis, insbesondere bei Anforderungen an hohe elektrische Leitfähigkeit.	Nur als Kathoden			
Elektrolytisch raffiniertes sauerstoffhaltiges (zähgepoltes) Kupfer mit einer elektrischen Leitfähigkeit im weichen Zustand von mindestens 58,0 m/Ω · mm², jedoch ohne Anforderungen an Schweiß- und Hartlötbarkeit. Verwendet zum Herstellen von Halbzeug und Gußstücken.	X	X	X	X
Feuerraffiniertes, sauerstoffhaltiges (zähgepoltes) Kupfer mit einer elektrischen Leitfähigkeit im weichen Zustand von mindestens 58,0 m/Ω · mm², jedoch ohne Anforderungen an Schweiß- und Hartlötbarkeit. Verwendet zum Herstellen von Halbzeug und Gußstücken.	X	X	X	X
Sauerstoffhaltiges (zähgepoltes) Kupfer mit einer elektrischen Leitfähigkeit im weichen Zustand von mindestens 57,0 m/Ω · mm², jedoch ohne Anforderungen an Schweiß- und Hartlötbarkeit. Verwendet zum Herstellen von Halbzeug und Gußstücken.	X	X	X	X
Feuerraffiniertes sauerstoffhaltiges (gepoltes) Kupfer ohne besondere Anforderungen an die elektrische Leitfähigkeit. Verwendet als Vormaterial zum Herstellen von Gußstücken und Legierungen.	X			
Kupfer hoher Reinheit, weitgehend frei von im Vakuum verdampfenden Elementen, mit einer elektrischen Leitfähigkeit im weichen Zustand von mindestens 58,0 m/Ω · mm². Verwendet zum Herstellen von Halbzeug mit hohen Anforderungen an Wasserstoffbeständigkeit [6]), Schweiß- und Hartlötbarkeit.		X	X	X
Desoxydiertes Kupfer mit niedrigem Restphosphorgehalt [5]) und hoher elektrischer Leitfähigkeit [4]). Verwendet zum Herstellen von Halbzeug hoher elektrischer Leitfähigkeit und hohen Anforderungen an Umformbarkeit, mit guter Schweiß- und Hartlötbarkeit sowie Wasserstoffbeständigkeit [6]).		X	X	X
Desoxydiertes Kupfer mit begrenztem niedrigen Restphosphorgehalt. Verwendet zum Herstellen von Halbzeug ohne festgelegte elektrische Leitfähigkeit (etwa 52,0 m/Ω · mm²), jedoch mit guter Schweiß- und Hartlötbarkeit sowie Wasserstoffbeständigkeit [6]).		X	X	X
Desoxydiertes Kupfer mit begrenztem hohen Restphosphorgehalt. Verwendet zum Herstellen von Halbzeug ohne Anforderungen an elektrische Leitfähigkeit, jedoch mit sehr guter Schweiß- und Hartlötbarkeit sowie Wasserstoffbeständigkeit [6]).		X	X	X

[6]) Die Wasserstoffbeständigkeit wird an Drähten geprüft, wie in DIN 17 677 Blatt 2 (z. Z. noch Entwurf) festgelegt. Wenn diese Prüfbedingungen den Anforderungen nicht genügen, so sind andere Prüfbedingungen bei Bestellung zu vereinbaren (siehe Erläuterungen).

Erläuterungen

Die vorliegende Ausgabe von DIN 1708 berücksichtigt drei verschiedene Gruppen von Kupfersorten: sauerstoffhaltiges Kupfer, sauerstofffreies Kupfer nicht desoxydiert sowie sauerstofffreies Kupfer mit Phosphor desoxydiert. Dazu dürften einige Hinweise von Nutzen sein:

Das zähgepolte Kupfer hat – seinem Herstellungsgang entsprechend – einen Gehalt an Sauerstoff in Höhe von 0,005 bis 0,040 %. Dieser Sauerstoffgehalt hat neben Vorzügen, die sich auf wirtschaftliche Erzeugung, Gießbarkeit und Reinheit, d. h. Bindung von Spurenelementen erstrecken, den Nachteil, daß beim Glühen in wasserstoffhaltiger Atmosphäre und beim Schweißen und Härtlöten mit offener Flamme das Kupfer durch Versprödung infolge von Wasserstoffkrankheit gefährdet ist. Die Schadensursache liegt in dem Eindringen von Wasserstoff in das glühende Kupfer. Der eindringende Wasserstoff reagiert mit dem vorhandenen Kupferoxid unter Bildung von Wasserdampf, dessen Druck die Korngrenzen aufweitet und die Brüchigkeit verursacht.

Die Gefahr der Wasserstoffkrankheit kann durch Wärmebehandlung und Schweiß- bzw. Lötverfahren vermieden werden, die dem Kupfer keinen Wasserstoff anbieten. Die Wasserstoffkrankheit ist insbesondere zu befürchten beim Gasschweißen und Flammlöten mit schwerfließenden Messingloten.

Andernfalls muß sauerstofffreies Kupfer verwendet werden. Hierbei unterscheidet man Kupfersorten, die aus (sauerstofffreien) Kathoden unter Ausschluß von Sauerstoff und Desoxydationsmitteln erschmolzen und vergossen werden, von den Kupfersorten, die ebenfalls aus (sauerstofffreien) Kathoden erschmolzen, aber nach Zusatz von Desoxydationsmitteln vergossen werden. Es ist zu beachten, daß die elektrische Leitfähigkeit mit zunehmenden Gehalten an Desoxydationsmitteln abnimmt.

Die Kupfersorten C-Cu, D-Cu, SA-Cu und SD-Cu wurden gestrichen; SB-Cu wurde wegen seines bewußten Arsenzusatzes als CuAsP in DIN 17 666 übernommen. Die Kupfersorten OF-Cu, E1-Cu58, E2-Cu58 und SW-Cu wurden aufgenommen. Das für die Elektrotechnik verwendete E-Cu wurde mit Rücksicht auf die neuen Kupfersorten mit hoher Leitfähigkeit in E-Cu57 umbenannt.

Die Übereinstimmung von DIN 1708 mit den entsprechenden ISO-Empfehlungen ist in der Tabelle der Norm in der Spalte „ISO-Kurzzeichen" angegeben.

Auf eine Ausnahme der Übereinstimmung muß besonders hingewiesen werden, nämlich auf die Restphosphorgehalte von desoxydierten Kupfersorten.

Die Grenzlinie zwischen dem sauerstofffreien Kupfer mit niedrigem Restphosphorgehalt Cu-DLP und dem mit hohem Restphosphorgehalt Cu-DHP ist in ISO/R 1430 wie folgt festgelegt:

Cu-DLP: 0,005 bis 0,012 % P

Cu-DHP: 0,013 bis 0,050 % P

In DIN 1708 bleibt es für SF-Cu (Cu-DHP) bei der bisherigen unteren Grenze von 0,015 % P, die obere Grenze wurde jedoch von 0,050 auf 0,040 % P herabgesetzt.

DK 621.791.042:669.3 Juni 1988

Schweißzusätze für Kupfer und Kupferlegierungen
Zusammensetzung, Verwendung und Technische Lieferbedingungen

DIN 1733 Teil 1

Welding filler metals for copper and copper alloys; composition, application and technical delivery conditions

Ersatz für Ausgabe 06.79

Diese Norm wurde in Zusammenarbeit mit dem Deutschen Verband für Schweißtechnik (DVS) aufgestellt.
In dieser Norm bedeutet % bei der Angabe von Gehalten Massenanteil in Prozent (früher Gew.-%).

Maße in mm

1 Anwendungsbereich

Diese Norm gilt für Schweißzusätze zum Schmelzschweißen (vorzugsweise Wolfram-Inertgasschweißen (WIG), Metall-Inertgasschweißen (MIG), Gasschweißen (G), Lichtbogenhandschweißen (E)) von Kupfer und Kupferlegierungen.

Die Werkstoffe sind erfaßt in DIN 1705, DIN 1709, DIN 1714, DIN 1787, DIN 17 655, DIN 17 658, DIN 17 660, DIN 17 662, DIN 17 663, DIN 17 664, DIN 17 665, DIN 17 666.

Darüber hinaus werden in dieser Norm behandelte Schweißzusätze auch zum Auftragen auf z. B. ferritisch/perlitische Stähle verwendet.

2 Einteilung und Beschreibung der Schweißzusätze

Für die Einteilung der Schweißzusätze ist maßgebend:

a) bei Drahtelektroden, Schweißdrähten und Schweißstäben für das Schutzgasschweißen und das Gasschweißen die chemische Zusammensetzung des Zusatzwerkstoffes,

b) bei umhüllten Stabelektroden die chemische Zusammensetzung des Schweißgutes.

2.1 Drahtelektroden, Schweißdrähte und Schweißstäbe

Drahtelektroden, Schweißdrähte und Schweißstäbe werden mit metallisch blanker Oberfläche verwendet, sie werden mit SG gekennzeichnet.

Die chemische Zusammensetzung der Schweißzusätze ist in Tabelle 1 enthalten, physikalische Eigenschaften ihres Schweißgutes und Beispiele für die Verwendung sind in Tabelle 2 aufgeführt.

Fortsetzung Seite 2 bis 8

Normenausschuß Schweißtechnik (NAS) im DIN Deutsches Institut für Normung e.V.
Normenausschuß Nichteisenmetalle (FNNE) im DIN e.V.

Tabelle 1. **Chemische Zusammensetzung von Drahtelektroden, Schweißdrähten und Schweißstäben**

Werkstoff- Kurzzeichen	Werkstoff- Nummer	Zusammensetzung, Massenanteile in % Cu	Al	Fe	Mn	Ni	P	Pb max.	Si	Sn	Zn max.	Weitere Elemente und sonstige zulässige Beimengungen
SG-CuAg	2.1211	min. 99,5 einschl. Ag	max. 0,01	max. 0,05	max. 0,2	max. 0,3	0,01 bis 0,05 1)	0,01	max. 0,1	–	–	Ag 0,8 bis 1,2 As max. 0,05 Sonstige: zusammen max. 0,1
SG-CuSn	2.1006	Rest	max. 0,01	max. 0,05	0,1 bis 0,5	max. 0,3	max. 0,02	0,01	0,1 bis 0,5	0,5 bis 1,0	–	As max. 0,05 Sonstige: zusammen max. 0,1
SG-CuSi3	2.1461	Rest	max. 0,01	max. 0,3	0,5 bis 1,5	–	max. 0,02	0,02	2,8 bis 4,0	max. 0,2	0,2	Sonstige: zusammen max. 0,4
SG-CuSn6	2.1022	Rest	max. 0,01	max. 0,1	–	–	0,01 bis 0,35	0,02	–	5,0 bis 8,0	0,1	Sonstige: zusammen max. 0,4
SG-CuSn12	2.1056	Rest	max. 0,01	max. 0,1	–	–	0,01 bis 0,35	0,02	–	11,0 bis 13,0	0,1	Sonstige: zusammen max. 0,4
SG-CuZn40Si	2.0366	58 bis 62	max. 0,01	max. 0,2	max. 0,3	–	–	0,03	0,1 bis 0,5	max. 1,0	Rest	Sonstige: zusammen max. 0,2
SG-CuAl8	2.0921	Rest	7,5 bis 9,5	max. 0,5	max. 1,0	max. 0,8	–	0,02	max. 0,2	–	0,2	Sonstige: zusammen max. 0,4
SG-CuAl10Fe	2.0937	Rest	9,0 bis 11,0	0,5 bis 1,5	max. 1,0	max. 1,0	–	0,02	max. 0,1	–	0,02	Sonstige: zusammen max. 0,4
SG-CuAl8Ni2	2.0922	Rest	7,5 bis 9,5	1,5 bis 2,5	1,0 bis 2,5	1,8 bis 3,0	–	0,02	max. 0,2	–	0,2	Sonstige: zusammen max. 0,4
SG-CuAl8Ni6	2.0923	Rest	8,5 bis 9,5	3,0 bis 4,0	1,0 bis 2,0	4,0 bis 6,0	–	0,02	max. 0,2	–	0,1	Sonstige: zusammen max. 0,4
SG-CuMn13Al7	2.1367	Rest	6,5 bis 8,5	1,5 bis 3,0	11,0 bis 14,0	1,5 bis 3,0	–	0,02	max. 0,1	–	0,15	Sonstige: zusammen max. 0,4
SG-CuNi10Fe	2.0873	Rest	–	1,0 bis 2,0	0,5 bis 1,5	9,0 bis 11,0	max. 0,02	0,02	max. 0,2	–	–	C max. 0,05 Ti 0,2 bis 0,5 2) S max. 0,015 Sonstige: zusammen max. 0,4
SG-CuNi30Fe 3)	2.0837	Rest	–	0,4 bis 1,0	0,5 bis 1,5	29,0 bis 32,0	max. 0,02	0,02	max. 0,2	–	–	C max. 0,05 Ti 0,2 bis 0,5 S max. 0,015 Sonstige: zusammen max. 0,4

1) Für Gasschweißen als G-CuAg mit P $>$ 0,02%, für Schutzgasschweißen P $\leq$ 0,02%

2) Ti kann durch Nb ersetzt werden

3) Zum UP-Schweißen als UP-CuNi30Fe

Tabelle 2. **Physikalische Eigenschaften des Schweißgutes von Drahtelektroden, Schweißdrähten und Schweißstäben; Beispiele zur Verwendung**

Werkstoff-Kurzzeichen bzw. Nummer	Physikalische Eigenschaften				Beispiele zur Verwendung			
	Schmelzbereich °C ≈	Dichte kg/dm³ ≈	Elektrische Leitfähigkeit bei 20 °C S · m/mm² ≈	Wärme-Leitfähigkeit bei 20 °C W/(m · K) ≈	Grundwerkstoffe (Knet- bzw. Gußlegierungen)	Schweiß-verfahren [1]) G	WIG	MIG
SG-CuAg 2.1211	1070 bis 1080	8,9	30 bis 45	220 bis 315	sauerstofffreies Kupfer	2	2	1
SG-CuSn 2.1006	1020 bis 1050	8,9	15 bis 20	120 bis 145	sauerstofffreies Kupfer	1	2	2
SG-CuSi3 2.1461	910 bis 1025	8,5	3 bis 4	35	sauerstofffreies Kupfer, Kupfer-Silizium- und Kupfer-Zink-Legierungen, Auftragschweißungen auf ferritisch-perlitische Stähle	0	2	2
SG-CuSn6 2.1022	910 bis 1040	8,7	7 bis 9	75	Kupfer-Zinn-Legierungen	1	2	2
SG-CuSn12 2.1056	825 bis 990	8,6	5 bis 6	55	Kupfer-Zinn-Legierungen	1	2	2
SG-CuZn40Si 2.0366	890 bis 910	8,4	15	120	Kupfer-Zink-Legierungen	2	1	0
SG-CuAl8 2.0921	1030 bis 1040	7,7	8	65	Kupfer-Aluminium-Legierungen, Auftragschweißungen auf ferritisch-perlitische Stähle	0	2	2
SG-CuAl10Fe 2.0937	1030 bis 1090	7,6	7	57	Kupfer-Aluminium-Legierungen, Auftragschweißungen auf ferritisch-perlitische Stähle	0	2	2
SG-CuAl8Ni2 2.0922	1030 bis 1050	7,5	5	50	Kupfer-Aluminium-Nickel-Legierungen	0	2	2
SG-CuAl8Ni6 2.0923	1015 bis 1045	7,5	4	35	Kupfer-Aluminium-Nickel-Legierungen	0	2	2
SG-CuMn13Al7 2.1367	945 bis 985	7,4	3 bis 5	30	seewasserbeständige zinkfreie Kupfer-Aluminium-Legierungen, Auftragschweißungen auf ferritisch-perlitische Stähle	0	2	2
SG-CuNi10Fe 2.0873	1100 bis 1145	8,9	5	45	Kupfer-Nickel-Legierung CuNi10Fe1Mn	0	2	2
SG-CuNi30Fe [2]) 2.0837	1180 bis 1240	8,9	3	30	Kupfer-Nickel-Legierungen CuNi10Fe1Mn und CuNi30Mn1Fe	0	2	2

[1]) Für den Einsatz der Schweißverfahren bedeutet: 0 = nicht geeignet, 1 = geeignet, 2 = empfohlen.

[2]) Zum UP-Schweißen als UP-CuNi30Fe

2.2 Umhüllte Stabelektroden

Umhüllte Stabelektroden bestehen aus Kernstab und Umhüllung und werden beim Schweißen stromführend abgeschmolzen. Die Stromart ist Gleichstrom, wenn nicht anders vom Hersteller vorgeschrieben. Die Schweißeigenschaften werden im wesentlichen von der Zusammensetzung des Kernstabes und der Umhüllung bestimmt. Legierungselemente können sowohl im Kernstab als auch in der Umhüllung enthalten sein.

Umhüllte Stabelektroden werden mit EL gekennzeichnet.

Die chemische Zusammensetzung des Schweißgutes ist in Tabelle 3 enthalten, physikalische Eigenschaften und Beispiele für die Verwendung sind in Tabelle 4 aufgeführt.

Tabelle 3. **Chemische Zusammensetzung des Schweißgutes von umhüllten Stabelektroden**

Werkstoff-		Zusammensetzung, Massenanteile in %										Weitere Elemente und sonstige zulässige Beimengungen
Kurzzeichen	Nummer	Cu	Al	Fe	Mn	Ni	P max.	Pb max.	Si max.	Sn	Zn max.	
EL-CuMn2	2.1363	min. 95	–	max. 0,2	1,0 bis 2,0	max. 0,3	0,02	0,01	0,8	max. 1,0	–	As max. 0,05 Sonstige: zusammen max. 0,5
EL-CuSn7	2.1025	Rest	max. 0,1	max. 0,2	max. 1,0	–	0,10	0,02	0,5	5,0 bis 8,0	0,1	Sonstige: zusammen max. 0,5
EL-CuSn13	2.1027	Rest	max. 0,1	max. 0,2	max. 1,0	–	0,10	0,02	0,5	11,0 bis 13,0	0,1	Sonstige: zusammen max. 0,5
EL-CuAl9	2.0926	Rest	6,5 bis 8,5	max. 1,0	max. 2,0	max. 0,8	–	0,02	0,7	–	–	Sonstige: zusammen max. 0,5
EL-CuAl9Ni2Fe	2.0930	Rest	6,5 bis 8,5	1,5 bis 2,5	1,5 bis 3,0	1,8 bis 3,0	–	0,02	0,7	–	–	Sonstige: zusammen max. 0,5
EL-CuAl9Ni5Fe	2.0927	Rest	6,5 bis 8,5	3,0 bis 4,0	max. 2,5	4,0 bis 6,0	–	0,02	0,7	–	–	Sonstige: zusammen max. 0,5
EL-CuMn14Al	2.1368	Rest	6,0 bis 8,0	1,5 bis 3,0	11,0 bis 14,0	1,5 bis 3,0	–	0,02	1,0	–	–	Sonstige: zusammen max. 0,5
EL-CuNi10Mn	2.0877	Rest	–	max. 2,5	0,5 bis 2,0	9,0 bis 11,0	0,02	0,02	0,5	–	–	C max. 0,05, Ti max. 0,5 S max. 0,015 Sonstige: zusammen max. 0,5
EL-CuNi30Mn	2.0838	Rest	–	0,4 bis 1,2	0,8 bis 2,0	29,0 bis 32,0	0,02	0,02	0,5	–	–	C max. 0,05 Ti max. 0,5 S max. 0,015 Sonstige: zusammen max. 0,5

Tabelle 4. **Physikalische Eigenschaften des Schweißgutes von Stabelektroden; Beispiele zur Verwendung**

Werkstoff- Kurzzeichen	Werkstoff- Nummer	Physikalische Eigenschaften Schmelzbereich °C ≈	Dichte kg/dm³ ≈	Elektrische Leitfähigkeit bei 20 °C S · m/mm² ≈	Wärme-leitfähigkeit bei 20 °C W/(m · K) ≈	Beispiele zur Verwendung für folgende Grundwerkstoffe (Knet- bzw. Gußlegierungen)
EL-CuMn2	2.1363	1000 bis 1050	8,9	15 bis 20	120 bis 145	sauerstofffreies Kupfer
EL-CuSn7	2.1025	910 bis 1040	8,7	7	75	Kupfer-Zinn- und Kupfer-Zinn-Zink-Blei-Legierungen
EL-CuSn13	2.1027	825 bis 990	8,6	3 bis 5	40 bis 50	Kupfer-Zinn- und Kupfer-Zinn-Zink-Blei-Legierungen mit Sn > 8%
EL-CuAl9	2.0926	1020 bis 1050	7,7	6	70	Kupfer-Aluminium- und Kupfer-Zink-Legierungen, Auftragschweißungen auf ferritisch-perlitische Stähle
EL-CuAl9Ni2Fe	2.0930	1030 bis 1050	7,5	5	30 bis 50	Kupfer-Aluminium-Legierungen
EL-CuAl9Ni5Fe	2.0927	1000 bis 1040	7,5	4 bis 5	20 bis 40	Kupfer-Aluminium-Legierungen
EL-CuMn14Al	2.1368	940 bis 980	7,4	3	30	mangan- und nickelhaltige Kupfer-Aluminium-Zinn-Legierungen
EL-CuNi10Mn	2.0877	1100 bis 1145	8,7	4 bis 5	45	Kupfer-Nickel-Legierung CuNi10Fe1Mn
EL-CuNi30Mn	2.0838	1180 bis 1240	8,7	3	30	Kupfer-Nickel-Legierungen CuNi10Fe1Mn und CuNi30Mn1Fe

3 Bezeichnung, Bestellangaben

3.1 Normbezeichnung

Für die Bezeichnung der Schweißzusätze sind die Werkstoffkurzzeichen oder die Werkstoffnummern nach den Tabellen 1 oder 3 zu verwenden.

Bezeichnung einer Drahtelektrode mit dem Kurzzeichen SG-CuNi30Fe oder der Werkstoffnummer 2.0837:

Drahtelektrode DIN 1733 – SG-CuNi30Fe
oder
Drahtelektrode DIN 1733 – 2.0837

Bezeichnung eines Schweißstabes mit dem Kurzzeichen SG-CuNi30Fe oder der Werkstoffnummer 2.0837:

Schweißstab DIN 1733 – SG-CuNi30Fe
oder
Schweißstab DIN 1733 – 2.0837

Bezeichnung einer umhüllten Stabelektrode mit dem Kurzzeichen EL-CuNi30Mn oder der Werkstoffnummer 2.0838:

Stabelektrode DIN 1733 – EL-CuNi30Mn
oder
Stabelektrode DIN 1733 – 2.0838

Tabelle 5. **Maße**

Schweißzusatz	Durchmesser [1]) Nennmaß	Durchmesser [1]) Grenzabmaße	Länge Nennmaß	Länge Grenzabmaße
Drahtelektroden, Schweißdrähte	(0,6)	+ 0,01 − 0,02	–	–
	0,8 1 [2]) 1,2	+ 0,01 − 0,03		
	1,6 [2])	+ 0,01 − 0,04		
	2 (2,4)	+ 0,01 − 0,05		
Schweißstäbe	1,6 [2]) 2 [2]) 2,4 2,5 3 3,2 4 [2])	± 0,10	1000 [3]) oder nach Vereinbarung	± 5
	5 [2])	± 0,15		
Umhüllte Stabelektroden	(2) [2])	0 − 0,060	250, 300	± 2
	2,5 [2])		250, 300, 350	
	3,2	0 − 0,075	350	
	4 [2]) 5 [2])		350, 400, 450	

Eingeklammerte Maße sind zu vermeiden.

[1]) Bei umhüllten Stabelektroden gilt der Kernstabdurchmeser.

[2]) Durchmesser entsprechen der Internationalen Norm ISO 544–1975.

[3]) Länge entspricht der Internationalen Norm ISO 546–1975.

3.2 Bestellangaben

250 kg Drahtelektrode aus Werkstoff SG-CuNi30Fe, Werkstoffnummer 2.0837, von 1,2 mm Durchmesser, aufgespult auf Dornspule D 300 nach DIN 8559 Teil 1:

> 250 kg Drahtelektrode DIN 1733 - SG-CuNi30Fe - 1,2 auf Dornspule D 300 nach DIN 8559 Teil 1 gespult
> oder
> 250 kg Drahtelektrode DIN 1733 - 2.0837 - 1,2 auf Dornspule D 300 nach DIN 8559 Teil 1 gespult

120 kg Schweißstab aus Werkstoff SG-CuNi30Fe, Werkstoffnummer 2.0837, von 3 mm Durchmesser und einer Länge von 1000 mm:

> 120 kg Schweißstab DIN 1733 - SG-CuNi30Fe - 3 × 1000
> oder
> 120 kg Schweißstab DIN 1733 - 2.0837 - 3 × 1000

280 kg umhüllte Stabelektrode aus Werkstoff EL-CuNi30Mn, Werkstoffnummer 2.0838, von 3,2 mm Durchmesser und einer Länge von 350 mm:

> 280 kg Stabelektrode DIN 1733 - EL-CuNi30Mn - 3,2 × 350
> oder
> 280 kg Stabelektrode DIN 1733 - 2.0838 - 3,2 × 350

4 Technische Lieferbedingungen

4.1 Maße (siehe Tabelle 5)

4.2 Lieferzustand, Beschaffenheit

4.2.1 Drahtelektroden, Schweißdrähte, Schweißstäbe

Die Oberfläche der Schweißzusätze muß frei von Verunreinigungen und Oberflächenfehlern sein, die das Schweißen nachteilig beeinflussen.

Drahtelektroden und Schweißdrähte müssen in **einer** Länge auf Spulenkörper nach DIN 8559 Teil 1 gespult sein. Sie dürfen keine Knicke, Wellen oder sonstige Unregelmäßigkeiten aufweisen, die den kontinuierlichen Ablauf des Schweißens beeinträchtigen. Drahtanfang und Drahtende sind zu befestigen. Die Drahtelektrode bzw. der Schweißdraht darf keinen Drall aufweisen. Diese Anforderung gilt als erfüllt, wenn sich das freie Drahtende eines abgeschnittenen, freiliegenden Drahtumgangs nicht um mehr als 100 mm von einer ebenen Fläche abhebt.

4.2.2 Umhüllte Stabelektroden

Die Umhüllung der Stabelektrode soll den Kernstab gleichmäßig dick und zentrisch umschließen. Hiermit wird bei fachgerechter Handhabung ein einseitiges Abschmelzen der

Stabelektrode vermieden. Die Umhüllung darf keine Unregelmäßigkeiten und Oberflächenfehler aufweisen, die das Schweißen ungünstig beeinflussen. Sie muß fest auf dem Kernstab haften und darf bei sachgemäßem Transport und Gebrauch nicht abplatzen oder reißen.

Das Einspannende der Stabelektrode soll auf einer Länge von mindestens 20 mm frei von Umhüllungsmasse sein.

4.3 Verpackung

Die Schweißzusätze müssen so verpackt sein, daß bei sachgemäßer Beförderung und Lagerung ein ausreichender Schutz gegen Beschädigungen, Verunreinigungen und Feuchtigkeitseinwirkungen gegeben ist.

4.4 Lagerung

Schweißzusätze sollen bis zu ihrer Verwendung in der unbeschädigten Originalverpackung gelagert werden. Der Raum zum Lagern der Schweißzusätze muß geschlossen, belüftbar und trocken sein.

4.5 Rücktrocknung von Stabelektroden

Im Einzelfall kann es erforderlich sein, Stabelektroden, deren Umhüllung z. B. durch unsachgemäßes Lagern oder infolge anderer Bedingungen einen unzulässig hohen Feuchtigkeitsgehalt aufweist, unmittelbar vor den Schweißarbeiten rückzutrocknen. Rücktrocknungstemperatur und Rücktrocknungsdauer sind entsprechend den Herstellerangaben zu wählen.

4.6 Qualitätsnachweis

In der Regel genügt für den Qualitätsnachweis die Angabe der Fabrikations- und/oder Chargennummer nach Abschnitt 5.1 oder Abschnitt 5.2. Sind weitere Qualitätsnachweise erforderlich, müssen diese zwischen Besteller und Lieferer vereinbart und nach DIN 50 049 bescheinigt werden.

Die Legierungsbestandteile und die Beimengungen werden in der Regel nach den Analysenmethoden des Herstellers bestimmt.

Schiedsanalysen bzw. Probenahme sind auszuführen nach der neuesten Ausgabe der „Analyse der Metalle“ des Chemikerausschusses der Gesellschaft Deutscher Metallhütten- und Bergleute e.V., Band I „Schiedsanalysen“ oder im „Ergänzungsband zu den Bänden I Schiedsanalysen · II Betriebsanalysen“ und Band III „Probenahme“.

5 Kennzeichnung

5.1 Drahtelektroden, Schweißdrähte und Schweißstäbe

Die Gebinde von Drahtelektroden, Schweißdrähten und Schweißstäben sind nach Wahl des Herstellers auf einem Anhängeschild oder einem Klebezettel mit folgenden Angaben zu kennzeichnen:

- Handelsbezeichnung
- Hersteller oder Lieferer
- Bezeichnung nach Abschnitt 3
- Chargen- bzw. Fabrikationsnummer
- Durchmesser
- Gewicht

Schweißstäbe sind einzeln dauerhaft so zu kennzeichnen, daß die Zugehörigkeit zum Legierungstyp feststellbar ist; der Hersteller soll erkennbar sein.

5.2 Umhüllte Stabelektroden

Jede einzelne Stabelektrode muß auf der Umhüllung nahe dem Einspannende mit einem gut lesbaren Stempelaufdruck versehen sein, mit dem die Zugehörigkeit zu einer Legierung feststellbar ist. Im allgemeinen ist die Handelsbezeichnung der Stabelektrode aufgedruckt. Es können jedoch auch andere Kurzzeichen vereinbart werden, z.B. nach Tabellen 1 und 3, AWS*) oder ASME**).

Stabelektrodenpakete sollen folgende Angaben enthalten:

- Handelsbezeichnung
- Hersteller oder Lieferer
- Bezeichnung (nach Abschnitt 3)
- Chargen- bzw. Fabrikationsnummer
- Durchmesser und Länge des Kernstabes
- Stromart und Polung
- Empfohlener Bereich für die Schweißstromstärke
- Hinweise über gegebenenfalls notwendige Rücktrocknung (Temperatur und Haltezeit)
- Stückzahl der Stabelektroden im Paket und/oder Nettogewicht

---

*) American Welding Society

**) American Society of Mechanical Engineers

Zitierte Normen und andere Unterlagen

DIN 1705	Kupfer-Zinn- und Kupfer-Zinn-Zink-Gußlegierungen (Guß-Zinnbronze und Rotguß); Gußstücke
DIN 1709	Kupfer-Zink-Gußlegierungen (Guß-Messing und Guß-Sondermessing); Gußstücke
DIN 1714	Kupfer-Aluminium-Gußlegierungen (Guß-Aluminiumbronze); Gußstücke
DIN 1787	Kupfer; Halbzeug
DIN 8559 Teil 1	Schweißzusätze für das Schutzgasschweißen; Drahtelektroden, Schweißdrähte und Massivdrähte für das Schutzgasschweißen von unlegierten und legierten Stählen
DIN 17 655	Kupfer-Gußwerkstoffe unlegiert und niedriglegiert; Gußstücke
DIN 17 658	Kupfer-Nickel-Gußlegierungen; Gußstücke
DIN 17 660	Kupfer-Knetlegierungen; Kupfer-Zink-Legierungen (Messing), (Sondermessing), Zusammensetzung
DIN 17 662	Kupfer-Knetlegierungen; Kupfer-Zinn-Legierungen (Zinnbronze), Zusammensetzung
DIN 17 663	Kupfer-Knetlegierungen; Kupfer-Nickel-Zink-Legierungen (Neusilber), Zusammensetzung
DIN 17 664	Kupfer-Knetlegierungen; Kupfer-Nickel-Legierungen, Zusammensetzung
DIN 17 665	Kupfer-Knetlegierungen; Kupfer-Aluminium-Legierungen (Aluminiumbronze), Zusammensetzung
DIN 17 666	Niedriglegierte Kupfer-Knetlegierungen, Zusammensetzung
DIN 50 049	Bescheinigungen über Materialprüfungen
ISO 544–1975	Durchmesser und Toleranzen von Schweißzusatzwerkstoffen für das Lichtbogenschweißen und für das Gasschweißen
ISO 546–1975	Längen und Toleranzen für gezogene und gepreßte, in geraden Längen gelieferte Schweißstäbe

Analyse der Metalle***)
Band I: Schiedsanalysen, 3. Auflage, 1966
Band III: Probenahme, 2. Auflage, 1975
1. Ergänzungsband (1980) zu den Bänden I Schiedsanalysen, II Betriebsanalysen

Frühere Ausgaben

DIN 1710: 04.25
DIN 1711: 04.25
DIN 1733: 06.44
DIN 1733 Teil 1: 08.63, 12.77, 06.79

Änderungen

Gegenüber der Ausgabe Juni 1979 wurden folgende Änderungen vorgenommen:

a) Inhalt dem Stand der Technik angepaßt,

b) Werkstoffkurzzeichen geändert, einige Sorten ersatzlos gestrichen, weitere Sorten ergänzt (Näheres siehe Erläuterungen).

Erläuterungen

Im Rahmen der Überprüfung von bestehenden Normen wurde DIN 1733 Teil 1 an die Folgeausgaben der Werkstoffnormen DIN 17 660, DIN 17 662, DIN 17 664 und DIN 17 665 angepaßt.

Die Trennung der Schweißzusätze in die Gruppen Drahtelektroden, Schweißdrähte und Schweißstäbe (Tabellen 1 und 2) und umhüllte Stabelektroden (Tabellen 3 und 4) wurde beibehalten. Bei umhüllten Stabelektroden muß die Zusammensetzung des Schweißgutes nicht unbedingt mit der des Kernstabes übereinstimmen. Legierungselemente können auch aus der Umhüllung eingebracht werden.

Die bisher übliche Kennzeichnung aller Schweißzusätze mit dem Kurzzeichen S wurde ersetzt durch die Kennzeichnung SG für Drahtelektrode, Schweißdrähte und Schweißstäbe sowie EL für umhüllte Stabelektroden. Der national und international für Stabelektroden zum Schweißen von unlegierten und legierten Stählen übliche Kennbuchstabe E kann für Stabelektroden im NE-Bereich nicht gewählt werden, weil er schon eingeführt ist für die Bezeichnung von NE-Werkstoffen mit festgelegten Grenzwerten der elektrischen Leitfähigkeit, z. B. E-Cu57, E-Al.

Die in den Tabellen 1 und 3 aufgeführten Schweißzusätze entsprechen dem heutigen Stand der Technik. Gestrichen wurden die beiden für das Gasschweißen vorgesehenen Schweißstäbe CuZn39Ag und CuZn39Sn, der Schweißstab und die Drahtelektrode CuAl11Ni6 sowie die umhüllten Stabelektroden CuSn7Ni und CuAl9Ni5. Neu wurden der Zusatz SG-CuAl10Fe für das Schutzgasschweißen und die Stabelektrode EL-CuNi10Mn aufgenommen.

Angaben über die mechanischen Gütewerte zu den in DIN 1733 Teil 1 genormten Schweißzusätzen sind vorgesehen in der in Vorbereitung befindlichen Norm „Schweißzusätze für Kupfer und Kupferlegierungen; Prüfstück, Proben, mechanische Gütewerte".

Internationale Patentklassifikation

B 23 K 35/00	C 22 C 9/01	C 22 C 9/05
B 23 K 35/365	C 22 C 9/02	C 22 C 9/06
C 22 C 9/00	C 22 C 9/04	C 22 C 9/10

***) Zu beziehen durch: Springer Verlag, Berlin – Göttingen – Heidelberg

DK 669.35-41 Juni 1973

Bleche und Blechstreifen aus Kupfer und Kupfer-Knetlegierungen

kaltgewalzt Maße

DIN 1751

Sheet of wrought copper and copper alloys; cold-rolled, dimensions

Tôles en cuivre et alliages de cuivre corroyés; laminées à froid, dimensions

Maße in mm

1. Geltungsbereich

Diese Norm gilt für: kaltgewalzte

Bleche von 0,2 bis 5 mm Dicke, 500 bis 1100 mm Breite und Längen über 1000 mm und

Blechstreifen von 0,2 bis 5 mm Dicke, 50 bis unter 500 mm Breite in Längen über 500 mm aus den in Abschnitt 4 aufgeführten Werkstoffen.

2. Bezeichnung

Bleche und Blechstreifen werden wie folgt bezeichnet:

Bleche: Benennung, Dicke × Breite × Länge, DIN-Nummer, Werkstoff, z. B.:

Blech 0,5 x 600 x 2000 DIN 1751 — CuZn37 F30

oder Blech 0,5 x 600 x 2000 DIN 1751 — 2.0321.10

bisher Blech 0,5 x 600 x 2000 DIN 1751 — Ms63 F30

Blechstreifen: Benennung, Dicke × Breite × Länge, DIN-Nummer, Werkstoff, z. B.:

Blechstreifen 0,5 x 200 x 1000 DIN 1751 — CuZn37 F30

oder Blechstreifen 0,5 x 200 x 1000 DIN 1751 — 2.0321.10

bisher Blechstreifen 0,5 x 200 x 1000 DIN 1751 — Ms63 F30

Anstelle der ausgeschriebenen Benennung kann auch die abgekürzte Schreibweise nach DIN 1353 Blatt 2 gewählt werden.

3. Maße und zulässige Formabweichungen

3.1. Dicke, Breite und Länge (siehe Tabelle 1 Seite 2)

Fortsetzung Seite 2 bis 5
Erläuterungen Seite 5

Fachnormenausschuß Nichteisenmetalle im Deutschen Normenausschuß (DNA)

Tabelle 1.

Dicke [1])	Zulässige Abweichung für: Dicke von Blechen [2]) bei Breiten von 500 bis 700	über 700 bis 900	über 900 bis 1100	Herstellbreite von 500 bis 700	über 700 bis 1100	Festbreite von 50 bis 250	über 250 bis 1100	Länge Herstell-länge	Festlänge	Gewicht [3]) kg/m² ≈
	±	±	±							
0,2	0,03	—	—							1,78
0,22	0,03	—	—							1,96
0,25	0,03	—	—							2,22
0,3	0,03	0,04	—							2,67
0,4	0,04	0,04	0,05							3,56
0,45	0,04	0,05	0,05							4,00
0,5	0,04	0,05	0,05							4,45
0,6	0,04	0,05	0,06							5,34
0,7	0,04	0,05	0,06							6,23
0,8	0,05	0,06	0,07							7,12
0,9	0,05	0,06	0,07							8,00
1	0,05	0,06	0,07							8,90
1,1	0,05	0,06	0,07							9,80
1,2	0,06	0,07	0,08							10,69
1,4	0,06	0,07	0,08	± 15	± 30	$^{+2}_{0}$	$^{+5}_{0}$	bis 5000: ± 50	bis 5000: $^{+10}_{0}$	12,47
1,5	0,07	0,08	0,09							13,35
1,6	0,07	0,08	0,09							14,23
1,8	0,07	0,09	0,10							16,01
2	0,08	0,09	0,11							17,80
2,2	0,08	0,10	0,12							19,59
2,5	0,09	0,11	0,13							22,21
2,8	0,09	0,11	0,13							24,95
3	0,10	0,12	0,14							26,75
3,2	0,10	0,13	0,15							28,50
3,5	0,11	0,14	0,16							31,19
4	0,12	0,15	0,17							35,61
4,5	0,13	0,16	0,18							40,10
5	0,13	0,16	0,19							44,50

[1]) Bei Zwischenmaßen gilt die zulässige Abweichung der nächsthöheren Dicke.

[2]) Blechstreifen siehe Abschnitt 3.1.3

[3]) Errechnet mit einer Dichte von 8,9 kg/dm³ (Kupfer). Für Werkstoffe mit einer anderen Dichte sind die Gewichte entsprechend der Umrechnungsfaktoren der Tabelle 4 zu errechnen (siehe auch Abschnitt 6).

3.1.1. Bei der Dickenmessung muß ein Streifen von 10 mm Breite vom Rand unberücksichtigt bleiben.

3.1.2. Für die Festbreite und Festlänge können andere Lagen des Toleranzfeldes in der gleichen Größe festgelegt werden.

3.1.3. Blechstreifen werden immer aus Blechen größerer Breite geschnitten. Die zulässigen Abweichungen für die Dicke von Blechstreifen entsprechen denen der Bleche von 500 bis 700 mm Breite.

3.2. Geradheit der Schnittkanten

Die zulässige Abweichung der Schnittkanten von der Geraden darf 2 mm je Meter, linear zunehmend mit der Kantenlänge, z. B. 6 mm bei 3 m, betragen.

3.3. Rechtwinkligkeit

Rechtwinkligkeit kann nur für Bleche in Festmaßen gefordert werden. Die Rechtwinkligkeitstoleranz darf die in Tabelle 2 angegebenen Höchstwerte nicht überschreiten. Die Rechtwinkligkeitstoleranz wird als Differenz der beiden Diagonalen über das Blech gemessen.

Tabelle 2.

Festbreite	Rechtwinkligkeitstoleranz bei Festlängen		
	von 1000 bis 2000	über 2000 bis 3000	über 3000 —
von 500 bis 700	6	7	8
über 700 bis 1100	8	9	10

3.4. Ebenheit (Planheit)

Anforderungen an die Ebenheit können für alle Lieferzustände, ausgenommen den weichen Zustand des jeweiligen Werkstoffes, gekennzeichnet durch die Anhängezahl .10 der Werkstoffnummer (siehe DIN 17 670 Blatt 1), gestellt werden.

Für die Ebenheitstoleranz, bezogen auf 1 m Länge, gelten die Werte nach Tabelle 3.

Tabelle 3.

Dicke	Breite	Toleranz
bis 3	von 500 bis 700	10
	über 700 bis 1100	15
über 3	nach Vereinbarung	

Bei Unebenheiten, die kürzer als die Länge des Bleches oder des Blechstreifens sind, darf die Toleranz nicht größer als 1 % der Länge der Unebenheit sein. Die in der Tabelle 3 angegebenen zulässigen Toleranzen dürfen jedoch nicht überschritten werden. Anforderungen an die Ebenheit von Blechen über 3 mm Dicke sind besonders zu vereinbaren.

4. Werkstoff und Festigkeitseigenschaften

Kupfer und Kupfer-Knetlegierungen nach DIN 17 670 Blatt 1
Kupfer für die Elektrotechnik nach DIN 40 500 Blatt 1.

Tabelle 4. Werkstoffe

Benennung	Kurzzeichen neu	Kurzzeichen bisher	Werkstoffnummer	Dichte kg/dm³	Umrechnungs-faktor
Kupfer	E-Cu57		2.0060	8,9	1
	Of-Cu		2.0040	8,9	1
	SF-Cu		2.0090	8,9	1
	SW-Cu		2.0076	8,9	1
	SE-Cu		2.0070	8,9	1
Kupfer-Zink-Legierungen	CuZn5	Ms95	2.0220	8,9	1
	CuZn10	Ms90	2.0230	8,8	0,989
	CuZn15	Ms85	2.0240	8,8	0,989
	CuZn20	Ms80	2.0250	8,7	0,977
	CuZn28	Ms72	2.0261	8,6	0,966
	CuZn30	Ms70	2.0265	8,5	0,955
	CuZn33	Ms67	2.0280	8,5	0,955
	CuZn36	Ms63	2.0335	8,4	0,944
	CuZn37	Ms63	2.0321	8,4	0,944
	CuZn40	Ms60	2.0360	8,4	0,944
	CuZn39Pb0,5	Ms60Pb	2.0372	8,4	0,944
	CuZn39Pb2	Ms58	2.0380	8,4	0,944
	CuZn40Pb2	Ms58	2.0402	8,4	0,944
	CuZn20Al	SoMs76	2.0460	8,3	0,932
	CuZn28Sn	SoMs71	2.0470	8,5	0,955
	CuZn39Sn	SoMs60	2.0530	8,4	0,944
Kupfer-Zinn-Legierungen	CuSn6	SnBz6	2.1020	8,8	0,989
	CuSn8	SnBz8	2.1030	8,8	0,989
Kupfer-Nickel-Zink-Legierungen	CuNi12Zn30Pb	Ns5712Pb	2.0780	8,6	0,966
	CuNi12Zn24	Ns6512	2.0730	8,7	0,977
	CuNi18Zn20	Ns6212	2.0740	8,7	0,977
	CuNi25Zn15	Ns6025	2.0750	8,8	0,989
Kupfer-Nickel-Legierungen	CuNi5Fe	CuNi5Fe	2.0862	8,9	1
	CuNi10Fe	CuNi10Fe	2.0872	8,9	1
	CuNi20Fe	CuNi20Fe	2.0878	8,9	1
	CuNi25	CuNi25	2.0830	8,9	1
	CuNi30Fe	CuNi30Fe	2.0882	8,9	1
	CuNi44	CuNi44	2.0842	8,9	1
Kupfer-Aluminium-Legierungen	CuAl5	AlBz5	2.0916	8,2	0,921
	CuAl8	AlBz8	2.0920	7,7	0,865
	CuAl8Fe	AlBz8Fe	2.0932	7,7	0,865
	CuAl10Ni	AlBz10Ni	2.0966	7,5	0,843
Kupfer-Knetlegierungen niedrig legiert. Nicht aushärtbar.	CuAsP		2.1491	8,9	1
	CuMn2		2.1363	8,8	0,989
	CuMn5		2.1366	8,6	0,966
	CuSi2Mn		2.1522	8,7	0,977
	CuSi3Mn		2.1525	8,5	0,955
Kupfer-Knetlegierungen niedrig legiert. Aushärtbar	CuBe1,7		2.1245	8,4	0,944
	CuBe2		2.1247	8,3	0,932
	CuCoBe		2.1285	8,8	0,989
	CuCr		2.1291	8,9	1

5. Ausführung

Siehe Technische Lieferbedingungen für Bleche und Bänder aus Kupfer und Kupfer-Knetlegierungen nach DIN 17 670 Blatt 2, aus Kupfer für die Elektrotechnik nach DIN 40 500 Blatt 1.

6. Gewichte und zulässige Gewichtsabweichungen

Das Gewicht in kg/m^2 errechnet sich aus dem Nennmaß der jeweiligen Dicke sowie der Dichte des Werkstoffes. Umrechnungsfaktoren siehe Tabelle 4, Abschnitt 4.

Die zulässige Gewichtsabweichung ergibt sich aus den zulässigen Abweichungen der Nennmaße und den zulässigen Abweichungen in der Zusammensetzung.

7. Lieferart

7.1. Herstellmaße für Bleche

Herstellbreite: für Kupfer-Knetlegierungen üblich 600, für Kupfer üblich 1000

Herstellänge: üblich 2000

7.2. Herstellmaße für Blechstreifen

Bei Blechstreifen ist die Breite immer ein Festmaß.

Herstellänge: üblich 2000

7.3. Festmaße für Bleche und Blechstreifen

Festmaße sind in der Bestellung besonders anzugeben.

Zur Bezeichnung muß dann hinter die Längenangabe des Kennwort „fest" eingefügt werden.

7.4. Bestellbeispiele

für Bleche in Herstellmaßen:

1500 kg Blech von 0,7 mm Dicke, 600 mm Herstellbreite und 2000 mm Herstellänge aus CuZn37 F45:

1500 kg Blech 0,7 x 600 x 2000 DIN 1751 — CuZn37 F45

oder 1500 kg Blech 0,7 x 600 x 2000 DIN 1751 — 2.0321.30

bisher 1500 kg Blech 0,7 x 600 x 2000 DIN 1751 — Ms63 F45

für Blechstreifen in Herstellmaßen:

500 kg Blechstreifen von 0,5 mm Dicke, 250 mm Festbreite und 2000 mm Herstellänge aus CuZn37 F38:

500 kg Blechstreifen 0,5 x 250 x 2000 DIN 1751 — CuZn37 F38

für Bleche in Festmaßen:

100 Stück Blech von 0,8 mm Dicke, 625 mm Festbreite und 2100 mm Festlänge aus CuZn37 F45:

100 Bleche 0,8 x 625 x 2100 fest DIN 1751 — CuZn37 F45

für Blechstreifen in Festmaßen:

50 Stück Blechstreifen von 0,5 mm Dicke, 275 mm Festbreite und 2500 mm Festlänge aus CuZn37 F38:

50 Blechstreifen 0,5 x 275 x 2500 fest DIN 1751 — CuZn37 F38

Hinweise auf weitere Normen

Bänder und Bandstreifen aus Kupfer und Kupfer-Knetlegierungen, kaltgewalzt, Maße, siehe DIN 1791

Bänder und Streifen aus Kupfer-Knetlegierungen für Blattfedern, Technische Lieferbedingungen, siehe DIN 1780.

Erläuterungen

zu den Normen DIN 1751 und DIN 1791

Da die Normen DIN 1751 und DIN 1791 eng miteinander verknüpft sind und die Änderungen in beiden Normen für die Praxis zwar wichtig, im Umfang jedoch relativ gering sind, werden die Erläuterungen für beide Normen zusammengefaßt.

In DIN 1751 wurden in der Tabelle 1 die Dicken unter 0,2 mm und die Toleranzen für Breiten unter 500 mm Breite gestrichen. Die Gewichtsangaben sind auf Reinkupfer bezogen, ebenso wie in DIN 1791.

In Tabelle 2 wurde der Längenbereich über 3000 mm nicht mehr begrenzt.

In DIN 1791 wurden in Tabelle 1 die zulässigen Abweichungen auf Abmessungen für den Bereich über 700 bis 1000 mm zusätzlich aufgenommen, da heute Bänder bereits in dieser Breite hergestellt werden.

Die für Bleche und Bänder infrage kommenden Werkstoffe nach DIN 17 670 und DIN 40 500, jeweils Blatt 1, wurden in Form einer Tabelle angegeben, mit Kurzzeichen, Werkstoffnummer, Dichte und Umrechnungsfaktor für das Gewicht (vgl. Maßnormen für Stangen DIN 1756 ff).

DK 621.643.24-462.3 : 669.3

August 1969

Rohre aus Kupfer

nahtlosgezogen

Maßbereiche und Toleranzzuordnungen

DIN 1754 Blatt 1

Tube of copper; seamless drawn, size ranges and coordination of tolerances

Tubes en cuivre; étirés à froid sans soudure, plage de dimensions et coordination de tolérances

Mit DIN 1754 Blatt 2 und Blatt 3
Ersatz für DIN 1754

Maße in mm

1. Geltungsbereich

Diese Norm gilt für nahtlosgezogene Rohre von 3 bis 450 mm Außendurchmesser und 0,2 bis 10 mm Wanddicke. Sie enthält Maßbereiche und Toleranzzuordnungen sowie deren zulässige Abweichungen.

Rohre nach dieser Norm werden aus den in Abschnitt 4 aufgeführten Werkstoffen hergestellt.

Vorzugsmaße für allgemeine Verwendung,	siehe DIN 1754 Blatt 2
Vorzugsmaße für Rohrleitungen,	siehe DIN 1754 Blatt 3

Diese Norm gilt n i c h t für:

Rohre aus Kupfer-Knetlegierungen, siehe DIN 1755

2. Bezeichnung

Rohre werden grundsätzlich mit Außendurchmesser mal Wanddicke bezeichnet.

Beispiele:

Entsprechend den in Abschnitt 3.1 festgelegten Toleranzzuordnungen sind zu unterscheiden:

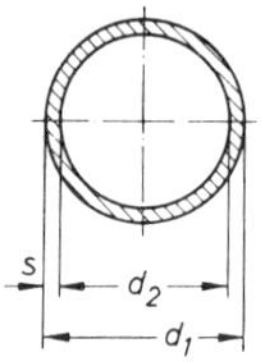

Toleranzzuordnung A (Regelfall)

Bezeichnung eines nahtlosen Rohres von Außendurchmesser d_1 = 20 mm und Wanddicke s = 2 mm der Toleranzzuordnung A aus dem Werkstoff mit dem Kurzzeichen SF-Cu F30 oder der Werkstoffnummer 2.0090.30:

Rohr 20 × 2 DIN 1754 – SF-Cu F30
oder Rohr 20 × 2 DIN 1754 – 2.0090.30

Toleranzzuordnung B

Bezeichnung eines nahtlosen Rohres von Außendurchmesser d_1 = 20 mm und Wanddicke s = 2 mm der Toleranzzuordnung B (Kennbuchstabe B) aus dem Werkstoff mit dem Kurzzeichen SF-Cu F30 oder der Werkstoffnummer 2.0090.30:

Rohr 20 × 2 B DIN 1754 – SF-Cu F30
oder Rohr 20 × 2 B DIN 1754 – 2.0090.30

Toleranzzuordnung C

Bezeichnung eines nahtlosen Rohres von Außendurchmesser d_1 = 20 mm und Wanddicke s = 2 mm der Toleranzzuordnung C (Kennbuchstabe C) aus dem Werkstoff mit dem Kurzzeichen SF-Cu F30 oder der Werkstoffnummer 2.0090.30

Rohr 20 × 2 C DIN 1754 – SF-Cu F30
oder Rohr 20 × 2 C DIN 1754 – 2.0090.30

Wenn die Kennbuchstaben B oder C nicht angegeben sind, werden immer Rohre der Toleranzzuordnung A (Regelfall) geliefert.

3. Maße und zulässige Abweichungen

3.1. Toleranzzuordnungen *)

Toleranzzuordnung A (Regelfall)

Rohre, denen nur die zulässigen Abweichungen d e s A u ß e n d u r c h m e s s e r s u n d d e r W a n d d i c k e zugeordnet sind.

Toleranzzuordnung B

Rohre, denen nur die zulässigen Abweichungen d e s I n n e n d u r c h m e s s e r s u n d d e r W a n d d i c k e zugeordnet sind. Das Bezugsmaß für die zulässige Abweichung der Wanddicke ist der Außendurchmesser.

Toleranzzuordnung C

Rohre, denen nur die zulässigen Abweichungen d e s A u ß e n d u r c h m e s s e r s u n d d e s I n n e n d u r c h m e s s e r s zugeordnet werden. Außerdem gilt die zulässige U n g l e i c h w a n d i g k e i t, deren Bezugsmaß der Außendurchmesser ist.

3.2. Vorzugsmaße

Vorzugsmaße von Rohren der Toleranzzuordnung A sind in DIN 1754 Blatt 2 für allgemeine Verwendung und in DIN 1754 Blatt 3 für Rohrleitungen festgelegt.

Vorzugsmaße von Rohren der Toleranzzuordnungen B und C sind nicht festgelegt.

3.3. Zulässige Abweichungen

Die zulässigen Abweichungen sind nach Maßbereichen geordnet.

*) Siehe „Toleranzzuordnungen für Querschnittsmaße von Rohren aus Nichteisenmetallen", DIN-Mitteilungen Bd. 45 (1966) H. 11, S. 597—603

Als Sonderdruck D-346 zu beziehen durch Beuth-Vertrieb GmbH, Berlin 30 und Köln.

Fortsetzung Seite 2 bis 4
Erläuterungen Seite 4

Fachnormenausschuß Nichteisenmetalle im Deutschen Normenausschuß (DNA)
Fachnormenausschuß Rohre, Rohrverbindungen und Rohrleitungen im DNA

Tabelle 1. Maßbereiche und zulässige Abweichungen des Durchmessers und der Wanddicke für Rohre in gestreckten Längen

Beim Anwenden dieser Tabelle sind die Toleranzzuordnungen A, B und C (siehe Abschnitt 3.1) zu beachten.

Maß-bereich	Außendurchmesser d_1 und/oder Innendurchmesser d_2 – Zulässige ± Abweichung[1]) Obere Zeile: des mittleren Durchmessers; Untere Zeile: des Durchmessers einschl. Unrundheit bei einem Verhältnis $d_1 : s$			Wanddicke s – Obere Zeile: Zulässige ± Abweichung der mittleren Wanddicke in mm[2]); Untere Zeile: Zulässige ± Ungleichwandigkeit in % der Nennwanddicke[2]) für den Maßbereich der Wanddicke														
	bis 30	über 30 bis 50	über 50	von 0,3 bis 0,5	über 0,5 bis 0,8	über 0,8 bis 1,0	über 1,0 bis 1,2	über 1,2 bis 1,4	über 1,4 bis 1,6	über 1,6 bis 1,8	über 1,8 bis 2,0	über 2,0 bis 2,5	über 2,5 bis 3	über 3 bis 4	über 4 bis 5	über 5 bis 6	über 6 bis 8	über 8 bis 10
von 3 bis 6	0,05 0,07[3])	— —	— —	0,03 10 %	0,03 10 %	0,03 9 %	0,03 9 %	0,03 9 %	0,04 9 %	—	—	—	—	—	—	—	—	—
über 6 bis 10	0,06 0,09	0,06 0,12	— —	0,03 10 %	0,03 10 %	0,03 10 %	0,03 10 %	0,03 9 %	0,04 9 %	0,04 9 %	0,04 9 %	0,04 9 %	—	—	—	—	—	—
über 10 bis 14	0,08 0,12	0,08 0,16	— —	0,03 10 %	0,03 10 %	0,03 10 %	0,03 10 %	0,03 9 %	0,04 9 %	0,05 9 %	0,05 9 %	0,05 9 %	0,06 8 %	0,08 8 %	—	—	—	—
über 14 bis 18	0,08 0,12	0,08 0,16	0,08 n. V.	0,04 10 %	0,04 10 %	0,04 10 %	0,04 10 %	0,04 9 %	0,05 9 %	0,06 9 %	0,06 9 %	0,07 9 %	0,08 8 %	0,09 8 %	0,10 8 %	—	—	—
über 18 bis 30	0,12 0,18	0,12 0,24	0,12 n. V.	0,04 10 %	0,05 10 %	0,05 10 %	0,05 10 %	0,05 10 %	0,06 10 %	0,07 10 %	0,08 9 %	0,08 9 %	0,10 9 %	0,10 9 %	0,12 8 %	0,12 8 %	0,13 8 %	—
über 30 bis 50	0,15 0,24	0,15 0,30	0,15 n. V.	—	0,06 10 %	0,06 10 %	0,06 10 %	0,07 10 %	0,08 10 %	0,08 10 %	0,10 9 %	0,10 9 %	0,12 9 %	0,12 9 %	0,14 8 %	0,14 8 %	0,15 8 %	0,15 8 %
über 50 bis 80	0,20 0,30	0,20 0,40	0,20 n. V.	—	—	0,08 10 %	0,08 10 %	0,09 10 %	0,10 10 %	0,10 10 %	0,12 10 %	0,12 10 %	0,14 9 %	0,15 9 %	0,16 9 %	0,16 9 %	0,17 9 %	0,18 8 %
über 80 bis 120	0,25 0,40	0,25 0,50	0,25 n. V.	—	—	—	0,09 10 %	0,10 10 %	0,12 10 %	0,12 10 %	0,14 10 %	0,15 10 %	0,16 9 %	0,17 9 %	0,18 9 %	0,18 9 %	0,20 9 %	0,22 8 %
über 120 bis 200	0,50 0,75	0,50 1,0	0,50 n. V.	—	—	—	—	—	0,14 10 %	0,15 10 %	0,16 10 %	0,18 10 %	0,20 10 %	0,22 10 %	0,24 9 %	0,24 9 %	0,26 9 %	0,26 9 %
über 200 bis 315	0,75 1,2	0,75 1,5	0,75 n. V.	—	—	—	—	—	—	—	—	0,22 12 %	0,24 12 %	0,26 12 %	0,28 12 %	0,30 12 %	0,32 12 %	0,35 12 %
über 315 bis 450	1,0 1,5	1,0 2,0	1,0 n. V.	—	—	—	—	—	—	—	—	—	0,30 15 %	0,32 15 %	0,35 15 %	0,38 15 %	0,40 15 %	0,45 15 %

n. V. = nach Vereinbarung   1) Siehe Abschnitt 3.3.1   2) Siehe Abschnitt 3.3.2   3) Diese zulässigen Abweichungen gelten nur für den Außendurchmesser

3.3.1. Zulässige Abweichungen der Durchmesser
(Außen- und/oder Innendurchmesser)

Der mittlere Durchmesser $\bar{d}$ ist das arithmetische Mittel des größten Durchmessers d_{max} und des kleinsten Durchmessers d_{min}, gemessen in derselben senkrecht zur Rohrachse stehenden Ebene:

$$\bar{d} = \frac{d_{max} + d_{min}}{2}$$

Der errechnete Wert $\bar{d}$ muß innerhalb der zulässigen Abweichungen liegen.

Die Angabe der zulässigen Abweichungen der Durchmesser einschließlich Unrundheit besagt, daß jeder gemessene Durchmesser innerhalb dieser zulässigen Abweichungen liegen muß.

Beim Messen der Durchmesser muß ein Abstand von mindestens d_1, höchstens jedoch 100 mm, von beiden Enden des Rohres unberücksichtigt bleiben.

3.3.1.1. für Rohre in gestreckten Längen, siehe Tabelle 1

Für Rohre im Zustand weich des jeweiligen Werkstoffes, gekennzeichnet durch die Anhängezahl .10 der Werkstoffnummer (siehe DIN 17 671 Blatt 1 und DIN 40 500 Blatt 2), gelten nur die zulässigen Abweichungen für den mittleren Durchmesser nach Tabelle 1, da die zulässigen Abweichungen des Durchmessers einschließlich Unrundheit für diese Rohre nicht gewährleistet werden können.

3.3.1.2. für Rohre in Ringen, siehe Tabelle 2

Die Werte der Tabelle 2 gelten für Rohre mit einem Verhältnis $d_1 : s$ bis 20, einer Wanddicke bis 2 mm und für alle Festigkeitszustände

Tabelle 2. **Zulässige Abweichungen der Durchmesser für Rohre in Ringen**

Außendurchmesser d_1 und/oder Innendurchmesser d_2 Maßbereich		Zulässige ± Abweichung der Durchmesser einschließlich Unrundheit [1])	Zulässige ± Abweichung der mittleren Durchmesser [1])	Zugehöriger Ringinnendurchmesser mindestens
von 3	bis 6	0,30	0,05	400
über 6	bis 10	0,50	0,06	600
über 10	bis 18	0,70	0,08	800
über 18	bis 30	0,90	0,12	1000

[1]) Siehe Abschnitt 3.3.1

3.3.2. Zulässige Abweichungen der Wanddicke,
siehe Tabelle 1

Die mittlere Wanddicke $\bar{s}$ ist das arithmetische Mittel der größten Wanddicke s_{max} und der kleinsten Wanddicke s_{min}, gemessen in derselben senkrecht zur Rohrachse stehenden Ebene:

$$\bar{s} = \frac{s_{max} + s_{min}}{2}$$

Der errechnete Wert $\bar{s}$ muß innerhalb der zulässigen Abweichung liegen.

Die Ungleichwandigkeit ist die ± Abweichung der größten bzw. der kleinsten Wanddicke von der mittleren Wanddicke:

$$U = s_{max} - \bar{s} = \bar{s} - s_{min}$$

Die Ungleichwandigkeit wird zweckmäßig errechnet als die halbe Differenz zwischen der größten und kleinsten Wanddicke, gemessen in derselben senkrecht zur Rohrachse stehenden Ebene:

$$U = \frac{s_{max} - s_{min}}{2} \text{ in mm}$$

Die auf die Nennwanddicke bezogene Ungleichwandigkeit U_b ist in Tabelle 1 in % angegeben:

$$U_b = \frac{U}{s} \cdot 100 = \frac{s_{max} - s_{min}}{s_{max} + s_{min}} \cdot 100 \text{ in } \%$$

Aus den Prozent-Angaben errechnete Abweichungen in Millimeter sind auf zwei Dezimalen anzugeben (Runden nach DIN 1333).

3.3.3. Zulässige Abweichungen von der Geraden

Für Rohre von Außendurchmesser d_1 über 10 mm in Herstell-, Ungefähr- und Festlängen (ausgenommen Rohre im Zustand weich) gelten die zulässigen Abweichungen nach Tabelle 3. h_1 ist die zulässige Abweichung je Meter, linear zunehmend bei Meßlängen l_1 über 400 mm. Auf jedem Längenabschnitt l_2 = 400 mm darf die zulässige Abweichung jedoch nicht mehr als h_2 betragen, siehe Bild.

Tabelle 3

Verhältnis $d_1 : s$ über	bis	Zulässige Abweichung je Meter h_1	je 400 mm h_2
—	5	2	0,8
5	10	3	1,2
10	20	4	1,6
20	40	5	2,0
40	—	6	2,5

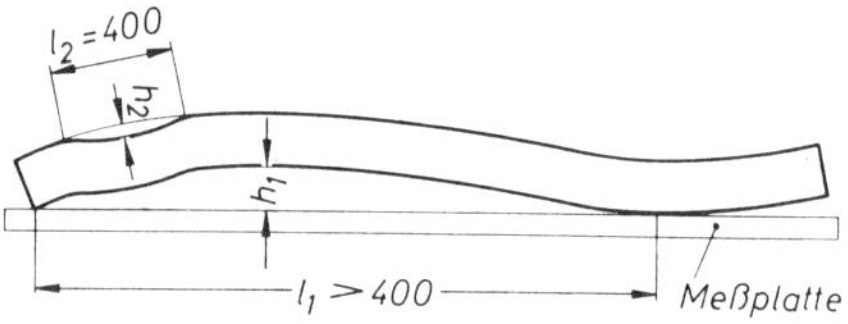

4. Werkstoffe und Festigkeitseigenschaften
(bei Bestellung angeben)

Kupfer nach DIN 17 671 Blatt 1

Kupfer für die Elektrotechnik nach DIN 40 500 Blatt 2

Tabelle 4

Kurzzeichen	Werkstoffnummer	Dichte kg/dm³	Umrechnungsfaktor
E-Cu	2.0070	8,9	1,0
SD-Cu	2.0110		
SE-Cu	2.0070		
SF-Cu	2.0090		

5. Ausführung

Nach den Technischen Lieferbedingungen DIN 17 671 Blatt 2, für Kupfer für die Elektrotechnik nach DIN 40 500 Blatt 2.

6. Gewichte und zulässige Abweichungen

Das Gewicht errechnet sich aus den Nennmaßen des jeweiligen Außendurchmessers und der Wanddicke sowie der Dichte des Werkstoffes.

Die zulässige Gewichtsabweichung ergibt sich aus den zulässigen Abweichungen der Nennmaße und den zulässigen Abweichungen in der Zusammensetzung.

7. Lieferart

7.1. Rohre in Herstellängen: bis 8000 mm

Mindestlängen müssen bei Bestellung vereinbart werden.

7.2. Rohre in Ungefährlängen: bis 8000 mm

Ungefährlängen sind bei der Bestellung besonders zu vereinbaren. Zur Kennzeichnung ist dann hinter die Längenangabe „ungefähr" zu setzen.

Die zulässige Abweichung der bestellten Länge beträgt ±10 %.

Bei Rohren mit Durchmessern bis 100 mm dürfen Unterlängen von mindestens 1000 mm bis zu 10 % des Liefergewichts betragen. Bei Rohren mit Durchmessern über 100 mm sind die zulässigen Unterlängen besonders zu vereinbaren.

7.3. Rohre in Festlängen

Festlängen sind bei Bestellung besonders zu vereinbaren. Zur Kennzeichnung ist dann hinter die Längenangabe „fest" zu setzen.

Für Festlängen gelten die zulässigen Abweichungen nach Tabelle 5. Sägeschnitte dürfen bei Festlängen nur mit der halben zulässigen Abweichung der Tabelle 5 vom rechten Winkel abweichen.

7.4. Rohre in Ringen

Ringinnendurchmesser siehe Tabelle 2.

Andere Lieferarten sind bei Bestellung besonders zu vereinbaren.

7.5. Bestellbeispiel

Wegen der Kennbuchstaben B und C ist Abschnitt 2 zu beachten.

2 t nahtlosgezogene Rohre von Außendurchmesser d_1 = 20 mm und Wanddicke s = 2 mm der Toleranzzuordnung A in Herstellängen aus dem Werkstoff mit dem Kurzzeichen SF-Cu F30 oder der Werkstoffnummer 2.0090.30

2 t Rohre 30 × 2 DIN 1754 – SF-Cu F30

oder **2 t Rohre 30 × 2 DIN 1754 – 2.0090.30**

Tabelle 5. **Zulässige Abweichungen der Festlängen**

Außendurchmesser d_1		Zulässige Plus-Abweichungen für Festlängen über						
		–	100	250	500	1000	2000	4000
		bis						
über	bis	100	250	500	1000	2000	4000	–
–	10	nach Vereinbarung						
10	50	1	1,5	2	3	4	5	nach Vereinbarung
50	120	1,5	2	3	4	5	6	
120	250	2	3	4	5	6	7	
250	450	3	4	5	6	7	8	

Erläuterungen

Die vorliegende Ausgabe der Norm berücksichtigt, daß nur noch zwei Querschnittsabmessungen eines Rohres toleriert werden dürfen, siehe Toleranzzuordnungen A, B und C. Mit der Einführung dieser Toleranzzuordnungen wurde die bisherige Überbestimmung der Maße, d. h. die gleichzeitige Festlegung von zulässigen Abweichungen für Außendurchmesser, Innendurchmesser und Wanddicke, beseitigt.

Wegen weiterer Einzelheiten sei auf die Ausführungen von F. Ballas [4]) sowie H. J. Fischer und R. M. Zollinger [5]) hingewiesen. Es soll nur festgehalten werden, daß die zulässigen Abweichungen sowohl vom Werkzeug als auch vom Herstellungsverfahren beeinflußt werden. Aus diesem Grunde wurde jetzt unterschieden zwischen den vom Werkzeug abhängigen Maßabweichungen, d. h. den zulässigen Abweichungen des mittleren Durchmessers, bzw. der mittleren Wanddicke, und den vom Herstellungsverfahren abhängigen Formabweichungen, d. h. den zulässigen Abweichungen des Durchmessers einschließlich Unrundheit bzw. der zulässigen Ungleichwandigkeit (Exzentrizität).

Nachdem nun über das neue System der Tolerierung Einigung erzielt wurde, ging es weiterhin darum, die Normen einerseits universeller und andererseits spezieller als bisher zu machen, d. h. sowohl Zwischenmaße nach Norm zu tolerieren durch die Angabe von Maßbereichen als auch eindeutige Vorzugsmaße für bestimmte Anwendungsgebiete, z. B. für Rohrleitungen, festzulegen.

Diesen Wünschen wurde durch eine Aufteilung der bisherigen Norm DIN 1754 in mehrere Blätter wie folgt Rechnung getragen:

Blatt 1: Maßbereiche und Toleranzzuordnungen

Die Maßbereiche erlauben, für jede beliebige Abmessung die jeweils gültige zulässige Abweichung abzulesen oder zu errechnen. Dies ist besonders für Rohre der Toleranzzuordnungen B und C wichtig, für die keine Vorzugsmaße festgelegt werden konnten.

Blatt 2: Vorzugsmaße für allgemeine Verwendung

Da im allgemeinen Rohre der Toleranzzuordnung A gebraucht werden, wurden in dieser Norm Vorzugsmaße für Außendurchmesser und Wanddicke festgelegt, die nach Normzahlen gestuft sind und auch Abmessungen einschließen, die der internationalen Durchmesserreihe für Rohrleitungen entsprechen.

Aufbauend auf den Festlegungen von Blatt 1 wurden für jede Abmessung die zulässigen Abweichungen für Außendurchmesser und Wanddicke angegeben. Darüber hinaus wurden die kleinste, im jeweiligen Rohrquerschnitt mögliche Wanddicke und das Gewicht berechnet, um dem Anwender der Norm einige wesentliche Berechnungsgrundlagen an die Hand zu geben.

Blatt 3: Vorzugsmaße für Rohrleitungen

Die Vorzugsmaße für den Außendurchmesser wurden bewußt auf die Reihe abgestellt, die international für das Gebiet der Rohrleitungen angenommen worden ist. Diese Angleichung war notwendig, da alle Rohrverbindungselemente, z. B. Verschraubungen, Flansche, auf diese Außendurchmesser abgestellt sind. Für den übrigen Aufbau dieser Norm gelten dieselben Grundsätze wie für Blatt 2.

Wegen dieser Aufteilung wurde beschlossen, jedes Blatt so zu gestalten, daß es unabhängig von den anderen Blättern benutzt werden kann. Dadurch ist es möglich, je nach Bedarf Vorzugsmaße in Blatt 2 und/oder Blatt 3 zu ändern, d. h. zu streichen und/oder zu ergänzen.

Es war notwendig, im Zuge der Überarbeitung auch eine Aufteilung der Werkstoffe in mehrere Gruppen vorzunehmen, die das Umformverhalten der Legierungen berücksichtigen.

---

[4]) Siehe DIN-Mitt. Bd. 41 (1962), H. 8/9, S. 357—362

[5]) Siehe DIN-Mitt. Bd. 45 (1966), H. 11, S. 597—603

DK 621.643.24-462.3 : 669.35

August 1969

Rohre aus Kupfer-Knetlegierungen

nahtlosgezogen

Maßbereiche und Toleranzzuordnungen

DIN 1755 Blatt 1

Tube of wrought copper alloys; seamless drawn, size ranges and coordination of tolerances

Tubes en alliages de cuivre corroyés; étirés à froid sans soudure, plage de dimensions et coordination de tolérances

Mit DIN 1755 Blatt 2 und Blatt 3
Ersatz für DIN 1755

Maße in mm

1. Geltungsbereich

Diese Norm gilt für nahtlosgezogene Rohre von 3 bis 450 mm Außendurchmesser und 0,3 bis 10 mm Wanddicke. Sie enthält Maßbereiche und Toleranzzuordnungen sowie deren zulässige Abweichungen.

Rohre nach dieser Norm werden aus den in Abschnitt 4 aufgeführten Werkstoffen der Werkstoffgruppen I bis IV hergestellt; die angegebenen Einschränkungen sind zu beachten.

Vorzugsmaße für allgemeine Verwendung,
siehe DIN 1755 Blatt 2

Vorzugsmaße für Rohrleitungen,
siehe DIN 1755 Blatt 3

Diese Norm gilt nicht für:
Rohre aus Kupfer, siehe DIN 1754

2. Bezeichnung

Rohre werden grundsätzlich mit Außendurchmesser mal Wanddicke bezeichnet.

Beispiele:

Entsprechend den in Abschnitt 3.1 festgelegten Toleranzzuordnungen sind zu unterscheiden:

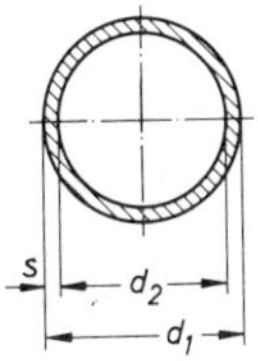

Toleranzzuordnung A (Regelfall)

Bezeichnung eines nahtlosen Rohres von Außendurchmesser $d_1 = 20$ mm und Wanddicke $s = 2$ mm der Toleranzzuordnung A aus dem Werkstoff mit dem Kurzzeichen CuZn40 F42 (bisher Ms60 F41) oder der Werkstoffnummer 2.0360.26:

Rohr 20×2 DIN 1755 – CuZn40 F42
oder Rohr 20×2 DIN 1755 – 2.0360.26
bisher Rohr 20 × 2 DIN 1755–Ms60 F41

Toleranzzuordnung B

Bezeichnung eines nahtlosen Rohres von Außendurchmesser $d_1 = 20$ mm und Wanddicke $s = 2$ mm der Toleranzzuordnung B (Kennbuchstabe B) aus dem Werkstoff mit dem Kurzzeichen CuZn40 F42 (bisher Ms60 F41) oder der Werkstoffnummer 2.0360.26:

Rohr 20×2 B DIN 1755 – CuZn40 F42
oder Rohr 20×2 B DIN 1755 – 2.0360.26
bisher Rohr 20 × 2 B DIN 1755–Ms60 F41

Toleranzzuordnung C

Bezeichnung eines nahtlosen Rohres von Außendurchmesser $d_1 = 20$ mm und Wanddicke $s = 2$ mm der Toleranzzuordnung C (Kennbuchstabe C) aus dem Werkstoff mit dem Kurzzeichen CuZn40 F42 (bisher Ms60 F41) oder der Werkstoffnummer 2.0360.26:

Rohr 20×2 C DIN 1755 – CuZn40 F42
oder Rohr 20×2 C DIN 1755 – 2.0360.26
bisher Rohr 20 × 2 C DIN 1755–Ms60 F41

Wenn die Kennbuchstaben B oder C nicht angegeben sind, werden immer Rohre der Toleranzzuordnung A (Regelfall) geliefert.

3. Maße und zulässige Abweichungen

3.1. Toleranzzuordnungen *)

Toleranzzuordnung A (Regelfall)

Rohre, denen nur die zulässigen Abweichungen des Außendurchmessers und der Wanddicke zugeordnet sind.

Toleranzzuordnung B

Rohre, denen nur die zulässigen Abweichungen des Innendurchmessers und der Wanddicke zugeordnet sind. Das Bezugsmaß für die zulässige Abweichung der Wanddicke ist der Außendurchmesser.

Toleranzzuordnung C

Rohre, denen nur die zulässigen Abweichungen des Außendurchmessers und des Innendurchmessers zugeordnet werden. Außerdem gilt die zulässige Ungleichwandigkeit, deren Bezugsmaß der Außendurchmesser ist.

3.2. Vorzugsmaße

Vorzugsmaße von Rohren der Toleranzzuordnung A sind in DIN 1755 Blatt 2 für allgemeine Verwendung und in DIN 1755 Blatt 3 für Rohrleitungen festgelegt.

Vorzugsmaße von Rohren der Toleranzzuordnungen B und C sind nicht festgelegt.

3.3. Zulässige Abweichungen

Die zulässigen Abweichungen sind nach Maßbereichen geordnet.

*) Siehe „Toleranzzuordnungen für Querschnittsmaße von Rohren aus Nichteisenmetallen", DIN-Mitteilungen Bd. 45 (1966) H. 11, S. 597—603.
Als Sonderdruck D-346 zu beziehen durch Beuth-Vertrieb GmbH, Berlin 30 und Köln.

Fortsetzung Seite 2 bis 6
Erläuterungen Seite 7

Fachnormenausschuß Nichteisenmetalle im Deutschen Normenausschuß (DNA)
Fachnormenausschuß Rohre, Rohrverbindungen und Rohrleitungen im DNA

Tabelle 1. **Maßbereiche und zulässige Abweichungen des Durchmessers und der Wanddicke für Rohre in gestreckten Längen**

Beim Anwenden dieser Tabelle sind die Toleranzzuordnungen A, B und C (siehe Abschnitt 3.1) zu beachten.

Maßbereich	Außendurchmesser d_1 und/oder Innendurchmesser d_2 — Zulässige ± Abweichung [1] — Obere Zeile: des mittleren Durchmessers; Untere Zeile: des Durchmessers einschl. Unrundheit — für Werkstoffgruppe I und II bei einem Verhältnis $d_1 : s$			für Werkstoffgruppe III bei einem Verhältnis $d_1 : s$			von **0,3** bis **0,5** — für Werkstoffgruppe		über **0,5** bis **0,8** — für Werkstoffgruppe		über **0,8** bis **1,0** — für Werkstoffgruppe		über **1,0** bis **1,2** — für Werkstoffgruppe	
	bis **30**	über **30** bis **50**	über **50**	bis **30**	über **30** bis **50**	über **50**	I u. II	III	I u. II	III	I u. II	III	I u. II	III
von **3**	0,05 [3]	—	—	—	—	—	0,03	0,05	0,03	0,05	0,03	0,05	0,03	0,05
bis **6**	0,07 [3]	—	—	—	—	—	10 %		10 %		9 %		9 %	
über **6**	0,06	0,06	—	0,10	0,10	—	0,03	0,05	0,03	0,05	0,03	0,05	0,03	0,05
bis **10**	0,09	0,12	—	0,15	0,20	—	10 %		10 %		10 %		10 %	
über **10**	0,08	0,08	—	0,15	0,15	—	0,03	0,05	0,03	0,05	0,03	0,05	0,03	0,05
bis **14**	0,12	0,16	—	0,20	0,30	—	10 %		10 %		10 %		10 %	
über **14**	0,08	0,08	0,08	0,15	0,15	0,15	0,04	0,07	0,04	0,07	0,04	0,07	0,04	0,07
bis **18**	0,12	0,16	n. V.	0,20	0,30	n. V.	10 %		10 %		10 %		10 %	
über **18**	0,12	0,12	0,12	0,20	0,20	0,20	0,04	0,07	0,05	0,09	0,05	0,09	0,05	0,09
bis **30**	0,18	0,24	n. V.	0,30	0,40	n. V.	10 %		10 %		10 %		10 %	
über **30**	0,15	0,15	0,15	0,25	0,25	0,25	—		0,06	0,11	0,06	0,11	0,06	0,11
bis **50**	0,24	0,30	n. V.	0,38	0,50	n. V.			10 %		10 %		10 %	
über **50**	0,20	0,20	0,20	0,30	0,30	0,30	—		—		0,08	0,14	0,08	0,14
bis **80**	0,30	0,40	n. V.	0,45	0,60	n. V.					10 %		10 %	
über **80**	0,25	0,25	0,25	0,40	0,40	0,40	—		—		—		0,09	0,16
bis **120**	0,40	0,50	n. V.	0,60	0,80	n. V.							10 %	
über **120**	0,50	0,50	0,50	0,75	0,75	0,75	—		—		—		—	
bis **200**	0,75	1,0	n. V.	1,2	1,5	n. V.								
über **200**	0,75	0,75	0,75	1,2	1,2	1,2	—		—		—		—	
bis **315**	1,2	1,5	n. V.	1,8	2,4	n. V.								
über **315**	1,0	1,0	1,0	2,0	2,0	2,0	—		—		—		—	
bis **450**	1,5	2,0	n. V.	3,0	4,0	n. V.								

[1]) Siehe Abschnitt 3.3.1

[2]) Siehe Abschnitt 3.3.2

[3]) Diese zulässigen Abweichungen gelten nur für den Außendurchmesser

n. V. = nach Vereinbarung

Die in dieser Tabelle angegebenen zulässigen Abweichungen gelten nur für die Werkstoffgruppen I bis III, siehe Abschnitt 4.

Wanddicke *s*
Obere Zeile: Zulässige ± Abweichung der mittleren Wanddicke in mm [2])
Untere Zeile: Zulässige ± Ungleichwandigkeit in % der Nennwanddicke [2])
für den Maßbereich der Wanddicke

über 1,2 bis 1,4		über 1,4 bis 1,6		über 1,6 bis 1,8		über 1,8 bis 2,0		über 2,0 bis 2,5		über 2,5 bis 3		über 3 bis 4		über 4 bis 5		über 5 bis 6		über 6 bis 8		über 8 bis 10	
für Werkstoffgruppe																					
I u. II	III	I u. II	III	I u. II	III	I u. II	III	I u. II	III	I u. II	III	I u. II	III	I u. II	III	I u. II	III	I u. II	III	I u. II	III
0,03	0,05	0,04	0,07	—		—		—		—		—		—		—		—		—	
9 %		9 %																			
0,03	0,05	0,04	0,07	0,04	0,07	0,04	0,07	0,04	0,07	—		—		—		—		—		—	
9 %		9 %		9 %		9 %		9 %													
0,03	0,05	0,04	0,07	0,05	0,09	0,05	0,09	0,05	0,09	0,06	0,11	0,08	0,14	—		—		—		—	
9 %		9 %		9 %		9 %		9 %		8 %		8 %									
0,04	0,07	0,05	0,07	0,06	0,11	0,06	0,11	0,07	0,13	0,08	0,14	0,09	0,16	0,10	0,18	—		—		—	
9 %		9 %		9 %		9 %		9 %		8 %		8 %		8 %							
0,05	0,09	0,06	0,11	0,07	0,13	0,08	0,14	0,08	0,14	0,10	0,18	0,10	0,18	0,12	0,22	0,12	0,22	0,13	0,23	—	
10 %		10 %		10 %		9 %		9 %		9 %		9 %		8 %		8 %		8 %			
0,07	0,13	0,08	0,14	0,08	0,14	0,10	0,18	0,10	0,18	0,12	0,22	0,12	0,22	0,14	0,25	0,14	0,25	0,15	0,27	0,15	0,27
10 %		10 %		10 %		9 %		9 %		9 %		9 %		8 %		8 %		8 %		8 %	
0,09	0,16	0,10	0,18	0,10	0,18	0,12	0,22	0,12	0,22	0,14	0,25	0,15	0,27	0,16	0,29	0,16	0,29	0,17	0,31	0,18	0,32
10 %		10 %		10 %		10 %		10 %		9 %		9 %		9 %		9 %		9 %		8 %	
0,10	0,18	0,12	0,22	0,12	0,22	0,14	0,25	0,15	0,27	0,16	0,29	0,17	0,31	0,18	0,32	0,18	0,32	0,20	0,36	0,22	0,40
10 %		10 %		10 %		10 %		10 %		9 %		9 %		9 %		9 %		9 %		8 %	
—		0,14	0,25	0,15	0,27	0,16	0,29	0,18	0,32	0,20	0,36	0,22	0,40	0,24	0,43	0,24	0,43	0,26	0,47	0,26	0,47
		10 %		10 %		10 %		10 %		10 %		10 %		9 %		9 %		9 %		9 %	
—		—		—		—		0,22	0,40	0,24	0,43	0,26	0,47	0,28	0,50	0,30	0,54	0,32	0,58	0,35	0,63
								12 %		12 %		12 %		12 %		12 %		12 %		12 %	
—		—		—		—		—		0,30	0,54	0,32	0,58	0,35	0,63	0,38	0,68	0,40	0,72	0,45	0,81
										15 %		15 %		15 %		15 %		15 %		15 %	

3.3.1. Zulässige Abweichungen der Durchmesser (Außen- und/oder Innendurchmesser) siehe Tabelle 1

Der mittlere Durchmesser $\overline{d}$ ist das arithmetische Mittel des größten Durchmesser d_{max} und des kleinsten Durchmesser d_{min}, gemessen in derselben senkrecht zur Rohrachse stehenden Ebene.

$$\overline{d} = \frac{d_{max} + d_{min}}{2}$$

Der errechnete Wert $\overline{d}$ muß innerhalb der zulässigen Abweichungen liegen.

Die Angabe der zulässigen Abweichungen der Durchmesser einschließlich Unrundheit besagt, daß jeder gemessene Durchmesser innerhalb dieser zulässigen Abweichungen liegen muß.

Beim Messen der Durchmesser muß ein Abstand von mindestens d_1, höchstens jedoch 100 mm, von beiden Enden des Rohres unberücksichtigt bleiben.

Für Rohre im Zustand weich des jeweiligen Werkstoffes, gekennzeichnet durch die Anhängezahl .10 der Werkstoffnummer (siehe DIN 17 671 Blatt 1) gelten nur die zulässigen Abweichungen für den mittleren Durchmesser nach Tabelle 1, da die zulässigen Abweichungen des Durchmessers einschließlich Unrundheit für diese Rohre nicht gewährleistet werden können.

3.3.2. Zulässige Abweichungen der Wanddicke, siehe Tabelle 1

Die mittlere Wanddicke $\overline{s}$ ist das arithmetische Mittel der größten Wanddicke s_{max} und der kleinsten Wanddicke s_{min}, gemessen in derselben senkrecht zur Rohrachse stehenden Ebene:

$$\overline{s} = \frac{s_{max} + s_{min}}{2}$$

Der errechnete Wert $\overline{s}$ muß innerhalb der zulässigen Abweichungen liegen.

Die Ungleichwandigkeit ist die ± Abweichung der größten bzw. der kleinsten Wanddicke von der mittleren Wanddicke:

$$U = s_{max} - \overline{s} = \overline{s} - s_{min}$$

Die Ungleichwandigkeit wird zweckmäßig errechnet als die halbe Differenz zwischen der größten und kleinsten Wanddicke, gemessen in derselben senkrecht zur Rohrachse stehenden Ebene:

$$U = \frac{s_{max} - s_{min}}{2} \text{ in mm}$$

Die auf die Nennwanddicke bezogene Ungleichwandigkeit U_b ist in Tabelle 1 in % angegeben:

$$U_b = \frac{U}{s} \cdot 100 = \frac{s_{max} - s_{min}}{s_{max} + s_{min}} \cdot 100 \text{ in \%}$$

Aus den Prozent-Angaben errechnete Abweichungen in Millimeter sind auf zwei Dezimalen anzugeben (Runden nach DIN 1333).

3.3.3. Zulässige Abweichung von der Geraden

Für Rohre von Außendurchmesser d_1 über 10 mm in Herstell-, Ungefähr- und Festlängen (ausgenommen Rohre im Zustand weich) gelten die zulässigen Abweichungen nach Tabelle 2.

h_1 ist die zulässige Abweichung je Meter, linear zunehmend bei Meßlängen l_1 über 400 mm. Auf jedem Längenabschnitt l_2 = 400 mm darf die zulässige Abweichung jedoch nicht mehr als h_2 betragen, siehe Bild.

Tabelle 2

Verhältnis $d_1 : s$		Zulässige Abweichung	
über	bis	je Meter h_1	je 400 mm h_2
—	5	2	0,8
5	10	3	1,2
10	20	4	1,6
20	40	5	2,0
40	—	6	2,5

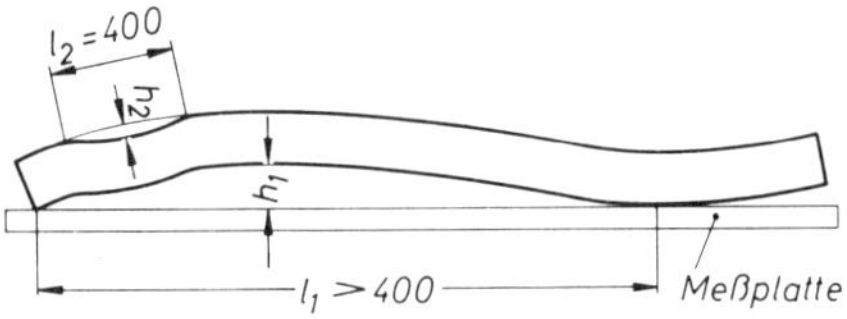

4. Werkstoffe und Festigkeitseigenschaften

(bei Bestellung angeben)

Kupfer-Knetlegierungen nach DIN 17 671 Blatt 1

Rohre nach dieser Norm sind nicht in allen Abmessungen aus allen aufgeführten Werkstoffen lieferbar. Deshalb sind über den gewünschten Werkstoff gegebenenfalls Vereinbarungen zu treffen.

Die Werkstoffgruppen I, II, III und IV berücksichtigen das unterschiedliche Umformverhalten der Legierungen entsprechend ihrer Zusammensetzung (vgl. Kurzzeichen in den Tabellen 3 bis 6).

Tabelle 3. **Werkstoffgruppe I**

Benennung	Kurzzeichen		Werkstoff-nummer	Dichte kg/dm³	Umrechnungs-faktor
	neu	bisher			
Kupfer-Knetlegierungen niedriglegiert	CuSP	—	2.1498	8,9	1
	CuTeP	SF-CuTe	2.1546	8,9	1
Kupfer-Zink-Legierungen (Messing)	CuZn36Pb1	Ms63Pb	2.0330	8,5	0,955
	CuZn36Pb3	—	2.0375	8,5	0,955
	CuZn38Pb1	Ms60Pb	2.0370	8,4	0,944
	CuZn39Pb3	Ms58	2.0401	8,5	0,955
	CuZn40Pb2		2.0402	8,4	0,944

Tabelle 4. **Werkstoffgruppe II**

Benennung	Kurzzeichen		Werkstoff-nummer	Dichte kg/dm³	Umrechnungs-faktor
	neu	bisher			
Kupfer-Zink-Legierungen (Messing und Sondermessing)	CuZn5	(Ms95)	2.0220	8,9	1
	CuZn10	Ms90	2.0230	8,8	0,989
	CuZn15	Ms85	2.0240	8,8	0,989
	CuZn20	Ms80	2.0250	8,7	0,977
	CuZn28	(Ms72)	2.0261	8,6	0,966
	CuZn30	Ms70	2.0265	8,5	0,955
	CuZn33	Ms67	2.0280	8,5	0,955
	CuZn36	Ms63	2.0335	8,4	0,944
	CuZn37		2.0321	8,4	0,944
	CuZn40	Ms60	2.0360	8,4	0,944
	CuZn30Al	—	2.0515	7,5	0,843
	CuZn31Si	SoMs68	2.0490	8,4	0,944
KupferZinn-Legierungen (Zinnbronze)	CuSn2	SnBz2	2.1010	8,9	1
	CuSn6	SnBz6	2.1020	8,8	0,989
	CuSn8	SnBz8	2.1030	8,8	0,989
Kupfer-Nickel-Legierungen	CuNi5Fe		2.0862	8,9	1
	CuNi10Fe		2.0872	8,9	1
	CuNi30Fe		2.0882	8,9	1
Kupfer-Knet-Legierungen niedriglegiert	CuAsP	SB-Cu	2.1491	8,9	1
	CuMn2		2.1363	8,8	0,989
	CuMn5		2.1366	8,6	0,966
	CuSi2Mn		2.1522	8,7	0,977
	CuSi3Mn		2.1525	8,5	0,955
	CuBe2		2.1247	8,3	0,932
	CuCr		2.1291	8,9	1
	CuNi1,5Si		2.0853	8,8	0,989
	CuNi2Si		2.0855	8,8	0,989
	CuNi3Si		2.0857	8,8	0,989

Tabelle 5. **Werkstoffgruppe III**

Benennung	Kurzzeichen neu	Kurzzeichen bisher	Werkstoffnummer	Dichte kg/dm³	Umrechnungsfaktor
Kupfer-Zink-Legierungen (Sondermessing)	CuZn20Al	SoMs76	2.0460	8,3	0,932
	CuZn35Ni	SoMs59	2.0540	8,3	0,932
	CuZn37Al	SoMs58Al1	2.0510	8,3	0,932
	CuZn40Al		2.0560	8,2	0,921
	CuZn40Ni	SoMs58	2.0571	8,3	0,932
	CuZn40Mn		2.0572	8,3	0,932
	CuZn40MnPb	SoMs58Pb	2.0580	8,2	0,921
Kupfer-Aluminium-Legierungen (Aluminiumbronze)	CuAl5	AlBz5	2.0916	8,2	0,921
	CuAl8	AlBz8	2.0920	7,7	0,865
Kupfer-Nickel-Zink-Legierungen (Neusilber)	CuNi12Zn24	Ns6512	2.0730	8,7	0,977
	CuNi18Zn20	Ns6218	2.0740	8,7	0,977

Tabelle 6. **Werkstoffgruppe IV:** Die zulässigen Abweichungen sind zu vereinbaren.

Benennung	Kurzzeichen neu	Kurzzeichen bisher	Werkstoffnummer	Dichte kg/dm³	Umrechnungsfaktor
Kupfer-Zink-Legierungen (Sondermessing)	CuZn40Al2	SoMs58Al2	2.0550	8,1	0,910
Kupfer-Aluminium-Legierungen (Aluminiumbronze)	CuAl8Fe	AlBz8Fe	2.0932	7,7	0,865
	CuAl10Fe	AlBz10Fe	2.0936	7,5	0,843
	CuAl9Mn	AlBz9Mn	2.0960	7,5	0,843
	CuAl10Ni	AlBz10Ni	2.0966	7,5	0,843
	CuAl11Ni	AlBz11Ni	2.0978	7,4	0,831

5. Ausführung

Nach den Technischen Lieferbedingungen DIN 17 671 Blatt 2

6. Gewichte und zulässige Abweichungen

Das Gewicht errechnet sich aus den Nennmaßen des jeweiligen Außendurchmessers und der Wanddicke sowie der Dichte des Werkstoffes. Umrechnungsfaktoren siehe Tabellen 3 bis 6.

Die zulässige Gewichtsabweichung ergibt sich aus den zulässigen Abweichungen der Nennmaße und den zulässigen Abweichungen in der Zusammensetzung.

7. Lieferart

7.1. Rohre in Herstellängen: von 2000 bis 8000 mm

Unterlängen von mindestens 1000 mm bis zu 10 % des Liefergewichts zulässig.

7.2. Rohre in Ungefährlängen: bis 8000 mm

Ungefährlängen sind bei der Bestellung besonders zu vereinbaren. Zur Kennzeichnung ist dann hinter die Längenangabe „ungefähr" zu setzen.

Die zulässige Abweichung der bestellten Länge beträgt ± 10 %.

Bei Rohren mit Durchmessern bis 100 mm dürfen Unterlängen von mindestens 1000 mm bis zu 10 % des Liefergewichts betragen. Bei Rohren mit Durchmessern über 100 mm sind die zulässigen Unterlängen besonders zu vereinbaren.

7.3. Rohre in Festlängen

Festlängen sind bei Bestellung besonders zu vereinbaren. Zur Kennzeichnung ist dann hinter die Längenangabe „fest" zu setzen. Für Festlängen gelten die zulässigen Abweichungen nach Tabelle 7.

Sägeschnitte dürfen bei Festlängen nur mit der halben zulässigen Abweichung der Tabelle 7 vom rechten Winkel abweichen.

Tabelle 7

Außendurchmesser d_1		Zulässige Plus-Abweichungen für Festlängen über						
		—	100	250	500	1000	2000	4000
		bis						
über	bis	100	250	500	1000	2000	4000	—
—	10	nach Vereinbarung						
10	50	1	1,5	2	3	4	5	nach Vereinbarung
50	120	1,5	2	3	4	5	6	
120	250	2	3	4	5	6	7	
250	450	3	4	5	6	7	8	

7.4. Bestellbeispiel

Wegen der Kennbuchstaben B und C ist Abschnitt 2 zu beachten. 2 t nahtlos gezogene Rohre von Außendurchmesser $d_1 = 20$ mm, Wanddicke $s = 2$ mm der Toleranzzuordnung A in Herstellängen aus dem Werkstoff mit dem Kurzzeichen CuZn40 F42 (bisher Ms60 F41) oder der Werkstoffnummer 2.0360.26

2 t Rohre 30 × 2 DIN 1755 — CuZn40 F42
oder **2 t Rohre 30 × 2 DIN 1755 — 2.0360.26**
bisher 2 t Rohre 30 × 2 DIN 1764 — Ms60 F41

Erläuterungen

Die vorliegende Ausgabe der Norm berücksichtigt, daß nur noch zwei Querschnittsabmessungen eines Rohres toleriert werden dürfen, siehe Toleranzzuordnungen A, B und C. Mit der Einführung dieser Toleranzzuordnungen wurde die bisherige Überbestimmung der Maße, d. h. die gleichzeitige Festlegung von zulässigen Abweichungen für Außendurchmesser, Innendurchmesser und Wanddicke, beseitigt.

Wegen weiterer Einzelheiten sei auf die Ausführungen von F. Ballas [4]) sowie H. J. Fischer und R. M. Zollinger [5]) hingewiesen. Es soll nur festgehalten werden, daß die zulässigen Abweichungen sowohl vom Werkzeug als auch vom Herstellungsverfahren beeinflußt werden. Aus diesem Grunde wurde jetzt unterschieden zwischen den vom Werkzeug abhängigen Maßabweichungen, d. h. den zulässigen Abweichungen des mittleren Durchmessers, bzw. der mittleren Wanddicke, und den vom Herstellungsverfahren abhängigen Formabweichungen, d. h. den zulässigen Abweichungen des Durchmessers einschließlich Unrundheit bzw. der zulässigen Ungleichwandigkeit (Exzentrizität).

Nachdem nun über das neue System der Tolerierung Einigung erzielt wurde, ging es weiterhin darum, die Normen einerseits universeller und andererseits spezieller als bisher zu machen, d. h. sowohl Zwischenmaße nach Norm zu tolerieren durch die Angabe von Maßbereichen als auch eindeutige Vorzugsmaße für bestimmte Anwendungsgebiete, z. B. für Rohrleitungen, festzulegen.

Diesen Wünschen wurde durch eine Aufteilung der bisherigen Norm DIN 1755 in mehrere Blätter wie folgt Rechnung getragen:

Blatt 1: Maßbereiche und Toleranzzuordnungen

Die Maßbereiche erlauben, für jede beliebige Abmessung die jeweils gültige zulässige Abweichung abzulesen oder zu errechnen. Dies ist besonders für Rohre der Toleranzzuordnungen B und C wichtig, für die keine Vorzugsmaße festgelegt werden konnten.

Blatt 2: Vorzugsmaße für allgemeine Verwendung

Da im allgemeinen Rohre der Toleranzzuordnung A gebraucht werden, wurden in dieser Norm Vorzugsmaße für Außendurchmesser und Wanddicke festgelegt, die nach Normzahlen gestuft sind und auch Abmessungen einschließen, die der internationalen Durchmesserreihe für Rohrleitungen entsprechen.

Aufbauend auf den Festlegungen von Blatt 1 wurden für jede Abmessung die zulässigen Abweichungen für Außendurchmesser und Wanddicke angegeben. Darüber hinaus wurden die kleinste, im jeweiligen Rohrquerschnitt mögliche Wanddicke und das Gewicht berechnet, um dem Anwender der Norm einige wesentliche Berechnungsgrundlagen an die Hand zu geben.

Blatt 3: Vorzugsmaße für Rohrleitungen

Die Vorzugsmaße für den Außendurchmesser wurden bewußt auf die Reihe abgestellt, die international für das Gebiet der Rohrleitungen angenommen worden ist. Diese Angleichung war notwendig, da alle Rohrverbindungselemente, z. B. Verschraubungen, Flansche, auf diese Außendurchmesser abgestellt sind. Für den übrigen Aufbau dieser Norm gelten dieselben Grundsätze wie für Blatt 2.

Wegen dieser Aufteilung wurde beschlossen, jedes Blatt so zu gestalten, daß es unabhängig von den anderen Blättern benutzt werden kann. Dadurch ist es möglich, je nach Bedarf Vorzugsmaße in Blatt 2 und/oder Blatt 3 zu ändern, d. h. zu streichen und/oder zu ergänzen.

Es war notwendig, im Zuge der Überarbeitung auch eine Aufteilung der Werkstoffe in mehrere Gruppen vorzunehmen, die das Umformverhalten der Legierungen berücksichtigen.

---

[4]) Siehe DIN-Mitt. Bd. 41 (1962), H. 8/9, S. 357—362

[5]) Siehe DIN-Mitt. Bd. 45 (1966), H. 11, S. 597—603

DK 621.643.24-462.3 : 669.35 August 1969

Rohre aus Kupfer-Knetlegierungen
nahtlosgezogen
Vorzugsmaße für allgemeine Verwendung

DIN 1755
Blatt 2

Tube of wrought copper alloys; seamless drawn,
preferred dimensions for general purposes

Tubes en alliages de cuivre corroyés; étirés à froid sans soudure,
dimensions préferées pour usages généraux

Mit DIN 1755 Blatt 1 und Blatt 3
Ersatz für DIN 1755

Maße in mm

1. Geltungsbereich

Aufbauend auf den Festlegungen von DIN 1755 Blatt 1 gilt diese Norm für Vorzugsmaße von nahtlosen Rohren der Toleranzzuordnung A *) mit Außendurchmessern von 3 bis 315 mm und Wanddicken von 0,5 bis 10 mm.

Rohre nach dieser Norm werden aus den in Abschnitt 4 aufgeführten Werkstoffen der Werkstoffgruppen I, II und III hergestellt; die angegebenen Einschränkungen sind zu beachten.

Für andere Abmessungen und Toleranzzuordnungen als in dieser Norm aufgeführt gilt DIN 1755 Blatt 1.

2. Bezeichnung

Bezeichnung eines nahtlosen Rohres von Außendurchmesser d_1 = 20 mm und Wanddicke s = 2 mm aus dem Werkstoff mit dem Kurzzeichen CuZn40 F42 (bisher Ms60 F41) oder der Werkstoffnummer 2.0360.26:

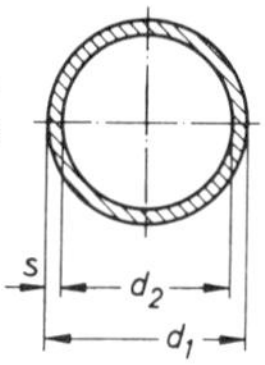

Rohr 20 × 2 DIN 1755 – CuZn40 F42

oder Rohr 20 × 2 DIN 1755 – 2.0360.26

bisher Rohr 20 × 2 DIN 1755 — Ms60 F41

3. Maße und zulässige Abweichungen

3.1. Außendurchmesser und Wanddicke

Die zulässigen Abweichungen für Außendurchmesser und Wanddicken sind in den Tabellen 1 bis 6 enthalten wie in der Übersicht (siehe Seite 2) dargestellt.

Für Rohre im Zustand weich des jeweiligen Werkstoffes, gekennzeichnet durch die Anhängezahl .10 der Werkstoffnummer (siehe DIN 17 671 Blatt 1) gelten nur die in den Tabellen 1 bis 6 angegebenen zulässigen Abweichungen für den mittleren Durchmesser $(d_{1\,\mathrm{mittel}})$, da die zulässigen Abweichungen des Durchmessers einschließlich Unrundheit $(d_{1\,\mathrm{ges.}})$ für diese Rohre nicht gewährleistet werden können.

*) Siehe „Toleranzzuordnungen für Querschnittsmaße von Rohren aus Nichteisenmetallen", DIN-Mitteilungen Bd. 45 (1966) H. 11, S. 597—603. Als Sonderdruck D-346 zu beziehen durch Beuth-Vertrieb GmbH, Berlin 30 und Köln.

Fortsetzung Seite 2 bis 11
Erläuterungen Seite 11

Fachnormenausschuß Nichteisenmetalle im Deutschen Normenausschuß (DNA)
Fachnormenausschuß Rohre, Rohrverbindungen und Rohrleitungen im DNA

Übersicht über die Verteilung der zulässigen Abweichungen des Außendurchmessers und der Wanddicke entsprechend den Werkstoffgruppen I, II und III in den Tabellen 1 bis 6

Außen-durchmesser d_1	Wanddicke s													Außen-durchmesser d_1
	0,5	0,75	1	1,5	2	2,5	3	3,5	4	5	6	8	10	
3														3
4														4
5														5
6														6
8														8
10														10
12														12
14														14
15														15
16														16
18														18
20														20
22														22
25	Werkstoffgruppen I und II: siehe Tabelle 1, Seite 3					Werkstoffgruppen I und II: siehe Tabelle 2, Seiten 4 und 5					Werkstoff- gruppen I und II: siehe Tabelle 3, Seite 5			25
28														28
30														30
32														32
35														35
38														38
40														40
42														42
44,5														44,5
50														50
55	Werkstoffgruppe III: siehe Tabelle 4, Seite 6					Werkstoffgruppe III: siehe Tabelle 5, Seiten 7 und 8					Werkstoff- gruppe III: siehe Tabelle 6, Seite 8			55
57														57
60														60
63														63
70														70
76														76
80														80
85														85
89														89
100														100
108														108
114														114
125														125
133														133
159														159
160														160
168														168
194														194
200														200
219														219
250														250
267														267
273														273
315														315
	Wanddicke s													
	0,5	0,75	1	1,5	2	2,5	3	3,5	4	5	6	8	10	

Tabelle 1. **Werkstoffgruppen I und II**

Außendurchmesser			Wanddicke s																			
			0,5				0,75				1				1,5				2			
d_1	Zul. ± Abw. für		Zul. ± Abw. für		Gewicht	Kleinste Wanddicke	Zul. ± Abw. für		Gewicht	Kleinste Wanddicke	Zul. ± Abw. für		Gewicht	Kleinste Wanddicke	Zul. ± Abw. für		Gewicht	Kleinste Wanddicke	Zul. ± Abw. für		Gewicht	Kleinste Wanddicke
	$d_{1\,ges.}$ 1)	$d_{1\,mittel}$ 2)	s_{mittel} 3)	U 4)	kg/m 5)	6)	s_{mittel} 3)	U 4)	kg/m 5)	6)	s_{mittel} 3)	U 4)	kg/m 5)	6)	s_{mittel} 3)	U 4)	kg/m 5)	6)	s_{mittel} 3)	U 4)	kg/m 5)	6)
3	0,07	0,05	0,03	0,05	0,03	0,42	0,03	0,08	0,05	0,64	0,03	0,09	0,06	0,88	—	—	—	—	—	—	—	—
4	0,07	0,05	0,03	0,05	0,05	0,42	0,03	0,08	0,07	0,64	0,03	0,09	0,08	0,88	—	—	—	—	—	—	—	—
5	0,07	0,05	0,03	0,05	0,06	0,42	0,03	0,08	0,09	0,64	0,03	0,09	0,11	0,88	—	—	—	—	—	—	—	—
6	0,07	0,05	0,03	0,05	0,08	0,42	0,03	0,08	0,11	0,64	0,03	0,09	0,14	0,88	—	—	—	—	—	—	—	—
8	0,09	0,06	0,03	0,05	0,10	0,42	0,03	0,08	0,15	0,64	0,03	0,10	0,20	0,87	0,04	0,14	0,27	1,32	0,04	0,18	0,34	1,78
10	0,09	0,06	0,03	0,05	0,13	0,42	0,03	0,08	0,19	0,64	0,03	0,10	0,25	0,87	0,04	0,14	0,36	1,32	0,04	0,18	0,45	1,78
12	0,12	0,08	0,03	0,05	0,16	0,42	0,03	0,08	0,24	0,64	0,03	0,10	0,31	0,87	0,04	0,14	0,44	1,32	0,05	0,18	0,56	1,77
14	0,12	0,08	0,03	0,05	0,19	0,42	0,03	0,08	0,28	0,64	0,03	0,10	0,36	0,87	0,04	0,14	0,52	1,32	0,05	0,18	0,67	1,77
15	0,12	0,08	0,04	0,05	0,20	0,41	0,04	0,08	0,30	0,63	0,04	0,10	0,39	0,86	0,05	0,14	0,57	1,31	0,06	0,18	0,73	1,76
16	0,12 0,16	0,08	0,04	0,05	0,22	0,41	0,04	0,08	0,32	0,63	0,04	0,10	0,42	0,86	0,05	0,14	0,61	1,31	0,06	0,18	0,78	1,76
18	0,12	0,08	—	—	—	—	0,04	0,08	0,36	0,63	0,04	0,10	0,48	0,86	0,05	0,14	0,69	1,31	0,06	0,18	0,89	1,76
20	0,18	0,12	—	—	—	—	0,05	0,08	0,40	0,62	0,05	0,10	0,53	0,85	0,06	0,15	0,78	1,29	0,08	0,18	1,01	1,74
22	0,18	0,12	—	—	—	—	—	—	—	—	0,05	0,10	0,59	0,85	0,06	0,15	0,86	1,29	0,08	0,18	1,12	1,74
25	0,18	0,12	—	—	—	—	—	—	—	—	0,05	0,10	0,67	0,85	0,06	0,15	0,99	1,29	0,08	0,18	1,29	1,74
28	0,18	0,12	—	—	—	—	—	—	—	—	0,05	0,10	0,75	0,85	0,06	0,15	1,11	1,29	0,08	0,18	1,45	1,74
30	0,18	0,12	—	—	—	—	—	—	—	—	0,05	0,10	0,81	0,85	0,06	0,15	1,20	1,29	0,08	0,18	1,57	1,74
32	0,24 0,30	0,15	—	—	—	—	—	—	—	—	0,06	0,10	0,87	0,84	0,08	0,15	1,28	1,27	0,10	0,18	1,68	1,72
35	0,24 0,30	0,15	—	—	—	—	—	—	—	—	0,06	0,10	0,95	0,84	0,08	0,15	1,40	1,27	0,10	0,18	1,85	1,72
38	0,24 0,30	0,15	—	—	—	—	—	—	—	—	0,06	0,10	1,03	0,84	0,08	0,15	1,53	1,27	0,10	0,18	2,01	1,72
40	0,24 0,30	0,15	—	—	—	—	—	—	—	—	0,06	0,10	1,09	0,84	0,08	0,15	1,61	1,27	0,10	0,18	2,12	1,72
42	0,24	0,15	—	—	—	—	—	—	—	—	—	—	—	—	0,08	0,15	1,70	1,27	0,10	0,18	2,24	1,72
44,5	0,24	0,15	—	—	—	—	—	—	—	—	—	—	—	—	0,08	0,15	1,80	1,27	0,10	0,18	2,38	1,72
50	0,24 0,30	0,15	—	—	—	—	—	—	—	—	0,06	0,10	1,37	0,84	—	—	—	—	0,10	0,18	2,68	1,72
55	0,30 n. V.	0,20	—	—	—	—	—	—	—	—	0,08	0,10	1,51	0,82	—	—	—	—	0,12	0,20	2,96	1,68
57	0,30 0,40	0,20	—	—	—	—	—	—	—	—	—	—	—	—	0,10	0,15	2,33	1,25	0,12	0,20	3,08	1,68
60	0,30 n. V.	0,20	—	—	—	—	—	—	—	—	0,08	0,10	1,65	0,82	—	—	—	—	0,12	0,20	3,24	1,68
63	0,40 n. V.	0,20	—	—	—	—	—	—	—	—	0,08	0,10	1,73	0,82	—	—	—	—	0,12	0,20	3,41	1,68
70	0,40 n. V.	0,20	—	—	—	—	—	—	—	—	0,08	0,10	1,93	0,82	0,10	0,15	2,87	1,25	0,12	0,20	3,80	1,68
76	0,40	0,20	—	—	—	—	—	—	—	—	—	—	—	—	—	—	—	—	0,12	0,20	4,14	1,68
80	0,40	0,20	—	—	—	—	—	—	—	—	—	—	—	—	—	—	—	—	0,12	0,20	4,36	1,68
85	0,50	0,25	—	—	—	—	—	—	—	—	—	—	—	—	—	—	—	—	0,14	0,20	4,64	1,66
89	0,50	0,25	—	—	—	—	—	—	—	—	—	—	—	—	—	—	—	—	0,14	0,20	4,87	1,66
100	0,50	0,25	—	—	—	—	—	—	—	—	—	—	—	—	—	—	—	—	0,14	0,20	5,48	1,66
125	n. V.	0,50	—	—	—	—	—	—	—	—	—	—	—	—	—	—	—	—	0,16	0,20	6,88	1,64
160	n. V.	0,50	—	—	—	—	—	—	—	—	—	—	—	—	—	—	—	—	0,16	0,20	8,84	1,64
200	n. V.	0,50	—	—	—	—	—	—	—	—	—	—	—	—	—	—	—	—	0,16	0,20	11,07	1,64

Fußnoten 1) bis 6) siehe Seite 5, Farbkennzeichnung siehe Seite 8

Tabelle 2. **Werkstoffgruppen I und II**

Außendurchmesser			Wanddicke s 2,5				3				3,5				4				5			
d_1	Zul. ± Abw. für $d_{1\,ges.}$ 1)	Zul. ± Abw. für $d_{1\,mittel}$ 2)	Zul. ± Abw. für s_{mittel} 3)	Zul. ± Abw. für U 4)	Gewicht kg/m 5)	Kleinste Wanddicke 6)	Zul. ± Abw. für s_{mittel} 3)	Zul. ± Abw. für U 4)	Gewicht kg/m 5)	Kleinste Wanddicke 6)	Zul. ± Abw. für s_{mittel} 3)	Zul. ± Abw. für U 4)	Gewicht kg/m 5)	Kleinste Wanddicke 6)	Zul. ± Abw. für s_{mittel} 3)	Zul. ± Abw. für U 4)	Gewicht kg/m 5)	Kleinste Wanddicke 6)	Zul. ± Abw. für s_{mittel} 3)	Zul. ± Abw. für U 4)	Gewicht kg/m 5)	Kleinste Wanddicke 6)
10	0,09	0,06	0,04	0,23	0,52	2,23	0,05	0,24	0,59	2,71	—	—	—	—	—	—	—	—	—	—	—	—
12	0,12	0,08	0,05	0,23	0,66	2,22	0,06	0,24	0,75	2,70	0,08	0,27	0,83	3,15	0,08	0,32	0,89	3,60	—	—	—	—
14	0,12	0,08	0,05	0,23	0,80	2,22	0,06	0,24	0,92	2,70	0,08	0,27	1,03	3,15	0,08	0,32	1,12	3,60	—	—	—	—
15	0,12	0,08	0,07	0,23	0,87	2,20	0,08	0,24	1,01	2,68	0,09	0,27	1,13	3,14	0,09	0,32	1,23	3,59	—	—	—	—
16	0,12	0,08	0,07	0,23	0,94	2,20	0,08	0,24	1,09	2,68	0,09	0,27	1,22	3,14	0,09	0,32	1,34	3,59	—	—	—	—
18	0,12	0,08	—	—	—	—	0,08	0,24	1,26	2,68	—	—	—	—	0,09	0,32	1,57	3,59	0,10	0,40	1,82	4,50
20	0,18	0,12	—	—	—	—	0,10	0,27	1,43	2,63	—	—	—	—	0,10	0,36	1,79	3,54	0,12	0,40	2,10	4,48
22	0,18	0,12	—	—	—	—	0,10	0,27	1,59	2,63	—	—	—	—	0,10	0,36	2,01	3,54	0,12	0,40	2,38	4,48
25	0,18	0,12	0,08	0,23	1,57	2,19	0,10	0,27	1,85	2,63	—	—	—	—	0,10	0,36	2,35	3,54	0,12	0,40	2,80	4,48
28	0,18	0,12	0,08	0,23	1,78	2,19	0,10	0,27	2,10	2,63	—	—	—	—	0,10	0,36	2,68	3,54	0,12	0,40	3,22	4,48
30	0,18	0,12	0,08	0,23	1,92	2,19	0,10	0,27	2,26	2,63	—	—	—	—	0,10	0,36	2,91	3,54	0,12	0,40	3,50	4,48
32	0,24	0,15	0,10	0,23	2,06	2,17	0,12	0,27	2,43	2,61	—	—	—	—	0,12	0,36	3,13	3,52	0,14	0,40	3,77	4,46
35	0,24	0,15	0,10	0,23	2,27	2,17	0,12	0,27	2,68	2,61	—	—	—	—	0,12	0,36	3,47	3,52	0,14	0,40	4,19	4,46
38	0,24	0,15	0,10	0,23	2,48	2,17	0,12	0,27	2,94	2,61	—	—	—	—	0,12	0,36	3,80	3,52	0,14	0,40	4,61	4,46
40	0,24	0,15	—	—	—	—	0,12	0,27	3,10	2,61	—	—	—	—	0,12	0,36	4,03	3,52	0,14	0,40	4,89	4,46
42	0,24	0,15	0,10	0,23	2,76	2,17	—	—	—	—	—	—	—	—	—	—	—	—	—	—	—	—
44,5	0,24	0,15	0,10	0,23	2,94	2,17	0,12	0,27	3,48	2,61	—	—	—	—	—	—	—	—	—	—	—	—
50	0,24	0,15	—	—	—	—	0,12	0,27	3,94	2,61	—	—	—	—	0,12	0,36	5,14	3,52	0,14	0,40	6,29	4,46
55	0,30	0,20	—	—	—	—	0,14	0,27	4,36	2,59	—	—	—	—	0,15	0,36	5,70	3,49	0,16	0,45	6,99	4,39
57	0,30	0,20	0,12	0,25	3,81	2,13	0,14	0,27	4,53	2,59	0,15	0,32	5,24	3,03	—	—	—	—	—	—	—	—
60	0,30	0,20	—	—	—	—	0,14	0,27	4,78	2,59	—	—	—	—	0,15	0,36	6,26	3,49	0,16	0,45	7,69	4,39
63	0,30	0,20	—	—	—	—	0,14	0,27	5,03	2,59	—	—	—	—	0,15	0,36	6,60	3,49	0,16	0,45	8,11	4,39
70	0,30	0,20	—	—	—	—	0,14	0,27	5,62	2,59	—	—	—	—	0,15	0,36	7,38	3,49	0,16	0,45	9,09	4,39
76	0,30 0,40	0,20	0,12	0,25	5,14	2,13	0,14	0,27	6,12	2,59	0,15	0,32	7,09	3,03	—	—	—	—	—	—	—	—
80	0,30	0,20	—	—	—	—	0,14	0,27	6,46	2,59	—	—	—	—	0,15	0,36	8,50	3,49	0,16	0,45	10,49	4,39
85	0,40	0,25	—	—	—	—	0,16	0,27	6,88	2,57	—	—	—	—	0,17	0,36	9,06	3,47	0,18	0,45	11,18	4,37
89	0,40	0,25	—	—	—	—	0,16	0,27	7,21	2,57	—	—	—	—	—	—	—	—	—	—	—	—
100	0,40 0,50	0,25	—	—	—	—	0,16	0,27	8,14	2,57	—	—	—	—	0,17	0,36	10,7	3,47	0,18	0,45	13,3	4,37
108	0,50	0,25	0,15	0,25	7,37	2,10	0,16	0,27	8,81	2,57	0,17	0,32	10,2	3,01	—	—	—	—	—	—	—	—
114	0,50	0,25	0,15	0,25	7,79	2,10	0,16	0,27	9,31	2,57	0,17	0,32	10,8	3,01	—	—	—	—	—	—	—	—
125	0,75 1,0	0,50	—	—	—	—	0,20	0,30	10,2	2,50	—	—	—	—	0,22	0,40	13,5	3,38	0,24	0,45	16,8	4,31
133	0,75 1,0 n. V.	0,50	0,18	0,25	9,12	2,07	0,20	0,30	10,9	2,50	0,22	0,35	12,7	2,93	0,22	0,40	14,4	3,38	0,24	0,45	17,9	4,31
159	1,0 n. V.	0,50	0,18	0,25	10,9	2,07	0,20	0,30	13,1	2,50	0,22	0,35	15,2	2,93	0,22	0,40	17,3	3,38	0,24	0,45	21,5	4,31
160	1,0 n. V.	0,50	—	—	—	—	0,20	0,30	13,2	2,50	—	—	—	—	0,22	0,40	17,4	3,38	0,24	0,45	21,7	4,31
168	1,0 n. V.	0,50	0,18	0,25	11,6	2,07	0,20	0,30	13,8	2,50	0,22	0,35	16,1	2,93	0,22	0,40	18,3	3,38	0,24	0,45	22,8	4,31
194	1,0 n. V.	0,50	0,18	0,25	13,4	2,07	0,20	0,30	16,0	2,50	0,22	0,35	18,6	2,93	0,22	0,40	21,2	3,38	0,24	0,45	26,4	4,31
200	1,0 n. V.	0,50	—	—	—	—	0,20	0,30	16,5	2,50	—	—	—	—	0,22	0,40	21,9	3,38	0,24	0,45	27,3	4,31

Fußnoten 1) bis 6) siehe Seite 5, Farbkennzeichnung siehe Seite 8

Fortsetzung Tabelle 2

Außendurchmesser			Wanddicke s																			
			2,5				3				3,5				4				5			
d_1	Zul. ± Abw. für $d_{1\,ges.}$ 1)	Zul. ± Abw. für $d_{1\,mittel}$ 2)	Zul. ± Abw. für s_{mittel} 3)	U 4)	Gewicht kg/m 5)	Kleinste Wanddicke 6)	Zul. ± Abw. für s_{mittel} 3)	U 4)	Gewicht kg/m 5)	Kleinste Wanddicke 6)	Zul. ± Abw. für s_{mittel} 3)	U 4)	Gewicht kg/m 5)	Kleinste Wanddicke 6)	Zul. ± Abw. für s_{mittel} 3)	U 4)	Gewicht kg/m 5)	Kleinste Wanddicke 6)	Zul. ± Abw. für s_{mittel} 3)	U 4)	Gewicht kg/m 5)	Kleinste Wanddicke 6)
219	1,5 / n. V.	0,75	—	—	—	—	0,24	0,36	18,1	2,40	0,26	0,42	21,1	2,82	0,26	0,48	24,0	3,26	0,28	0,60	29,9	4,12
250	1,5 / n. V.	0,75	—	—	—	—	0,24	0,36	20,7	2,40	0,26	0,42	24,1	2,82	0,26	0,48	27,5	3,26	0,28	0,60	34,2	4,12
267	n. V.	0,75	—	—	—	—	0,24	0,36	22,1	2,40	0,26	0,42	25,8	2,82	0,26	0,48	29,4	3,26	0,28	0,60	36,6	4,12
273	n. V.	0,75	—	—	—	—	0,24	0,36	22,6	2,40	0,26	0,42	26,4	2,82	0,26	0,48	30,1	3,26	0,28	0,60	37,4	4,12
315	n. V.	0,75	—	—	—	—	—	—	—	—	—	—	—	—	0,26	0,48	34,8	3,26	0,28	0,60	43,4	4,12

Tabelle 3. **Werkstoffgruppen I und II**

Außendurchmesser			Wanddicke s											
			6				8				10			
d_1	Zul. ± Abw. für $d_{1\,ges.}$ 1)	Zul. ± Abw. für $d_{1\,mittel}$ 2)	Zul. ± Abw. für s_{mittel} 3)	U 4)	Gewicht kg/m 5)	Kleinste Wanddicke 6)	Zul. ± Abw. für s_{mittel} 3)	U 4)	Gewicht kg/m 5)	Kleinste Wanddicke 6)	Zul. ± Abw. für s_{mittel} 3)	U 4)	Gewicht kg/m 5)	Kleinste Wanddicke 6)
18	0,12	0,08	0,11	0,48	2,01	5,41	—	—	—	—	—	—	—	—
20	0,18	0,12	0,12	0,48	2,35	5,40	—	—	—	—	—	—	—	—
22	0,18	0,12	0,12	0,48	2,68	5,40	—	—	—	—	—	—	—	—
25	0,18	0,12	0,12	0,48	3,19	5,40	—	—	—	—	—	—	—	—
28	0,18	0,12	0,12	0,48	3,68	5,40	0,13	0,64	4,47	7,23	—	—	—	—
30	0,18	0,12	0,12	0,48	4,03	5,40	0,13	0,64	4,92	7,23	—	—	—	—
32	0,24	0,15	0,14	0,48	4,36	5,38	0,15	0,64	5,37	7,21	—	—	—	—
35	0,24	0,15	0,14	0,48	4,87	5,38	0,15	0,64	6,04	7,21	—	—	—	—
38	0,24	0,15	0,14	0,48	5,37	5,38	0,15	0,64	6,71	7,21	—	—	—	—
40	0,24	0,15	0,14	0,48	5,70	5,38	0,15	0,64	7,16	7,21	0,15	0,80	8,39	9,05
50	0,24	0,15	0,14	0,48	7,39	5,38	0,15	0,64	9,40	7,21	0,15	0,80	11,2	9,05
55	0,30	0,20	0,16	0,54	8,23	5,30	0,17	0,72	10,5	7,11	0,18	0,80	12,6	9,02
60	0,30	0,20	0,16	0,54	9,07	5,30	0,17	0,72	11,6	7,11	0,18	0,80	14,0	9,02
63	0,30	0,20	0,16	0,54	9,56	5,30	0,17	0,72	12,3	7,11	0,18	0,80	14,8	9,02
70	0,30	0,20	0,16	0,54	10,7	5,30	0,17	0,72	13,9	7,11	0,18	0,80	16,8	9,02
80	0,30	0,20	0,16	0,54	12,4	5,30	0,17	0,72	16,1	7,11	0,18	0,80	19,6	9,02
85	0,40	0,25	0,18	0,54	14,3	5,28	0,20	0,72	17,2	7,08	0,22	0,80	20,9	8,98
100	0,40	0,25	0,18	0,54	15,8	5,28	0,20	0,72	20,6	7,08	0,22	0,80	25,2	8,98
125	0,75	0,50	0,24	0,54	20,9	5,22	0,26	0,72	26,2	7,02	0,26	0,90	32,2	8,84
160	0,75	0,50	0,24	0,54	25,8	5,22	0,26	0,72	34,0	7,02	0,26	0,90	41,9	8,84
200	0,75 / 1,0	0,50	0,24	0,54	32,6	5,22	0,26	0,72	42,,9	7,02	0,26	0,90	53,1	8,84
250	1,2 / 1,5	0,75	0,30	0,72	41,0	4,98	0,32	0,96	54,1	6,72	0,35	1,20	67,1	8,45
315	1,5 / n. V.	0,75	0,30	0,72	51,9	4,98	0,32	0,96	68,7	6,72	0,35	1,20	85,3	8,45

Fußnoten 1) bis 6) siehe Seite 5, Farbkennzeichnung siehe Seite 8

1) **Zulässige Abweichungen des Durchmessers $d_{1\,gesamt}$**
$d_{1\,gesamt}$ ist der Durchmesser einschließlich Unrundheit. Jeder gemessene Durchmesser muß innerhalb dieser zulässigen Abweichungen liegen.

2) **Zulässige Abweichungen des mittleren Durchmessers $d_{1\,mittel}$**
Der mittlere Durchmesser ist das arithmetische Mittel des größten und des kleinsten Durchmessers, gemessen in derselben senkrecht zur Rohrachse stehenden Ebene.
Beim Messen der Durchmesser muß ein Abstand von mindestens d_1, höchstens jedoch 100 mm, von beiden Enden des Rohres unberücksichtigt bleiben.

3) **Zulässige Abweichungen der mittleren Wanddicke s_{mittel}**
Die mittlere Wanddicke ist das arithmetische Mittel der größten und der kleinsten Wanddicke, gemessen in derselben senkrecht zur Rohrachse stehenden Ebene.

4) **Zulässige Ungleichwandigkeit**
die Ungleichwandigkeit U ist die Abweichung der größten bzw. der kleinsten Wanddicke von der mittleren Wanddicke, festgelegt in derselben senkrecht zur Rohrachse stehenden Ebene.

5) Errechnet mit einer Dichte von 8,90 kg/dm³. Für Werkstoffe mit einer anderen Dichte sind die Gewichte entsprechend den Umrechnungsfaktoren der Tabellen 8 bis 10 zu errechnen (siehe auch Abschnitt 6).

6) Die in dieser Spalte angegebenen kleinsten Wanddicken können innerhalb einer Lieferung auftreten und sind deshalb nur Konstruktionsberechnungen zugrunde zu legen.

Tabelle 4. **Werkstoffgruppe III**

Außendurchmesser			Wanddicke s																			
			0,5				0,75				1				1,5				2			
d_1	Zul. ± Abw. für $d_{1\,ges.}$ [1]	Zul. ± Abw. für $d_{1\,mittel}$ [2]	Zul. ± Abw. für s_{mittel} [3]	Zul. ± Abw. für U [4]	Gewicht kg/m [5]	Kleinste Wanddicke [6] •	Zul. ± Abw. für s_{mittel} [3]	Zul. ± Abw. für U [4]	Gewicht kg/m [5]	Kleinste Wanddicke [6]	Zul. ± Abw. für s_{mittel} [3]	Zul. ± Abw. für U [4]	Gewicht kg/m [5]	Kleinste Wanddicke [6]	Zul. ± Abw. für s_{mittel} [3]	Zul. ± Abw. für U [4]	Gewicht kg/m [5]	Kleinste Wanddicke [6]	Zul. ± Abw. für s_{mittel} [3]	Zul. ± Abw. für U [4]	Gewicht kg/m [5]	Kleinste Wanddicke [6]
8	0,15	0,10	0,05	0,05	0,10	0,40	0,05	0,08	0,15	0,62	0,05	0,10	0,20	0,85	0,07	0,14	0,27	1,29	0,07	0,18	0,34	1,75
10	0,15	0,10	0,05	0,05	0,13	0,40	0,05	0,08	0,19	0,62	0,05	0,10	0,25	0,85	0,07	0,14	0,36	1,29	0,07	0,18	0,45	1,75
12	0,20	0,15	0,05	0,05	0,16	0,40	0,05	0,08	0,24	0,62	0,05	0,10	0,31	0,85	0,07	0,14	0,44	1,29	0,09	0,18	0,56	1,73
14	0,20	0,15	0,05	0,05	0,19	0,40	0,05	0,08	0,28	0,62	0,05	0,10	0,36	0,85	0,07	0,14	0,52	1,29	0,09	0,18	0,67	1,73
15	0,20	0,15	0,07	0,05	0,20	0,38	0,07	0,08	0,30	0,60	0,07	0,10	0,39	0,83	0,07	0,14	0,57	1,29	0,11	0,18	0,73	1,71
16	0,20 0,30	0,15	0,07	0,05	0,22	0,38	0,07	0,08	0,32	0,60	0,07	0,10	0,42	0,83	0,07	0,14	0,61	1,29	0,11	0,18	0,78	1,71
18	0,20	0,15	—	—	—	—	0,07	0,08	0,36	0,60	0,07	0,10	0,48	0,83	0,07	0,14	0,69	1,29	0,11	0,18	0,89	1,71
20	0,30	0,20	—	—	—	—	0,09	0,08	0,40	0,58	0,09	0,10	0,53	0,81	0,11	0,15	0,78	1,24	0,14	0,18	1,01	1,68
22	0,30	0,20	—	—	—	—	—	—	—	—	0,09	0,10	0,59	0,81	0,11	0,15	0,86	1,24	0,14	0,18	1,12	1,68
25	0,30	0,20	—	—	—	—	—	—	—	—	0,09	0,10	0,67	0,81	0,11	0,15	0,99	1,24	0,14	0,18	1,29	1,68
28	0,30	0,20	—	—	—	—	—	—	—	—	0,09	0,10	0,75	0,81	0,11	0,15	1,11	1,24	0,14	0,18	1,45	1,68
30	0,30	0,20	—	—	—	—	—	—	—	—	0,09	0,10	0,81	0,81	0,11	0,15	1,20	1,24	0,14	0,18	1,57	1,68
32	0,38 0,50	0,25	—	—	—	—	—	—	—	—	0,11	0,10	0,87	0,79	0,14	0,15	1,28	1,21	0,18	0,18	1,68	1,64
35	0,38 0,50	0,25	—	—	—	—	—	—	—	—	0,11	0,10	0,95	0,79	0,14	0,15	1,40	1,21	0,18	0,18	1,85	1,64
38	0,38 0,50	0,25	—	—	—	—	—	—	—	—	0,11	0,10	1,03	0,79	0,14	0,15	1,53	1,21	0,18	0,18	2,01	1,64
40	0,38 0,50	0,25	—	—	—	—	—	—	—	—	0,11	0,10	1,09	0,79	0,14	0,15	1,61	1,21	0,18	0,18	2,12	1,64
42	0,38	0,25	—	—	—	—	—	—	—	—	—	—	—	—	0,14	0,15	1,70	1,21	0,18	0,18	2,24	1,64
44,5	0,38	0,25	—	—	—	—	—	—	—	—	—	—	—	—	0,14	0,15	1,80	1,21	0,18	0,18	2,38	1,64
50	0,38 0,50	0,25	—	—	—	—	—	—	—	—	0,11	0,10	1,37	0,79	—	—	—	—	0,18	0,18	2,68	1,64
55	0,45 n. V.	0,30	—	—	—	—	—	—	—	—	0,14	0,10	1,51	0,76	—	—	—	—	0,22	0,20	2,96	1,58
57	0,45 0,60	0,30	—	—	—	—	—	—	—	—	—	—	—	—	0,18	0,15	2,33	1,17	0,22	0,20	3,08	1,58
60	0,45 n. V.	0,30	—	—	—	—	—	—	—	—	0,14	0,10	1,65	0,76	—	—	—	—	0,22	0,20	3,24	1,58
63	0,60 n. V.	0,30	—	—	—	—	—	—	—	—	0,14	0,10	1,73	0,76	—	—	—	—	0,22	0,20	3,41	1,58
70	0,60 n. V.	0,30	—	—	—	—	—	—	—	—	0,14	0,10	1,93	0,76	0,18	0,15	2,87	1,17	0,22	0,20	3,80	1,58
76	0,60	0,30	—	—	—	—	—	—	—	—	—	—	—	—	—	—	—	—	0,22	0,20	4,14	1,58
80	0,60	0,30	—	—	—	—	—	—	—	—	—	—	—	—	—	—	—	—	0,22	0,20	4,36	1,58
85	0,80	0,40	—	—	—	—	—	—	—	—	—	—	—	—	—	—	—	—	0,25	0,20	4,64	1,55
89	0,80	0,40	—	—	—	—	—	—	—	—	—	—	—	—	—	—	—	—	0,25	0,20	4,87	1,55
100	0,80	0,40	—	—	—	—	—	—	—	—	—	—	—	—	—	—	—	—	0,25	0,20	5,48	1,55
125	n. V.	0,75	—	—	—	—	—	—	—	—	—	—	—	—	—	—	—	—	0,29	0,20	6,88	1,51
160	n. V.	0,75	—	—	—	—	—	—	—	—	—	—	—	—	—	—	—	—	0,29	0,20	8,84	1,51
200	n. V.	0,75	—	—	—	—	—	—	—	—	—	—	—	—	—	—	—	—	0,29	0,20	11,07	1,51

Fußnoten [1]) bis [6]) siehe Seite 5, Farbkennzeichnung siehe Seite 8

Tabelle 5. **Werkstoffgruppe III**

Außendurchmesser			Wanddicke s																			
			2,5				3				3,5				4				5			
	Zul. ± Abw. für		Zul. ± Abw. für		Gewicht	Kleinste Wand-dicke	Zul. ± Abw. für		Gewicht	Kleinste Wand-dicke	Zul. ± Abw. für		Gewicht	Kleinste Wand-dicke	Zul. ± Abw. für		Gewicht	Kleinste Wand-dicke	Zul. ± Abw. für		Gewicht	Kleinste Wand-dicke
d_1	$d_{1\,ges.}$ [1]	$d_{1\,mittel}$ [2]	s_{mittel} [3]	U [4]	kg/m [5]	[6]	s_{mittel} [3]	U [4]	kg/m [5]	[6]	s_{mittel} [3]	U [4]	kg/m [5]	[6]	s_{mittel} [3]	U [4]	kg/m [5]	[6]	s_{mittel} [3]	U [4]	kg/m [5]	[6]
10	0,15	0,10	0,07	0,23	0,52	2,20	0,09	0,24	0,59	2,67	—	—	—	—	—	—	—	—	—	—	—	—
12	0,20	0,15	0,09	0,23	0,66	2,18	0,11	0,24	0,75	2,65	0,14	0,27	0,83	3,09	0,14	0,32	0,89	3,54	—	—	—	—
14	0,20	0,15	0,09	0,23	0,80	2,18	0,11	0,24	0,92	2,65	0,14	0,27	1,03	3,09	0,14	0,32	1,12	3,54	—	—	—	—
15	0,20	0,15	0,13	0,23	0,87	2,14	0,14	0,24	1,01	2,62	0,16	0,27	1,13	3,07	0,16	0,32	1,23	3,52	—	—	—	—
16	0,20	0,15	0,13	0,23	0,94	2,14	0,14	0,24	1,09	2,62	0,16	0,27	1,22	3,07	0,16	0,32	1,34	3,52	—	—	—	—
18	0,20	0,15	—	—	—	—	0,14	0,24	1,26	2,62	—	—	—	—	0,16	0,32	1,57	3,52	0,18	0,40	1,82	4,42
20	0,30	0,20	—	—	—	—	0,18	0,27	1,43	2,55	—	—	—	—	0,18	0,36	1,79	3,46	0,22	0,40	2,10	4,38
22	0,30	0,20	—	—	—	—	0,18	0,27	1,59	2,55	—	—	—	—	0,18	0,36	2,01	3,46	0,22	0,40	2,38	4,38
25	0,30	0,20	0,14	0,23	1,57	2,13	0,18	0,27	1,85	2,55	—	—	—	—	0,18	0,36	2,35	3,46	0,22	0,40	2,80	4,38
28	0,30	0,20	0,14	0,23	1,78	2,13	0,18	0,27	2,10	2,55	—	—	—	—	0,18	0,36	2,68	3,46	0,22	0,40	3,22	4,38
30	0,30	0,20	0,14	0,23	1,92	2,13	0,18	0,27	2,26	2,55	—	—	—	—	0,18	0,36	2,91	3,46	0,22	0,40	3,50	4,38
32	0,38	0,25	0,18	0,23	2,06	2,09	0,22	0,27	2,43	2,51	—	—	—	—	0,22	0,36	3,13	3,42	0,25	0,40	3,77	4,35
35	0,38	0,25	0,18	0,23	2,27	2,09	0,22	0,27	2,68	2,51	—	—	—	—	0,22	0,36	3,47	3,42	0,25	0,40	4,19	4,35
38	0,38	0,25	0,18	0,23	2,48	2,09	0,22	0,27	2,94	2,51	—	—	—	—	0,22	0,36	3,80	3,42	0,25	0,40	4,61	4,35
40	0,38	0,25	—	—	—	—	0,22	0,27	3,10	2,51	—	—	—	—	0,22	0,36	4,03	3,42	0,25	0,40	4,89	4,35
42	0,38	0,25	0,18	0,23	2,76	2,09	—	—	—	—	—	—	—	—	—	—	—	—	—	—	—	—
44,5	0,38	0,25	0,18	0,23	2,94	2,09	0,22	0,27	3,48	2,51	—	—	—	—	—	—	—	—	—	—	—	—
50	0,38	0,25	—	—	—	—	0,22	0,27	3,94	2,51	—	—	—	—	0,22	0,36	5,14	3,42	0,25	0,40	6,29	4,39
55	0,45	0,30	—	—	—	—	0,25	0,27	4,36	2,48	—	—	—	—	0,24	0,36	5,70	3,37	0,29	0,45	6,99	4,26
57	0,45	0,30	0,22	0,25	3,81	2,03	0,25	0,27	4,53	2,48	0,27	0,32	5,24	2,91	—	—	—	—	—	—	—	—
60	0,45	0,30	—	—	—	—	0,25	0,27	4,78	2,48	—	—	—	—	0,27	0,36	6,26	3,37	0,29	0,45	7,69	4,26
63	0,45	0,30	—	—	—	—	0,25	0,27	5,03	2,48	—	—	—	—	0,27	0,36	6,60	3,37	0,29	0,45	8,11	4,26
70	0,45	0,30	—	—	—	—	0,25	0,27	5,62	2,48	—	—	—	—	0,27	0,36	7,38	3,37	0,29	0,45	9,09	4,26
76	0,45 / 0,60	0,30	0,22	0,25	5,14	2,03	0,25	0,27	6,12	2,48	0,27	0,32	7,09	2,91	—	—	—	—	—	—	—	—
80	0,45	0,30	—	—	—	—	0,25	0,27	6,46	2,48	—	—	—	—	0,27	0,36	8,50	3,37	0,29	0,45	10,49	4,26
85	0,60	0,40	—	—	—	—	0,29	0,27	6,88	2,42	—	—	—	—	0,31	0,36	9,06	3,33	0,32	0,45	11,18	4,23
89	0,60	0,40	—	—	—	—	0,29	0,27	7,21	2,42	—	—	—	—	—	—	—	—	—	—	—	—
100	0,60 / 0,80	0,40	—	—	—	—	0,29	0,27	8,14	2,42	—	—	—	—	0,31	0,36	10,7	3,33	0,32	0,45	13,3	4,23
108	0,80	0,40	0,27	0,25	7,37	1,98	0,29	0,27	8,81	2,42	0,31	0,32	10,2	2,87	—	—	—	—	—	—	—	—
114	0,80	0,40	0,27	0,25	7,79	1,98	0,29	0,27	9,31	2,42	0,31	0,32	10,8	2,87	—	—	—	—	—	—	—	—
125	1,2 / 1,5	0,75	—	—	—	—	0,36	0,30	10,2	2,50	—	—	—	—	0,40	0,40	13,5	3,20	0,43	0,45	16,8	4,12
133	1,2 / 1,5 / n. V.	0,75	0,32	0,25	9,12	1,93	0,36	0,30	10,9	2,34	0,40	0,35	12,7	2,75	0,40	0,40	14,4	3,20	0,43	0,45	17,9	4,12
159	1,5 / n. V.	0,75	0,32	0,25	10,9	1,93	0,36	0,30	13,1	2,34	0,40	0,35	15,2	2,75	0,40	0,40	17,3	3,20	0,43	0,45	21,5	4,12
160	1,5 / n. V.	0,75	—	—	—	—	0,36	0,30	13,2	2,34	—	—	—	—	0,40	0,40	17,4	3,20	0,43	0,45	21,7	4,12
168	1,5 / n. V.	0,75	0,32	0,25	11,6	1,93	0,36	0,30	13,8	2,34	0,40	0,35	16,1	2,75	0,40	0,40	18,3	3,20	0,43	0,45	22,8	4,12
194	1,5 / n. V.	0,75	0,32	0,25	13,4	1,93	0,36	0,30	16,0	2,34	0,40	0,35	18,6	2,75	0,40	0,40	21,2	3,20	0,43	0,45	26,4	4,12
200	1,5 / n. V.	0,75	—	—	—	—	0,36	0,30	16,5	2,34	—	—	—	—	0,40	0,40	21,9	3,20	0,43	0,45	27,3	4,12

Fußnoten [1]) bis [6]) siehe Seite 5, Farbkennzeichnung siehe Seite 8

Fortsetzung Tabelle 5

Außendurchmesser			Wanddicke s																			
			2,5				3				3,5				4				5			
	Zul. ± Abw. für		Zul. ± Abw. für		Gewicht	Kleinste Wand-dicke	Zul. ± Abw. für		Gewicht	Kleinste Wand-dicke	Zul. ± Abw. für		Gewicht	Kleinste Wand-dicke	Zul. ± Abw. für		Gewicht	Kleinste Wand-dicke	Zul. ± Abw. für		Gewicht	Kleinste Wand-dicke
d_1	$d_{1\,ges.}$ 1)	$d_{1\,mittel}$ 2)	s_{mittel} 3)	U 4)	kg/m 5)	6)	s_{mittel} 3)	U 4)	kg/m 5)	6)	s_{mittel} 3)	U 4)	kg/m 5)	6)	s_{mittel} 3)	U 4)	kg/m 5)	6)	s_{mittel} 3)	U 4)	kg/m 5)	6)
219	2,4 / n. V.	1,2	—	—	—	—	0,43	0,36	18,1	2,21	0,47	0,42	21,1	2,61	0,47	0,48	24,0	3,05	0,50	0,60	29,9	3,90
250	2,4 / n. V.	1,2	—	—	—	—	0,43	0,36	20,7	2,21	0,47	0,42	24,1	2,61	0,47	0,48	27,5	3,05	0,50	0,60	34,2	3,90
267	n. V.	1,2	—	—	—	—	0,43	0,36	22,1	2,21	0,47	0,42	25,8	2,61	0,47	0,48	29,4	3,05	0,50	0,60	36,6	3,90
273	n. V.	1,2	—	—	—	—	0,43	0,36	22,6	2,21	0,47	0,42	26,4	2,61	0,47	0,48	30,1	3,05	0,50	0,60	37,4	3,90
315	n. V.	1,2	—	—	—	—	—	—	—	—	—	—	—	—	0,47	0,48	34,8	3,05	0,50	0,60	43,4	3,90

Tabelle 6. **Werkstoffgruppe III**

Außendurchmesser			Wanddicke s											
			6				8				10			
	Zul. ± Abw. für		Zul. ± Abw. für		Gewicht	Kleinste Wand-dicke	Zul. ± Abw. für		Gewicht	Kleinste Wand-dicke	Zul. ± Abw. für		Gewicht	Kleinste Wand-dicke
d_1	$d_{1\,ges.}$ 1)	$d_{1\,mittel}$ 2)	s_{mittel} 3)	U 4)	kg/m 5)	6)	s_{mittel} 3)	U 4)	kg/m 5)	6)	s_{mittel} 3)	U 4)	kg/m 5)	6)
18	0,20	0,15	0,19	0,48	2,01	5,33	—	—	—	—	—	—	—	—
20	0,30	0,20	0,22	0,48	2,35	5,30	—	—	—	—	—	—	—	—
22	0,30	0,20	0,22	0,48	2,68	5,30	—	—	—	—	—	—	—	—
25	0,30	0,20	0,22	0,48	3,19	5,30	—	—	—	—	—	—	—	—
28	0,30	0,20	0,22	0,48	3,68	5,30	0,23	0,64	4,47	7,13	—	—	—	—
30	0,30	0,20	0,22	0,48	4,03	5,30	0,23	0,64	4,92	7,13	—	—	—	—
32	0,38	0,25	0,25	0,48	4,36	5,27	0,27	0,64	5,37	7,09	—	—	—	—
35	0,38	0,25	0,25	0,48	4,87	5,27	0,27	0,64	6,04	7,09	—	—	—	—
38	0,38	0,25	0,25	0,48	5,37	5,27	0,27	0,64	6,71	7,09	—	—	—	—
40	0,38	0,25	0,25	0,48	5,70	5,27	0,27	0,64	7,16	7,09	0,27	0,80	8,39	8,93
50	0,38	0,25	0,25	0,48	7,39	5,27	0,27	0,64	9,40	7,09	0,27	0,80	11,2	8,93
55	0,45	0,30	0,29	0,54	8,23	5,17	0,31	0,72	10,5	6,97	0,32	0,80	12,6	8,88
60	0,45	0,30	0,29	0,54	9,07	5,17	0,31	0,72	11,6	6,97	0,32	0,80	14,0	8,88
63	0,45	0,30	0,29	0,54	9,56	5,17	0,31	0,72	12,3	6,97	0,32	0,80	14,8	8,88
70	0,45	0,30	0,29	0,54	10,7	5,17	0,31	0,72	13,9	6,97	0,32	0,80	16,8	8,88
80	0,45	0,30	0,29	0,54	12,4	5,17	0,31	0,72	16,1	6,97	0,32	0,80	19,6	8,88
85	0,60	0,40	0,32	0,54	14,3	5,14	0,36	0,72	17,2	6,92	0,40	0,80	20,9	8,80
100	0,60	0,40	0,32	0,54	15,8	5,14	0,36	0,72	20,6	6,92	0,40	0,80	25,2	8,80
125	1,2	0,75	0,43	0,54	20,9	5,03	0,47	0,72	26,2	6,81	0,47	0,90	32,2	8,63
160	1,2	0,75	0,43	0,54	25,8	5,03	0,47	0,72	34,0	6,81	0,47	0,90	41,9	8,63
200	1,2 / 1,5	0,75	0,43	0,54	32,6	5,03	0,47	0,72	42,9	6,81	0,47	0,90	53,1	8,63
250	1,8 / 2,4	1,2	0,54	0,72	41,0	4,74	0,58	0,96	54,1	6,46	0,63	1,20	67,1	8,17
315	2,4 / n. V.	1,2	0,54	0,72	51,9	4,74	0,58	0,96	68,7	6,46	0,63	1,20	85,3	8,17

Farbkennzeichnung der Verhältnisse

$d_1 : s$ in den Tabellen 1 bis 6:

ohne Unterdruck	$d_1 : s$ bis 30
volle Fläche	$d_1 : s$ über 30 bis 50
gerastert	$d_1 : s$ über 50

3.2. Zulässige Abweichung von der Geraden

Für Rohre von Außendurchmesser d_1 über 10 mm in Herstell-, Ungefähr- und Festlängen (ausgenommen Rohre im Zustand weich) gelten die zulässigen Abweichungen nach Tabelle 7.

h_1 ist die zulässige Abweichung je Meter, linear zunehmend bei Meßlängen l_1 über 400 mm. Auf jedem Längenabschnitt l_2 = 400 mm darf die zulässige Abweichung jedoch nicht mehr als h_2 betragen, siehe Bild.

Tabelle 7

Verhältnis $d_1 : s$ über	bis	Zulässige Abweichung je Meter h_1	je 400 mm h_2
—	5	2	0,8
5	10	3	1,2
10	20	4	1,6
20	40	5	2,0
40	—	6	2,5

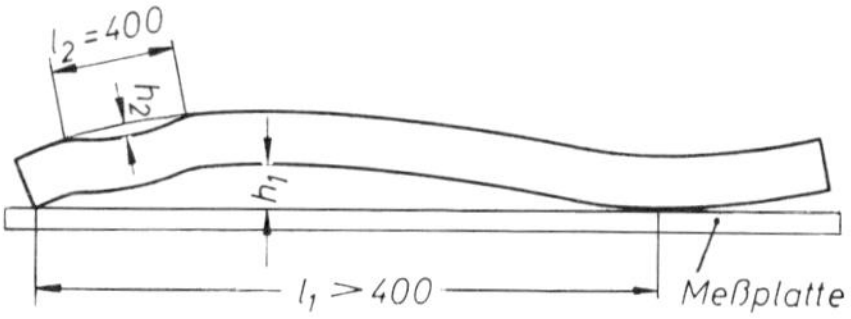

4. Werkstoffe und Festigkeitseigenschaften

(bei Bestellung angeben)

Kupfer-Knetlegierungen nach DIN 17 671 Blatt 1

Rohre nach dieser Norm sind nicht in allen Abmessungen aus allen aufgeführten Werkstoffen lieferbar. Deshalb sind über den gewünschten Werkstoff gegebenenfalls Vereinbarungen zu treffen.

Die Werkstoffgruppen I, II und III berücksichtigen das unterschiedliche Umformverhalten der Legierungen entsprechend ihrer Zusammensetzung (vgl. Kurzzeichen in den Tabellen 8 bis 10).

Tabelle 8. **Werkstoffgruppe I**

Benennung	Kurzzeichen neu	Kurzzeichen bisher	Werkstoff-nummer	Dichte kg/dm³	Umrechnungs-faktor
Kupfer-Knetlegierungen niedrig legiert	CuSP	—	2.1498	8,9	1
	CuTeP	SF-CuTe	2.1546	8,9	1
Kupfer-Zink-Legierungen (Messing)	CuZn36Pb1	Ms63Pb	2.0330	8,5	0,955
	CuZn36Pb3	—	2.0375	8,5	0,955
	CuZn38Pb1	Ms60Pb	2.0370	8,4	0,944
	CuZn39Pb3	Ms58 *)	2.0401	8,5	0,955
	CuZn40Pb2		2.0402	8,4	0,944

*) Mit Rücksicht auf die Aufspaltung des bisherigen Ms58 wird in dieser Ausgabe der Norm ausnahmsweise folgender Hinweis auf die Verwendung der einzelnen Legierungen aufgenommen (siehe DIN 17 660):
CuZn39Pb3: Hauptlegierung für die Bearbeitung auf Automaten;
CuZn40Pb2: Legierung für alle spanabhebenden Bearbeitungsverfahren.

Tabelle 9. **Werkstoffgruppe II**

Benennung	Kurzzeichen neu	Kurzzeichen bisher	Werkstoffnummer	Dichte kg/dm³	Umrechnungsfaktor
Kupfer-Zink-Legierungen (Messing und Sondermessing)	CuZn5	(Ms95)	2.0220	8,9	1
	CuZn10	Ms90	2.0230	8,8	0,989
	CuZn15	Ms85	2.0240	8,8	0,989
	CuZn20	Ms80	2.0250	8,7	0,977
	CuZn28	(Ms72)	2.0261	8,6	0,966
	CuZn30	Ms70	2.0265	8,5	0,955
	CuZn33	Ms67	2.0280	8,5	0,955
	CuZn36	Ms63	2.0335	8,4	0,944
	CuZn37		2.0321	8,4	0,944
	CuZn40	Ms60	2.0360	8,4	0,944
	CuZn30Al	—	2.0515	7,5	0,943
	CuZn31Si	SoMs68	2.0490	8,4	0,944
Kupfer-Zinn-Legierungen (Zinnbronze)	CuSn2	SnBz2	2.1010	8,9	1
	CuSn6	SnBz6	2.1020	8,8	0,989
	CuSn8	SnBz8	2.1030	8,8	0,989
Kupfer-Nickel-Legierungen	CuNi5Fe		2.0862	8,9	1
	CuNi10Fe		2.0872	8,9	1
	CuNi30Fe		2.0882	8,9	1
Kupfer-Knetlegierungen niedriglegiert	CuAsP	SB-Cu	2.1491	8,9	1
	CuMn2		2.1363	8,8	0,989
	CuMn5		2.1366	8,6	0,966
	CuSi2Mn		2.1522	8,7	0,977
	CuSi3Mn		2.1525	8,5	0,955
	CuBe2		2.1247	8,3	0,932
	CuCr		2.1291	8,9	1
	CuNi1,5Si		2.0853	8,8	0,989
	CuNi2Si		2.0855	8,8	0,989
	CuNi3Si		2.0857	8,8	0,989

Tabelle 10. **Werkstoffgruppe III**

Benennung	Kurzzeichen neu	Kurzzeichen bisher	Werkstoffnummer	Dichte kg/dm³	Umrechnungsfaktor
Kupfer-Zink-Legierungen (Sondermessing)	CuZn20Al	SoMs76	2.0460	8,3	0,932
	CuZn35Ni	SoMs59	2.0540	8,3	0,932
	CuZn37Al	SoMs58Al1	2.0510	8,3	0,932
	CuZn40Al		2.0561	8,2	0,921
	CuZn40Ni	SoMs58	2.0571	8,3	0,932
	CuZn40Mn		2.0572	8,3	0,932
	CuZn40MnPb	SoMs58Pb	2.0580	8,2	0,921
Kupfer-Aluminium-Legierungen (Aluminiumbronze)	CuAl5	AlBz5	2.0916	8,2	0,921
	CuAl8	AlBz8	2.0920	7,7	0,865
Kupfer-Nickel-Zink-Legierungen (Neusilber)	CuNi12Zn24	Ns6512	2.0730	8,7	0,977
	CuNi18Zn20	Ns6218	2.0740	8,7	0,977

5. Ausführung

Nach den Technischen Lieferbedingungen DIN 17 671 Blatt 2

6. Gewichte und zulässige Abweichungen

Die in den Tabellen 1 bis 6 angegebenen Gewichte errechnen sich aus den Nennmaßen des jeweiligen Außendurchmessers und der Wanddicke sowie der Dichte des Werkstoffes. Umrechnungsfaktoren siehe Tabellen 8 bis 10.

Die zulässige Gewichtsabweichung ergibt sich aus den zulässigen Abweichungen der Nennmaße und den zulässigen Abweichungen in der Zusammensetzung.

7. Lieferart

7.1. Rohre in Herstellängen: von 2000 bis 8000 mm

Unterlängen von mindestens 1000 mm bis zu 10 % des Liefergewichts zulässig.

7.2. Rohre in Ungefährlängen: bis 8000 mm

Ungefährlängen sind bei der Bestellung besonders zu vereinbaren. Zur Kennzeichnung ist dann hinter die Längenangabe „ungefähr" zu setzen.

Die zulässige Abweichung der bestellten Länge beträgt ± 10 %.

Bei Rohren mit Durchmessern bis 100 mm dürfen Unterlängen von mindestens 1000 mm bis zu 10 % des Liefergewichts betragen. Bei Rohren mit Durchmessern über 100 mm sind die zulässigen Unterlängen besonders zu vereinbaren.

7.3. Rohre in Festlängen

Festlängen sind bei Bestellung besonders zu vereinbaren. Zur Kennzeichnung ist dann hinter die Längenangabe „fest" zu setzen. Für Festlängen gelten die zulässigen Abweichungen nach Tabelle 11. Sägeschnitte dürfen bei Festlängen nur mit der halben zulässigen Abweichung der Tabelle 11 vom rechten Winkel abweichen.

Tabelle 11

Außendurchmesser d_1		Zulässige Plus-Abweichungen für Festlängen über						
		—	100	250	500	1000	2000	4000
		bis						
über	bis	100	250	500	1000	2000	4000	—
—	10	nach Vereinbarung						
10	50	1	1,5	2	3	4	5	nach Vereinbarung
50	120	1,5	2	3	4	5	6	
120	250	2	3	4	5	6	7	
250	450	3	4	5	6	7	8	

7.4. Bestellbeispiel

2 t nahtlos gezogene Rohre von Außendurchmesser $d_1 = 20$ mm, Wanddicke $s = 2$ mm der Toleranzzuordnung A in Herstellängen aus dem Werkstoff mit dem Kurzzeichen CuZn40 F42 (bisher Ms60 F41) oder der Werkstoffnummer 2.0360.26

2 t Rohre 30 × 2 DIN 1755 – CuZn40 F42

oder **2 t Rohre 30 × 2 DIN 1755 – 2.0360.26**

bisher 2 t Rohre 30 × 2 DIN 1755 – Ms60 F41

Erläuterungen

Die vorliegende Ausgabe der Norm berücksichtigt, daß nur noch zwei Querschnittsabmessungen eines Rohres toleriert werden dürfen, siehe Toleranzzuordnungen A, B und C. Mit der Einführung dieser Toleranzzuordnungen wurde die bisherige Überbestimmung der Maße, d. h. die gleichzeitige Festlegung von zulässigen Abweichungen für Außendurchmesser, Innendurchmesser und Wanddicke, beseitigt.

Wegen weiterer Einzelheiten sei auf die Ausführungen von F. Ballas [7] sowie H. J. Fischer und R. M. Zollinger [8] hingewiesen. Es soll nur festgehalten werden, daß die zulässigen Abweichungen sowohl vom Werkzeug als auch vom Herstellungsverfahren beeinflußt werden. Aus diesem Grunde wurde jetzt unterschieden zwischen den vom Werkzeug abhängigen Maßabweichungen, d. h. den zulässigen Abweichungen des mittleren Durchmessers, bzw. der mittleren Wanddicke, und den vom Herstellungsverfahren abhängigen Formabweichungen, d. h. den zulässigen Abweichungen des Durchmessers einschließlich Unrundheit bzw. der zulässigen Ungleichwandigkeit (Exzentrizität).

Nachdem nun über das neue System der Tolerierung Einigung erzielt wurde, ging es weiterhin darum, die Normen einerseits universeller und andererseits spezieller als bisher zu machen, d. h. sowohl Zwischenmaße nach Norm zu tolerieren durch die Angabe von Maßbereichen als auch eindeutige Vorzugsmaße für bestimmte Anwendungsgebiete, z. B. für Rohrleitungen, festzulegen.

Diesen Wünschen wurde durch eine Aufteilung der bisherigen Norm DIN 1755 in mehrere Blätter wie folgt Rechnung getragen:

Blatt 1: Maßbereiche und Toleranzzuordnungen

Die Maßbereiche erlauben, für jede beliebige Abmessung die jeweils gültige zulässige Abweichung abzulesen oder zu errechnen. Dies ist besonders für Rohre der Toleranzzuordnungen B und C wichtig, für die keine Vorzugsmaße festgelegt werden konnten.

Blatt 2: Vorzugsmaße für allgemeine Verwendung

Da im allgemeinen Rohre der Toleranzzuordnung A gebraucht werden, wurden in dieser Norm Vorzugsmaße für Außendurchmesser und Wanddicke festgelegt, die nach Normzahlen gestuft sind und auch Abmessungen einschließen, die der internationalen Durchmesserreihe für Rohrleitungen entsprechen.

Aufbauend auf den Festlegungen von Blatt 1 wurden für jede Abmessung die zulässigen Abweichungen für Außendurchmesser und Wanddicke angegeben. Darüber hinaus wurden die kleinste, im jeweiligen Rohrquerschnitt mögliche Wanddicke und das Gewicht berechnet, um dem Anwender der Norm einige wesentliche Berechnungsgrundlagen an die Hand zu geben.

Blatt 3: Vorzugsmaße für Rohrleitungen

Die Vorzugsmaße für den Außendurchmesser wurden bewußt auf die Reihe abgestellt, die international für das Gebiet der Rohrleitungen angenommen worden ist. Diese Angleichung war notwendig, da alle Rohrverbindungselemente, z. B. Verschraubungen, Flansche, auf diese Außendurchmesser abgestellt sind. Für den übrigen Aufbau dieser Norm gelten dieselben Grundsätze wie für Blatt 2.

Wegen dieser Aufteilung wurde beschlossen, jedes Blatt so zu gestalten, daß es unabhängig von den anderen Blättern benutzt werden kann. Dadurch ist es möglich, je nach Bedarf Vorzugsmaße in Blatt 2 und/oder Blatt 3 zu ändern, d. h. zu streichen und/oder zu ergänzen.

Es war notwendig, im Zuge der Überarbeitung auch eine Aufteilung der Werkstoffe in mehrere Gruppen vorzunehmen, die das Umformverhalten der Legierungen berücksichtigen.

---

[7] Siehe DIN-Mitt. Bd. 41 (1962), H. 8/9, S. 357—362

[8] Siehe DIN-Mitt. Bd. 45 (1966), H. 11, S. 597—603

DK 621.643.24-462.3 : 669.35 August 1969

Rohre aus Kupfer-Knetlegierungen
nahtlosgezogen
Vorzugsmaße für Rohrleitungen

DIN 1755 Blatt 3

Tube of wrought copper alloys; seamless drawn, preferred dimensions for pipe lines

Tubes en alliages de cuivre corroyés; étirés à froid sans soudure, dimensions préferées pour conduits de tuyaux

Mit DIN 1755 Blatt 1 und Blatt 2 Ersatz für DIN 1755

Maße in mm

1. Geltungsbereich

Aufbauend auf den Festlegungen von DIN 1755 Blatt 1 gilt diese Norm für Vorzugsmaße von nahtlosen Rohren der Toleranzzuordnung A*) mit Außendurchmessern von 3 bis 419 mm und Wanddicken von 0,5 bis 6 mm, die als Leitungsrohre für Nennweiten 2 bis 400 zu verwenden sind und für die es international genormte Rohrverbindungen (Flansche und Rohrverschraubungen) und Formstücke gibt.

Rohre nach dieser Norm werden vorzugsweise aus den in Abschnitt 4 aufgeführten Werkstoffen der Werkstoffgruppen II und III hergestellt.

2. Bezeichnung

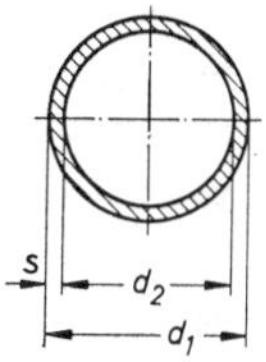

Bezeichnung eines nahtlosen Rohres von Außendurchmesser $d_1 = 20$ mm und Wanddicke $s = 2$ mm aus dem Werkstoff mit dem Kurzzeichen CuZn20Al (bisher SoMs76) oder der Werkstoffnummer 2.0460:

Rohr 20 × 2 DIN 1755–CuZn20Al F35
oder Rohr 20 × 2 DIN 1755–2.0460.10

3. Maße und zulässige Abweichungen

3.1. Außendurchmesser und Wanddicke

Die zulässigen Abweichungen für Außendurchmesser und Wanddicken sind in den Tabellen 1 bis 8 enthalten wie in der Übersicht (siehe Seite 2) dargestellt.

Für Rohre im Zustand weich des jeweiligen Werkstoffes, gekennzeichnet durch die Anhängezahl .10 der Werkstoffnummer (siehe DIN 17 671 Blatt 1) gelten nur die in den Tabellen 1 bis 8 angegebenen zulässigen Abweichungen für den mittleren Durchmesser ($d_{1\,\mathrm{mittel}}$), da die zulässigen Abweichungen des Durchmessers einschließlich Unrundheit ($d_{1\,\mathrm{ges.}}$) für diese Rohre nicht gewährleistet werden können.

*) Siehe „Toleranzzuordnungen für Querschnittsmaße von Rohren aus Nichteisenmetallen", DIN-Mitteilungen Bd. 45 (1966) H. 11, S. 597—603. Als Sonderdruck D-346 zu beziehen durch Beuth-Vertrieb GmbH, Berlin 30 und Köln.

Fortsetzung Seite 2 bis 7
Erläuterungen Seite 8

Fachnormenausschuß Nichteisenmetalle im Deutschen Normenausschuß (DNA)
Fachnormenausschuß Rohre, Rohrverbindungen und Rohrleitungen im DNA

Übersicht über die Verteilung der zulässigen Abweichungen des Außendurchmessers und der Wanddicke entsprechend den Werkstoffgruppen II und III in den Tabellen 1 bis 8

<table>
<tr><th rowspan="2">Außen-durchmesser d_1</th><th colspan="11">Wanddicke s</th><th rowspan="2">Außen-durchmesser d_1</th></tr>
<tr><th>0,5</th><th>0,75</th><th>1</th><th>1,5</th><th>2</th><th>2,5</th><th>3</th><th>3,5</th><th>4</th><th>5</th><th>6</th></tr>
<tr><td>3</td><td colspan="5" rowspan="18">Werkstoffgruppe II
siehe Tabelle 1
Seite 3

Werkstoffgruppe III
siehe Tabelle 5
Seite 5</td><td colspan="6" rowspan="5"></td><td>3</td></tr>
<tr><td>4</td><td>4</td></tr>
<tr><td>5</td><td>5</td></tr>
<tr><td>6</td><td>6</td></tr>
<tr><td>8</td><td>8</td></tr>
<tr><td>10</td><td colspan="5" rowspan="13">Werkstoffgruppe II
siehe Tabelle 2
Seite 3

Werkstoffgruppe III
siehe Tabelle 6
Seite 5</td><td rowspan="13"></td><td>10</td></tr>
<tr><td>12</td><td>12</td></tr>
<tr><td>14</td><td>14</td></tr>
<tr><td>15</td><td>15</td></tr>
<tr><td>16</td><td>16</td></tr>
<tr><td>18</td><td>18</td></tr>
<tr><td>20</td><td>20</td></tr>
<tr><td>22</td><td>22</td></tr>
<tr><td>25</td><td>25</td></tr>
<tr><td>28</td><td>28</td></tr>
<tr><td>30</td><td>30</td></tr>
<tr><td>35</td><td>35</td></tr>
<tr><td>38</td><td>38</td></tr>
<tr><td>42</td><td colspan="3" rowspan="11"></td><td colspan="6" rowspan="11">Werkstoffgruppe II
siehe Tabelle 3
Seite 4

Werkstoffgruppe III
siehe Tabelle 7
Seite 6</td><td colspan="2" rowspan="11"></td><td>42</td></tr>
<tr><td>44,5</td><td>44,5</td></tr>
<tr><td>57</td><td>57</td></tr>
<tr><td>76</td><td>76</td></tr>
<tr><td>89</td><td>89</td></tr>
<tr><td>108</td><td>108</td></tr>
<tr><td>114</td><td>114</td></tr>
<tr><td>133</td><td>133</td></tr>
<tr><td>159</td><td>159</td></tr>
<tr><td>168</td><td>168</td></tr>
<tr><td>194</td><td>194</td></tr>
<tr><td>219</td><td colspan="3" rowspan="6"></td><td colspan="3" rowspan="6"></td><td colspan="5" rowspan="6">Werkstoffgruppe II
siehe Tabelle 4
Seite 4

Werkstoffgruppe III
siehe Tabelle 8
Seite 6</td><td>219</td></tr>
<tr><td>267</td><td>267</td></tr>
<tr><td>273</td><td>273</td></tr>
<tr><td>324</td><td>324</td></tr>
<tr><td>368</td><td>368</td></tr>
<tr><td>419</td><td>419</td></tr>
<tr><td rowspan="2"></td><td colspan="11">Wanddicke s</td><td rowspan="2"></td></tr>
<tr><td>0,5</td><td>0,75</td><td>1</td><td>1,5</td><td>2</td><td>2,5</td><td>3</td><td>3,5</td><td>4</td><td>5</td><td>6</td></tr>
</table>

Tabelle 1. **Werkstoffgruppe II**

Außendurchmesser			Wanddicke s: 0,5				0,75				1				1,5				2				Außen-durch-messer d_1	Zuge-hörige Nenn-weite
d_1	Zul. ± Abw. für $d_{1\,ges.}$ [1]	Zul. ± Abw. für $d_{1\,mittel}$ [2]	Zul. ± Abw. für s_{mittel} [3]	Zul. ± Abw. für U [4]	Gewicht kg/m [5]	Kleinste Wand-dicke [6]	Zul. ± Abw. für s_{mittel} [3]	Zul. ± Abw. für U [4]	Gewicht kg/m [5]	Kleinste Wand-dicke [6]	Zul. ± Abw. für s_{mittel} [3]	Zul. ± Abw. für U [4]	Gewicht kg/m [5]	Kleinste Wand-dicke [6]	Zul. ± Abw. für s_{mittel} [3]	Zul. ± Abw. für U [4]	Gewicht kg/m [5]	Kleinste Wand-dicke [6]	Zul. ± Abw. für s_{mittel} [3]	Zul. ± Abw. für U [4]	Gewicht kg/m [5]	Kleinste Wand-dicke [6]		
3	0,07	0,05	0,03	0,05	0,03	0,42	0,03	0,08	0,05	0,64	0,03	0,09	0,06	0,88	—	—	—	—	—	—	—	—	3	2
4	0,07	0,05	0,03	0,05	0,05	0,42	0,03	0,08	0,07	0,64	0,03	0,09	0,08	0,88	—	—	—	—	—	—	—	—	4	3
5	0,07	0,05	0,03	0,05	0,06	0,42	0,03	0,08	0,09	0,64	0,03	0,09	0,11	0,88	—	—	—	—	—	—	—	—	5	4
6	0,07	0,05	0,03	0,05	0,08	0,42	0,03	0,08	0,11	0,64	0,03	0,09	0,14	0,88	—	—	—	—	—	—	—	—	6	5
8	0,09	0,06	0,03	0,05	0,10	0,42	0,03	0,08	0,15	0,64	0,03	0,10	0,20	0,87	0,04	0,14	0,27	1,32	0,04	0,18	0,34	1,78	8	6
10	0,09	0,06	0,03	0,05	0,13	0,42	0,03	0,08	0,19	0,64	0,03	0,10	0,25	0,87	0,04	0,14	0,36	1,32	0,04	0,18	0,45	1,78	10	8
12	0,12	0,08	0,03	0,05	0,16	0,42	0,03	0,08	0,24	0,64	0,03	0,10	0,31	0,87	0,04	0,14	0,44	1,32	0,05	0,18	0,56	1,77	12	10
14	0,12	0,08	0,03	0,05	0,19	0,42	0,03	0,08	0,28	0,64	0,03	0,10	0,36	0,87	0,04	0,14	0,52	1,32	0,05	0,18	0,67	1,77	14	
15	0,12	0,08	0,04	0,05	0,20	0,41	0,04	0,08	0,30	0,63	0,04	0,10	0,39	0,86	0,05	0,14	0,57	1,31	0,06	0,18	0,73	1,76	15	12
16	0,12	0,08	—	—	—	—	0,04	0,08	0,32	0,63	0,04	0,10	0,42	0,86	0,05	0,14	0,61	1,31	0,06	0,18	0,78	1,76	16	
18	0,12	0,08	—	—	—	—	0,04	0,08	0,36	0,63	0,04	0,10	0,48	0,86	0,05	0,14	0,69	1,31	0,06	0,18	0,89	1,76	18	16
20	0,18	0,12	—	—	—	—	0,05	0,08	0,40	0,62	0,05	0,10	0,53	0,85	0,06	0,15	0,78	1,29	0,08	0,18	1,01	1,74	20	
22	0,18	0,12	—	—	—	—	—	—	—	—	0,05	0,10	0,59	0,85	0,06	0,15	0,86	1,29	0,08	0,18	1,12	1,74	22	20
25	0,18	0,12	—	—	—	—	—	—	—	—	0,05	0,10	0,67	0,85	0,06	0,15	0,99	1,29	0,08	0,18	1,29	1,74	25	
28	0,18	0,12	—	—	—	—	—	—	—	—	0,05	0,10	0,75	0,85	0,06	0,15	1,11	1,29	0,08	0,18	1,45	1,74	28	25
30	0,18	0,12	—	—	—	—	—	—	—	—	0,05	0,10	0,81	0,85	0,06	0,15	1,20	1,29	0,08	0,18	1,57	1,74	30	
35	0,24 0,30	0,15	—	—	—	—	—	—	—	—	0,06	0,10	0,95	0,84	0,08	0,15	1,40	1,27	0,10	0,18	1,85	1,72	35	32
38	0,24 0,30	0,15	—	—	—	—	—	—	—	—	0,06	0,10	1,03	0,84	0,08	0,15	1,53	1,27	0,10	0,18	2,01	1,72	38	

Tabelle 2. **Werkstoffgruppe II**

Außendurchmesser			Wanddicke s: 2,5				3				3,5				4				5				Außen-durch-messer d_1	Zuge-hörige Nenn-weite
d_1	Zul. ± Abw. für $d_{1\,ges.}$ [1]	Zul. ± Abw. für $d_{1\,mittel}$ [2]	Zul. ± Abw. für s_{mittel} [3]	Zul. ± Abw. für U [4]	Gewicht kg/m [5]	Kleinste Wand-dicke [6]	Zul. ± Abw. für s_{mittel} [3]	Zul. ± Abw. für U [4]	Gewicht kg/m [5]	Kleinste Wand-dicke [6]	Zul. ± Abw. für s_{mittel} [3]	Zul. ± Abw. für U [4]	Gewicht kg/m [5]	Kleinste Wand-dicke [6]	Zul. ± Abw. für s_{mittel} [3]	Zul. ± Abw. für U [4]	Gewicht kg/m [5]	Kleinste Wand-dicke [6]	Zul. ± Abw. für s_{mittel} [3]	Zul. ± Abw. für U [4]	Gewicht kg/m [5]	Kleinste Wand-dicke [6]		
10	0,09	0,06	0,04	0,23	0,52	2,23	0,05	0,24	0,59	2,71	—	—	—	—	—	—	—	—	—	—	—	—	10	8
12	0,12	0,08	0,05	0,23	0,66	2,22	0,06	0,24	0,75	2,70	0,08	0,27	0,83	3,15	0,08	0,32	0,89	3,60	—	—	—	—	12	10
14	0,12	0,08	0,05	0,23	0,80	2,22	0,06	0,24	0,92	2,70	0,08	0,27	1,03	3,15	0,08	0,32	1,12	3,60	—	—	—	—	14	
15	0,12	0,08	0,07	0,23	0,87	2,20	0,08	0,24	1,01	2,68	0,09	0,27	1,13	3,14	0,09	0,32	1,23	3,59	—	—	—	—	15	12
16	0,12	0,08	0,07	0,23	0,94	2,20	0,08	0,24	1,09	2,68	0,09	0,27	1,22	3,14	0,09	0,32	1,34	3,59	—	—	—	—	16	
18	0,12	0,08	—	—	—	—	0,08	0,24	1,26	2,68	—	—	—	—	0,09	0,32	1,57	3,59	0,10	0,40	1,82	4,50	18	16
20	0,18	0,12	—	—	—	—	0,10	0,27	1,43	2,63	—	—	—	—	0,10	0,36	1,79	3,54	0,12	0,40	2,10	4,48	20	
22	0,18	0,12	—	—	—	—	0,10	0,27	1,59	2,63	—	—	—	—	0,10	0,36	2,01	3,54	0,12	0,40	2,38	4,48	22	20
25	0,18	0,12	0,08	0,23	1,57	2,19	0,10	0,27	1,85	2,63	—	—	—	—	0,10	0,36	2,35	3,54	0,12	0,40	2,80	4,48	25	
28	0,18	0,12	0,08	0,23	1,78	2,19	0,10	0,27	2,10	2,63	—	—	—	—	0,10	0,36	2,68	3,54	0,12	0,40	3,22	4,48	28	25
30	0,18	0,12	0,08	0,23	1,92	2,19	0,10	0,27	2,26	2,63	—	—	—	—	0,10	0,36	2,91	3,54	0,12	0,40	3,50	4,48	30	
35	0,24	0,15	0,10	0,23	2,27	2,17	0,12	0,27	2,68	2,61	—	—	—	—	0,12	0,36	3,47	3,52	0,14	0,40	4,19	4,46	35	32
38	0,24	0,15	0,10	0,23	2,48	2,17	0,12	0,27	2,94	2,61	—	—	—	—	0,12	0,36	3,80	3,52	0,14	0,40	4,61	4,46	38	

Fußnoten [1]) bis [6]) siehe Seite 6, Farbkennzeichnung siehe Seite 4

Tabelle 3. **Werkstoffgruppe II**

Außendurchmesser			Wanddicke s																				Außen-durch-messer d_1	Zuge-hörige Nenn-weite
			1,5				2				2,5				3				3,5					
d_1	Zul. ± Abw. für $d_{1\,ges.}$ 1)	Zul. ± Abw. für $d_{1\,mittel}$ 2)	Zul. ± Abw. für s_{mittel} 3)	Zul. ± Abw. für U 4)	Gewicht kg/m 5)	Kleinste Wand-dicke 6)	Zul. ± Abw. für s_{mittel} 3)	Zul. ± Abw. für U 4)	Gewicht kg/m 5)	Kleinste Wand-dicke 6)	Zul. ± Abw. für s_{mittel} 3)	Zul. ± Abw. für U 4)	Gewicht kg/m 5)	Kleinste Wand-dicke 6)	Zul. ± Abw. für s_{mittel} 3)	Zul. ± Abw. für U 4)	Gewicht kg/m 5)	Kleinste Wand-dicke 6)	Zul. ± Abw. für s_{mittel} 3)	Zul. ± Abw. für U 4)	Gewicht kg/m 5)	Kleinste Wand-dicke 6)		
42	0,24	0,15	0,08	0,15	1,70	1,27	0,10	0,18	2,24	1,72	0,10	0,23	2,76	2,17	0,12	0,27	3,27	2,61	—	—	—	—	42	40
44,5	0,24	0,15	0,08	0,15	1,80	1,27	0,10	0,18	2,38	1,72	0,10	0,23	2,94	2,17	0,12	0,27	3,48	2,61	—	—	—	—	44,5	
57	0,30 0,40	0,20	0,10	0,15	2,33	1,25	0,12	0,20	3,08	1,68	0,12	0,25	3,81	2,13	0,14	0,27	4,53	2,59	0,15	0,32	5,24	3,03	57	50
76	0,30 0,40	0,20	—	—	—	—	0,12	0,20	4,14	1,68	0,12	0,25	5,14	2,13	0,14	0,27	6,12	2,59	0,15	0,32	7,09	3,03	76	65
89	0,40 0,50	0,25	—	—	—	—	0,14	0,20	4,87	1,66	0,15	0,25	6,05	2,10	0,16	0,27	7,21	2,57	0,17	0,32	8,37	3,01	89	80
108	0,50	0,25	—	—	—	—	—	—	—	—	0,15	0,25	7,37	2,10	0,16	0,27	8,81	2,57	0,17	0,32	10,2	3,01	108	100
114	0,50	0,25	—	—	—	—	—	—	—	—	0,15	0,25	7,79	2,10	0,16	0,27	9,31	2,57	0,17	0,32	10,8	3,01	114	
133	1,0 n. V.	0,50	—	—	—	—	—	—	—	—	0,18	0,25	9,12	2,07	0,20	0,30	10,9	2,50	0,22	0,35	12,7	2,93	133	125
159	1,0 n. V.	0,50	—	—	—	—	—	—	—	—	0,18	0,25	10,9	2,07	0,20	0,30	13,1	2,50	0,22	0,35	15,2	2,93	159	150
168	1,0 n. V.	0,50	—	—	—	—	—	—	—	—	0,18	0,25	11,6	2,07	0,20	0,30	13,8	2,50	0,22	0,35	16,1	2,93	168	
194	n. V.	0,50	—	—	—	—	—	—	—	—	0,18	0,25	13,4	2,07	0,20	0,30	16,0	2,50	0,22	0,35	18,6	2,93	194	(175)

Tabelle 4. **Werkstoffgruppe II**

Außendurchmesser			Wanddicke s																				Außen-durch-messer d_1	Zuge-hörige Nenn-weite
			3				3,5				4				5				6					
d_1	Zul. ± Abw. für $d_{1\,ges.}$ 1)	Zul. ± Abw. für $d_{1\,mittel}$ 2)	Zul. ± Abw. für s_{mittel} 3)	Zul. ± Abw. für U 4)	Gewicht kg/m 5)	Kleinste Wand-dicke 6)	Zul. ± Abw. für s_{mittel} 3)	Zul. ± Abw. für U 4)	Gewicht kg/m 5)	Kleinste Wand-dicke 6)	Zul. ± Abw. für s_{mittel} 3)	Zul. ± Abw. für U 4)	Gewicht kg/m 5)	Kleinste Wand-dicke 6)	Zul. ± Abw. für s_{mittel} 3)	Zul. ± Abw. für U 4)	Gewicht kg/m 5)	Kleinste Wand-dicke 6)	Zul. ± Abw. für s_{mittel} 3)	Zul. ± Abw. für U 4)	Gewicht kg/m 5)	Kleinste Wand-dicke 6)		
219	1,5 n. V.	0,75	0,24	0,36	18,1	2,40	0,26	0,42	21,1	2,82	0,26	0,48	24,0	3,26	0,28	0,60	29,9	4,12	—	—	—	—	219	200
267	n. V.	0,75	0,24	0,36	22,1	2,40	0,26	0,42	25,8	2,82	0,26	0,48	29,4	3,26	0,28	0,60	36,6	4,12	—	—	—	—	267	250
273	n. V.	0,75	0,24	0,36	22,6	2,40	0,26	0,42	26,4	2,82	0,26	0,48	30,1	3,26	0,28	0,60	37,4	4,12	—	—	—	—	273	
324	n. V.	1,0	—	—	—	—	—	—	—	—	0,32	0,60	35,8	3,08	0,35	0,75	44,6	3,90	0,38	0,90	53,3	4,72	324	300
368	n. V.	1,0	—	—	—	—	—	—	—	—	0,32	0,60	40,7	3,08	0,35	0,75	50,8	3,90	0,38	0,90	60,8	4,72	368	350
419	n. V.	1,0	—	—	—	—	—	—	—	—	0,32	0,60	46,4	3,08	0,35	0,75	57,9	3,90	0,38	0,90	69,4	4,72	419	400

Fußnoten 1) bis 6) siehe Seite 6

Farbkennzeichnung der Verhältnisse $d_1 : s$ in den Tabellen 1 bis 8:

ohne Unterdruck	$d_1 : s$ bis 30	volle Fläche	$d_1 : s$ über 30 bis 50	gerastert	$d_1 : s$ über 50

Tabelle 5. **Werkstoffgruppe III**

Außendurchmesser			Wanddicke s: 0,5				0,75				1				1,5				2				Außendurchmesser d_1	Zugehörige Nennweite
d_1	Zul. ± Abw. für $d_{1\,ges.}$ [1]	Zul. ± Abw. für $d_{1\,mittel}$ [2]	Zul. ± Abw. für s_{mittel} [3]	Zul. ± Abw. für U [4]	Gewicht kg/m [5]	Kleinste Wanddicke [6]	Zul. ± Abw. für s_{mittel} [3]	Zul. ± Abw. für U [4]	Gewicht kg/m [5]	Kleinste Wanddicke [6]	Zul. ± Abw. für s_{mittel} [3]	Zul. ± Abw. für U [4]	Gewicht kg/m [5]	Kleinste Wanddicke [6]	Zul. ± Abw. für s_{mittel} [3]	Zul. ± Abw. für U [4]	Gewicht kg/m [5]	Kleinste Wanddicke [6]	Zul. ± Abw. für s_{mittel} [3]	Zul. ± Abw. für U [4]	Gewicht kg/m [5]	Kleinste Wanddicke [6]		
8	0,15	0,10	0,05	0,05	0,10	0,40	0,05	0,08	0,15	0,62	0,05	0,10	0,20	0,85	0,07	0,14	0,27	1,29	0,07	0,18	0,34	1,75	8	6
10	0,15	0,10	0,05	0,05	0,13	0,40	0,05	0,08	0,19	0,62	0,05	0,10	0,25	0,85	0,07	0,14	0,36	1,29	0,07	0,18	0,45	1,75	10	8
12	0,20	0,15	0,05	0,05	0,14	0,40	0,05	0,08	0,24	0,62	0,05	0,10	0,31	0,85	0,07	0,14	0,44	1,29	0,09	0,18	0,56	1,73	12	10
14	0,20	0,15	0,05	0,05	0,19	0,40	0,05	0,08	0,28	0,62	0,05	0,10	0,36	0,85	0,07	0,14	0,52	1,29	0,09	0,18	0,67	1,73	14	
15	0,20	0,15	0,07	0,05	0,20	0,38	0,07	0,08	0,30	0,60	0,07	0,10	0,39	0,83	0,07	0,14	0,57	1,29	0,11	0,18	0,73	1,71	15	12
16	0,20	0,15	—	—	—	—	0,07	0,08	0,32	0,60	0,07	0,10	0,42	0,83	0,07	0,14	0,61	1,29	0,11	0,18	0,78	1,71	16	
18	0,20	0,15	—	—	—	—	0,07	0,08	0,36	0,60	0,07	0,10	0,48	0,83	0,07	0,14	0,69	1,29	0,11	0,18	0,89	1,71	18	16
20	0,30	0,20	—	—	—	—	0,09	0,08	0,40	0,58	0,09	0,10	0,53	0,81	0,11	0,15	0,78	1,24	0,14	0,18	1,01	1,68	20	
22	0,30	0,20	—	—	—	—	—	—	—	—	0,09	0,10	0,59	0,81	0,11	0,15	0,86	1,24	0,14	0,18	1,12	1,68	22	20
25	0,30	0,20	—	—	—	—	—	—	—	—	0,09	0,10	0,67	0,81	0,11	0,15	0,99	1,24	0,14	0,18	1,29	1,68	25	
28	0,30	0,20	—	—	—	—	—	—	—	—	0,09	0,10	0,75	0,81	0,11	0,15	1,11	1,24	0,14	0,18	1,45	1,68	28	25
30	0,30	0,20	—	—	—	—	—	—	—	—	0,09	0,10	0,81	0,81	0,11	0,15	1,20	1,24	0,14	0,18	1,57	1,68	30	
35	0,38 0,50	0,25	—	—	—	—	—	—	—	—	0,11	0,10	0,95	0,79	0,14	0,15	1,40	1,21	0,18	0,18	1,85	1,64	35	32
38	0,38 0,50	0,25	—	—	—	—	—	—	—	—	0,11	0,10	1,03	0,79	0,14	0,15	1,53	1,21	0,18	0,18	2,01	1,64	38	

Tabelle 6. **Werkstoffgruppe III**

Außendurchmesser			Wanddicke s: 2,5				3				3,5				4				5				Außendurchmesser d_1	Zugehörige Nennweite
d_1	Zul. ± Abw. für $d_{1\,ges.}$ [1]	Zul. ± Abw. für $d_{1\,mittel}$ [2]	Zul. ± Abw. für s_{mittel} [3]	Zul. ± Abw. für U [4]	Gewicht kg/m [5]	Kleinste Wanddicke [6]	Zul. ± Abw. für s_{mittel} [3]	Zul. ± Abw. für U [4]	Gewicht kg/m [5]	Kleinste Wanddicke [6]	Zul. ± Abw. für s_{mittel} [3]	Zul. ± Abw. für U [4]	Gewicht kg/m [5]	Kleinste Wanddicke [6]	Zul. ± Abw. für s_{mittel} [3]	Zul. ± Abw. für U [4]	Gewicht kg/m [5]	Kleinste Wanddicke [6]	Zul. ± Abw. für s_{mittel} [3]	Zul. ± Abw. für U [4]	Gewicht kg/m [5]	Kleinste Wanddicke [6]		
10	0,15	0,10	0,07	0,23	0,52	2,20	0,09	0,24	0,59	2,67	—	—	—	—	—	—	—	—	—	—	—	—	10	8
12	0,20	0,15	0,09	0,23	0,66	2,18	0,11	0,24	0,75	2,65	0,14	0,27	0,83	3,09	0,14	0,32	0,89	3,54	—	—	—	—	12	10
14	0,20	0,15	0,09	0,23	0,80	2,18	0,11	0,24	0,92	2,65	0,14	0,27	1,03	3,09	0,14	0,32	1,12	3,54	—	—	—	—	14	
15	0,20	0,15	0,13	0,23	0,87	2,14	0,14	0,24	1,01	2,62	0,16	0,27	1,13	3,07	0,16	0,32	1,23	3,52	—	—	—	—	15	12
16	0,20	0,15	0,13	0,23	0,94	2,14	0,14	0,24	1,09	2,62	0,16	0,27	1,22	3,07	0,16	0,32	1,34	3,52	—	—	—	—	16	
18	0,20	0,15	—	—	—	—	0,14	0,24	1,26	2,62	—	—	—	—	0,16	0,32	1,57	3,52	0,18	0,40	1,82	4,42	18	16
20	0,30	0,20	—	—	—	—	0,18	0,27	1,43	2,55	—	—	—	—	0,18	0,36	1,79	3,46	0,22	0,40	2,10	4,38	20	
22	0,30	0,20	—	—	—	—	0,18	0,27	1,59	2,55	—	—	—	—	0,18	0,36	2,01	3,46	0,22	0,40	2,38	4,38	22	20
25	0,30	0,20	0,14	0,23	1,57	2,13	0,18	0,27	1,85	2,55	—	—	—	—	0,18	0,36	2,35	3,46	0,22	0,40	2,80	4,38	25	
28	0,30	0,20	0,14	0,23	1,78	2,13	0,18	0,27	2,10	2,55	—	—	—	—	0,18	0,36	2,68	3,46	0,22	0,40	3,22	4,38	28	25
30	0,30	0,20	0,14	0,23	1,92	2,13	0,18	0,27	2,26	2,55	—	—	—	—	0,18	0,36	2,91	3,46	0,22	0,40	3,50	4,38	30	
35	0,38	0,25	0,18	0,23	2,27	2,09	0,22	0,27	2,68	2,51	—	—	—	—	0,22	0,36	3,47	3,42	0,25	0,40	4,19	4,35	35	32
38	0,38	0,25	0,18	0,23	2,48	2,09	0,22	0,27	2,94	2,51	—	—	—	—	0,22	0,36	3,80	3,42	0,25	0,40	4,61	4,35	38	

Fußnoten [1]) bis [6]) siehe Seite 6, Farbkennzeichnung siehe Seite 4

Tabelle 7. **Werkstoffgruppe III**

Außendurchmesser			Wanddicke s 1,5				2				2,5				3				3,5				Außen-durch-messer	Zuge-hörige Nenn-weite
d_1	Zul. ± Abw. für $d_{1\,ges.}$ [1]	$d_{1\,mittel}$ [2]	Zul. ± Abw. für s_{mittel} [3]	U [4]	Gewicht kg/m [5]	Kleinste Wand-dicke [6]	s_{mittel} [3]	U [4]	Gewicht kg/m [5]	Kleinste Wand-dicke [6]	s_{mittel} [3]	U [4]	Gewicht kg/m [5]	Kleinste Wand-dicke [6]	s_{mittel} [3]	U [4]	Gewicht kg/m [5]	Kleinste Wand-dicke [6]	s_{mittel} [3]	U [4]	Gewicht kg/m [5]	Kleinste Wand-dicke [6]	d_1	
42	0,38	0,25	0,14	0,15	1,70	1,21	0,18	0,18	2,24	1,64	0,18	0,23	2,76	2,09	0,22	0,27	3,27	2,51	—	—	—	—	42	40
44,5	0,38	0,25	0,14	0,15	1,80	1,21	0,18	0,18	2,38	1,64	0,18	0,23	2,94	2,09	0,22	0,27	3,48	2,51	—	—	—	—	44,5	
57	0,45 / 0,60	0,30	0,18	0,15	2,33	1,17	0,22	0,20	3,08	1,58	0,22	0,25	3,81	2,03	0,25	0,27	4,53	2,48	0,27	0,32	5,24	2,91	57	50
76	0,45 / 0,60	0,30	—	—	—	—	0,22	0,20	4,14	1,58	0,22	0,25	5,14	2,03	0,25	0,27	6,12	2,48	0,27	0,32	7,09	2,91	76	65
89	0,60 / 0,80	0,40	—	—	—	—	0,25	0,20	4,87	1,55	0,27	0,25	6,05	1,98	0,29	0,27	7,21	2,42	0,31	0,32	8,37	2,87	89	80
108	0,80	0,40	—	—	—	—	—	—	—	—	0,27	0,25	7,37	1,98	0,29	0,27	8,81	2,42	0,31	0,32	10,2	2,87	108	100
114	0,80	0,40	—	—	—	—	—	—	—	—	0,27	0,25	7,79	1,98	0,29	0,27	9,31	2,42	0,31	0,32	10,8	2,87	114	
133	1,5 / n. V.	0,75	—	—	—	—	—	—	—	—	0,32	0,25	9,12	1,93	0,36	0,30	10,9	2,34	0,40	0,35	12,7	2,75	133	125
159	1,5 / n. V.	0,75	—	—	—	—	—	—	—	—	0,32	0,25	10,9	1,93	0,36	0,30	13,1	2,34	0,40	0,35	15,2	2,75	159	150
168	1,5 / n. V.	0,75	—	—	—	—	—	—	—	—	0,32	0,25	11,6	1,93	0,36	0,30	13,8	2,34	0,40	0,35	16,1	2,75	168	
194	n. V.	0,75	—	—	—	—	—	—	—	—	0,32	0,25	13,4	1,93	0,36	0,30	16,0	2,34	0,40	0,35	18,6	2,75	194	(175)

Tabelle 8. **Werkstoffgruppe III**

Außendurchmesser			Wanddicke s 3				3,5				4				5				6				Außen-durch-messer	Zuge-hörige Nenn-weite
d_1	Zul. ± Abw. für $d_{1\,ges.}$ [1]	$d_{1\,mittel}$ [2]	Zul. ± Abw. für s_{mittel} [3]	U [4]	Gewicht kg/m [5]	Kleinste Wand-dicke [6]	s_{mittel} [3]	U [4]	Gewicht kg/m [5]	Kleinste Wand-dicke [6]	s_{mittel} [3]	U [4]	Gewicht kg/m [5]	Kleinste Wand-dicke [6]	s_{mittel} [3]	U [4]	Gewicht kg/m [5]	Kleinste Wand-dicke [6]	s_{mittel} [3]	U [4]	Gewicht kg/m [5]	Kleinste Wand-dicke [6]	d_1	
219	2,4 / n. V.	1,2	0,43	0,36	18,1	2,21	0,47	0,42	21,1	2,61	0,47	0,48	24,0	3,05	0,50	0,60	29,9	3,90	—	—	—	—	219	200
267	n. V.	1,2	0,43	0,36	22,1	2,21	0,47	0,42	25,8	2,61	0,47	0,48	29,4	3,05	0,50	0,60	36,6	3,90	—	—	—	—	267	250
273	n. V.	1,2	0,43	0,36	22,6	2,21	0,47	0,42	26,4	2,61	0,47	0,48	30,1	3,05	0,50	0,60	37,4	3,90	—	—	—	—	273	
324	n. V.	2,0	—	—	—	—	—	—	—	—	0,58	0,60	35,8	2,82	0,63	0,75	44,6	3,62	0,68	0,90	53,3	4,42	324	300
368	n. V.	2,0	—	—	—	—	—	—	—	—	0,58	0,60	40,7	2,82	0,63	0,75	50,6	3,62	0,68	0,90	60,8	4,42	368	350
419	n. V.	2,0	—	—	—	—	—	—	—	—	0,58	0,60	46,4	2,82	0,63	0,75	57,9	3,62	0,68	0,90	69,4	4,42	419	400

Farbkennzeichnung siehe Seite 4

Fußnoten zu den Tabellen 1 bis 8

[1] **Zulässige Abweichungen des Durchmessers $d_{1\,gesamt}$**
$d_{1\,gesamt}$ ist der Durchmesser einschließlich Unrundheit. Jeder gemessene Durchmesser muß innerhalb dieser zulässigen Abweichungen liegen.

[2] **Zulässige Abweichungen des mittleren Durchmessers $d_{1\,mittel}$**
Der mittlere Durchmesser ist das arithmetische Mittel des größten und des kleinsten Durchmessers, gemessen in derselben senkrecht zur Rohrachse stehenden Ebene. Beim Messen der Durchmesser muß ein Abstand von mindestens d_1, höchstens jedoch 100 mm, von beiden Enden des Rohres unberücksichtigt bleiben.

[3] **Zulässige Abweichungen der mittleren Wanddicke s_{mittel}**
Die mittlere Wanddicke ist das arithmetische Mittel der größten und der kleinsten Wanddicke, gemessen in derselben senkrecht zur Rohrachse stehenden Ebene.

[4] **Zulässige Ungleichwandigkeit**
Die Ungleichwandigkeit U ist die Abweichung der größten bzw. der kleinsten Wanddicke von der mittleren Wanddicke, festgelegt in derselben senkrecht zur Rohrachse stehenden Ebene.

[5] Errechnet mit einer Dichte von 8,90 kg/dm³. Für Werkstoffe mit einer anderen Dichte sind die Gewichte entsprechend den Umrechnungsfaktoren der Tabelle 10 zu errechnen (siehe auch Abschnitt 6).

[6] Die in dieser Spalte angegebenen kleinsten Wanddicken können innerhalb einer Lieferung auftreten und sind deshalb nur Konstruktionsberechnungen zugrunde zu legen.

3.2. Zulässige Abweichung von der Geraden

Für Rohre von Außendurchmesser d_1 über 10 mm in Herstell-, Ungefähr- und Festlängen (ausgenommen Rohre im Zustand weich) gelten die zulässigen Abweichungen nach Tabelle 9. h_1 ist die zulässige Abweichung je Meter, linear zunehmend bei Meßlängen l_1 über 400 mm. Auf jedem Längenabschnitt $l_2 = 400$ mm darf die zulässige Abweichung jedoch nicht mehr als h_2 betragen, siehe Bild.

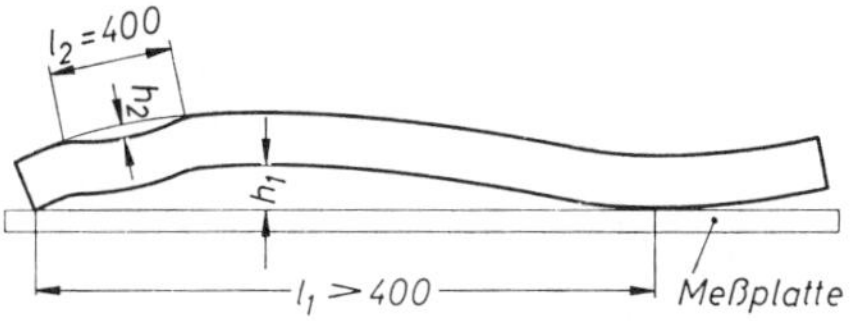

Tabelle 9

Verhältnis $d_1 : s$ über	bis	Zulässige Abweichung je Meter h_1	je 400 mm h_2
—	5	2	0,8
5	10	3	1,2
10	20	4	1,6
20	40	5	2,0
40	—	6	2,5

4. Werkstoffe und Festigkeitseigenschaften

(bei Bestellung angeben)

Kupfer-Knetlegierungen nach DIN 17 671 Blatt 1

Die Werkstoffgruppen II und III berücksichtigen das unterschiedliche Umformverhalten der Legierungen entsprechend ihrer Zusammensetzung (vgl. Kurzzeichen in Tabelle 10).

5. Ausführung

Nach den Technischen Lieferbedingungen DIN 17 671 Blatt 2

6. Gewichte und zulässige Abweichungen

Die in den Tabellen 1 bis 8 angegebenen Gewichte errechnen sich aus den Nennmaßen des jeweiligen Außendurchmessers und der Wanddicke sowie der Dichte des Werkstoffes. Umrechnungsfaktoren siehe Tabelle 10.

Die zulässige Gewichtsabweichung ergibt sich aus den zulässigen Abweichungen der Nennmaße und den zulässigen Abweichungen in der Zusammensetzung.

7. Lieferart

7.1. Rohre in Herstellängen: von 2000 bis 8000 mm

Unterlängen von mindestens 1000 mm bis zu 10 % des Liefergewichts zulässig.

7.2. Rohre in Ungefährlängen: bis 8000 mm

Ungefährlängen sind bei der Bestellung besonders zu vereinbaren. Zur Kennzeichnung ist dann hinter die Längenangabe „ungefähr" zu setzen.

Die zulässige Abweichung der bestellten Länge beträgt ± 10 %.

Bei Rohren mit Durchmessern bis 100 mm dürfen Unterlängen von mindestens 1000 mm bis zu 10 % des Liefergewichts betragen. Bei Rohren mit Durchmessern über 100 mm sind die zulässigen Unterlängen besonders zu vereinbaren.

7.3. Rohre in Festlängen

Festlängen sind bei Bestellung besonders zu vereinbaren. Zur Kennzeichnung ist dann hinter die Längenangabe „fest" zu setzen. Für Festlängen gelten die zulässigen Abweichungen nach Tabelle 11.

Sägeschnitte dürfen bei Festlängen nur mit der halben zulässigen Abweichung der Tabelle 11 vom rechten Winkel abweichen.

Tabelle 11

Außendurchmesser d_1		Zulässige Plus-Abweichungen für Festlängen über						
		—	100	250	500	1000	2000	4000
		bis						
über	bis	100	250	500	1000	2000	4000	—
—	10	nach Vereinbarung						
10	50	1	1,5	2	3	4	5	nach Vereinbarung
50	120	1,5	2	3	4	5	6	
120	250	2	3	4	5	6	7	
250	450	3	4	5	6	7	8	

7.4. Bestellbeispiel

2 t nahtlos gezogene Rohre von Außendurchmesser $d_1 = 20$ mm Wanddicke $s = 2$ mm der Toleranzzuordnung A in Herstellängen aus dem Werkstoff mit dem Kurzzeichen CuZn20Al F35 oder der Werkstoffnummer 2.0460.10:

2 t Rohre 30 × 2 DIN 1755 – CuZn20 Al F35

oder **2 t Rohre 30 × 2 DIN 1755 – 2.0460.10**

Tabelle 10. **Werkstoffe**

Werkstoffgruppe	Kurzzeichen neu	Kurzzeichen bisher	Werkstoffnummer	Dichte kg/dm³	Umrechnungsfaktor
II	CuNi10Fe		2.0872	8,9	1
III	CuAsP	SB-Cu	2.1491	8,9	1
	CuZn20Al	SoMs76	2.0460	8,3	0,932

Erläuterungen

Die vorliegende Ausgabe der Norm berücksichtigt, daß nur noch zwei Querschnittsabmessungen eines Rohres toleriert werden dürfen, siehe Toleranzzuordnungen A, B und C. Mit der Einführung dieser Toleranzzuordnungen wurde die bisherige Überbestimmung der Maße, d. h. die gleichzeitige Festlegung von zulässigen Abweichungen für Außendurchmesser, Innendurchmesser und Wanddicke beseitigt.

Wegen weiterer Einzelheiten sei auf die Ausführungen von F. Ballas [7]) sowie H. J. Fischer und R. M. Zollinger [8]) hingewiesen. Es soll nur festgehalten werden, daß die zulässigen Abweichungen sowohl vom Werkzeug als auch vom Herstellungsverfahren beeinflußt werden. Aus diesem Grunde wurde jetzt unterschieden zwischen den vom Werkzeug abhängigen Maßabweichungen, d. h. den zulässigen Abweichungen des mittleren Durchmessers, bzw. der mittleren Wanddicke, und den vom Herstellungsverfahren abhängigen Formabweichungen, d. h. den zulässigen Abweichungen des Durchmessers einschließlich Unrundheit bzw. der zulässigen Ungleichwandigkeit (Exzentrizität).

Nachdem nun über das neue System der Tolerierung Einigung erzielt wurde, ging es weiterhin darum, die Normen einerseits universeller und andererseits spezieller als bisher zu machen, d. h. sowohl Zwischenmaße nach Norm zu tolerieren durch die Angabe von Maßbereichen als auch eindeutige Vorzugsmaße für bestimmte Anwendungsgebiete, z. B. für Rohrleitungen, festzulegen.

Diesen Wünschen wurde durch eine Aufteilung der bisherigen Norm DIN 1755 in mehrere Blätter wie folgt Rechnung getragen:

Blatt 1: Maßbereiche und Toleranzzuordnungen

Die Maßbereiche erlauben, für jede beliebige Abmessung die jeweils gültige zulässige Abweichung abzulesen oder zu errechnen. Dies ist besonders für Rohre der Toleranzzuordnungen B und C wichtig, für die keine Vorzugsmaße festgelegt werden konnten.

Blatt 2: Vorzugsmaße für allgemeine Verwendung

Da im allgemeinen Rohre der Toleranzzuordnung A gebraucht werden, wurden in dieser Norm Vorzugsmaße für Außendurchmesser und Wanddicke festgelegt, die nach Normzahlen gestuft sind und auch Abmessungen einschließen, die der internationalen Durchmesserreihe für Rohrleitungen entsprechen.

Aufbauend auf den Festlegungen von Blatt 1 wurden für jede Abmessung die zulässigen Abweichungen für Außendurchmesser und Wanddicke angegeben. Darüber hinaus wurden die kleinste, im jeweiligen Rohrquerschnitt mögliche Wanddicke und das Gewicht berechnet, um dem Anwender der Norm einige wesentliche Berechnungsgrundlagen an die Hand zu geben.

Blatt 3: Vorzugsmaße für Rohrleitungen

Die Vorzugsmaße für den Außendurchmesser wurden bewußt auf die Reihe abgestellt, die international für das Gebiet der Rohrleitungen angenommen worden ist. Diese Angleichung war notwendig, da alle Rohrverbindungselemente, z. B. Verschraubungen, Flansche, auf diese Außendurchmesser abgestellt sind. Für den übrigen Aufbau dieser Norm gelten dieselben Grundsätze wie für Blatt 2.

Wegen dieser Aufteilung wurde beschlossen, jedes Blatt so zu gestalten, daß es unabhängig von den anderen Blättern benutzt werden kann. Dadurch ist es möglich, je nach Bedarf Vorzugsmaße in Blatt 2 und/oder Blatt 3 zu ändern, d. h. zu streichen und/oder zu ergänzen.

Es war notwendig, im Zuge der Überarbeitung auch eine Aufteilung der Werkstoffe in mehrere Gruppen vorzunehmen, die das Umformverhalten der Legierungen berücksichtigen.

---

[7]) Siehe DIN-Mitt. Bd. 41 (1962), H. 8/9, S. 357—362

[8]) Siehe DIN-Mitt. Bd. 45 (1966), H. 11, S. 597—603

Rundstangen aus Kupfer und Kupfer-Knetlegierungen gezogen Maße

DIN 1756

Round rod of wrought copper and copper alloys; drawn, dimensions
Barres rondes de cuivre et des alliages de cuivre orroyés; étirées à froid, dimensions

Zugleich Ersatz für DIN 1767

Maße in mm

1. Geltungsbereich

Diese Norm gilt für gezogene Rundstangen von 0,5 bis 80 mm Durchmesser aus den in Abschnitt 4 aufgeführten Werkstoffen der Werkstoffgruppen I, II und III.

2. Bezeichnung

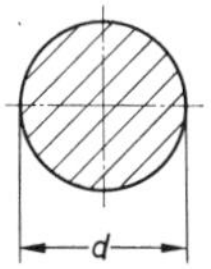

Bezeichnung einer gezogenen Rundstange von Durchmesser $d = 22$ mm aus dem Werkstoff mit dem Kurzzeichen CuZn37 F30 (bisher Ms63 F30) oder der Werkstoffnummer 2.0321.10:

Rund 22 DIN 1756 – CuZn37 F30
oder Rund 22 DIN 1756 – 2.0321.10
bisher Rund 22 DIN 1756 – Ms63 F30

Anstelle der ausgeschriebenen Benennung „Rund" darf auch die abgekürzte Schreibweise „Rd" nach DIN 1353 gewählt werden.

3. Maße und zulässige Abweichungen

3.1. Durchmesser (siehe Tabelle 1)

3.2. Zulässige Unrundheit

Die Unrundheit darf die Hälfte der angegebenen zulässigen Abweichung des Durchmessers nicht überschreiten.

3.3. Zulässige Abweichung von der Geraden

Für Stangen von Durchmesser d ab 10 mm in Herstell-, Ungefähr- und Festlängen (ausgenommen Stangen im Zustand weich) gelten folgende zulässige Abweichungen von der Geraden (siehe Bild):

für die Werkstoffgruppe I:

Zulässige Abweichung $h_1 = 1$ mm je Meter, linear zunehmend bei Meßlängen l_1 über 400 mm, z. B. $h_1 = 3$ mm bei $l_1 = 3$ m. Auf jeden Längenabschnitt $l_2 = 400$ mm darf die Abweichung h_2 höchstens 0,4 mm betragen.

für die Werkstoffgruppe II:

das 2fache der für Gruppe I angegebenen Werte.

für die Werkstoffgruppe III:

das 3fache der für Gruppe I angegebenen Werte.

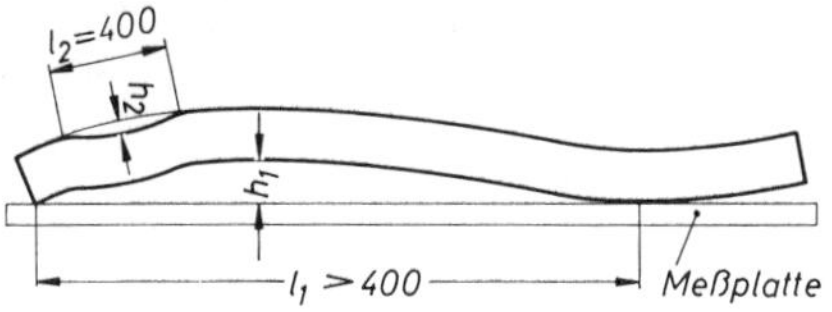

Fortsetzung Seite 2 bis 4

Fachnormenausschuß Nichteisenmetalle im Deutschen Normenausschuß (DNA)

Tabelle 1. **Durchmesser**

Vorzugsmaße[1])	Maßbereiche[2])	Zulässige Abweichungen bei Werkstoffgruppe I (h10)[3])	II (h11)[3])	III (h12)[3])	Querschnitt mm²	Gewicht[4]) kg/m
0,5	von 0,5 bis 3	−0,04	−0,06	Stangen nicht handelsüblich	0,196	0,00175
0,6					0,283	0,00252
0,8					0,503	0,00447
1					0,785	0,00699
1,2					1,131	0,0101
1,4					1,539	0,0137
1,6					2,011	0,0179
1,8					2,545	0,0226
2					3,142	0,0279
2,2					3,801	0,0338
2,5					4,909	0,0437
2,8					6,158	0,0548
3					7,069	0,0629
3,5	über 3 bis 6	−0,05	−0,08	−0,12	9,621	0,0856
4					12,57	0,112
4,5					15,90	0,141
5					19,64	0,175
5,5					23,76	0,211
6					28,27	0,252
6,5	über 6 bis 10	−0,06	−0,09	−0,15	33,18	0,295
7					38,48	0,342
8					50,27	0,447
9					63,62	0,566
10					78,54	0,699
11	über 10 bis 18	−0,07	−0,11	−0,18	95,03	0,846
12					113,1	1,01
14					153,9	1,37
16					201,1	1,79
18					254,5	2,26
20	über 18 bis 30	−0,08	−0,13	−0,21	314,2	2,79
22					380,1	3,38
25					490,9	4,37
28					615,8	5,48
32	über 30 bis 50	−0,10	−0,16	−0,25	804,2	7,16
36					1018	9,06
40					1257	11,2
45					1590	14,1
50					1964	17,5
56	über 50 bis 80	−0,12	−0,19	−0,30	2463	21,9
60					2827	25,2
63					3117	27,7
70					3848	34,2
75					4418	39,3
80					5027	44,7

[1]) Vorzugsweise nach Reihe R_a 20 DIN 323

[2]) Innerhalb der Maßbereiche sollen Zwischenmaße nach Reihe R 40 DIN 323 bevorzugt werden.

[3]) Die für h10, h11 und h12 angegebenen zulässigen Abweichungen wurden auf 2 Dezimalen nach DIN 1333 gerundet.

[4]) Errechnet mit einer Dichte von 8,9 kg/dm³. Für Werkstoffe mit einer anderen Dichte sind die Gewichte entsprechend den Umrechnungsfaktoren der Tabellen 2 bis 4 zu errechnen (siehe auch Abschnitt 6).

Tabelle 2. **Werkstoffgruppe I**

Benennung	Kurzzeichen neu	Kurzzeichen bisher	Werkstoff-nummer	Dichte kg/dm³	Umrechnungs-faktor
Kupfer-Zink-Legierungen (Messing)	CuZn36Pb1	Ms63Pb	2.0330	8,5	0,955
	CuZn36Pb3	—	2.0375	8,5	0,955
	CuZn38Pb1	Ms60Pb	2.0370	8,4	0,944
	CuZn39Pb2	Ms58 [5])	2.0380	8,4	0,944
	CuZn39Pb3		2.0401	8,5	0,955
	CuZn40Pb2		2.0402	8,4	0,944
	CuZn40Pb3		2.0405	8,5	0,955
Kupfer-Knet-Legierungen, niedriglegiert	CuSP		2.1498	8,9	1
	CuTeP	SF-CuTe	2.1546	8,9	1

Tabelle 3. **Werkstoffgruppe II**

Benennung	Kurzzeichen neu	Kurzzeichen bisher	Werkstoff-nummer	Dichte kg/dm³	Umrechnungs-faktor
Kupfer	D-Cu		2.0100	8,9	1
	F-Cu		2.0080	8,9	1
	E-Cu		2.0060	8,9	1
	SD-Cu		2.0110	8,9	1
	SF-Cu		2.0090	8,9	1
	SE-Cu		2.0070	8,9	1
Kupfer-Zink-Legierungen (Messing und Sondermessing)	CuZn5	Ms95	2.0220	8,9	1
	CuZn10	Ms90	2.0230	8,8	0,989
	CuZn15	Ms85	2.0240	8,8	0,989
	CuZn20	Ms80	2.0250	8,7	0,977
	CuZn28	Ms72	2.0261	8,6	0,966
	CuZn30	Ms70	2.0265	8,5	0,955
	CuZn33	Ms67	2.0280	8,5	0,955
	CuZn36	Ms63	2.0335	8,4	0,944
	CuZn37		2.0321	8,4	0,944
	CuZn40	Ms60	2.0360	8,4	0,944
	CuZn30Al	—	2.0515	7,5	0,843
	CuZn31Si	SoMs68	2.0490	8,4	0,944
	CuZn35Ni	SoMs59	2.0540	8,3	0,932
	CuZn40Ni	SoMs58	2.0571	8,3	0,932
	CuZn40Mn		2.0572	8,3	0,932
Kupfer-Zinn-Legierungen (Zinnbronze)	CuSn6	SnBz6	2.1020	8,8	0,989
	CuSn8	SnBz8	2.1030	8,8	0,989
Kupfer-Nickel-Legierungen	CuNi10Fe		2.0872	8,9	1
	CuNi30Fe		2.0882	8,9	1

Tabelle 3. (Fortsetzung)

Benennung	Kurzzeichen	Werkstoff-nummer	Dichte kg/dm³	Umrechnungs-faktor
Kupfer-Knet-Legierungen, niedriglegiert	CuASP	2.1491	8,9	1
	CuCd0,5	2.1265	8,9	1
	CuCd1	2.1266	8,9	1
	CuMn2	2.1363	8,8	0,989
	CuMn5	2.1366	8,6	0,966
	CuSi2Mn	2.1522	8,7	0,977
	CuSi3Mn	2.1525	8,5	0,955
	CuBe1,7	2.1245	8,4	0,944
	CuBe2	2.1247	8,3	0,932
	CuCoBe	2.1285	8,8	0,989
	CuCr	2.1291	8,9	1
	CuNi1,5Si	2.0853	8,8	0,989
	CuNi2Si	2.0855	8,8	0,989
	CuNi3Si	2.0857	8,8	0,989

Tabelle 4. **Werkstoffgruppe III**

Benennung	Kurzzeichen neu	Kurzzeichen bisher	Werkstoff-nummer	Dichte kg/dm³	Umrechnungs-faktor
Kupfer-Zink-Legierungen (Sondermessing)	CuZn37Al	SoMs58Al1	2.0510	8,3	0,932
	CuZn40Al1		2.0561	8,2	0,921
	CuZn40Al2	SoMs58Al2	2.0550	8,1	0,910
	CuZn40MnPb	SoMs58Pb	2.0580	8,2	0,921
Kupfer-Nickel-Zink-Legierungen (Neusilber)	CuNi10Zn42Pb	Ns4711Pb	2.0770	8,5	0,955
	CuNi12Zn24	Ns6512	2.0730	8,7	0,977
	CuNi12Zn30Pb	Ns5712Pb	2.0780	8,6	0,966
	CuNi18Zn20	Ns6218	2.0740	8,7	0,977
	CuNi18Zn19Pb	Ns6218Pb	2.0790	8,8	0,989
Kupfer-Aluminium-Legierungen (Aluminiumbronze)	CuAl5	AlBz5	2.0916	8,2	0,921
	CuAl8	AlBz8	2.0920	7,7	0,865
	CuAl8Fe	AlBz8Fe	2.0932	7,7	0,865
	CuAl10Fe	AlBz10Fe	2.0936	7,5	0,843
	CuAl9Mn	AlBz9Mn	2.0960	7,5	0,843
	CuAl10Ni	AlBz10Ni	2.0966	7,5	0,843
	CuAl11Ni	AlBz11Ni	2.0978	7,4	0,831

[5]) Mit Rücksicht auf die Aufspaltung des bisherigen Ms 58 wird in dieser Ausgabe der Norm ausnahmsweise folgender Hinweis auf die Verwendung der einzelnen Legierungen aufgenommen (siehe DIN 17 660):

CuZn39Pb2: Gut zerspanbare Legierung mit geringer Kaltumformbarkeit durch Biegen, Nieten und Bördeln.

CuZn39Pb3: Hauptlegierungen für Bearbeitung auf Automaten, noch geringe Kaltumformung möglich.

CuZn40Pb2: Legierung für alle spanabhebenden Bearbeitungsverfahren.

CuZn40Pb3: Hauptlegierungen für Bearbeitung auf Automaten, besonders spritziger Span.

4. Werkstoffe und Festigkeitseigenschaften

(bei Bestellung angeben)

Kupfer und Kupfer-Knetlegierungen nach DIN 17 672 Blatt 1 und DIN 40 500 Blatt 3 (Kupfer für die Elektrotechnik) unter Berücksichtigung der dort angegebenen Abmessungsbereiche.

Die Werkstoffgruppen I, II und III berücksichtigen das unterschiedliche Umformverhalten der Legierungen entsprechend ihrer Zusammensetzung (vgl. Kurzzeichen in den Tabellen 2 bis 4 auf Seite 3).

5. Ausführung

Nach den Technischen Lieferbedingungen DIN 17 672 Blatt 2, für Kupfer für die Elektrotechnik nach DIN 40 500 Blatt 3.

6. Gewichte und zulässige Gewichtsabweichungen

Das Gewicht in kg/m errechnet sich aus dem Nennmaß des jeweiligen Durchmessers sowie der Dichte des Werkstoffes. Umrechnungsfaktoren siehe Tabellen 2 bis 4.

Die zulässige Gewichtsabweichung ergibt sich aus den zulässigen Abweichungen der Nennmaße und den zulässigen Abweichungen in der Zusammensetzung.

7. Lieferart

7.1. Stangen in Herstellängen

Tabelle 5. **Herstellängen**

Durchmesser *d* Maßbereiche	Herstellängen
ab 0,5 bis 1,8	höchstens 2000
über 1,8 bis 25	höchstens 3000
über 25 bis 50	mindestens 2000
über 50 bis 80	mindestens 1000

5 % der Stangen einer Lieferung dürfen in Unterlängen von mindestens 1000 mm geliefert werden.

7.2. Stangen in Ungefährlängen

Ungefährlängen sind bei Bestellung besonders zu vereinbaren. Zur Kennzeichnung ist dann hinter die Längenangabe „ungefähr" zu setzen.

Die zulässige Abweichung der bestellten Länge beträgt ±10 %.

Unterlängen von mindestens 1000 mm sind bis zu 10 % des Liefergewichts zulässig.

7.3. Stangen in Festlängen

Festlängen sind bei Bestellung besonders zu vereinbaren. Zur Kennzeichnung ist dann hinter die Längenangabe „fest" zu setzen. Für Festlängen gelten die zulässigen Abweichungen nach Tabelle 6.

Sägeschnitte dürfen bei Festlängen nur mit der halben zulässigen Abweichung der Tabelle 6 vom rechten Winkel abweichen.

Tabelle 6. **Zulässige Abweichungen der Festlängen**

Durchmesser	Zulässige Abweichungen für Festlängen über					
d	—	100	250	500	1000	2000
	bis					
Maßbereiche	100	250	500	1000	2000	—
ab 0,5 bis 10	+1	+1,5	+2	+3	+4	+5
über 10 bis 18	+1	+1,5	+2	+3	+4	+5
über 18 bis 30	+1,5	+2	+3	+4	+5	+6
über 30 bis 50	+2	+3	+4	+5	+6	+7
über 50 bis 80	+3	+4	+5	+6	+7	+8

7.4. Bestellbeispiel

2 t gezogene Rundstangen von Durchmesser $d = 22$ mm aus dem Werkstoff mit dem Kurzzeichen CuZn37 F30 (bisher Ms63 F30) oder der Werkstoffnummer 2.0321.10 in Herstellängen:

2 t Rund 22 DIN 1756—CuZn37 F30
oder **2 t Rund 22 DIN 1756—2.0321.10**
bisher 2 t Rund 22 DIN 1756—Ms63 F30

DK 669.3-426-124 Juni 1974

Drähte aus Kupfer und Kupfer-Knetlegierungen
gezogen
Maße

DIN 1757

Wire of wrought copper and copper alloys; drawn, dimensions
Fils en cuivre et alliages de cuivre corroyés; trefilés, dimensions

Maße in mm

1. Geltungsbereich

Diese Norm gilt für gezogene Drähte aus den in Abschnitt 4 aufgeführten Werkstoffen der Werkstoffgruppen I, II und III, und zwar für:

Runddrähte mit Plus-/Minus-Abweichungen von 0,1 bis 8 mm Durchmesser: Tabelle 1

Runddrähte mit Minus-Abweichungen von 0,45 bis 18 mm Durchmesser: Tabelle 2

Vierkantdrähte von 3 bis 17 mm Seitenlänge: Tabelle 3

Sechskantdrähte von 3 bis 17 mm Schlüsselweite: Tabelle 4

Diese Norm gilt nicht für Drähte aus Kupfer und Kupfer-Knetlegierungen für die Elektrotechnik.

2. Bezeichnungen

A Runddraht

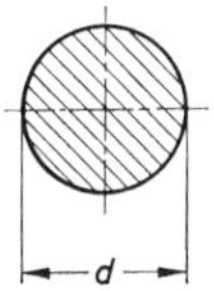

Bezeichnung eines gezogenen Runddrahtes (A) von Durchmesser d = 3,5 mm mit Plus-/Minus-Abweichungen aus dem Werkstoff mit dem Kurzzeichen CuZn40 F41 oder der Werkstoffnummer 2.0360.26:

Rund A 3,5 DIN 1757 — CuZn40 F41

oder Rund A 3,5 DIN 1757 — 2.0360.26

Bezeichnung eines gezogenen Runddrahtes (A) von Durchmesser d = 3,5 mm mit Minus-Abweichungen (f) aus dem Werkstoff mit dem Kurzzeichen CuZn40 F41 oder der Werkstoffnummer 2.0360.26:

Rund A 3,5 f DIN 1757 — CuZn40 F41

oder Rund A 3,5 f DIN 1757 — 2.0360.26

B Vierkantdraht

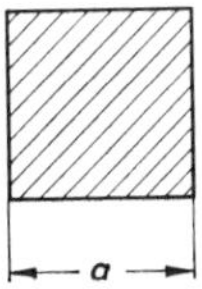

Bezeichnung eines gezogenen Vierkantdrahtes (B) von Seitenlänge a = 3,5 mm aus dem Werkstoff mit dem Kurzzeichen CuZn40 F41 oder der Werkstoffnummer 2.0360.26:

Vierkant B 3,5 DIN 1757 — CuZn40 F41

oder Vierkant B 3,5 DIN 1757 — 2.0360.26

C Sechskantdraht

Bezeichnung eines gezogenen Sechskantdrahtes (C) von Schlüsselweite s = 3,5 mm aus dem Werkstoff mit dem Kurzzeichen CuZn40 F41 oder der Werkstoffnummer 2.0360.26:

Sechskant C 3,5 DIN 1757 — CuZn40 F41

oder Sechskant C 3,5 DIN 1757 — 2.0360.26

An Stelle der Benennungen Rund, Vierkant, Sechskant können auch die Abkürzungen Rd, 4kt, 6kt nach DIN 1353 Blatt 2 gewählt werden.

Fortsetzung Seite 2 bis 6
Erläuterungen Seite 7

Fachnormenausschuß Nichteisenmetalle (FNNE) im Deutschen Normenausschuß (DNA)

3. Maße und zulässige Abweichungen

3.1. Runddraht – siehe Tabellen 1 und 2

Tabelle 1. **Runddraht mit Plus-/Minus-Abweichungen**

Durchmesser *d*					Querschnitt	Längenbezogenes Gewicht [3])
Vorzugsnennmaße [1])	Nennmaßbereiche [2])	Zulässige Abweichungen bei Werkstoffgruppe I	II	III	mm²	kg/1000 m
0,1	von 0,1 bis 0,2	Drähte nicht handelsüblich	± 0,01	± 0,015	0,00785	0,0699
0,12					0,0113	0,101
0,14					0,0154	0,137
0,16					0,0201	0,179
0,18					0,0254	0,226
0,2					0,0314	0,280
0,22	über 0,2 bis 0,45		± 0,013	± 0,020	0,0380	0,338
0,25					0,0491	0,437
0,28					0,0616	0,548
0,3					0,0707	0,629
0,36					0,102	0,906
0,4					0,126	1,12
0,45					0,159	1,42
0,5	über 0,45 bis 0,6		± 0,015	± 0,025	0,196	1,75
0,56					0,246	2,19
0,6					0,283	2,52
0,7	über 0,6 bis 0,9		± 0,02	± 0,03	0,385	3,42
0,8					0,503	4,47
0,9					0,636	5,66
1	über 0,9 bis 1,6		± 0,025	± 0,035	0,785	6,99
1,2					1,13	10,1
1,4					1,54	13,7
1,6					2,01	17,9
1,8	über 1,6 bis 2,5		± 0,03	± 0,045	2,54	22,7
2					3,14	28,0
2,2					3,80	33,8
2,5					4,91	43,7
2,8	über 2,5 bis 4		± 0,035	± 0,055	6,16	54,8
3					7,07	62,9
3,2					8,04	71,6
3,5					9,62	85,6
4					12,6	112
4,5	über 4 bis 6		± 0,045	± 0,07	15,9	142
5					19,6	175
5,5					23,7	211
6					28,3	252
6,5	über 6 bis 8		± 0,055	± 0,09	33,2	295
7					38,5	342
8					50,3	447

1) Auswahl nach Reihe R 40 ISO 497-1973

2) Innerhalb der Nennmaßbereiche sollen Zwischenmaße nach der Reihe R 40 ISO 497-1973 bevorzugt werden.

3) Errechnet mit einer Dichte von 8,9 kg/dm³ für Kupfer. Für die übrigen Werkstoffe sind die Gewichte entsprechend ihrer Dichte zu berechnen. Umrechnungsfaktoren siehe Tabellen 5, 6 und 7.

Tabelle 2. **Runddraht mit Minus-Abweichungen**

Vorzugsnennmaße 1)	Durchmesser *d* Nennmaßbereiche 2)	Zulässige Abweichungen bei Werkstoffgruppe I (h10) 4)	II (h11) 4)	III (h12) 4)	Querschnitt mm²	Längenbezogenes Gewicht 3) kg/1000 m
0,45	von 0,45 bis 0,9	Drähte nicht handelsüblich	0 − 0,04	0 − 0,05	0,159	1,41
0,5					0,196	1,75
0,56					0,246	2,19
0,6					0,283	2,52
0,7					0,385	3,42
0,8					0,503	4,47
0,9					0,636	5,66
1	über 0,9 bis 1,8	0 − 0,04	0 − 0,06	0 − 0,10	0,785	6,99
1,2					1,13	10,1
1,4					1,54	13,7
1,6					2,01	17,9
1,8					2,54	22,6
2	über 1,8 bis 3	0 − 0,04	0 − 0,06	0 − 0,10	3,14	28,0
2,2					3,80	33,8
2,5					4,91	43,7
2,8					6,16	54,8
3					7,07	62,9
3,2	über 3 bis 6	0 − 0,05	0 − 0,08	0 − 0,12	8,04	71,6
3,5					9,62	85,6
4					12,6	112
4,5					15,9	141
5					19,6	175
5,5					23,7	211
6					28,3	252
6,5	über 6 bis 10	0 − 0,06	0 − 0,09	0 − 0,15	33,2	295
7					38,5	342
8					50,3	447
9					63,6	566
10					78,5	699
11	über 10 bis 18	0 − 0,07	0 − 0,11	0 − 0,18	95,0	846
12					113	1010
14					154	1370
16					201	1790
18					254	2265

1), 2) und 3) siehe Seite 2

4) Die in Anlehnung an h10, h11 und h12 angegebenen zulässigen Abweichungen wurden auf zwei Dezimalen nach DIN 1333 Blatt 2 gerundet.
Für Durchmesser unter 1 mm entsprechen die zulässigen Abweichungen nicht mehr den angegebenen ISO-Toleranzreihen.

3.2. **Vierkant- und Sechskantdraht** – siehe Tabellen 3 und 4

Tabelle 3. **Vierkantdraht**

Vorzugs-nennmaße 5)	Seitenlänge *a* Nennmaß-bereiche 2)	Zulässige Abweichungen bei Werkstoffgruppe I (h11) 4)	II (h12) 4)	III (h12) 4)	Querschnitt mm²	Längen-bezogenes Gewicht 3) kg/1000 m
3	–	0 – 0,06	0 – 0,10	0 – 0,10	9	80,1
3,5	über 3 bis 6	0 – 0,08	0 – 0,12	0 – 0,12	12,25	109
4					16	142
4,5					20,25	180
5					25	222
5,5					30,25	269
6					36	320
7	über 6 bis 10	0 – 0,09	0 – 0,15	0 – 0,15	49	436
8					64	570
9					81	721
10					100	890
11	über 10 bis 18	0 – 0,11	0 – 0,18	0 – 0,18	121	1077
12					144	1282
13					169	1504
14					196	1744
16					256	2278
17					289	2572

Tabelle 4. **Sechskantdraht**

Vorzugs-nennmaße 6)	Schlüsselweite *s* Nennmaß-bereiche 2)	Zulässige Abweichungen bei Werkstoffgruppe I (h11) 4)	II (h12) 4)	III (h12) 4)	Querschnitt mm²	Längen-bezogenes Gewicht 3) kg/1000 m
3	–	0 – 0,06	0 – 0,10	0 – 0,10	7,79	69,4
3,5	über 3 bis 6	0 – 0,08	0 – 0,12	0 – 0,12	10,6	94,4
4					13,9	123
4,5					17,5	156
5					21,6	193
5,5					26,2	233
6					31,2	277
7	über 6 bis 10	0 – 0,09	0 – 0,15	0 – 0,15	42,4	378
8					55,4	493
9					70,1	624
10					86,6	771
11	über 10 bis 18	0 – 0,11	0 – 0,18	0 – 0,18	105	933
12					125	1110
13					146	1303
14					170	1510
17					250	2238

2) und 3) siehe Seite 2

4) Siehe Seite 3

5) Auswahl nach Reihe R" 20 ISO 497 und Schlüsselweite nach DIN 475

6) Auswahl nach DIN 475

3.3. Formabweichungen des Querschnittes

3.3.1. Runddraht

Die Rundheitstoleranz beträgt bei Drähten mit Durchmesser bis 3 mm die Hälfte der zulässigen Abweichung des Durchmessers und ist bei Drähten über 3 mm Durchmesser gleich der zulässigen Abweichung des Durchmessers.

3.3.2. Vier- und Sechskantdraht

Die Formabweichung darf die zulässigen Abweichungen der Seitenlänge bzw. Schlüsselweite nicht überschreiten.

3.4. Verwindung

Die Verwindung ist durch das Herstellungsverfahren bedingt. Besondere Ansprüche sind bei Bestellung zu vereinbaren.

4. Werkstoffe

Kupfer und Kupfer-Knetlegierungen nach DIN 17 677 Blatt 1, siehe Tabellen 5, 6 und 7.

Die in DIN 17 677 Blatt 1 angegebenen Abmessungsbereiche sind zu beachten.

Tabelle 5. **Werkstoffgruppe I**

Kurzzeichen	Werkstoffnummer	Dichte kg/dm³	Umrechnungsfaktor für das Gewicht	Früheres Kurzzeichen
CuZn36Pb1,5	**2.0331**	8,5	0,955	**Ms63Pb**
CuZn38Pb1,5	**2.0371**	8,4	0,944	**Ms60Pb**
CuZn39Pb0,5	**2.0372**	8,4	0,944	
CuZn39Pb2	**2.0380**	8,4	0,944	**Ms58**
CuZn39Pb3	**2.0401**	8,5	0,955	
CuZn40Pb2	**2.0402**	8,4	0,944	

Tabelle 6. **Werkstoffgruppe II**

Kurzzeichen	Werkstoffnummer	Dichte kg/dm³	Umrechnungsfaktor für das Gewicht	Früheres Kurzzeichen
SF-Cu	**2.0090**	8,9	1	—
SW-Cu	**2.0076**	8,9	1	—
CuZn15	**2.0240**	8,8	0,989	**Ms85**
CuZn20	**2.0250**	8,7	0,977	**Ms80**
CuZn33	**2.0280**	8,5	0,955	**Ms67**
CuZn36	**2.0335**	8,4	0,944	**Ms63**
CuZn37	**2.0320**	8,4	0,944	
CuZn40	**2.0360**	8,4	0,944	**Ms60**

Tabelle 7. **Werkstoffgruppe III**

Kurzzeichen	Werkstoffnummer	Dichte kg/dm³	Umrechnungsfaktor für das Gewicht	Früheres Kurzzeichen
CuSn2	**2.1010**	8,9	1	**SnBz2**
CuSn6	**2.1020**	8,8	0,989	**SnBz6**
CuSn8	**2.1030**	8,8	0,989	**SnBz8**
CuNi44	**2.0842**	8,9	1	—
CuNi12Zn24	**2.0730**	8,7	0,977	**Ns6512**
CuNi18Zn20	**2.0740**	8,7	0,977	**Ns6218**

5. Ausführung

Die Ringe sind, bedingt durch das Herstellungsverfahren, nicht aufgespult. Nach Lösen der Bindungen ergeben sich je nach Abmessung und Festigkeiten unterschiedliche Veränderungen gegenüber dem angelieferten Ring durch Aufgehen im Ringdurchmesser, durch Abweichungen der Windungen von der Ringebene u. ä. Besondere Anforderungen müssen vereinbart werden.

Im übrigen gelten die Technischen Lieferbedingungen DIN 17 677 Blatt 2.

6. Gewichte und zulässige Abweichungen

Das Gewicht errechnet sich aus den Nennmaßen sowie der Dichte des Werkstoffes. Umrechnungsfaktoren siehe Tabellen 5 bis 7.

Die zulässige Gewichtsabweichung ergibt sich aus den zulässigen Abweichungen der Nennmaße und den zulässigen Abweichungen in der Zusammensetzung.

7. Lieferart

7.1. Die Lieferart in Ringen, Bunden und Spulen sowie deren Gewichte sind zu vereinbaren.

7.2. Bestellbeispiele

500 kg gezogener Runddraht (A) von Durchmesser d = 3,5 mm in Plus-/Minus-Abweichungen aus dem Werkstoff mit dem Kurzzeichen CuZn40 F41 oder der Werkstoffnummer 2.0360.26 in Herstellringen:

500 kg Rund A 3,5 DIN 1757 — CuZn40 F41

oder **500 kg Rund A 3,5 DIN 1757 — 2.0360.26**

1000 kg gezogener Runddraht (A) von Durchmesser d = 1 mm in Minus-Abweichungen (f) aus dem Werkstoff mit dem Kurzzeichen CuZn40 F41 oder der Werkstoffnummer 2.0360.26 in Herstellringen:

1000 kg Rund A 1 f DIN 1757 — CuZn40 F41

oder **1000 kg Rund A 1 f DIN 1757 — 2.0360.26**

500 kg gezogener Vierkantdraht (B) von Seitenlänge a = 3,5 mm aus dem Werkstoff mit dem Kurzzeichen CuZn40 F41 oder der Werkstoffnummer 2.0360.26 in Herstellringen:

500 kg Vierkant B 3,5 DIN 1757 — CuZn40 F41

oder **500 kg Vierkant B 3,5 DIN 1757 — 2.0360.26**

500 kg gezogener Sechskantdraht (C) von Schlüsselweite s = 3,5 mm aus dem Werkstoff mit dem Kurzzeichen CuZn40 F41 oder der Werkstoffnummer 2.0360.26 in Herstellringen:

500 kg Sechskant C 3,5 DIN 1757 — CuZn40 F41

oder **500 kg Sechskant C 3,5 DIN 1757 — 2.0360.26**

Hinweise auf weitere Normen

Federdrähte aus Kupfer-Knetlegierungen, Technische Lieferbedingungen siehe DIN 17 682

Kupfer-Runddrähte, genau gezogen siehe DIN 46 431

Flachdrähte und Flachstangen aus Kupfer, gezogen siehe DIN 46 433

Rundstangen aus Kupfer und Kupfer-Knetlegierungen, gezogen, Maße siehe DIN 1756

Vierkantstangen aus Kupfer und Kupfer-Knetlegierungen, gezogen, Maße siehe DIN 1761

Sechskantstangen aus Kupfer und Kupfer-Knetlegierungen, gezogen, Maße siehe DIN 1763

Runder Federdraht, Maße, zulässige Abweichungen, Gewichte siehe DIN 2076

Erläuterungen

Im Rahmen der Arbeiten an einer eigenen Werkstoffnorm für Drähte (siehe 17 677 Blatt 1 und Blatt 2) wurde festgestellt, daß die zugehörige Maßnorm DIN 1757 nicht mehr dem Stand der Technik entspricht, besonders was die zulässigen Plus-/Minus-Abweichungen von Runddraht in Tabelle 1 betraf.

Drähte aus Werkstoffen der Gruppe I (bleihaltige Kupfer-Zink-Legierungen) sind mit Plus-/Minus-Abweichungen nicht handelsüblich, Drähte aus Werkstoffen der Gruppe II und III werden mit Durchmessern ≧ 0,1 mm geliefert. Außerdem werden für diese Drähte engere Toleranzen als bisher verlangt.

Ein Vorschlag des ISO/TC 26, der im Frühjahr 1974 als Internationaler Norm-Entwurf ISO/DIS 3492 veröffentlicht wird, diente als Diskussionsgrundlage, soweit es Runddraht betrifft. Vierkant- und Sechskantdrähte sind in dem ISO-Dokument nicht enthalten.

Es wurde beschlossen, für die Plus-/Minus-Abweichungen von Runddrähten die Werte des ISO-Vorschlages zu übernehmen, d. h., in DIN 1757 sind in Tabelle 1 die zulässigen Abweichungen — teilweise sogar erheblich — eingeengt worden.

Die nachstehende Tabelle zeigt einen Vergleich zwischen DIN 1757 und ISO/DIS 3492

Runddraht	DIN 1757	ISO/DIS 3492
Maßbereich Plus-/Minus-Abweichungen	von 0,1 bis 8	von 0,5 bis 12
Maßbereich Minus-Abweichungen	von 1 bis 18	von 2 bis 12
Werkstoffgruppe	I	III
	II	I
	III	II

In der Tabelle kann allerdings nicht dargestellt werden, daß der ISO-Entwurf Plus-/Minus-Abweichungen nur für die DIN-Werkstoffgruppen II und III angibt (ISO-Werkstoffgruppen I und II). Mit Rücksicht auf die spanende Bearbeitung auf Automaten sind Minus-Abweichungen entsprechend ISO h10 nur für die bleihaltigen Kupfer-Zink-Legierungen der DIN-Werkstoffgruppe I (ISO-Werkstoffgruppe III) festgelegt.

In den Tabellen 2, 3 und 4 mit den zulässigen Abweichungen nach ISO h10, h11 und h12 wurden die gerundeten Werte beibehalten. Man konnte sich nicht entschließen, die genauen Werte der ISO-Toleranzreihen in diese Norm zu übernehmen. Es wird bezweifelt, ob die Messungen an Halbzeug in der Praxis mit einer Genauigkeit von einem Tausendstel Millimeter durchgeführt werden können. In den Tabellen 3 und 4 für Vierkant- und Sechskantdraht wurde richtiggestellt, daß die zulässigen Abweichungen h11 und h12, und nicht — wie in der Ausgabe Februar 1967 irrtümlich angegeben — h10 und h11 entsprechen. Gleichzeitig wurden für Werkstoffgruppe III dieselben Toleranzen eingeführt wie für Werkstoffgruppe II.

Die Unrundheit für Drähte bis 3 mm Durchmesser wurde auf die Hälfte eingeengt.

Die Werkstoffe wurden entsprechend den Beratungen der DIN 17 677 Blatt 1 angegeben, d. h. eine Reihe von Legierungen, die bisher in DIN 17 672 Blatt 1 für Stangen enthalten sind, wurden gestrichen.

Wegen zu weit auseinandergehenden Kundenvorschriften über die Lieferart in Ringen, Bunden und Spulen wurden die Ringgewichte und Ringdurchmesser gestrichen und der Vereinbarung überlassen.

Außerdem wird für die nächste Überarbeitung überlegt, DIN 1757 aufzuteilen, um Drähte mit Plus-/Minus-Abweichungen von Drähten mit Minus-Abweichungen zu trennen und dadurch eine Verwechslung oder Irrtümer zu vermeiden.

Rechteckstangen aus Kupfer und Kupfer-Knetlegierungen

gezogen, mit scharfen Kanten

Maße, zulässige Abweichungen, statische Werte

DIN 1759

Rectangular bar of wrought copper and copper alloys drawn, with sharp edges, dimensions, tolerances, static values

Méplats etirés à froid en cuivre et en alliages de cuivre corroyés à angles vifs, dimensions, tolérances, valeurs statiques

Zugleich Ersatz für DIN 1768

Maße in mm

1. Geltungsbereich

Diese Norm gilt für gezogene Rechteckstangen (früherer Flachstangen) mit scharfen Kanten mit Breiten von 5 bis 200 mm und Dicken von 2 bis 40 mm.

Rechteckstangen nach dieser Norm werden aus den in Abschnitt 4 aufgeführten Werkstoffen der Werkstoffgruppen I und II hergestellt. Die Maße über 120 mm Breite gelten nur für Kupfer.

2. Bezeichnung

Bezeichnung einer gezogenen Rechteckstange mit scharfen Kanten mit der Breite b = 80 mm und der Dicke a = 15 mm aus dem Werkstoff mit dem Kurzzeichen CuZn30 F36 oder der Werkstoffnummer 2.0265.26:

Rechteck 80 x 15 DIN 1759 — CuZn30 F36

oder Rechteck 80 x 15 DIN 1759 — 2.0265.26

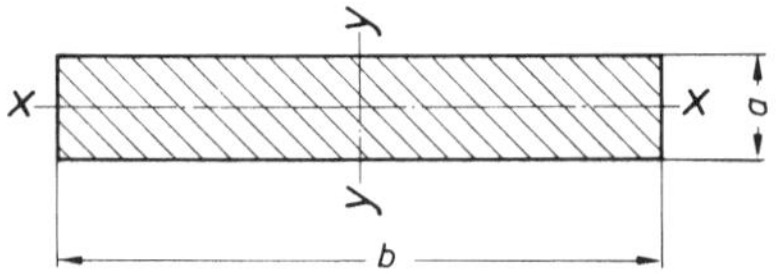

Bild 1.

3. Maße, zulässige Abweichungen, Gewichte, statische Werte

3.1. Breiten und Dicken

3.1.1. Die zulässigen Maßabweichungen für Breiten und Dicken sind in Tabelle 1 für Werkstoffgruppe I und in Tabelle 2 für Werkstoffgruppe II nach Maßbereichen angegeben.

3.1.2. Die zulässigen Maßabweichungen, die Gewichte und die statischen Werte für Vorzugsmaße sind in den Tabellen 3 und 4 angegeben.

Fortsetzung Seite 2 bis 11
Erläuterungen Seite 12

Fachnormenausschuß Nichteisenmetalle (FNNE) im Deutschen Normenausschuß (DNA)

Tabelle 1. **Zulässige Abweichungen der Breite und Dicke für Werkstoffgruppe I**

Für Rechteckstangen mit Breiten über 120 mm gelten die zulässigen Abweichungen dieser Tabelle nur für Kupfer.

Breite *b* 1)			Zulässige Abweichungen der Dicke *a* 1) im Maßbereich der Dicke					
Maßbereich über	bis	Zul. Abw.	von 2 bis 3	über 3 bis 6	über 6 bis 10	über 10 bis 18	über 18 bis 30	über 30 bis 40
—	10	± 0,08	± 0,05	± 0,07	± 0,08	—	—	—
10	18	± 0,10	± 0,05	± 0,07	± 0,09	± 0,10	—	—
18	30	± 0,15	± 0,05	± 0,07	± 0,09	± 0,10	± 0,15	—
30	50	± 0,20	± 0,07	± 0,09	± 0,10	± 0,12	± 0,15	± 0,20
50	80	± 0,25	± 0,09	± 0,11	± 0,12	± 0,15	± 0,20	± 0,25
80	120	± 0,30	—	± 0,12	± 0,15	± 0,18	± 0,23	± 0,30
120	160	± 0,40	—	—	± 0,18	± 0,20	± 0,25	± 0,40
160	200	± 0,50	—	—	± 0,20	± 0,25	± 0,30	± 0,50

1) Bei einem Verhältnis *b* : *a* größer 20 : 1 sind die zulässigen Abweichungen zu vereinbaren.

Tabelle 2. **Zulässige Abweichungen der Breite und Dicke für Werkstoffgruppe II**

Breite *b* 1)			Zulässige Abweichungen der Dicke *a* 1) im Maßbereich der Dicke					
Maßbereich über	bis	Zul. Abw.	von 2 bis 3	über 3 bis 6	über 6 bis 10	über 10 bis 18	über 18 bis 30	über 30 bis 40
—	10	± 0,12	± 0,07	± 0,10	± 0,12	—	—	—
10	18	± 0,15	± 0,07	± 0,10	± 0,12	± 0,15	—	—
18	30	± 0,22	± 0,07	± 0,10	± 0,12	± 0,15	± 0,22	—
30	50	± 0,30	± 0,10	± 0,13	± 0,15	± 0,18	± 0,22	± 0,30
50	80	± 0,37	± 0,13	± 0,16	± 0,18	± 0,22	± 0,30	± 0,37
80	120	± 0,45	—	± 0,18	± 0,22	± 0,27	± 0,35	± 0,45

1) Bei einem Verhältnis *b* : *a* größer 20 : 1 sind die zulässigen Abweichungen zu vereinbaren.

Tabelle 3. **Vorzugsmaße, Gewichte, statische Werte für Kupfer und Kupfer-Knetlegierungen**

Nennmaße	Zulässige Abweichungen für Werkstoffgruppe				Quer-schnitt	Ge-wicht *)	Statische Werte für die Biegeachsen					
	I		II				x — x			y — y		
							J_x	i_x	W_x	J_y	i_y	W_y
$b \times a$	b	a	b	a	mm²	kg/m	cm⁴	cm	cm³	cm⁴	cm	cm³
5 × 2		± 0,05		± 0,07	10	0,089	0,0003	0,057	0,003	0,002	0,144	0,008
5 × 3	± 0,08		± 0,12		15	0,134	0,001	0,086	0,007	0,003	0,144	0,012
5 × 4		± 0,07		± 0,10	20	0,178	0,002	0,115	0,013	0,004	0,144	0,016
6 × 2		± 0,05		± 0,07	12	0,107	0,0003	0,057	0,004	0,003	0,173	0,012
6 × 3	± 0,08		± 0,12		18	0,160	0,001	0,086	0,009	0,005	0,173	0,018
6 × 4		± 0,07		± 0,10	24	0,214	0,003	0,115	0,016	0,007	0,173	0,024
6 × 5					30	0,267	0,006	0,144	0,025	0,009	0,173	0,030
8 × 2		± 0,05		± 0,07	16	0,142	0,0004	0,057	0,005	0,008	0,230	0,021
8 × 3					24	0,214	0,001	0,086	0,012	0,012	0,230	0,032
8 × 4	± 0,08		± 0,12		32	0,285	0,004	0,115	0,021	0,017	0,230	0,042
8 × 5		± 0,07		± 0,10	40	0,355	0,008	0,144	0,033	0,021	0,230	0,053
8 × 6					48	0,426	0,014	0,173	0,048	0,025	0,230	0,064
10 × 2		± 0,05		± 0,07	20	0,178	0,0007	0,057	0,006	0,016	0,288	0,033
10 × 3					30	0,267	0,002	0,086	0,015	0,025	0,288	0,050
10 × 4	± 0,08		± 0,12		40	0,355	0,005	0,115	0,026	0,033	0,288	0,066
10 × 5		± 0,07		± 0,10	50	0,445	0,010	0,144	0,041	0,041	0,288	0,083
10 × 6					60	0,534	0,018	0,173	0,060	0,050	0,288	0,100
10 × 8		± 0,08		± 0,12	80	0,712	0,042	0,230	0,106	0,066	0,288	0,133
12 × 2		± 0,05		± 0,07	24	0,214	0,0008	0,057	0,008	0,028	0,346	0,048
12 × 3					36	0,321	0,002	0,086	0,018	0,043	0,346	0,072
12 × 4					48	0,426	0,006	0,115	0,032	0,057	0,346	0,096
12 × 5	± 0,10	± 0,07	± 0,15	± 0,10	60	0,534	0,012	0,144	0,050	0,072	0,346	0,120
12 × 6					72	0,641	0,021	0,173	0,072	0,086	0,346	0,144
12 × 8		± 0,09		± 0,12	96	0,856	0,051	0,230	0,128	0,115	0,346	0,192
12 × 10					120	1,07	0,100	0,288	0,200	0,144	0,346	0,240
15 × 2		± 0,05		± 0,07	30	0,267	0,001	0,057	0,010	0,056	0,433	0,075
15 × 3					45	0,408	0,003	0,086	0,022	0,084	0,433	0,112
15 × 4					60	0,534	0,008	0,115	0,040	0,112	0,433	0,150
15 × 5		± 0,07		± 0,10	75	0,667	0,015	0,144	0,062	0,140	0,433	0,187
15 × 6	± 0,10		± 0,15		90	0,804	0,027	0,173	0,090	0,168	0,433	0,225
15 × 8		± 0,09		± 0,12	120	1,07	0,064	0,230	0,160	0,225	0,433	0,300
15 × 10					150	1,34	0,125	0,288	0,250	0,281	0,433	0,375
15 × 12		± 0,10		± 0,15	180	1,60	0,216	0,346	0,360	0,337	0,433	0,456
18 × 2		± 0,05		± 0,07	36	0,320	0,001	0,057	0,012	0,097	0,519	0,108
18 × 3	± 0,10		± 0,15		54	0,480	0,004	0,086	0,027	0,145	0,519	0,162
18 × 4		± 0,07		± 0,10	72	0,640	0,009	0,115	0,048	0,194	0,519	0,216
18 × 5					90	0,804	0,018	0,144	0,075	0,242	0,519	0,270

*) Errechnet mit einer Dichte von 8,9 kg/dm³. Für die übrigen Werkstoffe sind die Gewichte entsprechend ihrer Dichte zu berechnen. Umrechnungsfaktoren siehe Tabellen 8 und 9.

Tabelle 3. (Fortsetzung)

Nennmaße	Zulässige Abweichungen für Werkstoffgruppe				Quer-schnitt	Ge-wicht *)	Statische Werte für die Biegeachsen					
	I		II				x — x			y — y		
							J_x	i_x	W_x	J_y	i_y	W_y
$b \times a$	b	a	b	a	mm²	kg/m	cm⁴	cm	cm³	cm⁴	cm	cm³
18 x 6	± 0,10	± 0,07	± 0,15	± 0,10	108	0,97	0,032	0,173	0,108	0,291	0,519	0,324
18 x 8		± 0,09		± 0,12	144	1,28	0,076	0,230	0,192	0,388	0,519	0,432
18 x 10					180	1,60	0,150	0,288	0,300	0,486	0,519	0,540
18 x 12		± 0,10		± 0,15	216	1,92	0,259	0,346	0,432	0,583	0,519	0,648
18 x 15					270	2,40	0,506	0,433	0,675	0,729	0,519	0,810
20 x 2	± 0,15	± 0,05	± 0,22	± 0,07	40	0,356	0,001	0,057	0,013	0,133	0,577	0,133
20 x 3					60	0,534	0,004	0,086	0,030	0,200	0,577	0,200
20 x 4		± 0,07		± 0,10	80	0,712	0,010	0,115	0,053	0,266	0,577	0,266
20 x 5					100	0,890	0,020	0,144	0,083	0,333	0,577	0,333
20 x 6					120	1,07	0,036	0,173	0,120	0,400	0,577	0,400
20 x 8		± 0,09		± 0,12	160	1,42	0,085	0,230	0,213	0,533	0,577	0,533
20 x 10					200	1,78	0,166	0,288	0,333	0,666	0,577	0,666
20 x 12		± 0,10		± 0,15	240	2,14	0,288	0,346	0,480	0,800	0,577	0,800
20 x 15					300	2,67	0,562	0,433	0,750	1,000	0,577	1,000
20 x 18					360	3,20	0,972	0,519	1,080	1,200	0,577	1,200
25 x 2	± 0,15	± 0,05	± 0,22	± 0,07	50	0,445	0,001	0,057	0,016	0,260	0,721	0,208
25 x 3					75	0,667	0,005	0,086	0,037	0,390	0,721	0,312
25 x 4		± 0,07		± 0,10	100	0,890	0,013	0,115	0,066	0,520	0,721	0,416
25 x 5					125	1,12	0,026	0,144	0,104	0,651	0,721	0,520
25 x 6					150	1,34	0,045	0,173	0,150	0,781	0,721	0,625
25 x 8		± 0,09		± 0,12	200	1,78	0,106	0,230	0,266	1,041	0,721	0,833
25 x 10					250	2,26	0,208	0,288	0,416	1,302	0,721	1,041
25 x 12		± 0,10		± 0,15	300	2,67	0,360	0,346	0,600	1,562	0,721	1,250
25 x 15					375	3,34	0,703	0,433	0,937	1,953	0,721	1,562
25 x 18					450	4,00	1,215	0,519	1,350	2,343	0,721	1,875
25 x 20		± 0,15		± 0,22	500	4,45	1,666	0,577	1,666	2,604	0,721	2,083
30 x 3	± 0,15	± 0,05	± 0,22	± 0,07	90	0,804	0,006	0,086	0,045	0,675	0,866	0,450
30 x 4		± 0,07		± 0,10	120	1,07	0,016	0,115	0,080	0,900	0,866	0,600
30 x 5					150	1,34	0,031	0,144	0,125	1,125	0,866	0,750
30 x 6					180	1,60	0,054	0,173	0,180	1,350	0,866	0,900
30 x 8		± 0,09		± 0,12	240	2,14	0,128	0,230	0,320	1,800	0,866	1,200
30 x 10					300	2,67	0,250	0,288	0,500	2,250	0,866	1,500
30 x 12		± 0,10		± 0,15	360	3,20	0,432	0,346	0,720	2,700	0,866	1,800
30 x 15					450	4,01	0,843	0,433	1,125	3,375	0,866	2,250
30 x 18					540	4,81	1,458	0,519	1,620	4,050	0,866	2,700
30 x 20		± 0,15		± 0,22	600	5,34	2,000	0,577	2,000	4,500	0,866	3,000
30 x 25					750	6,69	3,906	0,721	3,125	5,625	0,866	3,750
40 x 3	± 0,20	± 0,07	± 0,30	± 0,10	120	1,07	0,009	0,086	0,060	1,600	1,154	0,800

*) Siehe Seite 3

Tabelle 3. (Fortsetzung)

Nennmaße	Zulässige Abweichungen für Werkstoffgruppen I		II		Quer-schnitt	Ge-wicht *)	Statische Werte für die Biegeachsen x — x			y — y		
							J_x	i_x	W_x	J_y	i_y	W_y
$b \times a$	b	a	b	a	mm^2	kg/m	cm^4	cm	cm^3	cm^4	cm	cm^3
40 × 4					160	1,42	0,021	0,115	0,106	2,133	1,154	1,066
40 × 5		± 0,09		± 0,13	200	1,78	0,041	0,144	0,166	2,666	1,154	1,333
40 × 6					240	2,14	0,072	0,173	0,240	3,200	1,154	1,600
40 × 8		± 0,10		± 0,15	320	2,85	0,170	0,230	0,426	4,266	1,154	2,133
40 × 10					400	3,56	0,333	0,288	0,666	5,333	1,154	2,666
40 × 12	± 0,20		± 0,30		480	4,27	0,576	0,346	0,960	6,400	1,154	3,200
40 × 15		± 0,12		± 0,18	600	5,34	1,125	0,433	1,500	8,000	1,154	4,000
40 × 18					720	6,40	1,944	0,519	2,160	9,600	1,154	4,800
40 × 20					800	7,12	2,666	0,577	2,666	10,666	1,154	5,333
40 × 25		± 0,15		± 0,22	1000	8,90	5,208	0,721	4,166	13,333	1,154	6,666
40 × 30					1200	10,7	9,000	0,866	6,000	16,000	1,154	8,000
40 × 35		± 0,20		± 0,30	1400	12,5	14,291	1,010	8,166	18,666	1,154	9,333
50 × 3		± 0,07		± 0,10	150	1,34	0,011	0,086	0,075	3,125	1,443	1,250
50 × 4					200	1,78	0,026	0,115	0,133	4,166	1,443	1,666
50 × 5		± 0,09		± 0,13	250	2,23	0,052	0,144	0,208	5,208	1,443	2,083
50 × 6					300	2,67	0,090	0,173	0,300	6,250	1,443	2,500
50 × 8		± 0,10		± 0,15	400	3,56	0,213	0,230	0,533	8,333	1,443	3,333
50 × 10					500	4,45	0,416	0,288	0,833	10,416	1,443	4,166
50 × 12	± 0,20		± 0,30		600	5,34	0,720	0,346	1,200	12,500	1,443	5,000
50 × 15		± 0,12		± 0,18	750	6,70	1,406	0,433	1,875	15,625	1,443	6,250
50 × 18					900	8,01	2,430	0,519	2,700	18,750	1,443	7,500
50 × 20					1000	8,90	3,333	0,577	3,333	20,833	1,443	8,333
50 × 25		± 0,15		± 0,22	1250	12,0	6,510	0,721	5,208	26,041	1,443	10,416
50 × 30					1500	13,4	11,250	0,866	7,500	31,250	1,443	12,500
50 × 35		± 0,20		± 0,30	1750	15,6	17,864	1,010	10,208	36,458	1,443	14,583
50 × 40					2000	17,8	26,666	1,154	13,333	41,666	1,443	16,666
60 × 3		± 0,09		± 0,13	180	1,60	0,013	0,086	0,090	5,400	1,732	1,800
60 × 4					240	2,14	0,032	0,115	0,160	7,200	1,732	2,400
60 × 5		± 0,11		± 0,16	300	2,67	0,062	0,144	0,250	9,000	1,732	3,000
60 × 6					360	3,20	0,108	0,173	0,360	10,800	1,732	3,600
60 × 8		± 0,12		± 0,18	480	4,27	0,256	0,230	0,640	14,400	1,732	4,800
60 × 10	± 0,25		± 0,37		600	5,34	0,500	0,288	1,000	18,000	1,732	6,000
60 × 12					720	6,41	0,864	0,346	1,440	21,600	1,732	7,200
60 × 15		± 0,15		± 0,22	900	8,01	1,687	0,433	2,250	27,000	1,732	9,000
60 × 18					1080	9,60	2,916	0,519	3,240	32,400	1,732	10,800
60 × 20					1200	10,7	4,000	0,577	4,000	36,000	1,732	12,000
60 × 25		± 0,20		± 0,30	1500	13,4	7,812	0,721	6,250	45,000	1,732	15,000
60 × 30					1800	16,0	13,500	0,866	9,000	54,000	1,732	18,000

*) Siehe Seite 3

Tabelle 3. (Fortsetzung)

Nennmaße	Zulässige Abweichungen für Werkstoffgruppe I		Zulässige Abweichungen für Werkstoffgruppe II		Quer-schnitt	Ge-wicht *)	Statische Werte für die Biegeachsen x — x			Statische Werte für die Biegeachsen y — y		
							J_x	i_x	W_x	J_y	i_y	W_y
$b \times a$	b	a	b	a	mm^2	kg/m	cm^4	cm	cm^3	cm^4	cm	cm^3
60 x 35	± 0,25	± 0,25	± 0,37	± 0,37	2100	18,7	21,437	1,010	12,250	63,000	1,732	21,000
60 x 40					2400	21,4	32,000	1,154	16,000	72,000	1,732	24,000
80 x 4					320	2,84	0,042	0,115	0,213	17,006	2,309	4,266
80 x 5		± 0,11		± 0,16	400	3,56	0,083	0,144	0,333	21,333	2,309	5,333
80 x 6					480	4,26	0,144	0,173	0,480	25,600	2,309	6,400
80 x 8		± 0,12		± 0,18	640	5,70	0,341	0,230	0,853	34,133	2,309	8,533
80 x 10					800	7,12	0,666	0,288	1,333	42,666	2,309	10,666
80 x 12					960	8,50	1,152	0,346	1,920	51,200	2,309	12,800
80 x 15	± 0,25	± 0,15	± 0,30	± 0,22	1200	10,7	2,250	0,433	3,000	64,000	2,309	16,000
80 x 18					1440	12,8	3,888	0,519	4,320	76,800	2,309	19,200
80 x 20					1600	14,2	5,333	0,577	5,333	85,333	2,309	21,333
80 x 25		± 0,20		± 0,30	2000	17,8	10,416	0,721	8,333	106,666	2,309	26,666
80 x 30					2400	21,4	18,000	0,866	12,000	128,000	2,309	32,000
80 x 35		± 0,25		± 0,37	2800	24,9	28,583	1,010	16,333	149,333	2,309	37,333
80 x 40					3200	28,5	42,666	1,154	21,333	170,666	2,309	42,666
100 x 5		± 0,12		± 0,18	500	4,45	0,104	0,144	0,416	41,666	2,886	8,333
100 x 6					600	5,34	0,180	0,173	0,600	50,000	2,886	10,000
100 x 8		± 0,15		± 0,22	800	7,12	0,426	0,230	1,066	66,666	2,886	13,333
100 x 10					1000	8,90	0,883	0,288	1,666	83,333	2,886	16,666
100 x 12					1200	10,7	1,440	0,346	2,400	100,000	2,886	20,000
100 x 15	± 0,30	± 0,18	± 0,45	± 0,27	1500	13,4	2,812	0,433	3,750	125,000	2,886	25,000
100 x 18					1800	16,0	4,860	0,519	5,400	150,000	2,886	30,000
100 x 20					2000	17,8	6,666	0,577	6,666	166,666	2,886	33,333
100 x 25		± 0,23		± 0,35	2500	22,3	13,020	0,721	10,416	208,333	2,886	41,666
100 x 30					3000	26,7	22,500	0,866	15,000	250,000	2,886	50,000
100 x 35		± 0,30		± 0,45	3500	31,2	35,729	1,010	20,416	291,666	2,886	58,333
100 x 40					4000	35,6	53,333	1,154	26,666	333,333	2,886	66,666
120 x 6		± 0,12		± 0,18	720	6,41	0,216	0,173	0,720	86,400	3,464	14,400
120 x 8		± 0,15		± 0,22	960	8,50	0,512	0,230	1,280	115,200	3,464	19,200
120 x 10					1200	10,7	1,000	0,288	2,000	144,000	3,464	24,000
120 x 12					1440	12,8	1,728	0,346	2,880	172,800	3,464	28,800
120 x 15		± 0,18		± 0,27	1800	16,0	3,375	0,433	4,500	216,000	3,464	36,000
120 x 18	± 0,30		± 0,45		2160	19,2	5,832	0,519	6,480	259,200	3,464	43,200
120 x 20					2400	21,4	8,000	0,577	8,000	288,000	3,464	48,000
120 x 25		± 0,23		± 0,35	3000	26,7	15,625	0,721	12,500	360,000	3,464	60,000
120 x 30					3600	32,0	27,000	0,866	18,000	432,000	3,464	72,000
120 x 35		± 0,30		± 0,45	4200	37,4	42,875	1,010	24,500	504,000	3,464	84,000
120 x 40					4800	42,8	64,000	1,154	32,000	576,000	3,464	96,000

*) Siehe Seite 3

Tabelle 4. Vorzugsmaße, Gewicht, statische Werte für Rechteckstangen aus Kupfer mit Breiten über 120 mm

Nennmaße	Zulässige Abweichungen		Quer-schnitt	Ge-wicht *)	Statische Werte für die Biegeachsen					
					x — x			y — y		
					J_x	i_x	W_x	J_y	i_y	W_y
$b \times a$	b	a	mm²	kg/m	cm⁴	cm	cm³	cm⁴	cm	cm³
140 x 10		± 0,18	1400	12,5	1,166	0,288	2,333	228,666	4,041	32,666
140 x 15		± 0,20	2100	18,7	3,937	0,433	5,250	343,000	4,041	49,000
140 x 20			2800	24,9	9,333	0,577	9,333	457,333	4,041	65,333
140 x 25	± 0,40	± 0,25	3500	31,2	18,229	0,721	14,583	571,666	4,041	81,666
140 x 30			4200	37,4	31,500	0,866	21,000	686,000	4,041	98,000
140 x 35		± 0,40	4900	43,6	50,020	1,010	28,583	800,333	4,041	114,333
140 x 40			5600	49,9	74,666	1,154	37,333	914,666	4,041	130,666
150 x 10		± 0,18	1500	13,4	1,250	0,288	1,250	281,250	4,329	37,500
150 x 15		± 0,20	2250	20,0	4,215	0,433	3,675	421,875	4,329	56,291
150 x 20			3000	26,7	19,000	0,577	10,000	562,500	4,329	75,000
150 x 25	± 0,40	± 0,25	3750	33,4	19,531	0,721	15,625	696,791	4,329	93,750
150 x 30			4500	40,0	33,750	0,866	22,500	863,750	4,329	115,500
150 x 35		± 0,40	5200	46,4	53,596	1,010	30,625	984,375	4,329	129,166
150 x 40			6000	53,4	80,000	1,154	40,000	1125,000	4,329	150,000
160 x 10		± 0,18	1600	14,2	1,333	0,288	2,666	341.333	4,618	42,666
160 x 15		± 0,20	2400	21,4	4,500	0,433	6,000	512,000	4,618	64,000
160 x 20			3200	28,5	10,666	0,577	10,666	682,666	4,618	85,333
160 x 25	± 0,40	± 0,25	4000	35,6	20,833	0,721	16,666	853,333	4,618	106,606
160 x 30			4800	42,8	36,000	0,866	24,000	1024,000	4,618	128,000
160 x 35		± 0,40	5600	50,0	57,166	1,010	32,666	1194,666	4,618	149,333
160 x 40			6400	57,0	85,333	1,154	42,666	1365,333	4,618	170,666
180 x 10		± 0,20	1800	16,0	1,500	0,288	3,000	486,000	5,196	54,000
180 x 15		± 0,25	2700	24,0	5,062	0,433	6,750	729,000	5,196	81,000
180 x 20			3600	32,0	12,000	0,577	12,000	972,000	5,196	108,000
180 x 25	± 0,50	± 0,30	4500	40,0	23,437	0,721	18,750	1215,000	5,196	135,000
180 x 30			5400	48,0	40,500	0,866	27,000	1458,000	5,196	162,000
180 x 35		± 0,50	6300	56,0	64,312	1,010	36,750	1701,000	5,196	189,000
180 x 40			7200	64,0	96,000	1,154	48,000	1944,000	5,196	216,000
200 x 10		± 0,20	2000	17,8	1,666	0,288	3,333	666,666	5,773	66,666
200 x 15		± 0,25	3000	26,7	5,625	0,433	7,500	1000,000	5,773	100,000
200 x 20			4000	35,6	13,333	0,577	13,333	1333,333	5,773	133,333
200 x 25	± 0,50	± 0,30	5000	44,5	26,041	0,721	20,833	1666,666	5,773	166,666
200 x 30			6000	53,4	45,000	0,866	30,000	2000,000	5,773	800,000
200 x 35		± 0,50	7000	62,3	71,458	1,010	40,833	2333,333	5,773	233,333
200 x 40			8000	71,2	106,666	1,154	53,333	2666,666	5,773	266,666

*) Siehe Seite 3

3.2. Breiten- und Dickenmessung (siehe Bild 2)

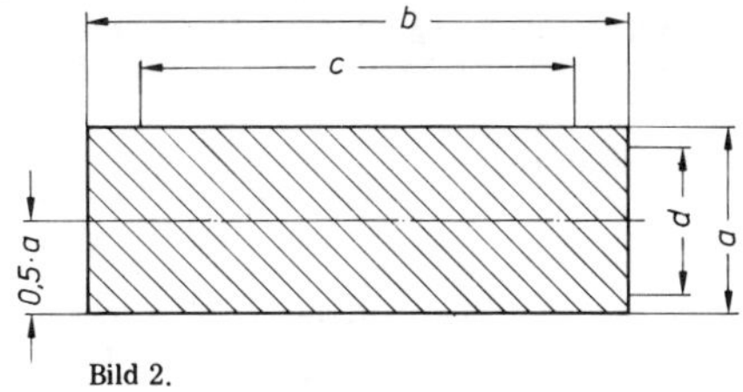

Bild 2.

Bei Stangen mit Breiten $b \geqq 20$ mm wird die Dicke innerhalb des Maßes $c = 0{,}8\ b$, bei Stangen mit $b < 20$ mm innerhalb des Maßes $c = 0{,}5\ b$ gemessen. Bei Stangen mit Dicken $a \geqq 8$ mm wird die Breite innerhalb des Maßes $d = 0{,}7\ a$ gemessen. Bei Dicken $a < 8$ mm wird die Stangenbreite an der Stelle $d = 0{,}5\ a$ gemessen.

3.3. Zulässige Kantenrundung

Die Rundung der Kanten wird von den ziehtechnischen Eigenschaften des Werkstoffes beeinflußt, siehe Tabelle 5.

Tabelle 5. **Zulässige Kantenrundung**

Dicke *a*	Kantenrundung *r* höchstens Werkstoffgruppe I	Kantenrundung *r* höchstens Werkstoffgruppe II
bis 8	0,2	0,5
über 8 bis 20	0,4	0,8
über 20 bis 40	0,8	1,2

3.4. Geradheitstoleranz der Kanten des Querschnittes (siehe Bilder 3 und 4)
(Zulässige Wölbung des Querschnittes)

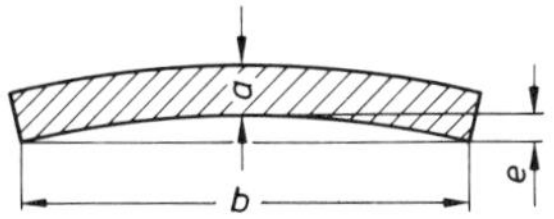

Bild 3.

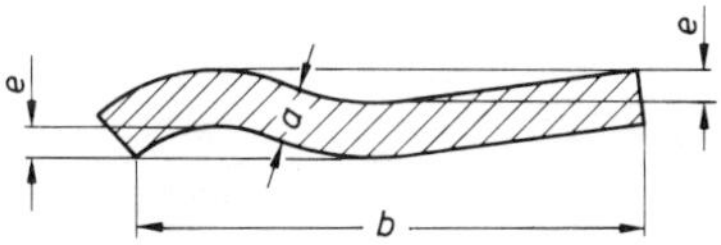

Bild 4.

Die Geradheitstoleranz *e* der Kanten des Querschnittes (zulässige Wölbung *e*) beträgt:

für Werkstoffgruppe I: 0,2 mm

für Werkstoffgruppe II: 0,3 mm

3.5. Geradheitstoleranz der Kanten in Längsrichtung

Für die Hochkant- und Flachlage von Rechteckstangen gelten für alle Lieferzustände, ausgenommen den weichen Zustand des jeweiligen Werkstoffes, bezeichnet durch die Anhängezahl .10 der Werkstoffnummer, die Geradheitstoleranzen nach Tabelle 6, siehe Bild 5.

Tabelle 6. **Geradheitstoleranz**

Breite b	Geradheitstoleranz			
	h_1		h_2	
	Werkstoffgruppe		Werkstoffgruppe	
Maßbereich	I	II	I	II
5 bis 200	2	3	0,8	1,2

h_1 in mm ist die Geradheitstoleranz je lfd. Meter für Längen l_1 größer als 400 mm;

h_2 in mm ist die Geradheitstoleranz für Meßlänge l_2 = 400 mm.

3.6. Ebenheitstoleranz (Verwindungstoleranz)

Bezugsmaß für die Festlegung der Ebenheitstoleranz (Verwindungstoleranz) ist die Breite b, siehe Tabelle 7 und Bild 6.

Tabelle 7. **Ebenheitstoleranz**

Breite b Maßbereich		Ebenheitstoleranz v (Verwindungstoleranz)							
		für Meßlänge 400 mm		je lfd. Meter		für gesamte Länge			
						bis 3 m		über 3 m	
		Werkstoffgruppe		Werkstoffgruppe		Werkstoffgruppe		Werkstoffgruppe	
über	bis	I	II	I	II	I	II	I	II
—	18	0,5	0,8	1	1,5	2	3	nach Vereinbarung	
18	30	0,8	1,2	1,5	2,3	3	4,5		
30	50	1	1,5	2	3	4	6		
50	80	1,5	2,3	3	4,5	6	9		
80	120	2,3	3,5	4,5	7	9	13		
120	200	3	4,5	6	9	12	18		

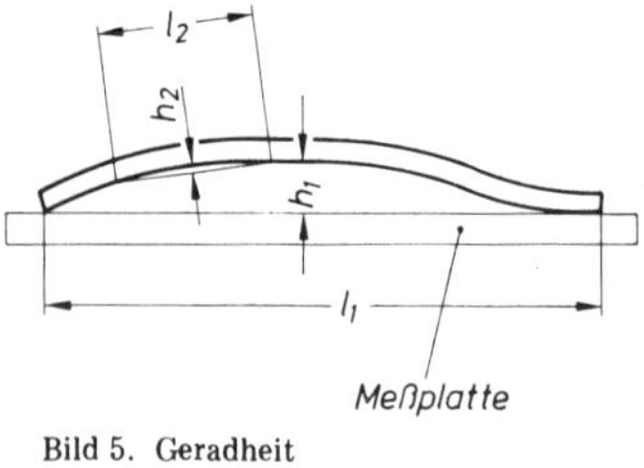

Bild 5. Geradheit

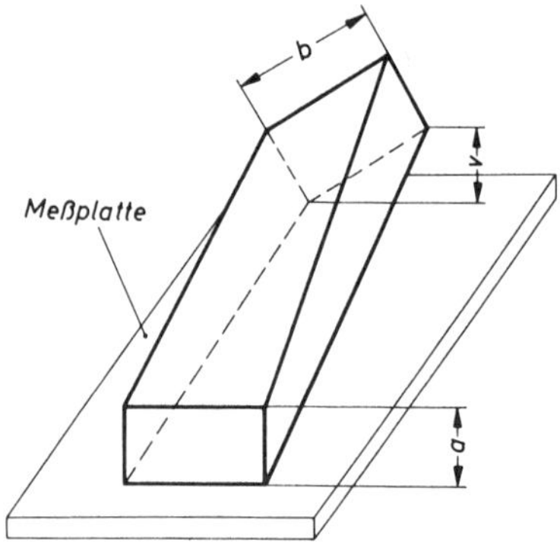

Bild 6.

4. Werkstoffe und Festigkeitseigenschaften

Kupfer und Kupfer-Knetlegierungen nach DIN 17 672 Blatt 1

Kupfer für die Elektrotechnik nach DIN 40 500 Blatt 3

Rechteckstangen nach dieser Norm sind nicht in allen Abmessungen aus allen in den Tabellen 8 und 9 aufgeführten Werkstoffen lieferbar. Deshalb sind über den gewünschten Werkstoff gegebenenfalls Vereinbarungen zu treffen.

Die Werkstoffgruppen I und II berücksichtigen das unterschiedliche Umformverhalten der Legierungen entsprechend ihrer Zusammensetzung (vgl. Kurzzeichen in den Tabellen 8 und 9).

Tabelle 8. **Werkstoffgruppe I**

Kurzzeichen	Werkstoffnummer	Dichte kg/dm^3	Umrechnungsfaktor für das Gewicht	Früheres Kurzzeichen
E-Cu58	2.0065	8,9	1	–
E-Cu57	2.0060	8,9	1	–
OF-Cu	2.0040	8,9	1	–
SE-Cu	2.0070	8,9	1	–
SW-Cu	2.0076	8,9	1	–
SF-Cu	2.0090	8,9	1	–
CuZn5	2.0220	8,9	1	Ms95
CuZn10	2.0230	8,8	0,989	Ms90
CuZn15	2.0240	8,8	0,989	Ms85
CuZn20	2.0250	8,7	0,977	Ms80
CuZn28	2.0261	8,6	0,966	Ms72
CuZn30	2.0265	8,5	0,955	Ms70
CuZn33	2.0280	8,5	0,955	Ms67
CuZn36	2.0335	8,4	0,944	Ms63
CuZn37	2.0321	8,4	0,944	Ms63
CuZn40	2.0360	8,4	0,944	Ms60
CuZn36Pb1,5	2.0331	8,5	0,955	Ms63Pb
CuZn37Pb0,5	2.0332	8,5	0,955	
CuZn36Pb3	2.0375	8,5	0,955	–
CuZn38Pb1,5	2.0371	8,4	0,944	Ms60Pb
CuZn39Pb0,5	2.0372	8,4	0,944	
CuZn39Pb2	2.0380	8,4	0,944	Ms58
CuZn39Pb3	2.0401	8,5	0,955	
CuZn40Pb2	2.0402	8,4	0,944	
CuAsP	2.1491	8,9	1	SB-Cu
CuCd0,5	2.1265	8,9	1	–
CuSP	2.1498	8,9	1	–
CuTeP	2.1546	8,9	1	SF-CuTe
CuNi1,5Si	2.0853	8,8	0,989	–
CuNi2Si	2.0855	8,8	0,989	–

Tabelle 9. **Werkstoffgruppe II**

Kurzzeichen	Werkstoffnummer	Dichte kg/dm^3	Umrechnungsfaktor für das Gewicht	Früheres Kurzzeichen
CuZn31Si	2.0490	8,4	0,944	SoMs68
CuZn35Ni	2.0540	8,3	0,932	SoMs59
CuZn40Ni	2.0571	8,3	0,932	SoMs58
CuZn40Mn	2.0572	8,3	0,932	
CuZn40MnPb	2.0580	8,2	0,921	SoMs58Pb
CuBe1,7	2.1245	8,4	0,944	–
CuBe2	2.1247	8,3	0,932	–
CuCoBe	2.1285	8,8	0,989	–
CuCr	2.1291	8,9	1	–
CuNi3Si	2.0857	8,8	0,989	–

5. Ausführung

Nach den Technischen Lieferbedingungen DIN 17 672 Blatt 2

Kupfer für die Elektrotechnik nach DIN 40 500 Blatt 3

6. Gewichte und zulässige Gewichtsabweichungen

Das Gewicht errechnet sich aus den Nennmaßen der jeweiligen Breite und Dicke sowie der Dichte des Werkstoffes.

Dichte und Umrechnungsfaktoren für das Gewicht siehe Tabellen 8 und 9.

Die zulässige Gewichtsabweichung ergibt sich aus den zulässigen Maßabweichungen und den zulässigen Abweichungen in der Zusammensetzung.

7. Lieferart

7.1. Herstellängen

Herstellängen sollen mindestens 2000 mm betragen; Unterlängen von mindestens 1000 mm sind bis zu 10 % der Liefermenge zulässig.

7.2. Ungefährlängen

Ungefährlängen sind zu vereinbaren; zur Kennzeichnung ist dann hinter die Längenangabe „ungefähr" zu setzen.

Die zulässige Abweichung der bestellten Länge beträgt ± 10 %. Es dürfen Unterlängen von mindestens 1000 mm bis zu 10 % des Liefergewichtes mitgeliefert werden.

7.3. Festlängen

Festlängen sind zu vereinbaren; zur Bezeichnung wird dann hinter die Längenangabe das Kennwort „fest" eingesetzt. Für Festlängen gelten die zulässigen Abweichungen nach Tabelle 10.

Tabelle 10. **Zulässige Abweichungen für Festlängen**

Breite b		Zulässige Abweichungen für Festlängen			
über	bis	bis 1000	über 1000 bis 2000	über 2000 bis 4000	über 4000 bis 6000
—	18	$^{+4}_{0}$	$^{+5}_{0}$	$^{+7}_{0}$	$^{+9}_{0}$
18	50	$^{+5}_{0}$	$^{+6}_{0}$	$^{+8}_{0}$	$^{+10}_{0}$
50	120	$^{+6}_{0}$	$^{+7}_{0}$	$^{+9}_{0}$	$^{+11}_{0}$
120	200	$^{+7}_{0}$	$^{+8}_{0}$	$^{+10}_{0}$	$^{+12}_{0}$

7.4. Sägeschnitte

Bei Sägeschnitten an Festlängen darf die zulässige Abweichung vom rechten Winkel nur die Hälfte der in Tabelle 10 angegebenen Werte betragen; das Nennmaß der Festlänge darf jedoch nicht unterschritten werden.

7.5. Bestellbeispiele

7.5.1. Bestellbeispiel für Herstellängen

1000 kg gezogene Rechteckstangen mit scharfen Kanten mit der Breite b = 100 mm und der Dicke a = 10 mm, in Herstelllängen, aus dem Werkstoff mit dem Kurzzeichen CuZn30 F36 oder der Werkstoffnummer 2.0265.26:

1000 kg Rechteck 100 × 10 DIN 1759 — CuZn30 F36

oder **1000 kg Rechteck 100 × 10 DIN 1759 — 2.0265.26**

7.5.2. Bestellbeispiel für Festlängen

180 Stück gezogene Rechteckstangen mit scharfen Kanten, mit der Breite b = 100 mm und der Dicke a = 10 mm in Festlängen von 3500 mm aus dem Werkstoff mit dem Kurzzeichen CuZn30 F26 oder der Werkstoffnummer 2.0265.26:

180 Stück Rechteck 100 × 10 × 3500 fest DIN 1759 — CuZn30 F36

oder **180 Stück Rechteck 100 × 10 × 3500 fest DIN 1759 — 2.0265.26**

Erläuterungen

Die wesentlichen Änderungen dieser Norm gegenüber der früheren Ausgabe vom Oktober 1963 sind:

1. Zusammenlegung von DIN 1759 und DIN 1768

Wie schon früher bei anderen Halbzeugarten durchgeführt, schien eine Zusammenlegung des gesamten Werkstoffgebietes von Kupfer und Kupfer-Knetlegierungen unter einer DIN-Nummer technisch gerechtfertigt, weil dadurch eine klare Trennung nach Werkstoffgruppen ermöglicht wurde, die keine Überlappung und deshalb keine Mißverständnisse zuließ.

2. Benennung „Rechteckstange" anstelle „Flachstange"

Hierfür gibt es mehrere Gründe:

a) Die Nennmaße wurden nicht nur auf Dicken über 20 bis 40 mm erweitert, sondern darüber hinaus Abmessungskombinationen angegeben, die das Verhältnis Breite : Dicke größer als 2 : 1 überschreiten, d. h. daß besonders bei kleinen Breiten zusätzlich Dicken aufgenommen werden, die diese Stangen fast quadratisch werden lassen, z. B. 12 x 10, 20 x 18, 40 x 35, 50 x 40. Derartige Stangen können nicht mehr als Flachstangen im ursprünglichen Sinne angesprochen werden.

b) Zur Abgrenzung gegenüber dem in der Stahlindustrie und in der International Organization for Standardization (ISO) auf dem Gebiete der Metallischen Werkstoffe angewendeten Ausdruck „Flachzeug" (flat product, produit plat), der im Sinne von Walzerzeugnissen wie Bleche und Bänder verstanden wird, schien es sinnvoll, das Stangenmaterial auch in der Benennung gegen das Walzmaterial abzuheben. Ähnliche Überlegungen spielen bei den Verhandlungen über die Terminologie der Erzeugnisse sowohl in der ISO als auch beim Brüsseler Zollrat eine gewichtige Rolle.

c) Die Übersetzung der deutschen Benennung Flachstange ins Englische und Französische führt deutlich vor Augen, daß diese Sprachen den obengenannten Unterschied machen: die Engländer sprechen von „rectangular bars" die Franzosen entweder von „mêplats" oder von „barres rectangulaires".

3. Vorzugsmaße und Maßbereiche

Die Entwicklung der vergangenen Jahre brachte es mit sich, daß der Geltungsbereich für Breiten auf 120 mm für Kupfer-Knetlegierungen und für die Dicken über 20 bis 40 mm erweitert werden mußten und die Anzahl der Vorzugsmaße vergrößert werden konnte, wenn auch eine Auswahl getroffen werden mußte, um eine sinnvolle Stufung zu erzielen. Um in Sonderfällen Wünschen nach Zwischenmaßen gerecht zu werden, wurden die zulässigen Abweichungen der Breite und Dicke für Maßbereiche festgelegt, die es erlauben, deratige Abmessungen nach Norm zu bestellen.

4. Formabweichungen

In Anlehnung an andere Maßnormen für Stangen wurden einige Formabweichungen zusätzlich aufgenommen. Die neue Terminologie der DIN 7184 Blatt 1, Ausgabe Mai 1972, „Form- und Lagetoleranzen" wurde soweit berücksichtigt, wie diese für Halbzeug anwendbar ist.

Entsprechend DIN 7184 Blatt 1 enthält die zulässige Wölbung des Querschnitts die Benennung, „Geradheitstoleranz der Kanten des Querschnittes", so daß die „Geradheit" nur als „Geradheitstoleranz der Kanten in Längsrichtung" bezeichnet werden muß. Aus der „zulässigen Verwindung" wird nun die „Ebenheitstoleranz". Um Mißverständnisse zu vermeiden, sind die bisherigen Benennungen in Klammern angegeben und werden auch für einige Zeit beibehalten werden müssen.

Vierkantstangen aus Kupfer und Kupfer-Knetlegierungen
gezogen, mit scharfen Kanten Maße

DIN 1761

Square rod of wrought copper and copper alloys; drawn, with sharp corners, dimensions

Barres carrées de cuivre et des alliages de cuivre corroyés; étirées à froid, à angles vifs, dimensions

Maße in mm

1. Geltungsbereich

Diese Norm gilt für gezogene Vierkantstangen mit scharfen Kanten von 2 bis 60 mm Seitenlänge aus den in Abschnitt 4 aufgeführten Werkstoffen der Werkstoffgruppen I, II und III.

2. Bezeichnung

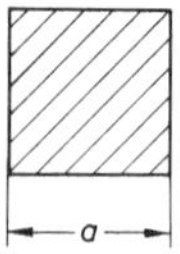

Bezeichnung einer gezogenen Vierkantstange mit scharfen Kanten von Seitenlänge $a = 22$ mm aus dem Werkstoff mit dem Kurzzeichen CuZn37 F30 (bisher Ms63 F30) oder der Werkstoffnummer 2.0321.10:

Vierkant 22 DIN 1761 – CuZn37 F30

oder Vierkant 22 DIN 1761 – 2.0321.10

bisher Vierkant 22 DIN 1761 — Ms63 F30

Anstelle der ausgeschriebenen Benennung „Vierkant" darf auch die abgekürzte Schreibweise „4kt" nach DIN 1353 gewählt werden.

3. Maße und zulässige Abweichungen

3.1. Seitenlängen (siehe Tabelle 1 auf Seite 2)

3.2. Kanten

Die Kanten dürfen leicht gerundet sein. Zulässige Kantenrundung siehe Tabelle 2, auf Seite 2.

3.3. Zulässige Abweichung von der Geraden

Für Stangen von Seitenlängen a ab 10 mm in Herstell-, Ungefähr- und Festlängen (ausgenommen Stangen im Zustand weich) gelten folgende zulässige Abweichungen von der Geraden (siehe Bild 1):

für die Werkstoffgruppe I:

Zulässige Abweichung $h_1 = 1{,}5$ mm je m, linear zunehmend bei Meßlängen l_1 über 400 mm, z. B. $h_1 = 4{,}5$ mm bei $l_1 = 3$ m. Auf jeden Längenabschnitt $l_2 = 400$ mm darf die Abweichung h_2 höchstens 0,6 mm betragen.

für die Werkstoffgruppe II:

das 1,5fache der für Gruppe I angegebenen Werte.

für die Werkstoffgruppe III:

das 2fache der für Gruppe I angegebenen Werte.

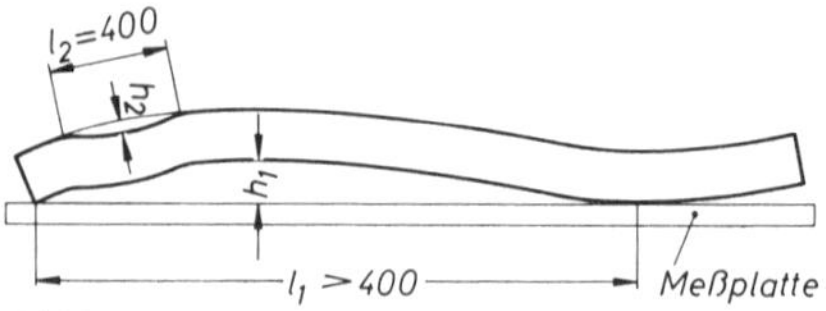

Bild 1

3.4. Zulässige Verwindung

Für Stangen mit Seitenlängen über 30 mm darf die Verwindung die in Tabelle 3 auf Seite 2 angegebenen Werte nicht überschreiten (siehe Bild 2).

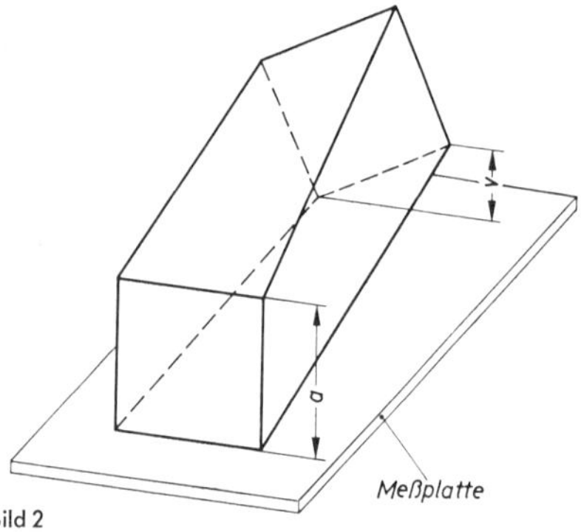

Bild 2

3.5. Messen der Seitenlänge

Beim Messen der Seitenlänge a von Stangen mit Seitenlängen a ab 10 mm muß ein Rand von $0{,}1 \cdot a$ mm Breite unberücksichtigt bleiben.

3.6. Zulässige Winkelabweichung

Die Winkelabweichung darf $0{,}005 \cdot a$ nicht überschreiten.

Fortsetzung Seite 2 bis 4

Fachnormenausschuß Nichteisenmetalle im Deutschen Normenausschuß (DNA)

Tabelle 1. **Seitenlängen**

Vorzugsmaße [1])	Seitenlänge *a* Maßbereiche [2])	Zulässige Abweichungen bei Werkstoffgruppe I (h11) [3])	II (h12) [3])	III (h13) [3])	Querschnitt mm^2	Gewicht [4]) kg/m
2	von 2 bis 3	−0,06	−0,10	Stangen nicht handelsüblich	4	0,0356
2,2					4,84	0,0431
2,5					6,25	0,0556
2,8					7,84	0,0698
3					9	0,0801
3,5	über 3 bis 6	−0,08	−0,12		12,25	0,109
4					16	0,142
4,5					20,25	0,180
5					25	0,223
5,5					30,25	0,269
6					36	0,320
7	über 6 bis 10	−0,09	−0,15	Stangen nicht handelsüblich	49	0,436
8					64	0,570
9					81	0,721
10					100	0,890
11	über 10 bis 18	−0,11	−0,18	−0,27	121	1,08
12					144	1,28
13					169	1,50
14					196	1,74
16					256	2,28
17					289	2,57
19	über 18 bis 30	−0,13	−0,21	−0,33	361	3,21
21					441	3,92
22					484	4,31
24					576	5,13
27					729	6,49
30					900	8,01
32	über 30 bis 50	−0,16	−0,25	−0,39	1024	9,11
36					1296	11,5
41					1681	15,0
46					2116	18,8
50					2500	22,3
55	über 50 bis 60	−0,19	−0,30	−0,46	3025	26,9
60					3600	32,0

[1]) bis [4]) siehe Seite 4

Tabelle 2. **Zulässige Kantenrundung**

Seitenlänge *a* Maßbereiche	Zulässige Kantenrundung
ab 2 bis 3	0,2
über 3 bis 6	0,3
über 6 bis 10	0,4
über 10 bis 18	0,5
über 18 bis 30	0,6
über 30 bis 50	0,7
über 50 bis 60	0,8

Tabelle 3. **Zulässige Verwindung**

Seitenlänge *a*	Zulässige Verwindung *v* auf gesamte Stangenlänge bei Werkstoffgruppe			je lfd. Meter bei Werkstoffgruppe		
Maßbereiche	I	II	III	I	II	III
über 30 bis 60	3	4	5	2	2,5	3

Tabelle 4. **Werkstoffgruppe I**

Benennung	Kurzzeichen neu	Kurzzeichen bisher	Werkstoff-nummer	Dichte kg/dm³	Umrechnungs-faktor
Kupfer-Zink-Legierungen (Messing)	CuZn36Pb1	Ms63Pb	2.0330	8,5	0,955
	CuZn36Pb3	—	2.0375	8,5	0,955
	CuZn38Pb1	Ms60Pb	2.0370	8,4	0,944
	CuZn39Pb2	Ms58 [5])	2.0380	8,4	0,944
	CuZn39Pb3		2.0401	8,5	0,955
	CuZn40Pb2		2.0402	8,4	0,944
	CuZn40Pb3		2.0405	8,5	0,955
Kupfer-Knet-Legierungen, niedriglegiert	CuSP		2.1498	8,9	1
	CuTeP	SF-CuTe	2.1546	8,9	1

Tabelle 5. **Werkstoffgruppe II**

Benennung	Kurzzeichen neu	Kurzzeichen bisher	Werkstoff-nummer	Dichte kg/dm³	Umrechnungs-faktor
Kupfer	D-Cu		2.0100	8,9	1
	F-Cu		2.0080	8,9	1
	E-Cu		2.0060	8,9	1
	SD-Cu		2.0110	8,9	1
	SF-Cu		2.0090	8,9	1
	SE-Cu		2.0070	8,9	1
Kupfer-Zink-Legierungen (Messing und Sondermessing)	CuZn5	Ms95	2.0220	8,9	1
	CuZn10	Ms90	2.0230	8,8	0,989
	CuZn15	Ms85	2.0240	8,8	0,989
	CuZn20	Ms80	2.0250	8,7	0,977
	CuZn28	Ms72	2.0261	8,6	0,966
	CuZn30	Ms70	2.0265	8,5	0,955
	CuZn33	Ms67	2.0280	8,5	0,955
	CuZn36	Ms63	2.0335	8,4	0,944
	CuZn37		2.0321	8,4	0,944
	CuZn40	Ms60	2.0360	8,4	0,944
	CuZn30Al	—	2.0515	7,5	0,843
	CuZn31Si	SoMs68	2.0490	8,4	0,944
	CuZn35Ni	SoMs59	2.0540	8,3	0,932
	CuZn40Ni	SoMs58	2.0571	8,3	0,932
	CuZn40Mn		2.0572	8,3	0,932
Kupfer-Zinn-Legierungen (Zinnbronze)	CuSn6	SnBz6	2.1020	8,8	0,989
	CuSn8	SnBz8	2.1030	8,8	0,989
Kupfer-Nickel-Legierungen	CuNi10Fe		2.0872	8,9	1
	CuNi30Fe		2.0882	8,9	1

Tabelle 5. (Fortsetzung)

Benennung	Kurzzeichen	Werkstoff-nummer	Dichte kg/dm³	Umrechnungs-faktor
Kupfer-Knet-Legierungen, niedriglegiert	CuASP	2.1491	8,9	1
	CuCd0,5	2.1265	8,9	1
	CuCd1	2.1266	8,9	1
	CuMn2	2.1363	8,8	0,989
	CuMn5	2.1366	8,6	0,966
	CuSi2Mn	2.1522	8,7	0,977
	CuSi3Mn	2.1525	8,5	0,955
	CuBe1,7	2.1245	8,4	0,944
	CuBe2	2.1247	8,3	0,932
	CuCoBe	2.1285	8,8	0,989
	CuCr	2.1291	8,9	1
	CuNi1,5Si	2.0853	8,8	0,989
	CuNi2Si	2.0855	8,8	0,989
	CuNi3Si	2.0857	8,8	0,989

Tabelle 6. **Werkstoffgruppe III**

Benennung	Kurzzeichen neu	Kurzzeichen bisher	Werkstoff-nummer	Dichte kg/dm³	Umrechnungs-faktor
Kupfer-Zink-Legierungen (Sondermessing)	CuZn37Al	SoMs58Al1	2.0510	8,3	0,932
	CuZn40Al1		2.0561	8,2	0,921
	CuZn40Al2	SoMs58Al2	2.0550	8,1	0,910
	CuZn40MnPb	SoMs58Pb	2.0580	8,2	0,921
Kupfer-Nickel-Zink-Legierungen (Neusilber)	CuNi10Zn42Pb	Ns4711Pb	2.0770	8,5	0,955
	CuNi12Zn24	Ns6512	2.0730	8,7	0,977
	CuNi12Zn30Pb	Ns5712Pb	2.0780	8,6	0,966
	CuNi18Zn20	Ns6218	2.0740	8,7	0,977
	CuNi18Zn19Pb	Ns6218Pb	2.0790	8,8	0,989
	CuAl5	AlBz5	2.0916	8,2	0,921
Kupfer-Aluminium-Legierungen (Aluminiumbronze)	CuAl8	AlBz8	2.0920	7,7	0,865
	CuAl8Fe	AlBz8Fe	2.0932	7,7	0,865
	CuAl10Fe	AlBz10Fe	2.0936	7,5	0,843
	CuAl9Mn	AlBz9Mn	2.0960	7,5	0,843
	CuAl10Ni	AlBz10Ni	2.0966	7,5	0,843
	CuAl11Ni	AlBz11Ni	2.0978	7,4	0,831

[5]) Mit Rücksicht auf die Aufspaltung des bisherigen Ms 58 wird in dieser Ausgabe der Norm ausnahmsweise folgender Hinweis auf die Verwendung der einzelnen Legierungen aufgenommen (siehe DIN 17 660):

CuZn39Pb2: Gut zerspanbare Legierung mit geringer Kaltumformbarkeit durch Biegen, Nieten und Bördeln.

CuZn39Pb3: Hauptlegierungen für Bearbeitung auf Automaten, noch geringe Kaltumformung möglich.

CuZn40Pb2: Legierung für alle spanabhebenden Bearbeitungsverfahren.

CuZn40Pb3: Hauptlegierungen für Bearbeitung auf Automaten, besonders spritziger Span.

4. Werkstoffe und Festigkeitseigenschaften

(bei Bestellung angeben)

Kupfer und Kupfer-Knetlegierungen nach DIN 17 672 Blatt 1 und DIN 40 500 Blatt 3 (Kupfer für die Elektrotechnik) unter Berücksichtigung der dort angegebenen Abmessungsbereiche.

Die Werkstoffgruppen I, II und III berücksichtigen das unterschiedliche Umformverhalten der Legierungen entsprechend ihrer Zusammensetzung (vgl. Kurzzeichen in den Tabellen 4 bis 6 auf Seite 3).

5. Ausführung

Nach den Technischen Lieferbedingungen DIN 17 672 Blatt 2, für Kupfer für die Elektrotechnik nach DIN 40 500 Blatt 3.

6. Gewichte und zulässige Gewichtsabweichungen

Das Gewicht in kg/m errechnet sich aus dem Nennmaß der jeweiligen Seitenlänge sowie der Dichte des Werkstoffes. Umrechnungsfaktoren siehe Tabellen 4 bis 6.

Die zulässige Gewichtsabweichung ergibt sich aus den zulässigen Abweichungen der Nennmaße und den zulässigen Abweichungen in der Zusammensetzung.

7. Lieferart

7.1. Stangen in Herstellängen

Tabelle 7. **Herstellängen**

Seitenlänge *a* Maßbereiche	Herstellängen
ab 2 bis 3	höchstens 2000
über 3 bis 30	höchstens 3000
über 30 bis 60	mindestens 1500

5 % der Stangen einer Lieferung dürfen in Unterlängen von mindestens 1000 mm geliefert werden.

7.2. Stangen in Ungefährlängen

Ungefährlängen sind bei Bestellung besonders zu vereinbaren. Zur Kennzeichnung ist dann hinter die Längenangabe „ungefähr" zu setzen.

Die zulässige Abweichung der bestellten Längen beträgt ±10 %.

Unterlängen von mindestens 1000 mm sind bis zu 10 % des Liefergewichts zulässig.

7.3. Stangen in Festlängen

Festlängen sind bei Bestellung besonders zu vereinbaren. Zur Kennzeichnung ist dann hinter die Längenangabe „fest" zu setzen. Für Festlängen gelten die zulässigen Abweichungen nach Tabelle 8.

Sägeschnitte dürfen bei Festlängen nur mit der halben zulässigen Abweichung der Tabelle 8 vom rechten Winkel abweichen.

Tabelle 8. **Zulässige Abweichungen der Festlängen**

Seitenlänge *a* Maßbereiche	Zulässige Abweichungen für Festlängen über — bis 100	100 bis 250	250 bis 500	500 bis 1000	1000 bis 2000	2000 bis —
ab 2 bis 10	+1	+1,5	+2	+3	+4	+5
über 10 bis 18	+1	+1,5	+2	+3	+4	+5
über 18 bis 30	+1,5	+2	+3	+4	+5	+6
über 30 bis 50	+2	+3	+4	+5	+6	+7
über 50 bis 60	+3	+4	+5	+6	+7	+8

7.4. Bestellbeispiel

2 t gezogene Vierkantstangen mit scharfen Kanten von Seitenlänge *a* = 22 mm aus dem Werkstoff mit dem Kurzzeichen CuZn37 F30 (bisher Ms63 F30) oder der Werkstoffnummer 2.0321.10 in Herstellängen:

2 t Vierkant 22 DIN 1761—CuZn37 F30
oder **2 t Vierkant 22 DIN 1761—2.0321.10**
bisher 2 t Vierkant 22 DIN 1761—Ms63 F30

[1]) Vorzugsweise nach Schlüsselweiten nach DIN 475

[2]) Innerhalb der Maßbereiche sollen Zwischenmaße nach der Reihe R_a 20 DIN 323 und Schlüsselweiten nach DIN 475 bevorzugt werden.

[3]) Die für h11, h12 und h13 angegebenen zulässigen Abweichungen wurden auf 2 Dezimalen nach DIN 1333 gerundet.

[4]) Errechnet mit einer Dichte von 8,9 kg/dm³. Für Werkstoffe mit einer anderen Dichte sind die Gewichte entsprechend den Umrechnungsfaktoren der Tabellen 4 bis 6 zu errechnen (siehe auch Abschnitt 6).

Sechskantstangen aus Kupfer und Kupfer-Knetlegierungen
gezogen, mit scharfen Kanten Maße

DIN 1763

Hexagonal rod of wrought copper and copper alloys; drawn, with sharp corners, dimensions
Barres hexagonales de cuivre et des alliages de cuivre corroyés; étirées à froid, à angles vifs, dimensions

Maße in mm

1. Geltungsbereich

Diese Norm gilt für gezogene Sechskantstangen mit scharfen Kanten von 3 bis 60 mm Schlüsselweite aus den in Abschnitt 4 aufgeführten Werkstoffen der Werkstoffgruppen I, II und III.

2. Bezeichnung

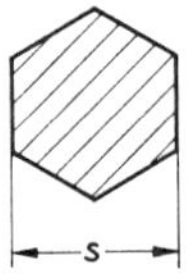

Bezeichnung einer gezogenen Sechskantstange mit scharfen Kanten von Schlüsselweite $s = 22$ mm aus dem Werkstoff mit dem Kurzzeichen CuZn37 F30 (bisher (Ms63 F30) oder der Werkstoffnummer 2.0321.10:

Sechskant 22 DIN 1763 – CuZn37 F30
oder Sechskant 22 DIN 1763 – 2.0321.10
bisher Sechskant 22 DIN 1763—Ms63 F30

Anstelle der ausgeschriebenen Benennung „Sechskant" darf auch die abgekürzte Schreibweise „6kt" nach DIN 1353 gewählt werden.

3. Maße und zulässige Abweichungen

3.1. Schlüsselweiten (siehe Tabelle 1 auf Seite 2)

3.2. Zulässige Abweichung von der Geraden

Für Stangen von Schlüsselweite s ab 10 mm in Herstell-, Ungefähr- und Festlängen (ausgenommen Stangen im Zustand weich) gelten folgende zulässige Abweichungen von der Geraden (siehe Bild 1):

für die Werkstoffgruppe I:
Zulässige Abweichung $h_1 = 1{,}5$ mm je m, linear zunehmend bei Meßlängen l_1 über 400 mm, z. B. $h_1 = 4{,}5$ mm bei $l_1 = 3$ m.
Auf jeden Längenabschnitt $l_2 = 400$ mm darf die Abweichung h_2 höchstens 0,6 mm betragen.

für die Werkstoffgruppe II:
das 1,5fache der für Gruppe I angegebenen Werte.

für die Werkstoffgruppe III:
das 2fache der für Gruppe I angegebenen Werte.

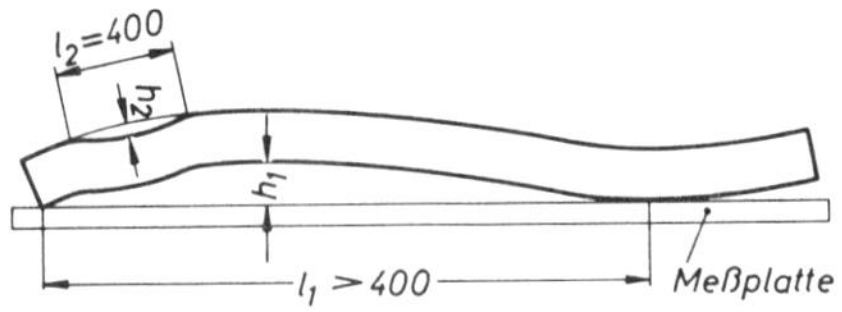

Bild 1

Fortsetzung Seite 2 bis 4

Fachnormenausschuß Nichteisenmetalle im Deutschen Normenausschuß (DNA)

Tabelle 1. **Schlüsselweiten**

Schlüsselweite *s*: Vorzugsmaße[1])	Schlüsselweite *s*: Maßbereiche[2])	Zulässige Abweichungen bei Werkstoffgruppe I (h11[3]))	Zulässige Abweichungen bei Werkstoffgruppe II (h12)[3])	Zulässige Abweichungen bei Werkstoffgruppe III (h13)[3])	Querschnitt mm²	Gewicht[4]) kg/m
3	—	−0,06	−0,10	Stangen nicht handelsüblich	7,794	0,0694
3,5	über 3 bis 6	−0,08	−0,12		10,61	0,0944
4					13,86	0,123
4,5					17,54	0,156
5					21,65	0,193
5,5					26,20	0,233
6					31,18	0,278
7	über 6 bis 10	−0,09	−0,15		42,44	0,378
8					55,43	0,493
9					70,15	0,624
10					86,60	0,771
11	über 10 bis 18	−0,11	−0,18	−0,27	104,8	0,933
12					124,7	1,11
13					146,4	1,30
14					169,7	1,51
17					250,3	2,24
19	über 18 bis 30	−0,13	−0,21	−0,33	312,6	2,78
21					381,9	3,40
22					419,2	3,73
24					498,3	4,44
27					631,3	5,62
30					779,4	6,94
32	über 30 bis 50	−0,16	−0,25	−0,39	886,8	7,89
36					1122	9,99
41					1456	13,0
46					1833	16,3
50					2165	19,3
55	über 50 bis 60	−0,19	−0,30	−0,46	2620	23,3
60					3118	27,7

[1]) Auswahl nach DIN 475

[2]) Innerhalb der Nennmaßbereiche sollen Zwischenabmessungen nach DIN 475 bevorzugt werden.

[3]) Die für h11, h12 und h13 angegebenen zulässigen Abweichungen wurden auf 2 Dezimalen nach DIN 1333 gerundet.

[4]) Errechnet mit einer Dichte von 8,9 kg/dm³. Für Werkstoffe mit einer anderen Dichte sind die Gewichte entsprechend den Umrechnungsfaktoren der Tabellen 3 bis 5 zu errechnen (siehe auch Abschnitt 6).

3.3. Zulässige Verwindung

Für Stangen mit Schlüsselweiten über 30 mm darf die Verwindung die in Tabelle 2 angegebenen Werte nicht überschreiten (siehe Bild 2).

Tabelle 2. **Zulässige Verwindung**

Schlüsselweite *s* Maßbereiche	Zulässige Verwindung *v* auf gesamte Stangenlänge bei Werkstoffgruppe I	II	III	je lfd. Meter bei Werkstoffgruppe I	II	III
über 30 bis 60	3	4	5	2	2,5	3

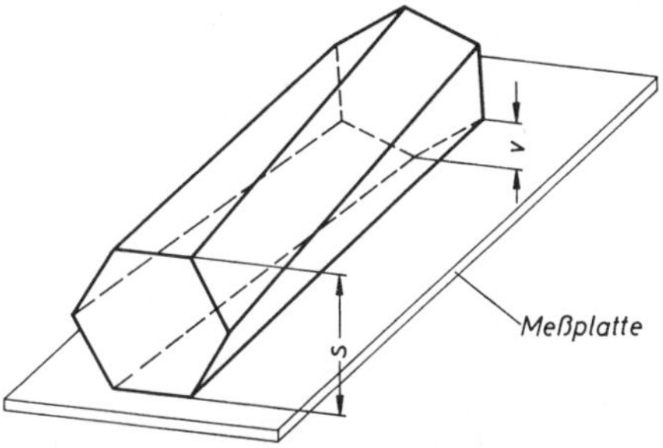

Bild 2

Tabelle 3. **Werkstoffgruppe I**

Benennung	Kurzzeichen neu	Kurzzeichen bisher	Werkstoff-nummer	Dichte kg/dm³	Umrechnungs-faktor
Kupfer-Zink-Legierungen (Messing)	CuZn36Pb1	Ms63Pb	2.0330	8,5	0,955
	CuZn36Pb3	—	2.0375	8,5	0,955
	CuZn38Pb1	Ms60Pb	2.0370	8,4	0,944
	CuZn39Pb2	Ms58 [5])	2.0380	8,4	0,944
	CuZn39Pb3		2.0401	8,5	0,955
	CuZn40Pb2		2.0402	8,4	0,944
	CuZn40Pb3		2.0405	8,5	0,955
Kupfer-Knet-Legierungen, niedriglegiert	CuSP		2.1498	8,9	1
	CuTeP	SF-CuTe	2.1546	8,9	1

Tabelle 4. **Werkstoffgruppe II**

Benennung	Kurzzeichen neu	Kurzzeichen bisher	Werkstoff-nummer	Dichte kg/dm³	Umrechnungs-faktor
Kupfer	D-Cu		2.0100	8,9	1
	F-Cu		2.0080	8,9	1
	E-Cu		2.0060	8,9	1
	SD-Cu		2.0110	8,9	1
	SF-Cu		2.0090	8,9	1
	SE-Cu		2.0070	8,9	1
Kupfer-Zink-Legierungen (Messing und Sondermessing)	CuZn5	Ms95	2.0220	8,9	1
	CuZn10	Ms90	2.0230	8,8	0,989
	CuZn15	Ms85	2.0240	8,8	0,989
	CuZn20	Ms80	2.0250	8,7	0,977
	CuZn28	Ms72	2.0261	8,6	0,966
	CuZn30	Ms70	2.0265	8,5	0,955
	CuZn33	Ms67	2.0280	8,5	0,955
	CuZn36	Ms63	2.0335	8,4	0,944
	CuZn37		2.0321	8,4	0,944
	CuZn40	Ms60	2.0360	8,4	0,944
	CuZn30Al	—	2.0515	7,5	0,843
	CuZn31Si	SoMs68	2.0490	8,4	0,944
	CuZn35Ni	SoMs59	2.0540	8,3	0,932
	CuZn40Ni	SoMs58	2.0571	8,3	0,932
	CuZn40Mn		2.0572	8,3	0,932
Kupfer-Zinn-Legierungen (Zinnbronze)	CuSn6	SnBz6	2.1020	8,8	0,989
	CuSn8	SnBz8	2.1030	8,8	0,989
Kupfer-Nickel-Legierungen	CuNi10Fe		2.0872	8,9	1
	CuNi30Fe		2.0882	8,9	1

Tabelle 4 (Fortsetzung)

Benennung	Kurzzeichen	Werkstoff-nummer	Dichte kg/dm³	Umrechnungs-faktor
Kupfer-Knet-Legierungen, niedriglegiert	CuASP	2.1491	8,9	1
	CuCd0,5	2.1265	8,9	1
	CuCd1	2.1266	8,9	1
	CuMn2	2.1363	8,8	0,989
	CuMn5	2.1366	8,6	0,966
	CuSi2Mn	2.1522	8,7	0,977
	CuSi3Mn	2.1525	8,5	0,955
	CuBe1,7	2.1245	8,4	0,944
	CuBe2	2.1247	8,3	0,932
	CuCoBe	2.1285	3,8	0,989
	CuCr	2.1291	8,9	1
	CuNi1,5Si	2.0853	8,8	0,989
	CuNi2Si	2.0855	8,8	0,989
	CuNi3Si	2.0857	8,8	0,989

Tabelle 5. **Werkstoffgruppe III**

Benennung	Kurzzeichen neu	Kurzzeichen bisher	Werkstoff-nummer	Dichte kg/dm³	Umrechnungs-faktor
Kupfer-Zink-Legierungen (Sondermessing)	CuZn37Al	SoMs58Al1	2.0510	8,3	0,932
	CuZn40Al1		2.0561	8,2	0,921
	CuZn40Al2	SoMs58Al2	2.0550	8,1	0,910
	CuZn40MnPb	SoMs58Pb	2.0580	8,2	0,921
Kupfer-Nickel-Zink-Legierungen (Neusilber)	CuNi10Zn42Pb	Ns4711Pb	2.0770	8,5	0,955
	CuNi12Zn24	Ns6512	2.0730	8,7	0,977
	CuNi12Zn30Pb	Ns5712Pb	2.0780	8,6	0,966
	CuNi18Zn20	Ns6218	2.0740	8,7	0,977
	CuNi18Zn19Pb	Ns6218Pb	2.0790	8,8	0,989
Kupfer-Aluminium-Legierungen (Aluminiumbronze)	CuAl5	AlBz5	2.0916	8,2	0,921
	CuAl8	AlBz8	2.0920	7,7	0,865
	CuAl8Fe	AlBz8Fe	2.0932	7,7	0,865
	CuAl10Fe	AlBz10Fe	2.0936	7,5	0,843
	CuAl9Mn	AlBz9Mn	2.0960	7,5	0,843
	CuAl10Ni	AlBz10Ni	2.0966	7,5	0,843
	CuAl11Ni	AlBz11Ni	2.0978	7,4	0,831

[5]) Mit Rücksicht auf die Aufspaltung des bisherigen Ms 58 wird in dieser Ausgabe der Norm ausnahmsweise folgender Hinweis auf die Verwendung der einzelnen Legierungen aufgenommen (siehe DIN 17 660):

CuZn39Pb2: Gut zerspanbare Legierung mit geringer Kaltumformbarkeit durch Biegen, Nieten und Bördeln.

CuZn39Pb3: Hauptlegierungen für Bearbeitung auf Automaten, noch geringe Kaltumformung möglich.

CuZn40Pb2: Legierung für alle spanabhebenden Bearbeitungsverfahren.

CuZn40Pb3: Hauptlegierungen für Bearbeitung auf Automaten, besonders spritziger Span.

4. Werkstoffe und Festigkeitseigenschaften

(bei Bestellung angeben)

Kupfer und Kupfer-Knetlegierungen nach DIN 17 672 Blatt 1 und DIN 40 500 Blatt 3 (Kupfer für die Elektrotechnik) unter Berücksichtigung der dort angegebenen Abmessungsbereiche.

Die Werkstoffgruppen I, II und III berücksichtigen das unterschiedliche Umformverhalten der Legierungen entsprechend ihrer Zusammensetzung (vgl. Kurzzeichen in den Tabellen 3 bis 5 auf Seite 3).

5. Ausführung

Nach den Technischen Lieferbedingungen DIN 17 672 Blatt 2, für Kupfer für die Elektrotechnik nach DIN 40 500 Blatt 3.

6. Gewichte und zulässige Gewichtsabweichungen

Das Gewicht in kg/m errechnet sich aus dem Nennmaß der jeweiligen Schlüsselweite sowie der Dichte des Werkstoffes. Umrechnungsfaktoren siehe Tabellen 3 bis 5.

Die zulässige Gewichtsabweichung ergibt sich aus den zulässigen Abweichungen der Nennmaße und den zulässigen Abweichungen in der Zusammensetzung.

7. Lieferart

7.1. Stangen in Herstellängen

Tabelle 6. **Herstellängen**

Schlüsselweite *s* Maßbereiche	Herstellängen
von 3	höchstens 2000
über 3 bis 10	höchstens 3000
über 30 bis 60	mindestens 1500

5 % der Stangen einer Lieferung dürfen in Unterlängen von mindestens 1000 mm geliefert werden.

7.2. Stangen in Ungefährlängen

Ungefährlängen sind bei Bestellung besonders zu vereinbaren. Zur Kennzeichnung ist dann hinter die Längenangabe „ungefähr" zu setzen.

Die zulässige Abweichung der bestellten Länge beträgt ±10 %.

Unterlängen von mindestens 1000 mm sind bis zu 10 % des Liefergewichts zulässig.

7.3. Stangen in Festlängen

Festlängen sind bei Bestellung besonders zu vereinbaren. Zur Kennzeichnung ist dann hinter die Längenangabe „fest" zu setzen. Für Festlängen gelten die zulässigen Abweichungen nach Tabelle 7.

Sägeschnitte dürfen bei Festlängen nur mit der halben zulässigen Abweichung der Tabelle 7 vom rechten Winkel abweichen.

Tabelle 7. **Zulässige Abweichungen der Festlängen**

Schlüsselweite *s* Maßbereiche	Zulässige Abweichungen für Festlängen über					
	—	100	250	500	1000	2000
	bis					
	100	250	500	1000	2000	—
ab 3 bis 10	+1	+1,5	+2	+3	+4	+5
über 10 bis 18	+1	+1,5	+2	+3	+4	+5
über 18 bis 30	+1,5	+2	+3	+4	+5	+6
über 30 bis 50	+2	+3	+4	+5	+6	+7
über 50 bis 60	+3	+4	+5	+6	+7	+8

7.4. Bestellbeispiel

2 t gezogene Sechskantstangen mit scharfen Kanten von Schlüsselweite *s* = 22 mm aus dem Werkstoff mit dem Kurzzeichen CuZn37 F30 (bisher Ms63 F30) oder der Werkstoffnummer 2.0321.10, in Herstellängen:

2 t Sechskant 22 DIN 1763—CuZn37 F30

oder **2 t Sechskant 22 DIN 1763—2.0321.10**

bisher 2 t Sechskant 22 DIN 1763—Ms63 F30

DK 669.35.018.26-418:62-272.3 Januar 1986

Federbänder aus Kupfer-Knetlegierungen

Technische Lieferbedingungen

DIN 1777

Wrought copper alloy strips for springs; technical conditions of delivery

Bandes pour ressorts en alliages de cuivre corroyés; conditions techniques de livraison

Ersatz für Ausgabe 07.74 und DIN 1780/06.74

Zusammenhang mit dem von der International Organization for Standardization (ISO) herausgegebenen Internationalen Entwurf ISO/DIS 1634/3 – 1985, siehe Erläuterungen.

1 Anwendungsbereich

Diese Technischen Lieferbedingungen werden für Federbänder aus Kupfer-Knetlegierungen angewendet, aus denen Federn, z. B. Relaisfedern, Steckverbinder, hergestellt werden.

2 Bestellangaben

2.1 Die Auswahl des Werkstoffes und Lieferzustandes ist Sache des Bestellers.

Es wird empfohlen, bei der Bestellung den Verwendungszweck anzugeben. Zusätzliche Anforderungen, die nicht in dieser Norm festgelegt sind, z. B. an die Oberflächenbeschaffenheit, müssen in der Bestellung angegeben werden; gleichzeitig sind auch deren Prüfverfahren zu vereinbaren.

Das Herstellungsverfahren bleibt dem Hersteller überlassen.

2.2 Normbezeichnung

2.2.1 Reihenfolge der Angaben

- Benennung Band
- DIN-Nummer
- Dicke und Breite in mm
- Kennbuchstabe F bei gewünschter Feinabweichung für die Dicke, siehe Tabellen 1 und 2 sowie Abschnitt 4.1
- Kennbuchstabe A oder B für die Anforderung an die Ebenheit, siehe Abschnitt 4.4
- Werkstoff-Kurzzeichen oder Werkstoff-Nummer (Die Unterschiede zwischen HV... und FB... sind zu beachten)

2.2.2 Beispiele für die Normbezeichnung

Für die verschiedenen Möglichkeiten der Zuordnung von Kennbuchstaben für die Feinabweichung der Dicke, für die Ebenheitstoleranz und für die Zustandsbezeichnung HV... und FB... werden nachstehend je 1 Beispiel für den Werkstoff CuSn6 aufgeführt; sie gelten sinngemäß für alle anderen Werkstoffe.

a) **Ungerichtetes Band (A)**
im nicht angelassenen Zustand HV...:
Band DIN 1777 – 0,5 × 50 A – CuSn6 HV160
oder Band DIN 1777 – 0,5 × 50 A – 2.1020.30

b) **Ungerichtetes Band(A)**
im angelassenen Zustand FB...:
Band DIN 1777 – 0,5 × 50 A – CuSn6 FB350
oder Band DIN 1777 – 0,5 × 50 A – 2.1020.31

c) **Gerichtetes Band (B)**
im nicht angelassenen Zustand HV...:
Band DIN 1777 – 0,3 × 30 B – CuSn6 HV160
oder Band DIN 1777 – 0,3 × 30 B – 2.1020.30

d) **Gerichtetes Band (B)**
im angelassenen Zustand FB...:
Band DIN 1777 – 0,3 × 30 B – CuSn6 FB350
oder Band DIN 1777 – 0,3 × 30 B – 2.1020.31

e) **Feinabweichung (F)**
für die Dicke eines ungerichteten Bandes wie Beispiel a:
Band DIN 1777 – 0,5 F × 50 A – CuSn6 HV160
oder Band DIN 1777 – 0,5 F × 50 A – 2.1020.30

Anstelle der ausgeschriebenen Benennung „Band" kann auch die abgekürzte Schreibweise „Bd" nach DIN 1353 Teil 2 gewählt werden.

2.3 Bestellbezeichnung

2.3.1 Reihenfolge der Angaben

Für die Abwicklung einer Bestellung ist die Normbezeichnung um folgende Angaben zu ergänzen:

- Bestellte Menge (Angabe vor der Normbezeichnung)
- Lieferart, z. B. Ringinnendurchmesser (Angabe vor dem Werkstoff-Kurzzeichen oder der Werkstoff-Nummer)

2.3.2 Beispiel für die Bestellbezeichnung

Die Beispiele für die Normbezeichnung in Abschnitt 2.2.2 werden um die Mengenangabe: 1000 kg und die Lieferartangabe: Ringinnendurchmesser 500 mm (Ring 500) ergänzt:

1000 kg Band DIN 1777 – 0,5 × 50 A × Ring 500 – CuSn6 HV160
oder 1000 kg Band DIN 1777 – 0,5 × 50 A × Ring 500 – 2.1020.30

3 Werkstoffe

Die in den Tabellen 1 und 2 angegebenen Eigenschaften gelten für den Lieferzustand von Federbändern. Die in Tabelle 3 angegebenen Eigenschaften unterscheiden zwischen dem Lieferzustand der Federbänder und dem durch Aushärten erreichten Endzustand der Feder.

3.1 Kaltverfestigende Kupfer-Knetlegierungen

3.1.1 im nicht angelassenen Lieferzustand, siehe Tabelle 1.

Für diesen Lieferzustand werden die Vickershärte und der Biegeradius als die maßgebenden Eigenschaften eingehalten; Kurzzeichen: HV...

3.1.2 im angelassenen Lieferzustand, siehe Tabelle 2.

Für diesen Lieferzustand werden die Federbiegegrenze und der Biegeradius als die maßgebenden Eigenschaften eingehalten; Kurzzeichen: FB...

3.2 Aushärtbare Kupfer-Knetlegierungen

3.2.1 im Lieferzustand, siehe Tabelle 3.

Für diesen Lieferzustand werden die Vickershärte und der Biegeradius als die maßgebenden Eigenschaften eingehalten; Kurzzeichen: HV...

3.2.2 im Endzustand, siehe Tabelle 3.

Für diesen Zustand werden die Federbiegegrenze, die elektrische Leitfähigkeit und zum Teil der Biegeradius als die maßgebenden Eigenschaften eingehalten; Kurzzeichen: FB...

3.3 Physikalische Eigenschaften

Richtwerte für den E-Modul und die elektrische Leitfähigkeit sind in Tabelle 4 angegeben.

Fortsetzung Seite 2 bis 8

Normenausschuß Nichteisenmetalle (FNNE) im DIN Deutsches Institut für Normung e.V.

Tabelle 1. **Eigenschaften von Federbändern aus kaltverfestigenden Legierungen im nicht angelassenen Zustand mit Dicken *s* von 0,1 bis 1,0 mm**

Werkstoff- Kurzzeichen		Werkstoff- Nummer	Zusammensetzung nach DIN	Vickershärte HV min.	Vickershärte HV max.	Kleinster Radius des Biegestempels für 90 °-Abkantung für Banddicken bis 0,25 mm Biegekante rechtwinklig zur Walzrichtung	bis 0,25 mm Biegekante parallel zur Walzrichtung	über 0,25 mm Biegekante rechtwinklig zur Walzrichtung	über 0,25 mm Biegekante parallel zur Walzrichtung	0,2%-Dehngrenze[1]) $R_{p0,2}$ N/mm² min.
CuZn30	**HV150**	**2.0265.32**	17 660	150	180	0 × *s*	1 × *s*	0 × *s*	2 × *s*	430
CuZn37	**HV150**	**2.0321.30**	17 660	150	180	0 × *s*	1 × *s*	0 × *s*	2 × *s*	430
CuSn4	**HV150**	**2.1016.30**	17 662	150	180	0 × *s*	0 × *s*	0 × *s*	1 × *s*	440
CuSn6	**HV160**	**2.1020.30**	17 662	160	190	0 × *s*	0 × *s*	0 × *s*	1 × *s*	450
	HV180	**.32**		180	210	0 × *s*	1 × *s*	0 × *s*	2 × *s*	510
CuSn8	**HV170**	**2.1030.30**	17 662	170	200	0 × *s*	1 × *s*	0 × *s*	2 × *s*	470
	HV190	**.32**		190	220	0 × *s*	2 × *s*	1 × *s*	3 × *s*	520
CuNi12Zn24	**HV150**	**2.0730.30**	17 663	150	180	0 × *s*	0 × *s*	0 × *s*	1 × *s*	420
	HV170	**.32**		170	200	0 × *s*	1 × *s*	1 × *s*	2 × *s*	480
CuNi18Zn20	**HV160**	**2.0740.30**	17 663	160	190	0 × *s*	0 × *s*	0 × *s*	1 × *s*	430
	HV180	**.32**		180	210	0 × *s*	1 × *s*	1 × *s*	2 × *s*	490
CuNi18Zn27	**HV170**	**2.0742.30**	17 663	170	200	0 × *s*	1 × *s*	1 × *s*	2 × *s*	440
	HV190	**.32**		190	220	1 × *s*	2 × *s*	2 × *s*	4 × *s*	500
CuNi9Sn2	**HV160**	**2.0875.30**	17 664	160	190	0 × *s*	0 × *s*	1 × *s*	2 × *s*	450
	HV180	**.32**		180	210	1 × *s*	2 × *s*	2 × *s*	4 × *s*	500

[1]) Berechnungskennwert für Steckverbinder; für die Abnahmeprüfung nicht bindend.

Tabelle 2. **Eigenschaften von Federbändern aus kaltverfestigenden Legierungen im angelassenen Zustand mit Dicken *s* von 0,1 bis 1,0 mm**

Werkstoff- Kurzzeichen		Werkstoff- Nummer	Zusammensetzung nach DIN	Federbiegegrenze[1]) σ_{FB} N/mm² min.	Kleinster Radius des Biegestempels für 90 °-Abkantung für Banddicken bis 0,25 mm Biegekante rechtwinklig zur Walzrichtung	bis 0,25 mm Biegekante parallel zur Walzrichtung	über 0,25 mm Biegekante rechtwinklig zur Walzrichtung	über 0,25 mm Biegekante parallel zur Walzrichtung	Vickershärte[2]) HV
CuSn6	**FB350**	**2.1020.31**	17 662	350	0 × *s*	0 × *s*	0 × *s*	1 × *s*	160 bis 190
	FB370	**.33**		370	0 × *s*	1 × *s*	0 × *s*	2 × *s*	180 bis 210
CuSn8	**FB410**	**2.1030.33**	17 662	410	0 × *s*	2 × *s*	1 × *s*	3 × *s*	190 bis 220
CuNi18Zn20	**FB370**	**2.0740.31**	17 663	370	0 × *s*	0 × *s*	0 × *s*	1 × *s*	160 bis 190
	FB460	**.33**		460	0 × *s*	1 × *s*	1 × *s*	2 × *s*	180 bis 210
CuNi9Sn2	**FB370**	**2.0875.31**	17 664	370	0 × *s*	0 × *s*	0 × *s*	1 × *s*	160 bis 190
	FB460	**.33**		460	0 × *s*	1 × *s*	1 × *s*	3 × *s*	180 bis 210

[1]) Wegen der Umrechnung der Werte der Federbiegegrenze siehe Erläuterungen.

[2]) Für die Abnahme nicht bindend.

Tabelle 3. **Eigenschaften von Federbändern aus aushärtbaren Werkstoffen (Zusammensetzung nach DIN 17 666) im nichtausgehärteten Zustand und im ausgehärteten Zustand mit Dicken s von 0,1 bis 1,0 mm**

Werkstoff- Kurzzeichen: Legierung	Lieferzustand [1]	Endzustand [2]	Nummer	Federbiegegrenze σ_{FB} für Dicken von 0,10 bis 0,25 min.	Federbiegegrenze σ_{FB} für Dicken über 0,25 bis 1,0 min.	Vickershärte HV	Kleinster Radius des Biegestempels für 90° Abkantung, Biegekante rechtwinklig zur Walzrichtung	Kleinster Radius des Biegestempels für 90° Abkantung, Biegekante parallel zur Walzrichtung	Elektrische Leitfähigkeit m/(Ωmm²) min.
CuBe1,7			**2.1245**						
	HV140		**.54**	–	–	135 bis 190	0,5 × s	1 × s	–
		FB740	**.74**	740	820	340 bis 390	–	–	13
	HV175		**.55**	–	–	175 bis 220	2 × s	3 × s	–
		FB800	**.75**	800	890	350 bis 400	–	–	12
	HV210		**.56**	–	–	210 bis 250	4 × s	6 × s	–
		FB890	**.76**	890	980	360 bis 420	–	–	12
CuBe2			**2.1247**						
	HV140		**.54**	–	–	140 bis 195	1 × s	1,5 × s	–
		FB820	**.74**	820	910	360 bis 410	–	–	13
	HV180		**.55**	–	–	180 bis 225	2,5 × s	3,5 × s	–
		FB880	**.75**	880	980	370 bis 430	–	–	12
	HV215		**.56**	–	–	215 bis 260	4 × s	6 × s	–
		FB920	**.76**	920	1020	380 bis 450	–	–	12
	FB530 [3]		**.69**	530	580	260 bis 310	2 × s	3 × s	11
	FB760 [3]		**.79**	760	840	350 bis 400	4 × s	6 × s	11
CuCo2Be **CuNi2Be**			**2.1285** **2.0850**						
	HV145		**.56**	–		145 bis 185	2 × s	3 × s	–
		FB500	**.76**	500		220 bis 270	4 × s	5 × s	25
	HV160		**.59**	–		160 bis 200	3 × s	4 × s	–
		FB590	**.79**	590		240 bis 290	5 × s	6 × s	25

[1]) Dieser Werkstoffzustand mit den Eigenschaften entsprechend Abschnitt 3.2.1 ist der Lieferzustand der Federbänder vor dem Formen der Feder.

[2]) Dieser Werkstoffzustand mit den Eigenschaften entsprechend Abschnitt 3.2.2 wird durch eine Aushärtung nach Angaben des Herstellers erreicht, die der Verarbeiter nach dem Formen der Feder durchführt. (Endzustand der geformten Feder).

[3]) Dieser Werkstoffzustand ist sowohl Lieferzustand für Federbänder als auch Endzustand der geformten Feder; die Aushärtung wurde bereits vom Hersteller durchgeführt.

Tabelle 4. **Physikalische Eigenschaften (Richtwerte für den kaltverfestigten bzw. ausgehärteten Zustand)**

Werkstoff	E-Modul [1]) kN/mm²	Elektrische Leitfähigkeit m/(Ωmm²)
CuZn30	110	17
CuZn37	110	15
CuSn4	110	11
CuSn6	115	9
CuSn8	115	7
CuNi12Zn24	125	4
CuNi18Zn20	135	3
CuNi18Zn27	135	3
CuNi9Sn2	140	6
CuBe2	135	siehe Tabelle 3
CuBe1,7	130 bis 135	
CuCo2Be	138	
CuNi2Be	138	

[1]) Die Streuung der Werte beträgt ≈ ± 5%.

4 Maß- und Formtoleranzen

4.1 Dicke

Die zulässigen Abweichungen (Grenzabmaße) für die Dicke sind in Tabelle 5 angegeben:

Feinabweichungen erfordern einen erhöhten Fertigungsaufwand und werden nur dann eingehalten, wenn der Kennbuchstabe „F" hinter der Dicke angegeben ist (siehe Beispiel e) im Abschnitt 2.2.2).

Tabelle 5. **Dickentoleranzen**

Dicke	Zulässige Abweichungen (Grenzabmaße) der Dicke	
	Regelabweichungen für alle Legierungen bis 300 mm Breite	Feinabweichungen für kaltverfestigende Legierungen bis 300 mm Breite für aushärtbare Legierungen bis 200 mm Breite
von **0,1** bis **0,2**	± 0,010	± 0,007
über **0,2** bis **0,3**	± 0,015	± 0,010
über **0,3** bis **0,5**	± 0,020	± 0,015
über **0,5** bis **0,8**	± 0,025	± 0,018
über **0,8** bis **1,0**	± 0,030	± 0,022

4.2 Breite

Die zulässigen Abweichungen (Grenzabmaße) für die Breite sind in Tabelle 6 angegeben.

Tabelle 6. **Breitentoleranzen**

Dicke	Zulässige Abweichungen (Grenzabmaße) der Breite*)		
	von 3 bis 50	über 50 bis 100	über 100 bis 300
bis **1**	+ 0,2 0	+ 0,3 0	+ 0,4 0

*) Für die Breite können andere Lagen des Toleranzfeldes in der gleichen Größe vereinbart werden.

4.3 Geradheitstoleranz der Längskante (Säbelförmigkeit)

Für die Geradheit der Längskante von Bändern bezogen auf 1 m Meßlänge gelten die in Tabelle 7 festgelegten Toleranzen h (siehe Bild 1).

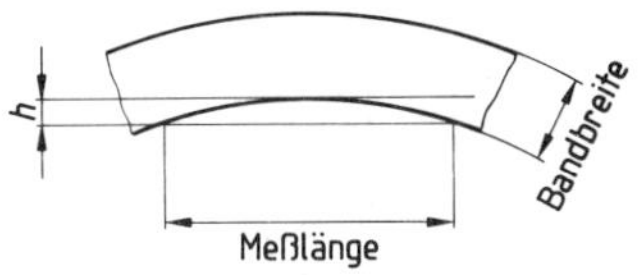

Bild 1. Geradheit

Tabelle 7. **Geradheitstoleranz**

Breite	Geradheitstoleranz h
von **3** bis **8**	10
über **8** bis **15**	6
über **15** bis **50**	3
über **50** bis **300**	2

Darüber hinausgehende Ansprüche erfordern einen erhöhten Aufwand und sind zu vereinbaren.

4.4 Ebenheitstoleranz (Planheit)

4.4.1 Allgemeine Anforderungen: ungerichtet: Kennbuchstabe A

Ungerichtete Bänder haben eine ihrem Herstellungsverfahren entsprechende Ebenheit, wobei durch das Aufhaspeln eine Vorspannung bzw. Rollkrümmung nicht vermieden werden kann.

4.4.2 Besondere Anforderungen: gerichtet: Kennbuchstabe B

4.4.2.1 Ausbiegung *a*

Bei gerichteten Bändern ≧ 10 mm Bandbreite und den in der Tabelle 8 angegebenen Dickenbereichen und Rolleninnendurchmessern darf ein 300 mm langer Bandabschnitt bei der Hängeprobe die in Tabelle 8 angegebene Ausbiegung gegenüber der Senkrechten nicht überschreiten (siehe Bild 2).

Tabelle 8. **Ausbiegung**

Dicke	Rolleninnen-durchmesser min.	Ausbiegung *a*	
		Kaltverfestigende Legierungen max.	Aushärtbare Legierungen max.
von **0,1** bis **0,2**	300	10	20
über **0,2** bis **0,5**	400	15	20
über **0,5** bis **0,7**	500	15	20
über **0,7** bis **1**	600	25	25

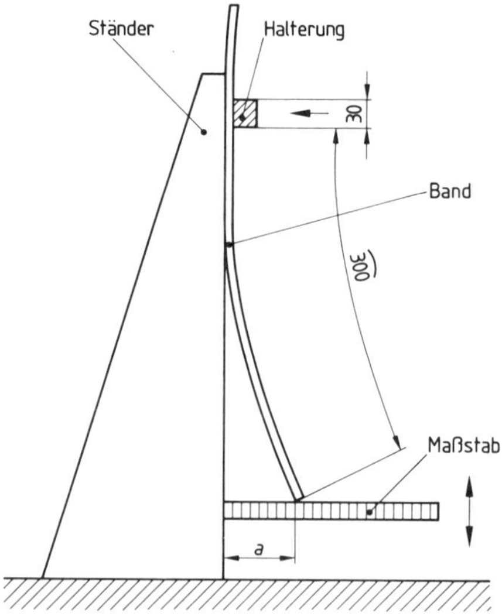

Bild 2. Ausbiegung

4.4.2.2 Welligkeit

Die Welligkeit ist das prozentuale Verhältnis von Wellenhöhe w zu Wellenlänge l (siehe Bild 3).

Für Bänder bis 300 mm Breite darf die Welligkeit folgende Werte nicht überschreiten:

über 0,2 mm Dicke: 0,7 %

bis 0,2 mm Dicke: 1 %

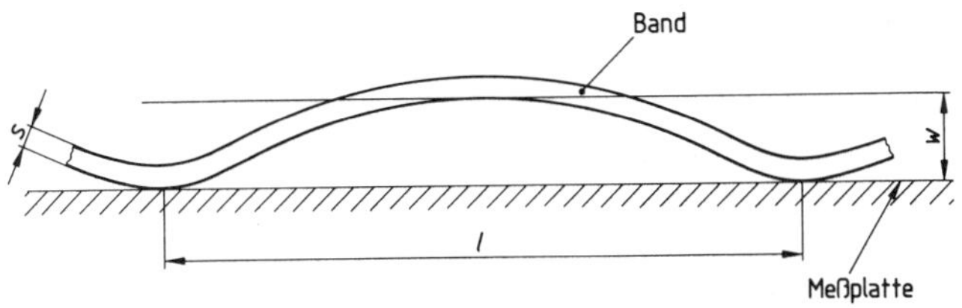

Bild 3. Welligkeit

5 Ausführung

Federbänder haben eine ihrem Herstellverfahren entsprechende glatte, saubere und fehlerfreie Oberfläche. Gelegentliche geringfügige Ungleichmäßigkeiten, wie leichte Kratzer und Streifigkeit in Walzrichtung, sind zulässig.

6 Prüfung

6.1 Prüfung der Eigenschaften

6.1.1 Federbiegegrenze

Die Federbiegegrenze wird für Federbänder mit Dicken von 0,05 bis 1 mm nach DIN 50 151 (z. Z. Entwurf) bestimmt.

6.1.2 Härteprüfung

Die Härteprüfung nach Vickers wird nach DIN 50 133 durchgeführt.

6.1.3 Abkantversuch

Zum Nachweis der Biegbarkeit werden Probestreifen von etwa 10 mm Breite parallel bzw. rechtwinklig zur Walzrichtung entnommen. Die sauber entgrateten Proben werden mit einer Biegevorrichtung mit Biegestempel und Matrize nach DIN 50 111 um 90° mit den in Tabelle 1 bis 3 als Vielfache der Banddicke s angegebenen Biegeradien gebogen; dabei sind die Biegeradien die Radien des Biegestempels. Bei Betrachtung der Zugseite mit 10facher Vergrößerung dürfen die Proben keine Risse zeigen.

6.2 Prüfung der Oberflächenbeschaffenheit

Die Sichtprüfung wird ohne optische Hilfsmittel durchgeführt.

7 Gewichte und zulässige Gewichtsabweichungen

7.1 Das Gewicht wird aus dem Nennmaß der jeweiligen Dicke sowie der Dichte des Werkstoffes errechnet.

7.2 Die zulässige Gewichtsabweichung ergibt sich aus den zulässigen Maßabweichungen und den zulässigen Abweichungen in der Zusammensetzung.

8 Lieferart

8.1 Federbänder nach dieser Norm werden in Herstellängen als Rolle mit Innendurchmessern von 300, 400, 500 und 600 mm geliefert. Der Innendurchmesser der Rolle ist bei Bestellung anzugeben.

8.2 Für die Lieferung von Streifen nach dieser Norm sind bei Bestellung zu vereinbaren:

- die Länge und deren Toleranz,
- die Anforderungen an die Ebenheit und
- falls erforderlich, die Mindestwerte der Federbiegegrenze.

Zitierte Normen

DIN 1353 Teil 2	Abkürzungen von Benennungen für Halbzeug
DIN 17 660	Kupfer-Knetlegierungen; Kupfer-Zink-Legierungen (Messing, Sondermessing), Zusammensetzung
DIN 17 662	Kupfer-Knetlegierungen; Kupfer-Zinn-Legierungen (Zinnbronze), Zusammensetzung
DIN 17 663	Kupfer-Knetlegierungen; Kupfer-Nickel-Zink-Legierungen (Neusilber), Zusammensetzung
DIN 17 664	Kupfer-Knetlegierungen; Kupfer-Nickel-Legierungen, Zusammensetzung
DIN 17 666	Niedriglegierte Kupfer-Knetlegierungen, Zusammensetzung
DIN 50 111	Prüfung metallischer Werkstoffe; Technologischer Biegeversuch (Faltversuch)
DIN 50 133	Prüfung metallischer Werkstoffe; Härteprüfung nach Vickers, Bereich HV0,2 bis HV100
DIN 50 151	(z. Z. Entwurf) Prüfung metallischer Werkstoffe; Federblech-Biegeversuch mit Feinmessung; Bleche, Bänder und Streifen mit einer Dicke von 0,05 bis 1,0 mm
ISO 1634/3	Federbänder aus Kupfer-Knetlegierungen

Weitere Normen

DIN 17 670 Teil 1	Bänder und Bleche aus Kupfer und Kupfer-Knetlegierungen, Eigenschaften
DIN 17 670 Teil 2	Bleche und Bänder aus Kupfer und Kupfer-Knetlegierungen, Technische Lieferbedingungen

Frühere Ausgaben

DIN 1777 Teil 2: 06.43, 03.57;
DIN 1778: 12.29, 01.35;
DIN 1779: 12.29, 01.35;
DIN 1781: 12.29, 01.39, 07.56x;
DIN 1780: 12.29, 04.39, 07.56, 12.67, 06.74;
DIN 1777: 12.29, 06.34, 12.49, 07.74.

Änderungen

Gegenüber DIN 1777/07.74 und DIN 1780/06.74 wurden folgende Änderungen vorgenommen:

a) Der Inhalt von DIN 1780 wurde in DIN 1777 übernommen.

b) In Übereinstimmung mit ISO/DIS 1634/3 – 1985 wurden Titel und Anwendungsbereich von „Blattfedern" auf „Federbänder" umgestellt.

c) Es wurden Feinabweichungen für die Dicke aufgenommen.

d) In Tabelle 1 wurden die Legierungen CuZn30, CuSn4, CuNi12Zn24, CuNi18Zn27 und CuNi9Sn2 wegen ihrer Anwendung für Steckverbinder aufgenommen. Die Legierung CuSn6Zn wurde gestrichen.

e) In Tabelle 2 wurde die Legierung CuZn37 gestrichen, die Legierung CuNi9Sn2 aufgenommen.

f) In Tabelle 3 wurde die Legierung CuNi2Be aufgenommen.

g) Die Werte der Federbiegegrenze wurden entsprechend dem neuen Berechnungsverfahren berichtigt, siehe Erläuterungen.

h) Richtwerte für E-Modul und Elektrische Leitfähigkeit wurden in Tabelle 4 zusammengefaßt.

i) Als Berechnungskennwerte für Steckverbinder wurden Werte der 0,2%-Dehngrenze in Tabelle 1 aufgenommen.

j) Der Text wurde redaktionell überarbeitet. Der Abschnitt „Beanstandungen" wurde ersatzlos gestrichen.

Erläuterungen

Die Ausgabe Juni 1974 der DIN 1777 wurde in Anlehnung an den Internationalen Entwurf ISO/DIS 1634/3 – 1985

E: Wrought copper and copper alloy plate, sheet and strip – Technical conditions of delivery of wrought copper alloy strip for springs

F: Plaques, tôles et bandes en cuivre et en alliages de cuivre corroyés – Conditions techniques de livraison des bandes pour ressorts en alliages de cuivre corroyés

D: Bleche und Bänder aus Kupfer und Kupfer-Knetlegierungen – Technische Lieferbedingungen für Federbänder aus Kupfer-Knetlegierungen

1 Titel und Anwendungsbereich

Da die Normen DIN 1777 und DIN 1780 als Einheit betrachtet werden, siehe auch den Internationalen Entwurf ISO/DIS 1634/3 – 1985, wurde beschlossen, die beiden Normen unter DIN 1777 zusammenzulegen.

Es entsprach dem Stand der Technik, in den beiden Normen DIN 1780 (Technische Lieferbedingungen) und DIN 1777 (Maße) auch das Vormaterial von Steckverbindern zu erfassen, weil für dieses weitgehend dieselben hohen Anforderungen wie an Blattfedern gestellt wurden.

Deshalb wurden Titel und Anwendungsbereich auf „Federbänder" umgestellt.

2 Werkstoffe

Die Überarbeitung der Zusammensetzungsnormen DIN 17 660 und Folgenormen erforderte eine Überprüfung der Werkstoffauswahl für DIN 1777; Einzelheiten siehe Änderungen d, e und f.

Der Einsatz von Federbändern für Steckverbinder hat in den letzten Jahren erheblich an Bedeutung gewonnen. Diese Entwicklung wurde nicht nur durch Änderung des Titels und Erweiterung des Anwendungsbereiches, sondern auch bei der Auswahl der Werkstoffe und der Festlegung der Anforderungen berücksichtigt.

3 Federbiegegrenze

Bei der Überarbeitung von DIN 50 151 Teil 1 (Entwurf September 1981) wurde ein neues, verbessertes Verfahren zur Berechnung der Federbiegegrenze beim Federblechbiegeversuch eingeführt, das – im Gegensatz zum früheren Berechnungsverfahren – auch bei großen Durchbiegungen, wie sie vor allem bei dünnen Bändern vorkommen, anwendbar ist (siehe Erläuterungen zu DIN 50 151, Entwurf März 1984). Da dünne Bänder zunehmend an Bedeutung gewinnen, war es erforderlich, das neue Berechnungsverfahren auch den Werten in DIN 1777 zugrunde zu legen. Um die nach dem neuen Verfahren berechneten Werte eindeutig von den früheren σ_{bE}-Werten unterscheiden zu können, wurde für die neuen Werte das Symbol „σ_{FB}" eingeführt.

Zur Umrechnung der nach der bisher üblichen Auswertmethode erhaltenen σ_{bE}-Werte in die neuen σ_{FB}-Werte siehe DIN 50 151 (Entwurf März 1984).

Die Anwendung des neuen Berechnungsverfahrens führt zu niedrigeren Werten für die Federbiegegrenze. Die Differenz zu den früheren Werten wächst mit zunehmendem E-Modul, abnehmender Banddicke und steigendem Wert für die Federbiegegrenze. Bei den aushärtbaren Legierungen mußten deshalb für den ausgehärteten Endzustand unterschiedliche Mindestwerte der Federbiegegrenze für zwei Dickenbereiche eingeführt werden.

Nachstehende Tabelle zeigt eine Gegenüberstellung der alten und neuen FB-Zustände.

Vergleich der alten und neuen FB-Zahlen

Werkstoff-Kurzzeichen	FB-Zahlen neu	FB-Zahlen alt
CuSn6	FB350 FB370	FB370 FB390
CuSn8	FB410	FB440
CuNi18Zn20	FB370 FB460	FB390 FB510
CuNi9Sn2	FB370 FB460	– –
CuBe1,7	FB740 FB800 FB890	FB820 FB890 FB1000
CuBe2	FB820 FB880 FB920 FB530 FB760	FB900 FB980 FB1050 FB640 FB930
CuCo2Be	FB500 FB590	FB530 FB650

4 Biegeradius

Die Werte für den kleinstmöglichen Biegeradius bei 90°-Abkantungen mußten nach den bisherigen Erfahrungen bei einigen Werkstoffen bzw. bestimmten Festigkeitszuständen, insbesondere bei Lage der Biegekante parallel zur Walzrichtung, geändert werden. Zu beachten ist, daß die Werte dickenabhängig sind, was besonders bei dünneren Bändern zu kleineren Mindestbiegeradien führt. Deshalb wurde in den Tabellen 2 und 3 eine Aufteilung in zwei Dickenbereiche mit der Grenze bei 0,25 mm vorgenommen.

5 Maß- und Formtoleranzen

Die Dickentoleranzen in Tabelle 5 stimmen mit denen der ISO-DIS 1634/3 überein, auch die Feintoleranzen, die in DIN 1777 aufgenommen wurden. Auch die Breitentoleranzen in Tabelle 6 stimmen mit ISO-DIS 1634/3 überein.

Während die Geradheitstoleranz der Längskante in Tabelle 7 mit den Anforderungen des ISO/DIS 1634/3 – 1985 übereinstimmt, sind die Ebenheitstoleranzen gerichteter Bänder für die Ausbiegung der Hängeprobe und die Welligkeit in DIN 1777 etwas enger als nach ISO/DIS 1634/3 – 1985.

Internationale Patentklassifikation

F 16 B 17/00
H 01 B 1/02
H 01 H 1/26
H 01 R 13/03

DK 669.3-422.11-135 Juli 1969

Rundstangen aus Kupfer und Kupfer-Knetlegierungen gepreßt Maße

DIN 1782

Round rod of wrought copper and copper alloys; extruded, dimensions

Barres rondes de cuivre et des alliages de cuivre corroyés; filées à chaud, dimensions

Maße in mm

1. Geltungsbereich

Diese Norm gilt für gepreßte Rundstangen von 10 bis 160 mm Durchmesser aus den in Abschnitt 4 aufgeführten Werkstoffen der Werkstoffgruppen I, II und III.

2. Bezeichnung

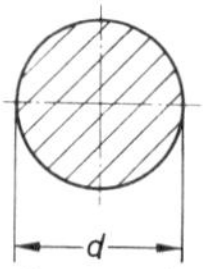

Bezeichnung einer gepreßten Rundstange von Durchmesser $d = 22$ mm aus dem Werkstoff mit dem Kurzzeichen CuZn38Pb1 p (bisher Ms60Pb p) oder der Werkstoffnummer 2.0370.08:

Rund 22 DIN 1782–CuZn38Pb1 p

oder Rund 22 DIN 1782–2.0370.08

bisher Rund 22 DIN 1782—Ms60Pb p

Anstelle der ausgeschriebenen Benennung „Rund" darf auch die abgekürzte Schreibweise „Rd" nach DIN 1353 gewählt werden.

3. Maße und zulässige Abweichungen

3.1. Durchmesser (siehe Tabelle 1 auf Seite 2)

3.2. Zulässige Unrundheit

Die Unrundheit darf die Hälfte der angegebenen zulässigen Abweichung des Durchmessers nicht überschreiten.

3.3. Zulässige Abweichung von der Geraden

Für Stangen mit Durchmesser über 80 mm sind die zulässigen Abweichungen von der Geraden zu vereinbaren.

Für Stangen bis 80 mm Durchmesser unterscheidet man zwischen normalgerichteten und grobgerichteten Stangen, für die folgende zulässige Abweichungen von der Geraden gelten (siehe Bild):

3.3.1. Normalgerichtete Stangen

für die Werkstoffgruppe I:

Zulässige Abweichung $h_1 = 3$ mm je m, linear zunehmend bei Meßlängen l_1 über 400 mm, z. B. $h_1 = 9$ mm bei $l_1 = 3$ m. Auf jeden Längenabschnitt $l_1 = 400$ mm darf die Abweichung h_2 höchstens 1,5 mm betragen.

für die Werkstoffgruppe II:

das 1,5fache der für Gruppe I angegebenen Werte.

für die Werkstoffgruppe III:

das 2fache der für Gruppe I angegebenen Werte.

3.3.2. Grobgerichtete Stangen

Das 2fache der für normalgerichtete Stangen angegebenen Werte.

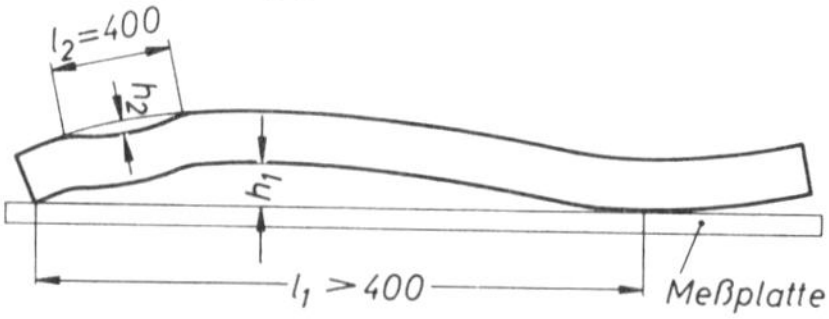

Fortsetzung Seite 2 bis 4

Fachnormenausschuß Nichteisenmetalle im Deutschen Normenausschuß (DNA)

Tabelle 1. **Durchmesser**

Vorzugs-maße	Maß-bereiche [1])	Durchmesser *d* Zulässige Abweichungen bei Werkstoffgruppe I	II	III	Querschnitt mm²	Gewicht [2]) kg/m
10	von 10 bis 12	±0,3	±0,5	Stangen nicht handels-üblich	78,54	0,699
11					95,03	0,846
12					113,1	1,01
14	über 12 bis 18	±0,4	±0,6		153,9	1,37
16					201,1	1,79
18					254,5	2,26
20	über 18 bis 30	±0,5	±0,7		314,2	2,79
22					380,1	3,38
25					490,9	4,37
28					615,8	5,48
30					706,9	6,29
35	über 30 bis 50	±0,6	±0,8	±1,2	962,1	8,56
40					1 257	11,2
45					1 590	14,1
50					1 964	17,5
55	über 50 bis 60	±0,7	±1	±1,4	2 376	21,1
60					2 827	25,2
65	über 60 bis 80	±0,8	±1,2	±1,6	3 318	29,1
70					3 848	34,2
75					4 418	39,3
80					5 027	44,7
85	über 80 bis 120	±1,2	±1,6	±2	5 675	50,5
90					6 362	56,6
95					7 088	63,1
100					7 854	69,9
110					9 503	84,6
120					11 310	101
130	über 120 bis 160	±1,5	±2	±2,5	13 273	118
140					15 394	137
150					17 671	157
160					20 106	179

[1]) Innerhalb der Maßbereiche sollen Zwischenmaße nach Reihe R_a 20 DIN 323 bevorzugt werden.

[2]) Errechnet mit einer Dichte von 8,9 kg/dm³. Für Werkstoffe mit einer anderen Dichte sind die Gewichte entsprechend den Umrechnungsfaktoren der Tabellen 2 bis 4 zu errechnen (siehe auch Abschnitt 6).

Tabelle 2. **Werkstoffgruppe I**

Benennung	Kurzzeichen neu	Kurzzeichen bisher	Werkstoff-nummer	Dichte kg/dm³	Umrechnungs-faktor
Kupfer-Zink-Legierungen (Messing und Sondermessing)	CuZn40	Ms60	2.0360	8,4	0,944
	CuZn38Pb1	Ms60Pb	2.0370	8,4	0,944
	CuZn39Pb2	Ms58	2.0380	8,4	0,944
	CuZn39Pb3		2.0401	8,5	0,955
	CuZn40Pb2		2.0402	8,4	0,944
	CuZn40Pb3		2.0405	8,5	0,955
	CuZn41Pb2		2.0406	8,4	0,944
	CuZn44Pb2	Ms56	2.0410	8,4	0,944
	CuZn20Al	SoMs76	2.0460	8,3	0,932
	CuZn30Al	—	2.0515	7,5	0,843
	CuZn31Si	SoMs68	2.0490	8,4	0,944
	CuZn35Ni	SoMs59	2.0540	8,3	0,932
	CuZn40Al1	SoMs58Al1	2.0561	8,2	0,921
	CuZn40Al2	SoMs58Al2	2.0550	8,1	0,910
	CuZn40Ni	SoMs58	2.0571	8,3	0,932
	CuZn40Mn		2.0572	8,3	0,932
	CuZn40MnPb	SoMs58Pb	2.0580	8,2	0,921

Tabelle 3. **Werkstoffgruppe II**

Benennung	Kurzzeichen neu	Kurzzeichen bisher	Werkstoff-nummer	Dichte kg/dm³	Umrechnungs-faktor
Kupfer	E-Cu		2.0060	8,9	1
	SF-Cu		2.0090	8,9	1
Kupfer-Zink-Legierungen (Messing und Sondermessing)	CuZn37	Ms63	2.0321	8,4	0,944
	CuZn36Pb1	Ms63Pb	2.0330	8,5	0,955
	CuZn36Pb3	—	2.0375	8,5	0,955

Tabelle 4. **Werkstoffgruppe III**

Benennung	Kurzzeichen neu	Kurzzeichen bisher	Werkstoff-nummer	Dichte kg/dm³	Umrechnungs-faktor
Kupfer-Nickel-Legierungen	CuNi10Fe		2.0872	8,9	1
Kupfer-Aluminium-Legierungen (Aluminium-bronze)	CuAl8	AlBz8	2.0920	7,7	0,865
	CuAl8Fe	AlBz8Fe	2.0932	7,7	0,865
	CuAl10Fe	AlBz10Fe	2.0936	7,5	0,843
	CuAl9Mn	AlBz9Mn	2.0960	7,5	0,843
	CuAl10Ni	AlBz10Ni	2.0966	7,5	0,843
	CuAl11Ni	AlBz11Ni	2.0978	7,4	0,831
Kupfer-Knet-Legierungen, niedriglegiert	CuCd1		2.1266	8,9	1
	CuCr		2.1291	8,9	1
	CuNi2Si		2.0855	8,8	0,989
	CuNi3Si		2.0857	8,8	0,989

4. Werkstoffe und Festigkeitseigenschaften

(bei Bestellung angeben)

Kupfer und Kupfer-Knetlegierungen nach DIN 17 672 Blatt 1 und DIN 40 500 Blatt 3 (Kupfer für die Elektrotechnik) unter Berücksichtigung der dort angegebenen Abmessungsbereiche.

Die Werkstoffgruppen I, II und III berücksichtigen das unterschiedliche Umformverhalten der Legierungen entsprechend ihrer Zusammensetzung (vgl. Kurzzeichen in den Tabellen 2 bis 4).

5. Ausführung

Nach den Technischen Lieferbedingungen DIN 17 672 Blatt 2, für Kupfer für die Elektrotechnik nach DIN 40 500 Blatt 3.

Eindrücke, die durch den Richtvorgang bedingt sind, dürfen 3 % des Durchmessers betragen.

6. Gewichte und zulässige Gewichtsabweichungen

Das Gewicht in kg/m errechnet sich aus dem Nennmaß des jeweiligen Durchmessers sowie der Dichte des Werkstoffes. Umrechnungsfaktoren siehe Tabellen 2 bis 4.

Die zulässige Gewichtsabweichung ergibt sich aus den zulässigen Abweichungen der Nennmaße und den zulässigen Abweichungen in der Zusammensetzung.

7. Lieferart

7.1. Stangen in Herstellängen

Tabelle 6. **Herstellängen**

Durchmesser *d* Maßbereiche	Herstellängen
von 10 bis 80	mindestens 1000
über 80 bis 160	mindestens 500

7.2. Bestellbeispiel

2 t gepreßte Rundstangen von Durchmesser $d = 22$ mm aus dem Werkstoff mit dem Kurzzeichen CuZn38Pb1 p (bisher Ms60Pb p) oder der Werkstoffnummer 2.0370.08 in Herstelllängen:

2 t Rund 22 DIN 1782—CuZn38Pb1 p
oder **2 t Rund 22 DIN 1782—2.0370.08**
bisher 2 t Rund 22 DIN 1782—Ms60Pb p

DK 621.643.2-462.3-034.3:621.643.2-462.3-034.35.018.26
:621.175:66.045:620.1

Oktober 1983

Rohre aus Kupfer und Kupfer-Knetlegierungen für Kondensatoren und Wärmeaustauscher

DIN 1785

Copper and copper alloys tubes for condensers and heat exchangers

Tubes de condenseurs et d'echangeurs thermiques du cuivre et en alliages de cuivre corroyés

Ersatz für Ausgabe 06.74

Zusammenhang mit der von der International Organization for Standardization (ISO) herausgegebenen Internationalen Norm ISO 1636, siehe Erläuterungen.

Maße in mm

1 Anwendungsbereich

1.1 Diese Norm gilt für nahtlose Rohre, die für Oberflächenkondensatoren und Wärmeaustauscher, z. B. Dampfkondensatoren, Ölkühler, Luftkühler und ähnliche Apparate bestimmt sind, aus den in Tabelle 1 aufgeführten Werkstoffen.

1.2 Für den Einsatz der Rohre in Druckbehältern im Sinne der Druckbehälter-Verordnung gelten die Festlegungen des VdTÜV-Werkstoffblattes 410.

2 Bestellangaben

2.1 Die Auswahl des Werkstoffes und des Lieferzustandes der Rohre ist Sache des Bestellers. Das Fertigungsverfahren der Rohre bleibt jedoch dem Hersteller überlassen.

2.2 Bei der Bestellung von Rohren nach dieser Norm müssen folgende Angaben gemacht werden:

1. Werkstoff-Kurzzeichen oder Werkstoff-Nummer (siehe Tabelle 1)
2. Maße (Außendurchmesser, Wanddicke, Rohrlänge)
3. Menge (Stückzahl oder Gewicht)
4. Besondere Vereinbarungen:
   a) Verfahren für die Prüfung der Eigenspannungen von Rohren aus Kupfer-Zink-Legierungen und CuAl5As, siehe Abschnitt 4.4.6.
   b) Dichtheitsprüfung durch den Innendruckversuch; die Höhe des Prüfdruckes ist anzugeben, siehe Abschnitt 4.4.4.
   c) Beizen oder Strahlen der Rohre aus Kupfer-Zink-Legierungen und CuAl5As, siehe Abschnitt 3.7.
   d) Stückanalyse am fertigen Rohr, siehe Abschnitt 4.4.1.
   e) Sondervorschrift für die Zusammensetzung der Kupfer-Nickel-Legierungen, siehe Fußnote 2 zu Tabelle 1.
   f) Abnahmeprüfung durch einen Beauftragten des Bestellers, siehe Abschnitt 4.2.
   g) Abnahmeprüfzeugnis, siehe Abschnitt 5.

2.3 Bezeichnungen

Bei der Bezeichnung oder Bestellung von Rohren nach dieser Norm sind die Werkstoff-Kurzzeichen oder Werkstoff-Nummern der Tabelle 1 zu verwenden, wie in den folgenden Beispielen angegeben.

2.3.1 Normbezeichnung

Die Normbezeichnung ist in folgender Reihenfolge anzugeben:

- Benennung: Rohr
- DIN-Nummer
- Werkstoff-Kurzzeichen oder Werkstoff-Nummer
- Außendurchmesser d_1
- Wanddicke

Bezeichnungsbeispiel

Bezeichnung eines Rohres aus dem Werkstoff mit dem Werkstoff-Kurzzeichen CuZn20Al2 F39 oder der Werkstoff-Nummer 2.0460.29 mit dem Außendurchmesser d_1 = 18 mm und der Wanddicke s = 1 mm:

Rohr DIN 1785 – CuZn20Al2 F39 – 18 × 1

oder Rohr DIN 1785 – 2.0460.29 – 18 × 1

2.3.2 Bestellbezeichnung

Für die Abwicklung einer Bestellung ist die Normbezeichnung um folgende Angaben zu ergänzen:

- Bestellte Menge (Angabe vor der Normbezeichnung)
- Festlänge in mm

Bestellbeispiel

1000 Stück Rohre aus dem Werkstoff mit dem Werkstoff-Kurzzeichen CuNi30Mn1Fe F37 oder der Werkstoff-Nummer 2.0882.19 mit dem Außendurchmesser d_1 = 19 mm und der Wanddicke s = 1,5 mm und einer Festlänge von 6000 mm:

1000 Stück Rohr DIN 17 85 – CuNi30Mn1Fe F37 – 19 × 1,5 × 6000

oder **1000 Stück Rohr DIN 1785 – 2.0882.19 – 19 × 1,5 × 6000**

Fortsetzung Seite 2 bis 7

Normenausschuß Nichteisenmetalle (FNNE) im DIN Deutsches Institut für Normung e. V.
Normenausschuß Rohre, Rohrverbindungen und Rohrleitungen (FR) im DIN

3 Anforderungen

3.1 Zusammensetzung

Die Zusammensetzung des Werkstoffes der Rohre muß den in Tabelle 1 angegebenen Normen entsprechen.

3.2 Eigenschaften

Es gelten die in Tabelle 1 angegebenen Werte. Die Werte für die 0,2%-Dehngrenze, die Zugfestigkeit und Bruchdehnung sind nachzuweisen. Die übrigen in dieser Tabelle enthaltenen Eigenschaftswerte sind Durchschnittswerte, die nicht geprüft werden.

3.3 Gefüge

Das Gefüge der Rohre muß rekristallisiert und soweit technisch möglich frei von nichtmetallischen Einschlüssen und über Länge und Querschnitt gleichmäßig sein.

Der mittlere Korndurchmesser soll 0,01 mm nicht unterschreiten und 0,05 mm nicht überschreiten.

3.4 Eigenspannungen

Die Rohre aus CuZn28Sn1, CuZn20Al2 und CuAl5As dürfen keine Eigenspannungen enthalten, die den Verwendungszweck beeinträchtigen. Nachweis nach Abschnitt 4.4.6.

3.5 Maße, Gewichte und zulässige Abweichungen

3.5.1 Tabelle 2 enthält zu bevorzugende Maße, deren zulässige Abweichungen und längenbezogene Gewichte (andere Maße siehe auch DIN 1754 Teil 1, DIN 1755 Teil 1, und DIN 28 180).

3.5.2 Die Konzentrizitätstoleranz (Ungleichwandigkeit, Exzentrizität) und die Rundheitstoleranz (Unrundheit) sind in den zulässigen Maßabweichungen enthalten.

3.5.3 Rohre nach dieser Norm werden vorwiegend in Festlängen geliefert. Es gelten die zulässigen Längenabweichungen nach Tabelle 3.

3.5.4 Die zulässige Gewichtsabweichung ergibt sich aus den zulässigen Maßabweichungen und den Abweichungen in der Zusammensetzung.

3.6 Geradheitstoleranz und Schnittkanten

3.6.1 Die Rohre müssen so gerade sein, daß sie sich ohne Schwierigkeiten in Böden und Zwischenböden einschieben lassen.

3.6.2 Die Rohrenden müssen rechtwinklig zur Rohrachse geschnitten und gratfrei sein.

3.7 Beschaffenheit der Oberfläche

Die während der Wärmebehandlung entstehenden Anlaufschichten müssen fest haften. Auf besondere Vereinbarung können die Rohre aus Kupfer-Zink-Legierungen und CuAl5As auch gebeizt oder innen gestrahlt geliefert werden. Gebeizte Rohre müssen frei von Kupferflecken und Beizrückständen sein.

Die innere und äußere Oberfläche der Rohre muß glatt und sauber sein und darf weder Herstellfehler, noch mechanische Beschädigungen aufweisen, die die Verwendung beeinträchtigen. Beulen, die bei der Wirbelstromprüfung nach Abschnitt 4.4.4.1 zur Anzeige kommen, sind nicht zulässig. Örtliche Anreicherungen von verbrannten Ziehmitteln oder anderen Reaktionsprodukten sind nicht zulässig.

3.8 Dichtheit

Die Rohre müssen dicht sein. Nachweis nach Abschnitt 4.4.4.

4 Prüfung

4.1 Prüfort

Die Rohre werden im Herstellerwerk geprüft.

4.2 Prüfverantwortlichkeit

4.2.1 Werkssachverständiger (Regelfall)

Die Prüfungen nach Abschnitt 4.4 sind unter der Verantwortlichkeit des Werkssachverständigen [1]) des Rohrherstellers durchzuführen. Falls es der Besteller in der Bestellung angibt, kann ein Beauftragter des Bestellers sich – gegebenenfalls durch Stichprobenprüfungen – von der Richtigkeit der vom Hersteller durchgeführten Prüfungen nach den Abschnitten 4.4.2 bis 4.4.8 überzeugen. Der Beauftragte des Bestellers ist rechtzeitig zu benachrichtigen.

4.2.2 Beauftragter Sachverständiger

Auf besondere Vereinbarung bei der Bestellung können die Prüfungen nach Abschnitt 4.4 auch unter der Verantwortlichkeit eines vom Besteller beauftragten Sachverständigen durchgeführt werden.

4.3 Prüfumfang

Die Zahl der Proben für die Prüfungen nach den Abschnitten 4.4.5 bis 4.4.8 und – falls erforderlich – nach Abschnitt 4.4.1 ist in der Tabelle 4 angegeben.

4.4 Art der Prüfungen

4.4.1 Prüfung der Zusammensetzung

Der Hersteller überprüft die Zusammensetzung einer jeden Schmelze [2]). Die Ergebnisse aller Schmelzanalysen müssen protokolliert werden. Falls es der Besteller in der Bestellung verlangt, kann am fertigen Rohr eine Stückanalyse durchgeführt werden, die dann in einem Abnahmeprüfzeugnis B nach DIN 50 049 bescheinigt wird. Der Prüfumfang wird in Tabelle 4 angegeben.

4.4.2 Maßprüfung

Es ist zu prüfen, ob die im Abschnitt 3.5 angegebenen zulässigen Abweichungen eingehalten wurden.

4.4.3 Prüfung der äußeren Beschaffenheit

Die im Abschnitt 3.6 und 3.7 angegebenen Anforderungen der Rohre sind zu prüfen. Die Prüfung der inneren Oberfläche soll in der Weise vorgenommen werden, daß der Prüfer durch das Rohr gegen eine am anderen Rohrende befindliche Lampe oder einen Leuchtschirm blickt.

Zur Beurteilung der Rohrinnenoberfläche können gegebenenfalls die nach den Prüfungen nach den Abschnitten 4.4.1 und 4.4.5 bis 4.4.8 verbleibenden Rohrabschnitte in Längsrichtung geteilt werden.

4.4.4 Dichtheitsprüfung

Jedes Rohr muß mit einem Wirbelstromprüfverfahren entsprechend Abschnitt 4.4.4.1 geprüft werden. Die Prüfung kann im harten oder im weichen Zustand der Rohre vorgenommen werden. Falls der Besteller es verlangt, kann auch der Innendruckversuch nach Abschnitt 4.4.4.2 anstelle der Wirbelstromprüfung zur Dichtheitsprüfung benutzt werden.

---

1) Siehe DIN 50 049

2) Im Rahmen der modernen Gießverfahren (z. B. kontinuierliches Stranggußverfahren) ist eine unmittelbare Zuordnung der Rohre zu einer bestimmten Schmelze nicht immer möglich. In diesem Falle ist der Begriff „Schmelze" als Folge zeitlich unmittelbar nacheinander hergestellter Abgüsse aufzufassen.

4.4.4.1 Wirbelstromprüfung

Die Wirbelstromprüfung wird nach dem DKI-Werkstoffprüfblatt 781 durchgeführt.

4.4.4.2 Innendruckversuch

Der Innendruckversuch wird nach DIN 50 104 durchgeführt. Der Prüfdruck ist bei der Bestellung zu vereinbaren.

4.4.5 Prüfung der Gefügebeschaffenheit

Es wird die in Abschnitt 3.3 geforderte Beschaffenheit des Gefüges durch die Anfertigung einer Schliffprobe und durch mikroskopische Betrachtung der Probe geprüft. Der mittlere Korndurchmesser wird durch Auszählen oder durch Vergleichsbilder bestimmt.

4.4.6 Prüfung auf Eigenspannungen

Die Spannungsfreiheit der Rohre aus CuZn28Sn1, CuZn20Al2 und CuAl5As (siehe Abschnitt 3.4) wird entweder durch den Quecksilbernitratversuch nach DIN 50 911 oder durch den Ammoniakversuch nach DIN 50 916 Teil 1 nachgewiesen. Das anzuwendende Prüfverfahren ist bei der Bestellung anzugeben.

4.4.7 Zugversuch

Die Festigkeitseigenschaften nach Abschnitt 3.2 werden im Zugversuch nach DIN 50 140 und DIN 50 145 ermittelt.

4.4.8 Aufweitversuch

Beim Aufweitversuch nach DIN 50 135 ist die Länge des Rohrabschnittes, der entgratet ist, so zu wählen, daß sich der untere Teil der Probe, der nicht aufgeweitet wird, nicht staucht. Eine Aufweitung des Außendurchmessers um 30 % darf zu keinem mit dem Auge erkennbaren Anriß führen.

4.5 Wiederholungsprüfungen

4.5.1 Rohre, die nicht den Anforderungen der Abschnitte 4.4.2 bis 4.4.4 entsprechen, sind aus der Lieferung zu entfernen. Findet der Beauftragte des Bestellers bei seinen Prüfungen fehlerhafte Rohre, so kann er sämtliche Rohre auf die festgestellten Fehler prüfen oder eine nochmalige Vorlage der Rohre verlangen.

4.5.2 Werden bei den Prüfungen nach den Abschnitten 4.4.1 und 4.4.5 bis 4.4.8 Rohre festgestellt, die nicht den Anforderungen entsprechen, so sind Wiederholungsprüfungen mit der doppelten Anzahl an Proben durchzuführen. Bei schwerwiegenden Fehlern darf die Anzahl der neu zu entnehmenden Proben erhöht werden. Wenn eine Probe wiederum den Anforderungen nicht entspricht, genügen die Rohre nicht den Festlegungen dieser Norm.

5 Bescheinigungen über Werkstoffprüfungen

5.1 Über die Prüfungen nach Abschnitt 4.2.1 durch den Werkssachverständigen kann nach Vereinbarung ein Abnahmeprüfzeugnis B nach DIN 50 049 ausgestellt werden.

5.2 Über die Prüfungen nach Abschnitt 4.4.2 durch einen beauftragten Sachverständigen wird ein Abnahmeprüfzeugnis C nach DIN 50 049 ausgestellt.

5.3 Die Zusammensetzung wird nur dann bescheinigt, wenn es der Besteller ausdrücklich verlangt.

6 Kennzeichnung

Jede Lieferung, gebündelt oder verpackt, ist deutlich sichtbar am Rohr und/oder an der Verpackung mit folgenden Angaben zu kennzeichen:

a) Herstellerzeichen

b) DIN-Hauptnummer

c) Werkstoff-Kurzzeichen oder Werkstoff-Nummer

d) gegebenenfalls Kennzeichnung des Lieferzustandes.

Tabelle 1. **Werkstoffe und Eigenschaften**

Werkstoff- Kurzzeichen *)	Werkstoff- Nummer	0,2%-Dehngrenze 1) $R_{p\,0,2}$ N/mm²	Zugfestigkeit R_m N/mm² min.	Bruchdehnung A_5 % min.	E-Modul kN/mm² ≈	Elektrische Leitfähigkeit bei 20 °C $\frac{m}{\Omega \cdot mm^2}$ ≈	Wärme-Leitfähigkeit bei 20 °C $\frac{W}{m\,K}$ ≈	Mittlerer Längenausdehnungskoeffizient zwischen 20 und 300 °C 10^{-6}/K ≈	Zusammensetzung nach	Dichte Kg/dm³ ≈
SF-Cu F25	**2.0090.26**	150 bis 240	250	30	123	45	310	17,6	DIN 1787	8,9
CuZn28Sn1 F32	**2.0470.19**	100 bis 170	320	55	103	14	110	20,0	DIN 17 660	8,5
CuZn28Sn1 F36	**2.0470.29**	140 bis 220	360	45	103	14	110	20,0		
CuZn20Al2 F34	**2.0460.19**	120 bis 180	340	55	103	12,5	100	19,0		8,3
CuZn20Al2 F39	**2.0460.29**	150 bis 230	390	45	103	12,5	100	19,0		
CuNi10Fe1Mn F29 2)	**2.0872.19** 2)	90 bis 180	290	30	132	5,3	45	17,0	DIN 17 664 2)	8,9
CuNi30Mn1Fe F37 2)	**2.0882.19** 2)	120 bis 220	370	35	152	2,7	30	16,0		
CuNi30Fe2Mn2 F42 2)	**2.0883.19** 2)	150 bis 260	420	30	156	2,0	25	15,0		
CuAl5As F35	**2.0918.19**	110 bis 220	350	45	123	10,2	85	18,0	DIN 17 665	8,2

*) Folgende Kurzzeichen wurden geändert; die bisherigen Kurzzeichen sind zusätzlich zur Information angegeben:

- CuZn28Sn1 anstelle CuZn28Sn } siehe DIN 17 660
- CuZn20Al2 anstelle CuZn20Al } siehe DIN 17 660
- CuNi10Fe1Mn anstelle CuNi10Fe } siehe DIN 17 664
- CuNi30Mn1Fe anstelle CuNi30Fe } siehe DIN 17 664

1) Zulässige Berechnungskennwerte für überwachungsbedürftige Anlagen siehe VdTÜV-Werkstoffblatt 410 außer für CuNi30Fe2Mn2 und CuAl5As.

2) Wenn Rohre bei der Weiterverarbeitung geschweißt werden, so sind bei der Bestellung besondere Vereinbarungen mit dem Hersteller zu treffen.

Tabelle 2. **Maße in mm und längenbezogene Gewichte in kg/m für runde Rohre (siehe Abschnitt 3.5)**

Wanddicke *s* Zulässige Abweichung ± 10 %		0,75	1,0	1,25	1,5	2,0
Außendurchmesser d_1	zul. Abw.	längenbezogenes Gewicht [1])				
8	0 / – 0,20	0,152	0,196	0,236	–	–
10		0,194	0,252	0,306	–	–
11		0,215	0,280	0,341	–	–
12	0 / – 0,20	0,236	0,308	0,376	–	–
14		0,278	0,363	0,446	–	–
15		0,299	0,391	0,481	–	–
16	0 / – 0,20	0,320	0,419	0,516	0,608	–
18		–	0,475	0,585	0,692	–
19	0 / – 0,20	–	0,503	0,620	0,734	0,951
20		–	0,531	0,655	0,776	1,007
22		–	0,587	0,725	0,860	1,118
23	0 / – 0,20	–	0,615	0,760	0,902	1,174
24		–	0,643	0,795	0,944	1,230
25		–	0,671	0,830	0,986	1,286
28	0 / – 0,20	–	0,755	0,935	1,111	1,454
30		–	0,811	1,005	1,195	1,566
32		–	0,867	1,075	1,279	1,678
35		–	0,951	1,180	1,405	1,845

[1]) Errechnet mit einer Dichte von 8,9 kg/dm³

Für Werkstoffe mit einer anderen Dichte sind die Gewichte entsprechend den folgenden Umrechnungsfaktoren zu errechnen:

Dichte 8,5 kg/dm³: Umrechnungsfaktor 0,955

Dichte 8,3 kg/dm³: Umrechnungsfaktor 0,932

Dichte 8,2 kg/dm³: Umrechnungsfaktor 0,921

Tabelle 3. **Zulässige Längenabweichungen**

Festlänge über mm	Festlänge bis mm	Zulässige Abweichungen
	2000	$^{+2}_{0}$ mm
2000	8000	$^{+1}_{0}$ ‰, jedoch höchstens 5 mm
8000		$^{+0,7}_{0}$ ‰

Tabelle 4. **Prüfumfang**

Anzahl der Rohre einer Lieferung über	Anzahl der Rohre einer Lieferung bis	Anzahl der Rohre für Prüfungen nach Abschnitt 4.3
	2000	0,4 %, jedoch mindestens 2 Rohre
2000	4000	0,25 %, jedoch mindestens 8 Rohre
4000		0,2 %, jedoch mindestens 10 Rohre

Zitierte Normen und andere Unterlagen

DIN 1754 Teil 1	Rohre aus Kupfer, nahtlosgezogen; Maßbereiche und Toleranzzuordnungen
DIN 1755 Teil 1	Rohre aus Kupfer-Knetlegierungen, nahtlosgezogen; Maßbereiche und Toleranzzuordnungen
DIN 1787	Kupfer-Halbzeug
DIN 17 660	Kupfer-Knetlegierungen; Kupfer-Zink-Legierungen (Messing) (Sondermessing), Zusammensetzung
DIN 17 664	Kupfer-Knetlegierungen; Kupfer-Nickel-Legierungen, Zusammensetzung
DIN 17 665	Kupfer-Knetlegierungen; Kupfer-Aluminium-Legierungen (Aluminiumbronze), Zusammensetzung
DIN 28 180	Rohrbündel-Wärmeaustauscher; Maße für Innenrohre
DIN 50 049	Bescheinigungen über Materialprüfungen
DIN 50 104	Innendruckversuch an Hohlkörpern; Dichtheitsprüfung bis zu einem bestimmten Innendruck; Allgemeine Festlegungen
DIN 50 135	Prüfung metallischer Werkstoffe; Aufweitversuch an Rohren
DIN 50 140	Prüfung metallischer Werkstoffe; Zugversuch an Rohren und Rohrstreifen
DIN 50 145	Prüfung metallischer Werkstoffe; Zugversuch
DIN 50 911	Prüfung von Kupferlegierungen; Quecksilbernitratversuch
DIN 50 916 Teil 1	Prüfung von Kupferlegierungen; Spannungsrißkorrosionsversuch mit Ammoniak, Prüfung von Rohren, Stangen und Profilen

DKI-Werkstoff-Prüfblatt Nr 781
Wirbelstromprüfung von runden Kondensator- und Wärmeaustauscherrohren aus Kupfer und Kupfer-Knetlegierungen
(zu beziehen durch Deutsches Kupferinstitut, Knesebeckstraße 96, 1000 Berlin 12)

VdTÜV-Werkstoffblatt 410
Kupfer- und Kupferlegierungen, Knetwerkstoffe
(zu beziehen durch Maximilian-Verlang, Postfach 23 52, 4900 Herford)

Andere Unterlagen

VGB-Richtlinie Rohre für Kondensatoren und andere Wärmeaustauscher, Teil A, Kupferlegierungen
(zu beziehen durch VGB-Kraftwerkstechnik GmbH, Klinkestraße 27–31, 4300 Essen 1)

Frühere Ausgaben

DIN 1785: 07.32, 05.56, 12.67, 06.74

Änderungen

Gegenüber der Ausgabe Juni 1974 wurden folgende Änderungen vorgenommen:

a) Die Benennung „Wärmeaustauscher" wurde wieder eingeführt.
b) Der Werkstoff CuAsP wurde gestrichen, und die Legierung CuNi30Fe2Mn2 wurde neu aufgenommen.
c) Die Tabellen 1 und 2 wurden zusammengelegt, Beispiele für die Verwendung wurden gestrichen.
d) Die Werte der Bruchdehnung wurden von A_{10} in A_5 umgewandelt.
e) Der Hinweis auf abnahmeprüfpflichtige Rohre nach VdTÜV-Werkstoffblatt wurde im Anwendungsbereich aufgenommen.
f) Die Abschnitte 2, 3 und 4 wurden sachlich, die übrigen Texte redaktionell überarbeitet.
g) Der Abschnitt 7 „Beanstandungen" wurde gestrichen.

Erläuterungen

Die Norm DIN 1785 steht mit der von ISO/TC 26 „Kupfer" erarbeiteten internationalen Norm

ISO 1636 (z. Z. Entwurf)

E: Wrought copper and copper alloys — Seamless condenser and heat-exchanger tubes — Technical conditions of delivery

F: Cuivre et alliages de cuivre corroyés — Tubes de condenseurs et d'echangeurs thermiques sans soudure — Conditions technique de livraison

D: Nahtlose Rohre aus Kupfer und Kupfer-Knetlegierungen für Kondensatoren und Wärmeaustauscher — Technische Lieferbedingungen

in folgendem Zusammenhang:

DIN 1785 erfüllt in jedem Falle die Bedingungen der ISO 1636, da DIN in einigen Festlegungen umfassender ist als ISO, z. B. der Zugversuch ist nach ISO zu vereinbaren, nach DIN aber Festlegung. Außerdem mußten die Prüfbedingungen für abnahmepflichtige Rohre berücksichtigt werden.

DIN 1785, Ausgabe Juni 1974, wurde vollständig überarbeitet und in wesentlichen Punkten verändert.

Im Titel der Norm erscheint wieder die Benennung „Wärmeaustauscher", nachdem sie in der Ausgabe Juni 1974 nur als Untertitel neben Wärmeübertrager eingesetzt war.

Im Anwendungsbereich wird auf das VdTÜV-Werkstoffblatt 410 hingewiesen. Mit diesem Hinweis wird klar abgegrenzt, daß Rohre für Druckbehälter nach dem VdTÜV-Werkstoffblatt zu prüfen und zu bescheinigen sind. Wärmeaustauscher, bei denen keine Abnahmeprüfpflicht durch den TÜV besteht, werden wie bisher nach DIN 1785 geprüft.

Im Abschnitt 4 „Prüfung" wird festgelegt, daß der Werkssachverständige des Rohrherstellers die verlangten Prüfungen durchführen muß. Bei einigen Prüfungen kann auf Wunsch des Bestellers ein vom Besteller Beauftragter anwesend sein. Bei der Dichtheitsprüfung ist als Regelfall die Wirbelstromprüfung (nach DKI-Prüfblatt 781) der Rohre vorgesehen, da es sich gezeigt hat, daß die Wirbelstromprüfung dem Innendruckversuch deutlich überlegen ist. Es muß darauf hingewiesen werden, daß bei der Wirbelstromprüfung das Verfahren mit der Außensonde vorgesehen ist. Prüfungen mit der Wirbelstrominnensonde, die die Innenoberfläche der Rohre mit höherer Empfindlichkeit prüft, müssen zwischen Besteller und Hersteller speziell vereinbart werden.

Der Ringfaltversuch wurde gestrichen, da er zusätzlich zum Aufweitversuch keine Bedeutung besitzt.

Die Tabellen 1 und 2 wurden zusammengelegt. Die Beispiele für die Verwendung gestrichen, da sie nicht vollständig sind und die Benutzer der Norm aus Erfahrung wissen, welcher Werkstoff eingesetzt wird.

Die Legierung CuAsP wurde gestrichen, die Legierung CuNi30Fe2Mn2 wurde aufgenommen.

Wichtig ist die Fußnote in Tabelle 1 für Besteller der Werkstoffe CuNi10Fe1Mn, CuNi30Mn1Fe und CuNi30Fe2Mn2, falls die Rohre durch Schweißen weiterverarbeitet werden. In diesem Falle müssen besondere Einschränkungen für die Zusammensetzung beachtet werden.

Um die Einheitlichkeit der F-Zahl für alte und neue Legierung und/oder Werkstoffzustände herzustellen, wurde für das Gebiet von Kupfer und Kupfer-Knetlegierungen entschieden, die F-Zahl zweistellig als 1/10 des Mindestwertes der Zugfestigkeit zu bilden, wie es bereits auf dem Gebiet der Aluminium- und Nickel-Knetwerkstoffe durchgeführt wurde.

Internationale Patentklassifikation

F 28 F 1/00

	Installationsrohre aus Kupfer nahtlosgezogen	DIN 1786

Copper tubes for plumbing, seamless drawn
Tubes en cuivre pour tuyauteries doméstiques, étirés sans soudure

Maße in mm

1 Geltungsbereich

Diese Norm gilt für nahtlosgezogene Rohre aus Kupfer für Installationszwecke, die auch mit werkseitig aufgebrachter Ummantelung geliefert werden können. Die Ummantelung ist nicht Gegenstand dieser Norm.

Rohre nach dieser Norm unterscheiden sich von Kupferrohren nach DIN 1754 und DIN 59 753 durch
- eine feste Reihe von Außendurchmessern und Wanddicken, d. h. ohne Zwischenmaße
- einheitliche Lieferlänge
- einheitlichen Werkstoff
- einheitlichen Festigkeitszustand
- Kennzeichnungspflicht.

2 Anwendungsbereich

Rohre nach dieser Norm werden überwiegend als Leitungsrohre für Wasser und Gas verwendet. Sie können auch in anderen Anwendungsbereichen eingesetzt werden, z. B. Heizungsbau, Maschinenbau, Fahrzeugbau, sofern die Festlegungen dieser Norm die jeweiligen Anforderungen erfüllen.

3 Bezeichnung

3.1 Norm-Bezeichnung

Bezeichnung eines Rohres aus einem Werkstoff mit dem Kurzzeichen SF-Cu F37 oder der Werkstoffnummer 2.0090.32 mit einem Außendurchmesser von 22 mm und einer Wanddicke von 1 mm:

Rohr DIN 1786 – SF-Cu F37 – 22 × 1
oder Rohr DIN 1786 – 2.0090.32 – 22 × 1

3.2 Bestellbezeichnung

3.2.1 Rohre in gestreckten Längen

1000 Meter Rohr aus einem Werkstoff mit dem Kurzzeichen SF-Cu F37 oder der Werkstoffnummer 2.0090.32 mit einem Außendurchmesser von 22 mm und einer Wanddicke von 1 mm in gestreckter Länge (Lg) von 5 Meter:

1000 m Rohr DIN 1786 – SF-Cu F37 – 22 × 1 × Lg 5 m
oder 1000 m Rohr DIN 1786 – 2.0090.32 – 22 × 1 × Lg 5 m

3.2.2 Rohre in Ringen

1000 Meter Rohr aus einem Werkstoff mit dem Kurzzeichen SF-Cu F22 oder der Werkstoffnummer 2.0090.10 mit einem Außendurchmesser von 22 mm und einer Wanddicke von 1 mm in Ringen (Rg) von 25 Meter:

1000 m Rohr DIN 1786 – SF-Cu F22 – 22 × 1 × Rg 25 m
oder 1000 m Rohr DIN 1786 – 2.0090.10 – 22 × 1 × Rg 25 m

Erläuterungen siehe Originalfassung der Norm

Fortsetzung Seite 2 bis 6

Normenausschuß Nichteisenmetalle (FNNE) im DIN Deutsches Institut für Normung e. V.
Normenausschuß Rohre, Rohrverbindungen und Rohrleitungen (FR) im DIN
Normenausschuß Wasserwesen (NAW) im DIN
Normenausschuß Gastechnik (NAGas) im DIN

4 Maße, Lieferart

Tabelle 1. **Maße**

Außen-durchmesser	Wanddicke 0,8	1,0	1,5	2,0	2,5	3,0	Zugehörige Nennweite
Für Kapillarlötverbindungen							
6	X	X					4
8	X	X					6
10	X	X					8
12	X	●					10
15 1)	X	●	X				–
18 1)		●	X				15
22 1)		●	X				20
28 1)		X	●				25
35			●				32
42			●	X			40
54			X	●			50
64				●			–
76,1				●	X		65
88,9				●	X		80
108					●	X	100
Nur für andere Verbindungsverfahren							
133						●	125
159						●	150
219						●	200
267						●	250

Rohre nach dieser Norm werden nur in solchen Maßen geliefert, die in dieser Tabelle mit „X" oder „●" gekennzeichnet sind.

Für Gas- und Wasserinstallationen sind die mit einem „●" gekennzeichneten Maße zu verwenden.

1) Werden diese Rohre handwerklich durch Schweißen verbunden, wird eine Nennwanddicke von mindestens 1,5 mm empfohlen.

Tabelle 2. **Zulässige Abweichungen für Außendurchmesser und Wanddicke**

Außendurchmesser			Wanddicke					
Nennmaß	Zul. Abw. des mittleren Außendurchmessers 2)	Zul. Abw. einschließlich Unrundheit	Zulässige Abweichung einschließlich Ungleichwandigkeit					
			0,8	1,0	1,5	2,0	2,5	3,0
6	± 0,045		± 0,11	± 0,13	–	–	–	–
8			± 0,11	± 0,13	–	–	–	–
10			± 0,11	± 0,13	–	–	–	–
12			± 0,11	± 0,13	–	–	–	–
15			± 0,12	± 0,14	± 0,19	–	–	–
18			–	± 0,14	± 0,19	–	–	–
22	± 0,055		–	± 0,15	± 0,21	–	–	–
28			–	± 0,15	± 0,21	–	–	–
35	± 0,07		–	–	± 0,23	–	–	–
42			–	–	± 0,23	± 0,28	–	–
54			–	–	± 0,25	± 0,32	–	–
64	± 0,07	± 0,08	–	–	–	± 0,32	–	–
76,1			–	–	–	± 0,32	± 0,40	–
88,9	± 0,07	± 0,10	–	–	–	± 0,32	± 0,40	–
108	± 0,07	± 0,12	–	–	–	–	± 0,40	± 0,5
133	± 0,5	± 1,0	–	–	–	–	–	± 0,5
159			–	–	–	–	–	± 0,6
219	± 0,75	± 1,5	–	–	–	–	–	± 0,6
267			–	–	–	–	–	± 0,6

2) Der mittlere Außendurchmesser ist das arithmetische Mittel aus dem größten und kleinsten Durchmesser, gemessen in derselben senkrecht zur Rohrachse stehenden Ebene.

Tabelle 3. **Geradheitstoleranz von Rohren in gestreckter Länge**

Rohraußendurchmesser	Geradheitstoleranz mm/m
6 bis 10	6
12 bis 54	5
64 bis 76,1	7
88,9 und 108	9
133	10
159 bis 267	12

Tabelle 4. **Lieferform und Lieferlänge**

Lieferform	Außendurchmesser (vgl. Tabelle 1)	Zustand	Lieferlänge	Zulässige Abweichung der Länge
in Ringen 3)	6 bis 22	F22	25 m oder 50 m	$^{+500}_{0}$
in gestreckter Länge	6 bis 54	F37	5 m	$^{+50}_{0}$
	64 bis 133	F30		
	159, 219, 267	F30	4 m oder 5 m	$^{+50}_{0}$

3) Ringaußendurchmesser 500 bis 900 mm

5 Anforderungen

5.1 Werkstoff und Festigkeitseigenschaften

Rohre nach dieser Norm werden nur aus SF-Cu nach DIN 1787 mit den in Tabelle 5 genannten Festigkeitseigenschaften geliefert.

Tabelle 5. **Festigkeitseigenschaften**

Außendurchmesser	Lieferform	Kurzzeichen	Zugfestigkeit R_m N/mm²	Bruchdehnung A_5 % min.	Bruchdehnung A_{10} % min.	Werkstoffnummer
6 bis 22	in Ringen	SF-Cu F22	220 bis 270	40	35	2.0090.10
6 bis 54	in gestreckter Länge	SF-Cu F37	≧ 360	3	2	2.0090.32
64 bis 267		SF-Cu F30	≧ 290	4	3	2.0090.30

5.2 Biegbarkeit

Rohre in Ringen sind auch ohne technische Hilfsmittel kalt biegbar.

Rohre in gestreckter Länge sind mit geeigneten technischen Hilfsmitteln kalt biegbar mit den in Tabelle 6 angegebenen Mindestbiegeradien, jedoch nur bis zu einem Außendurchmesser von 18 mm.

Tabelle 6. **Biegeradien für Rohre in gestreckter Länge im Zustand F37**

Abmessungen Außendurchmesser	Abmessungen Wanddicke	Biegeradius 4) min.
6	0,8 und 1	21
8	0,8 und 1	28
10	0,8 und 1	35
12	0,8 und 1	42
15	– 1	52,5
18	– 1	72

4) Die Mindestbiegeradien für Außendurchmesser bis 15 mm entsprechen dem 3,5fachen, für 18 mm dem 4fachen Wert des Außendurchmessers.

5.3 Äußere Beschaffenheit 5)

Die innere und äußere Oberfläche der Rohre muß sauber und frei von solchen Ziehriefen und Ziehrückständen sein, die die Verwendung in Gas- und Wasserinstallationen beeinträchtigen.

Die Rohre dürfen keine Risse und Brüche, Undichtheiten und Schieferstellen aufweisen.

Die Rohrenden werden nicht entgratet geliefert.

6 Gewichte

Die in Tabelle 7 angegebenen Gewichte errechnen sich aus den Nennmaßen des jeweiligen Außendurchmessers und der Wanddicke sowie der Dichte des Werkstoffes.

Die zulässige Gewichtsabweichung ergibt sich aus den zulässigen Abweichungen der Nennmaße und den zulässigen Abweichungen in der Zusammensetzung.

Tabelle 7. **Gewichte**

Außen-durchmesser	Wanddicke					
	0,8	1,0	1,5	2,0	2,5	3,0
	Gewicht kg/m					
6	0,12	0,14	–	–	–	–
8	0,16	0,20	–	–	–	–
10	0,21	0,25	–	–	–	–
12	0,25	0,31	–	–	–	–
15	0,32	0,39	0,57	–	–	–
18	–	0,48	0,69	–	–	–
22	–	0,59	0,86	–	–	–
28	–	0,75	1,11	–	–	–
35	–	–	1,40	–	–	–
42	–	–	1,70	2,24	–	–
54	–	–	2,20	2,91	–	–
64	–	–	–	3,47	–	–
76,1	–	–	–	4,14	5,14	–
88,9	–	–	–	4,87	6,05	–
108	–	–	–	–	7,38	8,81
133	–	–	–	–	–	10,9
159	–	–	–	–	–	13,1
219	–	–	–	–	–	18,1
267	–	–	–	–	–	22,1

7 Prüfung

7.1 Maße

Beim Messen der Außendurchmesser muß ein Abstand von mindestens dem Nennmaß des Außendurchmessers von beiden Enden des Rohres unberücksichtigt bleiben; bei Außendurchmessern größer als 100 mm beträgt der Abstand jedoch höchstens 100 mm.

Rohre in Ringen sind vor dem Messen zu kalibrieren. Außerdem darf nicht an den Stellen gemessen werden, an denen die Kennzeichnung angebracht ist.

7.2 Mechanische Eigenschaften

Der Zugversuch wird nach DIN 50 140 durchgeführt.

5) Siehe hierzu auch die entsprechenden Bedingungen in DVGW-Arbeitsblatt GW 392 und in den Güte- und Prüfbestimmungen der Gütegemeinschaft Kupferrohre e. V.

7.3 Chemische Zusammensetzung

Schiedsanalyse bzw. Probenahme sind nach der neuesten Ausgabe der „Analyse der Metalle" des Chemikerausschusses der Gesellschaft Deutscher Metallhütten- und Bergleute e. V., Band 1: „Schiedsanalysen" bzw. Band 3: „Probenahme" auszuführen (Berlin – Göttingen – Heidelberg, Springer-Verlag).

Auf jeden gefundenen Einzelwert ist die Rundungsregel anzuwenden (siehe DIN 1333 Teil 2). Die gerundete Zahl darf die für die Zusammensetzung festgelegten Grenzwerte nicht überschreiten.

8 Kennzeichnung

Rohre nach dieser Norm sind durch Prägung dauerhaft und in Längsrichtung fortlaufend zu kennzeichnen. Der Abstand zwischen zwei Kennzeichnungen darf nicht größer als 500 mm sein.

Die Kennzeichnung muß enthalten:

Rohraußendurchmesser, Wanddicke, DIN 1786, Herstellername.

Nach Vereinbarung können weitere Zeichen aufgebracht werden.

9 Zugehörige Fittings

Fittings für Kapillarlötverbindungen sind in DIN 2856 festgelegt.

Weitere Normen und Unterlagen

DIN 1333 Teil 2	Zahlenangaben; Runden
DIN 1754 Teil 1	Rohre aus Kupfer, nahtlosgezogen; Maßbereiche und Toleranzzuordnungen
DIN 1754 Teil 2	Rohre aus Kupfer, nahtlosgezogen; Vorzugsmaße für allgemeine Verwendung
DIN 1754 Teil 3	Rohre aus Kupfer, nahtlosgezogen; Vorzugsmaße für Rohrleitungen
DIN 1787	Kupfer; Halbzeug
DIN 2856	Fittings für Lötverbindungen; Technische Lieferbedingungen
DIN 50 140	Prüfung metallischer Werkstoffe; Zugversuch ohne Feindehnungsmessung an Rohren und Rohrstreifen
DIN 59 753	Rohre aus Kupfer und Kupfer-Knetlegierungen für Kapillarlötverbindungen, nahtlosgezogen; Maße
DVGW-Arbeitsblatt GW 392	Anforderungen und Prüfbestimmungen für Gas- und Wasserinstallation

Kupfer
Halbzeug

DIN 1787

Wrought coppers
Cuivres corroyés

Zusammenhang mit der von der International Organization for Standardization (ISO) herausgegebenen Empfehlung **ISO/R 1337** siehe Erläuterungen.

1. Geltungsbereich

Diese Norm gilt für Kupfersorten, die in Form von Halbzeug geliefert werden (siehe Tabelle).

2. Bezeichnung

Zum Bezeichnen der Kupfersorten nach dieser Norm sind die Kurzzeichen oder Werkstoffnummern nach der Tabelle anzuwenden.

3. Verwendung

Die Tabelle gibt Hinweise auf die typischen Eigenschaften und für die bevorzugte Verwendung der einzelnen Kupfersorten. Die aufgeführten Beispiele erheben keinen Anspruch auf Vollständigkeit.

4. Halbzeugarten

Die handelsüblichen Halbzeugarten aus Kupfer für allgemeine Verwendung sind in der Tabelle durch X gekennzeichnet. Die zugehörigen Festigkeitseigenschaften bzw. Technischen Lieferbedingungen sind angegeben in Blatt 1 bzw. Blatt 2 der Normen

DIN 17 670 für Bleche und Bänder
DIN 17 671 für Rohre
DIN 17 672 für Stangen
DIN 17 673 für Gesenkschmiedestücke
DIN 17 674 für Strangpreßprofile
DIN 17 677 für Drähte (z. Z. noch Entwurf)

Die handelsüblichen Halbzeugarten aus Kupfer für die Elektrotechnik sind in der Tabelle durch O gekennzeichnet. Die zugehörigen Festigkeitseigenschaften und Technischen Lieferbedingungen sind angegeben in

DIN 40 500 Blatt 1 für Bleche und Bänder
Blatt 2 für Rohre
Blatt 3 für Profile, Stangen
Blatt 4 für Drähte

5. Prüfung der Zusammensetzung

Schiedsanalyse bzw. Probenahme sind nach der neuesten Ausgabe der „Analyse der Metalle" des Chemikerausschusses der Gesellschaft Deutscher Metallhütten- und Bergleute e. V., Band 1: „Schiedsanalysen" bzw. Band 3: „Probenahme", auszuführen (Berlin — Göttingen — Heidelberg, Springer-Verlag).

Auf jeden gefundenen Einzelwert ist die Rundungsregel nach DIN 1333 anzuwenden. Die gerundete Zahl darf die für die Zusammensetzung festgelegten Grenzwerte nicht überschreiten.

Fortsetzung Seite 2 und 3
Erläuterungen Seite 4

Fachnormenausschuß Nichteisenmetalle im Deutschen Normenausschuß (DNA)

Kurzzeichen	Werkstoffnummer	Zusammensetzung in Gew.-%	Dichte kg/dm³ ≈
Sauerstoffhaltiges Kupfer			
E-Cu58	**2.0065**	Cu ≧ 99,90 1) Sauerstoff 0,005 bis 0,040 2)	8,9
E-Cu57 *)	**2.0060**	Cu ≧ 99,90 1) Sauerstoff 0,005 bis 0,040 2)	8,9
Sauerstofffreies Kupfer, nicht desoxydiert			
OF-Cu	**2.0040**	Cu ≧ 99,95	8,9
Sauerstofffreies Kupfer, mit Phosphor desoxydiert			
SE-Cu 3)	**2.0070 3)**	Cu ≧ 99,90 1) P ≈ 0,003 4)	8,9
SW-Cu	**2.0076**	Cu ≧ 99,90 P 0,005 bis 0,014	8,9
SF-Cu	**2.0090**	Cu ≧ 99,90 P 0,015 bis 0,040	8,9

1) Der Reinheitsgrad gilt als eingehalten, wenn die elektrische Leitfähigkeit im weichen Zustand bei E-Cu58 ≧ 58,0 m/Ω · mm², bei E-Cu57 und SE-Cu ≧ 57,0 m/Ω · mm² beträgt. Probenahme und Prüfverfahren sind zu vereinbaren.

2) Örtliche Überschreitungen des oberen Grenzwertes sind zulässig. Einengungen innerhalb der angegebenen Grenzen sind bei Bestellung zu vereinbaren.

3) SE-Cu wird im allgemeinen mit einer elektrischen Leitfähigkeit im weichen Zustand von ≧ 57,0 m/Ω · mm² geliefert. Auf Vereinbarung kann es auch mit einer elektrischen Leitfähigkeit von ≧ 58,0 m/Ω · mm² und niedrigerem Phosphorgehalt geliefert werden.

4) Phosphor kann ganz oder teilweise durch andere Desoxydationsmittel ersetzt werden.

5) Die handelsüblichen Lieferformen sind wie folgt gekennzeichnet:
X = Halbzeug für allgemeine Verwendung nach DIN 17 670 bis DIN 17 674 und DIN 17 677.
O = Halbzeug aus Kupfer für die Elektrotechnik nach DIN 40 500

*) Bisheriges Kurzzeichen E-Cu (siehe DIN 40 500 Blatt 1 bis Blatt 3, Ausgabe September 1970).

Hinweise auf Eigenschaften und Verwendung	Halbzeugarten 5) Bleche	Bänder	Rohre	Stangen	Drähte	Gesenk-Schmiede-stücke	Strang-preß-profile
Sauerstoffhaltiges (zähgepoltes) Kupfer mit einer elektrischen Leitfähigkeit im weichen Zustand von mindestens 58,0 m/Ω · mm², jedoch ohne Anforderungen an Schweiß- und Hartlötbarkeit.					O		
Sauerstoffhaltiges (zähgepoltes) Kupfer mit einer elektrischen Leitfähigkeit im weichen Zustand von mindestens 57,0 m/Ω · mm², jedoch ohne Anforderungen an Schweiß- und Hartlötbarkeit.	O	O	O	O	O	X	O
Kupfer hoher Reinheit, weitgehend frei von im Vakuum verdampfenden Elementen, mit einer elektrischen Leitfähigkeit im weichen Zustand von mindestens 58,0 m/Ω · mm². Halbzeug mit hohen Anforderungen an Wasserstoffbeständigkeit 6), Schweiß- und Hartlötbarkeit. Für Vakuumtechnik, Elektronik.	O	O	O	O	O		O
Desoxydiertes Kupfer mit niedrigem Restphosphorgehalt 4) und hoher elektrischer Leitfähigkeit 3). Halbzeug hoher elektrischer Leitfähigkeit mit hohen Anforderungen an Umformbarkeit, mit guter Schweiß- und Hartlötbarkeit sowie Wasserstoffbeständigkeit 6). Für Elektronik, auch Plattierwerkstoff.	O	O	O	O	O		O
Desoxydiertes Kupfer mit begrenztem, niedrigen Restphosphorgehalt. Halbzeug ohne festgelegte elektrische Leitfähigkeit (etwa 52,0 m/Ω · mm²), jedoch mit guter Schweiß- und Hartlötbarkeit sowie Wasserstoffbeständigkeit 6). Für Apparatebau, Bauwesen.	X	X	X	X	X		X
Desoxydiertes Kupfer mit begrenztem, hohen Restphosphorgehalt. Halbzeug ohne Anforderungen an elektrische Leitfähigkeit, jedoch mit sehr guter Schweiß- und Hartlötbarkeit sowie Wasserstoffbeständigkeit 6). Für Rohrleitungen, Apparatebau, Bauwesen.	X	X	X	X	X	X	X

6) Die Wasserstoffbeständigkeit wird geprüft, wie in den Technischen Lieferbedingungen festgelegt. Wenn diese Prüfbedingungen den Anforderungen nicht genügen, so sind andere Prüfbedingungen bei Bestellung zu vereinbaren (siehe Erläuterungen).

Erläuterungen

Die vorliegende Ausgabe von DIN 1787 berücksichtigt drei verschiedene Gruppen von Kupfersorten: sauerstoffhaltiges Kupfer, sauerstofffreies Kupfer nicht desoxydiert sowie sauerstofffreies Kupfer mit Phosphor desoxydiert. Dazu dürften einige Hinweise von Nutzen sein:

Das zähgepolte Kupfer hat – seinem Herstellungsgang entsprechend – einen Gehalt an Sauerstoff in Höhe von 0,005 bis 0,040 %. Dieser Sauerstoffgehalt hat neben Vorzügen, die sich auf wirtschaftliche Erzeugung, Gießbarkeit und Reinheit, d. h. Bindung von Spurenelementen erstrecken, den Nachteil, daß beim Glühen in wasserstoffhaltiger Atmosphäre und beim Schweißen und Hartlöten mit offener Flamme das Kupfer durch Versprödung infolge von Wasserstoffkrankheit gefährdet ist. Die Schadensursache liegt in dem Eindringen von Wasserstoff in das glühende Kupfer. Der eindringende Wasserstoff reagiert mit dem vorhandenen Kupferoxid unter Bildung von Wasserdampf, dessen Druck die Korngrenzen aufweitet und die Brüchigkeit verursacht.

Die Gefahr der Wasserstoffkrankheit kann durch Wärmebehandlung und Schweiß- bzw. Lötverfahren vermieden werden, die dem Kupfer keinen Wasserstoff anbieten. Die Wasserstoffkrankheit ist insbesondere zu befürchten beim Gasschweißen und Flammlöten mit schwerfließenden Messingloten.

Andernfalls muß sauerstofffreies Kupfer verwendet werden. Hierbei unterscheidet man Kupfersorten, die aus (sauerstofffreien) Kathoden unter Ausschluß von Sauerstoff und Desoxydationsmitteln erschmolzen und vergossen werden, von den Kupfersorten, die ebenfalls aus (sauerstofffreien) Kathoden erschmolzen, aber nach Zusatz von Desoxydationsmitteln vergossen werden. Es ist zu beachten, daß die elektrische Leitfähigkeit mit zunehmenden Gehalten an Desoxydationsmitteln abnimmt.

Die Kupfersorten C-Cu, D-Cu, F-Cu, SA-Cu und SD-Cu wurden gestrichen, da sie nicht mehr hergestellt werden. Außerdem wurde das bisherige SB-Cu wegen seines bewußten Arsen-Zusatzes als CuAsP in DIN 17 666 übernommen. Die Kupfersorten E-Cu58, OF-Cu und SW-Cu wurden aufgenommen. Das für die Elektrotechnik verwendete E-Cu wurde mit Rücksicht auf die neue Kupfersorte mit hoher Leitfähigkeit (E-Cu58) in E-Cu57 umbenannt. Den Vergleich der DIN 1787 mit der ISO/R 1337 zeigt nachstehende Tabelle:

Vergleich der DIN 1787 mit der ISO/R 1337

DIN 1787 Kurzzeichen	ISO/R 1337 Kurzzeichen	Übereinstimmung DIN 1787 mit ISO/R 1337		
		ganz	innerhalb der ISO-Grenzen	teilweise
E-Cu58	Cu-ETP	X		
	Cu-FRHC	X		
E-Cu57	Cu-ETP			X
	Cu-FRHC			X
OF-Cu	Cu-OF	X		
SE-Cu	nicht in ISO	–	–	–
SW-Cu	Cu-DLP			X
SF-Cu	Cu-DHP		X	

Auf eine Ausnahme der Übereinstimmung muß besonders hingewiesen werden, nämlich auf die Restphosphorgehalte von desoxydierten Kupfersorten.

Die Grenzlinie zwischen dem sauerstofffreien Kupfer mit niedrigem Restphosphorgehalt Cu-DLP und dem mit hohem Restphosphorgehalt Cu-DHP ist in ISO/R 1337 wie folgt festgelegt:

Cu-DLP: 0,005 bis 0,012 % P

Cu-DHP: 0,013 bis 0,050 % P

In DIN 1787 bleibt es für SF-Cu (Cu-DHP) bei der bisherigen unteren Grenze von 0,015 % P, die obere Grenze wurde jedoch von 0,050 auf 0,040 % P herabgesetzt.

DK 669.35-418 Juni 1973

Bänder und Bandstreifen aus Kupfer und Kupfer-Knetlegierungen

kaltgewalzt Maße

DIN 1791

Strip of wrought copper and copper alloys; cold rolled, dimensions
Bandes en cuivre et alliages de cuivre corroyés; laminées à froid, dimensions

Maße in mm

1. Geltungsbereich

Diese Norm gilt für kaltgewalzte Bänder von 0,1 bis 4 mm Dicke, bis 1000 mm Breite in Herstelllängen und Bandstreifen von 0,1 bis 4 mm Dicke, bis unter 500 mm Breite in Längen über 500 mm aus den in Abschnitt 4 aufgeführten Werkstoffen.

2. Bezeichnung

Bänder und Bandstreifen werden wie folgt bezeichnet:

Bänder: Benennung, Dicke × Breite, DIN-Nummer, Werkstoff, z. B.:

Band 0,5 x 350 DIN 1791 — CuZn37 F30

oder Band 0,5 x 350 DIN 1791 — 2.0321.10

bisher Band 0,5 x 350 DIN 1791 — Ms63 F30

Bandstreifen: Benennung, Dicke × Breite × Länge, DIN-Nummer, Werkstoff, z. B.:

Bandstreifen 0,5 x 200 x 1000 DIN 1791 — CuZn37 F30

oder Bandstreifen 0,5 x 200 x 1000 DIN 1791 — 2.0321.10

bisher Bandstreifen 0,5 x 200 x 1000 DIN 1791 — Ms63 F30

Anstelle der ausgeschriebenen Benennung kann auch die abgekürzte Schreibweise nach DIN 1353 Blatt 2 gewählt werden.

3. Maße und zulässige Formabweichungen

3.1. Dicke, Breite und Länge (siehe Tabelle 1 Seite 2)

3.1.1. Bei der Dickenmessung wird wie folgt verfahren:

bei Bandbreiten bis 30 mm muß in der Mitte gemessen werden,

bei Bandbreiten über 30 bis 200 mm muß ein Streifen von 5 mm und

bei Bandbreiten über 200 bis 700 mm muß ein Streifen von 10 mm vom Rand entfernt unberücksichtigt bleiben.

3.1.2. Für die Breite können andere Lagen des Toleranzfeldes in der gleichen Größe vereinbart werden.

Erläuterungen siehe DIN 1751

Fortsetzung Seite 2 bis 5

Fachnormenausschuß Nichteisenmetalle im Deutschen Normenausschuß (DNA)

Tabelle 1.

Dicke [1]	Zulässige Abweichungen für													Gewicht [2] bei 100 mm Breite kg/m ≈
	Dicke bei Breiten					Breiten						Länge		
	bis 200	über 200 bis 350	über 350 bis 500	über 500 bis 700	über 700 bis 1000	bis 100	über 100 bis 200	über 200 bis 350	über 350 bis 500	über 500 bis 700	über 700 bis 1000	Herstell-länge	Fest-länge	
	±	±	±	±	±									
0,1	0,01	0,01	0,02	0,02	0,03									0,089
(0,12)	0,01	0,01	0,02	0,02	0,03									0,107
(0,15)	0,01	0,01	0,02	0,02	0,03									0,133
0,16	0,01	0,015	0,02	0,02	0,03									0,142
0,18	0,01	0,015	0,02	0,03	0,04									0,160
0,2	0,015	0,015	0,02	0,03	0,04									0,178
0,22	0,015	0,02	0,02	0,03	0,04									0,196
0,25	0,015	0,02	0,02	0,03	0,04									0,222
0,3	0,015	0,02	0,02	0,03	0,04									0,267
(0,35)	0,02	0,02	0,02	0,03	0,04									0,312
0,4	0,02	0,025	0,03	0,04	0,05	$^{+0,2}_{0}$	$^{+0,4}_{0}$	$^{+0,6}_{0}$	$^{+1}_{0}$	$^{+1,5}_{0}$	$^{+2}_{0}$			0,356
0,45	0,02	0,025	0,03	0,04	0,05									0,400
0,5	0,02	0,025	0,03	0,04	0,05									0,445
(0,55)	0,025	0,025	0,03	0,04	0,05									0,490
0,6	0,025	0,03	0,03	0,04	0,06									0,534
0,65	0,025	0,03	0,03	0,04	0,06									0,579
0,7	0,025	0,03	0,03	0,04	0,06									0,623
(0,75)	0,025	0,03	0,03	0,04	0,07									0,667
0,8	0,025	0,03	0,04	0,05	0,07							für Bänder nicht festgelegt		0,712
(0,85)	0,03	0,03	0,04	0,05	0,07									0,756
0,9	0,03	0,03	0,04	0,05	0,07							für Streifen		0,800
1	0,03	0,03	0,04	0,05	0,07									0,890
1,1	0,03	0,04	0,04	0,05	0,07							±100	$^{+10}_{0}$	0,980
1,2	0,03	0,04	0,04	0,06	0,08									1,07
(1,3)	0,03	0,04	0,04	0,06	0,08									1,16
1,4	0,03	0,04	0,05	0,06	0,08									1,24
1,5	0,04	0,04	0,05	0,07	0,09	$^{+0,3}_{0}$	$^{+0,5}_{0}$	$^{+1}_{0}$	$^{+1,2}_{0}$	$^{+1,5}_{0}$	$^{+2,0}_{0}$			1,33
1,6	0,04	0,05	0,06	0,07	0,09									1,42
(1,7)	0,04	0,05	0,06	0,07	0,10									1,51
1,8	0,04	0,05	0,06	0,07	0,10									1,60
(1,9)	0,04	0,05	0,06	0,07	0,11									1,69
2	0,04	0,05	0,06	0,08	0,11									1,78
2,2	0,05	0,05	0,06	0,08	0,12	$^{+0,5}_{0}$	$^{+0,7}_{0}$	$^{+1,2}_{0}$	$^{+1,5}_{0}$	$^{+2}_{0}$	$^{+2,5}_{0}$			1,96
2,5	0,05	0,06	0,07	0,09	0,13									2,22
2,8	0,05	0,06	0,07	0,09	0,13	$^{+1}_{0}$	$^{+1,2}_{0}$	$^{+1,5}_{0}$	$^{+2}_{0}$	$^{+2,5}_{0}$	$^{+3}_{0}$			2,49
3	0,06	0,06	0,07	0,10	0,14									2,67
3,2	0,06	0,07	0,08	0,10	0,15									2,85
3,5	0,06	0,07	0,08	0,11	0,16	$^{+2}_{0}$	$^{+2,5}_{0}$	$^{+3}_{0}$	$^{+4}_{0}$	$^{+5}_{0}$	$^{+6}_{0}$			3,12
(3,8)	0,07	0,07	0,08	0,11	0,17									3,38
4	0,07	0,07	0,09	0,12	0,17									3,56

[1] Bei Zwischenmaßen gilt die Abweichung der nächsthöheren Dicke. Eingeklammerte Maße nach Möglichkeit vermeiden.

[2] Errechnet mit einer Dichte von 8,9 kg/dm³ (Kupfer). Für Werkstoffe mit einer anderen Dichte sind die Gewichte entsprechend der Umrechnungsfaktoren der Tabelle 4 zu errechnen (siehe auch Abschnitt 6).

3.2. Geradheit der Längskante (Säbelförmigkeit, Hochkantkrümmung)

Für die Geradheit der Längskante bei Bändern und Bandstreifen bezogen auf 1 m Meßlänge gelten die in Tabelle 2 festgelegten Toleranzen.

Tabelle 2.

Dicke	Geradheitstoleranz für Breiten		
	von 3 bis 8	über 8 bis 15	über 15
bis 1	10	6	4
über 1	14	10	6

Darüber hinausgehende Ansprüche erfordern einen erhöhten Aufwand und sind zu vereinbaren.

3.3. Ebenheit (Planheit)

3.3.1. Bänder

Anforderungen an die Ebenheit in Walzrichtung können nicht gestellt werden, da durch die Aufhaspelung nach dem Abrollen immer eine Wölbung zurückbleiben wird. Anforderungen an die Ebenheit quer zur Walzrichtung sind zu vereinbaren.

3.3.2. Bandstreifen

Anforderungen an die Ebenheit in und quer zur Walzrichtung können für alle Lieferzustände, ausgenommen den weichen Zustand des jeweiligen Werkstoffes, gekennzeichnet durch die Anhängezahl .10 der Werkstoffnummer (siehe DIN 17 670 Blatt 1), gestellt werden. Als Toleranzen auf 1 m Meßlänge gelten die Werte der Tabelle 3:

Tabelle 3.

Dicke	Toleranz für Breiten	
	bis 50	über 50
bis 1	5	8
über 1	3	5

Höhere Anforderungen erfordern einen erhöhten Aufwand und sind zu vereinbaren.

4. Werkstoff- und Festigkeitseigenschaften

Kupfer und Kupfer-Knetlegierungen nach DIN 17 670 Blatt 1

Kupfer für die Elektrotechnik nach DIN 40 500 Blatt 1 unter Berücksichtigung der dort angegebenen Abmessungsbereiche.

Tabelle 4. **Werkstoffe**

Benennung	Kurzzeichen neu	Kurzzeichen bisher	Werkstoffnummer	Dichte kg/dm³	Umrechnungsfaktor
Kupfer	E-Cu57		2.0060	8,9	1
	OF-Cu		2.0040	8,9	1
	SF-Cu		2.0090	8,9	1
	SW-Cu		2.0076	8,9	1
	SE-Cu		2.0070	8,9	1
Kupfer-Zink-Legierungen	CuZn5	Ms95	2.0220	8,9	1
	CuZn10	Ms90	2.0230	8,8	0,989
	CuZn15	Ms85	2.0240	8,8	0,989
	CuZn20	Ms80	2.0250	8,7	0,977
	CuZn28	Ms72	2.0261	8,6	0,966
	CuZn30	Ms70	2.0265	8,5	0,955
	CuZn33	Ms67	2.0280	8,5	0,955
	CuZn36	Ms63	2.0335	8,4	0,944
	CuZn37	Ms63	2.0321	8,4	0,944
	CuZn36Pb1,5	Ms63Pb	2.0331	8,5	0,955
	CuZn37Pb0,5	Ms63Pb	2.0332	8,5	0,955
	CuZn40	Ms60	2.0360	8,4	0,944
	CuZn38Pb1,5	Ms60Pb	2.0371	8,4	0,944
	CuZn39Pb0,5	Ms60Pb	2.0372	8,4	0,944
	CuZn39Pb2	Ms58	2.0380	8,4	0,944
	CuZn40Pb2	Ms58	2.0402	8,4	0,944
	CuZn31Si	SoMs68	2.0490	8,4	0,944
Kupfer-Zinn-Legierungen	CuSn2	SnBz2	2.1010	8,9	1
	CuSn6	SnBz6	2.1020	8,8	0,989
	CuSn8	SnBz8	2.1030	8,8	0,989
	CuSn6Zn	MSnBz6	2.1080	8,8	0,989
Kupfer-Nickel-Zink-Legierungen	CuNi12Zn30Pb	Ns5712Pb	2.0780	8,6	0,966
	CuNi12Zn24	Ns6512	2.0730	8,7	0,977
	CuNi18Zn20	Ns6212	2.0740	8,7	0,977
	CuNi25Zn15	Ns6025	2.0750	8,8	0,989
Kupfer-Nickel-Legierungen	CuNi5Fe	CuNi5Fe	2.0862	8,9	1
	CuNi10Fe	CuNi10Fe	2.0872	8,9	1
	CuNi20Fe	CuNi20Fe	2.0878	8,9	1
	CuNi25	CuNi25	2.0830	8,9	1
	CuNi30Fe	CuNi30Fe	2.0832	8,9	1
	CuNi44	CuNi44	2.0842	8,9	1
Kupfer-Aluminium-Legierungen	CuAl5	AlBz5	2.0916	8,2	0,921
	CuAl8	AlBz8	2.0920	7,7	0,865
	CuAl8Fe	AlBz8Fe	2.0932	7,7	0,865
	CuAl10Ni	AlBz10Ni	2.0966	7,5	0,843
Kupfer-Knetlegierungen niedrig legiert. Nicht aushärtbar.	CuAg0,03		2.1201	8,9	1
	CuAg0,1		2.1203	8,9	1
	CuAg0,1P		2.1191	8,9	1
	CuSi2Mn		2.1522	8,7	0,977
	CuSi3Mn		2.1525	8,5	0,955
Kupfer-Knetlegierungen niedrig legiert. Aushärtbar	CuBe1,7		2.1245	8,4	0,944
	CuBe2		2.1247	8,3	0,932
	CuCoBe		2.1285	8,8	0,989
	CuCr		2.1291	8,9	1
	CuNi1,5Si		2.0853	8,8	0,989
	CuNi2Si		2.0855	8,8	0,989

5. Ausführung

Siehe Technische Lieferbedingungen für Bleche und Bänder aus Kupfer und Kupfer-Knetlegierungen nach DIN 17 670 Blatt 2, aus Kupfer für die Elektrotechnik nach DIN 40 500 Blatt 1.

6. Gewichte und zulässige Gewichtsabweichungen

Das Gewicht in kg/m errechnet sich aus dem Nennmaß der jeweiligen Dicke sowie der Dichte des Werkstoffes. Umrechnungsfaktoren siehe Tabelle 4.

Die zulässige Gewichtsabweichung ergibt sich aus den zulässigen Abweichungen der Nennmaße und den zulässigen Abweichungen in der Zusammensetzung.

7. Lieferart

7.1. Herstellbreiten (Festbreiten für Bänder bis 1000 mm und Bandstreifen bis unter 500 mm) (Vorzugsmaße)

4 5 6 8 10 12 14 16 18 20 22 25 28 32 36 40 45 50 56 63 70 80 90 100 110 125 140
160 180 200 220 250 280 320 360 400 450 500 600 700 1000

7.2. Bänder in Herstellängen

Bis 2 mm Dicke in Rollen von vorzugsweise 300 oder 400 mm Innendurchmesser,

über 2 mm Dicke in Rollen von mindestens 400 mm. Andere Innendurchmesser – z. B. 600 mm – sind zu vereinbaren.

7.3. Bandstreifen

In geraden Herstellängen von vorzugsweise 2000 mm.

Festlängen sind in der Bestellung besonders anzugeben. Zur Kennzeichnung muß dann hinter die Längenangabe das Kennwort „fest" eingefügt werden.

7.4. Bestellbeispiele

für Bänder in Herstellängen:

1000 kg Band von 0,5 mm Dicke und 100 mm Breite in Herstellänge mit einem Rolleninnendurchmesser von 300 mm aus CuZn37 F30:

1000 kg Band 0,5 x 100 DIN 1791 – CuZn37 F30 Rolleninnendurchmesser 300

oder 1000 kg Band 0,5 x 100 DIN 1791 – 2.0321.10 Rolleninnendurchmesser 300

bisher 1000 kg Band 0,5 x 100 DIN 1791 – Ms63 F30 Rolleninnendurchmesser 300

für Bandstreifen in Herstellängen:

500 kg Bandstreifen von 0,5 mm Dicke, 200 mm Breite und 2000 mm Herstellänge aus CuZn37 F38:

500 kg Bandstreifen 0,5 x 200 x 2000 DIN 1791 – CuZn37 F38

für Bandstreifen in Festlängen:

500 kg Bandstreifen von 0,5 mm Dicke, 200 mm Breite und 1200 mm Festlänge aus CuZn37 F38:

500 kg Bandstreifen 0,5 x 200 x 1200 fest DIN 1791 – CuZn37 F38

Hinweise auf weitere Normen

Bleche und Blechstreifen aus Kupfer und Kupfer-Knetlegierungen, kaltgewalzt, Maße, siehe DIN 1751

Bänder und Streifen aus Kupferlegierungen für Blattfedern, Maße, siehe DIN 1777

DK 669.14.018.27-426.2 : 669.35.018.26-426.2
: 62-272

Dezember 1984

Runder Federdraht

Maße, Gewichte, zulässige Abweichungen

DIN 2076

Round spring wire; dimensions, weights, tolerances

Fil rond à ressort; dimensions, poids, tolérances

Ersatz für Ausgabe 03.64x

Maße in mm

1 Anwendungsbereich

Diese Norm gilt für runden Federdraht aus den in Abschnitt 4 genannten Werkstoffen. Die im Rahmen des erfaßten Durchmesserbereiches von 0,07 bis 20 mm lieferbaren Durchmesser für die einzelnen Werkstoffe sind in den dafür geltenden Technischen Lieferbedingungen angegeben.

2 Bezeichnung

2.1 Normbezeichnung

In der Normbezeichnung sind in nachstehender Reihenfolge anzugeben:

- Benennung (Draht),
- DIN-Nummer dieser Norm,
- Kurzname oder gegebenenfalls Werkstoffnummer der Stahlsorte gegebenenfalls Kurzzeichen für den Lieferzustand (siehe DIN 17 224 und DIN 17 682),
- Nenndurchmesser.

Beispiel 1:

Normbezeichnung eines Federstahldrahtes der Sorte C nach DIN 17 223 Teil 1 mit dem Nenndurchmesser 2,5 mm:

Draht DIN 2076 – C 2,5

Beispiel 2:

Normbezeichnung eines Federdrahtes aus einer Kupfer-Knetlegierung mit dem Werkstoff-Kurzzeichen CuZn36 F70 und der Werkstoffnummer 2.0335.39 nach DIN 17 682 mit dem Nenndurchmesser 0,20 mm:

Draht DIN 2076 – CuZn36 F70 – 0,20
oder Draht DIN 2076 – 2.0335.39 – 0,20

Anmerkung: Die Benennung „Draht" kann durch die Kurzform „Dr" nach DIN 1353 Teil 2 ersetzt werden.

2.2 Bestellbezeichnung

Die Bestellbezeichnung muß zusätzlich zur Normbezeichnung die zu liefernde Menge sowie gegebenenfalls die Oberflächenausführung (siehe DIN 17 223 Teil 1 und DIN 1653) und sonstige Sondervereinbarungen beinhalten.

Beispiel 3:

Bestellbezeichnung für 1000 kg Federstahldraht der Sorte C nach DIN 17 223 Teil 1 mit dem Nenndurchmesser 2,5 mm mit trockenblank phosphatierter (tr bk phr nach DIN 1653) Oberfläche:

1000 kg Draht DIN 2076 – C – 2,5 – trockenblank phosphatiert
oder **1000 kg Draht DIN 2076 – C – 2,5 – tr bk phr**

Beispiel 4:

Die Bestellbezeichnung für 50 kg Federdraht aus einer Kupfer-Knetlegierung mit dem Werkstoff-Kurzzeichen CuZn36 F70 und der Werkstoffnummer 2.0335.39 nach DIN 17 682 mit dem Nenndurchmesser 0,20 mm:

50 kg Draht DIN 2076 – CuZn36 F70 – 0,20
oder **50 kg Draht DIN 2076 – 2.0335.39 – 0,20**

Fortsetzung Seite 2 bis 5

Normenausschuß Eisen und Stahl (FES) im DIN Deutsches Institut für Normung e.V.
Normenausschuß Stahldraht und Stahldrahterzeugnisse im DIN
Normenausschuß Nichteisenmetalle im DIN

3 Maße, zulässige Maßabweichungen und Abweichungen von der Rundheit

3.1 Die Nenndurchmesser und die zulässigen Abweichungen nach den Maßgenauigkeiten B und C sind Tabelle 1 zu entnehmen. Die Zuordnung der zulässigen Abweichungen nach den Maßgenauigkeiten B und C zu den Federdrahtsorten ist in den entsprechenden Technischen Lieferbedingungen (siehe Abschnitt 4) festgelegt und aus den Fußnoten 1 und 2 zu Tabelle 1 ersichtlich.

3.2 Die Abweichungen von der Rundheit, das heißt der Unterschied zwischen dem größten und kleinsten Durchmessser derselben Querschnittsebene darf höchstens 50 % der in Tabelle 1 angegebenen zulässigen Gesamtabweichungen betragen.

4 Werkstoff

Runder Federdraht nach dieser Norm wird vorzugsweise hergestellt aus den Stählen nach

DIN 17 223 Teil 1,
DIN 17 223 Teil 2 und
DIN 17 224

sowie aus den Kupfer-Knetlegierungen nach DIN 18 682

5 Gewicht

Die in Tabelle 1 angegebenen Gewichte sind mit einer Dichte von

7,85 kg/dm³ für die Stähle nach DIN 17 223 Teil 1 und Teil 2,
7,90 kg/dm³ für die Stähle X 12 CrNi 17 7 (1.4310) und X 7 CrNiAl 17 7 (1.4568) nach DIN 17 224,
7,95 kg/dm³ für den Stahl X 5 CrNiMo 18 10 (1.4401) nach DIN 17 224 (beachte Fußnote 5 zu Tabelle 1),
8,3 kg/dm³ für die Kupfer-Knetlegierung CuBe2 (2.1247)
8,4 kg/dm³ für die Kupfer-Knetlegierung CuZn36 (2.0335),
8,8 kg/dm³ für die Kupfer-Knetlegierungen CuSn6 (2.1020), CuSn8 (2.1030) und CuCo2Be (2.1285),
8,7 kg/dm³ für die Kupfer-Knetlegierung CuNi18Zn20 (2.0740) und

aus dem Querschnitt errechnet worden.

Für andere Werkstoffe sind die Gewichte entsprechend ihrer Dichte zu errechnen.

6 Lieferform

Die Federdrähte werden üblicherweise in Ringen oder auf Spulen geliefert. Die Gewichte und Maße der Ringe bzw. Spulen sind bei der Bestellung zu vereinbaren und in Klartext anzugeben.

7 Prüfung

Die Maßhaltigkeit wird mit Grenzrachenlehren oder Meßschrauben geprüft.

8 Kennzeichnung

Jeder Ring und jede Spule ist mit einem Schild zu versehen, das mindestens die folgenden Angaben enthalten muß:

- Nenndurchmesser,
- Kurzzeichen oder Werkstoffnummer des Werkstoffes,
- Zeichen des Herstellers.

Tabelle 1. **Maße und zulässige Abweichungen** (siehe Abschnitt 3)

Durchmesser *d* Nennmaß	Zulässige Abweichung für Maßgenauigkeit B 1)	Zulässige Abweichung für Maßgenauigkeit C 2)	Querschnitt 3) mm²	Gewicht 4) für Stahl nach DIN 17 223 Teil 1 und Teil 2 kg/1000 m ≈	Gewicht 4) für Stahl nach DIN 17 224 5) kg/1000 m ≈	Gewicht 4) für CuBe 2 kg/1000 m ≈	Gewicht 4) für CuZn36 kg/1000 m ≈	Gewicht 4) für CuNi18Zn20 kg/1000 m ≈	Gewicht 4) für CuSn6, CuSn8, CuCo2Be kg/1000 m ≈
0,07			0,003848	0,0302	0,0304	0,0319	0,0323	0,0335	0,0339
0,08			0,005027	0,0395	0,0396	0,0417	0,0422	0,0437	0,0442
0,09			0,006362	0,0499	0,0503	0,0528	0,0534	0,0534	0,0560
0,10			0,007854	0,0617	0,0620	0,0652	0,0660	0,0683	0,0691
0,11		± 0,004	0,009503	0,0746	0,0750	0,0789	0,0798	0,0827	0,0839
0,12			0,01131	0,0888	0,0893	0,0939	0,0950	0,0984	0,0995
0,14			0,01539	0,121	0,122	0,128	0,129	0,134	0,135
0,16			0,02011	0,158	0,159	0,167	0,169	0,175	0,177
0,18			0,02545	0,200	0,201	0,211	0,214	0,221	0,224
0,20			0,03142	0,247	0,248	0,261	0,264	0,273	0,276
0,22			0,03801	0,298	0,300	0,315	0,319	0,331	0,334
0,25			0,04909	0,385	0,388	0,407	0,412	0,427	0,432
0,28		± 0,008	0,06158	0,483	0,486	0,511	0,517	0,536	0,542
0,30			0,07069	0,555	0,558	0,557	0,594	0,615	0,622
0,32			0,08042	0,631	0,635	0,667	0,676	0,700	0,708
0,34			0,09079	0,713	0,717	0,754	0,763	0,790	0,799
0,36			0,1018	0,799	0,804	0,845	0,855	0,886	0,896
0,38	± 0,015		0,1134	0,890	0,896	0,941	0,953	0,987	0,998
0,40			0,1257	0,985	0,993	1,04	1,06	1,09	1,11
0,43			0,1452	1,14	1,15	1,21	1,22	1,26	1,28
0,45			0,1590	1,25	1,26	1,32	1,34	1,38	1,40
0,48			0,1810	1,42	1,43	1,50	1,52	1,57	1,59
0,50			0,1963	1,54	1,55	1,63	1,65	1,71	1,73
0,53		± 0,010	0,2206	1,73	1,74	1,83	1,85	1,92	1,94
0,56			0,2463	1,93	1,95	2,04	2,07	2,14	2,17
0,60			0,2827	2,22	2,23	2,35	2,37	2,46	2,49
0,63	± 0,020		0,3117	2,45	2,46	2,59	2,62	2,71	2,74
0,65			0,3318	2,60	2,62	2,75	2,79	2,89	2,92
0,70			0,3848	3,02	3,04	3,19	3,23	3,35	3,39
0,75			0,4416	3,47	3,49	3,66	3,71	3,84	3,89
0,80			0,5027	3,95	3,97	4,17	4,22	4,37	4,42
0,85			0,5657	4,45	4,47	4,70	4,75	4,92	4,98
0,90			0,6362	4,99	5,03	5,28	5,34	5,53	5,60
0,95			0,7088	5,56	5,60	5,88	5,95	6,17	6,24
1,00			0,7854	6,17	6,20	6,52	6,60	6,83	6,91
1,05	± 0,025	± 0,015	0,8659	6,80	6,84	7,19	7,27	7,53	7,62
1,10			0,9503	7,46	7,51	7,89	7,98	8,27	8,36
1,20			1,131	8,88	8,93	9,39	9,50	9,84	9,95
1,25			1,227	9,63	9,69	10,18	10,31	10,67	10,80
1,30			1,327	10,42	10,48	11,01	11,15	11,54	11,68
1,40			1,539	12,08	12,16	12,77	12,93	13,39	13,54
1,50			1,767	13,9	14,0	14,7	14,8	15,4	15,5
1,60			2,011	15,8	15,9	16,7	16,9	17,5	17,7
1,70			2,270	17,8	17,9	18,8	19,1	19,7	20,0
1,80			2,545	20,0	20,1	21,1	21,4	22,1	22,4
1,90			2,835	22,3	22,4	23,5	23,8	24,7	24,9
2,00			3,142	24,7	24,8	26,1	26,4	27,3	27,6
2,10	± 0,035	± 0,020	3,464	27,2	27,4	28,8	29,1	30,1	30,5
2,25			3,976	31,2	31,4	33,0	33,4	34,6	35,0
2,40			4,524	35,5	35,7	37,5	38,0	39,4	39,8
2,50			4,909	38,5	39,8	40,7	41,2	42,7	43,2
2,60			5,309	41,7	41,9	44,1	44,6	46,2	46,7
2,80			6,158	48,3	48,6	51,1	51,7	53,6	54,2
3,00			7,069	55,5	55,8	58,7	59,4	61,5	62,2
3,20			8,042	63,1	63,5	66,7	67,6	70,0	70,8

1) bis 5) siehe Seite 4

Tabelle 1. (Fortsetzung)

Durchmesser d Nennmaß	Zulässige Abweichung für Maßgenauigkeit B[1])	C[2])	Querschnitt[3]) mm²	Gewicht[4]) für Stahl nach DIN 17 223 Teil 1 und Teil 2 kg/1000 m ≈	Stahl nach DIN 17 224[5]) kg/1000 m ≈	CuBe 2 kg/1000 m ≈	CuZn36 kg/1000 m ≈	CuNi18Zn20 kg/1000 m ≈	CuSn6, CuSn8, CuCo2Be kg/1000 m ≈
3,40	± 0,045	± 0,025	9,079	71,3	71,7	75,4	76,3	79,0	79,9
3,60			10,18	79,9	80,4	84,5	85,5	88,6	89,6
3,80			11,34	89,0	89,6	94,1	95,3	98,7	99,8
4,00			12,57	98,6	99,3	104	106	109	111
4,25			14,19	111	112	118	119	123	125
4,50			15,90	125	126	132	134	138	140
4,75			17,72	139	140	147	149	154	156
5,00			19,63	154	155	163	165	171	173
5,30			22,06	173	174				
5,60			24,63	193	195				
6,00	± 0,060	± 0,035	28,27	222	223				
6,30			31,17	245	246				
6,50			33,18	260	262				
7,00			38,48	302	304				
7,50			44,18	347	349				
8,00			50,27	395	397				
8,50			56,57	445	447				
9,00	± 0,070	± 0,050	63,62	499	503				
9,50			70,88	556	560				
10,00			78,54	617	621				
10,50	± 0,090	± 0,070	86,59	680					
11,00			95,03	746					
12,00			113,1	888					
12,50			122,7	963					
13,00			132,7	1042					
14,00			153,9	1208					
15,00			176,7	1387					
16,00	± 0,12	± 0,080	201,1	1578					
17,00			226,9	1782					
18,00	± 0,15	± 0,100	254,3	1998					
19,00			283,4	2225					
20,00			314,0	2466					

[1]) Die frühere Maßgenauigkeit A ist jetzt mit Maßgenauigkeit B zusammengefaßt und daher entfallen. Maßgenauigkeit B gilt für die Drahtsorten A und B nach DIN 17 223 Teil 1 und für Federdraht nach DIN 17 223 Teil 2.

[2]) Gültig für die Drahtsorten C und D nach DIN 17 223 Teil 1, Ventilfederdraht nach DIN 17 223 Teil 2 sowie für alle Werkstoffe nach DIN 17 224 und DIN 17 682.

[3]) Querschnitt $S \approx 0{,}785 \cdot d^2$.

[4]) Gewichtserrechnung siehe Abschnitt 5.

[5]) Die hier angegebenen Werte gelten für die Stähle X 12 CrNi 17 7 (1.4310) und X 7 CrNiAl 17 7 (1.4568); für den Stahl X 5 CrNiMo 18 10 (1.4401) sind sie mit dem Faktor 1.0063 zu multiplizieren.

Zitierte Normen

DIN 1353 Teil 2	Abkürzungen von Benennungen für Halbzeug
DIN 1653	Oberflächenbeschaffenheit handelsüblicher Stahldrähte; Benennungen und deren Abkürzungen
DIN 17 223 Teil 1	Runder Federstahldraht; Patentiert-gezogener Federdraht aus unlegierten Stählen, Technische Lieferbedingungen
DIN 17 223 Teil 2	Runder Federstahldraht, Gütevorschriften; Vergüteter Federdraht und vergüteter Ventilfederdraht aus unlegierten Stählen
DIN 17 224	Federdraht und Federband aus nichtrostenden Stählen; Technische Lieferbedingungen
DIN 17 682	Runde Federdrähte aus Kupfer-Knetlegierungen; Festigkeitseigenschaften, Technische Lieferbedingungen

Frühere Ausgaben

DIN 2076: 02.44, 03.64x

Änderungen

Gegenüber der Ausgabe März 1964x wurden folgende Änderungen vorgenommen:

a) Die obere Grenze der Nenndurchmesser wurde von 17 mm auf 20 mm angehoben.

b) Es wurden Angaben über die Abweichungen von der Rundheit aufgenommen.

c) Es wurde ein Abschnitt „Bestellbezeichnung" aufgenommen.

d) Im Abschnitt „Werkstoff" wurden die nichtrostenden Stähle nach DIN 17 224 ergänzt.

e) Im Abschnitt „Lieferform" werden neben Ringen auch Spulen genannt.

f) In Anlehnung an andere Normen wurde der Abschnitt „Kennzeichnung" aufgenommen.

g) Das Wort „Maßgenauigkeitsklasse" wurde entsprechend DIN 17 682 in „Maßgenauigkeit" geändert.

h) Die zulässigen Durchmesserabweichungen wurden eingeschränkt, wobei für die Maßgenauigkeiten A und B jetzt gleiche Werte gelten, so daß sie als Maßgenauigkeit B zusammengefaßt wurden.

i) Es wurden Gewichte für Stähle nach DIN 17 224 und die Kupfer-Knetlegierungen nach DIN 17 682 ergänzt.

j) In der nachstehenden Tabelle sind Beispiele für die Norm-Bezeichnung entsprechend der Ausgabe März 1964 und der Neufassung der DIN 2076 gegenübergestellt:

alt	neu
Draht 2,5 A DIN 2076 – A	Draht DIN 2076 – A – 2,5
Draht 2,5 A DIN 2076 – 1.0500	Draht DIN 2076 – A – 2,5
Draht 2,5 C DIN 2076 – C	Draht DIN 2076 – C – 2,5
Draht 2,5 C DIN 2076 – 1.1200	Draht DIN 2076 – C – 2,5
Draht 0,20 C DIN 2076 – CuBe2 F125	Draht DIN 2076 – CuBe2 F125 – 0,20
Draht 0,20 C DIN 2076 – 2.1247.75	Draht DIN 2076 – 2.1247.75 – 0,20

DK 621.791.36.04-034.3 : 669.1/.6 Oktober 1979

Hartlote
Kupferbasislote
Zusammensetzung, Verwendung, Technische Lieferbedingungen

DIN 8513 Teil 1

Brazing and braze welding filler metals; copper base, brazing alloys, composition, use, technical terms of delivery

Zusammenhang mit der von der International Organization for Standardization (ISO) herausgegebenen Internationalen Norm ISO 3677-1976, siehe Erläuterungen.

Diese Norm wurde in Zusammenarbeit mit dem Deutschen Verband für Schweißtechnik (DVS) aufgestellt.

1 Geltungsbereich

Diese Norm gilt für Hartlote aus Kupfer und Kupferlegierungen zum Hartlöten von Werkstücken aus Schwermetall, z. B. aus Eisenwerkstoffen, Kupferwerkstoffen und Nickelwerkstoffen.

2 Mitgeltende Normen

DIN 1733 Teil 1	Schweißzusätze für Kupfer und Kupferlegierungen; Zusammensetzung, Verwendung und Technische Lieferbedingungen
DIN 1787	Kupfer; Halbzeug
DIN 50049	Bescheinigungen über Werkstoffprüfungen

3 Bezeichnung

Für die Bezeichnung der Hartlote sind die Kurzzeichen oder Werkstoffnummern nach Tabelle 1 zu verwenden. Bezeichnung eines Hartlotes mit dem Kurzzeichen L-CuZn40 oder der Werkstoffnummer 2.0367:

Hartlot DIN 8513 — L-CuZn40
oder
Hartlot DIN 8513 — 2.0367

4 Verwendung

Die Arbeitstemperaturen der Kupfer-Zinn-Lote, Kupfer-Zink-Lote und Kupfer-Nickel-Zink-Lote liegen zwischen 845 und 1040 °C. Diese Lote dienen dementsprechend vorzugsweise zum Hartlöten von Eisen- und Nickelwerkstoffen sowie von Kupfer und solchen Kupferlegierungen, deren Schmelztemperatur (Solidus) mindestens 50 °C über der Arbeitstemperatur des Lotes liegt.

Anmerkung: Falls Lötungen an den genannten Grundwerkstoffen bei niedrigeren Arbeitstemperaturen ausgeführt werden sollen, sind Hartlote nach DIN 8513 Teil 2 oder DIN 8513 Teil 3 zu verwenden.

Das Hartlot L-CuP8 mit seinem vergleichsweise hohen P-Gehalt kann bei Kupferwerkstoffen verwendet werden, wenn niedrige Arbeitstemperatur und eutektisches Schmelzverhalten erforderlich, eine Verformbarkeit der Lötstelle jedoch nicht notwendig ist. Die Hartlote L-CuP7 oder L-CuP6 haben aufgrund des geringeren P-Gehaltes ein breiteres Schmelzintervall und ergeben Lötstellen mit erhöhter Zähigkeit.

Für Eisen- und Nickelwerkstoffe sind phosphorhaltige Hartlote nicht geeignet, da spröde Übergangszonen entstehen. Weitere Hinweise für die Verwendung siehe Tabelle 1.

5 Zusammensetzung und physikalische Eigenschaften (siehe Tabelle 1)

Die Kupferbasislote umfassen Kupfer-Zink-Lote (Messing-Lote), Kupfer-Nickel-Zink-Lote (Neusilber-Lote), Kupfer-Phosphor-Lote, Kupferlote und Kupfer-Zinn-Lote. Der Gehalt an Zink, Zinn bzw. Phosphor bestimmt im wesentlichen die Schmelz- und Arbeitstemperatur der Lote.

Fortsetzung Seite 2 bis 5
Erläuterungen Seite 5

Normenausschuß Schweißtechnik (NAS) im DIN Deutsches Institut für Normung e. V.
Normenausschuß Nichteisenmetalle (FNNE) im DIN

Tabelle 1. **Zusammensetzung, Eigenschaften, Verwendung**

Kurzzeichen ISO-Kurzzeichen	Werkstoffnummer	Zusammensetzung Legierungsbestandteile Gew.-%	Zusammensetzung zulässige Beimengungen Gew.-%	Schmelzbereich Solidus °C ≈	Schmelzbereich Liquidus °C ≈	Arbeitstemperatur °C ≈	Dichte kg/dm³ ≈	Hinweise für die Verwendung Grundwerkstoff	Hinweise für die Verwendung Form der Lötstelle	Hinweise für die Verwendung Art der Lotzuführung
L-Cu [1]) BCu99 1083	**2.0081**	Cu mindestens 99,90 (sauerstoffhaltig)	–	1083	1083	1100	8,9	Stähle	Spalt (für Spaltlötungen, an die keine besonderen Anforderungen gestellt werden)	eingelegt
L-SFCu [2]) BCu99 1083	**2.0091**	Cu mindestens 99,90 (sauerstofffrei) P 0,015 bis 0,040	–	1083	1083	1100	8,9	Stähle	Spalt (für Spaltlötungen, an die hohe Anforderungen gestellt werden)	eingelegt
L-CuSn6 BCu94Sn 910 – 1040	**2.1021**	Cu mindestens 91,0 Sn 5,0 bis 8,0 P 0 bis 0,4	Pb 0,02 Al 0,005 Sonstige: einzeln 0,1 zus. 0,4	910	1040	1040	8,7	Eisen- und Nickelwerkstoffe	Spalt	eingelegt
L-CuSn12 BCu88Sn 825 – 990	**2.1055**	Cu mindestens 86,0 Sn 11,0 bis 13,0 P 0 bis 0,4	Pb 0,02 Al 0,005 Zn 0,05 Sonstige: einzeln 0,1 zus. 0,4	825	990	990	8,6	Eisen- und Nickelwerkstoffe	Spalt	eingelegt
L-CuZn40 [3]) BCu60Zn 890 – 900	**2.0367**	Cu 59,0 bis 62,0 Si 0,1 bis 0,3 Sn 0 bis 0,5 Mn 0 bis 0,3 Fe 0 bis 0,2 Zn Rest	Pb 0,03 Al 0,005 Sonstige: zus. 0,1	890	900	900	8,4	Stähle, Temperguß, Kupfer, Kupferlegierungen mit Schmelztemperatur über 950 °C (Solidus), Nickel, Nickellegierungen	Spalt und Fuge (für Fugenlötungen, an die keine hohen Festigkeitsansprüche gestellt werden)	angesetzt und eingelegt
L-CuZn39Sn [3]) BCu59Zn 870 – 890	**2.0533**	Cu [4]) 56,0 bis 62,0 Si 0,05 bis 0,2 Sn 0,5 bis 1,5 Mn 0,2 bis 1,0 Fe 0 bis 0,5 Ni [4]) 0 bis 1,5 Ag [4]) 0 bis 1,0 Zn Rest	Pb 0,03 Al 0,005 Sonstige: zus. 0,1	870	890	900	8,4	Stähle, Temperguß, Kupfer, Kupferlegierungen mit Schmelztemperatur über 950 °C (Solidus), Nickel, Nickellegierungen	Spalt und Fuge (für Fugenlötungen, an die hohe Festigkeitsansprüche gestellt werden)	angesetzt und eingelegt
								Gußeisen	vorzugsweise Fuge	vorzugsweise angesetzt

[1]), [2]), [3]) und [4]) Siehe Seite 3

Tabelle 1. (Fortsetzung)

Kurzzeichen ISO-Kurzzeichen	Werkstoffnummer	Zusammensetzung: Legierungsbestandteile Gew.-%	Zusammensetzung: zulässige Beimengungen Gew.-%	Schmelzbereich: Solidus °C ≈	Schmelzbereich: Liquidus °C ≈	Arbeitstemperatur °C ≈	Dichte kg/dm³ ≈	Hinweise für die Verwendung: Grundwerkstoff	Hinweise für die Verwendung: Form der Lötstelle	Hinweise für die Verwendung: Art der Lotzuführung
L-CuZn46 BCu54Zn 880 – 890	**2.0413**	Cu 53,0 bis 55,0 Zn Rest	Pb 0,1 Al 0,005 Sonstige: zus. 1,0	880	890	890	8,3	Stähle, Temperguß, Kupfer und Kupferlegierungen	Spalt	eingelegt
L-ZnCu42 BZn58Cu 835 – 845	**2.2310**	Cu 41,0 bis 43,0 Zn Rest	Pb 0,1 Sonstige: zus. 1,0	835	845	845	8,1	vorzugsweise Neusilber	Spalt	eingelegt
L-CuNi10Zn42 BCu48ZnNi 890 – 920	**2.0711**	Cu 46,0 bis 50,0 Ni 8,0 bis 11,0 Si 0,1 bis 0,3 Zn Rest	Pb 0,03 Al 0,005 S 0,001 Sonstige: zus. 0,5	890	920	910	8,7	Stähle, Temperguß, Nickel und Nickellegierungen	Spalt und Fuge 5)	angesetzt und eingelegt
								Gußeisen	Fuge 5)	angesetzt
L-CuP8 BCu92P 710	**2.1465**	P 7,6 bis 8,4 Cu Rest	Al 0,01 Pb 0,02 Zn + Cd 0,01 Sonstige: zus. 0,1	710	710 bis 750	710	8,0	vorzugsweise Kupfer, Rotguß, Kupfer-Zink-Legierungen, Kupfer-Zinn-Legierungen	Spalt	angesetzt und eingelegt
L-CuP7 BCu93P 710 – 820	**2.1463**	P 6,7 bis 7,5 Cu Rest		710	820	720	8,1			
L-CuP6 BCu94P 710 – 880	**2.1462**	P 5,9 bis 6,5 Cu Rest		710	880	730	8,1			

1) E-Cu57 nach DIN 1787.

2) SF-Cu nach DIN 1787.

3) Die Hartlote L-CuZn40 und L-CuZn39Zn haben engere Grenzen für die Legierungsbestandteile und für die zulässigen Beimengungen als die Schweißdrähte S-CuZn40Si und S-CuZn39Sn nach DIN 1733 Teil 1.

4) Nickel- und Kupfergehalt sollen 62 Gew.-% nicht überschreiten, Silber- und Kupfergehalt sollen 62 Gew.-% nicht überschreiten.

5) Das Lot L-CuNi10Zn42 wird auch zur Herstellung verschleißfester Auftragschichten verwendet.

6 Technische Lieferbedingungen

6.1 Lieferformen, Maße, Bezeichnung

6.1.1 Lieferformen, Maße

Tabelle 2. **Lieferformen und Maße**

Kurzzeichen	Lotdraht/Lotstab gezogen (zh) (.20)		flußmittelumhüllte (u) Lotstäbe		Lotstab gepreßt (gp) (.08)	
	Durchmesser mm ± 0,05	Festlänge mm ± 5	Kerndraht-durchmesser mm ± 0,2	Festlänge mm ± 5	Durchmesser mm ± 0,3	Festlänge mm ± 5
L-Cu	1,5 2 3 4	500 oder 1000				
L-SFCu						
L-CuSn6						
L-CuSn12			2 3 4	500		
L-CuZn40						
L-CuZn39Sn						
L-CuNi10Zn42						
L-CuZn46 [6])						
L-ZnCu42 [6])						
L-CuP8					2 3 4 5	500 oder 1000
L-CuP7						
L-CuP6	1,5 2 3	500 oder 1000				

[6]) Wird nur als Körnung geliefert.

Sonstige Lieferformen nach Vereinbarung für walz- und ziehbare Lote: flußmittelgefüllte Lotstäbe, Band, Blech, Formteile, Körnung, Lotpaste, Lotdraht und Lotstab gewalzt.

6.1.2 Bezeichnung

Bezeichnung eines Lotstabes aus dem Hartlot L-CuP7 oder der Werkstoffnummer 2.1463 im Zustand gepreßt (gp) (Anhängezahl .08 bei Anwenden der Werkstoffnummer) von 3 mm Durchmesser und einer Länge von 500 mm:

Lotstab DIN 8513 – L-CuP7 gp – 3 × 500
oder
Lotstab DIN 8513 – 2.1463.08 – 3 × 500

Anmerkung: Als Benennungsblock der Norm-Bezeichnung ist die entsprechende Benennung aus dem Abschnitt 6.3 zu verwenden.

6.2 Bestellbezeichnung

100 kg Lotdraht aus dem Hartlot L-CuZn40 oder der Werkstoffnummer 2.0367 im Zustand gezogen (zh oder Anhängezahl .20) von 3 mm Durchmesser und einer Festlänge von 1000 mm, in Bunden:

100 kg Lotdraht DIN 8513 – L-CuZn40 zh – 3 × 1000 in Bunden
oder
100 kg Lotdraht DIN 8513 – 2.0367.20 – 3 × 1000 in Bunden

[7]) VBG 15 „Schweißen, Schneiden und verwandte Arbeitsverfahren", zu beziehen durch Carl Heymanns Verlag, Gereonstraße 18-32, 5000 Köln 1.

6.3 Lieferart

Lotdraht: in Bunden
Lotstab: gebündelt oder in Kartons
Körnung: in Behältern
Lotpaste: in Behältern

6.4 Oberflächenbeschaffenheit

Die Oberfläche der Stäbe, Drähte und der Körnung muß frei von schädlichen Verunreinigungen sein. Gezogene Drähte sollen metallisch blank sein.

6.5 Prüfung und Abnahme

Für die Abnahme genügt in der Regel eine Werksbescheinigung nach DIN 50 049. Soweit vom Besteller Prüfungen gewünscht werden, sind mit dem Lieferer entsprechende Vereinbarungen zu treffen.

7 Kennzeichnung

Drahtbunde und Stabbündel sind mit Anhängeschildern, Verpackungen für Drähte und Stäbe sowie Behälter für Körnung sind mit Klebezetteln zu versehen, die außer dem Zeichen des Herstellers oder Lieferers mindestens die Kurzbezeichnung nach Abschnitt 3 und das ISO-Kurzzeichen nach Tabelle 1 tragen.

8 Hinweise für die Arbeitssicherheit

Die Bestimmungen in UVV-VBG 15 [7]) bezüglich der Belüftung von Werkstatt und Arbeitsplatz sind zu beachten.

Schrifttum

[1] Kinzel, J.: Auswahlregeln für Lote und Flußmittel
Der Praktiker, Heft 7/8, 1977, S. 118/136

[2] Colbus, J., und Zimmermann, K. F.: Prüfung von Hartlötverbindungen (Diskussionsbeitrag zu den Prüfverfahren des IIW, der AWS und der DIN 8525)
Schweißen und Schneiden, **17** (1965), Heft 10, S. 518/525

[3] Colbus, J.: Die Festigkeit von Lötverbindungen
DVS-Fachbuch: „Zehn Jahre wissenschaftlicher Beirat des Deutschen Verbandes für Schweißtechnik",
Deutscher Verlag für Schweißtechnik (1965), S. 92/96

[4] Zimmermann, K. F.: Hartlöten-Regeln für Konstruktion und Fertigung, DVS-Fachbuch, Band 52 (1968)

Weitere Normen

DIN 1707	Weichlote für Schwermetalle; Zusammensetzung, Verwendung, Technische Lieferbedingungen
DIN 8505 Teil 1	Löten; Allgemeines, Begriffe
DIN 8505 Teil 2	Löten; Einteilung der Verfahren, Begriffe
DIN 8511 Teil 1	Flußmittel zum Löten metallischer Werkstoffe; Flußmittel zum Hartlöten von Schwermetallen
DIN 8511 Teil 2	Flußmittel zum Löten metallischer Werkstoffe; Flußmittel zum Weichlöten von Schwermetallen
DIN 8511 Teil 3	Flußmittel zum Löten metallischer Werkstoffe; Flußmittel zum Hart- und Weichlöten von Leichtmetallen
DIN 8513 Teil 2	Hartlote; Silberhaltige Lote mit weniger als 20 Gew.-% Silber, Zusammensetzung, Verwendung, Technische Lieferbedingungen
DIN 8513 Teil 3	Hartlote; Silberhaltige Lote mit mindestens 20 Gew.-% Silber, Zusammensetzung, Verwendung, Technische Lieferbedingungen
DIN 8525 Teil 1	Prüfung von Hartlötverbindungen; Spaltlötverbindungen, Zugversuch
DIN 8525 Teil 2	Prüfung von Hartlötverbindungen; Spaltlötverbindungen, Scherversuch
DIN ISO 3677	(z. Z. noch Entwurf) Zusätze zum Weich- und Hartlöten; Aufbau der Kurzzeichen

Erläuterungen

Diese Norm enthält in Tabelle 1 Kurzzeichen, gebildet nach den Grundlagen in der Internationalen Norm ISO 3677-1976.

D Zusätze zum Weich- und Hartlöten, Kennzeichnung

E Filler metals for brazing and soldering, code of symbols

F Métaux d'apport de brasage tendre et de brasage fort, code de symbolisation

Bei der Neubearbeitung der DIN 8513 Teil 1 waren vor allem die Kupfer-Phosphor-Lote ergänzungsbedürftig. Bisher war mit L-CuP8 nur diese eine Legierung aus dieser Lotgruppe genormt; wegen seiner Dünnflüssigkeit und relativ großen Sprödigkeit hatte L-CuP8 nur einen begrenzten Einsatzbereich. Eine Abstufung im Phosphorgehalt innerhalb dieser Lotgruppe ermöglicht eine gezielte Auswahl für weitere Anwendungsbereiche. Neu aufgenommen wurden deshalb L-CuP7 und L-CuP6.

Die mit dem Kurzzeichen L-CuZn40, L-CuZn39Sn, L-CuNi10Zn42, L-CuSn6 und L-CuSn12 gekennzeichneten Lot-Typen der Tabelle 1 lassen in bezug auf die Legierungsbestandteile verhältnismäßig weite Grenzen zu.

Der abgegrenzte Rahmen beinhaltet Lote mit unterschiedlichen Eigenschaften in bezug auf Lötverhalten und Festigkeitswerte.

Zur **Klassifizierung von Loten** für Spaltlötverbindungen als auch zur **Ermittlung der Zug- bzw. Scherfestigkeit** von Spaltlötverbindungen wird die Norm DIN 8525 Teil 1 und Teil 2 angewendet. Da die Festigkeit einer Lötverbindung nicht nur von der Lotzusammensetzung, sondern auch von der Art und Festigkeit der Grundwerkstoffe, von den geometrischen Formen der Lötverbindung und von den Herstellungsbedingungen der Lötung abhängig ist, sind in der genannten Norm für alle diese Einflußgrößen Festlegungen getroffen worden.

Das sauerstoffhaltige sowie das sauerstofffreie Kupferlot (L-Cu bzw. L-SCu) wurde beibehalten, da bei der Herstellung von Körnung, Pulver und Lotpaste eine Sauerstoffaufnahme als unvermeidlich angesehen wird. Demgegenüber enthalten gezogene Drähte bzw. Stäbe aus Kupferlot aus ziehtechnischen Gründen keinen gebundenen Sauerstoff.

DK 621.791.36.04-034.225 : 669.1/.6 | Oktober 1979

Hartlote

Silberhaltige Lote mit weniger als 20 Gew.-% Silber
Zusammensetzung, Verwendung, Technische Lieferbedingungen

DIN 8513 Teil 2

Brazing and braze welding filler metals; silver bearing brazing alloys less than 20% in weight silver, composition, use, technical terms of delivery

Zusammenhang mit der von der International Organization for Standardization (ISO) herausgegebenen Internationalen Norm ISO 3677-1976, siehe Erläuterungen.

Diese Norm wurde in Zusammenarbeit mit dem Deutschen Verband für Schweißtechnik (DVS) aufgestellt.

1 Geltungsbereich

Diese Norm gilt für Hartlote aus silberhaltigen Legierungen mit Silbergehalten unter 20 Gew.-% zum Hartlöten von Werkstücken aus Schwermetall, z. B. aus Eisenwerkstoffen, Kupferwerkstoffen und Nickelwerkstoffen. Die Kupferbasislote sind in DIN 8513 Teil 1, die silberhaltigen Hartlote mit mindestens 20 Gew.-% Silber in DIN 8513 Teil 3 genormt.

2 Mitgeltende Normen und Unterlagen

DIN 50 049 Bescheinigungen über Werkstoffprüfungen

UVV-VBG 15 Schweißen, Schneiden und verwandte Arbeitsverfahren

3 Bezeichnung

Bei der Bezeichnung der Hartlote sind die Kurzzeichen oder Werkstoffnummern nach Tabelle 1 anzuwenden. Bezeichnung eines Hartlotes mit dem Kurzzeichen L-Ag15P oder der Werkstoffnummer 2.1210:

Hartlot DIN 8513 — L-Ag15P
oder
Hartlot DIN 8513 — 2.1210

4 Verwendung

Die Arbeitstemperaturen der Kupfer-Silber-Zink-Lote und des Kupfer-Silber-Zink-Cadmium-Lotes nach dieser Norm liegen im Bereich von 800 bis 860 °C. Man verwendet sie vorzugsweise für wärmeunempfindliche Werkstoffe und Werkstücke. Die Hartlote L-Ag5 und L-Ag12 eignen sich außer für die Handlötung auch zum Hartlöten mit Lotformteilen in der Massenfertigung auf Lötanlagen.

Die Kupfer-Silber-Phosphor-Lote können bei Kupfer verwendet werden, wenn flußmittelfrei gelötet werden soll und eine niedrige Arbeitstemperatur erwünscht ist. Zum Hartlöten von nickelfreien Kupferwerkstoffen sind sie bei Verwendung von Flußmitteln geeignet.

Für Eisen- und Nickelwerkstoffe sind die Kupfer-Silber-Phosphor-Lote nicht geeignet, da bei diesen Grundwerkstoffen durch den Phosphorgehalt spröde Übergangszonen verursacht werden.

Weitere Hinweise für die Verwendung siehe Tabelle 1.

5 Zusammensetzung und physikalische Eigenschaften (siehe Tabelle 1)

Die silberhaltigen Hartlote mit weniger als 20 Gew.-% Silber umfassen Kupfer-Silber-Zink-Lote, Kupfer-Silber-Zink-Cadmium-Lote und Kupfer-Silber-Phosphor-Lote.

6 Technische Lieferbedingungen

6.1 Lieferformen, Maße, Bezeichnung

6.1.1 Lieferformen, Maße

Tabelle 2. **Lieferformen und Maße**

Kurzzeichen	Lotdraht/Lotstab gezogen (zh) (.20)		Lotstab gepreßt (gp) (.08)	
	Durchmesser mm ± 0,05	Festlänge mm ± 5	Durchmesser mm ± 0,3	Festlänge mm
L-Ag12Cd	1; 1,5; 2; 3	500 oder 1000	—	—
L-Ag12				
L-Ag5				
L-Ag15P	1,5; 2	500 oder 1000	2; 3; 4	500 oder 1000
L-Ag5P				
L-Ag2P				

Sonstige Lieferformen nach Vereinbarung: Blech, Band, Formteile, Körnung, Draht und Stab gewalzt.

Fortsetzung Seite 2 und 3
Erläuterungen Seite 3

Normenausschuß Schweißtechnik (NAS) im DIN Deutsches Institut für Normung e. V.
Normenausschuß Nichteisenmetalle (FNNE) im DIN

Tabelle 1. **Zusammensetzung, Eigenschaften, Verwendung**

Kurzzeichen ISO-Kurzzeichen	Werk-stoff-nummer	Zusammensetzung		Schmelzbereich		Arbeits-tempe-ratur °C ≈	Dichte kg/dm³ ≈	Hinweise für die Verwendung		
		Legierungs-bestandteile Gew.-%	zulässige Beimengungen Gew.-%	Solidus °C ≈	Liquidus °C ≈			Grund-werkstoff	Form der Lötstelle	Art der Lot-zuführung
L-Ag12Cd BCu50ZnAgCd 620 – 825	**2.1208**	Ag 11,0 bis 13,0 Cd 5,0 bis 9,0 Cu 49,0 bis 51,0 Zn Rest	Al 0,005 Pb 0,02 Sonstige: zusammen 0,1	620	825	800	8,5	Stähle Temperguß Kupfer Kupfer-legierungen Nickel Nickel-legierungen	Spalt und Fuge	angesetzt
L-Ag12 BCu48ZnAg 800 – 830	**2.1207**	Ag 11,0 bis 13,0 Cu 47,0 bis 49,0 Zn Rest		800	830	830	8,5		Spalt	angesetzt und eingelegt
L-Ag5 BCu55ZnAg 820 – 870	**2.1205**	Ag 4,0 bis 6,0 Cu 54,0 bis 56,0 Si 0 bis 0,2 Zn Rest		820	870	860	8,4		Spalt und Fuge	angesetzt und eingelegt
L-Ag15P BCu80AgP 650 – 800	**2.1210**	Ag 14,0 bis 16,0 P 4,7 bis 5,3 Cu Rest	Al 0,01 Pb 0,02 Zn + Cd 0,01 Sonstige: zusammen 0,1	650	800	710	8,4	Kupfer Rotguß Kupfer-Zink-Legierungen Kupfer-Zinn-Legierungen	Spalt	angesetzt und eingelegt
L-Ag5P BCu89PAg 650 – 810	**2.1466**	Ag 4,0 bis 6,0 P 5,7 bis 6,3 Cu Rest		650	810	710	8,2		Spalt und Fuge	angesetzt und eingelegt
L-Ag2P BCu92PAg 650 – 810	**2.1467**	Ag 1,5 bis 2,5 P 5,9 bis 6,5 Cu Rest		650	810	710	8,1		Spalt und Fuge	angesetzt und eingelegt

6.1.2 Bezeichnung

Bezeichnung eines Stabes aus Hartlot mit dem Kurzzeichen L-Ag12 oder der Werkstoffnummer 2.1207 im Zustand gezogen (zh) (Anhängezahl .20 bei Anwenden der Werkstoffnummer) von 2 mm Durchmesser und einer Länge von 500 mm:

Lotstab DIN 8513 — L-Ag12zh — 2 × 500
oder
Lotstab DIN 8513 — 2.1207.20 — 2 × 500

Anmerkung: Als Benennungsblock der Norm-Bezeichnung ist die entsprechende Benennung aus dem Abschnitt 6.3 zu verwenden.

6.2 Bestellbezeichnung

100 kg Stäbe aus dem Hartlot mit dem Kurzzeichen L-Ag15P oder der Werkstoffnummer 2.1210 im Zustand gepreßt (gp oder Anhängezahl .08) von 2 mm Durchmesser und einer Festlänge von 500 mm, verpackt:

100 kg Lotstab DIN 8513 – L-Ag15P gp – 2 × 500 verpackt
oder
100 kg Lotstab DIN 8513 – 2.1210.08 – 2 × 500 verpackt

6.3 Lieferart

Lotdraht: in Bunden
Lotstab: gebündelt oder verpackt

6.4 Oberflächenbeschaffenheit

Die Oberfläche der Stäbe und Drähte muß frei von schädlichen Verunreinigungen sein.

6.5 Prüfung und Abnahme

Für die Abnahme genügt in der Regel eine Werksbescheinigung nach DIN 50 049. Soweit vom Besteller Prüfungen gewünscht werden, sind mit dem Lieferer entsprechende Vereinbarungen zu treffen.

7 Kennzeichnung

Drahtbunde und Stabbündel sind mit Anhängeschildern, Verpackungen sind mit Klebezetteln zu versehen. Anhängeschilder und Klebezettel sollen neben dem Zeichen des Herstellers oder Lieferers mindestens die Kurzbezeichnung nach Abschnitt 3 und das ISO-Kurzzeichen nach Tabelle 1 tragen.

Auf allen Verpackungen cadmiumhaltiger Lote muß folgender Hinweis enthalten sein:

Cadmiumhaltiges Lot. Überhitzen ist schlechtes Löten und kann zu gesundheitsschädigenden Dämpfen führen.

8 Hinweise für die Arbeitssicherheit

Die im Kurzzeichen mit Cd gekennzeichneten Hartlote enthalten Cadmium in nicht vernachlässigbaren Mengen. Bei unsachgemäßer Verarbeitung, insbesondere erheblicher Überhitzung, können gesundheitsschädliche Cadmiumoxid-Dämpfe entstehen. Die Bestimmungen in UVV-VBG 15 [1]) bezüglich der Belüftung von Werkstatt und Arbeitsplatz sind zu beachten.

Bei nicht genormten cadmiumhaltigen Hartloten muß entsprechend verfahren werden.

[1]) VBG 15 „Schweißen, Schneiden und verwandte Arbeitsverfahren“, zu beziehen durch Carl Heymanns Verlag, Gereonstraße 18-32, 5000 Köln 1.

Weitere Normen

DIN 1707	Weichlote für Schwermetalle; Zusammensetzung, Verwendung, Technische Lieferbedingungen
DIN 8505 Teil 1	Löten; Allgemeines, Begriffe
DIN 8505 Teil 2	Löten; Einteilung der Verfahren, Begriffe
DIN 8511 Teil 1	Flußmittel zum Löten metallischer Werkstoffe; Flußmittel zum Hartlöten von Schwermetallen
DIN 8511 Teil 2	Flußmittel zum Löten metallischer Werkstoffe; Flußmittel zum Weichlöten von Schwermetallen
DIN 8511 Teil 3	Flußmittel zum Löten metallischer Werkstoffe; Flußmittel zum Hart- und Weichlöten von Leichtmetallen
DIN 8513 Teil 1	Hartlote; Kupferbasislote, Zusammensetzung, Verwendung, Technische Lieferbedingungen
DIN 8513 Teil 3	Hartlote; Silberhaltige Lote mit mindestens 20 Gew.-% Silber, Zusammensetzung, Verwendung, Technische Lieferbedingungen
DIN 8525 Teil 1	Prüfung von Hartlötverbindungen; Spaltlötverbindungen, Zugversuch
DIN 8525 Teil 2	Prüfung von Hartlötverbindungen; Spaltlötverbindungen, Scherversuch
DIN ISO 3677	(z. Z. noch Entwurf) Zusätze zum Weich- und Hartlöten; Aufbau der Kurzzeichen

Erläuterungen

Diese Norm enthält in Tabelle 1 Kurzzeichen, gebildet nach den Grundlagen in der Internationalen Norm ISO 3677-1976

D Zusätze zum Weich- und Hartlöten, Kennzeichnung
E Filler metals for brazing and soldering, code of symbols
F Métaux d'apport de brasage tendre et de brasage fort, code de symbolisation

Der Inhalt wurde sachlich überarbeitet unter Beibehaltung der bisher genormten 6 Lote. Für die phosphorfreien Hartlote wurde der zulässige Al-Gehalt auf 0,005 % vermindert. In den Angaben über Lieferformen war eine Erweiterung für gepreßte Stäbe erforderlich. Ferner wurden die Norm-Angaben über Lieferformen, Oberflächenbeschaffenheit und die Kennzeichnung der Hartlote überprüft und im wesentlichen bestätigt.

Über die Prüfung und Abnahme enthält die Norm nur kurze, allgemeine Hinweise. Für die Festigkeitsprüfung von Lötstellen wird auf die Normen DIN 8525 Teil 1 und Teil 2 verwiesen.

DK 621.791.36.04-034.225 Juli 1986

Hartlote

Silberhaltige Lote mit mindestens 20% Silber
Zusammensetzung, Verwendung, Technische Lieferbedingungen

DIN 8513 Teil 3

Filler metals for brazing; silver-base brazing alloys containing not less than 20 % silver by mass, composition, use, technical delivery conditions

Ersatz für Ausgabe 10.79

Zusammenhang mit der von der International Organization for Standardization (ISO) herausgegebenen Internationalen Norm ISO 3677 – 1976, siehe Erläuterungen.

Diese Norm wurde in Zusammenarbeit mit dem Deutschen Verband für Schweißtechnik (DVS) aufgestellt.

In dieser Norm bedeutet die Angabe % Massenanteil in Prozent (früher Gew.-%).

1 Anwendungsbereich

Diese Norm gilt für Hartlote aus silberhaltigen Legierungen mit Silbergehalten von mindestens 20 % zum Hartlöten von Werkstücken aus Schwermetall, z. B. aus Eisenwerkstoffen, Kupferwerkstoffen und Nickelwerkstoffen, sowie aus Edelmetallen und ihren Legierungen.

Die Kupferbasislote sind in DIN 8513 Teil 1, die silberhaltigen Hartlote mit weniger als 20 % Silber in DIN 8513 Teil 2 festgelegt.

2 Bezeichnung

Bei der Bezeichnung der Hartlote sind die Kurzzeichen oder Werkstoffnummern nach der Tabelle 1 anzuwenden.
Bezeichnung eines Hartlotes mit dem Kurzzeichen L-Ag40Cd oder der Werkstoffnummer 2.5141:

Hartlot DIN 8513 – L-Ag40Cd

oder

Hartlot DIN 8513 – 2.5141

3 Verwendung

Die Silber-Kupfer-Zink-Cadmium-Lote sind niedrigschmelzende Hartlote und ermöglichen ein werkstoff- und werkstückschonendes Hartlöten bei kurzen Lötzeiten. L-Ag40Cd, das niedrigstschmelzende Hartlot, wird wegen seines engen Schmelzbereichs und seiner ausgezeichneten Löteigenschaften, außer für die Handlötung, bevorzugt zum Hartlöten in der Mengenfertigung auf Lötanlagen eingesetzt. Ähnliches gilt für L-Ag34Cd. Die Hartlote L-Ag44, L-Ag30, LAg55Sn, L-Ag45Sn, L-Ag40Sn, L-Ag34Sn, L-Ag30Sn und-Ag25Sn sind cadmiumfreie, niedrigschmelzende Hartlote, die gegebenenfalls an die Stelle der cadmiumhaltigen Hartlote treten können (siehe Erläuterungen).

Die beiden nickel- und manganhaltigen Hartlote L-Ag27 und L-Ag49 werden bevorzugt zum Auflöten von Hartmetallen auf Stahlträger eingesetzt. Sie enthalten Nickel und Mangan als benetzungsfördernde Zusätze und können deshalb auch zum Hartlöten von schwerbenetzbaren Werkstoffen, z. B. Wolfram- oder Molybdänwerkstoffen, verwendet werden.

Ein ähnliches Einsatzgebiet hat das Hartlot L-Ag50CdNi; es ergibt außerdem gut korrosionsbeständige Lötverbindungen an Kupferlegierungen im maritimen Bereich. Das Hartlot L-Ag56InNi ist zink- und cadmiumfrei. Es dient vornehmlich zum Löten von Edelstählen.

Die Hartlote mit Silbergehalten zwischen 60 und 67 % dienen bevorzugt zum Hartlöten von Silberwaren aus Silberlegierungen. Das Hartlot L-Ag75 ist für Lötarbeiten an Gegenständen aus Silberlegierungen vorgesehen, welche nachträglich emailliert werden. Das Hartlot L-Ag83 dient vornehmlich zum Löten von Feinsilberapparaturen bzw. Feinsilberauskleidungen an chemischen Geräten.

Das Silber-Mangan-Lot L-Ag85 gehört in die Gruppe der Hochtemperatur-Hartlote; es ist erfahrungsgemäß ammoniakbeständig.

Das eutektische Silber-Kupfer-Lot L-Ag72 eignet sich auch zum Hartlöten von Kupfer, Kupfer-Nickel- und Nickel-Kupfer-Legierungen ohne Flußmittel im Vakuum oder in technischen Löt-Schutzgasen (z. B. Formiergas).

Weitere Hinweise für die Verwendung siehe Tabelle 1.

4 Zusammensetzung und physikalische Eigenschaften

Die silberhaltigen Hartlote mit mindestens 20 % Silber umfassen Silber-Kupfer-Zink-Cadmium-Lote, Silber-Kupfer-Zink-Lote und Silber-Kupfer-Zink-Lote mit Zusätzen von Zinn, Nickel, Mangan sowie zink- und cadmiumfreie Hartlote (Silber-Mangan-, Silber-Kupfer-, Silber-Kupfer-Indium-Nickel-Lote).

Fortsetzung Seite 2 bis 7

Normenausschuß Schweißtechnik (NAS) im DIN Deutsches Institut für Normung e.V.
Normenausschuß Nichteisenmetalle (FNNE) im DIN

Tabelle 1. **Zusammensetzung, Eigenschaften, Verwendung**

Gruppe	Kurzzeichen ISO-Kurzzeichen *)	Werkstoff-nummer	Zusammensetzung: Legierungs-bestandteile %	Zusammensetzung: zulässige Beimengungen %	Schmelzbereich: Solidus °C ≈	Schmelzbereich: Liquidus °C ≈	Arbeits-tempe-ratur °C ≈	Dichte kg/dm³ ≈	Hinweise für die Verwendung: Grund-werkstoff	Hinweise für die Verwendung: Form der Lötstelle	Hinweise für die Verwendung: Art der Lotzu-führung
Ag-Cu-Cd-Zn-Hartlote	**L-Ag67Cd** BAg67ZnCuCd 635 – 720	**2.5142**	Ag 66,0 bis 68,0 Cd 8,0 bis 12,0 Cu 10,0 bis 12,0 Zn Rest	Al 0,005 Pb 0,02 Sonstige: zusammen 0,1	635	720	710	9,9	Edelmetalle	Spalt	angesetzt und eingelegt
	L-Ag50Cd BAg50CdZnCu 620 – 640	**2.5143**	Ag 49,0 bis 51,0 Cd 15,0 bis 19,0 Cu 14,0 bis 16,0 Zn Rest	Al 0,005 Pb 0,02 Sonstige: zusammen 0,1	620	640	640	9,5	Edelmetalle Kupfer-legierungen Stähle		
	L-Ag45Cd BAg45CdCuZn 620 – 635	**2.5146**	Ag 44,0 bis 46,0 Cd 18,0 bis 22,0 Cu 16,0 bis 18,0 Zn Rest	Al 0,005 Pb 0,02 Sonstige: zusammen 0,1	620	635	620	9,4	Edelmetalle Doublé Kupfer-legierungen Stähle		
	L-Ag40Cd BAg40ZnCdCu 595 – 630	**2.5141**	Ag 39,0 bis 41,0 Cd 18,0 bis 22,0 Cu 18,0 bis 20,0 Zn Rest	Al 0,005 Pb 0,02 Sonstige: zusammen 0,1	595	630	610	9,3	Stähle Temperguß Kupfer Kupfer-legierungen Nickel Nickel-legierungen		
	L-Ag34Cd BAg34CuZnCd 610 – 680	**2.5140**	Ag 33,0 bis 35,0 Cd 18,0 bis 22,0 Cu 21,0 bis 23,0 Zn Rest	Al 0,005 Pb 0,02 Sonstige: zusammen 0,1	610	680	640	9,1			
	L-Ag30Cd BAg30CuZnCd 600 – 690	**2.5145**	Ag 29,0 bis 31,0 Cd 19,0 bis 23,0 Cu 27,0 bis 29,0 Zn Rest	Al 0,005 Pb 0,02 Sonstige: zusammen 0,1	600	690	680	9,2			
	L-Ag25Cd BCu30ZnAgCd 605 – 720	**2.1218**	Ag 24,0 bis 26,0 Cd 15,5 bis 19,5 Cu 29,0 bis 31,0 Zn Rest	Al 0,005 Pb 0,02 Sonstige: zusammen 0,1	605	720	710	8,8			
	L-Ag20Cd BCu40ZnAgCd 605 – 765	**2.1215**	Ag 19,0 bis 21,0 Cd 13,0 bis 17,0 Cu 39,0 bis 41,0 Zn Rest	Al 0,005 Pb 0,02 Sonstige: zusammen 0,1	605	765	750	8,8		Spalt und Fuge	

Ag-Cu-Zn-(Sn)-Hartlote	**L-Ag55Sn** BAg55ZnCuSn 620 – 660	**2.5159**	Ag 54,0 bis 57,0 Cu 20,0 bis 23,0 Sn 2,0 bis 5,0 Zn Rest	Al 0,005 Pb 0,02 Sonstige: zusammen 0,1	620	660	650	9,4	Stähle Kupfer-legierungen Nickel-legierungen	Spalt	angesetzt und eingelegt
	L-Ag45Sn BAg45ZnCuSn 640 – 680	**2.5158**	Ag 44,0 bis 46,0 Cu 26,0 bis 28,0 Sn 2,5 bis 3,5 Zn Rest	Al 0,005 Pb 0,02 Sonstige: zusammen 0,1	640	680	670	9,2	Stahl Temperguß Kupfer Kupfer-legierungen Nickel Nickel-legierungen		
	L-Ag44 BAg44CuZn 675 – 735	**2.5147**	Ag 43,0 bis 45,0 Cu 29,0 bis 31,0 Zn Rest	Al 0,005 Pb 0,02 Sonstige: zusammen 0,1	675	735	730	9,1			
	L-Ag40Sn BAg40CuZnSn 640 – 700	**2.5165**	Ag 39,0 bis 41,0 Cu 29,0 bis 31,0 Sn 1,5 bis 2,5 Zn Rest	Al 0,005 Pb 0,02 Sonstige: zusammen 0,1	640	700	690	9,1			
	L-Ag34Sn BCu36AgZnSn 630 – 730	**2.5157**	Ag 33,0 bis 35,0 Cu 35,0 bis 37,0 Sn 2,5 bis 3,5 Zn Rest	Al 0,005 Pb 0,02 Sonstige: zusammen 0,1	630	730	710	9,0			
	L-Ag30Sn BCu36ZnAgSn 650 – 750	**2.5166**	Ag 29,0 bis 31,0 Cu 35,0 bis 37,0 Sn 1,5 bis 2,5 Zn Rest	Al 0,005 Pb 0,02 Sonstige: zusammen 0,1	650	750	740	8,8			
	L-Ag30 BCu38ZnAg 680 – 765	**2.5167**	Ag 29,0 bis 31,0 Cu 37,0 bis 39,0 Zn Rest	Al 0,005 Pb 0,02 Sonstige: zusammen 0,1	680	765	750	8,9			
	L-Ag25Sn BCu40ZnAgSn 680 – 760	**2.5168**	Ag 24,0 bis 26,0 Cu 39,0 bis 41,0 Sn 1,5 bis 2,5 Zn Rest	Al 0,005 PB 0,02 Sonstige: zusammen 0,1	680	760	750	8,7			
	L-Ag25 BCu41ZnAg 700 – 800	**2.1216**	Ag 24,0 bis 26,0 Cu 40,0 bis 42,0 Zn Rest	Al 0,005 Pb 0,02 Sonstige: zusammen 0,1	700	800	780	8,8			
	L-Ag20 BCu44ZnAg 690 – 810	**2.1213**	Ag 19,0 bis 21,0 Cu 43,0 bis 45,0 Si 0 bis 0,2 Zn Rest	Al 0,01 Pb 0,02 Sonstige: zusammen 0,1	690	810	810	8,7		Spalt und Fuge	

*) Nach ISO 3677 – 1976

Tabelle 1. (Fortsetzung)

Gruppe	Kurzzeichen ISO-Kurzzeichen *)	Werkstoff-nummer	Zusammensetzung Legierungs-bestandteile %	Zusammensetzung zulässige Beimengungen %	Schmelzbereich Solidus °C ≈	Schmelzbereich Liquidus °C ≈	Arbeits-tempe-ratur °C ≈	Dichte kg/dm³ ≈	Hinweise für die Verwendung Grund-werkstoff	Hinweise für die Verwendung Form der Lötstelle	Hinweise für die Verwendung Art der Lotzu-führung
Zinkfreie Sonderhartlote	**L-Ag85** BAg85Mn 960 – 970	**2.5161**	Ag 83,0 bis 87,0 Mn Rest	Pb 0,02 Sonstige: zusammen 0,5	960	970	960	9,4	Stähle Nickel Nickel-legierungen	Spalt	angesetzt und eingelegt
	L-Ag72 BAg72Cu 780	**2.5151**	Ag 71,0 bis 73,0 Cu Rest	Al 0,005 Pb 0,02 Sonstige: zusammen 0,1	779	779	780	10,0	Kupfer Kupfer- und Nickel-legierungen		eingelegt
	L-Ag56InNi BAg56CuInNi 620 – 730	**2.5162**	Ag 55,0 bis 57,0 Cu Rest In 13,0 bis 15,0 Ni 3,5 bis 4,5	Al 0,01 Pb 0,02 Sonstige: zusammen 0,1	620	730	730	9,5	Chrom- und Chrom-/Nickelstähle		angesetzt und eingelegt
Sonderhartlote	**L-Ag50CdNi** BAg50ZnCuCdNi 645–690	**2.5160**	Ag 49,0 bis 51,0 Cu 14,5 bis 16,5 Cd 14,0 bis 18,0 Ni 2,5 bis 3,5 Zn Rest	Al 0,005 Pb 0,02 Sonstige: zusammen 0,1	645	690	660	9,5	Kupfer-legierungen Hartmetall auf Stahl		
	L-Ag49 BAg49ZnCuMnNi 625–705	**2.5156**	Ag 48,0 bis 50,0 Cu 15,0 bis 17,0 Mn 6,5 bis 8,5 Ni 4,0 bis 5,0 Zn Rest	Al 0,01 Pb 0,02 Sonstige: zusammen 0,3	625	705	690	8,9	Hartmetall auf Stahl Wolfram- und Molybdän-Werkstoffe		
	L-Ag27 BCu38AgZnMnNi 680–830	**2.1217**	Ag 26,0 bis 28,0 Cu 37,0 bis 39,0 Mn 8,5 bis 10,5 Ni 5,0 bis 6,0 Zn Rest	Al 0,01 Pb 0,02 Sonstige: zusammen 0,3	680	830	840	8,7			

Ag-Cu-Zn-(Sn)-Sonderhartlote	**L-Ag83** BAg83CuZn 780 – 830	**2.5152**	Ag 82,0 bis 84,0 Zn 1,0 bis 3,0 Cu Rest	Al 0,005 Pb 0,02 Sonstige: zusammen 0,1	780	830	830	10,2	Edelmetalle	Spalt	angesetzt und eingelegt
	L-Ag75 BAg75CuZn 740 – 775	**2.5153**	Ag 74,0 bis 76,0 Zn 2,0 bis 4,0 Cu Rest	Al 0,005 Pb 0,02 Sonstige: zusammen 0,1	740	775	770	10,0			
	L-Ag67 BAg67CuZn 700 – 730	**2.5148**	Ag 66,0 bis 68,0 Cu 22,0 bis 24,0 Zn Rest	Al 0,005 Pb 0,02 Sonstige: zusammen 0,1	700	730	730	9,7			
	L-Ag64 BAg64CuZn 690 – 720	**2.5149**	Ag 63,0 bis 65,0 Cu 19,0 bis 21,0 Zn Rest	Al 0,005 Pb 0,02 Sonstige: zusammen 0,1	690	720	720	9,7			
	L-Ag60 BAg60CuZn 695 – 730	**2.5150**	Ag 59,0 bis 61,0 Cu 25,0 bis 27,0 Zn Rest	Al 0,005 Pb 0,02 Sonstige: zusammen 0,1	695	730	710	9,5			
	L-Ag60Sn BAg60CuZnSn 620 – 685	**2.5155**	Ag 59,0 bis 61,0 Cu 22,0 bis 24,0 Sn 2,0 bis 4,0 Zn Rest	Al 0,005 Pb 0,02 Sonstige: zusammen 0,1	620	685	680	9,6			

*) Nach ISO 3677 – 1976

5 Technische Lieferbedingungen

5.1 Lieferformen, Maße, Bezeichnung

5.1.1 Lieferformen, Maße

Tabelle 2. **Lieferformen und Maße**

Lotdraht/Lotstab Durchmesser mm ± 0,05	Lotstab Festlänge mm ± 5
1 1,5 2	500 oder 1000

Sonstige Lieferformen nach Vereinbarung: Blech, Band, Formteile, Körnung, flußmittelumhüllte Stäbe.

5.1.2 Bezeichnung

Bezeichnung eines Stabes aus Hartlot mit dem Kurzzeichen L-Ag40Cd oder der Werkstoffnummer 2.5141, von 2 mm Durchmesser und einer Länge von 500 mm:

Lotstab DIN 8513 – L-Ag40Cd – 2 × 500

oder

Lotstab DIN 8513 – 2.5141 – 2 × 500

Anmerkung: Als Benennung der Normbezeichnung ist die entsprechende Benennung aus dem Abschnitt 5.3 zu verwenden.

5.2 Bestellbezeichnung

100 kg Stab aus Hartlot mit dem Kurzzeichen L-Ag40Cd oder der Werkstoffnummer 2.5141, von 2 mm Durchmesser und einer Festlänge von 500 mm:

100 kg Lotstab DIN 8513 – L-Ag40Cd – 2 × 500

oder

100 kg Lotstab DIN 8513 – 2.5141 – 2 × 500

5.3 Lieferart

Lotdraht: in Bunden

Lotstab: gebündelt

5.4 Oberflächenbeschaffenheit

Die Oberfläche der Stäbe und Drähte muß frei von schädlichen Verunreinigungen sein.

5.5 Prüfung und Abnahme

Für die Abnahme genügt in der Regel eine Werksbescheinigung nach DIN 50 049. Soweit vom Besteller Prüfungen gewünscht werden, sind mit dem Lieferer entsprechende Vereinbarungen zu treffen.

6 Kennzeichnung

Drahtbunde und Stabbündel sind mit Anhängeschildern, Verpackungen mit Klebezetteln zu versehen. Anhängeschilder und Klebezettel sollen neben dem Zeichen des Herstellers oder Lieferers mindestens die Kurzbezeichnung nach Abschnitt 2 und das ISO-Kurzzeichen nach Tabelle 1 tragen.

Auf allen Verpackungen cadmiumhaltiger Lote müssen folgende Angaben enthalten sein:

- Cadmiumhaltiges Lot. Überhitzen ist schlechtes Löten und kann zu gesundheitsschädigenden Dämpfen führen.
- Gefahrensymbol nach der Verordnung über gefährliche Arbeitsstoffe, Ausgabe September 1980, Anhang I, Nr 1.2, angegeben als Andreaskreuz in einem Rechteck mit orangem Hintergrund und darunter „gesundheitsschädlich" (siehe Bild 1).

gesundheitsschädlich

Bild 1.

Anmerkung: Das Gefahrensymbol kann neben dem Text angeordnet werden.

7 Hinweise für die Arbeitssicherheit

Die im Kurzzeichen mit Cd gekennzeichneten Hartlote enthalten Cadmium in nicht vernachlässigbaren Mengen. Bei unsachgemäßer Verarbeitung, insbesondere erheblicher Überhitzung, können gesundheitsschädliche Cadmiumoxid-Dämpfe entstehen. Die Bestimmungen in UVV-VGB 15 bezüglich der Belüftung von Werkstatt und Arbeitsplatz sind zu beachten.

Bei nicht genormten cadmiumhaltigen Hartloten muß entsprechend verfahren werden.

Zitierte Normen und andere Unterlagen

DIN 8513 Teil 1	Hartlote; Kupferbasislote, Zusammensetzung, Verwendung, Technische Lieferbedingungen
DIN 8513 Teil 2	Hartlote; Silberhaltige Lote mit weniger als 20 Gew.-% Silber, Zusammensetzung, Verwendung, Technische Lieferbedingungen
DIN 50049	Bescheinigungen über Materialprüfungen
ISO 3677 – 1976	Zusätze zum Weich- und Hartlöten; Kennzeichnung
UVV VBG 15	Schweißen, Schneiden und verwandte Arbeitsverfahren [1]

Verordnung über gefährliche Arbeitsstoffe [1]

Weitere Normen

DIN 1707	Weichlote; Zusammensetzung, Verwendung, Technische Lieferbedingungen
DIN 8505 Teil 1	Löten; Allgemeines, Begriffe
DIN 8505 Teil 2	Löten; Einteilung der Verfahren, Begriffe
DIN 8505 Teil 3	Löten; Einteilung der Verfahren nach Energieträgern, Verfahrensbeschreibungen
DIN 8511 Teil 1	Flußmittel zum Löten metallischer Werkstoffe; Flußmittel zum Hartlöten
DIN 8511 Teil 2	Flußmittel zum Löten metallischer Werkstoffe; Flußmittel zum Weichlöten von Schwermetallen
DIN 8511 Teil 3	Flußmittel zum Löten metallischer Werkstoffe; Flußmittel zum Weichlöten von Leichtmetallen
DIN 8513 Teil 4	Hartlote; Aluminiumbasislote, Zusammensetzung, Verwendung, Technische Lieferbedingungen
DIN 8513 Teil 5	Hartlote; Nickelbasislote zum Hochtemperaturlöten, Verwendung, Zusammensetzung, Technische Lieferbedingungen
DIN 8525 Teil 1	Prüfung von Hartlötverbindungen, Spaltlötverbindungen, Zugversuch
DIN 8525 Teil 2	Prüfung von Hartlötverbindungen, Spaltlötverbindungen, Scherversuch

Frühere Ausgaben

DIN 1710: 04.25; DIN 1734: 06.44; DIN 1735: 08.44; DIN 8513 Teil 3: 04.66, 12.69, 01.76, 10.79

Änderungen

Gegenüber der Ausgabe Oktober 1979 wurden folgende Änderungen vorgenommen:

a) Ergänzung der Lote L-Ag25Cd, L-Ag40Sn, L-Ag30Sn, L-Ag30 und L-Ag25Sn.

b) Angaben zur Kennzeichnung cadmiumhaltiger Hartlote ergänzt.

Erläuterungen

Diese Norm enthält in Tabelle 1 Kurzzeichen, gebildet nach den Grundlagen der Internationalen Norm ISO 3677 – 1976

D Zusätze zum Weich- und Hartlöten, Kennzeichnung

E Filler metals for brazing and soldering, code of symbols

F Métaux d'apport de brasage tendre et de brasage fort, code de symbolisation

Der dem Stand der Technik angepaßten Überarbeitung liegt zugrunde, für die cadmiumhaltigen Lote Alternativen anzubieten durch cadmiumfreie oder geringer cadmiumhaltige Lote. Deshalb sind einige Ag-Cu-Zn-/Sn-Hartlote und L-Ag25Cd ergänzt.

Daneben lag der Neubearbeitung insbesondere die Absicht zugrunde, die Kennzeichnung der cadmiumhaltigen Hartlote zu verbessern. Hierzu ist zunächst festzustellen, daß Hinweise für die Arbeitssicherheit nach Abschnitt 7 dieser Norm schon immer auf den Verpackungen vorgeschrieben waren als Hilfe zum sachgerechten Umgang mit diesen Arbeitsstoffen. Darüber hinaus erschien es ratsam, durch eine weitere Kennzeichnung deutlich auf die möglichen Gesundheitsgefahren bei unsachgemäßem Umgang mit cadmiumhaltigen Hartloten hinzuweisen. Das nunmehr vorgeschriebene Gefahrensymbol nach Abschnitt 6 als zusätzliche Kennzeichnung auf der Verpackung cadmiumhaltiger Hartlote wird dieser Absicht im Sinne der Verarbeiter gerecht.

Internationale Patentklassifikation

B 23 K 35/30

---

[1] Zu beziehen durch Carl Heymanns Verlag KG, Gereonstraße 18–32, 5000 Köln 1.

DK 621.791.36.04-034.245 : 62-977 : 669.1/.6 Februar 1983

Hartlote
Nickelbasislote zum Hochtemperaturlöten
Verwendung, Zusammensetzung, Technische Lieferbedingungen

DIN 8513 Teil 5

Brazing alloys; filler metals on nickel-base for high temperature brazing, use, composition, technical terms of delivery

Zusammenhang mit der von der International Organization for Standardization (ISO) herausgegebenen Internationalen Norm ISO 3677 – 1976, siehe Erläuterungen.

Diese Norm wurde in Zusammenarbeit mit dem Deutschen Verband für Schweißtechnik (DVS) aufgestellt.

In dieser Norm bedeutet die Angabe % Massenanteil in Prozent (früher Gew.-%).

1 Anwendungsbereich

Diese Norm gilt für Zusätze aus Nickellegierungen zum Hochtemperaturlöten von Werkstücken aus Eisenwerkstoffen, Nickelwerkstoffen, Cobaltwerkstoffen und Sondermetallwerkstoffen.

2 Bezeichnung

Bei der Bezeichnung der Lote sind die Kurzzeichen oder Werkstoffnummern nach der Tabelle 1 zu verwenden.

Bezeichnung eines Hartlotes mit dem Kurzzeichen L-Ni5 oder der Werkstoffnummer 2.4148:

Hartlot DIN 8513 – L-Ni5

oder

Hartlot DIN 8513 – 2.4148

3 Verwendung

Die Liquidustemperaturen der Lote liegen zwischen 880 und 1135 °C. Diese Lote werden zum Hochtemperaturlöten von Eisenwerkstoffen, Nickelwerkstoffen, Cobaltwerkstoffen und Sondermetallwerkstoffen verwendet.

4 Zusammensetzung und physikalische Eigenschaften (siehe Tabelle 1)

Die Nickelbasislote umfassen NiCrSi-, NiBSi-, NiCrSiB-, NiCrP-, NiP- und NiMnSi-Legierungen mit weiteren Zusätzen.

Fortsetzung Seite 2 bis 4

Normenausschuß Schweißtechnik (NAS) im DIN Deutsches Institut für Normung e.V.
Normenausschuß Nichteisenmetalle (FNNE) im DIN

Tabelle 1. **Zusammensetzung, Eigenschaften, Verwendung**

DIN-Kurzzeichen ISO-Kurzzeichen	Werk- stoff- nummer	Zusammensetzung Legierungs- bestandteile %	Zusammensetzung zulässige Bei- mengungen %	Schmelzbereich Solidus °C ≈	Schmelzbereich Liquidus °C ≈	Hinweise für die Verarbeitung Grund- werk- stoff(e)	Hinweise für die Verarbeitung Löt- stoß	Hinweise für die Verarbeitung Art der Lot- zufuhr
L-Ni1 BNi 74CrFeSiB 980 – 1040	2.4140	B 2,75 bis 3,5 C 0,6 bis 0,9 Cr13 bis15 Fe 4 bis 5 Si 4 bis 5 Ni Rest	Al 0,05 Co 0,1 P 0,02 S 0,02 Ti 0,05 Zr 0,05 sonstige: zusammen 0,5	980	1040	Nickel, Cobalt und ihre Legierungen, unlegierte-, niedriglegierte und hochlegierte Stähle, bedingt: Sondermetalle und deren Legierungen	Spalt	an- oder eingelegt
L-Ni1a BNi74CrFeSiB 980 – 1080	2.4141	B 2,75 bis 3,5 Cr13 bis15 Fe 4 bis 5 Si 4 bis 5 Ni Rest	Al 0,05 C 0,06 Co 0,1 P 0,02 S 0,02 Ti 0,05 Zr 0,05 sonstige: zusammen 0,5	980	1080			
L-Ni2 BNi82CrSiBFe 970 – 1000	2.4142	B 2,75 bis 3,5 Cr 6 bis 8 Fe 2,5 bis 3,5 Si 4 bis 5 Ni Rest	Al 0,05 C 0,06 Co 0,1 P 0,02 S 0,02 Ti 0,05 Zr 0,05 sonstige: zusammen 0,5	970	1000			
L-Ni3 BNi92SiB 980 – 1040	2.4143	B 2,75 bis 3,5 Fe 0,5 Si 4 bis 5 Ni Rest	Al 0,05 C 0,06 Co 0,1 P 0,02 S 0,02 Ti 0,05 Zr 0,05 sonstige: zusammen 0,5	980	1040			
L-Ni4 BNi93SiB 980 – 1070	2.4147	B 1,5 bis 2,2 Fe 1,5 Si 3 bis 4 Ni Rest		980	1070			
L-Ni5 BNi71CrSi 1080 – 1135	2.4148	Cr 18,5 bis 19,5 Si 9,5 bis 10,5 Ni Rest	Al 0,05 B 0,03 C 0,1 Co 0,1 P 0,02 S 0,02 Ti 0,05 Zr 0,05 sonstige: zusammen 0,5	1080	1135			

Tabelle 1. (Fortsetzung)

DIN-Kurzzeichen ISO-Kurzzeichen	Werk- stoff- nummer	Zusammensetzung Legierungs- bestandteile %	Zusammensetzung zulässige Bei- mengungen %	Schmelzbereich Solidus °C ≈	Schmelzbereich Liquidus °C ≈	Hinweise für die Verarbeitung Grund- werk- stoff(e)	Hinweise für die Verarbeitung Löt- stoß	Hinweise für die Verarbeitung Art der Lot- zufuhr
L-Ni6 BNi89P 880	2.4149	P 10 bis 12 Ni Rest	Al 0,05 C 0,1 Co 0,1 S 0,02 Ti 0,05 Zr 0,05 sonstige: zusammen 0,5	880	880	Nickel, Cobalt und ihre Legierungen, unlegierte-, niedriglegierte und hochlegierte Stähle, bedingt: Sondermetalle und deren Legierungen	Spalt	an- oder eingelegt
L-Ni7 BNi76CrP 890	2.4150	Cr 13 bis 15 P 9,7 bis 10,5 Ni Rest	Al 0,05 B 0,01 C 0,08 Co 0,01 Fe 0,2 Mn 0,04 S 0,02 Si 0,1 Ti 0,05 Zr 0,05 sonstige: zusammen 0,5	890	890			
L-Ni8 BNi65MnSiCu 980 – 1010	2.4152	C 0,1 Cu 4,0 bis 5,0 Mn 21,5 bis 24,5 Si 6,0 bis 8,0 Ni Rest	Al 0,05 Co 0,1 P 0,02 S 0,02 Ti 0,05 Zr 0,05 sonstige: zusammen 0,5	980	1010			

5 Technische Lieferbedingungen

5.1 Lieferformen, Bezeichnung

5.1.1 Lieferformen, Maße

Lotpulver: Korngrößenbereich nach Vereinbarung
Lotpaste: Korngröße, Lotanteil und Bindemitteltyp nach Vereinbarung
Lotfolie: Breite und Dicke nach Vereinbarung, falls Herstellung möglich
Lotdraht: Durchmesser nach Vereinbarung, falls Herstellung möglich
Lotformteile: Maße nach Vereinbarung, falls Herstellung möglich
Für besondere Anwendungen: In Kunststoffolie gebundenes Lot (Tapes).

5.1.2 Bezeichnung

Bezeichnung von Lotpulver aus dem Hartlot L-Ni5 oder der Werkstoffnummer 2.4148 im Korngrößenbereich 0,05 bis 0,100 mm:

Lotpulver DIN 8513 – L-Ni5 – 0,05/0,100

oder

Lotpulver DIN 8513 – 2.4148 – 0,05/0,100

Bezeichnung von Lotpaste aus dem Hartlot L-Ni2 oder der Werkstoffnummer 2.4142 mit mittlerer Korngröße von 0,05 mm und einem Massenanteil Lot von 85%:

Lotpaste DIN 8513 – L-Ni2 – 0,05-85

oder

Lotpaste DIN 8513 – 2.4142 – 0,05-85

Anmerkung: Als Benennungs-Block der Normbezeichnung ist die entsprechende Benennung aus dem Abschnitt 5.1.1 zu verwenden.

5.2 Bestellbeispiele

1 kg Lotpulver aus Hartlot L-Ni5 oder der Werkstoffnummer 2.4148 im Korngrößenbereich 0,05 bis 0,100 mm:

1 kg Lotpulver DIN 8513 – L-Ni5 – 0,05/0,100

oder

1 kg Lotpulver DIN 8513 – 2.4148 – 0,05/0,100

0,1 kg Lotpaste aus dem Hartlot L-Ni2 oder der Werkstoffnummer 2.4142 mit mittlerer Korngröße von 0,05 mm und einem Massenanteil an Lot von 85%:

0,1 kg Lotpaste DIN 8513 – L-Ni2 – 0,05-85

oder

0,1 kg Lotpaste DIN 8513 – 2.4142 – 0,05-85

5.3 Lieferart

Lotpulver:	in Behältern	Lotfolie:	in Fabrikationslängen und -breiten
Lotpaste:	in Behältern	Lotdraht:	in Fabrikationslängen

5.4 Oberflächenbeschaffenheit

Die Pulver und die Oberflächen der Folien, Drähte und Formteile müssen frei von schädlichen Verunreinigungen sein.

5.5 Prüfung und Abnahme

Für die Abnahme genügt in der Regel eine Werksbescheinigung nach DIN 50 049. Soweit vom Besteller Prüfungen gewünscht werden, sind mit dem Lieferer entsprechende Vereinbarungen zu treffen.

6 Kennzeichnung

Verpackungseinheiten sollen neben dem Zeichen des Herstellers oder Lieferers mindestens den Identifizierungs-Block der Normbezeichnung nach Abschnitt 2 (z. B. DIN 8513 – L-Ni5) und das ISO-Kurzzeichen nach der Tabelle 1 tragen. Bei Loten in Pulver- und Pastenform soll zusätzlich das Herstelldatum angegeben werden.

Zitierte Normen

DIN 50 049 Bescheinigungen über Materialprüfungen

Weitere Normen und andere Unterlagen

DIN 8505 Teil 1	Löten; Allgemeines, Begriffe
DIN 8505 Teil 2	Löten; Einteilung der Verfahren, Begriffe
DIN 8505 Teil 3	Löten; Einteilung der Verfahren nach Energieträgern, Verfahrensbeschreibungen
DIN 8513 Teil 1	Hartlote; Kupferbasislote, Zusammensetzung, Verwendung, Technische Lieferbedingungen
DIN 8513 Teil 2	Hartlote; Silberhaltige Lote mit weniger als 20 Gew.-% Silber, Zusammensetzung, Verwendung, Technische Lieferbedingungen
DIN 8513 Teil 3	Hartlote; Silberhaltige Lote mit mindestens 20 Gew.-% Silber, Zusammensetzung, Verwendung, Technische Lieferbedingungen
DIN 8513 Teil 4	Hartlote; Aluminiumbasislote, Zusammensetzung, Verwendung, Technische Lieferbedingungen
DIN ISO 3677	Zusätze zum Weich- und Hartlöten; Aufbau der Kurzzeichen
DVS 2605 *)	Bindemittel für pulverförmige Lote zum Löten unter Vakuum oder Schutzgas

Erläuterungen

Diese Norm enthält in der Tabelle 1 Kurzzeichen, gebildet nach den Grundlagen der Internationalen Norm ISO 3677 – 1976.

D: Zusätze zum Weich- und Hartlöten; Kennzeichnung

E: Filler metals for brazing and soldering; code of symbols

F: Métaux d'apport de brasage tendre et de brasage fort, code de symbolisation

Mit den in Teil 5 von DIN 8513 aufgeführten Nickelbasisloten wurde die Norm über Hartlote vervollständigt. Die Zahlen in den deutschen Kurzzeichen (z. B. L-Ni1) und die Zusammensetzungen wurden der amerikanischen Norm (AWS-Spezifikation, z. B. BNi-1) entnommen. Im Sinne einer übergeordneten internationalen Vereinheitlichung der Lot-Bezeichnungen wird empfohlen, die ISO-Kurzzeichen mit zu verwenden. Im allgemeinen wird bei 20 bis 150 °C oberhalb der Liquidustemperatur gelötet. Nähere verfahrensbezogene Angaben sind bei den Lotherstellern zu erfahren.

Diese Norm enthält keine Angaben über Lötparameter, z. B. Lötflächenbeschaffenheit, Werkstück- und Spaltgeometrie sowie Lötzyklus, die beim Hochtemperaturlöten einen wesentlichen Einfluß auf die Eigenschaften der Lötverbindung haben.

Die Lote L-Ni6 und L-Ni7 haben Liquidustemperaturen unter 900 °C; sie werden trotzdem als Hochtemperaturlote eingestuft, da sie nur unter Luftabschluß eingesetzt werden.

Internationale Patentklassifikation

B 23 K 35/30

*) Zu beziehen durch Deutscher Verlag für Schweißtechnik GmbH, Postfach 27 25, 4000 Düsseldorf 1

DK 620.2 : 311.1 : 699.2/.8 Juli 1963

Werkstoffnummern

Systematik der Hauptgruppen 2 und 3: Nichteisenmetalle

DIN 17 007 Blatt 4

Werkstoffnummern; Catalogue of principal groups 2 and 3: Non-ferrous metals
Index numérique des matières; Groupes 2 et 3: métaux non ferreux

1. Geltungsbereich

Für den Aufbau der Werkstoffnummern für Nichteisenmetalle (NE-Metalle) gilt der in DIN 17 007 Blatt 1 festgelegte Rahmen.

Die vorliegende Norm gilt für alle reinen Metalle mit Ausnahme des Eisens; sie gilt auch für solche Legierungen, in denen Eisen nicht den größten Einzelgehalt darstellt.

2. Werkstoff-Hauptgruppen

Die Werkstoffnummern der NE-Metalle haben als Hauptgruppen-Nummer in der ersten Stelle

eine 2 für Schwermetalle außer Eisen,

eine 3 für Leichtmetalle.

3. Sortennummern

Die in der zweiten bis fünften Stelle der Werkstoffnummern stehenden Sortennummern kennzeichnen die Zusammensetzung. Durch die Hauptgruppen-Nummer 2 und 3 ist für die NE-Metalle ein Werkstoffnummernbereich von 2.0000.×× bis 3.9999.×× gegeben. Dieser Bereich ist entsprechend Tabelle 1 auf die verschiedenen Grundmetalle nach Maßgabe der bisher vorhandenen und für eine weitere übersehbare Entwicklungszeit noch zu erwartende Zahl von Reinheitsgraden und Legierungen je Grundmetall aufgeteilt.

Die Werkstoffnummernbereiche für Werkstoffgruppen einzelner Grundmetalle sind aus Tabelle 2 ersichtlich.

Es bleibt dem Fachnormenausschuß Nichteisenmetalle (FNNE) freigestellt, innerhalb der in Tabelle 1 und 2 angegebenen Werkstoffnummernbereiche für ein Grundmetall und seine Legierungen eine weitergehende Systematik für die Sortennummern einzuführen. Diese kann dann auch noch andere Gesichtspunkte außer der Zusammensetzung (z. B. die Gießart oder die Halbzeugform) berücksichtigen.

4. Anhängezahlen

Die in der sechsten und siebenten Stelle der Werkstoffnummern stehenden Anhängezahlen geben bei NE-Metallen nur den Zustand an.

Die Anhängezahlen sind einheitlich für sämtliche NE-Metalle.

Die Zustände sind nach ihrer Verwandtschaft dekadisch in 10 Gruppen zusammengefaßt, siehe Tabelle 3. Die Anwendung der Anhängezahlen für den Zustand soll vornehmlich so gehandhabt werden, daß die kennzeichnenden Arbeitsgänge am Ende der Fertigung, durch die der Zustand erreicht wird, erfaßt werden. Feinere Unterschiede in der Auswirkung der Behandlung auf die mechanischen Eigenschaften (z. B. Festigkeitswerte) können damit erst in zweiter Linie angedeutet werden. Wichtige Hinweise auf die Anwendung der Anhängezahlen gibt eine Reihe von Fußnoten in Tabelle 3.

5. Erteilung und Verwendung der Werkstoffnummern für NE-Metalle

Werkstoffnummern nach dieser Norm werden nur für in DIN-Normen behandelte NE-Metalle erteilt sowie für solche, deren Aufnahme in DIN-Normen bereits vorgesehen ist. Werkstoffnummern für NE-Metalle werden ausschließlich durch die Geschäftsstelle des Fachnormenausschusses Nichteisenmetalle (FNNE), Köln, Friesenplatz 16, im Einvernehmen mit dessen Arbeitsausschuß „Werkstoffnummern", erteilt.

6. Schreibweise der Werkstoffnummern

Die Werkstoffnummern sind ungekürzt zu schreiben, d. h. zur Kennzeichnung der Zusammensetzung die Hauptgruppen- und Sortennummern und, soweit eine Zustandsangabe gemacht werden kann, die Anhängezahlen.

Tabelle 1. Einteilung der Hauptgruppen 2 und 3 nach NE-Grundmetallen

Werkstoffnummernbereiche	NE-Grundmetalle
2.0000 bis 2.1799	Cu
2.1800 bis 2.1999	Reserve
2.2000 bis 2.2499	Zn, Cd
2.2500 bis 2.2999	Reserve
2.3000 bis 2.3499	Pb
2.3500 bis 2.3999	Sn
2.4000 bis 2.4999	Ni, Co
2.5000 bis 2.5999	Edelmetalle
2.6000 bis 2.6999	Hochschmelzende Metalle
2.7000 bis 2.9999	Reserve
3.0000 bis 3.4999	Al
3.5000 bis 3.5999	Mg
3.6000 bis 3.6999	Reserve
3.7000 bis 3.7999	Ti
3.8000 bis 3.9999	Reserve

Fortsetzung Seite 2 bis 4

Fachnormenausschuß Nichteisenmetalle (FNNE) im Deutschen Normenausschuß (DNA)
Ausschuß Stoffnummern im DNA

Tabelle 2. Hauptgruppen- und Sortennummern für Grundmetalle und ihre Legierungen

Werkstoff-nummern-bereiche	Werkstoffgruppe
Kupfer und Kupferlegierungen	
2.0000 bis 2.0199	Reinkupfer
2.0200 bis 2.0449	Messing (CuZn-Leg.)
2.0450 bis 2.0599	Sondermessing
2.0600 bis 2.0699	Reserve
2.0700 bis 2.0799	Neusilber (CuNiZn-Leg.)
2.0800 bis 2.0899	CuNi-Legierungen
2.0900 bis 2.0999	CuAl-Legierungen
2.1000 bis 2.1159	CuSn-Legierungen
2.1160 bis 2.1189	CuPb-Legierungen
2.1190 bis 2.1199	Reserve
2.1200 bis 2.1219	CuAg-Legierungen
2.1220 bis 2.1229	CuAu-Legierungen
2.1230 bis 2.1239	Reserve
2.1240 bis 2.1259	CuBe-Legierungen
2.1260 bis 2.1279	CuCd-Legierungen
2.1280 bis 2.1289	CuCo-Legierungen
2.1290 bis 2.1299	CuCr-Legierungen
2.1300 bis 2.1309	Reserve
2.1310 bis 2.1319	CuFe-Legierungen
2.1320 bis 2.1349	CuMg-Legierungen
2.1350 bis 2.1389	CuMn-Legierungen
2.1390 bis 2.1399	CuO-Legierungen
2.1400 bis 2.1459	Reserve
2.1460 bis 2.1469	CuP-Legierungen
2.1470 bis 2.1479	CuPd-Legierungen
2.1480 bis 2.1489	CuPt-Legierungen
2.1490 bis 2.1499	Reserve
2.1500 bis 2.1509	CuSe-Legierungen
2.1510 bis 2.1539	CuSi-Legierungen
2.1540 bis 2.1549	CuTe-Legierungen
2.1550 bis 2.1559	Reserve
2.1560 bis 2.1579	CuTi-Legierungen
2.1580 bis 2.1599	CuZr-Legierungen
2.1600 bis 2.1799	Reserve
Zink, Cadmium und ihre Legierungen	
2.2000 bis 2.2099	Reinzink
2.2100 bis 2.2199	Zinklegierungen
2.2200 bis 2.2299	Zinkbleche und -Bänder
2.2300 bis 2.2399	Lote auf Zinkbasis
2.2400 bis 2.2499	Cadmium, Cadmiumlegierungen und Lote auf Cadmiumbasis

Bei Feinzink ist die Ziffer in der 4. und 5. Stelle identisch mit der Anzahl der „Neunen" im Kurzzeichen. Bei Hüttenzink läßt die 4. und 5. Stelle den Reinheitsgrad nach dem Sprachgebrauch erkennen. Bei den Zinklegierungen stehen in der 4., 5. und 6. Stelle die bisher handelsüblichen Bezeichnungen, z. B. 2.2141.05 = Z 410 als Druckguß. Eine ähnliche Systematik besteht auch bei den Loten auf Zn- und Cd-Basis.

Werkstoff-nummern-bereiche	Werkstoffgruppe
Blei und Bleilegierungen	
2.3000 bis 2.3099	Reinblei
2.3100 bis 2.3199	Blei und Blei-Legierungen für Kabelmäntel
2.3200 bis 2.3299	Hartblei
2.3300 bis 2.3399	Mehrstoff-Legierungen
2.3400 bis 2.3449	Weichlote auf Bleibasis
2.3450 bis 2.3499	Reserve
Zinn und Zinnlegierungen	
2.3500 bis 2.3509	Reinzinn
2.3510 bis 2.3609	Reserve
2.3610 bis 2.3699	SnPb-Weichlote
2.3700 bis 2.3709	Reserve
2.3710 bis 2.3739	SnPbSb-Druckguß-Legierungen
2.3740 bis 2.3769	SnSbCu-Druckguß-Legierungen
2.3770 bis 2.3789	SnSbCu-Lagermetalle
2.3790 bis 2.3809	Reserve
2.3810 bis 2.3899	sonstige Sn-Legierungen
2.3900 bis 2.3999	Reserve
Nickel, Kobalt und ihre Legierungen	
2.4000 bis 2.4099	Reinnickel und Reinkobalt
2.4100 bis 2.4299	Ni- und Co-Legierungen, niedriglegiert [1])
2.4300 bis 2.4349	Ni- und Co-Legierungen, hochlegiert [2])
2.4350 bis 2.4449	NiCu-Legierungen (und CoCu-Legierungen)
2.4450 bis 2.4599	NiFe-Legierungen (und CoFe-Legierungen)
2.4600 bis 2.4999	Ni-Legierungen mit Co, Cr und Mo (und Co-Legierungen mit Cr, Ni und Mo) [3])
Magnesium und Magnesiumlegierungen	
3.5000 bis 3.5009	Reinmagnesium
3.5010 bis 3.5099	Magnesium-Vorlegierungen
3.5100 bis 3.5199	Mg-Legierungen mit seltenen Erden, Th, Zn und Zr
3.5200 bis 3.5209	MgMn-Legierungen
3.5210 bis 3.5299	Reserve
3.5300 bis 3.5999	MgAlZn-Leg. (und sonstige)

Bei den MgAlZn-Legierungen wird nach Möglichkeit die Stoffnummer so gewählt, daß in der 3. und 4. Stelle die Ziffern der handelsüblichen Bezeichnungen erscheinen, z. B.: G-MgAl8Zn1 nach DIN 1729 Blatt 2 = AZ81, Stoffnummer 3.5812.××

[1]) Mit Legierungsgehalten bis 10 %

[2]) Mit Legierungsgehalten über 10 %, soweit diese nicht anderweitig im Werkstoffnummernbereich 2.4350 bis 2.4999 erfaßt sind.

[3]) Diese Werkstoffnummern werden nur im Einvernehmen mit dem FNA Eisen und Stahl (FES) festgelegt.

Tabelle 2. (Fortsetzung)

Werkstoff-nummern-bereiche	Werkstoffgruppe
Aluminium und Aluminiumlegierungen [4])	
3.0000 bis 3.0099	Al-Leg. mit sonstigen Zusätzen [5])
3.0100 bis 3.0499	Reinaluminium
3.0500 bis 3.0599	Al-Leg. mit Mn, Cr
3.0600 bis 3.0699	Al-Leg. mit Pb, Sb, Sn, Bi, Cd, Ca
3.0700 bis 3.0799	Al-Leg. mit Ni, Co
3.0800 bis 3.0899	Al-Leg. mit Ti, B, Be, Zr
3.0900 bis 3.0999	Al-Leg. mit Fe
3.1000 bis 3.1099	AlCu-Leg. mit sonstigen Zusätzen [5])
3.1100 bis 3.1199	AlCu-Leg. binär
3.1200 bis 3.1299	AlCu-Leg. mit Si
3.1300 bis 3.1399	AlCu-Leg. mit Mg
3.1400 bis 3.1499	AlCu-Leg. mit Zn
3.1500 bis 3.1599	AlCu-Leg. mit Mn, Cr
3.1600 bis 3.1699	AlCu-Leg. mit Pb, Sb, Sn, Cd, Bi, Ca
3.1700 bis 3.1799	AlCu-Leg. mit Ni, Co
3.1800 bis 3.1899	AlCu-Leg. mit Ti, B, Be, Zr
3.1900 bis 3.1999	AlCu-Leg. mit Fe
3.2000 bis 3.2099	AlSi-Leg. mit sonstigen Zusätzen [5])
3.2100 bis 3.2199	AlSi-Leg. mit Cu
3.2200 bis 3.2299	AlSi-Leg. binär
3.2300 bis 3.2399	AlSi-Leg. mit Mg
3.2400 bis 3.2499	AlSi-Leg. mit Zn
3.2500 bis 3.2599	AlSi-Leg. mit Mn, Cr
3.2600 bis 3.2699	AlSi-Leg. mit Pb, Sb, Sn, Cd, Bi, Ca
3.2700 bis 3.2799	AlSi-Leg. mit Ni, Co
3.2800 bis 3.2899	AlSi-Leg. mit Ti, B, Be, Zr
3.2900 bis 3.2999	AlSi-Leg. mit Fe
3.3000 bis 3.3099	AlMg-Leg. mit sonstigen Zusätzen [5])
3.3100 bis 3.3199	AlMg-Leg. mit Cu
3.3200 bis 3.3299	AlMg-Leg. mit Si
3.3300 bis 3.3399	AlMg-Leg. binär
3.3400 bis 3.3499	AlMg-Leg. mit Zn
3.3500 bis 3.3599	AlMg-Leg. mit Mn, Cr
3.3600 bis 3.3699	AlMg-Leg. mit Pb, Sb, Sn, Cd, Bi, Ca
3.3700 bis 3.3799	AlMg-Leg. mit Ni, Co
3.3800 bis 3.3899	AlMg-Leg. mit Ti, B, Be, Zr
3.3900 bis 3.3999	AlMg-Leg. mit Fe
3.4000 bis 3.4099	AlZn-Leg. mit sonstigen Zusätzen [5])
3.4100 bis 3.4199	AlZn-Leg. mit Cu
3.4200 bis 3.4299	AlZn-Leg. mit Si
3.4300 bis 3.4399	AlZn-Leg. mit Mg
3.4400 bis 3.4499	AlZn-Leg. binär
3.4500 bis 3.4599	AlZn-Leg. mit Mn, Cr
3.4600 bis 3.4699	AlZn-Leg. mit Pb, Sb, Sn, Cd, Bi, Ca
3.4700 bis 3.4799	AlZn-Leg. mit Ni, Co
3.4800 bis 3.4899	AlZn-Leg. mit Ti, B, Be, Zr
3.4900 bis 3.4999	AlZn-Leg. mit Fe

[4]) Eine weitergehende Systematik für Aluminium siehe DIN-Mitteilungen Bd 37 (1958) Heft 7, Seite 314—318

[5]) Elemente außer B, Be Bi, Ca, Cd, Co, Cr, Cu, Fe, Mg, Mn, Ni, Pb, Si, Sb, Sn, Ti, Zn, Zr

Tabelle 3. Anhängezahlen für Zustände

Dekade 0: unbehandelt	
.00	Masseln, Pulver, Schwamm usw., unbehandelt
.01	Sandguß, unbehandelt
.02	Kokillenguß, unbehandelt
.03	Schleuderguß, unbehandelt
.04	Strangguß, unbehandelt
.05	Druckguß, unbehandelt
.06	Sintermetall, unbehandelt [6])
.07	warmgewalzt [7]) / warmgezogen
.08	(strang-)gepreßt/(warm-)geschmiedet (Freiform/Gesenk) [6])
.09	Sonderfälle
Dekade 1: weich	
.10	weich, ohne Korngrößenangabe
.11 bis .18	weich, mit Korngrößenangabe
.19	weich, nach Sondervorschrift
Dekade 2: kaltverfestigt (Zwischenhärten)	
.20	gewalzt/gezogen, ohne vorgeschriebene Festigkeitswerte
.21	gewalzt, entspannt/gezogen, entspannt
.22	achtelhart [8])
.23	achtelhart, entspannt
.24	viertelhart [8])
.25	viertelhart, entspannt
.26	halbhart [8])
.27	halbhart, entspannt
.28	dreiviertelhart [8])
.29	Sonderfälle
Dekade 3: kaltverfestigt („hart" und darüber)	
.30	hart
.31	hart, entspannt
.32	federhart
.33	federhart, entspannt
.34	doppelfederhart
.35	doppelfederhart, entspannt
.36	überdoppelfederhart
.37	überdoppelfederhart, entspannt
.38	Reserve
.39	Sonderfälle
Dekade 4: lösungsgeglüht [9]), ohne mechanische Nacharbeit	
.40	lösungsgeglüht
.41	lösungsgeglüht und zur Aushärtung kaltausgelagert
.42	lösungsgeglüht und zur Aushärtung kaltausgelagert, Varianten
.43	homogenisiert [10])
.44	geglüht und abgeschreckt [11])
.45	Reserve
.46	Reserve
.47	Reserve
.48	unvollständig lösungsgeglüht und (z. B. aus der Gieß- oder Preßhitze) gegebenenfalls abgeschreckt
.49	Sonderfälle

[6]) bis [11]) siehe Seite 4

Tabelle 3. (Fortsetzung)

Dekade 5: lösungsgeglüht [9]), kaltnachgearbeitet	
.50	lösungsgeglüht, kaltnachbearbeitet [12])
.51	lösungsgeglüht und zur Aushärtung kaltausgelagert, gerichtet [13])
.52	lösungsgeglüht und zur Aushärtung kaltausgelagert, gerichtet [13]), Varianten
.53	lösungsgeglüht, kaltverfestigt [14]) [15])
.54	lösungsgeglüht, kaltverfestigt auf viertelhart
.55	lösungsgeglüht, kaltverfestigt auf halbhart
.56	lösungsgeglüht, kaltverfestigt auf hart
.57	Reserve
.58	Reserve
.59	Sonderfälle
Dekade 6: warmausgehärtet, ohne mechanische Nacharbeit	
.60	lösungsgeglüht, warmausgelagert [16])
.61	lösungsgeglüht, warmausgelagert [15])
.62	lösungsgeglüht, warmausgelagert [15]), Varianten
.63	Reserve
.64	Reserve
.65	Reserve
.66	ohne besonderes Lösungsglühen warmausgelagert
.67	ohne besonderes Lösungsglühen warmausgelagert, Varianten
.68	nach unvollständigem Lösungsglühen (z. B. durch Gieß- oder Preßhitze) gegebenenfalls abgeschreckt, warmausgelagert
.69	Sonderfälle
Dekade 7: warmausgehärtet, kaltnachbearbeitet	
.70	lösungsgeglüht, kaltnachbearbeitet, warmausgelagert [17])
.71	lösungsgeglüht, gerichtet, warmausgelagert [15]) [17])
.72	lösungsgeglüht, gerichtet, warmausgelagert [15]) [17]), Varianten
.73	lösungsgeglüht, kaltverfestigt [14]), warmausgelagert [17])
.74	lösungsgeglüht, kaltverfestigt auf viertelhart, warmausgelagert [17])
.75	lösungsgeglüht, kaltverfestigt auf halbhart, warmausgelagert [17])
.76	lösungsgeglüht, kaltverfestigt auf hart, warmausgelagert [17])
.77	lösungsgeglüht, kaltverfestigt [14]), warmausgelagert, kaltverfestigt [14])
.78	unvollständig lösungsgeglüht (z. B. durch Gieß- oder Preßhitze) gegebenenfalls abgeschreckt, warmausgelagert, kaltverfestigt
.79	Sonderfälle

Dekade 8: entspannt, ohne vorherige Kaltverfestigung	
.80	Reserve
.81	Sandguß, entspannt
.82	Kokillenguß, entspannt
.83	Schleuderguß, entspannt
.84	Strangguß, entspannt
.85	Druckguß, entspannt
.86	Reserve
.87	warmgewalzt, entspannt/warmgezogen, entspannt
.88	(strang-)gepreßt, entspannt/warmgeschmiedet, entspannt
.89	Sonderfälle
Dekade 9: Sonderbehandlungen (z. B. Stabilisierungsglühungen)	
.90	Reserve
.91	Sandguß, sonderbehandelt
.92	Kokillenguß, sonderbehandelt
.93	Schleuderguß, sonderbehandelt
.94	Reserve
.95	Druckguß, sonderbehandelt
.96	Sintermetall, sonderbehandelt
.97	Knethalbzeug, sonderbehandelt
.98	Knethalbzeug, sonderbehandelt
.99	Sonderfälle

[6]) Einschließlich eines Kalt-Kalibrierschlages

[7]) Einschließlich des als „verfestigt" bezeichneten Zustandes (Bleche, DIN 1745)

[8]) Einschließlich der Zwischenhärten, die durch partielles Entfestigungsglühen (als letzter Arbeitsgang) erzielt werden

[9]) An das Lösungsglühen schließt sich immer eine mehr oder weniger rasche Abkühlung an

[10]) Variante des Lösungsglühens, nicht zum Zweck anschließender Aushärtung, sondern lediglich zur Erzielung eines gleichmäßigen Gefüges (z. B. G-AlMg10ho, hier mit Stufenabschreckung)

[11]) Variante des Lösungsglühens, insbesondere zur Verbesserung der Dehnung durch geeignete Änderung der Form ausgeschiedener Gefügebestandteile (z. B. G-AlSi12g)

[12]) Art und Verfestigungsgrad der Kaltnachbearbeitung freibleibend.

[13]) Das Richten kann vor, während oder nach der Kaltauslagerung geschehen

[14]) Ohne vorgeschriebenen Verfestigungsgrad

[15]) Mit oder ohne vorhergehende Kaltauslagerung

[16]) Nur für Werkstoffe, bei denen eine Lagerung bei Raumtemperatur vor Beginn des Warmauslagerns keine Änderung der mechanischen Eigenschaften bedingt

[17]) Richten bzw. Verfestigung vor oder nach dem Warmauslagern

DK 669.35.018.54 : 669.245.018.54
: 621.316.84 : 621.315.551 : 621.365.41

April 1983

Widerstandslegierungen

Eigenschaften

DIN 17 471

Electrical resistors material; properties

Ersatz für Ausgabe 01.66

1 Anwendungsbereich

Diese Norm gilt für die Nichteisenmetall-Legierungen auf Kupfer- und Nickelbasis, die wegen ihres elektrischen Widerstandes und dessen Temperaturcharakteristik als Werkstoffe für Widerstände aller Art und auch für Heizleiter verwendet werden.

Diese Norm gilt nicht für Werkstoffe für Widerstandsthermometer (DIN 43 760), Thermopaare (DIN 43 710) und Ausgleichsleitungen (DIN 43 713).

2 Bezeichnung

Zum Bezeichnen der Widerstandslegierungen nach dieser Norm sind die Werkstoff-Kurzzeichen und Werkstoff-Nummern der Tabelle zu verwenden.

Beispiel:

Bezeichnung einer Widerstandslegierung mit dem Werkstoff-Kurzzeichen CuNi2 oder der Werkstoff-Nummer 2.0802:

Legierung DIN 17 471 – CuNi2

oder Legierung DIN 17 471 – 2.0802

3 Bestellangaben

Die Auswahl des Werkstoffes, Lieferausführung und -art sind Sache des Bestellers. Das Herstellungsverfahren wird dem Hersteller überlassen. Es wird empfohlen, den Verwendungszweck und gegebenenfalls die Weiterverarbeitung bei Bestellung anzugeben.

Bei der Bestellung von Drähten oder Bändern aus Werkstoffen nach dieser Norm sind die Werkstoff-Kurzzeichen oder Werkstoff-Nummern nach Tabelle 1 zu verwenden.

4 Chemische Zusammensetzung

In Tabelle 1 sind für die chemische Zusammensetzung nur Mittelwerte der Legierungselemente angegeben, da der spezifische elektrische Widerstand die maßgebende Eigenschaft ist.

5 Eigenschaften

5.1 Physikalische Eigenschaften im weichgeglühten Zustand

Werte für den spezifischen elektrischen Widerstand und für den Temperaturkoeffizienten des elektrischen Widerstandes sind in Tabelle 2 aufgeführt. Werte für den elektrischen Widerstand bei 100 °C und darüber sind nur Anhaltsangaben.

Tabelle 3 enthält weitere Anhaltsangaben für physikalische Eigenschaften.

5.2 Mechanische Eigenschaften

Tabelle 4 zeigt die mechanischen Eigenschaften bei 20 °C im weichgeglühten Zustand. Die Legierungen NiCr8020, NiCr6015 und NiCr20AlSi werden für Widerstandszwecke fast ausschließlich im Durchmesserbereich kleiner als 1 mm eingesetzt; bei diesen im Durchlauf geglühten Drähten liegt der Mindestwert der Zugfestigkeit wesentlich über den angegebenen Werten.

5.3 Korrosionsverhalten

Eine Übersicht über das Korrosionsverhalten der Legierungen im weichgeglühten Zustand gibt die Tabelle 5.

Angaben über die obere Anwendungstemperatur sind der Tabelle 6 zu entnehmen.

5.4 Verbindungsverfahren

Da die Anforderungen an Verbindungen sehr unterschiedlich sind, können keine allgemeingültigen Hinweise auf Verbindungsverfahren gemacht werden, z. B. Löten, Schweißen.

6 Lieferzustand und Lieferart

Die Legierungen werden im weichgeglühten Zustand in Form von blanken oder isolierten Rund- oder Flachdrähten oder als Bänder geliefert. Andere Lieferzustände müssen vereinbart werden.

Die Lieferart – auf Spulen nach DIN 46 399 Teil 1 oder in Ringen – ist in der Bestellung anzugeben.

7 Prüfung

7.1 Prüfung der mechanischen Eigenschaften

Für den Zugversuch gelten die Normen DIN 50 114, DIN 50 145 und DIN 51 210 Teil 1 und Teil 2.

7.2 Prüfung der elektrischen Eigenschaften

Im allgemeinen wird der elektrische Widerstand nach werkseigenen Routineverfahren geprüft.

In Schiedsfällen wird – falls nicht anders vereinbart – das Referenzverfahren nach DIN IEC 468 durchgeführt.

Fortsetzung Seite 2 bis 6

Normenausschuß Nichteisenmetalle (FNNE) im DIN Deutsches Institut für Normung e. V.
Deutsche Elektrotechnische Kommission (DKE) im DIN

Tabelle 1. **Chemische Zusammensetzung, Eigenschaften, Verwendung**

Werkstoff- Kurzzeichen	Werkstoff- Nummer	Chemische Zusammensetzung (Massenanteile) in % Mittelwerte der Legierungselemente Al	Cr	Cu	Fe	Mn	Ni	Si	Hinweise 1) auf besondere Eigenschaften	Hinweise 1) für die Verwendung
CuNi2	**2.0802**	–	–	Rest	–	–	2	–	sehr niedriger spezifischer elektrischer Widerstand, weich lötbar	Anschlußenden, niedrig-ohmige elektrische Widerstände, Heizdrähte, Heizkabel mit niedriger Heizleitertemperatur
CuNi6	**2.0807**	–	–	Rest	–	–	6	–	niedriger spezifischer elektrischer Widerstand, weich lötbar	
CuMn3	**2.1356**	–	–	Rest	–	3	–	–	sehr niedriger spezifischer elektrischer Widerstand bei relativ kleinem Temperaturkoeffizienten, weich lötbar	niedrig-ohmige elektrische Widerstände für geringe Belastung
CuNi10	**2.0811**	–	–	Rest	–	–	10	–	niedriger spezifischer elektrischer Widerstand, korrosions- und zunderbeständig, weich lötbar	wie CuNi2 und CuNi6
CuNi23Mn	**2.0881**	–	–	Rest	–	1,5	23	–	korrosions- und zunderbeständig, weich lötbar	elektrische Widerstände, Heizdrähte, Heizkabel
CuNi30Mn	**2.0890**	–	–	Rest	–	3	30	–	gut korrosions- und zunderbeständig, weich lötbar	elektrische Widerstände Anlasser, Kennmelder
CuMn12Ni	**2.1362**	–	–	Rest	–	12	2	–	besonders kleiner Temperaturkoeffizient, kleine Thermospannung gegen Kupfer, hohe zeitliche Konstanz des Widerstandes, weich lötbar	Präzisions-, Meß- und Normalwiderstände, Vorschaltwiderstände
CuNi44	**2.0842**	–	–	Rest	–	1	44	–	kleiner Temperaturkoeffizient, gut zunderbeständig, hohe Thermospannung gegen Kupfer, weich lötbar	elektrische Widerstände aller Art, Meßwiderstände, Heizdrähte und -kabel, Potentiometer
CuMn12NiAl	**2.1365**	1,2	–	Rest	–	12	5	–	kleiner Temperaturkoeffizient, weich lötbar	elektrische Widerstände
NiCr8020 2)	**2.4869** 2)	–	20	–	–	–	Rest	–	hoher spezifischer elektrischer Widerstand, gut korrosions- und zunderbeständig, nicht ferromagnetisch	hoch-ohmige elektrische Widerstände, Heizleiter siehe DIN 17 470 (z. Z. Entwurf)
NiCr6015 2)	**2.4867** 2)	–	15	–	20	–	Rest	–	wie vorstehend, jedoch höherer Temperaturkoeffizient	
NiCr20AlSi 2)	**2.4872** 2)	3,5	20	–	0,5	0,5	Rest	1	hoher spezifischer elektrischer Widerstand, bestimmter kleiner Temperaturkoeffizient einstellbar, kleine Thermospannung gegen Kupfer, hohe Festigkeit, nicht ferromagnetisch	insbesondere für hochohmige Meß- und Präzisionswiderstände

1) Die Hinweise dienen nur zur Information und erheben keinen Anspruch auf Allgemeingültigkeit und Vollständigkeit.

2) Nähere Angaben siehe DIN 17 742.

Tabelle 2. **Elektrischer Widerstand im weichgeglühten Zustand**

Werkstoff-Kurzzeichen	Temperaturkoeffizient des elektrischen Widerstandes zwischen 20 und 105 °C	Spezifischer elektrischer Widerstand in Ω mm^2/m bei						
		20 °C		100 °C	200 °C	300 °C	400 °C	500 °C
	10^{-6}/K	Nennwert	zul. Abw. %	Anhaltsangaben				
CuNi2	+ 1000 bis + 1600	0,05	± 10	0,057	0,064	–	–	–
CuNi6	+ 500 bis + 900	0,10	± 10	0,107	0,114	0,123	–	–
CuMn3	+ 280 bis + 380	0,125	± 10	0,129	0,133	–	–	–
CuNi10	+ 350 bis + 450	0,15	± 10	0,156	0,162	0,169	0,175	–
CuNi23Mn	+ 220 bis + 280	0,30	± 5	0,308	0,315	0,323	0,331	0,339
CuNi30Mn	+ 80 bis + 130	0,40	± 5	0,404	0,410	0,417	0,424	0,432
CuMn12Ni	- 10 bis + 10 [1]	0,43	± 5	0,43	–	–	–	–
CuNi44	- 80 bis + 40	0,49	± 5	0,49	0,49	0,49	0,49	0,49
CuMn12NiAl	- 50 bis + 50	0,50	± 5	0,50	0,50	0,50	0,50	0,50
NiCr8020 [2]	+ 50 bis + 150	1,08	± 5	1,09	1,10	1,12	1,14	1,16
NiCr6015 [2]	+ 100 bis + 200	1,11	± 5	1,12	1,14	1,16	1,18	1,22
NiCr20AlSi	- 50 bis + 50 [3]	1,32	± 5	1,32	1,32	–	–	–

[1] Der Temperaturkoeffizient gilt bei CuMn12Ni nur zwischen 20 und 50 °C. Die Widerstand-Temperaturkurve hat einen parabolischen Verlauf mit einem Maximum im Bereich von + 20 bis + 40 °C.

[2] Diese Werte gelten für den Zustand nach schneller Abkühlung.

[3] Bei Verwendung als Präzisionswiderstände wird nach Vereinbarung der Temperaturkoeffizient auf Werte zwischen $- 10 \cdot 10^{-6}$/K und $+ 10 \cdot 10^{-6}$/K eingestellt.

Tabelle 3. **Physikalische Eigenschaften (Anhaltsangaben)**

Werkstoff-Kurzzeichen	Dichte $\frac{g}{cm^3}$ bei 20 °C	Schmelztemperatur °C	Spezifische Wärme $\frac{J}{g\,K}$ bei 20 °C	Wärmeleitfähigkeit $\frac{W}{m\,K}$ bei 20 °C	Mittlere linearer Wärmeausdehnungskoeffizient $\frac{10^{-6}}{K}$ zwischen 20 und 100 °C	und 400 °C	Thermospannung gegen Kupfer $\frac{\mu V}{K}$ bei 20 °C
CuNi2	8,9	1090	0,38	130	16,5	17,5	- 15
CuNi6	8,9	1095	0,38	92	16	17,5	- 20
CuMn3	8,8	1050	0,39	84	15,5	18	+ 1
CuNi10	8,9	1100	0,38	59	16	17,5	- 25
CuNi23Mn	8,9	1150	0,37	33	16	17,5	- 30
CuNi30Mn	8,8	1180	0,40	25	14,5	16	- 25
CuMn12Ni	8,4	960	0,41	22	18	19,5	- 0,6
CuNi44	8,9	1280	0,41	23	13,5	15	- 40
CuMn12NiAl	8,2	1000	0,41	22	17,5	19	- 2
NiCr8020	8,3	1400	0,42	15	13	15	+ 4
NiCr6015	8,2	1390	0,46	13	13,5	15	+ 1
NiCr20AlSi	8,0	1400	0,46	14	14	15	+ 1

Die angegebenen Werte dienen nur zur Information.

Tabelle 4. **Mechanische Eigenschaften bei 20 °C im weichgeglühtem Zustand**

Werkstoff-Kurzzeichen	Zugfestigkeit 1) N/mm² min.	Bruchdehnung 2) (L_0 = 100 mm) % bei Nenndurchmesser in mm von 0,02 bis 0,063 ≈	über 0,063 bis 0,125 ≈	über 0,125 bis 0,5 ≈	über 0,5 bis 1 min.	über 1 3) min.
CuNi2	220	–	15	18	18	25
CuNi6	250	–	15	18	18	25
CuMn3	290	–	15	20	20	25
CuNi10	290	–	15	20	20	25
CuNi23Mn	350	12	18	20	20	25
CuNi30Mn	400	12	18	20	20	25
CuMn12Ni	390	12	18	20	20	25
CuNi44	420	12	18	20	20	25
CuMn12NiAl	400	–	–	18	18	25
NiCr8020	650	8	14	18	18	25
NiCr6015	600	8	14	18	18	25
NiCr20AlSi	1000	8	15	20	20	25

1) Diese Werte gelten für Drähte mit Durchmessern größer als 2 mm. Bei kleineren Durchmessern liegen die Mindestwerte je nach Legierung und Abmessung erheblich höher. Diese Werte gelten auch für Flachdrähte und Bänder, deren Dicke dem Drahtdurchmesser entspricht.

2) Die für Drahtdurchmesser unter 0,5 mm angegebenen Werte für die Bruchdehnung können nach DIN 51 210 Teil 1 und Teil 2 nur als Anhaltsangaben gelten.

3) Bei Drahtdurchmessern über 3 mm kann eine Meßlänge $L_0 = 10\,d_0$ vereinbart werden.

Tabelle 5. **Korrosionsverhalten**

<table>
<tr><th rowspan="3">Werkstoff-Kurzzeichen</th><th colspan="6">Beständigkeit</th></tr>
<tr><th rowspan="2">bei 20 °C
gegen atmosphärische Korrosion</th><th colspan="5">bis zur oberen Anwendungstemperatur 1)</th></tr>
<tr><th>gegen Luft und andere sauerstoffhaltige Gase</th><th>gegen stickstoffhaltige, sauerstoffarme Gase</th><th>gegen schwefelhaltige Gase oxidierend</th><th>gegen schwefelhaltige Gase reduzierend</th><th>gegen Aufkohlung</th></tr>
<tr><td>CuNi2</td><td rowspan="12">hoch</td><td rowspan="3">gering</td><td rowspan="3">gering</td><td rowspan="3">gering</td><td rowspan="9">gering</td><td rowspan="12">hoch</td></tr>
<tr><td>CuNi6</td></tr>
<tr><td>CuMn3</td></tr>
<tr><td>CuNi10</td><td rowspan="2">mittel</td><td rowspan="2">mittel</td><td rowspan="2">mittel</td></tr>
<tr><td>CuNi23Mn</td></tr>
<tr><td>CuNi30Mn</td><td>hoch</td><td>hoch</td><td>hoch</td></tr>
<tr><td>CuMn12Ni</td><td>mittel</td><td>mittel</td><td>mittel</td></tr>
<tr><td>CuNi44</td><td>hoch</td><td>hoch</td><td>hoch</td></tr>
<tr><td>CuMn12NiAl</td><td>mittel</td><td>mittel</td><td>mittel</td></tr>
<tr><td>NiCr8020</td><td rowspan="3">hoch</td><td rowspan="3">hoch</td><td rowspan="2">mittel</td><td rowspan="2">mittel</td></tr>
<tr><td>NiCr6015</td></tr>
<tr><td>NiCr20AlSi</td><td>hoch</td><td>hoch</td></tr>
</table>

1) Siehe Tabelle 6

Tabelle 6. **Anhaltsangaben zur oberen Anwendungstemperatur**

Kurzzeichen	Obere Anwendungstemperatur an Luft °C
CuNi2	300
CuNi6	300
CuMn3	200
CuNi10	400
CuNi23Mn	500
CuNi30Mn	500
CuMn12Ni	140 [1)]
CuNi44	600
CuMn12NiAl	500
NiCr8020	600 [2)]
NiCr6015	600 [2)]
NiCr20AlSi	200 [3)]

1) 60 °C bei Verwendung für Präzisionswiderstände

2) Bei Anwendung als Widerstandslegierung werden diese Temperaturen als obere Grenze empfohlen; bei Anwendung als Heizleiterlegierung gelten die höheren Anwendungstemperaturen nach DIN 17 470 (z. Z. Entwurf)

3) Bei höheren Temperaturen kann sich der Temperaturkoeffizient des elektrischen Widerstandes irreversibel ändern.

Zitierte Normen

DIN 17 470	(z. Z. Entwurf) Heizleiterlegierungen; Eigenschaften, Anforderungen
DIN 17 742	Nickel-Knetlegierungen mit Chrom; Zusammensetzung
DIN 43 710	Messen, Steuern, Regeln; Elektrische Thermometer, Thermospannungen und Werkstoffe der Thermopaare
DIN 43 713	Messen, Steuern, Regeln; Elektrische Thermometer, Ausgleichs-Drähte und -Litzen
DIN 43 760	Messen, Steuern, Regeln; Elektrische Temperaturmeßgeräte; Grundwerte der Meßwiderstände für Widerstandsthermometer
DIN 46 399 Teil 1	Spulen für die Lieferung von blanken und isolierten Drähte; Maße
DIN 50 114	Prüfung metallischer Werkstoffe, Zugversuch ohne Feindehnungsmessung an Blechen, Bändern oder Streifen mit einer Dicke unter 3 mm
DIN 50 145	Prüfung metallischer Werkstoffe; Zugversuch
DIN 51 210 Teil 1	Prüfung metallischer Werkstoffe; Zugversuch an Drähten ohne Feindehnungsmessung
DIN 51 210 Teil 2	Prüfung metallischer Werkstoffe; Zugversuch an Drähten mit Feindehnungsmessung
DIN IEC 468	Verfahren zur Messung des spezifischen (elektrischen) Widerstandes metallischer Werkstoffe

Weitere Normen

DIN 46 460 Teil 1	Wickeldrähte, Runddrähte aus Widerstandslegierungen blank; Technische Lieferbedingungen
DIN 46 460 Teil 2	Wickeldrähte, Runddrähte aus Widerstandslegierungen, lackisoliert, direkt verzinnbar, Typ V; Technische Lieferbedingungen
DIN 46 460 Teil 3	Wickeldrähte, Runddrähte aus Widerstandslegierungen, lackisoliert, wärmebeständig mit Temperaturindex 180, Typ W 180; Technische Lieferbedingungen
DIN 46 460 Teil 4	Wickeldrähte, Runddrähte aus Widerstandslegierungen, umspannen; Technische Lieferbedingungen
DIN 46 461	(z. Z. Entwurf) Wickeldrähte, Runddrähte aus Kupfer-Widerstandslegierungen, blank; Maße, Widerstandswerte, Gewichte
DIN 46 462 Teil 1	Wickeldrähte, Runddrähte aus Widerstandslegierungen, isoliert, lackisoliert; Maße
DIN 46 462 Teil 2	Wickeldrähte, Runddrähte aus Widerstandslegierungen, isoliert, umspannen; Maße
DIN 46 462 Teil 3	Wickeldrähte, Runddrähte aus Widerstandslegierungen, isoliert, lackisoliert und umspannen; Maße
DIN 46 463	Wickeldrähte, Runddrähte aus Nickel-Widerstandslegierungen, blank; Maße, Widerstandswerte, Gewichte
DIN 46 464	Wickeldrähte, Runddrähte aus Widerstandslegierungen isolierend oxydiert; Technische Lieferbedingungen
DIN 46 465	Wickeldrähte, Flachdrähte aus Widerstandslegierungen, blank; Maße, Widerstandswerte
DIN 59 470	Heizleiter; Runddrähte, Bänder, Maße, Gewicht, elektrischer Widerstand je Meter

Frühere Ausgaben

DIN VDE 6460 = DIN 46 460: 02.32; DIN 17 471: 01.66

Änderungen

Gegenüber der Ausgabe Januar 1966 wurden folgende Änderungen vorgenommen:

a) Es wurden die Nickellegierungen NiCr8020, NiCr6015 und NiCr20AlSi aufgenommen.

b) In Anlehnung an ASTM B 267 – 1968 wurden die Kupferlegierungen CuNi2, CuNi6, CuNi10 und CuNi23Mn aufgenommen.

c) Die Legierung CuNi20Mn10 wurde gestrichen.

d) Die Legierung CuMn2Al durch CuMn3 ersetzt.

e) Die Tabellenwerte wurden überarbeitet und auf neue Einheiten umgestellt.

f) Der Text wurde vollständig überarbeitet.

Internationale Patentklassifikation

C 22 C 19/03
G 01 N

DK 669.2/.8 : 001.4 Dezember 1969

Terminologie der Nichteisenmetalle

Oberbegriff Ordnungsmerkmale

DIN 17600 Batt 1

Terminology of non-ferrous metals; general notion; characteristics

Terminologie des métaux non-ferreux; terme général; caractéristiques générales

DIN 17 600 enthält Fachausdrücke aus dem Gebiet der Nichteisenmetalle sowie deren Definitionen, um eine Vereinheitlichung der Fachsprache zu erreichen.

1. Begriff Nichteisenmetalle (NE-Metalle)

Nichteisenmetalle im Sinne dieser Norm sind:

a) unlegierte Metalle mit Ausnahme des Eisens

b) Legierungen, in denen ein beliebiges Metall — ausgenommen Eisen — den größten Einzelgehalt darstellt.

Beispiele:

An Legierungen aus Eisen und Nickel bzw. Chrom, Eisen und Nickel, deren Einzelgehalte unter Vernachlässigung sonstiger Beimengungen zusammen jeweils 100 Gew.-% ergeben sollen, seien in folgenden Beispielen drei Möglichkeiten von Kombinationen erläutert:

Beispiel A: In dieser Legierung ist Nickel das Metall mit dem größten Einzelgehalt. Diese Legierung ist also im Sinne dieser Norm ein Nichteisenmetall (vgl. NiFe45 nach DIN 17745).

Beispiel B: In dieser Legierung ist Eisen das Metall mit dem größten Einzelgehalt. Diese Legierung ist deshalb im Sinne dieser Norm kein Nichteisenmetall (vgl. Ni48 nach DIN 17745).

Beispiel C: In dieser Legierung haben Eisen und Nickel gleich große Einzelgehalte, die jedoch größer sind als die der übrigen Legierungselemente. Da Nickel nicht den größten Einzelgehalt darstellt, handelt es sich bei dieser Legierung nicht um ein Nichteisenmetall (vgl. Ni49 nach DIN 17745).

2. Ordnungsmerkmale der Terminologie der Nichteisenmetalle

Im Rahmen von DIN 17 600 wird die Terminologie der Nichteisenmetalle nach ihren Oberbegriffen und deren Ordnungsmerkmalen wie folgt gegliedert:

2.1. Erzeugnisse

siehe DIN 17 600 Blatt 2 (z. Z. noch Entwurf)

Vormaterial und Erzeugnisse der verschiedenen Herstellungsbereiche und Fertigungsstufen der Hütten, Gießereien und Halbzeugwerke

2.2. Werkstoffe

Unlegierte und legierte Metalle und deren Gruppen

2.3. Werkstoffzustände

Durch Gießen, Kneten und Wärmebehandlung erreichte Zustände der Erzeugnisse

2.4. Oberflächenzustände

Durch Herstellungsverfahren einschließlich der Wärmebehandlung sowie durch mechanische oder chemische Behandlungen erreichte metallische Oberflächenzustände der Erzeugnisse

2.5. Herstellungsverfahren

Verfahren zur Herstellung der Erzeugnisse

Zu den aufgeführten Oberbegriffen sind weitere Norm-Entwürfe in Vorbereitung (siehe auch Erläuterungen)

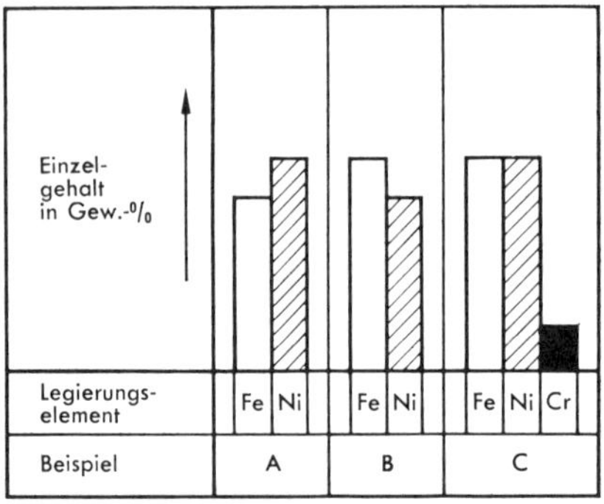

Erläuterungen Seite 2

Fachnormenausschuß Nichteisenmetalle im Deutschen Normenausschuß (DNA)

Erläuterungen

Der Fachnormenausschuß Nichteisenmetalle (FNNE) hat seinen Arbeitsausschuß „Terminologie" beauftragt, für das Gebiet der Nichteisenmetalle Grundlagen für einen einheitlichen Sprachgebrauch zu schaffen. Diese Aufgabe erscheint um so notwendiger, als auch die ISO-Komitees an einer Klarstellung der Begriffe interessiert sind. Richtlinie für diese Arbeiten ist, die Definitionen auf dem Gebiete der NE-Metalle technisch korrekt zu formulieren, ohne daß allzu große Widersprüche zum allgemeinen Sprachgebrauch, zum Brüsseler Zolltarif und zu wissenschaftlichen Erkenntnissen entstehen.

DIN 17 600 Blatt 1 erklärt zunächst den Oberbegriff Nichteisenmetalle und zeigt das Arbeitsprogramm des Arbeitsausschusses an Hand der Ordnungsmerkmale auf.

Parallel zu den Beratungen über Erzeugnisse (siehe Entwurf DIN 17 600 Blatt 2) liefen die Arbeiten auf dem Gebiete der Werkstoffe und Werkstoffzustände, da es einerseits die Überarbeitung der DIN-Normen über die Zusammensetzung der Kupfer-Knetlegierungen notwendig machte, die Nomenklatur der Legierungsbenennungen, z. B. Messing, Bronze, Neusilber, zu überprüfen, andererseits in den Verhandlungen der Komitees ISO/TC 26 „Kupfer" und ISO/TC 79 „Leichtmetall" auf eine Klarstellung der Zustandsbezeichnungen gedrängt wurde.

In engem Zusammenwirken mit dem Arbeitsausschuß „Kupfer" konnten die neuen Benennungen für die Kupferlegierungen eingeführt werden. Der Arbeitsausschuß wurde beauftragt, DIN 1718 (Ausgabe November 1959) — Kupferlegierungen; Begriffe — entsprechend zu überarbeiten *).

Die ISO-Verhandlungen über Werkstoffzustände konnten zwar noch nicht endgültig abgeschlossen werden, führten aber zu einem neutralen Bezeichnungssystem. Die Überlegungen im Arbeitsausschuß werden deshalb noch weitergeführt.

Im Rahmen seiner Arbeiten soll der Arbeitsausschuß ebenfalls eine Neufassung der im September 1962 zurückgezogenen Norm DIN 1750 — Kurzzeichen für Härtezustand und Oberflächenbeschaffenheit — vorbereiten.

Auf dem Gebiete der Herstellungsverfahren hat der Ausschuß Begriffe der Fertigungsverfahren im DNA die Normen DIN 8582 bis DIN 8587 veröffentlicht. Es bleibt späteren Überlegungen vorbehalten, ob für dieses Gebiet ein eigenes Blatt unter DIN 17 600, gegebenenfalls als Auswahl aus den angegebenen Normen, erstellt wird.

---

*) vgl. auch DIN-Mitt. Bd. 44 (1965) H. 11, S. 525—529, und Bd. 45 (1966) H. 8, S. 477

Bänder und Bleche aus Kupfer für das Bauwesen

Technische Lieferbedingungen

DIN 17 650

Copper sheet and strip for building purposes; technical delivery conditions

Tôles et bandes en cuivre pour le bâtiment; conditions techniques de livraison

Maße in mm

1 Anwendungsbereich und Zweck

Diese Norm gilt für Bänder und Bleche aus Kupfer in Dicken von 0,5 bis 1 mm und in Breiten bis 1250 mm.

Bänder und Bleche nach dieser Norm werden überwiegend für das Bauwesen verwendet, z. B. für Dachentwässerungen, Dachrinnen, Regenfallrohre, Dachdeckungen, Fassadenbekleidungen, Attikabekleidungen, Dachgaubenbekleidungen, Ortgänge, Schornsteinverwahrungen, Kehlen.

2 Bestellangaben und Normbezeichnungen

Bei der Bestellung ist zwischen erforderlichen Bestellangaben (siehe Abschnitt 2.1) und zusätzlichen Bestellangaben (siehe Abschnitt 2.2) zu unterscheiden, die – sofern notwendig – auch in der Norm- und/oder Bestellbezeichnung (siehe Abschnitt 2.3) zu berücksichtigen sind.

2.1 Erforderliche Bestellangaben

Folgende Angaben müssen bei Bestellung gemacht werden; diese Abschnitte sind im Text mit einem Punkt ● gekennzeichnet:

2.1.1 Menge

- des Bandes: Masse (Gewicht) oder Länge
- des Bleches: Stückzahl oder Masse (Gewicht);

2.1.2 Benennung: Band oder Blech;

2.1.3 DIN-Nummer: DIN 17 650;

2.1.4 Kennzeichnende Maße

- des Bandes: Dicke × Breite und Rolleninnendurchmesser
- des Bleches: Dicke × Breite × Länge, siehe Tabelle 3

2.1.5 Werkstoff-Kurzzeichen oder Werkstoff-Nummer, siehe Tabelle 1;

2.1.6 Beispiele für erforderliche Bestellangaben

2.1.6.1 Beispiel für Bänder

1000 kg Band aus einem Werkstoff mit dem Werkstoff-Kurzzeichen SF-Cu F24 und der Werkstoff-Nummer 2.0090.26 von 0,6 mm Dicke, 1000 mm Breite in Herstellänge aufgewickelt mit einem Rolleninnendurchmesser von 600 mm (ID 600):

1000 kg Band DIN 17 650 – 0,6 × 1000 – ID 600 – SF-Cu F24

oder

1000 kg Band DIN 17 650 – 0,6 × 1000 – ID 600 – 2.0090.26

2.1.6.2 Beispiel für Bleche

1000 Stück Bleche aus einem Werkstoff mit dem Werkstoff-Kurzzeichen SF-Cu F24 und der Werkstoff-Nummer 2.0090.26 von 0,7 mm Dicke, 1000 mm Breite und 2000 mm Länge:

1000 Stück Blech DIN 17 650 – 0,7 × 1000 × 2000 – SF-Cu F24

oder

1000 Stück Blech DIN 17 650 – 0,7 × 1000 × 2000 – 2.0090.26

2.2 Zusätzliche Bestellangaben

Bei der Bestellung dürfen eine oder mehrere Anforderungen und Prüfungen zusätzlich vereinbart werden; diese Abschnitte sind im Text mit zwei Punkten ●● gekennzeichnet:

2.2.1 Besondere Anforderungen an die Oberflächenbeschaffenheit, siehe Abschnitt 3.4.

2.2.2 Besondere Anforderungen an die Geradheit von Bändern, siehe Abschnitt 4.2.1.

2.2.3 Besondere Anforderungen an die Ebenheit von Bändern quer zur Walzrichtung, siehe Abschnitt 4.3.2.

2.2.4 Zusätzliche Angaben bei der Kennzeichnung, siehe Abschnitt 7.2.

2.3 Normbezeichnung

Die Normbezeichnung ist in folgender Reihenfolge anzugeben:

Benennung (Band bzw. Blech)

DIN-Nummer

Maße

Werkstoff-Kurzzeichen oder Werkstoff-Nummer

Beispiele

Bänder: Benennung, DIN-Nummer, Dicke × Breite, Werkstoff

Band DIN 17 650 – 0,6 × 1000 – SF-Cu F24

oder

Band DIN 17 650 – 0,6 × 1000 – 2.0090.26

Bleche: Benennung, DIN-Nummer, Dicke × Breite × Länge, Werkstoff

Blech DIN 17 650 – 0,6 × 1000 × 2000 – SF-Cu F24

oder

Blech DIN 17 650 – 0,6 × 1000 × 2000 – 2.0090.26

3 Anforderungen

3.1 Herstellverfahren

Bänder werden durch Bandwalzen hergestellt. Bleche werden aus Bändern geschnitten.

Das Herstellverfahren bleibt dem Hersteller überlassen.

3.2 Werkstoffe

Bänder und Bleche nach dieser Norm werden vorzugsweise aus den Werkstoffen hergestellt, die in Tabelle 1 aufgeführt sind.

3.3 Werkstoffeigenschaften

Für die mechanischen Eigenschaften bei Raumtemperatur gelten die in Tabelle 2 genannten Werte für die 0,2 %-Dehngrenze, die Zugfestigkeit, die Bruchdehnung und die Härte.

Je nach Bestellmöglichkeit und je nach Werkstoffzustand müssen folgende Werte eingehalten werden:

3.3.1 Bei Bestellung mit F-Zahl

- Zugfestigkeit: Bereiche
- 0,2 %-Dehngrenze: Höchst- oder Mindestwerte
- Bruchdehnung: Mindestwerte

Fortsetzung Seite 2 bis 4

Normenausschuß Nichteisenmetalle (FNNE) im DIN Deutsches Institut für Normung e.V.

Tabelle 1.

Werkstoff- Kurzzeichen	Nummer	Zusammensetzung	Anwendungsgebiete
SF-Cu	2.0090	DIN 1787	Dachrinnen, Regenfallrohre und Zubehör nach DIN 18 461
CuZn 0,5	2.0205	DIN 17 666	
SF-Cu	2.0090	DIN 1787	Für alle anderen Anwendungsgebiete nach Abschnitt 1

Tabelle 2. **Mechanische Eigenschaften**

Werkstoff- Kurzzeichen*)		Nummer*)		Zugfestigkeit R_m N/mm²	0,2%-Dehngrenze $R_{p\,0,2}$ N/mm²	Bruchdehnung A_5 % min.	Bruchdehnung A_{10} % min.	Härte HV min.	Härte HV max.	Härte HB min.	Härte HB max.
SF-Cu **CuZn 0,5**		**2.0090** **2.0205**									
	F 22		.10	220 bis 260	max. 140	42	36	–	–	–	–
	H 40			–	–	–	–	40	70	40	65
	F 24		.26	240 bis 300	min. 160	15	12	–	–	–	–
	H 70			–	–	–	–	70	95	65	90
	F 29		.30	290 bis 360	min. 250	6	–	–	–	–	–
	H 90			–	–	–	–	90	110	85	105

*) Nach DIN 17 007 Teil 4 bedeuten: „.10“ (F22/H40): weich;
„.26“ (F24/H70): halbhart;
„.30“ (F29/H90): hart

Tabelle 3.

Maße Dicke	Breite	Ringinnendurchmesser Bänder	Länge Bleche	Grenzabmaße für Dicke	Grenzabmaße für Breite	Grenzabmaße für Länge¹)	Längenbezogene Masse²) bei 100 mm Breite kg/m ≈
0,5	bis 1250 mm	Rollen mit 300, 400, 500, oder 600 mm Innendurchmesser	üblich 2000 mm oder 3000 mm	± 0,02	± 1	$^{+10}_{0}$	0,445
0,6							0,534
0,65							0,579
0,7							0,623
0,8							0,712
1							0,890

¹) Gilt für Bleche
²) Errechnet mit einer Dichte von 8,9 kg/dm³

Die Anforderungen an einen bestellten Zustand gelten auch dann als erfüllt, wenn der obere Grenzwert eines Bereiches für die Zugfestigkeit um maximal 10 N/mm² überschritten wird, vorausgesetzt, daß der Mindestwert der Bruchdehnung eingehalten wird.

Werte für die Bruchdehnung unter 5% werden aus Gründen der Meßunsicherheit nicht angegeben.

3.3.2 Bei Bestellung mit H-Zahl

- Vickershärte: Bereiche oder Mindesthärte
- Brinellhärte: Bereiche oder Mindesthärte

Im Zweifelsfall ist die Vickershärte als Prüfmerkmal verbindlich.

Härtewerte dürfen nicht in Werte für die Zugfestigkeit umgerechnet werden.

3.4 Oberflächenbeschaffenheit

Bänder und Bleche haben eine ihrem Herstellungsverfahren entsprechende glatte, saubere Oberfläche ohne Farbabweichungen bzw. deutliche Verfärbungen. Ungleichmäßigkeiten der Oberfläche, wie Streifigkeit in Walzrichtung, verwalzte Putzstellen, leichte Kratzer, Schiefer- und Scheuerstellen sowie Rückstände von Kühl- und Schmiermitteln sind zulässig, soweit sie die Verarbeitbarkeit und Verwendbarkeit nicht beeinträchtigen.

●● Besondere Anforderungen an die Oberflächenbeschaffenheit, z. B. für Fassaden, sind zu vereinbaren.

4 Maße, Maß- und Formtoleranzen

4.1 ● Dicke, Breite, Länge, siehe Tabelle 3.

Für Maße, Maßtoleranzen und längenbezogene Massen gelten die Werte der Tabelle 3.

4.2 Geradheit der Längskanten (Säbelförmigkeit)

4.2.1 Bänder

Für Bänder beträgt die Geradheitstoleranz der Längskanten nicht mehr als 1 mm je Meter Meßlänge, auf eine Länge von 5 m jedoch nicht mehr als 5 mm.

●● Besondere Anforderungen an die Geradheit, z. B. für Fassaden, sind bei Bestellung zu vereinbaren.

4.2.2 Bleche

Für Bleche bis 3000 mm Länge beträgt die Geradheitstoleranz der Längskanten nicht mehr als 1 mm je Meter Meßlänge, jedoch nicht mehr als 3 mm bei 3 m Kantenlänge.

4.3 Ebenheit (Planheit)

4.3.1 Bleche

Anforderungen an die Ebenheit von Blechen dürfen für alle Lieferzustände, ausgenommen dem weichen Zustand F22/H40, gestellt werden.

Für die Ebenheitstoleranz, bezogen auf 1 Meter Meßlänge, gelten die in Tabelle 4 angegebenen Werte.

Tabelle 4. **Ebenheit (Planheit)**

Blechbreite mm	Anzahl der Wellen	Ebenheitstoleranz
bis 1250	1	2 mm
	2	1 mm
	3	0,5 mm

4.3.2 Bänder

Anforderungen an die Ebenheit von Bändern in Walzrichtung dürfen nicht gestellt werden, da durch die Aufhaspelung nach dem Abrollen immer eine Wölbung zurückbleiben kann.

●● Besondere Anforderungen an die Ebenheit von Bändern, z. B. für Fassaden, sind bei Bestellung zu vereinbaren.

5 Längenbezogene Masse (Gewicht) und Abweichungen der längenbezogenen Masse (Gewichtsabweichungen)

Die längenbezogene Masse (Gewicht) errechnet sich aus den Nennmaßen des Bandes bzw. des Bleches sowie aus der Dichte des Werkstoffes.

Die Abweichung der längenbezogenen Masse (Gewichtsabweichungen) ergibt sich aus den Grenzabmaßen der Nennmaße und den Grenzabweichungen in der Zusammensetzung.

6 Prüfung

Der Hersteller führt Prüfungen im Rahmen seiner Qualitätssicherung durch.

6.1 Prüfung der Zusammensetzung

Entsprechend den Festlegungen in DIN 1787 bzw. DIN 17 666.

6.2 Prüfung der mechanischen Eigenschaften

Es gelten folgende Normen:

für den Zugversuch: DIN 50 114, DIN 50 125, DIN 50 145

für die Härteprüfung: DIN 50 133, DIN 50 351

Zum Vergleich mit den Grenzwerten dieser Norm ist jedes Meßergebnis entsprechend der Rundungsregel nach DIN 1333 Teil 2 auf dieselbe Anzahl der Stellen wie die des Grenzwertes wie folgt zu runden:

a) Werte der Zugfestigkeit und der 0,2%-Dehngrenze auf die nächste Zehnerstelle,

b) Werte der Bruchdehnung auf die nächste Einerstelle,

c) Werte der Vickers- bzw. Brinellhärte entsprechend den Angaben in DIN 50 133 bzw. DIN 50 351.

6.3 Maßprüfung

Bei der Dickenmessung bleibt ein Streifen von 10 mm Breite vom Rand unberücksichtigt.

6.4 Sichtprüfung

Die Sichtprüfung wird ohne optische Hilfsmittel durchgeführt.

●● Andere Prüfverfahren sind zu vereinbaren.

6.5 Zum Ermitteln der Abweichung von der Ebenheit wird das Blech auf eine Meßplatte gelegt und die Wellenhöhen gemessen.

7 Kennzeichnung

7.1 Kennzeichnung der Lieferung

Die Verpackung muß folgende Angaben enthalten

- Menge (Gewicht, Stückzahl)
- Maße
- Werkstoff
- Hersteller

7.2 Kennzeichnung der Bänder und Bleche

Bänder und Bleche nach dieser Norm mit folgenden Breiten 500, 600, 670, 700, 800 und 1000 mm müssen wischfest fortlaufend mit folgenden Angaben gekennzeichnet werden:

- Nennmaß der Dicke, z. B. 0,6
- DIN-Nummer: DIN 17 650
- Werkstoff-Kurzzeichen, z. B. SF-Cu F24
- Name oder Bezeichnung des Herstellers
- Name oder Bezeichnung des Herstellerlandes, z. B. Deutschland.

●● Außerdem können auf Vereinbarung zusätzliche Angaben gemacht werden, z. B. Markenzeichen, Fassadenqualität.

Bänder und Bleche nach dieser Norm mit anderen Breiten als den genannten, sollten in der gleichen Weise wie oben angegeben gekennzeichnet sein.

Zitierte Normen

DIN 1333 Teil 2	Zahlenangaben; Runden
DIN 1787	Kupfer; Halbzeug
DIN 17 007 Teil 4	Werkstoffnummern; Systematik der Hauptgruppen 2 und 3: Nichteisenmetalle
DIN 17 666	Niedriglegierte Kupfer-Knetlegierungen; Zusammensetzung
DIN 18 461	Hängedachrinnen; Regenfallrohre außerhalb von Gebäuden und Zubehörteile aus Metall; Maße, Werkstoffe
DIN 50 114	Prüfung metallischer Werkstoffe; Zugversuch ohne Feindehnungsmessung an Blechen, Bändern und Streifen mit einer Dicke unter 3 mm
DIN 50 125	Prüfung metallischer Werkstoffe; Zugproben
DIN 50 133	Prüfung metallischer Werkstoffe; Härteprüfung nach Vickers; Bereich HV 0,2 bis HV 100
DIN 50 145	Prüfung metallischer Werkstoffe; Zugversuch
DIN 50 351	Prüfung metallischer Werkstoffe; Härteprüfung nach Brinell

Weitere Normen

DIN 17 770 (z. Z. Entwurf) Bänder und Bleche aus legiertem Zink für das Bauwesen; Technische Lieferbedingungen

Erläuterungen

Schon vor ein paar Jahren tauchte bei Beratungen im NA Bauwesen über DIN 18 461 „Hängedachrinnen, Regenfallrohre außerhalb von Gebäuden und Zubehörteile aus Metall" die Frage auf, die Maß- und Formtoleranzen von Bändern und Blechen aus Kupfer in DIN 1791 bzw. DIN 1751 so einzuengen, wie sie bereits in DIN 17 770 für Bänder und Bleche aus Zink seit Jahren festliegen.

Mit Rücksicht darauf, daß die beiden Maßnormen DIN 1751 und DIN 1791 nicht nur für alle Anwendungsgebiete, sondern auch für alle Kupfer-Knetlegierungen, besonders auch die schwer umformbaren, gelten, war eine derartige Einengung für einen eng begrenzten Maßbereich der Dicke und Breite sowie eine Beschränkung auf einen Werkstoff: SF-Cu nicht möglich.

Deshalb reifte die Überlegung heran, die Bedingungen für das Vormaterial von Dachrinnen, Regenfallrohren, Dach- und Fassadenbekleidungen aus Kupfer in einer eigenen Norm festzulegen, d. h. ein Pendant zu DIN 17 770 für Kupfer zu schaffen.

Die vorliegende Vornorm enthält die „Technischen Lieferbedingungen für Bänder und Bleche aus Kupfer für das Bauwesen". Im Anwendungsbereich werden einige Beispiele aus dem Bereich des Bauwesens angegeben, da nicht nur Dachrinnen und Regenfallrohre aus dem Walzhalbzeug hergestellt werden, sondern auch Außenwandbekleidungen, Dachdeckungen, Attika- und Dachgaubenbekleidungen usw.

Als Werkstoffe kommen nur SF-Cu und CuZn 0,5 in Betracht. Bei den mechanischen Eigenschaften werden in Anlehnung an DIN 17 670 Teil 1 zwei Lieferzustände unterschieden: Lieferung nach F-Zahl, d. h. nach Zugfestigkeit, Streckgrenze und Bruchdehnung, oder nach H-Zahl, d. h. nach Vickers- bzw. Brinellhärte.

Der Abschnitt „Bestellangaben" unterscheidet zwischen erforderlichen und zusätzlichen Bestellangaben, um vor allem dem Besteller – aber auch dem Hersteller – eine Liste an die Hand zu geben, anhand derer er die Vollständigkeit und/oder Richtigkeit der Bestellung bzw. Anfrage prüfen kann.

Zeitgleich mit den Überlegungen zu dieser neuen Norm läuft auch die Überarbeitung der DIN 17 770. So liegt es nahe, daß man möglichst gleichlautende Bedingungen anstrebt, sofern das werkstoffabhängig möglich ist.

DK 669.3-426 : 620.1

Juni 1982

Vordraht aus Kupfer

DIN 17 652

Copper drawing stock

Fil machine en cuivre

Zusammenhang mit der von der International Organization for Standardization (ISO) herausgegebenen Internationalen Norm ISO 4738, siehe Erläuterungen.

1 Anwendungsbereich

Diese Norm legt die Anforderungen und technischen Lieferbedingungen von gewalztem Vordraht aus E-Cu 58 fest.

Entsprechend dem Herstellungsverfahren unterscheidet man folgende Vordrahtarten:

- Walzdraht, hergestellt durch diskontinuierliches Warmwalzen von Drahtbarren
- Gießwalzdraht } hergestellt durch
- Tauchwalzdraht } kontinuierliches Warmwalzen

Falls erforderlich, sind unterschiedliche Anforderungen der jeweiligen Vordrahtart in den nachfolgenden Abschnitten angegeben.

Der Vordraht wird als Ausgangsmaterial für die Herstellung von Drähten aus E-Cu 58 durch Ziehen und andere Umformverfahren eingesetzt, vorzugsweise für gezogene Drähte nach DIN 40 500 Teil 4.

2 Bestellangaben

Für die Bestellung sind folgende Angaben erforderlich:

- Vordrahtart (siehe Abschnitt 1)
- Verwendungszweck
- Werkstoff
- Durchmesser
- Oberflächenbeschaffenheit
- Prüfverfahren
- Lieferart
- Verpackung

3 Bezeichnung

3.1 Kennbuchstaben für Vordrahtarten

Für die in Abschnitt 1 genannten Vordrahtarten werden folgende Kennbuchstaben festgelegt:

Walzdraht: WD
Gießwalzdraht: GWD
Tauchwalzdraht: TWD

3.2 Normbezeichnung

Bezeichnung eines Vordrahtes aus E-Cu 58 als Gießwalzdraht (GWD) mit einem Durchmesser von 8 mm:

Vordraht DIN 17 652 – E-Cu 58 – GWD 8

3.3 Bestellbezeichnung

20 Tonnen Vordraht aus E-Cu 58 als Gießwalzdraht (GWD) mit einem Durchmesser von 8 mm auf Paletten:

20 t Vordraht DIN 17 652 – E-Cu 58 – GWD 8 auf Paletten

4 Werkstoffeigenschaften

4.1 Chemische Zusammensetzung

E-Cu 58 nach DIN 1787.

Für Walzdraht gelten für den Massengehalt an Sauerstoff die Angaben in DIN 1787.

Für Gießwalzdraht soll der Sauerstoff über den Querschnitt und die gesamte Länge weitgehend gleichmäßig verteilt sein. Der Massengehalt an Sauerstoff soll 0,04 % nicht überschreiten. Liegt der Massengehalt an Sauerstoff über 0,04 bis 0,06 %, so sind diese Bunde besonders zu kennzeichnen und deren Anlieferung zu vereinbaren.

Für Tauchwalzdraht liegt der Massengehalt an Sauerstoff abweichend von DIN 1787 im allgemeinen unter 0,005 %.

4.2 Festigkeits- und elektrische Eigenschaften

Zugfestigkeit R_m max. 270 N/mm²

0,2-Grenze $R_{p\,0,2}$ max. 160 N/mm²

Dehnung A_{10} min. 35 %

elektrische Leitfähigkeit min. 58,0 m/(Ohm · mm²)

spezifischer Widerstand max. 0,01724 (Ohm · mm²)/m

Die vorgenannten Werte gelten für den Anlieferungszustand; Prüfung nach den Abschnitten 7.1 und 7.2.

4.3 Erweichungsverhalten

Je nach Verwendungszweck werden unterschiedliche Anforderungen an das Erweichungsverhalten gestellt. Wenn besondere Anforderungen gestellt werden, müssen die jeweils einzuhaltenden Werte für den Spiraltest oder Kurzzeitversuch nach Abschnitt 7.3 vereinbart werden.

5 Weitere Eigenschaften

5.1 Oberflächenbeschaffenheit

Der Vordraht hat eine seinem Herstellungsverfahren und seiner Nachbehandlung entsprechende gleichmäßig glatte Oberfläche, die weitgehend frei von Fehlern, z. B. Überwalzungen, Walzrippen, Fremdeinschlüssen, Rissen, Verunreinigungen, sein soll, die abhängig vom jeweiligen Verwendungszweck die Weiterverarbeitung beeinträchtigen.

Bei Gießwalzdraht und Walzdraht muß die Oberfläche sauber gebeizt und gegen vorzeitige Oxidation geschützt sein. Walzdraht kann auch ungebeizt (schwarz) geliefert werden.

Tauchwalzdraht wird verfahrensbedingt mit metallisch blanker Oberfläche geliefert.

Werden abhängig vom Verwendungszweck besondere Anforderungen an die Oberflächenbeschaffenheit gestellt, kann der Wechselverwinde- oder der Wickelversuch nach den Abschnitten 7.4 oder 7.5 sowie der Bewertungsmaßstab bei Bestellung vereinbart werden.

Fortsetzung Seite 2 und 3

Normenausschuß Nichteisenmetalle (FNNE) im DIN Deutsches Institut für Normung e. V.

5.2 Ziehbarkeit

Für die Beurteilung der Ziehbarkeit wird die Drahtrißhäufigkeit (Abrisse je Gewichtseinheit) während der Weiterverarbeitung als Bewertungsmaßstab herangezogen. Die Drahtrißhäufigkeit ist von den jeweils vorliegenden Ziehbedingungen und vom Vormaterial abhängig.

Da jedoch kein allgemeingültiges Prüfverfahren zum Ermitteln der Ziehbarkeit zur Verfügung steht, können im Rahmen dieser Norm keine Grenzwerte für die Drahtrißhäufigkeit festgelegt werden.

6 Maße und zulässige Abweichungen

Für den Durchmesser des Vordrahtes gelten die zulässigen Maß- und Formabweichungen der nachstehenden Tabelle:

Durchmesser über mm	Durchmesser bis mm	Zulässige Abweichung mm	Rundheitstoleranz max. mm
–	6,35	+ 0,4 – 0,25	0,5
6,35	12	± 0,4	0,65
12	19	± 0,5	0,8
19	25	± 0,6	1,0
25	–	± 0,8	1,3

7 Prüfung

7.1 Prüfung der Festigkeitseigenschaften

Es wird der Zugversuch nach DIN 50 145 durchgeführt.

7.2 Prüfung der elektrischen Eigenschaften

7.2.1 Der elektrische Widerstand wird nach dem Referenz-Verfahren in DIN IEC 468 gemessen. Der Versuch kann am gereinigten Vordraht durchgeführt werden.

7.2.2 Im Falle ungenügender Versuchsergebnisse wird eine Wiederholungsprüfung an einer Probe durchgeführt, die wie folgt hergestellt wird.

Es wird ein Draht von 2 mm Durchmesser gewalzt oder gezogen, entfettet und bei 500 °C bei einer Haltezeit von min. 30 Minuten weichgeglüht. Dann wird der Widerstand gemessen. Das Versuchsergebnis muß die Bedingungen der Norm erfüllen.

7.3 Prüfung des Erweichungsverhaltens

Das Erweichungsverhalten kann mit einem der beiden Prüfverfahren ermittelt werden; das Prüfverfahren ist mit dem Hersteller zu vereinbaren.

7.3.1 Spiraltest

Der Spiraltest wird nach dem ISO-Fachbericht ISO/TR 4745 durchgeführt.

Soweit erforderlich, sind die Prüfbedingungen zu vereinbaren.

7.3.2 Kurzzeitversuch

An einem gezogenen Draht von 2,0 mm Durchmesser wird nach einer Öl- oder Salzbadglühung von 275 ± 2 °C/2 Minuten der Zugversuch nach DIN 50 145 durchgeführt.

7.4 Prüfung der Oberflächenqualität

Die Sichtprüfung wird ohne optische Hilfsmittel durchgeführt. Bei erhöhten Anforderungen kann ein Wechselverwindeversuch in Anlehnung an DIN 51 212 mit einer freien Verwindelänge von 30 × d und 10 Wechselverwindungen durchgeführt werden.

7.5 Sonstige Prüfungen

Weitere Prüfungen aufgrund besonderer Anforderungen sind bei Bestellung zu vereinbaren, z. B. Wickelversuch an gezogenen Drähten nach DIN 51 215.

7.6 Prüfumfang

Der Prüfumfang ist in Abhängigkeit vom Verwendungszweck bei Bestellung zu vereinbaren.

8 Lieferart

Gießwalzdraht und Tauchwalzdraht werden in Bunden auf Paletten oder Kronen in einer Länge ohne Schweißstellen geliefert.

Die Bunde werden auf Vereinbarung mit Folie abgedeckt.

Walzdraht wird in Ringen oder aneinandergeschweißt in Bunden geliefert.

9 Kennzeichnung

Jedes Bund ist mit einem Etikett zu kennzeichnen, auf dem folgende Angaben stehen:

- Name des Herstellers
- Bundnummer
- Nettogewicht
- Datum

10 Bescheinigungen

Bescheinigungen über Werkstoffprüfungen, z. B. Werksbescheinigungen, Werkzeugnisse, Abnahmeprüfzeugnisse nach DIN 50 049, werden vom Hersteller nur auf Vereinbarung ausgestellt.

Zitierte Normen und andere Unterlagen

DIN 1787	Kupfer; Halbzeug
DIN 40 500 Teil 4	Kupfer für Elektrotechnik; Drähte aus Kupfer und silberlegiertem Kupfer; Technische Lieferbedingungen
DIN 50 049	Bescheinigungen über Werkstoffprüfungen
DIN 50 145	Prüfung metallischer Werkstoffe; Zugversuch
DIN 51 212	Prüfung metallischer Werkstoffe; Verwindeversuch an Drähten
DIN 51 215	Prüfung metallischer Werkstoffe; Wickelversuch an Drähten, Allgemeine Angaben
DIN IEC 468	Verfahren zur Messung des spezifischen (elektrischen) Widerstandes metallischer Werkstoffe
ISO/TR 4745	Spiral elongation test

Erläuterungen

Im Zusammenhang mit den Arbeiten an einer ISO-Norm über Vordraht und mit der DIN 40 501 Teil 5 über Gießwalzdraht aus Aluminium für die Elektrotechnik wurde überlegt, die deutschen Vorstellungen über Vordraht aus Kupfer (jährlicher Verbrauch in der Bundesrepublik: ca. 400 000 t) in einer Norm festzulegen.

Inzwischen wurde die internationale Norm

ISO 4738

E: Copper Drawing Stock (wire rod)

F: Fil machine en cuivre

D: Vordraht aus Kupfer

veröffentlicht.

Der Zusammenhang zwischen der ISO- und der DIN-Norm läßt sich wie folgt umreißen:

Die DIN-Norm beschränkt sich auf einen einzigen Werkstoff: E-Cu 58, während die ISO-Norm eine ganze Reihe von Kupfersorten auflistet.

Die DIN-Norm faßt wie die ISO-Norm zwar alle Arten von Vordraht zusammen:

– Walzdraht, hergestellt durch diskontinuierliches Warmwalzen von Drahtbarren (wire bar)

– Gießwalzdraht }
– Tauchwalzdraht } hergestellt durch kontinuierliches Warmwalzen

Die DIN-Norm legt aber im Gegensatz zur ISO-Norm die technischen Unterschiede der Vordrahtarten fest, während die ISO-Norm in diesen Fällen die Vereinbarung zwischen den Ziehereien (als Verbrauchern) und den Herstellern vorzieht.

Internationale Patentklassifikation

B 21 B 1/16

DK 669.35 März 1973

Kupfer-Vorlegierungen

Zusammensetzung

DIN 17 657

Copper master alloys; chemical composition

Alliages mère de cuivre; composition chimique

1. Geltungsbereich

Diese Norm gilt für die Zusammensetzung von Vorlegierungen auf Kupferbasis zur Herstellung und Desoxydation von Guß- und Knetlegierungen, vornehmlich von Kupferlegierungen.

2. Verwendung

Die Tabelle gibt Hinweise auf die bevorzugte Verwendung dieser Vorlegierungen. Die aufgeführten Beispiele erheben keinen Anspruch auf Vollständigkeit.

3. Bezeichnung

Die Kupfer-Vorlegierungen nach dieser Norm sind mit dem Kurzzeichen oder den Werkstoffnummern nach der Tabelle zu bezeichnen. Der Vorsatz „VR" kennzeichnet stets eine Vorlegierung mit einem kleineren Verunreinigungsgrad (siehe auch Spalte Hinweise für die Verwendung).

4. Zusammensetzung (siehe Tabelle)

5. Lieferform

Die Lieferform – Masseln, Kerbblöcke, Kerbplatten, Granalien, Bruchstücke usw. – sowie gegebenenfalls deren Abmessungen können bei Bestellung vereinbart werden.

Bestellbeispiel

100 kg Vorlegierung mit dem Kurzzeichen V-CuP10 oder der Werkstoffnummer 2.1631:

100 kg Kerbplatten V-CuP10 DIN 17 657

oder 100 kg Kerbplatten 2.1631 DIN 17 657

6. Beschaffenheit

Die Masseln, Kerbblöcke, Kerbplatten, Granalien, Bruchstücke usw. sind frei von anhaftenden Schmutz und von Schlacke zu liefern, sie dürfen keine äußeren Merkmale aufweisen, die auf nicht einwandfreie Metallqualität schließen lassen.

7. Prüfung

Wird eine Abnahme oder ein Analysenattest gewünscht, so muß dies bei der Bestellung vereinbart werden. Dabei sind Art der durchzuführenden Prüfung und der Bescheinigung über Werkstoffprüfung nach DIN 50 049 festzulegen.

7.1. Analyse

Die Legierungsbestandteile und die durch Fettdruck gekennzeichneten Beimengungen werden nach den Analysenvorschriften des Herstellerwerkes oder Lieferanten bestimmt; die übrigen zulässigen Beimengungen werden nur bei Beanstandung ermittelt.

Fortsetzung Seite 2 bis 4
Erläuterungen Seite 4

Fachnormenausschuß Nichteisenmetalle im Deutschen Normenausschuß (DNA)
Fachnormenausschuß Gießereiwesen im DNA

Kurzzeichen	Werkstoff-nummer	Zusammensetzung in Gew.-% Legierungs-bestandteile	 Zulässige Beimengungen	Hinweise für die Verwendung
V-CuAl50	**2.1602**	Al 48,5 bis 51,5 Cu ≧ 48,5	0,75 davon Fe 0,30 **Pb 0,05** Mn 0,10 **Si 0,15** Ni 0,10 **Sn 0,05** P 0,05 Zn 0,10	Einlegieren von Al
V-CuAs30	**2.1605**	As 29,0 bis 31,0 Cu ≧ 69,0	außer Fe, Mn, Ni, Zn 0,50 davon Bi 0,02 Sb 0,10 **Fe 0,20** Se 0,03 Mn 0,30 **Si 0,10** Ni 0,20 Sn 0,10 P 0,05 Te 0,03 **Pb 0,10** Zn 0,30	Einlegieren von As
V-CuCd50	**2.1608**	Cd 49,0 bis 51,0 Cu ≧ 49,0	außer Ni 0,75 davon Al 0,05 Pb 0,05 As 0,05 Sb 0,05 **Bi 0,02** Si 0,05 **Fe 0,20** Sn 0,10 Ni 0,10 Te 0,005 **P 0,05** Zn 0,10	Einlegieren von Cd
V-CuCr10	**2.1610**	Cr 9,5 bis 11,0 Cu ≧ 89,0	außer Cr_2O_3 1) 0,13 davon Al 0,02 **Pb 0,02** As 0,01 S 0,005 Bi 0,005 Sb 0,01 **Cr_2O_3 0,5** Se 0,005 **Fe 0,05** **Si 0,02** Mn 0,03 Te 0,005 **P 0,007**	Einlegieren von Cr
V-CuFe10	**2.1613**	Fe 9,0 bis 11,0 Cu ≧ 89,0	0,50 2) davon As 0,01 Sb 0,01 Bi 0,005 Se 0,005 C 0,03 Si 0,05 Mn 0,10 Sn 0,10 Ni 0,15 Te 0,005 P 0,04 3) Zn 0,10 **Pb 0,03**	Einlegieren von Fe, für hohe Reinheitsforderungen
V-CuFe20	**2.1616**	Fe 19,0 bis 21,0 Cu ≧ 79,0	0,5 davon C 0,03 Si 0,08 Mn 0,10 Sn 0,10 Ni 0,15 Zn 0,10 **Pb 0,05**	Einlegieren von Fe, für hohe Reinheitsforderungen
V-CuMn26Fe	**2.1620**	Mn 24,5 bis 27,5 Fe 2,0 bis 4,0 Cu ≧ 69,0	0,5 davon C 0,20 **Pb 0,07** Ni 0,20 **Si 0,20** P 0,10 Sn 0,10	Einlegieren von Mn, Desoxydieren, Entschwefeln

1), 2) und 3) siehe Seite 4

Kurzzeichen	Werkstoff-nummer	Zusammensetzung in Gew.-% Legierungs-bestandteile	Zulässige Beimengungen	Hinweise für die Verwendung
V-CuMn30	2.1622	Mn 29,0 bis 31,0 Cu ≧ 69,0	0,50 davon As 0,01 Sb 0,01 Bi 0,005 Se 0,005 C 0,05 **Si 0,03** **Fe 0,20** Sn 0,05 Ni 0,20 Te 0,005 **P 0,02** Zn 0,10 **Pb 0,05**	Einlegieren von Mn, desoxydieren, entschwefeln, für hohe Reinheitsforderungen und Eisenfreiheit
V-CuNi30	2.1625	Ni 29,0 bis 31,0 Cu ≧ 69,0	außer Fe, Mn 0,25 davon **Al 0,05** S 0,01 **C 0,02** Sn 0,05 Fe 0,80 Si 0,03 P 0,02 Zn 0,10 **Pb 0,03**	Einlegieren von Ni, für hohe Reinheitsforderungen
V-CuNi50	2.1628	Ni 48,5 bis 51,5 Cu ≧ 48,5	außer Fe, Mn 0,5 davon **Al 0,10** **Pb 0,10** Fe 1,80 **Si 0,10** Mn 1,20 Sn 0,10 P 0,05 Zn 0,20	Einlegieren von Ni, jedoch ohne besondere Reinheitsforderungen, ggf. Ausgangsbasis für Cu-haltige Ni-Legierungen
V-CuP10	2.1631	P 9,5 bis 11,0 Cu ≧ 89,0	0,6 davon **Fe 0,15** Ni 0,2 **Pb 0,20** **Sn 0,2** Zn 0,20	Allgemein verwendetes Desoxydationsmittel
VR-CuP10	2.1633	P 9,5 bis 11,0 Cu ≧ 89,0	0,20 davon As 0,01 Sb 0,01 Bi 0,005 Se 0,007 **Fe 0,05** **Sn 0,05** Ni 0,10 Te 0,005 **Pb 0,03** Zn 0,05	Desoxydationsmittel für hohe Reinheitsforderungen
V-CuSi10	2.1637	Si 9,0 bis 11,0 Cu ≧ 89,0	außer Ni 0,40 davon **Pb 0,05** Al 0,03 Sb 0,01 As 0,01 Se 0,005 Bi 0,005 Sn 0,05 **Fe 0,15** Te 0,005 Mn 0,10 Zn 0,10 Ni 0,10	Einlegieren von Si, ggf. Desoxydationsmittel bei hohen Reinheitsforderungen
V-CuSi20	2.1640	Si 19,0 bis 21,0 Cu ≧ 79,0	außer Ni 0,8 davon Al 0,10 Pb 0,15 Fe 0,40 Sn 0,20 Mn 0,15 Zn 0,20 Ni 0,20	Einlegieren von Si, ggf. Desoxydations-mittel, ohne besondere Reinheitsforderungen

Kurzzeichen	Werkstoff-nummer	Zusammensetzung in Gew.-% Legierungs-bestandteile	Zusammensetzung in Gew.-% Zulässige Beimengungen	Hinweise für die Verwendung
V-CuZr50	**2.1645**	Zr 49,0 bis 51,0 Cu ≧ 49,0	0,25 davon Al 0,02 **Pb 0,05** As 0,01 Sb 0,01 Bi 0,005 Se 0,005 **Fe 0,05** Si **0,02** Mn 0,03 Sn 0,10 P 0,02 Te 0,005	Einlegieren von Zr

1) Chromoxyd-Bestimmung (Betriebsmethode)
0,5 g Späne lösen in 25 ml HNO_3 (D = 1,4 g/cm³) + 50 ml H_2SO_4 (D = 1,4 g/cm³) in 750 ml Erlenmeyer-Kolben (Raumtemperatur) Lösung durch Erhitzen einengen bis zum starken Rauchen, (1 Minute rauchen lassen), Abkühlen und auf 400 ml verdünnen.
Der Anteil an metallischem Chrom ist in Lösung.
Rückstand abfiltrieren und veraschen. Rückstand wird als Cr_2O_3 gerechnet.
Qualitativer Nachweis: 250fache Vergrößerung in polarisiertem Licht.

2) Der Besteller kann einen Höchstgehalt von 0,01 Gew.-% Bi vorschreiben.

3) Der Besteller kann einen P-Gehalt bis 0,04 % vorschreiben.

Erläuterungen

In Formgießereien wird im allgemeinen aus Vereinfachungs- und Qualitätsgründen für die meist gebräuchlichen Gußwerkstoffe fertig legiertes Blockmaterial nach DIN 17 656 eingesetzt. Für Legierungskorrekturen, zum Neulegieren von Kupfer-Zink-Legierungen mit Zusätzen (Sondermessinge), Kupfer-Aluminium-Legierungen, für Sonderwerkstoffe und zur Desoxydation werden Vorlegierungen in Formgießereien und Halbzeugwerken benötigt. Diese beiden Anwendergruppen haben unterschiedliche Ansprüche hinsichtlich des Reinheitsgrades. Die Norm berücksichtigt dies in der Weise, daß wo erforderlich, zwei Vorlegierungen gleichen Typs mit jedoch unterschiedlichen Höchstgehalten an Beimengungen aufführt. Zur Unterscheidung ist in diesem Falle der Buchstabe R im Kurzzeichen verwendet (R = Rein, siehe VR-CuP10).
Ausländische Normen wurden berücksichtigt, ebenso die seit Jahren im Bestellverkehr zwischen den Verbrauchergruppen und den Herstellern von Vorlegierungen getroffenen Abmachungen

DK 669.35'5.018.26-4 Dezember 1983

Kupfer-Knetlegierungen

Kupfer-Zink-Legierungen
(Messing) (Sondermessing)
Zusammensetzung

DIN 17 660

Wrought copper alloys; copper-zinc alloys (brass), (Special brass), chemical composition

Alliages de cuivre de corroyage; alliages cuivre-zinc (laitons), (laitons spéciaux), composition chimique

Ersatz für Ausgabe 04.74

Zusammenhang mit der von der International Organization for Standardization (ISO) herausgegebenen Internationalen Norm ISO 426 Teil 1 und Teil 2 – 1983, siehe Erläuterungen.

1 Anwendungsbereich

Diese Norm gilt für die Zusammensetzung von Halbzeug aus Kupfer-Knetlegierungen mit Zink als Hauptlegierungselement und gibt Hinweise auf die typischen Eigenschaften und für die bevorzugte Verwendung der einzelnen Kupfer-Zink-Legierungen. Die aufgeführten Beispiele erheben keinen Anspruch auf Allgemeingültigkeit und Vollständigkeit.

2 Bezeichnung

Zum Bezeichnen der Kupfer-Zink-Legierungen nach dieser Norm sind die Werkstoff-Kurzzeichen oder Werkstoff-Nummern der Tabellen 1, 2 und 3 anzuwenden, z. B.:

Bezeichnung einer Kupfer-Zink-Legierung mit dem Werkstoff-Kurzzeichen CuZn37 und der Werkstoff-Nummer 2.0321:

Legierung DIN 17 660 – CuZn37
oder Legierung DIN 17 660 – 2.0321

3 Zusammensetzung

Die Zusammensetzung ist in den Tabellen 1, 2 und 3 angegeben.

4 Halbzeugarten

Die Halbzeugarten aus Kupfer-Zink-Legierungen sind in der Tabelle 4 wie folgt gekennzeichnet:

X: Diese Halbzeugart wird als handelsüblich angesehen. Ihre Festigkeitseigenschaften sind in den im Tabellenkopf genannten Normen angegeben.

(X): Diese Halbzeugart wird in geringem Umfang oder für Sonderzwecke hergestellt, für die in den im Tabellenkopf genannten Normen keine Festigkeitseigenschaften angegeben sind.

Wenn keine Kennzeichnung angegeben ist, bedeutet das, daß diese Halbzeugart von untergeordneter Bedeutung ist oder nicht hergestellt wird.

Fortsetzung Seite 2 bis 9

Normenausschuß Nichteisenmetalle (FNNE) im DIN Deutsches Institut für Normung e. V.

Tabelle 1. **Zusammensetzung der Kupfer-Zink-Legierungen ohne weitere Legierungselemente**

Werkstoff- Kurzzeichen	Werkstoff- Nummer		Zusammensetzung Massenanteil in % Cu	Zn	Al	Fe	Ni	Pb	Sn	Sonstige zusammen	Dichte kg/dm³ ≈	Eigenschaften und Beispiele für die Verwendung (siehe Abschnitt 1)
CuZn5	**2.0220**	min. max.	94,0 96,0	Rest	— 0,02	— 0,05	— 0,2	— 0,05	— 0,05	— 0,1	8,9	Sehr gut kaltumformbar, gut geeignet zum Drücken, Prägen, Hämmern, Treiben.
CuZn10	**2.0230**	min. max.	89,0 91,0	Rest	— 0,02	— 0,05	— 0,2	— 0,05	— 0,05	— 0,1	8,8	Installationsteile für die Elektrotechnik, Kunstgewerbe.
CuZn15	**2.0240**	min. max.	84,0 86,0	Rest	— 0,02	— 0,05	— 0,2	— 0,05	— 0,05	— 0,1	8,8	CuZn5 besonders geeignet als Emaillier-Qualität und für Dämpferstäbe.
CuZn20	**2.0250**	min. max.	79,0 81,0	Rest	— 0,02	— 0,05	— 0,2	— 0,05	— 0,05	— 0,1	8,7	CuZn15 und CuZn20 vorwiegend verwendet für Schlauchrohre, Druckmeßgeräte und Hülsen für Federungskörper.
CuZn28	**2.0261**	min. max.	71,0 73,0	Rest	— 0,02	— 0,05	— 0,2	— 0,05	— 0,05	— 0,1	8,6	Sehr gut kaltumformbar durch Tiefziehen, Drücken, Nieten, Bördeln; sehr gut lötbar; gut auf Stahl plattierbar. Kühlerbänder
CuZn30	**2.0265**	min. max.	69,0 71,0	Rest	— 0,02	— 0,05	— 0,2	— 0,05	— 0,05	— 0,1	8,5	Musikinstrumente Tiefziehteile aller Art Blattfedern Federteile für Steckverbinder
CuZn33	**2.0280**	min. max.	66,0 68,5	Rest	— 0,02	— 0,05	— 0,2	— 0,05	— 0,05	— 0,1	8,5	Sehr gut kaltumformbar, besonders geeignet zum Bördeln und Kaltstauchen. Kühlerbänder
CuZn36	**2.0335**	min. max.	63,5 65,0	Rest	— 0,02	— 0,05	— 0,2	— 0,05	— 0,05	— 0,1	8,4	Bevorzugt verwendet als Ätzqualität. z. B. Zifferblätter, gut elektrolytisch polierbar, im übrigen wie CuZn37.
CuZn37	**2.0321**	min. max.	62,0 64,0	Rest	— 0,03	— 0,1	— 0,3	— 0,1	— 0,1	— 0,1	8,4	Hauptlegierung für Kaltumformen durch Tiefziehen, Drücken, Stauchen, Walzen, Gewinderollen, Prägen und Biegen; gut löt- und schweißbar.
CuZn40	**2.0360**	min. max.	59,5 61,5	Rest	— 0,05	— 0,2	— 0,3	— 0,3	— 0,2	— 0,2	8,4	Gut warm- und kaltumformbar (Schmiedemessing, Muntzmetall); geeignet zum Biegen, Nieten, Stauchen und Bördeln sowie im weichen Zustand zum Prägen und auch zum Tiefziehen; verbesserte Zerspanbarkeit gegenüber CuZn5 bis CuZn37; Beschlag- und Schloßteile Nippeldraht Kondensatorböden

Tabelle 2. **Zusammensetzung der Kupfer-Zink-Legierungen mit Blei**

Werkstoff- Kurzzeichen	Werkstoff- Nummer	Zusammensetzung Massenanteil in %	Cu	Pb	Zn	Al	Fe	Ni	Sn	Sonstige zusammen	Dichte kg/dm³ ≈	Eigenschaften und Beispiele für die Verwendung (siehe Abschnitt 1)
CuZn36Pb1,5	**2.0331**	min. max.	62,0 64,0	0,7 2,5	Rest	– 0,05	– 0,2	– 0,3	– 0,1	– 0,1	8,5	Z: gut U: gut kaltumformbar V: Drücken, Prägen, Spanen, Stanzen
CuZn37Pb0,5	**2.0332**	min. max.	62,0 64,0	0,1 0,7	Rest	– 0,05	– 0,2	– 0,3	– 0,1	– 0,1	8,5	Z: noch ausreichend U: sehr gut kaltumformbar V: Tiefziehen, Drücken
CuZn36Pb3	**2.0375**	min. max.	60,0 62,0	2,5 3,5	Rest	– 0,05	– 0,3	– 0,3	– 0,2	– 0,2	8,5	Z: gut U: gut kaltumformbar V: Legierung für alle spanenden Bearbeitungsverfahren; geeignet für Automaten; Rändeln
CuZn38Pb1,5	**2.0371**	min. max.	59,5 61,5	1,0 2,0	Rest	– 0,05	– 0,3	– 0,3	– 0,2	– 0,2	8,4	Z: gut U: gut warmumformbar, kalt umformbar V: Biegen, Nieten, Stauchen, Legierung für alle spanenden Bearbeitungsverfahren, geeignet für Automaten
CuZn39Pb0,5	**2.0372**	min. max.	59,5 61,5	0,3 1,0	Rest	– 0,05	– 0,3	– 0,3	– 0,2	– 0,2		Z: ausreichend U: gut warmumformbar, gut kaltumformbar V: Biegen, Nieten, Stauchen, Bördeln, Prägen

Erklärung der Abkürzungen in der Spalte „Hinweise auf Eigenschaften und Verwendung“: Z = Zerspanbarkeit, U = Umformbarkeit, V = Verwendung

Tabelle 2. (Fortsetzung)

Werkstoff- Kurzzeichen	Werkstoff- Nummer	Zusammensetzung Massenanteil in %	Cu	Pb	Zn	Al	Fe	Ni	Sn	Sonstige zusammen	Dichte kg/dm^3 ≈	Eigenschaften und Beispiele für die Verwendung (siehe Abschnitt 1)
CuZn39Pb2	**2.0380**	min. max.	58,5 60,0	1,5 2,5	Rest	– 0,1	– 0,4	– 0,3	– 0,2	– 0,2	8,4	Z: sehr gut U: gut warmumformbar, begrenzt kaltumformbar durch Biegen, Nieten, Bördeln V: Bohr- und Fräsqualität; gut stanzbar, Uhrenmessing für Räder und Platinen
CuZn39Pb3	**2.0401**	min. max.	57,0 59,0	2,5 3,5	Rest	– 0,1	– 0,5	– 0,5	– 0,4	– 0,2	8,5	Z: sehr gut U: gut warmumformbar V: Hauptlegierung für Bearbeitung auf Automaten; Formdrehteile aller Art
CuZn40Pb2	**2.0402**	min. max.	57,0 59,0	1,5 2,5	Rest	– 0,1	– 0,4	– 0,4	– 0,3	– 0,2	8,4	Z: sehr gut U: gut warmumformbar, begrenzt kaltumformbar V: Legierung für alle spanenden Bearbeitungsverfahren; Uhrenmessing für Räder und Platinen; genau gezogene Strangpreßprofile
CuZn44Pb2	**2.0410**	min. max.	54,0 56,0	1,0 2,5	Rest	– 0,5	– 0,5	– 0,5	– 0,4	– 0,4	8,4	Z: gut U: sehr gut warmumformbar, nicht kaltumformbar V: dünnwandige Strangpreßprofile, z. B. Bauprofile, Treppenschienen

Erklärung der Abkürzungen in der Spalte „Hinweise auf Eigenschaften und Verwendung": Z = Zerspanbarkeit, U = Umformbarkeit, V = Verwendung

Tabelle 3. **Zusammensetzung der Kupfer-Zink-Legierungen mit weiteren Legierungselementen**

Werkstoff- Kurzzeichen *)	Nummer	Zusammensetzung Massenanteil in %	Cu	Zn	Al	As	Fe	Mg	Mn	Ni	Si	Sn	P	Pb	Sonstige zusammen	Dichte kg/dm³ ≈	Eigenschaften und Beispiele für die Verwendung (siehe Abschnitt 1)
CuZn20Al2 (CuZn20Al)	**2.0460**	min. max.	76,0 79,0	Rest	1,8 2,3	0,020 0,035	– 0,07	– 0,005	– 0,1	– 0,1	– –	– –	– 0,01	– 0,07	– 0,1	8,3	Platten und Rohre für Kondensatoren und Wärmeaustauscher sowie Seewasserleitungen.
CuZn23Al6Mn4Fe3	**2.0500**	min. max.	63,0 65,5	Rest	5,0 7,0	– –	2,0 3,5	– –	3,5 5,0	– 0,5	– –	– –	– –	– 1,0	– 0,2	8,2	Konstruktionswerkstoff sehr hoher Festigkeit, insbesondere für hohe statische Belastung.
CuZn28Sn1 (CuZn28Sn)	**2.0470**	min. max.	70,0 72,5	Rest	– –	0,020 0,035	– 0,07	– –	– 0,1	– 0,1	– –	0,9 1,3	– 0,01	– 0,07	– 0,1	8,5	Rohre für Kondensatoren und Wärmeaustauscher.
CuZn31Si1 (CuZn31Si)	**2.0490**	min. max.	66,0 70,0	Rest	– –	– –	– 0,4	– –	– –	– 0,5	0,7 1,3	– –	– –	– 0,8	– 0,5	8,4	Für gleitende Beanspruchung auch bei hohen Belastungen. Lagerbüchsen, Führungen und sonstige Gleitelemente.
CuZn35Ni2 (CuZn35Ni)	**2.0540**	min. max.	58,0 61,0	Rest	0,3 1,5	– –	– 0,5	– –	1,5 2,5	2,0 3,0	– 0,1	– 0,5	– –	– 0,8	– 0,5	8,3	Konstruktionswerkstoff mittlerer bis hoher Festigkeit. Apparatebau, Schiffbau.
CuZn38SnAl	**2.0525**	min. max.	59,0 60,7	Rest	0,1 0,5	– 0,05	0,1 0,4	– –	– –	0,2 0,5	– –	0,3 0,6	– –	0,3 0,7	– 0,5	8,3	Konstruktionswerkstoff mittlerer Festigkeit. Apparatebau, insbesondere für Rohrböden in Kondensatoren und Wärmeaustauschern.
CuZn38Sn1 (CuZn39Sn)	**2.0530**	min. max.	59,0 62,0	Rest	– –	– –	– 0,1	– –	– –	– 0,2	– –	0,5 1,0	– –	– 0,2	– 0,5	8,4	Konstruktionswerkstoff mittlerer Festigkeit. Apparatebau, insbesondere für Rohrböden für Kondensatoren und Wärmeaustauscher. Bootsbeschläge.
CuZn37Al1 (CuZn37Al)	**2.0510**	min. max.	59,0 61,5	Rest	0,3 1,3	– –	– 1,0	– –	0,6 1,8	– 0,6	– 0,5	– 0,3	– –	– 1,0	– 0,5	8,3	Kaltumformbarer Konstruktionswerkstoff mittlerer Festigkeit. Gute Beständigkeit gegen Witterungseinflüsse. Für Gleitzwecke geeignet.
CuZn40Al1	**2.0561**	min. max.	57,5 60,0	Rest	0,4 1,3	– –	– 1,0	– –	0,8 1,8	– 1,0	– 0,7	– 0,4	– –	– 0,8	– 0,5	8,2	Konstruktionswerkstoff mittlerer Festigkeit und hoher Zähigkeit. Gute Beständigkeit gegen Witterungseinflüsse. Für Gleitzwecke geeignet.
CuZn40Al2	**2.0550**	min. max.	56,5 59,0	Rest	1,3 2,3	– –	– 1,0	– –	1,4 2,6	– 2,0	0,3 1,0	– 0,5	– –	– 0,8	– 0,5	8,1	Konstruktionswerkstoff hoher Festigkeit. Gute Beständigkeit gegen Witterungseinflüsse. Für erhöhte Anforderungen an gleitende Beanspruchung.
CuZn40Mn2 (CuZn40Mn)	**2.0572**	min. max.	57,0 59,0	Rest	– 0,1	– –	– 1,5	– –	1,0 2,5	– 1,0	– 0,1	– 0,5	– –	– 0,8	– 0,5	8,3	Konstruktionswerkstoff mittlerer Festigkeit; aluminiumfrei, lötbar; witterungsbeständig. Apparatebau, Architektur, Dämpferstäbe.
CuZn40Mn1Pb (CuZn40MnPb)	**2.0580**	min. max.	57,0 59,0	Rest	– 0,6	– –	– 0,5	– –	0,4 1,8	– 1,0	– 0,4	– 0,5	– –	1,0 2,0	– 0,5	8,2	Automatenlegierung mittlerer Festigkeit und guter Zerspanbarkeit. Wälzlagerkäfige.

*) Einige Kurzzeichen wurden entsprechend den Regeln der ISO 1190 Teil 1 – 1982 geändert; die bisherigen Kurzzeichen sind zur Information zusätzlich in Klammern angegeben.

Tabelle 4. **Halbzeugarten**

Werkstoff-Kurzzeichen	Halbzeugarten: Bänder – Allgemeine Verwendung, DIN 17 670 Teil 1 und Teil 2	Bänder – Federbänder, DIN 1780	Bleche – Allgemeine Verwendung, DIN 17 670 Teil 1 und Teil 2	Bleche – Apparatebau, DIN 17 675 Teil 1 und Teil 2	Rohre – Allgemeine Verwendung, DIN 17 671 Teil 1 und Teil 2	Rohre – Kondensatorrohre, DIN 1785, DIN 17 679	Stangen, DIN 17 672 Teil 1 und Teil 2	Drähte – Allgemeine Verwendung, DIN 17 677 Teil 1 und Teil 2	Drähte – Federdrähte, DIN 17 682	Strangpreßprofile, DIN 17 674 Teil 1 und Teil 2	Gesenk-Schmiedestücke, DIN 17 673 Teil 1 und Teil 2	Freiform-Schmiedestücke, DIN 17 678 Teil 1 und Teil 2
CuZn5	X		X		X		(X)					
CuZn10	X		X				(X)					
CuZn15	X		X		X		X	X				
CuZn20	X		X		X		(X)	X				
CuZn28	X		X				(X)		X			
CuZn30	X	X	X		X		X	X				
CuZn33	X		X				(X)	(X)				
CuZn36	X		X		X		(X)	X	X			
CuZn37	X	X	X		X		X	X			(X)	
CuZn40	X		X	X	X		X	(X)			X	X
CuZn36Pb1,5	X		X		X		X	X				
CuZn37Pb0,5					X		(X)					
CuZn36Pb3					X		X	X				
CuZn38Pb1,5	X		X		X		X	X		X	X	X
CuZn39Pb0,5	X		X	X	X							
CuZn39Pb2	X		X				X	X			X	
CuZn39Pb3					X		X	X		X	X	
CuZn40Pb2	X		X		X		X	X		X	X	X
CuZn44Pb2										X		
CuZn20Al2			X	X		X	X				X	
CuZn23Al6Mn4Fe3					X		X				X	
CuZn28Sn1			X			X						
CuZn31Si1					X		X					
CuZn35Ni2					X		X				X	
CuZn38SnAl			X	X								
CuZn38Sn1			X	X								
CuZn37Al1							X			X		
CuZn40Al1					X		X			X	X	X
CuZn40Al2					X		X			X	X	X
CuZn40Mn2					X		X			X	X	
CuZn40Mn1Pb					X		X			X	X	

5 Prüfung der Zusammensetzung

5.1 Routine-Verfahren

Die Probenahme und die Prüfung der Zusammensetzung werden nach den Analysenvorschriften des Herstellers durchgeführt.

5.2 Schiedsverfahren

5.2.1 Probenahme

Die Probenahme ist nach der neuesten Ausgabe der „Analyse der Metalle" des Chemikerausschusses der Gesellschaft Deutscher Metallhütten- und Bergleute e. V., Band III „Probenahme" auszuführen.

5.2.2 Analysenverfahren

Die in den Tabellen 1 bis 3 genannten Elemente werden nach folgenden Verfahren analysiert:

Tabelle 5.

Element	Verfahren	Anwendungsbereich
Kupfer	nach DIN 50 503	Kupferlegierungen
Aluminium	nach DIN 50 509	Legierungselement
Arsen	nach DIN 50 510	0,001 bis 0,8 %
Blei	nach DIN 50 507	Legierungselement; Verunreinigung
Eisen	nach DIN 50 504	max. 0,4 %
	nach ISO/DIS 4748 – 1982 *)	Legierungselement
Mangan	nach DIN 50 505	max. 6,0 %
Nickel	nach DIN 50 506	max. 2,5 %
	nach ISO/DIS 4743 – 1983 *)	Legierungselement
Phosphor	nach ISO/DIS 4741 – 1983 *)	0,0005 bis 0,5 %
Zink	nach ISO/DIS 4740 – 1978 *)	0,001 bis 6,0 %
Zinn	nach DIN 50 508	Legierungselement
	nach ISO/DIS 4751 – 1982 *)	0,005 bis 0,5 %

*) Der NA Materialprüfung hat vorgesehen, die wichtigsten Analysenverfahren als DIN-ISO-Normen zu übernehmen.

Für andere Elemente ist die Analyse nach den neuesten Verfahren durchzuführen, die in „Analyse der Metalle" des Chemikerausschusses der Gesellschaft Deutscher Metallhütten- und Bergleute e. V. angegeben ist, und zwar entweder in Band I „Schiedsanalysen" oder in den zugehörigen Ergänzungsbänden.

Zum Vergleich mit den Grenzwerten dieser Norm ist jedes Meßergebnis entsprechend der Rundungsregel nach DIN 1333 Teil 2 auf dieselbe Genauigkeit wie die des Grenzwertes zu runden.

Zitierte Normen und andere Unterlagen

DIN 1333 Teil 2	Zahlenangaben; Runden
DIN 1780	Bänder und Bandstreifen aus Kupfer-Knetlegierungen für Blattfedern; Technische Lieferbedingungen
DIN 1785	Rohre aus Kupfer und Kupfer-Knetlegierungen für Kondensatoren und Wärmeaustauscher
DIN 17 670 Teil 1	Bänder und Bleche aus Kupfer und Kupfer-Knetlegierungen; Eigenschaften
DIN 17 670 Teil 2	Bleche und Bänder aus Kupfer und Kupfer-Knetlegierungen; Technische Lieferbedingungen
DIN 17 671 Teil 1	Rohre aus Kupfer und Kupfer-Knetlegierungen; Eigenschaften
DIN 17 671 Teil 2	Rohre aus Kupfer und Kupfer-Knetlegierungen; Technische Lieferbedingungen
DIN 17 672 Teil 1	Stangen aus Kupfer und Kupfer-Knetlegierungen; Eigenschaften
DIN 17 672 Teil 2	Stangen aus Kupfer und Kupfer-Knetlegierungen; Technische Lieferbedingungen
DIN 17 673 Teil 1	Gesenkschmiedestücke aus Kupfer und Kupfer-Knetlegierungen; Eigenschaften
DIN 17 673 Teil 2	Gesenkschmiedestücke aus Kupfer und Kupfer-Knetlegierungen; Technische Lieferbedingungen
DIN 17 674 Teil 1	Strangpreßprofile aus Kupfer und Kupfer-Knetlegierungen; Eigenschaften
DIN 17 674 Teil 2	Strangpreßprofile aus Kupfer und Kupfer-Knetlegierungen; Technische Lieferbedingungen
DIN 17 675 Teil 1	Platten aus Kupfer und Kupfer-Knetlegierungen; für Kondensatoren und Wärmeaustauscher; Festigkeitseigenschaften
DIN 17 675 Teil 2	Platten aus Kupfer und Kupfer-Knetlegierungen; für Kondensatoren und Wärmeaustauscher; Technische Lieferbedingungen
DIN 17 677 Teil 1	Drähte aus Kupfer und Kupfer-Knetlegierungen; Eigenschaften

DIN 17 677 Teil 2	Drähte aus Kupfer und Kupfer-Knetlegierungen; Technische Lieferbedingungen
DIN 17 678 Teil 1	Freiformschmiedestücke aus Kupfer und Kupfer-Knetlegierungen; Eigenschaften
DIN 17 678 Teil 2	Freiformschmiedestücke aus Kupfer und Kupfer-Knetlegierungen; Technische Lieferbedingungen
DIN 17 679	Rohre aus Kupfer und Kupfer-Knetlegierungen mit gewalzten Rippen für Wärmeaustauscher
DIN 17 682	Runde Federdrähte aus Kupfer-Knetlegierungen; Festigkeitseigenschaften, Technische Lieferbedingungen
DIN 50 503	Chemische Analyse von Kupfer und Kupfer-Knetlegierungen; Bestimmung von Kupfer in Kupfer-Knetlegierungen und Kupfer-Gußlegierungen
DIN 50 504	Chemische Analyse von Kupfer und Kupferlegierungen; Photometrische Bestimmung von Eisen in Kupfer und Kupferlegierungen mit höchstens 0,4 % Eisen
DIN 50 505	Chemische Analyse von Kupfer und Kupferlegierungen; Photometrische Bestimmung von Mangan in Kupferlegierungen mit höchstens 6 % Mangan
DIN 50 506	Chemische Analyse von Kupfer und Kupferlegierungen; Photometrische Bestimmung von Nickel in Kupferlegierungen mit höchstens 2,5 % Nickel
DIN 50 507	Chemische Analyse von Kupfer und Kupferlegierungen; Bestimmung des Bleigehaltes, Verfahren durch Extraktionstitration
DIN 50 508	Chemische Analyse von Kupfer und Kupferlegierungen; Bestimmung von Zinn als Legierungselement, Maßanalytisches Verfahren
DIN 50 509	Chemische Analyse von Kupfer und Kupferlegierungen; Bestimmung des Aluminiumgehaltes von Kupferlegierungen, Maßanalytisches Verfahren
DIN 50 510	Chemische Analyse von Kupfer und Kupferlegierungen; Bestimmung des Arsengehaltes in Kupfer und Kupferlegierungen, Photometrisches Verfahren
ISO 426 – 1983	Kupfer-Zink-Knetlegierungen, Chemische Zusammensetzung und Halbzeugarten Teil 1: Bleifreie Legierungen und Sonderlegierungen Teil 2: Bleihaltige Legierungen
ISO 1190 Teil 1 – 1982	Kupfer und Kupferlegierungen; Werkstoff-Kurzzeichen
ISO/DIS 4740 – 1978	Chemische Analyse von Kupfer und Kupferlegierungen; Bestimmung von Zink; Atom-Absorptions-Verfahren
ISO/DIS 4741 – 1982	Chemische Analyse von Kupfer und Kupferlegierungen; Bestimmung von Phosphor; Spektrophotometrisches Verfahren
ISO/DIS 4743 – 1983	Chemische Analyse von Kupfer und Kupferlegierungen; Bestimmung von Nickel; Titrimetrisches Verfahren
ISO/DIS 4748 – 1982	Chemische Analyse von Kupfer und Kupferlegierungen; Bestimmung von Eisen; Titrimetrisches Verfahren
ISO/DIS 4751 – 1982	Chemische Analyse von Kupfer und Kupferlegierungen; Bestimmung von Zinn; Spektrophotometrisches Verfahren
Analyse der Metalle [1]	Band I Schiedsanalysen; Band III Probenahme; Ergänzungsband zu den Bänden I Schiedsanalysen * II Betriebsanalysen

Weitere Normen

DIN 17 662	Kupfer-Knetlegierungen, Kupfer-Zinn-Legierungen (Zinnbronze); Zusammensetzung
DIN 17 663	Kupfer-Knetlegierungen, Kupfer-Nickel-Zink-Legierungen (Neusilber); Zusammensetzung
DIN 17 664	Kupfer-Knetlegierungen, Kupfer-Nickel-Legierungen; Zusammensetzung
DIN 17 665	Kupfer-Knetlegierungen, Kupfer-Aluminium-Legierungen (Aluminiumbronze); Zusammensetzung
DIN 17 666	Niedriglegierte Kupfer-Knetlegierungen; Zusammensetzung

Frühere Ausgaben

DIN 1709 Teil 1: 04.25, 07.30, 09.37; DIN 1726: 02.43x, 03.48x; DIN 17 661: 08.54, 02.58x;
DIN 17 660: 08.54xx, 12.67, 04.74

Änderungen

Gegenüber der Ausgabe April 1974 wurden folgende Änderungen vorgenommen:

a) Die Legierungen CuZn40Ni wurde gestrichen.

b) Die Legierungen CuZn23Al6Mn4Fe3 und CuZn38SnAl wurden aufgenommen.

c) Die Zusammensetzung der Legierungen wurde weitgehend der ISO 426 Teil 1 und Teil 2 – 1983 angeglichen.

d) Der Text wurde redaktionell überarbeitet, z. B.
- Der Aufbau der Tabellen „Zusammenhang" und „Halbzeugarten" wurde geändert.
- Einige Werkstoff-Kurzzeichen der Tabelle 3 wurden in Anlehnung an ISO 1190 Teil 1 – 1982 ergänzt, die bisherigen Werkstoff-Kurzzeichen zur Information in Klammern angegeben
- Die Analysenmethoden wurden tabellarisch dargestellt.

---
[1] Zu beziehen durch: Berlin – Heidelberg – New York; Springer-Verlag

Erläuterungen

Die Norm DIN 17 660 stimmt mit ISO 426 Teil 1 und Teil 2 – 1983 überein,

E: Wrought copper-zinc alloys – Chemical composition and forms of wrought products
Part 1: Non leaded and special alloys
Part 2: Leaded alloys

F: Alliages cuivre zinc corroyés – Composition chimique et formes des produits corroyes
Partie 1: Alliages sans plomb et alliages speciaux
Partie 2: Alliages au plomb

D: Kupfer-Zink-Knetlegierungen – Chemische Zusammensetzung und Halbzeugarten
Teil 1: Bleifreie Legierungen und Sonderlegierungen
Teil 2: Bleihaltige Legierungen

wie in der Tabelle angegeben.

Werkstoff-Kurzzeichen *)	Vergleich DIN – ISO		Früheres DIN-Kurzzeichen *)		siehe
CuZn5	ISO 426 Teil 1 – 1983	DIN enger als ISO	Ms95		Tabelle 1
CuZn10		DIN enger als ISO	Ms90		
CuZn15		DIN enger als ISO	Ms85		
CuZn20		DIN enger als ISO	Ms80		
CuZn28		DIN enger als ISO	Ms72		
CuZn30		DIN enger als ISO	Ms70		
CuZn33		nicht in ISO	Ms67		
CuZn36		nicht in ISO	Ms63		
CuZn37		DIN enger als ISO	Ms63		
CuZn40		DIN enger als ISO	Ms60		
CuZn36Pb1,5	ISO 426 Teil 2 – 1983	ISO: CuZn35Pb1 CuZn34Pb2	Ms63Pb		Tabelle 2
CuZn37Pb0,5		ISO: CuZn36Pb			
CuZn36Pb3		DIN enger als ISO	–		
CuZn38Pb1,5		DIN ähnlich CuZn37Pb1 und CuZn37Pb2	Ms60Pb		
CuZn39Pb0,5					
CuZn39Pb2		DIN enger als ISO CuZn38Pb2	Ms58		
CuZn39Pb3		DIN enger als ISO			
CuZn40Pb2		DIN enger als ISO			
CuZn44Pb2		DIN enger als ISO	Ms56		
CuZn20Al2	ISO 426 Teil 1 – 1983	DIN enger als ISO	CuZn20Al	SoMs76	Tabelle 3
CuZn23Al6Mn4Fe3		nicht in ISO	–	SoMs64	
CuZn28Sn1		DIN enger als ISO	CuZn28Sn	SoMs71	
CuZn31Si1		DIN = ISO	CuZn31Si	SoMs68	
CuZn35Ni2		nicht in ISO	CuZn35Ni	SoMs59	
CuZn38SnAl		nicht in ISO	–	–	
CuZn38Sn1		DIN = ISO	CuZn39Sn	SoMs60	
CuZn37Al1		CuZn39AlFeMn	CuZn37Al	SoMs58Al1	
CuZn40Al1			–		
CuZn40Al2		nicht in ISO	–	SoMsAl2	
CuZn40Mn2			CuZn40Mn	SoMs58	
CuZn40Mn1Pb			CuZn40MnPb	SoMs58Pb	

*) Einige Werkstoff-Kurzzeichen von Legierungen in Tabelle 3 der Ausgabe April 1974 wurden geändert; die bisherigen Werkstoff-Kurzzeichen sind zusätzlich zur Information angegeben.

Internationale Patentklassifikation

C 22 C 9/04

DK 669.35'6.018.26-4 Dezember 1983

Kupfer-Knetlegierungen

Kupfer-Zinn-Legierungen
(Zinnbronze)
Zusammensetzung

DIN 17 662

Wrought copper alloys; copper-tin alloys (tin-bronce), chemical composition

Alliages de cuivre de corroyage; alliages cuivre-étain (bronce), composition chimique

Ersatz für Ausgabe 04.74

Zusammenhang mit der von der International Organization for Standardization (ISO) herausgegebenen Internationalen Norm ISO 427 – 1983, siehe Erläuterungen.

1 Anwendungsbereich

Diese Norm gilt für die Zusammensetzung von Halbzeug aus Kupfer-Knetlegierungen mit Zinn als Hauptlegierungselement.

Tabelle 1 gibt Hinweise auf die typischen Eigenschaften und für die bevorzugte Verwendung der einzelnen Kupfer-Zinn-Legierungen. Die aufgeführten Beispiele erheben keinen Anspruch auf Allgemeingültigkeit und Vollständigkeit.

2 Bezeichnung

Zum Bezeichnen der Kupfer-Zinn-Legierungen nach dieser Norm sind die Werkstoff-Kurzzeichen oder Werkstoff-Nummern der Tabelle 1 anzuwenden, z. B.:

Bezeichnung einer Kupfer-Zinn-Legierung mit dem Werkstoff-Kurzzeichen CuSn4 und der Werkstoff-Nummer 2.1016:

Legierung DIN 17 662 – CuSn4

oder Legierung DIN 17 662 – 2.1016

3 Zusammensetzung

Die Zusammensetzung ist in der Tabelle 1 angegeben.

4 Halbzeugarten

Die Halbzeugarten aus Kupfer-Zinn-Legierungen sind in der Tabelle 2 wie folgt gekennzeichnet:

X: Diese Halbzeugart wird als handelsüblich angesehen. Ihre Festigkeitseigenschaften sind in den im Tabellenkopf genannten Normen angegeben.

(X): Diese Halbzeugart wird in geringem Umfang oder für Sonderzwecke hergestellt, für die in den im Tabellenkopf genannten Normen keine Festigkeitseigenschaften angegeben sind.

Wenn keine Kennzeichnung angegeben ist, bedeutet das, daß diese Halbzeugart von untergeordneter Bedeutung ist oder nicht hergestellt wird.

Fortsetzung Seite 2 bis 5

Normenausschuß Nichteisenmetalle (FNNE) im DIN Deutsches Institut für Normung e. V.

Tabelle 1. **Zusammensetzung**

Werkstoff- Kurzzeichen	Werkstoff- Nummer		Zusammensetzung Massenanteil in % Cu	Sn	P	Fe	Ni	Pb	Zn	Sonstige zusammen	Dichte kg/dm³ ≈	Eigenschaften und Beispiele für die Verwendung (siehe Abschnitt 1)
CuSn4	**2.1016**	min. max.	Rest	3,5 4,5	0,01 0,35	– 0,1	– 0,3	– 0,05	– 0,3	– 0,2	8,9	Steckverbinder, stromleitende Federn
CuSn6	**2.1020**	min. max.	Rest	5,5 7,0	0,01 0,35	– 0,1	– 0,3	– 0,05	– 0,3	– 0,2	8,8	Federn aller Art, besonders für die Elektroindustrie. Steckverbinder, Schlauch- und Federrohre, Gewebe- und Siebdrähte, Gongstäbe
CuSn8	**2.1030**	min. max.	Rest	7,5 8,5	0,01 0,35	– 0,1	– 0,3	– 0,05	– 0,3	– 0,2	8,8	Gleitelemente, besonders für dünnwandige Gleitlagerbuchsen und Gleitleisten; Holländermesser; gegenüber CuSn6 erhöhte Abriebfestigkeit und Korrosionsbeständigkeit
CuSn6Zn6 *) (CuSn6Zn)	**2.1080**	min. max.	Rest	5,0 7,0	0,01 0,1	– 0,1	– 0,3	– 0,05	5,0 7,0	– 0,2	8,8	Verschleißteile aller Art

*) Das Kurzzeichen wurde entsprechend den Regeln der ISO 1190 Teil 1 – 1982 geändert; das bisherige Kurzzeichen ist zur Information zusätzlich in Klammern angegeben.

Tabelle 2. **Halbzeugarten**

Werkstoff-Kurzzeichen	Halbzeugarten: Bänder – Allgemeine Verwendung DIN 17 670 Teil 1 und Teil 2	Bänder – Federbänder DIN 1780	Bleche – Allgemeine Verwendung DIN 17 670 Teil 1 und Teil 2	Bleche – Apparatebau DIN 17 675 Teil 1 und Teil 2	Rohre – Allgemeine Verwendung DIN 17 671 Teil 1 und Teil 2	Rohre – Kondensatorrohre DIN 1785 DIN 17 679	Stangen DIN 17 672 Teil 1 und Teil 2	Drähte – Allgemeine Verwendung DIN 17 677 Teil 1 und Teil 2	Drähte – Federdrähte DIN 17 682	Strangpreßprofile DIN 17 674 Teil 1 und Teil 2	Gesenk-Schmiedestücke DIN 17 673 Teil 1 und Teil 2	Freiform-Schmiedestücke DIN 17 678 Teil 1 und Teil 2
CuSn4	X	X	X					(X)				
CuSn6	X	X	X		X		X	X	X			
CuSn8	X	X	X		X		X	X	(X) *)			
CuSn6Zn6	X		X									

*) Es ist vorgesehen, diese Legierung in DIN 17 682 zu streichen; siehe DIN 17 682, Ausgabe August 1979, Tabelle 1, Fußnote 4.

5 Prüfung der Zusammensetzung

5.1 Routine-Verfahren

Die Probenahme und die Prüfung der Zusammensetzung werden nach den Analysenvorschriften des Herstellers durchgeführt.

5.2 Schiedsverfahren

5.2.1 Probenahme

Die Probenahme ist nach der neuesten Ausgabe der „Analyse der Metalle" des Chemikerausschusses der Gesellschaft Deutscher Metallhütten- und Bergleute e. V., Band III „Probenahme" auszuführen.

5.2.2 Analysenverfahren

Die in der Tabelle 1 genannten Elemente werden nach folgenden Verfahren analysiert:

Tabelle 3.

Element	Verfahren	Anwendungsbereich
Kupfer	nach DIN 50 503	Kupferlegierungen
Blei	nach DIN 50 507	Legierungselement; Verunreinigung
Eisen	nach DIN 50 504	max. 0,4 %
	nach ISO/DIS 4748 – 1982 *)	Legierungselement
Nickel	nach DIN 50 506	max. 2,5 %
	nach ISO/DIS 4743 – 1983 *)	Legierungselement
Phosphor	nach ISO/DIS 4741 – 1982 *)	0,0005 bis 0,5 %
Zink	nach ISO/DIS 4740 – 1978 *)	0,001 bis 6,0 %
Zinn	nach DIN 50 508	Legierungselement
	nach ISO/DIS 4751 – 1982 *)	0,005 bis 0,5 %

*) Der NA Materialprüfung hat vorgesehen, die wichtigsten Analysenverfahren als DIN-ISO-Normen zu übernehmen.

Für andere Elemente ist die Analyse nach den neuesten Verfahren durchzuführen, die in „Analyse der Metalle" des Chemikerausschusses der Gesellschaft Deutscher Metallhütten- und Bergleute e. V. angegeben ist, und zwar entweder in Band I „Schiedsanalysen" oder in den zugehörigen Ergänzungsbänden.

Zum Vergleich mit den Grenzwerten dieser Norm ist jedes Meßergebnis entsprechend der Rundungsregel nach DIN 1333 Teil 2 auf dieselbe Genauigkeit wie die des Grenzwertes zu runden.

Zitierte Normen und andere Unterlagen

DIN 1333 Teil 2	Zahlenangaben; Runden
DIN 1780	Bänder und Bandstreifen aus Kupfer-Knetlegierungen für Blattfedern; Technische Lieferbedingungen
DIN 1785	Rohre aus Kupfer und Kupfer-Knetlegierungen für Kondensatoren und Wärmeaustauscher
DIN 17 670 Teil 1	Bänder und Bleche aus Kupfer und Kupfer-Knetlegierungen; Eigenschaften
DIN 17 670 Teil 2	Bleche und Bänder aus Kupfer und Kupfer-Knetlegierungen; Technische Lieferbedingungen
DIN 17 671 Teil 1	Rohre aus Kupfer und Kupfer-Knetlegierungen; Eigenschaften
DIN 17 671 Teil 2	Rohre aus Kupfer und Kupfer-Knetlegierungen; Technische Lieferbedingungen
DIN 17 672 Teil 1	Stangen aus Kupfer und Kupfer-Knetlegierungen; Eigenschaften
DIN 17 672 Teil 2	Stangen aus Kupfer und Kupfer-Knetlegierungen; Technische Lieferbedingungen
DIN 17 673 Teil 1	Gesenkschmiedestücke aus Kupfer und Kupfer-Knetlegierungen; Eigenschaften
DIN 17 673 Teil 2	Gesenkschmiedestücke aus Kupfer und Kupfer-Knetlegierungen; Technische Lieferbedingungen
DIN 17 674 Teil 1	Strangpreßprofile aus Kupfer und Kupfer-Knetlegierungen; Eigenschaften
DIN 17 674 Teil 2	Strangpreßprofile aus Kupfer und Kupfer-Knetlegierungen; Technische Lieferbedingungen
DIN 17 675 Teil 1	Platten aus Kupfer und Kupfer-Knetlegierungen für Kondensatoren und Wärmeaustauscher; Festigkeitseigenschaften
DIN 17 675 Teil 2	Platten aus Kupfer und Kupfer-Knetlegierungen für Kondensatoren und Wärmeaustauscher; Technische Lieferbedingungen
DIN 17 677 Teil 1	Drähte aus Kupfer und Kupfer-Knetlegierungen; Eigenschaften
DIN 17 677 Teil 2	Drähte aus Kupfer und Kupfer-Knetlegierungen; Technische Lieferbedingungen
DIN 17 678 Teil 1	Freiformschmiedestücke aus Kupfer und Kupfer-Knetlegierungen; Eigenschaften
DIN 17 678 Teil 2	Freiformschmiedestücke aus Kupfer und Kupfer-Knetlegierungen; Technische Lieferbedingungen
DIN 17 679	Rohre aus Kupfer und Kupfer-Knetlegierungen mit gewalzten Rippen für Wärmeaustauscher
DIN 17 682	Runde Federdrähte aus Kupfer-Knetlegierungen; Festigkeitseigenschaften, Technische Lieferbedingungen
DIN 50 503	Chemische Analyse von Kupfer und Kupferlegierungen; Bestimmung von Kupfer in Kupfer-Knetlegierungen und Kupfer-Gußlegierungen
DIN 50 504	Chemische Analyse von Kupfer und Kupferlegierungen; Photometrische Bestimmung von Eisen in Kupfer und Kupferlegierungen mit höchstens 0,4 % Eisen
DIN 50 506	Chemische Analyse von Kupfer und Kupferlegierungen; Photometrische Bestimmung von Nickel in Kupferlegierungen mit höchstens 2,5 % Nickel
DIN 50 507	Chemische Analyse von Kupfer und Kupferlegierungen; Bestimmung des Bleigehaltes, Verfahren durch Extraktionstitration
DIN 50 508	Chemische Analyse von Kupfer und Kupferlegierungen; Bestimmung von Zinn als Legierungselement, Maßanalytisches Verfahren
ISO 427 – 1983	Kupfer-Zinn-Knetlegierungen, Chemische Zusammensetzung und Halbzeugarten
ISO 1190 Teil 1 – 1982	Kupfer und Kupferlegierungen; Werkstoff-Kurzzeichen
ISO/DIS 4740 – 1978	Chemische Analyse von Kupfer und Kupferlegierungen; Bestimmung von Zink; Atom-Absorptions-Verfahren
ISO/DIS 4741 – 1982	Chemische Analyse von Kupfer und Kupferlegierungen; Bestimmung von Phosphor; Spektrophotometrisches Verfahren
ISO/DIS 4743 – 1983	Chemische Analyse von Kupfer und Kupferlegierungen; Bestimmung von Nickel; Titrimetrisches Verfahren
ISO/DIS 4748 – 1982	Chemische Analyse von Kupfer und Kupferlegierungen; Bestimmung von Eisen; Titrimetrisches Verfahren
ISO/DIS 4751 – 1982	Chemische Analyse von Kupfer und Kupferlegierungen; Bestimmung von Zinn; Spektrophotometrisches Verfahren
Analyse der Metalle [1])	Band I Schiedsanalysen Band III Probenahme Ergänzungsband zu den Bänden I Schiedsanalysen * II Betriebsanalysen

[1]) Zu beziehen durch:
Berlin – Heidelberg – New York; Springer-Verlag

Weitere Normen

DIN 17 660 Kupfer-Knetlegierungen; Kupfer-Zink-Legierungen (Messing) (Sondermessing), Zusammensetzung

DIN 17 663 Kupfer-Knetlegierungen; Kupfer-Nickel-Zink-Legierungen (Neusilber), Zusammensetzung

DIN 17 664 Kupfer-Knetlegierungen; Kupfer-Nickel-Legierungen, Zusammensetzung

DIN 17 665 Kupfer-Knetlegierungen; Kupfer-Aluminium-Legierungen (Aluminiumbronze), Zusammensetzung

DIN 17 666 Niedriglegierte Kupfer-Knetlegierungen; Zusammensetzung

Frühere Ausgaben

DIN 1705 Teil 1: 04.28, 10.32, 04.39x, 12.53; DIN 1726: 02.43x, 03.48x; DIN 17 662: 08.54, 07.59x, 12.67, 04.74

Änderungen

Gegenüber der Ausgabe April 1974 wurden folgende Änderungen vorgenommen:

a) Die Legierung CuSn2 wurde gestrichen.

b) Die Legierung CuSn4 wurde aufgenommen.

c) Die Sn-Bereiche wurden entsprechend ISO 427 – 1983 auf 1 bzw. 1,5 % eingeengt.

d) Der Text wurde redaktionell überarbeitet, z. B.

- Der Aufbau der Tabellen „Zusammensetzung" und „Halbzeugarten" wurde geändert
- Ein Werkstoff-Kurzzeichen der Tabelle 1 wurde in Anlehnung an ISO 1190 Teil 1 – 1982 ergänzt, das bisherige Werkstoff-Kurzzeichen zur Information in Klammern angegeben
- Die Analysenmethoden wurden tabellarisch dargestellt

Erläuterungen

Die Norm DIN 17 662 stimmt mit ISO 427 – 1983 überein,

E: Wrought copper-tin-alloys – Chemical composition and forms of wrought products

F: Alliages cuivre-étain corroyés – Composition chimique et formes des produits corroyés

D: Kupfer-Zinn-Knetlegierungen – Chemische Zusammensetzung und Halbzeugarten

wie in der Tabelle angegeben.

Werkstoff-Kurzzeichen	Vergleich DIN – ISO	Früheres DIN-Kurzzeichen
CuSn4	DIN = ISO	SnBz4
CuSn6	DIN = ISO	SnBz6
CuSn8	DIN = ISO	SnBz8
CuSn6Zn6	nicht in ISO	CuSn6Zn; MSnBz6

Internationale Patentklassifikation

C 22 C 9/02

DK 669.35'24'5.018.26-4 Dezember 1983

Kupfer-Knetlegierungen

Kupfer-Nickel-Zink-Legierungen (Neusilber) Zusammensetzung

DIN 17 663

Wrought copper alloys; copper-nickel-zinc alloys (nickel-silver), chemical composition

Alliages de cuivre de corroyages; alliages cuivre-nickel-zinc (maillechort), composition chimique

Ersatz für Ausgabe 04.74

Zusammenhang mit der von der International Organization for Standardization (ISO) herausgegebenen Internationalen Norm ISO 430 – 1983, siehe Erläuterungen.

1 Anwendungsbereich

Diese Norm gilt für die Zusammensetzung von Halbzeug aus Kupfer-Knetlegierungen mit Nickel als Hauptlegierungselement.

Die Tabellen 1 und 2 geben Hinweise auf die typischen Eigenschaften und für die bevorzugte Verwendung der einzelnen Kupfer-Nickel-Zink-Legierungen. Die aufgeführten Beispiele erheben keinen Anspruch auf Allgemeingültigkeit und Vollständigkeit.

2 Bezeichnung

Zum Bezeichnen der Kupfer-Nickel-Zink-Legierungen nach dieser Norm sind die Werkstoff-Kurzzeichen oder Werkstoff-Nummern der Tabelle 1 und 2 anzuwenden, z. B.:

Bezeichnung einer Kupfer-Nickel-Zink-Legierung mit dem Werkstoff-Kurzzeichen CuNi12Zn24 und der Werkstoff-Nummer 2.0730:

Legierung DIN 17 663 – CuNi12Zn24

oder Legierung DIN 17 663 – 2.0730

3 Zusammensetzung

Die Zusammensetzung ist in den Tabellen 1 und 2 angegeben.

4 Halbzeugarten

Die Halbzeugarten aus Kupfer-Nickel-Zink-Legierungen sind in der Tabelle 3 wie folgt gekennzeichnet.

X : Diese Halbzeugart wird als handelsüblich angesehen. Ihre Festigkeitseigenschaften sind in den im Tabellenkopf genannten Normen angegeben.

(X): Diese Halbzeugart wird im geringem Umfang oder für Sonderzwecke hergestellt, für die in den im Tabellenkopf genannten Normen keine Festigkeitseigenschaften angegeben sind.

Wenn keine Kennzeichnung angegeben ist, bedeutet das, daß diese Halbzeugart von untergeordneter Bedeutung ist oder nicht hergestellt wird.

Fortsetzung Seite 2 bis 6

Normenausschuß Nichteisenmetalle (FNNE) im DIN Deutsches Institut für Normung e. V.

Tabelle 1. **Zusammensetzung der bleifreien Kupfer-Nickel-Zink-Legierungen**

Werkstoff- Kurzzeichen	Werkstoff- Nummer		Zusammensetzung Massenanteil in % Cu	Ni	Zn	Fe	Mn	Pb	Sn	Sonstige zusammen	Dichte kg/dm³ ≈	Eigenschaften und Beispiele für die Verwendung (siehe Abschnitt 1)
CuNi12Zn24	**2.0730**	min. max.	63,0 66,0	11,0 13,0	Rest	– 0,3	– 0,5	– 0,03	– 0,03	– 0,2	8,7	Gut kalt umformbar; Tiefziehteile, Tafelgerät kunstgewerbliche Gegenstände Bauwesen, Innenarchitektur, Federn
CuNi18Zn20	**2.0740**	min. max.	60,0 63,0	17,0 19,0	Rest	– 0,3	– 0,5	– 0,03	– 0,03	– 0,2	8,7	Wie CuNi12Zn24, jedoch anlaufbeständiger Für Federn bevorzugt
CuNi18Zn27	**2.0742**	min. max.	53,5 56,5	17,0 19,0	Rest	– 0,3	– 0,5	– 0,03	– 0,03	– 0,2	8,7	Ähnlich CuNi18Zn20 Federwerkstoff

Tabelle 2. **Zusammensetzung der bleihaltigen Kupfer-Nickel-Zink-Legierungen**

Werkstoff- Kurzzeichen	Werkstoff- Nummer		Zusammensetzung Massenanteil in % Cu	Ni	Pb	Zn	Fe	Mn	Sonstige zusammen	Dichte kg/dm³ ≈	Eigenschaften und Beispiele für die Verwendung (siehe Abschnitt 1)
CuNi12Zn30Pb1	**2.0780**	min. max.	56,0 58,0	11,0 13,0	0,3 1,5	Rest	– 0,3	– 0,7	– 0,4	8,6	Für spanabhebende Bearbeitung Feinmechanik, Optik Schlüssel
CuNi18Zn19Pb1	**2.0790**	min. max.	59,0 63,0	17,0 19,0	0,3 1,5	Rest	– 0,3	– 0,7	– 0,4	8,8	Wie CuNi12Zn30Pb1, jedoch wesentlich anlaufbeständiger
CuNi7Zn39Mn5Pb3	**2.0771**	min. max.	44,0 48,0	6,0 8,0	2,0 4,0	Rest	– 0,3	4,0 6,0	– 0,4	8,5	Gut warm umformbar; Sehr gut geeignet für spanabhebende Bearbeitung Feinmechanik Optik

Tabelle 3. **Halbzeugarten**

Werkstoff-Kurzzeichen	Halbzeugarten											
	Bänder		Bleche		Rohre		Stangen	Drähte		Strangpreß-profile *)	Gesenk- Schmiedestücke	Freiform- Schmiedestücke
	Allgemeine Verwendung	Federbänder	Allgemeine Verwendung	Apparatebau	Allgemeine Verwendung	Kondensatorrohre		Allgemeine Verwendung	Federdrähte			
	DIN 17 670 Teil 1 und Teil 2	DIN 1780	DIN 17 670 Teil 1 und Teil 2	DIN 17 675 Teil 1 und Teil 2	DIN 17 671 Teil 1 und Teil 2	DIN 1785 DIN 17 679	DIN 17 672 Teil 1 und Teil 2	DIN 17 677 Teil 1 und Teil 2	DIN 17 682	DIN 17 674 Teil 1 und Teil 2	DIN 17 673 Teil 1 und Teil 2	DIN 17 678 Teil 1 und Teil 2
CuNi12Zn24	X		X		X		X	X		(X)		
CuNi18Zn20	X	X	X		X		X	X	X	(X)		
CuNi18Zn27	X	X	X					(X)				
CuNi12Zn30Pb1							X			(X)		
CuNi18Zn19Pb1							X			(X)		
CuNi7Zn39Mn5Pb3							X			(X)		

*) Profile aus diesen Legierungen werden im allgemeinen nicht durch Strangpressen, sondern durch andere Verfahren hergestellt.

5 Prüfung der Zusammensetzung

5.1 Routine-Verfahren

Die Probenahme und die Prüfung der Zusammensetzung werden nach den Analysenvorschriften des Herstellers durchgeführt.

5.2 Schiedsverfahren

5.2.1 Probenahme

Die Probenahme ist nach der neuesten Ausgabe der „Analyse der Metalle" des Chemikerausschusses der Gesellschaft Deutscher Metallhütten- und Bergleute e. V., Band III „Probenahme" auszuführen.

5.2.2 Analysenverfahren

Die in den Tabellen 1 und 2 genannten Elemente werden nach folgenden Verfahren analysiert:

Tabelle 4.

Element	Verfahren	Anwendungsbereich
Kupfer	nach DIN 50 503	Kupferlegierungen
Blei	nach DIN 50 507	Legierungselement; Verunreinigung
Eisen	nach DIN 50 504	max. 0,4 %
	nach ISO/DIS 4748 – 1982 *)	Legierungselement
Mangan	nach DIN 50 505	max. 6,0 %
Nickel	nach DIN 50 506	max. 2,5 %
	nach ISO/DIS 4743 – 1983 *)	Legierungselement
Zink	nach ISO/DIS 4740 – 1978 *)	0,001 bis 6,0 %
Zinn	nach DIN 50 508	Legierungselement
	nach ISO/DIS 4751 – 1982 *)	0,005 bis 0,5 %

*) Der NA Materialprüfung hat vorgesehen, die wichtigsten Analysenverfahren als DIN-ISO-Normen zu übernehmen.

Für andere Elemente ist die Analyse nach den neuesten Verfahren durchzuführen, die in „Analyse der Metalle" des Chemikerausschusses der Gesellschaft Deutscher Metallhütten- und Bergleute e. V. angegeben ist, und zwar entweder in Band I „Schiedsanalysen" oder in den zugehörigen Ergänzungsbänden.

Zum Vergleich mit den Grenzwerten dieser Norm ist jedes Meßergebnis entsprechend der Rundungsregel nach DIN 1333 Teil 2 auf dieselbe Genauigkeit wie die des Grenzwertes zu runden.

Zitierte Normen und andere Unterlagen

DIN 1333 Teil 2	Zahlenangaben; Runden
DIN 1780	Bänder und Bandstreifen aus Kupfer-Knetlegierungen für Blattfedern; Technische Lieferbedingungen
DIN 1785	Rohre aus Kupfer und Kupfer-Knetlegierungen für Kondensatoren und Wärmeaustauscher
DIN 17 670 Teil 1	Bänder und Bleche aus Kupfer und Kupfer-Knetlegierungen; Eigenschaften
DIN 17 670 Teil 2	Bleche und Bänder aus Kupfer und Kupfer-Knetlegierungen; Technische Lieferbedingungen
DIN 17 671 Teil 1	Rohre aus Kupfer und Kupfer-Knetlegierungen; Eigenschaften
DIN 17 671 Teil 2	Rohre aus Kupfer und Kupfer-Knetlegierungen; Technische Lieferbedingungen
DIN 17 672 Teil 1	Stangen aus Kupfer und Kupfer-Knetlegierungen; Eigenschaften
DIN 17 672 Teil 2	Stangen aus Kupfer und Kupfer-Knetlegierungen; Technische Lieferbedingungen
DIN 17 673 Teil 1	Gesenkschmiedestücke aus Kupfer und Kupfer-Knetlegierungen; Eigenschaften
DIN 17 673 Teil 2	Gesenkschmiedestücke aus Kupfer und Kupfer-Knetlegierungen; Technische Lieferbedingungen
DIN 17 674 Teil 1	Strangpreßprofile aus Kupfer und Kupfer-Knetlegierungen; Eigenschaften
DIN 17 674 Teil 2	Strangpreßprofile aus Kupfer und Kupfer-Knetlegierungen; Technische Lieferbedingungen
DIN 17 675 Teil 1	Platten aus Kupfer und Kupfer-Knetlegierungen; für Kondensatoren und Wärmeaustauscher; Festigkeitseigenschaften
DIN 17 675 Teil 2	Platten aus Kupfer und Kupfer-Knetlegierungen; für Kondensatoren und Wärmeaustauscher; Technische Lieferbedingungen
DIN 17 677 Teil 1	Drähte aus Kupfer und Kupfer-Knetlegierungen; Eigenschaften
DIN 17 677 Teil 2	Drähte aus Kupfer und Kupfer-Knetlegierungen; Technische Lieferbedingungen
DIN 17 678 Teil 1	Freiformschmiedestücke aus Kupfer und Kupfer-Knetlegierungen; Eigenschaften
DIN 17 678 Teil 2	Freiformschmiedestücke aus Kupfer und Kupfer-Knetlegierungen; Technische Lieferbedingungen
DIN 17 679	Rohre aus Kupfer und Kupfer-Knetlegierungen mit gewalzten Rippen für Wärmeaustauscher
DIN 17 682	Runde Federdrähte aus Kupfer-Knetlegierungen; Festigkeitseigenschaften, Technische Lieferbedingungen
DIN 50 503	Chemische Analyse von Kupfer und Kupfer-Knetlegierungen; Bestimmung von Kupfer in Kupfer-Knetlegierungen und Kupfer-Gußlegierungen
DIN 50 504	Chemische Analyse von Kupfer und Kupferlegierungen; Photometrische Bestimmung von Eisen in Kupfer und Kupferlegierungen mit höchstens 0,4 % Eisen
DIN 50 505	Chemische Analyse von Kupfer und Kupferlegierungen; Photometrische Bestimmung von Mangan in Kupferlegierungen mit höchstens 6 % Mangan
DIN 50 506	Chemische Analyse von Kupfer und Kupferlegierungen; Photometrische Bestimmung von Nickel in Kupferlegierungen mit höchstens 2,5 % Nickel
DIN 50 507	Chemische Analyse von Kupfer und Kupferlegierungen; Bestimmung des Bleigehaltes, Verfahren durch Extraktionstitration
DIN 50 508	Chemische Analyse von Kupfer und Kupferlegierungen; Bestimmung von Zinn als Legierungselement, Maßanalytisches Verfahren
ISO 430 – 1983	Kupfer-Nickel-Zink-Knetlegierungen – Chemische Zusammensetzung und Halbzeugarten
ISO/DIS 4740 – 1978	Chemische Analyse von Kupfer und Kupferlegierungen; Bestimmung von Zink; Atom-Absorptions-Verfahren
ISO/DIS 4743 – 1983	Chemische Analyse von Kupfer und Kupferlegierungen; Bestimmung von Nickel; Titrimetrisches Verfahren
ISO/DIS 4748 – 1982	Chemische Analyse von Kupfer und Kupferlegierungen; Bestimmung von Eisen; Titrimetrisches Verfahren
ISO/DIS 4751 – 1982	Chemische Analyse von Kupfer und Kupferlegierungen; Bestimmung von Zinn; Spektrophotometrisches Verfahren
Analyse der Metalle [1])	Band I Schiedsanalysen Band III Probenahme Ergänzungsband zu den Bänden I Schiedsanalysen * II Betriebsanalysen

[1]) Zu beziehen durch:
Berlin – Heidelberg – New York; Springer-Verlag

Weitere Normen

DIN 17 660 Kupfer-Knetlegierungen; Kupfer-Zink-Legierungen, (Messing) (Sondermessing), Zusammensetzung
DIN 17 662 Kupfer-Knetlegierungen, Kupfer-Zinn-Legierungen (Zinnbronze); Zusammensetzung
DIN 17 664 Kupfer-Knetlegierungen, Kupfer-Nickel-Legierungen; Zusammensetzung
DIN 17 665 Kupfer-Knetlegierungen, Kupfer-Aluminium-Legierungen (Aluminiumbronze); Zusammensetzung
DIN 17 666 Niedriglegierte Kupfer-Knetlegierungen, Zusammensetzung

Früher Ausgaben

DIN 1726: 02.43x, 03.48x; DIN 17 663: 08.54xx, 12.67, 04.74

Änderungen

Gegenüber der Ausgabe April 1974 wurden folgende Änderungen vorgenommen:

a) Die Legierungen CuNi25Zn15 und CuNi10Zn42Pb wurden gestrichen.
b) Die Legierungen CuNi18Zn27 und CuNi7Zn39Mn5Pb3 wurden aufgenommen.
c) Die Grenzwerte für einige Verunreinigungen wurden eingeengt.
d) Der Text wurde redaktionell überarbeitet, z. B.
   – Der Aufbau der Tabellen „Zusammensetzung" und „Halbzeugarten" wurde geändert
   – Die Analysenmethoden wurden tabellarisch dargestellt.

Erläuterungen

Die Norm DIN 17 663 stimmt mit ISO 430 – 1983 überein,
E: Wrought copper-nickel-zinc alloys – Chemical composition and forms of wrought products
F: Alliages cuivre-nickel-zinc corroyés – Composition chimique et formes des produits corroyés
D: Kupfer-Nickel-Zink-Knetlegierungen – Chemische Zusammensetzung und Halbzeugarten
wie in der Tabelle angegeben.

Werkstoff-Kurzzeichen	Vergleich DIN – ISO	Früheres DIN-Kurzzeichen
CuNi12Zn24	DIN enger als ISO	Ns 6512
CuNi18Zn20	DIN enger als ISO	Ns 6218
CuNi18Zn27	DIN enger als ISO	–
CuNi12Zn30Pb1	nicht in ISO	Ns 5712Pb
CuNi18Zn19Pb1	DIN = ISO	Ns 6218Pb
CuNi7Zn39Mn5Pb	nicht in ISO	–

Internationale Patentklassifikation

C 22 C 9/00

DK 669.35'24.018.26-4 Dezember 1983

	Kupfer-Knetlegierungen **Kupfer-Nickel-Legierungen** Zusammensetzung	**DIN** **17 664**

Wrought copper alloys; copper-nickel alloys, chemical composition
Alliages de cuivre de corroyages; alliages cuivre-nickel, composition chimique

Ersatz für Ausgabe 04.74

Zusammenhang mit der von der International Organization for Standardization (ISO) herausgegebenen Internationalen Norm ISO 429 – 1983, siehe Erläuterungen.

1 Anwendungsbereich

Diese Norm gilt für die Zusammensetzung von Halbzeug aus Kupfer-Knetlegierungen mit Nickel als Hauptlegierungselement.

Tabelle 1 gibt Hinweise auf die typischen Eigenschaften und für die bevorzugte Verwendung der einzelnen Kupfer-Nickel-Legierungen. Die aufgeführten Beispiele erheben keinen Anspruch auf Allgemeingültigkeit und Vollständigkeit.

2 Bezeichnung

Zum Bezeichnen der Kupfer-Nickel-Legierungen nach dieser Norm sind die Werkstoff-Kurzzeichen oder Werkstoff-Nummern der Tabelle 1 anzuwenden, z. B.:

Bezeichnung einer Kupfer-Nickel-Legierung mit dem Werkstoff-Kurzzeichen CuNi10Fe1Mn und der Werkstoff-Nummer 2.0872:

Legierung DIN 17 664 – CuNi10Fe1Mn
oder Legierung DIN 17 664 – 2.0872

3 Zusammensetzung

Die Zusammensetzung ist in der Tabelle 1 angegeben.

4 Halbzeugarten

Die Halbzeugarten aus Kupfer-Nickel-Legierungen sind in der Tabelle 2 wie folgt gekennzeichnet:

X : Diese Halbzeugart wird als handelsüblich angesehen. Ihre Festigkeitseigenschaften sind in den im Tabellenkopf genannten Normen angegeben.

(X): Diese Halbzeugart wird im geringem Umfang oder für Sonderzwecke hergestellt, für die in den im Tabellenkopf genannten Normen keine Festigkeitseigenschaften angegeben sind.

Wenn keine Kennzeichnung angegeben ist, bedeutet das, daß diese Halbzeugart von untergeordneter Bedeutung ist oder nicht hergestellt wird.

Fortsetzung Seite 2 bis 6

Normenausschuß Nichteisenmetalle (FNNE) im DIN Deutsches Institut für Normung e. V.

Tabelle 1. **Zusammensetzung**

Werkstoff- Kurzzeichen *)	Werkstoff- Nummer		Zusammensetzung Massenanteil in % Cu	Ni 2)	Fe	Mn	C	Pb	S	Sn	Zn	Sonstige zusammen	Dichte kg/dm³ ≈	Eigenschaften und Beispiele für die Verwendung (siehe Abschnitt 1)
CuNi9Sn2	**2.0875**	min. max.	Rest	8,5 10,5	– 0,3	– 0,3	– –	– 0,03	– –	1,8 2,8	– 0,1	– 0,1	8,9	Gut kaltumformbar, anlaufbeständig, sehr gutes Spannungsrelaxationsverhalten im federharten Zustand. Federnde Kontakte in Relais, Schaltern und Steckverbindern, Löträhmen, Gehäuse für elektrische Baugruppen.
CuNi10Fe1Mn 1) (CuNi10Fe)	**2.0872**	min. max.	Rest	9,0 11,0	1,0 2,0	0,5 1,0	– 0,05	– 0,03	– 0,05	– –	– 0,5	– 0,3	8,9	Ausgezeichneter Widerstand gegen Erosion, Kavitation und Korrosion (insbesondere Seewasser), gut schweißbar; 1) Rohre für Seewasserleitungen, Rohre, Platten und Böden für Wärmeaustauscher und Kondensatoren sowie Speisewasservorwärmer (Niederdruck); Süßwasserbereiter, Klimaanlagen, Apparatebau, Rippenrohre, Bremsleitungen.
CuNi25	**2.0830**	min. max.	Rest	24,0 26,0	– 0,3	– 0,5	– 0,05	– 0,03	– 0,02	– –	– 0,5	– 0,1	8,9	Münzlegierung Plattierwerkstoff
CuNi30Mn1Fe 1) (CuNi30Fe)	**2.0882**	min. max.	Rest	30,0 32,0	0,4 1,0	0,5 1,5	– 0,05	– 0,03	– 0,05	– –	– 0,5	– 0,3	8,9	Ausgezeichneter Widerstand gegen Erosion, Kavitation und Korrosion (insbesondere Seewasser), gut schweißbar, 1) Rohrleitungen im Schiffbau; Rohre, Böden und Platten für Kondensatoren und Wärmeaustauscher Ölkühler; Trinkwasser-Erzeugung aus Seewasser; Apparatebau; Klimaanlagen; Rippenrohre.
CuNi30Fe2Mn2 1)	**2.0883**	min. max.	Rest	29,0 32,0	1,5 2,5	1,5 2,5	– 0,05	– 0,02	– 0,06	– –	– 0,5	– 0,3	8,9	Ausgezeichneter Widerstand gegen Erosion, Kavitation und Korrosion (insbesondere Seewasser) gut schweißbar. 1) Kondensatorrohre
CuNi44Mn1 (CuNi44)	**2.0842**	min. max.	Rest	43,0 45,0	– 0,5	0,5 2,0	– 0,05	– 0,01	– 0,02	– –	– 0,2	– 0,1	8,9	Gut kalt- und warmumformbar, leicht oxydierbar; kleiner Temperaturbeiwert des elektrischen Widerstandes; Anlaß-, Regel-, Kontroll- und Belastungswiderstände nach DIN 17 471; Röhreneinbauwerkstoff.

*) Einige Kurzzeichen wurden entsprechend den Regeln der ISO 1190 Teil 1 – 1982 geändert; die bisherigen Kurzzeichen sind zur Information zusätzlich in Klammern angegeben.

1) Wenn der Besteller angibt, daß das Halbzeug geschweißt wird, gelten folgende Grenzwerte: P max. 0,02 %, S max. 0,02 %.

2) Ni schließt einen Massenanteil von 0,5 % Co ein.

Tabelle 2. **Halbzeugarten**

Werkstoff-Kurzzeichen	Halbzeugarten											
	Bänder		Bleche		Rohre		Stangen	Drähte		Strangpreß-profile	Gesenk- Schmiedestücke	Freiform- Schmiedestücke
	Allgemeine Verwendung	Federbänder	Allgemeine Verwendung	Apparatebau	Allgemeine Verwendung	Kondensatorrohre		Allgemeine Verwendung	Federdrähte			
	DIN 17670 Teil 1 und Teil 2	DIN 1780	DIN 17670 Teil 1 und Teil 2	DIN 17675 Teil 1 und Teil 2	DIN 17671 Teil 1 und Teil 2	DIN 1785 DIN 17679	DIN 17672 Teil 1 und Teil 2	DIN 17677 Teil 1 und Teil 2	DIN 17682	DIN 17674 Teil 1 und Teil 2	DIN 17673 Teil 1 und Teil 2	DIN 17678 Teil 1 und Teil 2
CuNi9Sn2	X	X						(X)				
CuNi10Fe1Mn	X		X	X	X	X	X				X	
CuNi25	X		X									
CuNi30Mn1Fe	X		X	X	X	X	X					
CuNi30Fe2Mn2	(X)					X [1]						
CuNi44Mn1	X [2]		X					X [2]				

[1]) Nur in DIN 1785.

[2]) Für elektrische Widerstände als CuNi44 nach DIN 17 471.

5 Prüfung der Zusammensetzung

5.1 Routine-Verfahren

Die Probenahme und die Prüfung der Zusammensetzung werden nach den Analysenvorschriften des Herstellers durchgeführt.

5.2 Schiedsverfahren

5.2.1 Probenahme

Die Probenahme ist nach der neuesten Ausgabe der „Analyse der Metalle" des Chemikerausschusses der Gesellschaft Deutscher Metallhütten- und Bergleute e. V., Band III „Probenahme" auszuführen.

5.2.2 Analysenverfahren

Die in der Tabelle 1 genannten Elemente werden nach folgenden Verfahren analysiert:

Tabelle 3.

Element	Verfahren	Anwendungsbereich
Kupfer	nach DIN 50 503	Kupferlegierungen
Blei	nach DIN 50 507	Legierungselement; Verunreinigung
Eisen	nach DIN 50 504	max. 0,4 %
	nach ISO/DIS 4748 – 1982 *)	Legierungselement
Mangan	nach DIN 50 505	max. 6,0 %
Nickel	nach DIN 50 506	max. 2,5 %
	nach ISO/DIS 4743 – 1983 *)	Legierungselement
Zink	nach ISO/DIS 4740 – 1978 *)	0,001 bis 6,0 %
Zinn	nach DIN 50 508	Legierungselement
	nach ISO/DIS 4751 – 1978 *)	0,005 bis 0,5 %

*) Der NA Materialprüfung hat vorgesehen, die wichtigsten Analysenverfahren als DIN-ISO-Normen zu übernehmen.

Für andere Elemente ist die Analyse nach den neuesten Verfahren durchzuführen, die in „Analyse der Metalle" des Chemikerausschusses der Gesellschaft Deutscher Metallhütten- und Bergleute e. V. angegeben ist, und zwar entweder in Band I „Schiedsanalysen" oder in den zugehörigen Ergänzungsbänden.

Zum Vergleich mit den Grenzwerten dieser Norm ist jedes Meßergebnis entsprechend der Rundungsregel nach DIN 1333 Teil 2 auf dieselbe Genauigkeit wie die des Grenzwertes zu runden.

Zitierte Normen und andere Unterlagen

DIN 1333 Teil 2	Zahlenangaben; Runden
DIN 1780	Bänder und Bandstreifen aus Kupfer-Knetlegierungen für Blattfedern; Technische Lieferbedingungen
DIN 1785	Rohre aus Kupfer und Kupfer-Knetlegierungen für Kondensatoren und Wärmeaustauscher
DIN 17 471	Widerstandslegierungen; Eigenschaften
DIN 17 670 Teil 1	Bänder und Bleche aus Kupfer und Kupfer-Knetlegierungen; Eigenschaften
DIN 17 670 Teil 2	Bleche und Bänder aus Kupfer und Kupfer-Knetlegierungen; Technische Lieferbedingungen
DIN 17 671 Teil 1	Rohre aus Kupfer und Kupfer-Knetlegierungen; Eigenschaften
DIN 17 671 Teil 2	Rohre aus Kupfer und Kupfer-Knetlegierungen; Technische Lieferbedingungen
DIN 17 672 Teil 1	Stangen aus Kupfer und Kupfer-Knetlegierungen; Eigenschaften
DIN 17 672 Teil 2	Stangen aus Kupfer und Kupfer-Knetlegierungen; Technische Lieferbedingungen
DIN 17 673 Teil 1	Gesenkschmiedestücke aus Kupfer und Kupfer-Knetlegierungen; Eigenschaften
DIN 17 673 Teil 2	Gesenkschmiedestücke aus Kupfer und Kupfer-Knetlegierungen; Technische Lieferbedingungen
DIN 17 674 Teil 1	Strangpreßprofile aus Kupfer und Kupfer-Knetlegierungen; Eigenschaften
DIN 17 674 Teil 2	Strangpreßprofile aus Kupfer und Kupfer-Knetlegierungen; Technische Lieferbedingungen
DIN 17 675 Teil 1	Platten aus Kupfer und Kupfer-Knetlegierungen für Kondensatoren und Wärmeaustauscher; Festigkeitseigenschaften
DIN 17 675 Teil 2	Platten aus Kupfer und Kupfer-Knetlegierungen für Kondensatoren und Wärmeaustauscher; Technische Lieferbedingungen
DIN 17 677 Teil 1	Drähte aus Kupfer und Kupfer-Knetlegierungen; Eigenschaften
DIN 17 677 Teil 2	Drähte aus Kupfer und Kupfer-Knetlegierungen; Technische Lieferbedingungen
DIN 17 678 Teil 1	Freiformschmiedestücke aus Kupfer und Kupfer-Knetlegierungen; Eigenschaften
DIN 17 678 Teil 2	Freiformschmiedestücke aus Kupfer und Kupfer-Knetlegierungen; Technische Lieferbedingungen
DIN 17 679	Rohre aus Kupfer und Kupfer-Knetlegierungen mit gewalzten Rippen für Wärmeaustauscher
DIN 17 682	Runde Federdrähte aus Kupfer-Knetlegierungen; Festigkeitseigenschaften, Technische Lieferbedingungen
DIN 50 503	Chemische Analyse von Kupfer und Kupferlegierungen; Bestimmung von Kupfer in Kupfer-Knetlegierungen und Kupfer-Gußlegierungen
DIN 50 504	Chemische Analyse von Kupfer und Kupferlegierungen; Photometrische Bestimmung von Eisen in Kupfer und Kupferlegierungen mit höchstens 0,4 % Eisen
DIN 50 505	Chemische Analyse von Kupfer und Kupferlegierungen; Photometrische Bestimmung von Mangan in Kupferlegierungen mit höchstens 6 % Mangan
DIN 50 506	Chemische Analyse von Kupfer und Kupferlegierungen; Photometrische Bestimmung von Nickel in Kupferlegierungen mit höchstens 2,5 % Nickel
DIN 50 507	Chemische Analyse von Kupfer und Kupferlegierungen; Bestimmung des Bleigehaltes, Verfahren durch Extraktionstitration
DIN 50 508	Chemische Analyse von Kupfer und Kupferlegierungen; Bestimmung von Zinn als Legierungselement, Maßanalytisches Verfahren
ISO 429 – 1983	Kupfer-Nickel-Knetlegierungen, Chemische Zusammensetzung und Halbzeugarten
ISO 1190 Teil 1 – 1982	Kupfer und Kupferlegierungen; Werkstoff-Kurzzeichen
ISO/DIS 4740 – 1978	Chemische Analyse von Kupfer und Kupferlegierungen; Bestimmung von Zink; Atom-Absorptions-Verfahren
ISO/DIS 4743 – 1983	Chemische Analyse von Kupfer und Kupferlegierungen; Bestimmung von Nickel; Titrimetrisches Verfahren
ISO/DIS 4748 – 1982	Chemische Analyse von Kupfer und Kupferlegierungen; Bestimmung von Eisen; Titrimetrisches Verfahren
ISO/DIS 4751 – 1982	Chemische Analyse von Kupfer und Kupferlegierungen; Bestimmung von Zinn; Spektrophotometrisches Verfahren
Analyse der Metalle [1])	Band I Schiedsanalysen
	Band III Probenahme
	Ergänzungsband zu den Bänden I Schiedsanalysen * II Betriebsanalysen

[1]) Zu beziehen durch:
Berlin – Heidelberg – New York; Springer-Verlag

Weitere Normen

DIN 17 660 Kupfer-Knetlegierungen; Kupfer-Zink-Legierungen (Messing) (Sondermessing), Zusammensetzung

DIN 17 662 Kupfer-Knetlegierungen, Kupfer-Zinn-Legierungen (Zinnbronze); Zusammensetzung

DIN 17 663 Kupfer-Knetlegierungen; Kupfer-Nickel-Zink-Legierungen (Neusilber), Zusammensetzung

DIN 17 665 Kupfer-Knetlegierungen; Kupfer-Aluminium-Legierungen (Aluminiumbronze), Zusammensetzung

DIN 17 666 Niedriglegierte Kupfer-Knetlegierungen; Zusammensetzung

Frühere Ausgaben

DIN 17 664: 05.56xx, 12.67, 04.74

Änderungen

Gegenüber der Ausgabe April 1974 wurden folgende Änderungen vorgenommen:

a) Die Legierungen CuNi5Fe und CuNi20Fe wurden gestrichen.

b) Die Legierungen CuNi9Sn2 und CuNi30Fe2Mn2 wurden aufgenommen.

c) Die Zusammensetzung und die Kurzzeichen wurden der ISO 429 – 1983 angeglichen.

d) Der Text wurde redaktionell überarbeitet, z. B.

- Der Aufbau der Tabellen „Zusammensetzung" und „Halbzeugarten" wurde geändert
- Einige Werkstoff-Kurzzeichen der Tabelle 1 wurden in Anlehnung an ISO 1190 Teil 1 – 1982 ergänzt, die bisherigen Werkstoff-Kurzzeichen zur Information in Klammern angegeben
- Die Analysenmethoden wurden tabellarisch dargestellt

Erläuterungen

Die Norm DIN 17 664 stimmt mit ISO 429 – 1983 überein

E: Wrought copper-nickel alloys – Chemical composition and forms of wrought products

F: Alliages cuivre-nickel corroyés – Composition chimique et formes des produits corroyés

D: Kupfer-Nickel-Knetlegierungen – Chemische Zusammensetzung und Halbzeugarten

wie in der Tabelle angegeben.

Werkstoff-Kurzzeichen	Vergleich DIN – ISO	Früheres DIN-Kurzzeichen
CuNi9Sn2	DIN enger als ISO	–
CuNi10Fe1Mn	DIN ≈ ISO	CuNi10Fe
CuNi25	DIN ≈ ISO	CuNi25
CuNi30Mn1Fe	DIN ≈ ISO	CuNi30Fe
CuNi30Fe2Mn2	DIN ≈ ISO	–
CuNi44Mn1	DIN ≈ ISO	CuNi44

Internationale Patentklassifikation

C 22 C 9/06

DK 669.35'71.018.26-4 Dezember 1983

Kupfer-Knetlegierungen

Kupfer-Aluminium-Legierungen (Aluminiumbronze) Zusammensetzung

DIN 17 665

Wrought copper alloys; copper-aluminium alloys (aluminium-bronce), chemical composition

Alliages de cuivre corroyages; alliages cuivre-aluminium (aluminium-bronce), composition chimique

Ersatz für Ausgabe 04.74

Zusammenhang mit der von der International Organization for Standardization (ISO) herausgegebenen Internationalen Norm ISO 428 – 1983, siehe Erläuterungen.

1 Anwendungsbereich

Diese Norm gilt für die Zusammensetzung von Halbzeug aus Kupfer-Legierungen mit Aluminium als Hauptlegierungselement.

Tabelle 1 gibt Hinweise auf die typischen Eigenschaften und für die bevorzugte Verwendung der einzelnen Kupfer-Aluminium-Legierungen. Die aufgeführten Beispiele erheben keinen Anspruch auf Allgemeingültigkeit und Vollständigkeit.

2 Bezeichnung

Zum Bezeichnen der Kupfer-Aluminium-Legierungen nach dieser Norm sind die Werkstoff-Kurzzeichen oder Werkstoff-Nummern der Tabelle 1 anzuwenden, z. B.:

Bezeichnung einer Kupfer-Aluminium-Legierung mit dem Werkstoff-Kurzzeichen CuAl10Fe3Mn2 und der Werkstoff-Nummer 2.0936:

Legierung DIN 17 665 – CuAl10Fe3Mn2

oder Legierung DIN 17 665 – 2.0936

3 Zusammensetzung

Die Zusammensetzung ist in Tabelle 1 angegeben.

4 Halbzeugarten

Die Halbzeugarten aus Kupfer-Aluminium-Legierungen sind in Tabelle 2 wie folgt gekennzeichnet:

X: Diese Halbzeugart wird als handelsüblich angesehen. Ihre Festigkeitseigenschaften sind in den im Tabellenkopf genannten Normen angegeben.

Wenn keine Kennzeichnung angegeben ist, bedeutet das, daß diese Halbzeugart von untergeordneter Bedeutung ist oder nicht hergestellt wird.

Fortsetzung Seite 2 bis 6

Normenausschuß Nichteisenmetalle (FNNE) im DIN Deutsches Institut für Normung e. V.

Tabelle 1. **Zusammensetzung**

Werkstoff- Kurzzeichen *)	Werkstoff- Nummer		Zusammensetzung Massenanteil in % Cu	Al	As	Fe	Mn	Ni	Si	Sn	Pb	Zn2)	Sonstige zusammen	Dichte g/dm³ ≈	Eigenschaften und Beispiele für die Verwendung (siehe Abschnitt 1)	
CuAl5As	**2.0918**	min.	Rest	4,0	0,1	–	–	–	–	–	–	–	–	8,2	Rohre nach DIN 1785 für Wärmeaustauscher der Kali-Industrie wegen Beständigkeit gegen heiße Salzlösungen bevorzugt.	
		max.		6,5	0,4	0,2	0,2	0,2	–	–	0,02	0,3	0,3			
CuAl8	**2.0920**	min.	Rest	7,0	–	–	–	–	–	–	–	–	–	7,7	Chemische Industrie (beständig, vor allem gegen Schwefel- und Essigsäure)	
		max.		9,0	–	0,5	0,8	0,8	0,2	–	0,02	0,5	0,3			
CuAl8Fe3 (CuAl8Fe)	**2.0932**	min.	Rest	6,5	–	1,5	–	–	–	–	–	–	–	7,7	Gemeinsame Eigenschaften: Hohe Festigkeit, auch bei erhöhten Temperaturen; hohe Dauerwechselfestigkeit, auch bei Korrosionsbeanspruchung gute Korrosionsbeständigkeit gegenüber neutralen und sauren, wäßrigen Medien sowie Meerwasser gute Beständigkeit gegen Verzundern, Erosion und Kavitation Die Auswahl der Legierungen wird vornehmlich nach den geforderten Festigkeitseigenschaften getroffen.	Noch kaltumformbar. Kondensatorböden, Bleche für den chemischen Apparatebau
		max.		8,5	–	3,5	1,0	1,0	–	–	0,05	0,5	0,3			
CuAl9Mn2 (CuAl9Mn)	**2.0960**	min.	Rest	8,0	–	–	1,5	–	–	–	–	–	–	7,5		Hochbelastete Lagerteile, Getriebe- und Schneckenräder, Verschleiß- und Keilleisten, Ventilsitze mit hoher Warmfestigkeit
		max.		10,0	–	1,5	3,0	0,8	–	–	0,05	0,5	0,3			
CuAl9Ni3Fe2 (CuAl9Ni2)	**2.0971**	min.	Rest	8,0	–	1,0	–	1,5	–	–	–	–	–	7,5		Kalt- und warmumformbar, gut schweißbar. Schweißkonstruktionen, für Entsalzungsanlagen, Ölkühler, Beizanlagen, Kali-Industrie.
		max.		9,5	–	3,0	2,5	4,0	0,10	0,20	0,05	0,20	0,3			
CuAl10Fe3Mn2 (CuAl10Fe)	**2.0936**	min.	Rest	8,5	–	2,0	1,5	–	–	–	–	–	–	7,6		Konstruktionsteile für den chemischen Apparatebau; zunderbeständige Teile; Wellen, Schrauben, Lagerbuchsen
		max.		11,0	–	4,0	3,5	1,0	–	–	0,05	0,5	0,3			
CuAl10Ni5Fe4 (CuAl10Ni)	**2.0966**	min.	Rest	8,5 1)	–	2,0	–	4,0	–	–	–	–	–	7,5		Kondensatorböden, Wellen, Schrauben, Verschleißteile, Schneckenräder, Lagerbuchsen, Steuerteile für Hydraulik, Saugwalzen (Papier-Industrie)
		max.		11,0	–	5,0	1,5	6,0	–	–	0,05	0,5	0,3			
CuAl11Ni6Fe5 (CuAl11Ni)	**2.0978**	min.	Rest	10,5	–	4,8	–	5,0	–	–	–	–	–	7,4		Konstruktionsteile höchster Festigkeit, höchstbelastete Lagerteile, Ventile, Ventilsitze, Druckplatten, Gleitsteine, Verschleißteile
		max.		12,5	–	7,3	1,5	7,5	–	–	0,05	0,5	0,3			

*) Einige Kurzzeichen wurden entsprechend den Regeln der ISO 1190 Teil 1 – 1982 geändert; die bisherigen Kurzzeichen sind zur Information zusätzlich in Klammern angegeben.

1) Al-Gehalt kleiner als 8,5 plus 1/2 Ni-Gehalt.

2) Wenn der Besteller angibt, daß das Halbzeug geschweißt wird, wird der Zn-Gehalt auf max. 0,2 % begrenzt.

Tabelle 2. **Halbzeugarten**

Werkstoff-Kurzzeichen	Halbzeugarten											
	Bänder		Bleche		Rohre		Stangen	Drähte		Strangpreß-profile	Gesenk- Schmiedestücke	Freiform- Schmiedestücke
	Allgemeine Verwendung	Federbänder	Allgemeine Verwendung	Apparatebau	Allgemeine Verwendung	Kondensatorrohre		Allgemeine Verwendung	Federdrähte			
	DIN 17670 Teil 1 und Teil 2	DIN 1780	DIN 17670 Teil 1 und Teil 2	DIN 17675 Teil 1 und Teil 2	DIN 17671 Teil 1 und Teil 2	DIN 1785 DIN 17679	DIN 17672 Teil 1 und Teil 2	DIN 17677 Teil 1 und Teil 2	DIN 17682	DIN 17674 Teil 1 und Teil 2	DIN 17673 Teil 1 und Teil 2	DIN 17678 Teil 1 und Teil 2
CuAl5As						X [1]						
CuAl8			X		X		X				X	X
CuAl8Fe3 (CuAl8Fe)			X	X	X		X				X	
CuAl9Mn2 (CuAl9Mn)					X		X				X	X
CuAl9Ni3Fe2 (CuAl9Ni2)			X	X								
CuAl10Fe3Mn2 (CuAl10Fe)					X		X				X	X
CuAl10Ni5Fe4 (CuAl10Ni)			X	X	X		X				X	X
CuAl11Ni6Fe5 (CuAl11Ni)					X		X				X	X

[1]) Nur in DIN 1785.

5 Prüfung der Zusammensetzung

5.1 Routine-Verfahren

Die Probenahme und die Prüfung der Zusammensetzung werden nach den Analysenvorschriften des Herstellers durchgeführt.

5.2 Schiedsverfahren

5.2.1 Probenahme

Die Probenahme ist nach der neuesten Ausgabe der „Analyse der Metalle" des Chemikerausschusses der Gesellschaft Deutscher Metallhütten- und Bergleute e. V., Band III „Probenahme" auszuführen.

5.2.2 Analysenverfahren

Die in der Tabelle 1 genannten Elemente werden nach folgenden Verfahren analysiert:

Tabelle 3.

Element	Verfahren	Anwendungsbereich
Kupfer	nach DIN 50 503	Kupferlegierungen
Aluminium	nach DIN 50 509	Legierungselement
Arsen	nach DIN 50 510	0,001 bis 0,8 %
Blei	nach DIN 50 507	Legierungselement; Verunreinigung
Eisen	nach DIN 50 504	max. 0,4 %
	nach ISO/DIS 4748 – 1982 *)	Legierungselement
Mangan	nach DIN 50 505	max. 6,0 %
Nickel	nach DIN 50 506	max. 2,5 %
	nach ISO/DIS 4743 – 1983 *)	Legierungselement
Zink	nach ISO/DIS 4740 – 1978 *)	0,001 bis 6,0 %
Zinn	nach DIN 50 508	Legierungselement
	nach ISO/DIS 4751 – 1982 *)	0,005 bis 0,5 %

*) Der NA Materialprüfung hat vorgesehen, die wichtigsten Analysenverfahren als DIN ISO Normen zu übernehmen.

Für andere Elemente ist die Analyse nach den neuesten Verfahren durchzuführen, die in „Analyse der Metalle" des Chemikerausschusses der Gesellschaft Deutscher Metallhütten- und Bergleute e. V., angegeben ist, und zwar entweder in Band I „Schiedsanalysen" oder in den zugehörigen Ergänzungsbänden.

Zum Vergleich mit den Grenzwerten dieser Norm ist jedes Meßergebnis entsprechend der Rundungsregel nach DIN 1333 Teil 2 auf dieselbe Genauigkeit wie die des Grenzwertes zu runden.

Zitierte Normen und andere Unterlagen

DIN 1333 Teil 2	Zahlenangaben; Runden
DIN 1780	Bänder und Bandstreifen aus Kupfer-Knetlegierungen für Blattfedern; Technische Lieferbedingungen
DIN 1785	Rohre aus Kupfer und Kupfer-Knetlegierungen für Kondensatoren und Wärmeaustauscher
DIN 17 670 Teil 1	Bänder und Bleche aus Kupfer und Kupfer-Knetlegierungen; Eigenschaften
DIN 17 670 Teil 2	Bleche und Bänder aus Kupfer und Kupfer-Knetlegierungen; Technische Lieferbedingungen
DIN 17 671 Teil 1	Rohre aus Kupfer und Kupfer-Knetlegierungen; Eigenschaften
DIN 17 671 Teil 2	Rohre aus Kupfer und Kupfer-Knetlegierungen; Technische Lieferbedingungen
DIN 17 672 Teil 1	Stangen aus Kupfer und Kupfer-Knetlegierungen; Eigenschaften
DIN 17 672 Teil 2	Stangen aus Kupfer und Kupfer-Knetlegierungen; Technische Lieferbedingungen
DIN 17 673 Teil 1	Gesenkschmiedestücke aus Kupfer und Kupfer-Knetlegierungen; Eigenschaften
DIN 17 673 Teil 2	Gesenkschmiedestücke aus Kupfer und Kupfer-Knetlegierungen; Technische Lieferbedingungen
DIN 17 674 Teil 1	Strangpreßprofile aus Kupfer und Kupfer-Knetlegierungen; Eigenschaften
DIN 17 674 Teil 2	Strangpreßprofile aus Kupfer und Kupfer-Knetlegierungen; Technische Lieferbedingungen
DIN 17 675 Teil 1	Platten aus Kupfer und Kupfer-Knetlegierungen für Kondensatoren und Wärmeaustauscher; Festigkeitseigenschaften
DIN 17 675 Teil 2	Platten aus Kupfer und Kupfer-Knetlegierungen für Kondensatoren und Wärmeaustauscher; Technische Lieferbedingungen
DIN 17 677 Teil 1	Drähte aus Kupfer und Kupfer-Knetlegierungen; Eigenschaften
DIN 17 677 Teil 2	Drähte aus Kupfer und Kupfer-Knetlegierungen; Technische Lieferbedingungen
DIN 17 678 Teil 1	Freiformschmiedestücke aus Kupfer und Kupfer-Knetlegierungen; Eigenschaften
DIN 17 678 Teil 2	Freiformschmiedestücke aus Kupfer und Kupfer-Knetlegierungen; Technische Lieferbedingungen
DIN 17 679	Rohre aus Kupfer und Kupfer-Knetlegierungen mit gewalzten Rippen für Wärmeaustauscher
DIN 17 682	Runde Federdrähte aus Kupfer-Knetlegierungen; Festigkeitseigenschaften, Technische Lieferbedingungen
DIN 50 503	Chemische Analyse von Kupfer und Kupferlegierungen; Bestimmung von Kupfer in Kupfer-Knetlegierungen und Kupfer-Gußlegierungen
DIN 50 504	Chemische Analyse von Kupfer und Kupferlegierungen; Photometrische Bestimmung von Eisen in Kupfer und Kupferlegierungen mit höchstens 0,4 % Eisen
DIN 50 505	Chemische Analyse von Kupfer und Kupferlegierungen; Photometrische Bestimmung von Mangan in Kupferlegierungen mit höchstens 6 % Mangan
DIN 50 506	Chemische Analyse von Kupfer und Kupferlegierungen; Photometrische Bestimmung von Nickel in Kupferlegierungen mit höchstens 2,5 % Nickel
DIN 50 507	Chemische Analyse von Kupfer und Kupferlegierungen; Bestimmung des Bleigehaltes, Verfahren durch Extraktionstitration
DIN 50 508	Chemische Analyse von Kupfer und Kupferlegierungen; Bestimmung von Zinn als Legierungselement, Maßanalytisches Verfahren
DIN 50 509	Chemische Analyse von Kupfer und Kupferlegierungen; Bestimmung des Aluminiumgehaltes von Kupferlegierungen, Maßanalytisches Verfahren
DIN 50 510	Chemische Analyse von Kupfer und Kupferlegierungen; Bestimmung des Arsengehaltes in Kupfer und Kupferlegierungen, Photometrisches Verfahren
ISO 428 – 1983	Kupfer-Aluminium-Knetlegierungen, Chemische Zusammensetzung und Halbzeugarten
ISO 1190 Teil 1 – 1982	Kupfer und Kupferlegierungen; Werkstoff-Kurzzeichen
ISO/DIS 4740 – 1978	Chemische Analyse von Kupfer und Kupferlegierungen; Bestimmung von Zink; Atom-Absorptions-Verfahren
ISO/DIS 4743 – 1983	Chemische Analyse von Kupfer und Kupferlegierungen; Bestimmung von Nickel; Titrimetrisches Verfahren
ISO/DIS 4748 – 1982	Chemische Analyse von Kupfer und Kupferlegierungen; Bestimmung von Eisen; Titrimetrisches Verfahren
ISO/DIS 4751 – 1982	Chemische Analyse von Kupfer und Kupferlegierungen; Bestimmung von Zinn; Spektrophotometrisches Verfahren
Analyse der Metalle [1])	Band I Schiedsanalysen Band III Probenahme Ergänzungsband zu den Bänden I Schiedsanalysen * II Betriebsanalysen

[1]) Zu beziehen durch:
Berlin – Heidelberg – New York; Springer-Verlag

Weitere Normen

DIN 17 660 Kupfer-Knetlegierungen; Kupfer-Zink-Legierungen (Messing) (Sondermessing), Zusammensetzung

DIN 17 662 Kupfer-Knetlegierungen, Kupfer-Zinn-Legierungen (Zinnbronze); Zusammensetzung

DIN 17 663 Kupfer-Knetlegierungen, Kupfer-Nickel-Zink-Legierungen (Neusilber); Zusammensetzung

DIN 17 664 Kupfer-Knetlegierungen, Kupfer-Nickel-Legierungen; Zusammensetzung

DIN 17 666 Niedriglegierte Kupfer-Knetlegierungen, Zusammensetzung

Frühere Ausgaben

DIN 1714: 02.36x; DIN 17 665: 08.61, 12.67, 04.74

Änderungen

Gegenüber der Ausgabe April 1974 wurden folgende Änderungen vorgenommen:

a) Die Legierung CuAl5 wurde gestrichen.

b) Die Legierung CuAl9Ni3Fe2 wurde aufgenommen.

c) Die Zusammensetzung und die Kurzzeichen wurden der ISO 428 – 1983 angeglichen.

d) Der Text wurde redaktionell überarbeitet, z. B.:
- Der Aufbau der Tabellen „Zusammensetzung" und „Halbzeugarten" wurde geändert.
- Einige Werkstoff-Kurzzeichen der Tabelle 1 und 2 wurden in Anlehnung an ISO 1190 Teil 1 – 1982 ergänzt, die bisherigen Werkstoff-Kurzzeichen zur Information in Klammern angegeben.
- Die Analysenmethoden wurden tabellarisch dargestellt.

Erläuterungen

Die Norm DIN 17 665 stimmt mit ISO 428 – 1983 überein,

E: Wrought copper-aluminium alloys – Chemical composition and forms of wrought products

F: Alliages cuivre-aluminium corroyés – Composition chimique et formes des produits corroyés

D: Kupfer-Aluminium-Knetlegierungen – Chemische Zusammensetzung und Halbzeugarten wie in der Tabelle angegeben.

Werkstoff-Kurzzeichen	Vergleich DIN – ISO	Früheres DIN-Kurzzeichen in Ausgabe April 1974	Früheres DIN-Kurzzeichen vor Ausgabe Dezember 1967
CuAl5As	DIN enger als ISO	CuAl5As	(AlBz5)
CuAl8	DIN ≈ ISO	CuAl8	AlBz8
CuAl8Fe3	DIN = ISO	CuAl8Fe	AlBz8Fe
CuAl9Mn2	DIN = ISO	CuAl9Mn	AlBz9Mn
CuAl9Ni3Fe2	DIN = ISO	(CuAl9Ni2) *)	–
CuAl10Fe3Mn2	DIN = ISO	CuAl10Fe	AlBz10Fe
CuAl10Ni5Fe4	DIN = ISO	CuAl10Ni	AlBz10Ni
CuAl11Ni6Fe5	nicht in ISO	CuAl11Ni	AlBz11Ni

*) In DIN 17 675 Teil 1, Ausgabe Juli 1980.

Internationale Patentklassifikation

C 22 C 9/01

Niedriglegierte Kupfer-Knetlegierungen

Zusammensetzung

DIN 17 666

Wrought copper alloys; low alloyed; chemical composition

Alliages de cuivre de corroyages; faiblement alliés, composition chimique

Ersatz für Ausgabe 11.70

Zusammenhang mit den von der International Organization for Standardization (ISO) herausgegebenen Internationalen Normen ISO 1187 und ISO 1336, siehe Erläuterungen.

1 Anwendungsbereich

Diese Norm gilt für die Zusammensetzung von Halbzeug aus niedriglegierten Kupfer-Knetlegierungen, die Legierungselemente mit Massenanteilen von max. 5 % enthalten können. Sie gibt Hinweise auf die typischen Eigenschaften und für die bevorzugte Verwendung der einzelnen Kupfer-Knetlegierungen. Die aufgeführten Beispiele erheben keinen Anspruch auf Allgemeingültigkeit und Vollständigkeit.

2 Bezeichnung

Zum Bezeichnen der Kupfer-Knetlegierungen nach dieser Norm sind die Werkstoff-Kurzzeichen oder Werkstoff-Nummern der Tabellen 1 und 3 anzuwenden, z. B.:

Bezeichnung einer Kupfer-Knetlegierung mit dem Werkstoff-Kurzzeichen CuAg0,1 und der Werkstoff-Nummer 2.1203:

Legierung DIN 17 666 – CuAg0,1

oder Legierung DIN 17 666 – 2.1203

3 Zusammensetzung

Die Zusammensetzung ist in den Tabellen 1 und 2 angegeben.

4 Halbzeugarten

Die Halbzeugarten aus Kupfer-Knetlegierungen sind in der Tabelle 3 wie folgt gekennzeichnet:

X: Diese Halbzeugart wird als handelsüblich angesehen. Ihre Festigkeitseigenschaften sind in den im Tabellenkopf genannten Normen angegeben.

(X): Diese Halbzeugart wird im geringem Umfang oder für Sonderzwecke hergestellt, für die in den im Tabellenkopf genannten Normen keine Festigkeitseigenschaften angegeben sind.

Wenn keine Kennzeichnung angegeben ist, bedeutet das, daß diese Halbzeugart von untergeordneter Bedeutung ist oder nicht hergestellt wird.

Fortsetzung Seite 2 bis 7

Normenausschuß Nichteisenmetalle (FNNE) im DIN Deutsches Institut für Normung e. V.
Deutsche Elektrotechnische Kommission im DIN und VDE (DKE)

Tabelle 1. **Zusammensetzung der nicht aushärtbaren Legierungen**

Werkstoff- Kurzzeichen	Werkstoff- Nummer		Zusammensetzung Massenanteil in % Cu	Ag	Fe	Mg	P	Pb	S	Te	Zn	O_2	Sonstige zusammen	Dichte kg/dm³ ≈	Eigenschaften und Beispiele für die Verwendung (siehe Abschnitt 1)
CuAg0,1	**2.1203**	min. max.	Rest	0,08 0,12	– –	– –	– –	– –	– –	– –	– –	– 0,04	– 0,05	8,9	Sehr hohe elektrische Leitfähigkeit, im Vergleich zu hoch leitfähigen Kupfersorten wesentlich verbesserte Anlaßbeständigkeit und verbessertes Kriechverhalten bei erhöhter Temperatur. Halbzeug nach DIN 40 500 Teil 1 bis Teil 4 z. B. für Kommutator-Lamellen, Kollektorringe, Kontakte.
CuAg0,1P	**2.1191**	min. max.	Rest	0,08 0,12	– –	– –	0,001 0,007	– –	– –	– –	– –	– –	– 0,05	8,9	Eigenschaften und Verwendung wie CuAg0,1. Gute Schweiß- und Hartlötbarkeit sowie Wasserstoffbeständigkeit.
CuFe2P	**2.1310**	min. max.	Rest	– –	2,1 2,6	– –	0,015 0,15	– 0,03	– –	– –	0,05 0,20	– –	– 0,5	8,8	Hohe elektrische Leitfähigkeit, mittlere Festigkeit, hohe Anlaßbeständigkeit, gute Korrosionsbeständigkeit, Löt- und Schweißbarkeit, Halbleiterträger.
CuMg0,4	**2.1322**	min. max.	Rest	– –	– –	0,3 0,5	– –	– –	– –	– –	– –	– –	– 0,3	8,9	Hohe elektrische Leitfähigkeit, mittlere Zugfestigkeit. Bronze II für Leitungsseile (nach DIN 48 200 Teil 2 und DIN 48 300).
CuMg0,7	**2.1323**	min. max.	Rest	– –	– –	0,5 0,8	– –	– –	– –	– –	– –	– –	– 0,3	8,9	Mittlere elektrische Leitfähigkeit, hohe Zugfestigkeit. Bronze III für Leitungsseile (nach DIN 48 200 Teil 2 und DIN 48 300).
CuPb1P	**2.1160**	min. max.	Rest	– –	– –	– –	0,003 0,012	0,7 1,5	– –	– –	– –	– –	– 0,1	8,9	Sehr hohe elektrische Leitfähigkeitkeit. Sehr gut spanend zu bearbeiten. Sehr gut kaltumformbar. Automatendrehteile.
CuSP	**2.1498**	min. max.	Rest	– –	– –	– –	0,003 0,012	– –	0,3 0,5	– –	– –	– –	– 0,1	8,9	Sehr hohe elektrische Leitfähigkeit. Sehr gut spanend zu bearbeiten, gut kaltstauchbar und ausgezeichnet warmstauchbar. Schweißbar und hartlötbar.
CuTeP	**2.1546**	min. max.	Rest	– –	– –	– –	0,003 0,012	– –	– –	0,4 0,7	– –	– –	– 0,1	8,9	Verwendet als Halbzeug für Automatendrehteile.
CuZn0,5	**2.0205**	min. max.	Rest	– –	– –	– –	– 0,02	– –	– –	– –	0,1 1,0	– –	– 0,2	8,9	Sehr hohe elektrische Leitfähigkeit, sehr gut kaltumformbar, wasserstoffbeständig, gut schweiß- und hartlötbar. Metallwarenindustrie, Apparatebau, Bauwesen, Halbleiterträger.

Tabelle 2. **Zusammensetzung der aushärtbaren Legierungen**

Werkstoff- Kurzzeichen	Werkstoff- Nummer		Zusammensetzung Massenanteil in % Cu	Be	Co	Cr	Fe	Mn	Ni	Pb	Si	Zr	Sonstige zusammen	Dichte kg/dm³ ≈	Eigenschaften und Beispiele für die Verwendung (siehe Abschnitt 1)
CuBe1,7	**2.1245**	min. max.	Rest	1,6 1,8	1)	– –	1)	– –	1)	– –	– –	– –	– 0,5	8,4	Mittlere elektrische Leitfähigkeit, sehr hohe Zugfestigkeit, erhöhte Temperaturbeständigkeit.
CuBe2	**2.1247**	min. max.	Rest	1,8 2,1	1)	– –	1)	– –	1)	– –	– –	– –	– 0,5	8,3	Federn aller Art, Membranen, verschleißfeste Teile, nichtfunkende Werkzeuge.
CuBe2Pb	**2.1248**	min. max.	Rest	1,8 2,1	1)	– –	1)	– –	1)	0,2 0,6	– –	– –	– 0,5	8,3	Wie CuBe2, jedoch mit verbesserter Zerspanbarkeit
CuCo2Be	**2.1285**	min. max.	Rest	0,4 0,7	2,0 2,8	– –	2)	– –	2)	– –	– –	– –	– 0,5	8,8	Mittlere elektrische Leitfähigkeit, hohe Zugfestigkeit, hohe Temperaturbeständigkeit.
CuNi2Be	**2.0850**	min. max.	Rest	0,2 0,6	– –	– –	– –	– –	1,4 2,0	– –	– –	– –	– 0,5	8,8	Widerstands-Schweißelektroden, Federn
CuNi1,5Si	**2.0853**	min. max.	Rest	– –	– –	– –	– –	– –	1,0 1,6	– –	0,4 0,7	– –	– 0,5	8,8	
CuNi2Si	**2.0855**	min. max.	Rest	– –	– –	– –	– –	– 0,8	1,6 2,5	– –	0,5 0,8	– –	– 0,5	8,8	Mittlere elektrische Leitfähigkeit, hohe Zugfestigkeit. Schrauben, Bolzen, Freileitungsarmaturen.
CuNi3Si	**2.0857**	min. max.	Rest	– –	– –	– –	– –	– –	2,6 4,5	– –	0,8 1,3	– –	– 0,6	8,8	
CuCrZr	**2.1293**	min. max.	Rest	– –	– –	0,3 1,2	– –	– –	– –	– –	– –	0,03 0,3	– 0,2	8,9	Sehr hohe elektrische Leitfähigkeit, mittlere Zugfestigkeit, hohe Temperaturbeständigkeit. Widerstands-Schweißelektroden, Kontaktteile.
CuZr	**2.1580**	min. max.	Rest	– –	– –	– –	– –	– –	– –	– –	– –	0,1 0,3	– 0,2	8,9	Sehr hohe elektrische Leitfähigkeit, sehr hohe Anlaßbeständigkeit. Drähte, Federn, Kontaktteile für Schaltanlagen. Kommutator-Lamellen, Kokillen.

1) Ni + Co: min. 0,2 %; Ni + Fe + Co: max. 0,6 %

2) Ni + Fe: max. 0,5 %

Tabelle 3. **Halbzeugarten**

Werkstoff-Kurzzeichen	Halbzeugarten: Bänder, Allgemeine Verwendung, DIN 17 670 Teil 1 und Teil 2	Bänder, Federbänder, DIN 1780	Bleche, Allgemeine Verwendung, DIN 17 670 Teil 1 und Teil 2	Bleche, Apparatebau, DIN 17 675 Teil 1 und Teil 2	Rohre, Allgemeine Verwendung, DIN 17 671 Teil 1 und Teil 2	Rohre, Kondensatorrohre, DIN 1785, DIN 17 679	Stangen, DIN 17 672 Teil 1 und Teil 2	Drähte, Allgemeine Verwendung, DIN 17 677 Teil 1 und Teil 2	Drähte, Federdrähte, DIN 17 682	Strangpreßprofile, DIN 17 674 Teil 1 und Teil 2	Gesenk-Schmiedestücke, DIN 17 673 Teil 1 und Teil 2	Freiform-Schmiedestücke, DIN 17 678 Teil 1 und Teil 2
CuAg0,1	1)				1)		1)	1)		1)		
CuAg0,1P	1)				1)		1)	1)		1)		
CuFe2P	X											
CuMg0,4								2)				
CuMg0,7								2)				
CuPb1P					X		X					
CuSP					X		X					
CuTeP					X		X					
CuZn0,5	X		X									
CuBe1,7	X	X										
CuBe2	X	X			(X)		X		X			
CuBe2Pb							X					
CuCo2Be	X	X					X		X			
CuNi2Be	X	X					X		X 3)			
CuNi1,5Si	(X)		(X)				X					
CuNi2Si	(X)		(X)		(X)		X				X	X
CuNi3Si							X				(X)	
CuCrZr	X		X		X		X			X	X	X
CuZr			X				X					

1) Halbzeug nach DIN 40 500 Teil 1 bis Teil 4.
2) Drähte für Leitungsseile nach DIN 48 200 Teil 2 und DIN 48 300.
3) Es ist vorgesehen, diese Legierung bei Überarbeitung in DIN 17 682 aufzunehmen.

Tabelle 4. **Bewertung der elektrischen Leitfähigkeit und der Zugfestigkeit.**

Für die in den Tabellen 1 und 2 angeführten Legierungen wurde zum qualitativen Vergleich untereinander folgender Schlüssel gewählt (keine Abnahmewerte).

Elektrische Leitfähigkeit $\frac{m}{\Omega mm^2}$	Bewertung
12 bis 36 über 36 bis 48 über 48	mittlere hohe sehr hohe

Zugfestigkeit $\frac{N}{mm^2}$	Bewertung
400 bis 600 über 600 bis 1000 über 1000	mittlere hohe sehr hohe

5 Prüfung der Zusammensetzung

5.1 Routine-Verfahren

Die Probenahme und die Prüfung der Zusammensetzung werden nach den Analysenvorschriften des Herstellers durchgeführt.

5.2 Schiedsverfahren

5.2.1 Probenahme

Die Probenahme ist nach der neuesten Ausgabe der „Analyse der Metalle" des Chemikerausschusses der Gesellschaft Deutscher Metallhütten- und Bergleute e. V., Band III „Probenahme" auszuführen.

5.2.2 Analysenverfahren

Die in den Tabellen 1 und 2 genannten Elemente werden nach folgenden Verfahren analysiert:

Tabelle 5.

Element	Verfahren	Anwendungsbereich
Kupfer	nach DIN 50 503	Kupferlegierungen
Blei	nach DIN 50 507	Legierungselement; Verunreinigung
Chrom	nach ISO/DIS 4744 *)	0,003 bis 2,0 %
	nach ISO/DIS 6437 *)	0,10 bis 2,0 %
Eisen	nach DIN 50 504	max. 0,4 %
	nach ISO/DIS 4748 *)	Legierungselement
Nickel	nach DIN 50 506	max. 2,5 %
	nach ISO/DIS 4743 *)	Legierungselement
Phosphor	nach ISO/DIS 4741 *)	0,0005 bis 0,5 %
Zink	nach ISO/DIS 4740 *)	0,001 bis 6,0 %

*) Der NA Materialprüfung hat vorgesehen, die wichtigsten Analysenverfahren als DIN-ISO-Normen zu übernehmen.

Für andere Elemente ist die Analyse nach den neuesten Verfahren durchzuführen, die in „Analyse der Metalle" des Chemikerausschusses der Gesellschaft Deutscher Metallhütten- und Bergleute e. V. angegeben ist, und zwar entweder in Band I „Schiedsanalysen" oder in den zugehörigen Ergänzungsbänden.

Zum Vergleich mit den Grenzwerten dieser Norm ist jedes Meßergebnis entsprechend der Rundungsregel nach DIN 1333 Teil 2 auf dieselbe Genauigkeit wie die des Grenzwertes zu runden.

Zitierte Normen und andere Unterlagen

DIN 1333 Teil 2	Zahlenangaben; Runden
DIN 1780	Bänder und Bandstreifen aus Kupfer-Knetlegierungen für Blattfedern; Technische Lieferbedingungen
DIN 1785	Rohre aus Kupfer und Kupfer-Knetlegierungen für Kondensatoren und Wärmeaustauscher
DIN 17 670 Teil 1	Bänder und Bleche aus Kupfer und Kupfer-Knetlegierungen; Eigenschaften
DIN 17 670 Teil 2	Bleche und Bänder aus Kupfer und Kupfer-Knetlegierungen; Technische Lieferbedingungen
DIN 17 671 Teil 1	Rohre aus Kupfer und Kupfer-Knetlegierungen; Eigenschaften
DIN 17 671 Teil 2	Rohre aus Kupfer und Kupfer-Knetlegierungen; Technische Lieferbedingungen
DIN 17 672 Teil 1	Stangen aus Kupfer und Kupfer-Knetlegierungen; Eigenschaften
DIN 17 672 Teil 2	Stangen aus Kupfer und Kupfer-Knetlegierungen; Technische Lieferbedingungen
DIN 17 673 Teil 1	Gesenkschmiedestücke aus Kupfer und Kupfer-Knetlegierungen; Eigenschaften
DIN 17 673 Teil 2	Gesenkschmiedestücke aus Kupfer und Kupfer-Knetlegierungen; Technische Lieferbedingungen
DIN 17 674 Teil 1	Strangpreßprofile aus Kupfer und Kupfer-Knetlegierungen; Eigenschaften
DIN 17 674 Teil 2	Strangpreßprofile aus Kupfer und Kupfer-Knetlegierungen; Technische Lieferbedingungen
DIN 17 675 Teil 1	Platten aus Kupfer und Kupfer-Knetlegierungen für Kondensatoren und Wärmeaustauscher; Festigkeitseigenschaften
DIN 17 675 Teil 2	Platten aus Kupfer und Kupfer-Knetlegierungen für Kondensatoren und Wärmeaustauscher; Technische Lieferbedingungen
DIN 17 677 Teil 1	Drähte aus Kupfer und Kupfer-Knetlegierungen; Eigenschaften
DIN 17 677 Teil 2	Drähte aus Kupfer und Kupfer-Knetlegierungen; Technische Lieferbedingungen
DIN 17 678 Teil 1	Freiformschmiedestücke aus Kupfer und Kupfer-Knetlegierungen; Eigenschaften
DIN 17 678 Teil 2	Freiformschmiedestücke aus Kupfer und Kupfer-Knetlegierungen; Technische Lieferbedingungen
DIN 17 679	Rohre aus Kupfer und Kupfer-Knetlegierungen mit gewalzten Rippen für Wärmeaustauscher
DIN 17 682	Runde Federdrähte aus Kupfer-Knetlegierungen; Festigkeitseigenschaften, Technische Lieferbedingungen
DIN 40 500 Teil 1	Kupfer für die Elektrotechnik, Bleche und Bänder aus Kupfer und silberlegiertem Kupfer; Technische Lieferbedingungen
DIN 40 500 Teil 2	Kupfer für die Elektrotechnik, Rohre aus Kupfer und silberlegiertem Kupfer; Technische Lieferbedingungen
DIN 40 500 Teil 3	Kupfer für die Elektrotechnik, Stangen, Profile aus Kupfer und silberlegiertem Kupfer; Technische Lieferbedingungen
DIN 40 500 Teil 4	Kupfer für die Elektrotechnik, Drähte aus Kupfer und silberlegiertem Kupfer; Technische Lieferbedingungen
DIN 48 200 Teil 2	Drähte für Leitungsseile; Drähte aus Kupfer-Knetlegierungen (Bz)
DIN 48 300	Drähte für Fernmeldeleitungen
DIN 50 503	Chemische Analyse von Kupfer und Kupferlegierungen; Bestimmung von Kupfer in Kupfer-Knetlegierungen und Kupfer-Gußlegierungen
DIN 50 504	Chemische Analyse von Kupfer und Kupferlegierungen; Photometrische Bestimmung von Eisen in Kupfer und Kupferlegierungen mit höchstens 0,4 % Eisen
DIN 50 506	Chemische Analyse von Kupfer und Kupferlegierungen; Photometrische Bestimmung von Nickel in Kupferlegierungen mit höchstens 2,5 % Nickel
DIN 50 507	Chemische Analyse von Kupfer und Kupferlegierungen; Bestimmung des Bleigehaltes, Verfahren durch Extraktionstitration
ISO 1187 – 1983	Kupfer-Sonderlegierungen; Chemische Zusammensetzung und Halbzeugarten
ISO 1336 – 1980	Kupfer (mit einem Mindestgehalt von 97,5 % Kupfer); Chemische Zusammensetzung und Halbzeugarten
ISO/DIS 4740 – 1978	Chemische Analyse von Kupfer und Kupferlegierungen; Bestimmung von Zink; Atom-Absorptions-Verfahren
ISO/DIS 4741 – 1982	Chemische Analyse von Kupfer und Kupferlegierungen; Bestimmung von Phosphor; Spektrophotometrisches Verfahren
ISO/DIS 4743 – 1983	Chemische Analyse von Kupfer und Kupferlegierungen; Bestimmung von Nickel; Titrimetrisches Verfahren
ISO/DIS 4744 – 1981	Chemische Analyse von Kupfer und Kupferlegierungen; Bestimmung von Chrom; Atom-Absorption-Spektrokopisches Verfahren
ISO/DIS 4748 – 1982	Chemische Analyse von Kupfer und Kupferlegierungen; Bestimmung von Eisen; Titrimetrisches Verfahren

ISO/DIS 6437 – 1982	Chemische Analyse von Kupfer und Kupferlegierungen; Bestimmung von Chrom, Titrimetrisches Verfahren
Analyse der Metalle [1]	Band I Schiedsanalysen Band III Probenahme Ergänzungsband zu den Bänden I Schiedsanalysen * II Betriebsanalysen

Weitere Normen

DIN 17 660 Kupfer-Knetlegierungen; Kupfer-Zink-Legierungen (Messing) (Sondermessing), Zusammensetzung
DIN 17 662 Kupfer-Knetlegierungen, Kupfer-Zinn-Legierungen (Zinnbronze); Zusammensetzung
DIN 17 663 Kupfer-Knetlegierungen; Kupfer-Nickel-Zink-Legierungen (Neusilber), Zusammensetzung
DIN 17 664 Kupfer-Knetlegierungen; Kupfer-Nickel-Legierungen, Zusammensetzung
DIN 17 665 Kupfer-Knetlegierungen; Kupfer-Aluminium-Legierungen (Aluminiumbronze), Zusammensetzung

Frühere Ausgaben

DIN 17 666: 11.64, 11.70

Änderungen

Gegenüber der Ausgabe November 1970 wurden folgende Änderungen vorgenommen:

a) In Tabelle 1 wurden die Legierungen CuAg0,03, CuAsP, CuCd0,5, CuCd1, CuCdSn, CuMn2, CuMn5, CuSi2Mn und CuSi3Mn gestrichen und die Legierungen CuFe2P, CuPb1P und CuZn0,5 aufgenommen.

b) In Tabelle 3 wurde die Legierung CuCr durch CuCrZr ersetzt und die Legierungen CuBe2Pb, CuNi2Be und CuZr aufgenommen.

c) Der Text wurde redaktionell überarbeitet, z. B.
   - Der Aufbau der Tabellen „Zusammensetzung" und „Halbzeugarten" wurde geändert
   - Die Analysenmethoden wurden tabellarisch dargestellt

Erläuterungen

Die Norm DIN 17 666 stimmt mit ISO 1187 und ISO 1336 überein,

ISO 1187

E: Special wrought copper alloys – Chemical composition and forms of wrought products
F: Alliages de cuivre spéciaux corroyés – Composition chimique et formes des produits corroyés
D: Kupfer-Sonderlegierungen – Chemische Zusammensetzung und Halbzeugarten

ISO 1336

E: Wrought coppers (having minimum copper contents of 97,5 %) – Chemical composition and forms of wrought products
F: Cuivres corroyés (de teneur en cuivre minimale de 97,5 %) – Composition chimique et formes des produits corroyés
D: Kupfer (mit einem Mindestgehalt von 97,5 % Kupfer) – Chemische Zusammensetzung und Halbzeugarten
wie in der Tabelle angegeben.

Werkstoff-Kurzzeichen	Vergleich DIN 17 666	
	mit ISO 1187	mit ISO 1336
CuAg0,1	–	DIN enger als ISO
CuAg0,1 P	–	DIN enger als ISO
CuFe2P	–	–
CuMg0,4	–	–
CuMg0,7	–	–
CuPb1P	DIN ≈ ISO	–
SuSP	–	DIN enger als ISO
CuTeP	–	DIN enger als ISO
CuZn0,5	–	–

Werkstoff-Kurzzeichen	Vergleich DIN 17 666	
	mit ISO 1187	mit ISO 1336
CuBe1,7	DIN = ISO	–
CuBe2	DIN = ISO	–
CuBe2Pb	ISO enger als DIN	–
CuCo2Be	ISO enger als DIN	–
CuNi2Be	ISO enger als DIN	–
CuNi1,5Si	DIN = ISO	–
CuNi2Si	DIN = ISO	–
CuNi3Si	–	–
CuCrZr	–	DIN ≈ ISO
CuZr	–	–

Internationale Patentklassifikation

C 22 C 9/00

[1] Zu beziehen durch:
Berlin – Heidelberg – New York; Springer-Verlag

DK 669.3-41 : 669.35.018.26-41 : 539.4 : 620.1 Dezember 1983

	Bänder und Bleche aus Kupfer und Kupfer-Knetlegierungen Eigenschaften	DIN 17 670 Teil 1

Wrought copper and copper alloys strip, sheet and plate; properties

Bandes tôles et plaques, en cuivre et en alliages de cuivre corroyés; caracteristiques

Ersatz für Ausgabe 06.74

1 Anwendungsbereich

In Verbindung mit den Technischen Lieferbedingungen nach DIN 17 670 Teil 2 legt diese Norm die Eigenschaften von Bändern und Blechen aus Kupfer und Kupfer-Knetlegierungen für die in den Tabellen angegebenen Maßbereiche fest.

Für Bänder und Bleche mit Dicken außerhalb der angegebenen Maßbereiche sind die Eigenschaften bei Bestellung zu vereinbaren.

2 Bestellangaben

Die Auswahl des Werkstoffes und des Lieferzustandes ist Sache des Bestellers.

Bei der Bestellung können unterschiedliche Prüfmerkmale zur Charakterisierung der Eigenschaften eines Lieferzustandes festgelegt werden. Es gibt folgende Möglichkeiten:

1. Bestellung mit F-Zahl:
   Prüfmerkmale: Zugfestigkeit, 0,2%-Dehngrenze und Bruchdehnung
2. Bestellung mit H-Zahl:
   Prüfmerkmal: Härte nach Vickers
3. Bestellung mit K-Zahl:
   Prüfmerkmal: Korngröße

Empfohlen wird, bei der Bestellung den Verwendungszweck und die vorgesehene Weiterverarbeitung anzugeben.

Bei der Bezeichnung oder Bestellung von Bändern und Blechen aus Kupfer und Kupfer-Knetlegierungen sind die Werkstoff-Kurzzeichen oder Werkstoff-Nummern dieser Norm zu verwenden, wie in den Bezeichnungsbeispielen der Maßnormen angegeben.

3 Eigenschaften

3.1 Mechanische Eigenschaften

Für die mechanischen Eigenschaften werden Werkstoffkenndaten in den Tabellen 1 bis 10 angegeben, die durch den Zugversuch oder die Härteprüfung oder die Korngrößenbestimmung ermittelt werden.

Je nach Bestellmöglichkeit und je nach Werkstoffzustand müssen folgende Werte eingehalten werden:

3.1.1 bei Bestellung mit F-Zahl

- Zugfestigkeit: Bereiche oder Mindestwerte
- 0,2%-Dehngrenze: Höchst- oder Mindestwerte
- Bruchdehnung: Mindestwerte

Die Anforderungen an einen bestellten Zustand gelten auch dann als erfüllt, wenn der obere Grenzwert eines Bereiches für die Zugfestigkeit um maximal 10 N/mm^2 überschritten wird, vorausgesetzt, daß der Mindestwert der Bruchdehnung eingehalten wird.

Werte für die Bruchdehnung unter 5 % werden aus Gründen der Meßunsicherheit nicht angegeben.

3.1.2 bei Bestellung mit H-Zahl

- Vickershärte: Bereiche oder Mindestwerte
- Brinellhärte: Bereiche oder Mindestwerte

Im Zweifelsfall ist die Vickershärte als Prüfmerkmal verbindlich.

Härtewerte dürfen nicht in Werte für die Zugfestigkeit umgerechnet werden.

Fortsetzung Seite 2 bis 16

Normenausschuß Nichteisenmetalle (FNNE) im DIN Deutsches Institut für Normung e. V.

3.1.3 bei Bestellung mit K-Zahl

Werte sind nur für den rekristallisierten Zustand der Legierungen CuZn30, CuZn36 und CuZn37 angegeben, siehe Tabelle 2:

- Korngröße: Höchstwerte oder Bereich
- Bruchdehnung: Mindestwerte
- Vickershärte: Höchstwerte
- Brinellhärte: Höchstwerte

Im Zweifelsfall ist die Korngröße als Prüfmerkmal verbindlich.

3.2 Elektrische Leitfähigkeit

Für eine Auswahl von Werkstoffen, an die Anforderungen an die elektrische Leitfähigkeit gestellt werden können, sind in Tabelle 11 Mindestwerte angegeben.

4 Maßnormen

Siehe DIN 17 670 Teil 2.

5 Prüfung

5.1 Prüfung der mechanischen Eigenschaften

Es gelten folgende Normen:

für den Zugversuch: DIN 50 114, DIN 50 125, DIN 50 145

für die Härteprüfung: DIN 50 133 Teil 1 und Teil 2, DIN 50 351

für die Bestimmung der Korngröße: das Linienschnittverfahren nach DIN 50 601 (z. Z. Entwurf)

5.2 Prüfung der elektrischen Eigenschaften

Im allgemeinen wird die elektrische Leitfähigkeit nach werkseignen Verfahren geprüft.

In Schiedsfällen wird – falls nicht anderes vereinbart – das Routineverfahren nach DIN IEC 468 durchgeführt.

5.3 Runden von Meßergebnissen

Zum Vergleich mit den Grenzwerten dieser Norm ist jedes Meßergebnis entsprechend der Rundungsregel nach DIN 1333 Teil 2 auf dieselbe Genauigkeit wie die des Grenzwertes wie folgt zu runden:

a) Werte der Zugfestigkeit und der 0,2%-Dehngrenze auf die nächste Zehnerstelle,

b) Werte der Bruchdehnung auf die nächste Einerstelle,

c) Werte der Brinellhärte entsprechend den Angaben in DIN 50 351,

d) Werte der elektrischen Leitfähigkeit entsprechend den Angaben in DIN IEC 468.

Tabelle 1. **Kupfer** (Zusammensetzung nach DIN 1787)

Werkstoff- Kurzzeichen	Werkstoff- Nummer	Dicke mm	Zugfestigkeit R_m N/mm²	0,2%-Dehngrenze $R_{p\,0,2}$ N/mm²	Bruchdehnung A_5 % min.	Bruchdehnung A_{10} % min.	Vickershärte min.	Vickershärte max.	Brinellhärte min.	Brinellhärte max.
SW-Cu	**2.0076**									
SF-Cu	**2.0090**									
F20	**.10**	über 5 bis 15	200 bis 250	max. 100	42	36	–	–	–	–
H40			–	–	–	–	–	–	40	60
F22	**.10**	von 0,2 bis 5	220 bis 260	max. 140	42	36	–	–	–	–
H40			–	–	–	–	40	70	40	65
F24	**.26**	von 0,2 bis 15	240 bis 300	min. 180	15	12	–	–	–	–
H70			–	–	–	–	70	95	65	90
F29	**.30**	von 0,2 bis 10	290 bis 360	min. 250	6	–	–	–	–	–
H90			–	–	–	–	90	110	85	105
F36	**.32**	von 0,2 bis 2	min. 360	min. 320	–	–	–	–	–	–
H110			–	–	–	–	110	–	105	–

Tabelle 2. **Kupfer-Zink-Legierungen ohne weitere Legierungselemente (Messing)** (Zusammensetzung nach DIN 17 660)

Werkstoff- Kurzzeichen	Werkstoff- Nummer	Dicke mm	Zugfestigkeit R_m N/mm²	0,2%-Dehngrenze $R_{p\,0,2}$ N/mm²	Bruchdehnung A_5 % min.	Bruchdehnung A_{10} % min.	Vickershärte min.	Vickershärte max.	Brinellhärte min.	Brinellhärte max.	Korngröße mm
CuZn5	**2.0220**										
F23	**.10**	von 0,2 bis 5	230 bis 280	max. 130	45	40	–	–	–	–	–
H45			–	–	–	–	45	75	45	70	–
F28	**.26**	von 0,2 bis 5	280 bis 340	min. 200	19	16	–	–	–	–	–
H75			–	–	–	–	75	110	75	105	–
F34	**.30**	von 0,2 bis 5	min. 340	min. 280	8	5	–	–	–	–	–
H110			–	–	–	–	110	–	105	–	–
CuZn10	**2.0230**										
F24	**.10**	von 0,2 bis 5	240 bis 290	max. 140	45	40	–	–	–	–	–
H50			–	–	–	–	50	80	50	75	–
F29	**.26**	von 0,2 bis 5	290 bis 350	min. 200	20	17	–	–	–	–	–
H80			–	–	–	–	80	110	75	105	–
F35	**.30**	von 0,2 bis 5	min. 350	min. 290	8	5	–	–	–	–	–
H110			–	–	–	–	110	–	105	–	–
CuZn15	**2.0240**										
F26	**.10**	von 0,2 bis 5	260 bis 310	max. 140	45	40	–	–	–	–	–
H55			–	–	–	–	55	85	55	80	–
F31	**.26**	von 0,2 bis 5	310 bis 370	min. 200	25	22	–	–	–	–	–
H85			–	–	–	–	85	115	80	110	–
F37	**.30**	von 0,2 bis 5	370 bis 460	min. 300	12	8	–	–	–	–	–
H115			–	–	–	–	115	145	110	140	–
F46	**.32**	von 0,2 bis 2	min. 460	min. 410	–	–	–	–	–	–	–
H145			–	–	–	–	145	–	140	–	–
CuZn20	**2.0250**										
F27	**.10**	von 0,2 bis 5	270 bis 320	max. 150	48	42	–	–	–	–	–
H55			–	–	–	–	55	85	55	80	–
F32	**.26**	von 0,2 bis 5	320 bis 390	min. 200	28	25	–	–	–	–	–
H85			–	–	–	–	85	120	80	115	–
F39	**.30**	von 0,2 bis 5	390 bis 490	min. 320	12	9	–	–	–	–	–
H120			–	–	–	–	120	155	115	145	–
F49	**.32**	von 0,2 bis 2	min. 490	min. 440	–	–	–	–	–	–	–
H155			–	–	–	–	155	–	145	–	–
CuZn28	**2.0261**										
F27	**.10**	von 0,2 bis 5	270 bis 350	max. 160	50	45	–	–	–	–	–
H55			–	–	–	–	55	90	55	85	–
F35	**.26**	von 0,2 bis 5	350 bis 420	min. 200	33	30	–	–	–	–	–
H90			–	–	–	–	90	125	85	115	–
F42	**.30**	von 0,2 bis 5	420 bis 520	min. 340	15	12	–	–	–	–	–
H125			–	–	–	–	125	160	115	150	–
F52	**.32**	von 0,2 bis 2	min. 520	min. 470	8	5	–	–	–	–	–
H160			–	–	–	–	160	–	150	–	–

Tabelle 2. (Fortsetzung)

Werkstoff- Kurzzeichen	Werkstoff- Nummer	Dicke mm	Zugfestigkeit R_m N/mm²	0,2%-Dehngrenze $R_{p\,0,2}$ N/mm²	Bruchdehnung A_5 % min.	Bruchdehnung A_{10} % min.	Vickershärte min.	Vickershärte max.	Brinellhärte min.	Brinellhärte max.	Korngröße mm
CuZn30	**2.0265**										
F27	.10	von 0,2 bis 5	270 bis 350	max. 160	50	45	–	–	–	–	–
H55			–	–	–	–	55	90	55	85	–
K10	.11	von 0,2 bis 1	(≈ 400)	(≈ 200)	45	40	–	110	–	100	max. 0.015
K20	.12	von 0,2 bis 2	(≈ 360)	(≈ 150)	50	45	–	90	–	85	0.015 bis 0.030
K30	.13	von 0,2 bis 2	(≈ 340)	(≈ 130)	52	48	–	85	–	80	0.020 bis 0.045
K50	.14	von 0,2 bis 2	(≈ 330)	(≈ 110)	55	50	–	75	–	75	0.035 bis 0.070
F35	.26	von 0,2 bis 5	350 bis 420	min. 200	33	30	–	–	–	–	–
H90			–	–	–	–	90	125	85	115	–
F42	.30	von 0,2 bis 5	420 bis 520	min. 340	15	12	–	–	–	–	–
H125			–	–	–	–	125	160	115	150	–
F52	.32	von 0,2 bis 2	min. 520	min. 470	8	5	–	–	–	–	–
H160			–	–	–	–	160	–	150	–	–
CuZn33	**2.0280**										
F28	.10	von 0,2 bis 5	280 bis 360	max. 170	50	45	–	–	–	–	–
H55			–	–	–	–	55	90	55	85	–
F36	.26	von 0,2 bis 5	360 bis 430	min. 200	31	28	–	–	–	–	–
H90			–	–	–	–	90	130	85	120	–
F43	.30	von 0,2 bis 5	430 bis 530	min. 360	13	10	–	–	–	–	–
H130			–	–	–	–	130	165	120	155	–
F53	.32	von 0,2 bis 2	min. 530	min. 480	–	–	–	–	–	–	–
H165			–	–	–	–	165	–	150	–	–

Tabelle 2. (Fortsetzung)

Werkstoff- Kurzzeichen	Werkstoff- Nummer	Dicke mm	Zug-festigkeit R_m N/mm²	0,2%-Dehn-grenze $R_{p\,0,2}$ N/mm²	Bruch-dehnung A_5 % min.	Bruch-dehnung A_{10} % min.	Vickershärte min.	Vickershärte max.	Brinellhärte min.	Brinellhärte max.	Korn-größe mm
CuZn36 **CuZn37**	**2.0335** **2.0321**										
F30	**.10**	von 0,2 bis 5	300 bis 370	max. 180	48	43	–	–	–	–	–
H55			–	–	–	–	55	95	55	90	–
K10	**.11**	von 0,2 bis 1	(≈ 400)	(≈ 200)	42	38	–	110	–	100	max. 0.015
K20	**.12**	von 0,2 bis 2	(≈ 360)	(≈ 150)	48	43	–	90	–	85	0.015 bis 0.030
K30	**.13**	von 0,2 bis 2	(≈ 340)	(≈ 130)	50	45	–	85	–	80	0.020 bis 0.045
K50	**.14**	von 0,2 bis 2	(≈ 330)	(≈ 110)	52	48	–	75	–	75	0.035 bis 0.070
F37	**.26**	von 0,2 bis 5	370 bis 440	min. 200	28	24	–	–	–	–	–
H95			–	–	–	–	95	140	90	130	–
F44	**.30**	von 0,2 bis 5	440 bis 540	min. 370	12	8	–	–	–	–	–
H140			–	–	–	–	140	170	130	160	–
F54	**.32**	von 0,2 bis 2	540 bis 610	min. 490	–	–	–	–	–	–	–
H170			–	–	–	–	170	200	160	190	–
F61	**.34**	von 0,2 bis 2	min. 610	min. 580	–	–	–	–	–	–	–
H200			–	–	–	–	200	–	190	–	–
CuZn40	**2.0360**										
F34	**.10**	von 0,3 bis 15	min. 340	max. 240	43	38	–	–	–	–	–
H80			–	–	–	–	80	110	75	100	–
F41	**.26**	von 0,3 bis 5	min. 410	min. 240	23	20	–	–	–	–	–
H110			–	–	–	–	110	140	100	130	–
F47	**.30**	von 0,3 bis 5	min. 470	min. 390	12	9	–	–	–	–	–
H140			–	–	–	–	140	–	130	–	–

Tabelle 3. **Kupfer-Zink-Legierungen mit Blei** (Zusammensetzung nach DIN 17 660)

Werkstoff- Kurzzeichen	Nummer	Dicke mm	Zugfestigkeit R_m N/mm²	0,2%-Dehngrenze $R_{p\,0,2}$ N/mm²	Bruchdehnung A_5 % min.	Bruchdehnung A_{10} % min.	Vickerhärte min.	Vickerhärte max.	Brinellhärte min.	Brinellhärte max.
CuZn36Pb1,5 **CuZn37Pb0,5**	2.0331 2.0332									
F29	.10	von 0,3 bis 5	290 bis 370	max. 200	50	44	–	–	–	–
H60			–	–	–	–	60	110	60	100
F37	.26	von 0,3 bis 5	370 bis 440	min. 200	28	24	–	–	–	–
H110			–	–	–	–	110	140	100	130
F44	.30	von 0,3 bis 5	440 bis 540	min. 370	12	8	–	–	–	–
H140			–	–	–	–	140	170	130	160
F54	.32	von 0,3 bis 2	min. 540	min. 490	–	–	–	–	–	–
H170			–	–	–	–	170	–	160	–
CuZn38Pb1,5 **CuZn39Pb0,5**	2.0371 2.0372									
F34	.10	von 0,3 bis 15	min. 340	max. 240	43	38	–	–	–	–
H75			–	–	–	–	75	110	75	100
F41	.26	von 0,3 bis 15	min. 410	min. 240	23	20	–	–	–	–
H110			–	–	–	–	110	140	100	130
F47	.30	von 0,3 bis 5	min. 470	min. 390	12	9	–	–	–	–
H140			–	–	–	–	140	165	130	150
F54	.32	von 0,3 bis 2	min. 540	min. 490	–	–	–	–	–	–
H165			–	–	–	–	165	–	150	–
CuZn39Pb2	2.0380									
F36	.10	von 0,3 bis 5	min. 360	max. 270	40	35	–	–	–	–
H85			–	–	–	–	85	120	85	110
F43	.26	von 0,3 bis 5	min. 430	min. 270	20	17	–	–	–	–
H120			–	–	–	–	120	150	110	140
F49	.30	von 0,3 bis 5	min. 490	min. 420	9	6	–	–	–	–
H150			–	–	–	–	150	175	140	160
F59	.32	von 0,3 bis 2	min. 590	min. 540	–	–	–	–	–	–
H175			–	–	–	–	175	–	160	–
CuZn40Pb2	2.0402									
F38	.10	von 0,3 bis 5	min. 380	max. 300	35	30	–	–	–	–
H90			–	–	–	–	90	125	90	115
F44	.26	von 0,3 bis 5	min. 440	min. 300	18	15	–	–	–	–
H125			–	–	–	–	125	155	115	145
F52	.10	von 0,3 bis 5	min. 520	min. 460	8	5	–	–	–	–
H155			–	–	–	–	155	180	145	165
F61	.32	von 0,3 bis 2	min. 610	min. 570	–	–	–	–	–	–
H180			–	–	–	–	180	–	165	–

Tabelle 4. **Kupfer-Zink-Legierungen mit weiteren Legierungselementen (Sondermessing)**
(Zusammensetzung nach DIN 17 660)

Werkstoff- Kurzzeichen *)		Nummer	Dicke mm	Zugfestigkeit R_m N/mm²	0,2%-Dehngrenze $R_{p\,0,2}$ N/mm²	Bruchdehnung A_5 % min.	Bruchdehnung A_{10} % min.	Vickershärte min.	Vickershärte max.	Brinellhärte min.	Brinellhärte max.
CuZn20Al2 (CuZn20Al)		**2.0460**									
	F33	.10	von 3 bis 15	min. 330	min. 90	30	–	–	–	–	–
	H70	.10	von 3 bis 15	–	–	–	–	70	105	65	100
	F39	.26	von 3 bis 15	min. 390	min. 240	25	–	–	–	–	–
	H100	.26	von 3 bis 15	–	–	–	–	100	–	90	–
CuZn28Sn1 (CuZn28Sn)		**2.0470**									
	F32	.10	von 3 bis 15	min. 320	min. 100	40	–	–	–	–	–
	H70	.10	von 3 bis 15	–	–	–	–	70	110	65	100
CuZn38SnAl		**2.0525**									
	F39	.10	von 3 bis 15	min. 390	min. 140	25	–	–	–	–	–
	H85	.10	von 3 bis 15	–	–	–	–	85	125	80	120
	F45	.26	von 3 bis 15	min. 450	min. 260	18	–	–	–	–	–
	H120	.26	von 3 bis 15	–	–	–	–	120	–	115	–
CuZn38Sn1 (CuZn39Sn)		**2.0530**									
	F34	.10	von 3 bis 15	min. 340	min. 140	30	–	–	–	–	–
	H85	.10	von 3 bis 15	–	–	–	–	85	125	80	120

*) Einige Kurzzeichen wurden entsprechend DIN 17 660 geändert; die bisherigen Kurzzeichen sind zur Information zusätzlich in Klammern angegeben.

Tabelle 5. **Kupfer-Zinn-Legierungen (Zinnbronze)** (Zusammensetzung nach DIN 17 662)

Werkstoff- Kurzzeichen *)	Werkstoff- Nummer	Dicke mm	Zugfestigkeit R_m N/mm²	0,2%-Dehngrenze $R_{p\,0,2}$ N/mm²	Bruchdehnung A_5 % min.	Bruchdehnung A_{10} % min.	Vickershärte min.	Vickershärte max.	Brinellhärte min.	Brinellhärte max.
CuSn4	**2.1016**									
F33	.10	von 0,1 bis 5	330 bis 380	max. 190	50	45	–	–	–	–
H70			–	–	–	–	70	100	65	95
F38	.26	von 0,1 bis 5	380 bis 470	min. 190	20	16	–	–	–	–
H100			–	–	–	–	100	150	95	140
F47	.30	von 0,1 bis 5	470 bis 570	min. 440	12	9	–	–	–	–
H150			–	–	–	–	150	180	140	170
F54	.32	von 0,1 bis 2	540 bis 630	min. 520	7	5	–	–	–	–
H170			–	–	–	–	170	200	160	190
F59	.34	von 0,1 bis 2	min. 590	min. 570	–	–	–	–	–	–
H190			–	–	–	–	190	–	180	–
CuSn6	**2.1020**									
F35	.10	von 0,1 bis 5	350 bis 410	max. 300	55	50	–	–	–	–
H80			–	–	–	–	80	110	75	105
F41	.26	von 0,1 bis 5	410 bis 500	min. 300	30	25	–	–	–	–
H110			–	–	–	–	110	160	105	150
F48	.30	von 0,1 bis 5	480 bis 580	min. 450	20	15	–	–	–	–
H160			–	–	–	–	160	190	150	180
F55	.32	von 0,1 bis 2	550 bis 650	min. 510	10	8	–	–	–	–
H180			–	–	–	–	180	210	170	200
F63	.34	von 0,1 bis 2	min. 630	min. 600	6	–	–	–	–	–
H200			–	–	–	–	200	–	190	–
CuSn8	**2.1030**									
F37	.10	von 0,1 bis 5	370 bis 450	max. 300	60	55	–	–	–	–
H90			–	–	–	–	90	120	85	115
F45	.26	von 0,1 bis 5	450 bis 540	min. 300	33	28	–	–	–	–
H120			–	–	–	–	120	170	115	160
F54	.30	von 0,1 bis 5	540 bis 630	min. 470	25	20	–	–	–	–
H170			–	–	–	–	170	200	160	190
F59	.32	von 0,1 bis 5	590 bis 690	min. 520	10	7	–	–	–	–
H190			–	–	–	–	190	220	180	210
F66	.34	von 0,1 bis 2	min. 660	min. 600	6	–	–	–	–	–
H210			–	–	–	–	210	–	200	–
CuSn6Zn6 (CuSn6Zn)	**2.1080**									
F61	.30	von 0,1 bis 2	610 bis 690	min. 570	15	12	–	–	–	–
H190			–	–	–	–	190	220	175	200
F76	.34	von 0,1 bis 2	min. 760	min. 690	–	–	–	–	–	–
H230			–	–	–	–	230	–	210	–

*) Ein Kurzzeichen wurde entsprechend DIN 17 662 geändert. Das bisherige Kurzzeichen ist zur Information zusätzlich in Klammern angegeben.

Tabelle 6. **Kupfer-Nickel-Zink-Legierungen (Neusilber)** (Zusammensetzung nach DIN 17 663)

Werkstoff- Kurzzeichen	Werkstoff- Nummer	Dicke mm	Zugfestigkeit R_m N/mm²	0,2%-Dehngrenze $R_{p\,0,2}$ N/mm²	Bruchdehnung A_5 % min.	Bruchdehnung A_{10} % min.	Vickershärte min.	Vickershärte max.	Brinellhärte min.	Brinellhärte max.
CuNi12Zn24	**2.0730**									
F36	**.10**	von 0,1 bis 5	360 bis 430	max. 230	45	40	–	–	–	–
H80			–	–	–	–	80	110	75	105
F43	**.26**	von 0,1 bis 5	430 bis 510	min. 230	16	13	–	–	–	–
H110			–	–	–	–	110	150	105	140
F51	**.30**	von 0,1 bis 5	510 bis 590	min. 420	8	5	–	–	–	–
H150			–	–	–	–	150	180	140	170
F56	**.32**	von 0,1 bis 2	560 bis 650	min. 480	–	–	–	–	–	–
H170			–	–	–	–	170	200	160	190
F65	**.34**	von 0,1 bis 2	min. 650	min. 600	–	–	–	–	–	–
H200			–	–	–	–	200	–	190	–
CuNi18Zn20	**2.0740**									
F38	**.10**	von 0,1 bis 5	380 bis 450	max. 250	37	32	–	–	–	–
H85			–	–	–	–	85	115	80	110
F45	**.26**	von 0,1 bis 5	450 bis 520	min. 250	18	15	–	–	–	–
H115			–	–	–	–	115	160	110	150
F52	**.30**	von 0,1 bis 2	520 bis 610	min. 430	6	–	–	–	–	–
H160			–	–	–	–	160	190	150	180
F58	**.32**	von 0,1 bis 2	580 bis 680	min. 490	–	–	–	–	–	–
H180			–	–	–	–	180	210	170	200
F68	**.34**	von 0,1 bis 2	min. 680	min. 630	–	–	–	–	–	–
H210			–	–	–	–	210	–	200	–
CuNi18Zn27	**2.0742**									
F39	**.10**	von 0,1 bis 5	390 bis 470	max. 280	40	35	–	–	–	–
H90			–	–	–	–	90	120	85	115
F47	**.26**	von 0,1 bis 5	470 bis 540	min. 280	20	15	–	–	–	–
H120			–	–	–	–	120	170	115	160
F54	**.30**	von 0,1 bis 2	540 bis 620	min. 440	7	–	–	–	–	–
H170			–	–	–	–	170	200	160	190
F60	**.32**	von 0,1 bis 2	600 bis 700	min. 500	–	–	–	–	–	–
H190			–	–	–	–	190	220	180	210
F70	**.34**	von 0,1 bis 2	min. 700	min. 650	–	–	–	–	–	–
H220			–	–	–	–	220	–	210	–

Tabelle 7. **Kupfer-Nickel-Legierungen** (Zusammensetzung nach DIN 17 664)

Werkstoff-Kurzzeichen *)	Werkstoff-Nummer	Dicke mm	Zugfestigkeit R_m N/mm²	0,2%-Dehngrenze $R_{p\,0,2}$ N/mm²	Bruchdehnung A_5 % min.	Bruchdehnung A_{10} % min.	Vickershärte min.	Vickershärte max.	Brinellhärte min.	Brinellhärte max.
CuNi10Fe1Mn (CuNi10Fe)	**2.0872**									
F30	.10	von 0,3 bis 15	min. 300	min. 100	30	25	–	–	–	–
H70			–	–	–	–	70	120	65	115
CuNi25	**2.0830**									
F29	.10	von 0,3 bis 15	min. 290	min. 100	–	–	–	–	–	–
H70			–	–	–	–	70	100	70	100
CuNi30Mn1Fe (CuNi30Fe)	**2.0882**									
F35	.10	von 0,3 bis 15	min. 350	min. 120	35	30	–	–	–	–
H80			–	–	–	–	80	120	80	120
CuNi44Mn1 (CuNi44)	**2.0842**									
F42	.10	von 0,3 bis 15	min. 420	min. 150	35	30	–	–	–	–
H85			–	–	–	–	85	115	85	115
CuNi9Sn2	**2.0875**									
F34	.10	von 0,2 bis 5	340 bis 410	max. 250	40	35	–	–	–	–
H75			–	–	–	–	75	110	75	105
F41	.26	von 0,2 bis 5	410 bis 500	min. 320	14	10	–	–	–	–
H110			–	–	–	–	110	160	105	150
F50	.30	von 0,2 bis 2	500 bis 570	min. 450	–	–	–	–	–	–
H160			–	–	–	–	160	190	150	180
F56	.32	von 0,2 bis 2	min. 560	min. 500	–	–	–	–	–	–
H180			–	–	–	–	180	–	170	–

*) Einige Kurzzeichen wurden entsprechend DIN 17 664 geändert; die bisherigen Kurzzeichen sind zur Information zusätzlich in Klammern angegeben.

Tabelle 8. **Kupfer-Aluminium-Legierungen (Aluminiumbronze)** (Zusammensetzung nach DIN 17 665)

Werkstoff- Kurzzeichen *)		Nummer	Dicke mm	Zug-festigkeit R_m N/mm²	0,2%-Dehn-grenze $R_{p\,0,2}$ N/mm²	Bruchdehnung A_5 % min.	Bruchdehnung A_{10} % min.	Vickershärte min.	Vickershärte max.	Brinellhärte min.	Brinellhärte max.
CuAl8		**2.0920**									
	F37	.10	von 3 bis 15	min. 370	min. 130	30	–	–	–	–	–
	H80	.10	von 3 bis 15	–	–	–	–	80	130	75	120
	F45	.26	von 3 bis 15	min. 450	min. 170	25	–	–	–	–	–
	H125	.26	von 3 bis 15	–	–	–	–	125	–	120	–
CuAl8Fe3 (CuAl8Fe)		**2.0932**									
	F48	.10	von 3 bis 15	min. 480	min. 210	30	–	–	–	–	–
	H110	.10	von 3 bis 15	–	–	–	–	110	–	100	–
CuAl9Ni3Fe2 (CuAl9Ni2)		**2.0971**									
	F49	.10	von 3 bis 15	min. 490	min. 180	25	–	–	–	–	–
	H105	.10	von 3 bis 15	–	–	–	–	105	150	100	140
	F62	.26	von 3 bis 15	min. 620	min. 290	15	–	–	–	–	–
	H150	.26	von 3 bis 15	–	–	–	–	150	–	140	–
CuAl10Ni5Fe4 (CuAl10Ni)		**2.0966**									
	F63	.10	von 3 bis 15	min. 630	min. 270	8	–	–	–	–	–
	H160	.10	von 3 bis 15	–	–	–	–	160	–	150	–

*) Einige Kurzzeichen wurden entsprechend DIN 17 665 geändert; die bisherigen Kurzzeichen sind zur Information zusätzlich in Klammern angegeben.

Tabelle 9. **Niedriglegierte Kupfer-Knetlegierungen** (Zusammensetzung nach DIN 17 666)
Nicht aushärtbare Legierungen

Werkstoff- Kurzzeichen	Werkstoff- Nummer	Dicke mm	Zugfestigkeit R_m N/mm²	0,2%-Dehngrenze $R_{p\,0,2}$ N/mm²	Bruchdehnung A_5 % min.	Bruchdehnung A_{10} % min.	Vickershärte min.	Vickershärte max.	Brinellhärte min.	Brinellhärte max.
CuFe2P	**2.1310**									
F30	.10	von 0,2 bis 5	300 bis 340	max. 240	25	20	–	–	–	–
H80			–	–	–	–	80	100	75	95
F34	.26	von 0,2 bis 5	340 bis 390	min. 240	12	10	–	–	–	–
H100			–	–	–	–	100	120	95	115
F39	.30	von 0,2 bis 3	390 bis 470	min. 360	6	–	–	–	–	–
H120			–	–	–	–	120	140	115	135
F42	.32	von 0,2 bis 1	420 bis 520	min. 390	–	–	–	–	–	–
H130			–	–	–	–	130	150	125	145
F49	.34	von 0,2 bis 1	min. 490	min. 450	–	–	–	–	–	–
H145			–	–	–	–	145	–	140	–
CuZn0,5	**2.0205**									
F22	.10	von 0,2 bis 5	220 bis 260	max. 140	42	36	–	–	–	–
H45			–	–	–	–	45	70	40	65
F24	.26	von 0,2 bis 5	240 bis 300	min. 180	15	12	–	–	–	–
H70			–	–	–	–	70	95	65	90
F29	.30	von 0,2 bis 5	290 bis 360	min. 250	6	–	–	–	–	–
H90			–	–	–	–	90	110	85	105
F36	.32	von 0,2 bis 1,5	min. 360	min. 320	–	–	–	–	–	–
H110			–	–	–	–	110	–	105	–

Tabelle 10. **Niedriglegierte Kupfer-Knetlegierungen** (Zusammensetzung nach DIN 17 666)
Aushärtbare Legierungen

Bei den aushärtbaren Legierungen sind Eigenschaften für die Zustände „nicht ausgehärtet" und „ausgehärtet" angegeben. Die jeweils zusammengehörenden Zustände „nicht ausgehärtet" und „ausgehärtet" sind in der Tabelle untereinander angeordnet.

Werkstoff-Kurzzeichen Legierung	Zustand nicht ausgehärtet	Zustand ausgehärtet	Nummer	Dicke mm	Zugfestigkeit R_m N/mm²	0,2%-Dehngrenze $R_{p\,0,2}$ N/mm²	Bruchdehnung A_5 % min.	Bruchdehnung A_{10} % min.	Bruchdehnung A_{L50} % min.	Vickershärte HV min.	Vickershärte HV max.	Brinellhärte HB min.	Brinellhärte HB max.
CuBe1,7			2.1245										
	F39		.40	von 0,2 bis 3	390 bis 520	180 bis 250	–	–	35	–	–	–	–
	H80				–	–	–	–	–	80	135	–	–
		F103	.60	von 0,2 bis 3	1030 bis 1240	880 bis 1120	–	–	–	–	–	–	–
		H330			–	–	–	–	–	330	380	–	–
	F51		.54	von 0,2 bis 3	510 bis 610	350 bis 550	–	–	10	–	–	–	–
	H135				–	–	–	–	–	135	190	–	–
		F110	.74	von 0,2 bis 3	1100 bis 1270	900 bis 1150	–	–	–	–	–	–	–
		H340			–	–	–	–	–	340	390	–	–
	F58		.55	von 0,2 bis 3	580 bis 680	450 bis 620	–	–	5	–	–	–	–
	H175				–	–	–	–	–	175	220	–	–
		F117	.75	von 0,2 bis 3	1170 bis 1340	1000 bis 1200	–	–	–	–	–	–	–
		H350			–	–	–	–	–	350	400	–	–
	F68		.56	von 0,2 bis 3	680 bis 830	620 bis 800	–	–	–	–	–	–	–
	H210				–	–	–	–	–	210	250	–	–
		F124	.76	von 0,2 bis 3	1240 bis 1380	1050 bis 1300	–	–	–	–	–	–	–
		H360			–	–	–	–	–	360	420	–	–
CuBe2			2.1247										
	F41		.40	von 0,2 bis 3	410 bis 540	190 bis 270	–	–	35	–	–	–	–
	H90				–	–	–	–	–	90	140	–	–
		F114	.60	von 0,2 bis 3	1140 bis 1310	980 bis 1200	–	–	–	–	–	–	–
		H350			–	–	–	–	–	350	400	–	–
	F52		.54	von 0,2 bis 3	520 bis 600	410 bis 550	–	–	10	–	–	–	–
	H140				–	–	–	–	–	140	195	–	–
		F121	.74	von 0,2 bis 3	1210 bis 1370	1050 bis 1250	–	–	–	–	–	–	–
		H360			–	–	–	–	–	360	410	–	–
	F59		.65	von 0,2 bis 3	590 bis 690	530 bis 630	–	–	5	–	–	–	–
	H180				–	–	–	–	–	180	225	–	–
		F127	.75	von 0,2 bis 3	1270 bis 1450	1080 bis 1300	–	–	–	–	–	–	–
		H370			–	–	–	–	–	370	430	–	–
	F69		.56	von 0,2 bis 3	690 bis 820	650 bis 790	–	–	–	–	–	–	–
	H215				–	–	–	–	–	215	260	–	–
		F131	.76	von 0,2 bis 3	1310 bis 1480	1100 bis 1350	–	–	–	–	–	–	–
		H380			–	–	–	–	–	380	450	–	–

Tabelle 10. (Fortsetzung)

Werkstoff-Kurzzeichen Legierung	Zustand nicht ausgehärtet	Zustand ausgehärtet	Nummer	Dicke mm	Zugfestigkeit R_m N/mm²	0,2%-Dehngrenze $R_{p\,0,2}$ N/mm²	Bruchdehnung A_5 % min.	Bruchdehnung A_{10} % min.	Bruchdehnung A_{L50} % min.	Vickershärte HV min.	Vickershärte HV max.	Brinellhärte HB min.	Brinellhärte HB max.
CuCo2Be			**2.1285**										
CuNi2Be			**2.0850**										
	F25		**.40**	von 0,2 bis 3	250 bis 380	140 bis 280	–	–	20	–	–	–	–
	H60				–	–	–	–	–	60	95	–	–
		F65	**.60**	von 0,2 bis 3	650 bis 820	500 bis 690	–	–	8	–	–	–	–
		H195			–	–	–	–	–	195	245	–	–
	F48		**.56**	von 0,2 bis 3	480 bis 590	400 bis 550	–	–	–	–	–	–	–
	H145				–	–	–	–	–	145	185	–	–
		F75	**.76**	von 0,2 bis 3	750 bis 920	690 bis 850	–	–	5	–	–	–	–
		H220			–	–	–	–	–	220	270	–	–
	F55		**.59**	von 0,2 bis 3	550 bis 700	450 bis 650	–	–	–	–	–	–	–
	H160				–	–	–	–	–	160	200	–	–
		F85	**.79**	von 0,2 bis 3	850 bis 1000	750 bis 980	–	–	–	–	–	–	–
		H240			–	–	–	–	–	240	290	–	–
CuCrZr			**2.1293**										
		F37	**.60**	von 3 bis 15	min. 370	min. 270	12	–	–	–	–	–	–
		H125			–	–	–	–	–	125	155	120	150
	F33		**.53**	von 0,3 bis 10	min. 330	min. 310	10	–	–	–	–	–	–
	H95				–	–	–	–	–	95	120	90	115
		F44	**.73**	von 0,3 bis 10	min. 440	min. 390	10	–	–	–	–	–	–
		H140			–	–	–	–	–	140	180	135	170
		F49	**.79**	von 0,3 bis 6	min. 490	min. 450	8	–	–	–	–	–	–
		H155			–	–	–	–	–	155	200	150	190
CuZr			**2.1580**										
		F35	**.70**	von 0,3 bis 5	min. 350	min. 300	13	10	–	–	–	–	–
		H100			–	–	–	–	–	100	140	95	135

Tabelle 11. **Elektrische Leitfähigkeit**

Werkstoff- Kurzzeichen		Werkstoff- Nummer	Elektrische Leitfähigkeit $\frac{m}{\Omega \cdot mm^2}$ min.
CuBe1,7		**2.1245**	
	F103/HB330	**.60**	13
	F110/HB340	**.74**	13
	F117/HB350	**.75**	12
	F124/HB360	**.76**	12
CuBe2		**2.1247**	
	F114/H350	**.60**	13
	F121/H360	**.74**	13
	F127/H370	**.75**	12
	F131/H380	**.76**	12
CuCo2Be **CuNi2Be**		**2.1285** **2.0850**	
	F65/H195	**.60**	25
	F75/H220	**.76**	25
	F85/H240	**.79**	25
CuCrZr		**2.1293**	
	F37/H125	**.60**	44
	F44/H140	**.73**	43
CuZr	**F35/H100**	**2.1580.70**	50

Zitierte Normen

DIN 1333 Teil 2	Zahlenangaben; Runden
DIN 1787	Kupfer; Halbzeug
DIN 17 660	Kupfer-Knetlegierungen; Kupfer-Zink-Legierungen (Messing) (Sondermessing), Zusammensetzung
DIN 17 662	Kupfer-Knetlegierungen; Kupfer-Zinn-Legierungen (Zinnbronze), Zusammensetzung
DIN 17 663	Kupfer-Knetlegierungen; Kupfer-Nickel-Zink-Legierungen (Neusilber), Zusammensetzung
DIN 17 664	Kupfer-Knetlegierungen; Kupfer-Nickel-Legierungen, Zusammensetzung
DIN 17 665	Kupfer-Knetlegierungen; Kupfer-Aluminium-Legierungen (Aluminiumbronze), Zusammensetzung
DIN 17 666	Niedriglegierte Kupfer-Knetlegierungen; Zusammensetzung
DIN 17 670 Teil 2	Bleche und Bänder aus Kupfer und Kupfer-Knetlegierungen, Technische Lieferbedingungen
DIN 50 114	Prüfung metallischer Werkstoffe; Zugversuch ohne Feindehnungsmessung an Blechen, Bändern oder Streifen mit einer Dicke unter 3 mm
DIN 50 125	Prüfung metallischer Werkstoffe; Zugproben, Richtlinien für die Herstellung
DIN 50 133 Teil 1	Prüfung metallischer Werkstoffe; Härteprüfung nach Vickers, Prüfkraftbereich: 49 bis 980 N (5 bis 100 kp)
DIN 50 133 Teil 2	Prüfung metallischer Werkstoffe; Härteprüfung nach Vickers, Prüfkraftbereich: 1,96 bis 49 N (0,2 bis 5 kp) (Kleinlastbereich)
DIN 50 145	Prüfung metallischer Werkstoffe; Zugversuch
DIN 50 351	Prüfung metallischer Werkstoffe; Härteprüfung nach Brinell
DIN 50 601	(z. Z. Entwurf) Metallografische Prüfverfahren; Bestimmung der Austenit- und Ferritkorngröße von Stahl und Eisenwerkstoffen
DIN IEC 468	Verfahren zur Messung des spezifischen (elektrischen) Widerstandes metallischer Werkstoffe

Weitere Normen

DIN 1780	(z. Z. Entwurf) Federbänder aus Kupfer-Knetlegierungen; Technische Lieferbedingungen
DIN 17 675 Teil 1	Platten aus Kupfer und Kupfer-Knetlegierungen für Kondensatoren und Wärmeaustauscher; Festigkeitseigenschaften
DIN 40 500 Teil 1	Kupfer für die Elektrotechnik; Bleche und Bänder aus Kupfer und silberlegiertem Kupfer; Technische Lieferbedingungen

Frühere Ausgaben

DIN 1714: 02.36x; DIN 1774: 12.29, 01.39; DIN 17 670: 04.57; DIN 17 670 Teil 1: 08.61, 02.69, 06.74

Änderungen

Gegenüber der Ausgabe Juni 1974 wurden folgende Änderungen vorgenommen:

a) Tabelle 4: Die Legierung CuZn31Si wurde gestrichen, die Legierung CuZn38SnAl wurde aufgenommen.

b) Tabelle 5: Die Legierung CuSn2 wurde gestrichen, die Legierung CuSn4 wurde aufgenommen.

c) Tabelle 6: Die Legierungen CuNi25Zn15 und CuNi12Zn30Pb wurden gestrichen, die Legierung CuNi18Zn27 wurde aufgenommen.

d) Tabelle 7: Die Legierungen CuNi5Fe und CuNi20Fe wurden gestrichen.

e) Tabelle 8: Die Legierung CuAl5 wurde gestrichen, die Legierung CuAl9Ni3Fe2 wurde aufgenommen.

f) Tabelle 9: Die Legierungen CuAsP, CuMn2, CuMn5, CuSi2Mn und CuSi3Mn wurden gestrichen, die Legierungen CuFe2P und CuZn0,5 wurden aufgenommen.

g) Tabelle 10: Die Legierungen CuCr, CuNi1,5Si und CuNi2Si wurden gestrichen, die Legierungen CuNi2Be und CuZr wurden aufgenommen.

h) Die Tiefungswerte in den Tabellen 12 bis 15 wurden ersatzlos gestrichen.

i) Es werden 3 Bestellmöglichkeiten unterschieden:
F-Zahl, H-Zahl, K-Zahl

j) Der Text wurde redaktionell überarbeitet, z. B.
- Die F-Zahl wurde einheitlich für alle Werkstoffe als 1/10 des Mindestwertes der Zugfestigkeit in N/mm² eingeführt.
- Die Rundungsregel für Meßergebnisse von Prüfungen wurde aufgenommen.

Internationale Patentklassifikation

B 21 C 1/00
C 22 C 9/00

Bänder und Bleche aus Kupfer und Kupfer-Knetlegierungen Eigenschaften

Ergänzung A 1

DIN 17 670 Teil 1 A 1

Wrought copper and copper alloy strip, sheet and plate; properties; Supplement A 1

Bandes, tôles et plaques en cuivre et en alliages de cuivre corroyés, caractéristiques; Supplément A 1

Einsprüche bis 31. Dez 1988

Anwendungswarnvermerk beachten!

Vorgesehen als Ergänzung zu DIN 17 670 T 1/12.83

Auf Antrag des DKE-UK 351.6 "Fahrleitungsanlagen" soll der Werkstoff CuNi2Si wieder in DIN 17 670 Teil 1 aufgenommen werden, der zwar in der Ausgabe Juni 1974 enthalten, aber in der Ausgabe Dezember 1983 gestrichen worden war.

Bänder und Streifen aus CuNi2Si dienen zum Herstellen von Hängerklemmen nach DIN 43 147 Teil 2 und Teil 3, die für Oberleitungen von Eisen- und Straßenbahnen nach wie vor in großem Umfang benötigt werden.

Die Tabellen 10 und 11 der DIN 17 670 Teil 1, Ausgabe Dezember 1983 sollen um folgende Werte ergänzt werden:

Tabelle 10. **Ergänzung**

Werkstoff- Kurzzeichen Legierung	Zustand nicht ausgehärtet	Zustand ausgehärtet	Nummer	Dicke mm	Zugfestigkeit R_m N/mm²	0,2%-Dehngrenze $R_{p\,0,2}$ N/mm²	Bruchdehnung A_5 % min.	Bruchdehnung A_{10} % min.	Bruchdehnung A_{L50} % min.	Vickershärte HV min.	Vickershärte HV max.	Brinellhärte HB min.	Brinellhärte HB max.
CuNi2Si			2.0855										
	F26		.40	von 1	min. 260	min. 60	-	30	-	-	-	-	-
	H70			bis 10	-	-	-	-	-	-	-	70	100
		F49	.60	von 1	min. 490	min. 340	-	14	-	-	-	-	-
		H130		bis 10	-	-	-	-	-	-	-	130	190
	F42		.53	von 0,8	min. 420	min. 360	-	5	-	-	-	-	-
	H120			bis 3	-	-	-	-	-	-	-	120	170
		F64	.73	von 0,8	min. 640	min. 590	-	8	-	-	-	-	-
		H170		bis 3	-	-	-	-	-	-	-	170	210

Tabelle 11. **Ergänzung**

Werkstoff- Kurzzeichen	Nummer	Elektrische Leitfähigkeit $\frac{m}{\Omega \cdot mm^2}$
CuNi2Si	2.0855	
F49/H130	.60	17
F64/H170	.73	17

Zitierte Normen

DIN 17 670 Teil 1 Bänder und Bleche aus Kupfer und Kupfer-Knetlegierungen; Eigenschaften
DIN 43 147 Teil 2 Elektrische Bahnen; Hängerklemme für Tragseile 35 mm², 70 mm² bis 185 mm²
DIN 43 147 Teil 3 Elektrische Bahnen; Hängerklemme; Gleit-Hängerklemme für Tragseile

Anwendungswarnvermerk

Dieser Norm-Entwurf wird der Öffentlichkeit zur Prüfung und Stellungnahme vorgelegt.

Weil die beabsichtigte Norm von der vorliegenden Fassung abweichen kann, ist die Anwendung dieses Entwurfes besonders zu vereinbaren.

Stellungnahmen werden erbeten an den Normenausschuß Nichteisenmetalle (FNNE) im DIN Deutsches Institut für Normung e. V., Kamekestraße 8, 5000 Köln 1.

Normenausschuß Nichteisenmetalle (FNNE) im DIN Deutsches Institut für Normung e. V.

DK 669.3-41 Juni 1969

Bleche und Bänder aus Kupfer und Kupfer-Knetlegierungen Technische Lieferbedingungen

DIN 17670 Blatt 2

Plate, sheet and strip of wrought copper and copper alloys, technical terms of delivery

Plaques, tôles et bandes en cuivre et en alliages de cuivre corroyés, conditions techniques de livraison

1. Geltungsbereich

Diese Technischen Lieferbedingungen gelten für glatte Bleche und Bänder gleichbleibender Dicke in handelsüblicher Qualität aus Kupfer und Kupfer-Knetlegierungen.

Diese Norm gilt nicht für Bänder und Streifen aus Kupfer-Knetlegierungen für Blattfedern nach DIN 1777.

2. Werkstoffeigenschaften

2.1. Chemische Zusammensetzung

Kupfer nach DIN 1787

Kupfer-Zink-Legierungen (Messing, Sondermessing) nach DIN 17 660

Kupfer-Zinn-Legierungen (Zinnbronze) nach DIN 17 662

Kupfer-Nickel-Zink-Legierungen (Neusilber) nach DIN 17 663

Kupfer-Nickel-Legierungen nach DIN 17 664

Kupfer-Aluminium-Legierungen (Aluminiumbronze) nach DIN 17 665

Kupfer-Knetlegierungen, niedriglegiert nach DIN 17 666 *)

2.2. Festigkeitseigenschaften

nach DIN 17 670 Blatt 1

2.3. Elektrische Eigenschaften

Werte für die elektrische Leitfähigkeit bzw. den elektrischen Widerstand sind festgelegt:

für Kupfer für die Elektrotechnik in DIN 40 500 Blatt 1,

für niedriglegierte Kupfer-Knetlegierungen in DIN 17 670 Blatt 1

3. Maßnormen

DIN 1751 Bleche aus Kupfer und Kupfer-Knetlegierungen, kaltgewalzt, Maße

DIN 1791 Bänder und Streifen aus Kupfer und Kupfer-Knetlegierungen, kaltgewalzt, Maße

4. Bestellunterlagen

Die Auswahl des Werkstoffes und möglichen Lieferzustandes ist Sache des Bestellers. Das Herstellungsverfahren bleibt dem Hersteller überlassen.

Bei der Bestellung sollen die Abschnitte 5 bis 10 beachtet werden.

Falls nichts anderes vereinbart ist, braucht die lange Seite eines Bleches nicht parallel zur Walzrichtung zu verlaufen.

Empfohlen wird, bei der Bestellung den Verwendungszweck oder das Verarbeitungsverfahren anzugeben.

Bei der Bezeichnung oder Bestellung von Blechen und Bändern aus Kupfer und Kupfer-Knetlegierungen sind die Kurzzeichen oder Werkstoffnummern nach DIN 17 670 Blatt 1 zu verwenden, wie in den Bezeichnungsbeispielen der Maßnormen angegeben.

5. Anforderungen

Bleche und Bänder müssen hinsichtlich der chemischen Zusammensetzung, der Festigkeitseigenschaften und der Maße den in den Abschnitten 2 und 3 aufgeführten Normen entsprechen. Weitere Forderungen sind in den Abschnitten 5.1 bis 5.5 festgelegt.

5.1. Oberflächenbeschaffenheit

Bleche und Bänder haben eine ihrem Herstellungsverfahren entsprechende glatte, saubere Oberfläche. Deshalb können z. B. warmgeformte Bleche und Bänder mit der bei diesem Verfahren sich bildenden Oberfläche geliefert werden. Kaltgewalzte Bleche und Bänder werden in der Regel mit blanker oder gebeizter Oberfläche geliefert.

Ungleichmäßigkeiten der Oberfläche, wie Steifigkeit in Walzrichtung und verwalzte Putzstellen, sind zulässig, soweit sie die Verarbeitbarkeit nicht beeinträchtigen. Das gleiche gilt für rote Flecken, z. B. bei Kupfer-Zink-Legierungen (Messing und Sondermessing).

Gelegentliche Unregelmäßigkeiten, wie leichte Kratzer, Schiefer und Scheuerstellen sind zulässig. Solche Oberflächenfehler dürfen innerhalb der zulässigen Maßabweichung verputzt sein.

Weitergehende Ansprüche an die Oberflächenbeschaffenheit, z. B. fettfrei, gebürstet, hochglanzgewalzt, müssen besonders vereinbart werden.

5.2. Schnittkanten

Schnittkanten werden nicht entgratet. Sollen diese entgratet werden, ist das besonders zu vereinbaren.

5.3. Verarbeitbarkeit

Für die Verarbeitbarkeit der Bleche und Bänder sind die Festigkeitseigenschaften nach DIN 17 670 Blatt 1 maßgebend.

Je nach Werkstoff und Lieferzustand kann bei Umformung Narbigkeit durch Sichtbarwerden des Kornes auftreten. Besondere Forderungen an Umformbarkeit oder andere Eigenschaften sind bei Bestellung zu vereinbaren.

5.4. Gefüge

Gefügetrennungen, z. B. Doppelungen, sind nicht zulässig. Eine bei der Umformung auftretende Struktur ist zulässig. Wird ein bestimmter Korngrößenbereich verlangt, so ist dieser bei Bestellung zu vereinbaren.

*) Folgeausgabe, z. Z. noch Entwurf Oktober 1968

Fortsetzung Seite 2

Fachnormenausschuß Nichteisenmetalle im Deutschen Normenausschuß (DNA)

6. Kennzeichnung

Bleche und Bänder können gekennzeichnet werden (Bänder am Anfang oder Ende, Bleche an einer Ecke). Wird keine oder eine fortlaufende Kennzeichnung gewünscht, so ist dies bei Bestellung zu vereinbaren.

7. Oberflächenschutz

Bleche und Bänder werden ohne Oberflächenschutz geliefert. Besonderer Oberflächenschutz ist bei Bestellung zu vereinbaren.

8. Verpackung

Verpackung nach Wahl des Herstellers.

Besondere Verpackung ist bei Bestellung zu vereinbaren.

9. Prüfverfahren

9.1. Zusammensetzung

Ein besonderer Nachweis ist nicht erforderlich, es sei denn, daß Sondervereinbarungen getroffen werden. Das Analysenverfahren bleibt dem Hersteller überlassen. Im Zweifelsfall entscheidet die Naßanalyse nach der neuesten Ausgabe der „Analyse der Metalle" des Chemikerausschusses der Gesellschaft Deutsche Metallhütten- und Bergleute e. V. (Berlin, Göttingen, Heidelberg: Springer-Verlag).

Auf jeden gefundenen Einzelwert ist die Rundungszahl nach DIN 1333 anzuwenden. Die gerundete Zahl darf die Grenzwerte für die Zusammensetzung nicht überschreiten.

9.2. Mechanische Eigenschaften

DIN 50 114 Zugversuch ohne Feindehnungsmessung an Blechen, Bändern oder Streifen in einer Dicke unter 3 mm
DIN 50 125 Zugproben; Richtlinien für die Herstellung
DIN 50 133 Härteprüfung nach Vickers
DIN 50 144 Ermittlung der 0,2-Grenze
DIN 50 145 Zugversuch; Begriffe, Zeichen
DIN 50 146 Zugversuch ohne Feindehnungsmessungen; Durchführung und Auswertung
DIN 50 351 Härteprüfung nach Brinell

Andere Prüfverfahren sind zu vereinbaren.

Die Zugproben aus Blechen und Bändern sind bei Dicken < 3 mm nach DIN 50 114, bei Dicken ≥ 3 mm nach DIN 50 125 herzustellen. Bei Blechen und Bändern mit Dicken $< 0{,}2$ mm wird nur die Zugfestigkeit, nicht die Bruchdehnung bestimmt.

Bei der Härteprüfung nach Brinell entsprechend DIN 50 351 wird mit dem Belastungsgrad 10 D^2 geprüft. Bevorzugt zu verwenden sind eine Kugel von $D = 2{,}5$ mm Durchmesser und die zugehörige Belastung $P = 62{,}5$ kp (HB 10/2,5).

Bei dünnen Blechen und Bändern ist die Bestimmung der Härte nach Brinell ungenau und die Bestimmung der Härte nach Vickers entsprechend DIN 50 133 vorzuziehen. Es ist zu beachten, daß die Härtewerte nach Vickers 15 % höher sein können als die Werte nach Brinell.

9.3. Technologische Eigenschaften

Der Tiefungsversuch wird nach DIN 50 101 Blatt 1 und Blatt 2 und DIN 50 102 für diejenigen Werkstoffe durchgeführt, für die in DIN 17 670 Blatt 1 Richtwerte für die Tiefung angegeben sind.

Für den Tiefungswert einer Probe ist das Mittel aus wenigstens drei Einzelmessungen maßgebend.

Weitere Prüfverfahren, z. B. Biegeversuch, sind zu vereinbaren.

9.4. Ermittlung der Korngröße

Das Prüfverfahren ist zu vereinbaren.

Anmerkung: Eine Norm über die Ermittlung der Korngröße wird erarbeitet, in der auch die Überlegungen des ISO/TC 26 berücksichtigt werden.

9.5. Wasserstoffbeständigkeit

Geltungsbereich: Sauerstofffreie Kupfersorten

Probestreifen bis zu einer Dicke von 8 mm und einer Breite von etwa 10 mm werden 30 Minuten lang bei 800 bis 850 °C in einer reduzierenden Atmosphäre (Wasserstoff oder Heizgas) geglüht, abgekühlt und um 180° gefaltet. Die Faltstellen dürfen weder Anrisse zeigen noch brechen.

9.6. Oberflächenbeschaffenheit

Die Sichtprüfung wird ohne optische Hilfsmittel durchgeführt.

Beurteilung nach Abschnitt 5.1

Andere Prüfverfahren sind zu vereinbaren.

10. Prüfumfang und Loseinteilung [1])

10.1. Der Hersteller führt Prüfungen im Rahmen seiner innerbetrieblichen Gütesicherung durch. Hierüber werden im allgemeinen keine Bescheinigungen nach DIN 50 049 ausgestellt.

10.2. Soll eine zusätzliche Prüfung durch einen vom Besteller Beauftragten durchgeführt werden, so sind bei Anfrage und Auftragsvergabe folgende Vereinbarungen zu treffen:

a) Nennung des Beauftragten
b) Art der durchzuführenden Prüfungen
c) Anzahl der Proben (Richtwerte siehe Tabelle)
d) eventuelle zusätzliche Forderungen

Bei der Prüfung ist die Lieferung nach Losen getrennt vorzulegen. Zu einem Los gehören Bleche und Bänder einheitlicher Herstellungsart, gleichen Werkstoffes, gleichen Zustandes und gleicher Dicke. Es ist nicht erforderlich, daß ein Los nur aus einer Schmelze oder nur aus einer Wärmebehandlung stammt.

Richtwerte für die Anzahl der Proben bei Prüfung durch einen Beauftragten

Los kg über	Los kg bis	Anzahl der Proben für Zugversuch oder Härteprüfung
50	500	1
500	1000	2
1000	2000	3
2000	3000	4
je weitere 1000		1 mehr
Bei Liefermengen unter 50 kg sind Proben nicht vorgeschrieben, sofern sie nicht besonders vereinbart wurden.		

Wenn eine Probe bei einer Prüfung den Anforderungen nicht genügt, so sind Wiederholungsprüfungen durchzuführen. Wenn davon wiederum eine Probe den Vorschriften nicht entspricht, darf die zugehörige Lieferung zurückgewiesen werden.

Über die durchgeführten Prüfungen wird vom jeweiligen Beauftragten eines der in DIN 50 049 genannten Abnahmeprüfzeugnisse ausgestellt.

11. Beanstandungen

Äußere und innere Fehler dürfen nur dann beanstandet werden, wenn sie eine dem Werkstoff und der Erzeugnisform angemessene Verarbeitung und Verwendung mehr als unerheblich beeinträchtigen.

Der Besteller muß dem Lieferwerk Gelegenheit geben, sich von der Berechtigung von Beanstandungen zu überzeugen, soweit möglich durch Vorlage des beanstandeten und von Belegstücken des angelieferten Werkstoffes.

---

1) Die Prüfungen können zwischen Hersteller und Verbraucher auch nach bestimmten Prüfplänen (statistische Qualitätskontrolle) vereinbart werden.

DK 669.3-462 : 669.35.018.26-462 : 539.4 : 620.1 Dezember 1983

Rohre aus Kupfer und Kupfer-Knetlegierungen
Eigenschaften

DIN 17 671 Teil 1

Wrought copper and copper alloys tube; properties

Tubes en cuivre en alliages de cuivre corroyés; caractéristiques

Ersatz für Ausgabe 06.74

1 Anwendungsbereich

In Verbindung mit den Technischen Lieferbedingungen nach DIN 17 671 Teil 2 legt diese Norm die Eigenschaften von Rohren aus Kupfer und Kupfer-Knetlegierungen für die in den Tabellen angegebenen Maßbereiche der Wanddicke und für Außendurchmesser bis 350 mm fest.

Für Rohre mit Maßen außerhalb der angegebenen Maßbereiche sind die Eigenschaften bei Bestellung zu vereinbaren.

Für den Einsatz von Rohren in Druckbehältern im Sinne der Druckbehälter-Verordnung gelten die Festlegungen des VdTÜV-Werkstoffblattes 410 für die dort aufgeführten Werkstoffe.

2 Bestellangaben

Die Auswahl des Werkstoffes und des Lieferzustandes ist Sache des Bestellers. Empfohlen wird, bei der Bestellung den Verwendungszweck und die vorgesehene Weiterverarbeitung anzugeben.

Bei der Bezeichnung oder Bestellung von Rohren aus Kupfer und Kupfer-Knetlegierungen sind die Werkstoff-Kurzzeichen und Werkstoff-Nummern dieser Norm zu verwenden, wie in den Bezeichnungsbeispielen der Maßnormen angegeben.

3 Eigenschaften

3.1 Mechanische Eigenschaften

Für die mechanischen Eigenschaften werden Werkstoffkenndaten in den Tabellen 1 bis 10 angegeben, die durch den Zugversuch oder die Härteprüfung ermittelt werden.

Es müssen folgende Werte eingehalten werden:

- Zugfestigkeit: Bereiche oder Mindestwerte
- 0,2%-Dehngrenze: Höchst- oder Mindestwerte
- Bruchdehnung: Mindestwerte

Die Anforderungen an einen bestellten Zustand gelten auch dann als erfüllt, wenn der obere Grenzwert eines Bereiches für die Zugfestigkeit um max. 10 N/mm^2 überschritten wird, vorausgesetzt, daß der Mindestwert der Bruchdehnung eingehalten wird.

Werte für die Bruchdehnung unter 5 % werden aus Gründen der Meßunsicherheit nicht angegeben.

Für die Brinellhärte sind Ungefährwerte angegeben, die nicht verbindlich sind.

3.2 Elektrische Eigenschaften

Für eine Auswahl von Werkstoffen, an die in Sonderfällen Anforderungen an die elektrische Leitfähigkeit gestellt werden können, sind Mindestwerte in Tabelle 11 angegeben.

Diese Mindestwerte werden nur dann nachgewiesen, wenn bei der Bestellung der Kennbuchstabe „L" dem Kurzzeichen angehängt wird, z. B. CuSP F27 L, außer für die Legierung CuCrZr.

4 Maßnormen

Siehe DIN 17 671 Teil 2

5 Prüfung

5.1 Prüfung der mechanischen Eigenschaften

Für den Zugversuch gelten die Normen DIN 50 125, DIN 50 140 und DIN 50 145, für die Härteprüfung DIN 50 351.

5.2 Prüfung der elektrischen Eigenschaften

Im allgemeinen wird die elektrische Leitfähigkeit nach werkseignen Verfahren geprüft.

In Schiedsfällen wird – falls nicht anders vereinbart – das Routineverfahren nach DIN IEC 468 durchgeführt.

5.3 Runden von Meßergebnissen

Zum Vergleich mit den Grenzwerten dieser Norm ist jedes Meßergebnis entsprechend der Rundungsregel nach DIN 1333 Teil 2 auf dieselbe Genauigkeit wie die des Grenzwertes wie folgt zu runden:

a) Werte der Zugfestigkeit und der 0,2%-Dehngrenze auf die nächste Zehnerstelle,

b) Werte der Bruchdehnung auf die nächste Einerstelle,

c) Werte der Brinellhärte entsprechend den Angaben in DIN 50 351,

d) Werte der elektrischen Leitfähigkeit entsprechend den Angaben in DIN IEC 468.

Fortsetzung Seite 2 bis 8

Normenausschuß Nichteisenmetalle (FNNE) im DIN Deutsches Institut für Normung e. V.

Tabelle 1. **Kupfer** (Zusammensetzung nach DIN 1787)

Werkstoff-Kurzzeichen		Werkstoff-Nummer	Wanddicke mm	Zugfestigkeit R_m N/mm²	0,2%-Dehngrenze $R_{p\,0,2}$ N/mm²	Bruchdehnung A_5 % min.	Brinellhärte HB ≈
SF-Cu		**2.0090**					
	p	**.08**	nach Vereinbarung	ohne vorgeschriebene Festigkeitswerte			
	zh	**.20**	nach Vereinbarung	ohne vorgeschriebene Festigkeitswerte			
	F20	**.10**	über 3	200 bis 260	max. 110	40	55
	F22	**.10**	bis 3	220 bis 270	max. 140	40	55
	F25	**.26**	0,5 bis 10	250 bis 300	min. 150	20	80
	F29	**.30**	bis 5	min. 290	min. 250	6	95
	F36	**.32**	bis 3	min. 360	min. 320	–	110

Tabelle 2. **Kupfer-Zink-Legierungen ohne weitere Legierungselemente (Messing)** (Zusammensetzung nach DIN 17 660)

Werkstoff-Kurzzeichen		Werkstoff-Nummer [1]	Wanddicke mm	Zugfestigkeit R_m N/mm²	0,2%-Dehngrenze $R_{p\,0,2}$ N/mm²	Bruchdehnung A_5 % min.	Brinellhärte HB ≈
CuZn5		**2.0220**					
	p	**.08**	nach Vereinbarung	ohne vorgeschriebene Festigkeitswerte			
	F22	**.10**	bis 10	220 bis 260	max. 130	40	60
	F26	**.26**	bis 10	260 bis 320	min. 190	19	85
	F32	**.30**	bis 5	min. 320	min. 260	8	110
CuZn15		**2.0240**					
	p	**.08**	nach Vereinbarung	ohne vorgeschriebene Festigkeitswerte			
	F26	**.10**	bis 10	260 bis 310	max. 150	45	65
	F31	**.26**	bis 10	310 bis 370	min. 200	23	95
	F37	**.30**	bis 5	min. 370	min. 290	11	120
CuZn20		**2.0250**					
	p	**.08**	nach Vereinbarung	ohne vorgeschriebene Festigkeitswerte			
	F27	**.10**	bis 10	270 bis 320	max. 160	47	65
	F32	**.26**	bis 10	320 bis 390	min. 200	25	100
	F39	**.30**	bis 5	min. 390	min. 300	13	125
CuZn30		**2.0265**					
	p	**.08**	nach Vereinbarung	ohne vorgeschriebene Festigkeitswerte			
	F28	**.10**	bis 10	280 bis 350	max. 180	50	70
	F35	**.26**	bis 10	350 bis 420	min. 200	28	110
	F42	**.30**	bis 5	min. 420	min. 320	13	130
CuZn36		**2.0335**					
CuZn37		**2.0321**					
	p	**.08**	nach Vereinbarung	ohne vorgeschriebene Festigkeitswerte			
	zh	**.20**	nach Vereinbarung	ohne vorgeschriebene Festigkeitswerte			
	F29	**.10**	bis 10	290 bis 370	max. 180	50	70
	F37	**.26**	bis 10	370 bis 440	min. 200	27	110
	F44	**.30**	bis 5	440 bis 540	min. 340	12	135
	F54	**.32**	bis 2	min. 540	min. 470	6	160
CuZn40		**2.0360**					
	p	**.08**	nach Vereinbarung	ohne vorgeschriebene Festigkeitswerte			
	F34	**.10**	bis 10	min. 340	max. 220	35	80
	F41	**.26**	bis 10	min. 410	min. 220	20	115
	F47	**.30**	bis 5	min. 470	min. 350	11	140

[1]) Die Anhängezahlen .26, .30 und .32 gelten für den nicht entspannten Zustand. Für kaltverfestigte, entspannte Zustände sind keine Werte festgelegt.

Tabelle 3. **Kupfer-Zink-Legierungen mit Blei** (Zusammensetzung nach DIN 17 660)

Werkstoff- Kurzzeichen		Nummer 1)	Wanddicke mm	Zugfestigkeit R_m N/mm²	0,2%-Dehngrenze $R_{p\,0,2}$ N/mm²	Bruchdehnung A_5 % min.	Brinellhärte HB ≈
CuZn36Pb1,5		**2.0331**					
CuZn37Pb0,5		**2.0332**					
	p	**.08**	nach Vereinbarung	ohne vorgeschriebene Festigkeitswerte			
	F29	**.10**	bis 10	290 bis 370	max. 180	50	70
	F37	**.26**	bis 10	370 bis 440	min. 200	27	110
	F44	**.30**	bis 5	440 bis 540	min. 340	12	135
	F54	**.32**	bis 2	min. 540	min. 470	6	160
CuZn36Pb3		**2.0375**					
	p	**.08**	nach Vereinbarung	ohne vorgeschriebene Festigkeitswerte			
	F34	**.10**	bis 10	min. 340	max. 210	40	80
	F40	**.26**	bis 10	min. 400	min. 210	18	110
	F46	**.30**	bis 5	min. 460	min. 330	10	135
CuZn38Pb1,5		**2.0371**					
CuZn39Pb0,5		**2.0372**					
	p	**.08**	nach Vereinbarung	ohne vorgeschriebene Festigkeitswerte			
	F34	**.10**	bis 10	min. 340	max. 220	35	80
	F41	**.26**	bis 10	min. 410	min. 220	15	115
	F47	**.30**	bis 5	min. 470	min. 350	10	140
CuZn39Pb3		**2.0401**					
CuZn40Pb2		**2.0402**					
	p	**.08**	nach Vereinbarung	ohne vorgeschriebene Festigkeitswerte			
	zh	**.20**					
	F36	**.10**	bis 10	min. 360	max. 250	30	95
	F43	**.26**	bis 10	min. 430	min. 250	15	125
	F50	**.30**	bis 5	min. 500	min. 370	10	145

1) Die Anhängezahlen .26, .30 und .32 gelten für den nicht entspannten Zustand. Für kaltverfestigte, entspannte Zustände sind keine Werte festgelegt.

Tabelle 4. **Kupfer-Zink-Legierungen mit weiteren Legierungselementen (Sondermessing)**
(Zusammensetzung nach DIN 17 660)

Werkstoff- Kurzzeichen *)		Nummer	Wanddicke mm	Zugfestigkeit R_m N/mm² min.	0,2%-Dehngrenze $R_{p\,0,2}$ N/mm² min.	Bruchdehnung A_5 % min.	Brinellhärte HB ≈
CuZn20Al2 (CuZn20Al)		**2.0460**					
	p	**.08**	nach Vereinbarung	ohne vorgeschriebene Festigkeitswerte			
	F33	**.10**	bis 10	330	120	35	85
CuZn23Al6Mn4Fe3	**F78**	**2.0500.88**	5 bis 20	780	540	8	190
CuZn31Si1 (CuZn31Si)		**2.0490**					
	p	**.08**	nach Vereinbarung	ohne vorgeschriebene Festigkeitswerte			
	F44	**.27**	1 bis 8	440	200	30	120
	F49	**.31**	1 bis 8	490	290	15	160
CuZn35Ni2 (CuZn35Ni)		**2.0540**					
	p	**.08**	nach Vereinbarung	ohne vorgeschriebene Festigkeitswerte			
	F49	**.27**	3 bis 12	490	290	18	130
	F54	**.31**	3 bis 8	540	390	14	150
CuZn40Al1		**2.0561**					
	p	**.08**	nach Vereinbarung	ohne vorgeschriebene Festigkeitswerte			
	F39	**.09**	3 bis 12	390	150	25	110
	F44	**.27**	3 bis 8	440	200	20	120
	F49	**.31**	3 bis 8	490	260	15	140
CuZn40Al2		**2.0550**					
	p	**.08**	nach Vereinbarung	ohne vorgeschriebene Festigkeitswerte			
	F54	**.27**	4 bis 12	540	230	15	150
	F59	**.31**	4 bis 10	590	250	10	160
CuZn40Mn2 (CuZn40Mn)		**2.0572**					
	p	**.08**	nach Vereinbarung	ohne vorgeschriebene Festigkeitswerte			
	F44	**.27**	3 bis 12	440	180	20	125
	F49	**.31**	3 bis 8	490	270	18	140
CuZn40Mn1Pb (CuZn40MnPb)		**2.0580**					
	p	**.08**	nach Vereinbarung	ohne vorgeschriebene Festigkeitswerte			
	F39	**.09**	3 bis 12	390	150	22	110
	F44	**.27**	3 bis 8	440	180	18	125
	F49	**.31**	2 bis 5	490	290	15	140

*) Einige Kurzzeichen wurden entsprechend DIN 17 660 geändert; die bisherigen Kurzzeichen sind zur Information zusätzlich in Klammern angegeben.

Tabelle 5. **Kupfer-Zinn-Legierungen (Zinnbronze)** (Zusammensetzung nach DIN 17 662)

Werkstoff- Kurzzeichen		Werkstoff- Nummer	Wanddicke mm	Zugfestigkeit R_m N/mm²	0,2%-Dehngrenze $R_{p\,0,2}$ N/mm²	Bruchdehnung A_5 % min.	Brinellhärte HB ≈
CuSn6		**2.1020**					
	p	**.08**	nach Vereinbarung	ohne vorgeschriebene Festigkeitswerte			
	F34	**.10**	bis 5	340 bis 400	max. 260	55	85
	F40	**.26**	bis 5	400 bis 490	min. 220	30	135
	F49	**.30**	bis 2	490 bis 610	min. 390	12	155
	F61	**.32**	bis 2	min. 610	min. 510	7	185
CuSn8		**2.1030**					
	p	**.08**	nach Vereinbarung	ohne vorgeschriebene Festigkeitswerte			
	F39	**.10**	bis 5	390 bis 450	max. 290	60	90
	F45	**.26**	bis 5	450 bis 540	min. 250	28	145
	F54	**.30**	bis 2	min. 540	min. 460	10	170

Tabelle 6. **Kupfer-Nickel-Zink-Legierungen (Neusilber)** (Zusammensetzung nach DIN 17 663)

Werkstoff- Kurzzeichen		Werkstoff- Nummer	Wanddicke mm	Zugfestigkeit R_m N/mm²	0,2%-Dehngrenze $R_{p\,0,2}$ N/mm²	Bruchdehnung A_5 % min.	Brinellhärte HB ≈
CuNi12Zn24		**2.0730**					
	p	**.08**	nach Vereinbarung	ohne vorgeschriebene Festigkeitswerte			
	F34	**.10**	bis 3	340 bis 420	max. 290	45	85
	F42	**.26**	bis 3	420 bis 490	min. 240	28	125
	F49	**.30**	bis 2	min. 490	min. 390	12	150
CuNi18Zn20		**2.0740**					
	p	**.08**	nach Vereinbarung	ohne vorgeschriebene Festigkeitswerte			
	F37	**.10**	bis 3	370 bis 440	max. 290	40	95
	F44	**.26**	bis 3	440 bis 540	min. 290	20	135
	F54	**.30**	bis 2	min. 540	min. 470	6	160

Tabelle 7. **Kupfer-Nickel-Legierungen** (Zusammensetzung nach DIN 17 664)

Werkstoff- Kurzzeichen *)		Werkstoff- Nummer	Wanddicke mm	Zugfestigkeit R_m N/mm²	0,2%-Dehngrenze $R_{p\,0,2}$ N/mm²	Bruchdehnung A_5 % min.	Brinellhärte HB ≈
CuNi10Fe1Mn (CuNi10Fe)		**2.0872**					
	p	**.08**	nach Vereinbarung	ohne vorgeschriebene Festigkeitswerte			
	F29	**.10**	bis 5	min. 290	min. 90	30	80
CuNi30Mn1Fe (CuNi30Fe)		**2.0882**					
	p	**.08**	nach Vereinbarung	ohne vorgeschriebene Festigkeitswerte			
	F36	**.10**	bis 5	360 bis 490	min. 120	30	100

*) Einige Kurzzeichen wurden entsprechend DIN 17 664 geändert; die bisherigen Kurzzeichen sind zur Information zusätzlich in Klammern angegeben.

Tabelle 8. **Kupfer-Aluminium-Legierungen (Aluminiumbronze)** (Zusammensetzung nach DIN 17 665)

Werkstoff- Kurzzeichen *)		Nummer [1])		Wanddicke mm	Zugfestigkeit R_m N/mm²	0,2%-Dehngrenze $R_{p\,0,2}$ N/mm² min.	Bruchdehnung A_5 % min.	Brinellhärte HB ≈
CuAl8		**2.0920**						
	p		**.08**	nach Vereinbarung	ohne vorgeschriebene Festigkeitswerte			
	F37		**.10**	2 bis 10	370 bis 450	130	35	90
	F49		**.30**	2 bis 8	min. 490	270	15	130
CuAl8Fe (CuAl8Fe)		**2.0932**						
	p		**.08**	nach Vereinbarung	ohne vorgeschriebene Festigkeitswerte			
	F39		**.10**	4 bis 12	390 bis 490	150	30	110
	F54		**.30**	4 bis 8	min. 540	270	12	145
CuAl10Fe3Mn2 (CuAl10Fe)		**2.0936**						
	p		**.08**	nach Vereinbarung	ohne vorgeschriebene Festigkeitswerte			
	F64		**.98**	4 bis 8	min. 640	290	10	165
CuAl9Mn2 (CuAl9Mn)		**2.0960**						
	p		**.08**	nach Vereinbarung	ohne vorgeschriebene Festigkeitswerte			
	F44		**.97**	4 bis 12	min. 440	180	25	120
	F57		**.98**	4 bis 8	min. 570	230	15	140
CuAl10Ni5Fe4 (CuAl10Ni)		**2.0966**						
	p		**.08**	nach Vereinbarung	ohne vorgeschriebene Festigkeitswerte			
	F64		**.97**	4 bis 12	min. 640	340	10	180
CuAl11Ni6Fe5 (CuAl11Ni)		**2.0978**						
	p		**.08**	nach Vereinbarung	ohne vorgeschriebene Festigkeitswerte			
	F69		**.97**	4 bis 12	min. 690	370	5	210

*) Einige Kurzzeichen wurden entsprechend DIN 17 665 geändert; die bisherigen Kurzzeichen sind zur Information zusätzlich in Klammern angegeben.

[1]) Die Anhängezahl .30 gilt für den nicht entspannten Zustand. Wird nach besonderer Vereinbarung die Lieferung im entspannten Zustand gewünscht, muß die Anhängezahl in .31 geändert werden.

Tabelle 9. **Niedriglegierte Kupfer-Knetlegierungen** (Zusammensetzung nach DIN 17 666)
Nicht aushärtbare Legierungen

Werkstoff- Kurzzeichen	Werkstoff- Nummer	Wanddicke mm	Zugfestigkeit R_m N/mm² min.	0,2%-Dehngrenze $R_{p\,0,2}$ N/mm² min.	Bruchdehnung A_5 % min.	Brinellhärte HB ≈
CuPb1P	**2.1160**					
CuSP	**2.1498**					
CuTeP	**2.1546**					
p	**.08**	nach Vereinbarung	ohne vorgeschriebene Festigkeitswerte			
F26	**.26**	4 bis 12	260	200	8	85

Tabelle 10. **Niedriglegierte Kupfer-Knetlegierungen** (Zusammensetzung nach DIN 17 666)
Aushärtbare Legierungen

Werkstoff- Kurzzeichen	Werkstoff- Nummer	Wanddicke mm	Zugfestigkeit R_m N/mm² min.	0,2%-Dehngrenze $R_{p\,0,2}$ N/mm² min.	Bruchdehnung A_5 % min.	Brinellhärte HB ≈
CuCrZr	**2.1293**					
F37	**.60**	1 bis 10	370	270	18	125
F44	**.73**	1 bis 10	440	350	10	145

Tabelle 11. **Elektrische Leitfähigkeit**

Werkstoff- Kurzzeichen		Werkstoff- Nummer	Elektrische Leitfähigkeit $\frac{m}{\Omega \cdot mm^2}$ min.
CuSP	**F26L** 1)	**2.1498.26**	50
CuTeP	**F26L** 1)	**2.1546.26**	50
CuPb1P	**F26L** 1)	**2.1160.26**	50
CuCrZr		**2.1293**	
	F37	**.60**	44
	F44	**.73**	43

1) Werden Anforderungen an die elektrische Leitfähigkeit gestellt, gelten die Mindestwerte dieser Tabelle. Das Kurzzeichen ist um den Kennbuchstaben „L" zu erweitern.

Zitierte Normen und andere Unterlagen

DIN 1333 Teil 2	Zahlenangaben; Runden
DIN 1787	Kupfer; Halbzeug
DIN 17 660	Kupfer-Knetlegierungen; Kupfer-Zink-Legierungen (Messing, Sondermessing); Zusammensetzung
DIN 17 662	Kupfer-Knetlegierungen; Kupfer-Zinn-Legierungen (Zinnbronze); Zusammensetzung
DIN 17 663	Kupfer-Knetlegierungen; Kupfer-Nickel-Zink-Legierungen (Neusilber); Zusammensetzung
DIN 17 664	Kupfer-Knetlegierungen; Kupfer-Nickel-Legierungen; Zusammensetzung
DIN 17 665	Kupfer-Knetlegierungen; Kupfer-Aluminium-Legierungen (Aluminiumbronze); Zusammensetzung
DIN 17 666	Niedriglegierte Kupfer-Knetlegierungen; Zusammensetzung
DIN 17 671 Teil 2	Rohre aus Kupfer und Kupfer-Knetlegierungen; Technische Lieferbedingungen
DIN 50 125	Prüfung metallischer Werkstoffe; Zugproben, Richtlinien für die Herstellung
DIN 50 140	Prüfung metallischer Werkstoffe; Zugversuch an Rohren und Rohrstreifen
DIN 50 145	Prüfung metallischer Werkstoffe; Zugversuch
DIN 50 351	Prüfung metallischer Werkstoffe; Härteprüfung nach Brinell
DIN IEC 468	Verfahren zur Messung des spezifischen (elektrischen) Widerstandes metallischer Werkstoffe

VdTÜV-Werkstoffblatt 410 *) Kupfer und Kupferlegierungen, Knetwerkstoffe

Weitere Normen

DIN 1785	Rohre aus Kupfer und Kupfer-Knetlegierungen für Kondensatoren und Wärmeaustauscher
DIN 17 679	Rohre aus Kupfer und Kupfer-Knetlegierungen mit gewalzten Rippen für Wärmeaustauscher
DIN 40 500 Teil 2	Kupfer für die Elektrotechnik; Rohre aus Kupfer und silberlegiertem Kupfer; Technische Lieferbedingungen

Frühere Ausgaben

DIN 1714: 02.36x; DIN 1775: 07.27, 06.36; DIN 17 671: 04.57; DIN 17 671 Teil 1: 08.61, 02.69, 06.74

Änderungen

Gegenüber der Ausgabe Juni 1974 wurden folgende Änderungen vorgenommen:

a) Es wurden folgende Werkstoffe gestrichen:

Tabelle 1: SW-Cu
Tabelle 2: CuZn10, CuZn28, CuZn33,
Tabelle 4: CuZn37Al, CuZn40Ni
Tabelle 5: CuSn2
Tabelle 7: CuNi5Fe
Tabelle 8: CuAl5
Tabelle 9: CuAsP, CuMn2, CuMn5, CuSi2Mn, CuSi3Mn,
Tabelle 10: CuCr, CuNi1.5Si, CuNi2Si, CuNi3Si

b) Es wurden folgende Werte neuaufgenommen:

Tabelle 4: CuZn23Al6Mn4Fe3
Tabelle 9: CuPb1P

c) In den Tabellen 2 und 3 wurden Werte für den entspannten Zustand gestrichen.

d) Der Text wurde redaktionell überarbeitet, z. B.

– Die F-Zahl wurde einheitlich für alle Werkstoffe als 1/10 des Mindestwertes der Zugfestigkeit in N/mm² eingeführt.
– Die Rundungsregel für Meßergebnisse von Prüfungen wurde aufgenommen.

Internationale Patentklassifikation

C 22 C 9/00
F 16 L 9/02

---

*) Zu beziehen durch:
Maximilian-Verlag, Postfach 23 52, 4900 Herford

DK 621.643.24 : 669.3-462 Juni 1969

Rohre aus Kupfer und Kupfer-Knetlegierungen
Technische Lieferbedingungen

DIN 17671 Blatt 2

Tube of wrought copper and copper alloys, technical terms of delivery

Tubes en cuivre et en alliages de cuivre corroyés, conditions techniques de livraison

1. Geltungsbereich

Diese Technischen Lieferbedingungen gelten für Rohre in handelsüblicher Qualität aus Kupfer und Kupfer-Knetlegierungen.

2. Werkstoffeigenschaften

2.1. Chemische Zusammensetzung

Kupfer nach DIN 1787

Kupfer-Zink-Legierungen (Messing, Sondermessing) nach DIN 17 660

Kupfer-Zinn-Legierungen (Zinnbronze) nach DIN 17 662

Kupfer-Nickel-Zink-Legierungen (Neusilber) nach DIN 17 663

Kupfer-Nickel-Legierungen nach DIN 17 664

Kupfer-Aluminium-Legierungen (Aluminiumbronze) nach DIN 17 665

Kupfer-Knetlegierungen, niedriglegiert nach DIN 17 666 *)

2.2. Festigkeitseigenschaften

nach DIN 17 671 Blatt 1

2.3. Elektrische Eigenschaften

Werte für die elektrische Leitfähigkeit bzw. den spezifischen elektrischen Widerstand sind festgelegt:

für Kupfer für die Elektrotechnik in DIN 40 500 Blatt 2

für niedriglegierte Kupfer-Knetlegierungen in DIN 17 671 Blatt 1

3. Maßnormen

DIN 1754 Rohre aus Kupfer, nahtlosgezogen,
- Blatt 1 Maßbereiche, Toleranzzuordnungen
- Blatt 2 Verzugsmaße für allgemeine Verwendung (Außendurchmesser bis 210 mm)
- Blatt 3 Vorzugsmaße für Rohrleitungen (Außendurchmesser bis 419 mm)

DIN 1755 Rohre aus Kupfer-Knetlegierungen, nahtlosgezogen,
- Blatt 1 Maßbereiche, Toleranzzuordnungen
- Blatt 2 Vorzugsmaße für allgemeine Verwendung (Außendurchmesser bis 315 mm)
- Blatt 3 Vorzugsmaße für Rohrleitungen (Außendurchmesser bis 419 mm)

DIN 1786 Leitungsrohre aus Kupfer für Kapillarlötverbindungen, nahtlosgezogen, Maße

4. Bestellunterlagen

Die Auswahl des Werkstoffes und möglichen Lieferzustandes ist Sache des Bestellers. Das Herstellungsverfahren bleibt dem Hersteller überlassen. Bei der Bestellung sollen die Abschnitte 5 bis 10 beachtet werden.

Empfohlen wird, bei der Bestellung den Verwendungszweck oder das Verarbeitungsverfahren anzugeben.

Bei der Bezeichnung oder Bestellung von Rohren aus Kupfer und Kupfer-Knetlegierungen sind die Kurzzeichen oder Werkstoffnummern nach DIN 17 671 Blatt 1 zu verwenden, wie in den Bezeichnungsbeispielen der Maßnormen angegeben.

5. Anforderungen

Rohre müssen hinsichtlich der chemischen Zusammensetzung, der Festigkeitseigenschaften und der Maße den in den Abschnitten 2 und 3 aufgeführten Normen entsprechen. Weitere Forderungen sind in den Abschnitten 5.1 bis 5.5 festgelegt.

5.1. Oberflächenbeschaffenheit

Rohre haben eine ihrem Herstellungsverfahren entsprechende glatte Oberfläche. Deshalb können z. B. gepreßte Rohre mit der bei diesem Verfahren sich bildenden Oberfläche geliefert werden. Gezogene Rohre werden in der Regel mit blanken oder gebeizten Oberflächen (innen und außen) geliefert; gezogene Rohre aus Kupfer-Zinn-Legierungen (Zinnbronze) und geschälte Rohre im allgemeinen nur mit blanker Außenoberfläche.

Ungleichmäßigkeiten der inneren und äußeren Oberfläche wie Streifigkeit in Ziehrichtung und durch Ziehen eingeebnete Putzstellen sind zulässig, soweit sie die Verarbeitbarkeit nicht beeinträchtigen. Das gleiche gilt für rote Flecken, z. B. bei Kupfer-Zink-Legierungen (Messing und Sondermessing).

Gelegentliche Ungleichmäßigkeiten der inneren und äußeren Oberfläche gezogener Rohre, wie leichte Kratzer, Schiefer und Scheuerstellen sind zulässig. Solche Oberflächenfehler dürfen innerhalb der zulässigen Maßabweichung verputzt sein.

Weitergehende Ansprüche an die Oberflächenbeschaffenheit sind besonders zu vereinbaren.

5.2. Schnittkanten

Schnittkanten werden nicht entgratet. Sollen diese entgratet werden, ist das besonders zu vereinbaren.

5.3. Verarbeitbarkeit

Für die Verarbeitbarkeit der Rohre sind die Festigkeitseigenschaften nach DIN 17 671 Blatt 1 maßgebend.

Je nach Werkstoff und Lieferzustand kann bei Umformung Narbigkeit durch Sichtbarwerden des Kornes auftreten. Besondere Forderungen an Umformbarkeit oder andere Eigenschaften sind bei Bestellung zu vereinbaren.

*) Folgeausgabe, z. Z. noch Entwurf Oktober 1968

Fortsetzung Seite 2

Fachnormenausschuß Nichteisenmetalle im Deutschen Normenausschuß (DNA)

5.4. Gefüge

Gefügetrennungen, z. B. Doppelungen, sind nicht zulässig. Eine bei der Umformung auftretende Struktur ist zulässig. Wird ein bestimmter Korngrößenbereich verlangt, so ist dieser bei Bestellung zu vereinbaren.

6. Kennzeichnung

Rohre können gekennzeichnet werden. Wird keine oder eine fortlaufende Kennzeichnung gewünscht, so ist dies bei Bestellung zu vereinbaren.

7. Oberflächenschutz

Rohre werden ohne Oberflächenschutz geliefert. Besonderer Oberflächenschutz ist bei Bestellung zu vereinbaren.

8. Verpackung

Verpackung nach Wahl des Herstellers.

Besondere Verpackung ist bei Bestellung zu vereinbaren.

9. Prüfverfahren

9.1. Zusammensetzung

Ein besonderer Nachweis ist nicht erforderlich, es sei denn, daß Sondervereinbarungen getroffen werden. Das Analysenverfahren bleibt dem Hersteller überlassen. Im Zweifelsfall entscheidet die Naßanalyse nach der neuesten Ausgabe der „Analyse der Metalle" des Chemikerausschusses der Gesellschaft Deutscher Metallhütten- und Bergleute e. V. (Berlin, Göttingen, Heidelberg: Springer-Verlag).

Auf jeden gefundenen Einzelwert ist die Rundungsregel nach DIN 1333 anzuwenden. Die gerundete Zahl darf die Grenzwerte für die Zusammensetzung nicht überschreiten.

9.2. Mechanische Eigenschaften

DIN 50 133 Härteprüfung nach Vickers

DIN 50 144 Ermittlung der 0,2-Grenze

DIN 50 145 Zugversuch; Begriffe, Zeichen

DIN 50 140 Zugversuch ohne Feindehnungsmessungen an Rohren und Rohrstreifen

DIN 50 351 Härteprüfung nach Brinell

Andere Prüfverfahren sind zu vereinbaren.

Bei der Härteprüfung nach Brinell entsprechend DIN 50 351 wird mit dem Belastungsgrad 10 D^2 geprüft. Bevorzugt zu verwenden sind eine Kugel von D = 2,5 mm Durchmesser und die zugehörige Belastung P = 62,5 kp (HB 10/2,5).

Bei dünnwandigen Rohren ist die Bestimmung der Härte nach Brinell ungenau und die Bestimmung der Härte nach Vickers entsprechend DIN 50 133 vorzuziehen. Es ist zu beachten, daß die Härtewerte nach Vickers 15 % höher sein können als die Werte nach Brinell.

9.3. Wasserstoffbeständigkeit

Geltungsbereich: Sauerstofffreie Kupfersorten.

Rohrproben von 10 bis 20 mm Länge werden 30 Minuten lang bei 800 bis 850 °C in einer reduzierenden Atmosphäre (Wasserstoff oder Heizgas) geglüht, abgekühlt und zwischen zwei parallelen Platten bis zur Berührung zusammengedrückt. Bei dickwandigen Rohren und Rohren großer Durchmesser können Faltproben aus etwa 10 mm breiten Streifen bestehen, die dem Proberohr entnommen werden.

Die Faltstellen dürfen weder Anrisse zeigen noch brechen.

9.4. Oberflächenbeschaffenheit

Die Sichtprüfung wird ohne optische Hilfsmittel durchgeführt. Beurteilung nach Abschnitt 5.1

Andere Prüfverfahren sind zu vereinbaren.

10. Prüfumfang und Loseinteilung [1)]

10.1. Der Hersteller führt Prüfungen im Rahmen seiner innerbetrieblichen Gütesicherung durch. Hierüber werden im allgemeinen keine Bescheinigungen nach DIN 50 049 ausgestellt.

10.2. Soll eine zusätzliche Prüfung durch einen vom Besteller Beauftragten durchgeführt werden, so sind bei Anfrage und Auftragsvergabe folgende Vereinbarungen zu treffen:

a) Nennung des Beauftragten

b) Art der durchzuführenden Prüfungen

c) Anzahl der Proben (Richtwerte siehe Tabelle)

d) eventuelle zusätzliche Forderungen

Richtwerte für die Anzahl der Proben bei Prüfung durch einen Beauftragten

Los kg über	Los kg bis	Anzahl der Proben für Zugversuch oder Härteprüfung
100	500	1
500	1000	2
1000	2000	3
2000	3000	4
je weitere 1000		1 mehr
Bei Liefermengen unter 100 kg sind Proben nicht vorgeschrieben, sofern sie nicht besonders vereinbart wurden.		

Bei der Prüfung ist die Lieferung nach Losen getrennt vorzulegen. Zu einem Los gehören Rohre einheitlicher Herstellungsart, gleichen Werkstoffes, gleichen Zustandes und gleicher Dicke. Es ist nicht erforderlich, daß ein Los nur aus einer Schmelze oder nur aus einer Wärmebehandlung stammt.

Wenn eine Probe bei einer Prüfung den Anforderungen nicht genügt, so sind Wiederholungsprüfungen durchzuführen. Wenn davon wiederum eine Probe den Vorschriften nicht entspricht, darf die zugehörige Lieferung zurückgewiesen werden.

Über die durchgeführten Prüfungen wird vom jeweiligen Beauftragten eines der in DIN 50 049 genannten Abnahmeprüfzeugnisse ausgestellt.

11. Beanstandungen

Äußere und innere Fehler dürfen nur dann beanstandet werden, wenn sie eine dem Werkstoff und der Erzeugnisform angemessene Verarbeitung und Verwendung mehr als unerheblich beeinträchtigen.

Der Besteller muß dem Lieferwerk Gelegenheit geben, sich von der Berechtigung von Beanstandungen zu überzeugen, soweit möglich durch Vorlage des beanstandeten und von Belegstücken des angelieferten Werkstoffes.

[1)] Die Prüfungen können zwischen Hersteller und Verbraucher auch nach bestimmten Prüfplänen (statistische Qualitätskontrolle) vereinbart werden.

DK 669.3-422 : 669.35.018.26-422 : 539.4 : 620.1 Dezember 1983

Stangen aus Kupfer und Kupfer-Knetlegierungen

Eigenschaften

DIN 17 672 Teil 1

Wrought copper and copper alloys rod and bar; properties

Barres en cuivre en alliages de cuivre corroyés; caractéristiques

Ersatz für Ausgabe 06.74

1 Anwendungsbereich

In Verbindung mit den Technischen Lieferbedingungen nach DIN 17 672 Teil 2 legt diese Norm die Eigenschaften von Stangen aus Kupfer und Kupfer-Knetlegierungen für die in den Tabellen angegebenen Maßbereiche fest.

Für Stangen mit Maßen außerhalb der angegebenen Maßbereiche sind die Eigenschaften bei Bestellung zu vereinbaren.

2 Bestellangaben

Die Auswahl des Werkstoffes und des Lieferzustandes ist Sache des Bestellers. Empfohlen wird, bei der Bestellung den Verwendungszweck und die vorgesehene Weiterverarbeitung anzugeben.

Bei der Bezeichnung oder Bestellung von Stangen aus Kupfer und Kupfer-Knetlegierungen sind die Werkstoff-Kurzzeichen und Werkstoff-Nummern dieser Norm zu verwenden, wie in den Bezeichnungsbeispielen der Maßnormen angegeben.

3 Eigenschaften

3.1 Mechanische Eigenschaften

Für die mechanischen Eigenschaften werden Werkstoffkenndaten in den Tabellen 1 bis 10 angegeben, die durch den Zugversuch oder die Härteprüfung ermittelt werden.

Es müssen folgende Werte eingehalten werden:

- Zugfestigkeit: Bereiche oder Mindestwerte
- 0,2%-Dehngrenze: Höchst- oder Mindestwerte
- Bruchdehnung: Mindestwerte

Die Anforderungen an einen bestellten Zustand gelten auch dann als erfüllt, wenn der obere Grenzwert eines Bereiches für die Zugfestigkeit um max. 10 N/mm^2 überschritten wird, vorausgesetzt, daß der Mindestwert der Bruchdehnung eingehalten wird.

Werte für die Bruchdehnung unter 5 % werden aus Gründen der Meßunsicherheit nicht angegeben.

Für die Brinellhärte sind Ungefährwerte angegeben, die nicht verbindlich sind.

3.2 Elektrische Eigenschaften

Für die Auswahl von Werkstoffen, an die in Sonderfällen Anforderungen an die elektrische Leitfähigkeit gestellt werden können, sind Mindestwerte in Tabelle 11 angegeben.

Diese Mindestwerte werden nur dann nachgewiesen, wenn bei der Bestellung der Kennbuchstabe „L" dem Kurzzeichen angehängt wird, z. B. CuSP F27 L, außer für die Legierung CuCrZr.

4 Maßnormen

Siehe DIN 17 672 Teil 2

5 Prüfung

5.1 Prüfung der mechanischen Eigenschaften

Für den Zugversuch gelten die Normen DIN 50 125 und DIN 50 145, für die Härteprüfung DIN 50 351.

5.2 Prüfung der elektrischen Eigenschaften

Im allgemeinen wird die elektrische Leitfähigkeit nach werkseignen Verfahren geprüft.

In Schiedsfällen wird — falls nicht anders vereinbart — das Routineverfahren nach DIN IEC 468 durchgeführt.

5.3 Runden von Meßergebnissen

Zum Vergleich mit den Grenzwerten dieser Norm ist jedes Meßergebnis entsprechend der Rundungsregel nach DIN 1333 Teil 2 auf dieselbe Genauigkeit wie die des Grenzwertes wie folgt zu runden:

a) Werte der Zugfestigkeit und der 0,2%-Dehngrenze auf die nächste Zehnerstelle,

b) Werte der Bruchdehnung auf die nächste Einerstelle,

c) Werte der Brinellhärte entsprechend den Angaben in DIN 50 351,

d) Werte der elektrischen Leitfähigkeit entsprechend den Angaben in DIN IEC 468.

Fortsetzung Seite 2 bis 11

Normenausschuß Nichteisenmetalle (FNNE) im DIN Deutsches Institut für Normung e. V.

Tabelle 1. **Kupfer** (Zusammensetzung nach DIN 1787)

Werkstoff- Kurzzeichen	Nummer	Maße Rund Durchmesser mm	Maße Vierkant Sechskant Vielkant Schlüsselweite mm	Maße Flach Dicke mm	Zugfestigkeit R_m N/mm²	0,2%-Dehngrenze $R_{p0,2}$ N/mm²	Bruchdehnung A_5 % min.	Brinellhärte HB ≈
SF-Cu	**2.0090**							
zh	**.20**	nach Vereinbarung			ohne vorgeschriebene Festigkeitswerte			
F20	**.10**	über 6	über 5	über 5	200bis250	max. 100	36	55
F22	**.10**	bis 6	bis 5	bis 5	220bis250	max. 140	36	55
F24	**.26**	bis 40	bis 35	bis 5	240bis300	min. 160	14	80
F29	**.30**	bis 20	bis 17	2 bis 10	290bis360	min. 250	8	95
F36	**.32**	bis 6	bis 5	bis 5	min. 360	min. 320	5	110
Für E-Cu57 bzw. E-Cu58 und SE-Cu gilt DIN 40 500 Teil 3 (Kupfer für die Elektrotechnik).								

Tabelle 2. **Kupfer-Zink-Legierungen ohne weitere Legierungselemente (Messing)** (Zusammensetzung nach DIN 17 660)

Werkstoff- Kurzzeichen	Nummer [1]	Maße Rund Durchmesser mm	Maße Vierkant Sechskant Vielkant Schlüsselweite mm	Maße Flach Dicke mm	Zugfestigkeit R_m N/mm² min.	0,2%-Dehngrenze $R_{p0,2}$ N/mm²	Bruchdehnung A_5 % min.	Brinellhärte HB ≈
CuZn15	**2.0240**							
F26	**.10**	min. 10	min. 8	min. 6	260	max. 160	43	65
F31	**.26**	bis 40	bis 35	bis 6	310	min. 220	22	95
CuZn30	**2.0265**							
F28	**.10**	min. 10	min. 8	min. 6	280	max. 180	50	70
F35	**.26**	bis 40	bis 35	bis 6	350	min. 230	30	110
CuZn37	**2.0321**							
p	**.08**	nach Vereinbarung			ohne vorgeschriebene Festigkeitswerte			
zh	**.20**							
F29	**.10**	min. 10	min. 8	min. 6	290	max. 250	45	75
F37	**.26**	bis 40	bis 35	bis 6	370	min. 250	27	110
CuZn40	**2.0360**							
p	**.08**	nach Vereinbarung			ohne vorgeschriebene Festigkeitswerte			
zh	**.20**							
F34	**.10**	min. 10	min. 8	min. 6	340	max. 250	35	90
F41	**.26**	bis 40	bis 35	bis 6	410	min. 250	20	120

[1] Die Anhängezahl .26 gilt für den nicht entspannten Zustand. Für kaltverfestigte, entspannte Zustände sind keine Werte festgelegt.

Tabelle 5. **Kupfer-Zinn-Legierungen (Zinnbronze)** (Zusammensetzung nach DIN 17 662)

Werkstoff-		Maße			Zug-festigkeit R_m	0,2%-Dehn-grenze $R_{p\,0,2}$	Bruch-dehnung A_5	Brinell-härte HB
		Rund Durch-messer	Vierkant Sechskant Vielkant Schlüssel-weite	Flach Dicke				
Kurzzeichen	Nummer	mm	mm	mm	N/mm²	N/mm²	% min.	≈
CuSn6	**2.1020**			nicht handelsüblich				
F34	**.10**	min. 10	min. 8		340 bis 400	max. 250	55	85
F40	**.26**	bis 40	bis 40		400 bis 470	min. 200	33	130
F47	**.30**	bis 12	bis 12		470 bis 550	min. 340	22	155
F55	**.32**	bis 6	bis 6		550 bis 640	min. 490	10	175
F64	**.34**	bis 4	bis 4		min. 640	min. 590	5	195
CuSn8	**2.1030**							
F39	**.10**	min. 10	min. 8		390 bis 450	min. 290	60	90
F45	**.26**	bis 40	bis 40		450 bis 520	min. 250	35	135
F52	**.30**	bis 12	bis 12		520 bis 590	min. 420	23	160
F59	**.32**	bis 6	bis 6		590 bis 690	min. 540	10	190
F69	**.34**	bis 4	bis 4		min. 690	min. 640	–	220

Tabelle 6. **Kupfer-Nickel-Zink-Legierungen (Neusilber)** (Zusammensetzung nach DIN 17 663)

Werkstoff- Kurzzeichen		Werkstoff- Nummer	Maße: Rund Durchmesser mm	Maße: Vierkant Sechskant Vielkant Schlüsselweite mm	Maße: Flach Dicke mm	Zugfestigkeit R_m N/mm²	0,2%-Dehngrenze $R_{p\,0,2}$ N/mm²	Bruchdehnung A_5 % min.	Brinellhärte HB ≈
CuNi12Zn24		**2.0730**			nach Vereinbarung				
	F34	**.10**	min. 10	min. 8		340 bis 440	max. 290	40	85
	F44	**.26**	3 bis 40	3 bis 30		440 bis 540	min. 290	18	135
	F54	**.30**	2 bis 10	2 bis 8		540 bis 640	min. 440	8	165
	F64	**.32**	1 bis 4	–		min. 640	min. 540	–	195
CuNi18Zn20		**2.0740**							
	F39	**.10**	min. 10	min. 8		390 bis 470	max. 290	40	95
	F47	**.26**	3 bis 40	3 bis 30		470 bis 540	min. 340	22	135
	F54	**.30**	2 bis 10	2 bis 8		540 bis 640	min. 440	5	165
	F64	**.32**	1 bis 4	–		min. 640	min. 570	–	190
CuNi7Zn39Mn5Pb3		**2.0771**							
	F51	**.26**	10 bis 45	–		min. 510	min. 370	12	150
	F59	**.30**	8 bis 12	–		min. 590	min. 440	5	170
CuNi12Zn30Pb1		**2.0780**							
	F41	**.26**	2 bis 12	2 bis 10		410 bis 490	min. 240	25	120
	F49	**.30**	2 bis 10	2 bis 8		min. 490	min. 370	8	150
CuNi18Zn19Pb1		**2.0790**							
	F43	**.26**	2 bis 12	2 bis 10		430 bis 530	min. 290	25	135
	F53	**.30**	2 bis 10	2 bis 8		min. 530	min. 420	6	160

Tabelle 7. **Kupfer-Nickel-Legierungen** (Zusammensetzung nach DIN 17 664)

Werkstoff- Kurzzeichen *)		Werkstoff- Nummer	Maße: Rund Durchmesser mm	Maße: Vierkant Sechskant Vielkant Schlüsselweite mm	Maße: Flach Dicke mm	Zugfestigkeit R_m N/mm²	0,2%-Dehngrenze $R_{p\,0,2}$ N/mm² min.	Bruchdehnung A_5 % min.	Brinellhärte HB ≈
CuNi10Fe1Mn (CuNi10Fe)		**2.0872**			nicht handelsüblich				
	p	**.08**	nach Vereinbarung			ohne vorgeschriebene Festigkeitswerte			
	F28	**.10**	min. 10	min. 8		280 bis 360	100	30	80
	F35	**.26**	bis 20	bis 17		min. 350	250	10	110
CuNi30Mn1Fe (CuNi30Fe)		**2.0882**							
	F34	**.10**	min. 10	min. 8		340 bis 420	120	35	90
	F42	**.26**	bis 20	bis 17		min. 420	300	14	120

*) Einige Kurzzeichen wurden entsprechend DIN 17 664 geändert; die bisherigen Kurzzeichen sind zur Information zusätzlich in Klammern angegeben.

Tabelle 1. **Kupfer** (Zusammensetzung nach DIN 1787)

Werkstoff- Kurzzeichen	Werkstoff- Nummer	Dicke mm	Zugfestigkeit R_m N/mm² min.	0,2%-Dehngrenze $R_{p\,0,2}$ N/mm² min.	Bruchdehnung A_5 % min.	Brinellhärte HB 2,5/62,5 min.
Kupfer (Zusammensetzung nach DIN 1787)						
E-Cu 57 **SE-Cu** **SF-Cu**	**2.0060** **2.0070** **2.0090**					
F20	**.08**	jede	(200)	(40)	(35)	45

Tabelle 2. **Kupfer-Zink-Legierungen ohne und mit Blei** (Zusammensetzung nach DIN 17 660)

Werkstoff- Kurzzeichen		Werkstoff- Nummer	Zugfestigkeit R_m N/mm² min.	0,2%-Dehngrenze $R_{p\,0,2}$ N/mm² min.	Bruchdehnung A_5 % min.	Brinellhärte HB 2,5/62,5 min.
CuZn40	**F34**	**2.0360.08**	(340)	(100)	(30)	75
CuZn38Pb1,5	**F34**	**2.0371.08**	(340)	(100)	(30)	75
CuZn39Pb2	**F36**	**2.0380.08**	(360)	(130)	(20)	80
CuZn39Pb3	**F36**	**2.0401.08**	(360)	(130)	(20)	80
CuZn40Pb2	**F36**	**2.0402.08**	(360)	(130)	(20)	80

Tabelle 3. **Kupfer-Zink-Legierungen mit weiteren Legierungselementen (Sondermessing)** (Zusammensetzung nach DIN 17 660)

Werkstoff- Kurzzeichen *)		Werkstoff- Nummer	Zugfestigkeit R_m N/mm² min.	0,2%-Dehngrenze $R_{p\,0,2}$ N/mm² min.	Bruchdehnung A_5 % min.	Brinellhärte HB 2,5/62,5 min.
CuZn20Al2 (CuZn20Al)	**F29**	**2.0460.08**	(290)	(100)	(30)	75
CuZn35Ni2 (CuZn35Ni)	**F44**	**2.0540.08**	(440)	(200)	(20)	100
CuZn40Al1	**F44**	**2.0561.08**	(440)	(180)	(20)	110
CuZn40Al2	**F51**	**2.0550.08**	(510)	(230)	(12)	140
CuZn40Mn2 (CuZn40Mn)	**F39**	**2.0572.08**	(390)	(150)	(20)	85
CuZn40Mn1Pb (CuZn40MnPb)	**F39**	2.0580.08	(390)	(150)	(12)	85
CuZn23Al6Mn4Fe3	**F78**	2.0500.88	(780)	(540)	(8)	190

*) Einige Kurzzeichen wurden entsprechend DIN 17 660 geändert; die bisherigen Kurzzeichen sind zur Information zusätzlich in Klammern angegeben.

Tabelle 4. **Kupfer-Nickel-Legierungen** (Zusammensetzung nach DIN 17 664)

Werkstoff- Kurzzeichen *)		Werkstoff- Nummer	Zugfestigkeit R_m N/mm² min.	0,2%-Dehngrenze $R_{p\,0,2}$ N/mm² min.	Bruchdehnung A_5 % min.	Brinellhärte HB 2,5/62,5 min.
CuNi10Fe1Mn (CuNi10Fe)	**F28**	**2.0872.08**	(280)	(100)	(30)	70

*) Einige Kurzzeichen wurden entsprechend DIN 17 664 geändert; die bisherigen Kurzzeichen sind zur Information zusätzlich in Klammern angegeben.

Tabelle 5. **Kupfer-Aluminium-Legierungen (Aluminiumbronze)** (Zusammensetzung nach DIN 17 665)

Werkstoff- Kurzzeichen *)		Werkstoff- Nummer	Zugfestigkeit R_m N/mm² min.	0,2%-Dehngrenze $R_{p\,0,2}$ N/mm² min.	Bruchdehnung A_5 % min.	Brinellhärte HB 2,5/62,5 min.
CuAl8	**F37**	**2.0920.08**	(370)	(120)	(35)	80
CuAl8Fe3 (CuAl8Fe)	**F41**	**2.0932.08**	(410)	(150)	(28)	95
CuAl9Mn2 (CuAl9Mn)	**F49**	**2.0960.08**	(490)	(200)	(25)	110
CuAl10Fe3Mn2 (CuAl10Fe)	**F59**	**2.0936.08**	(590)	(250)	(10)	120
CuAl10Ni5Fe4 (CuAl10Ni)		**2.0966**				
	F64	**.08**	(640)	(270)	(12)	150
	F74	**.09**	(740)	(390)	(10)	175
CuAl11Ni6Fe5 (CuAl11Ni)		**2.0978**				
	F74	**.08**	(740)	(470)	(5)	190
	F83	**.09**	(830)	(590)	(3)	220

*) Einige Kurzzeichen wurden entsprechend DIN 17 665 geändert; die bisherigen Kurzzeichen sind zur Information zusätzlich in Klammern angegeben.

Tabelle 6. **Niedriglegierte Kupfer-Knetlegierungen** (Zusammensetzung nach DIN 17 666)

Werkstoff- Kurzzeichen		Werkstoff- Nummer	Maße Durchmesser mm	Zugfestigkeit R_m N/mm² min.	0,2%-Dehngrenze $R_{p\,0,2}$ N/mm² min.	Bruchdehnung A_5 % min.	Brinellhärte HB 2,5/62,5 min.
CuCrZr		**2.1293**					
	F34	**.60**	über 315	(340)	(270)	(15)	100
	F39	**.60**	bis 315	(390)	(290)	(10)	115
CuNi2Si	**F49**	**2.0855.60**	–	(490)	(340)	(15)	150

Tabelle 7. **Elektrische Leitfähigkeit**

Werkstoff- Kurzzeichen		Werkstoff- Nummer	Elektrische Leitfähigkeit $\frac{m}{\Omega \cdot mm^2}$ min.
E-Cu57	**F20**	**2.0060.08**	55 *)
SE-Cu	**F20**	**2.0070.08**	55 *)
CuCrZr		**2.1293**	
	F34	**.60**	44
	F39	**.60**	43
CuNi2Si	**F49**	**2.0855.60**	18

*) Vergleiche auch DIN 40 500 Teil 3 (Kupfer für Elektrotechnik)

Zitierte Normen

DIN 1333 Teil 2	Zahlenangaben, Runden
DIN 17 660	Kupfer-Knetlegierungen; Kupfer-Zink-Legierungen (Messing, Sondermessing), Zusammensetzung
DIN 17 664	Kupfer-Knetlegierungen; Kupfer-Nickel-Legierungen, Zusammensetzung
DIN 17 665	Kupfer-Knetlegierungen; Kupfer-Aluminium-Legierungen (Aluminiumbronze), Zusammensetzung
DIN 17 666	Niedriglegierte Kupfer-Knetlegierungen; Zusammensetzung
DIN 17 673 Teil 2	Gesenkschmiedestücke aus Kupfer und Kupfer-Knetlegierungen; Technische Lieferbedingungen
DIN 17 673 Teil 4	Gesenkschmiedestücke aus Kupfer und Kupfer-Knetlegierungen; Zulässige Abweichungen
DIN 40 500 Teil 3	Kupfer für die Elektrotechnik; Stangen, Profile aus Kupfer und silberlegiertem Kupfer; Technische Lieferbedingungen
DIN 50 125	Prüfung metallischer Werkstoffe; Zugproben, Richtlinien für die Herstellung
DIN 50 145	Prüfung metallischer Werkstoffe; Zugversuch
DIN 50 351	Prüfung metallischer Werkstoffe; Härteprüfung nach Brinell
DIN IEC 468	Verfahren zur Messung des spezifischen (elektrischen) Widerstandes metallischer Werkstoffe

Frühere Ausgaben

DIN 1714: 02.36x; DIN 17 673: 04.57; DIN 17 673 Teil 1: 08.61, 01.69, 06.74

Änderungen

Gegenüber der Ausgabe Juni 1974 wurden folgende Änderungen vorgenommen:

a) Folgende Legierungen wurden gestrichen: SF-Cu, CuZn39Pb0,5, CuZn40Ni, CuCd1, CuCr und CuNi3Si.

b) Folgende Legierung wurde neu aufgenommen: CuZn23Al6Mn4Fe3.

c) Der Text wurde redaktionell überarbeitet, z. B.
   - Die F-Zahl wurde einheitlich für alle Werkstoffe als 1/10 des Mindestwertes der Zugfestigkeit in N/mm² eingeführt.
   - Die Rundungsregel für Meßergebnisse von Prüfungen wurde aufgenommen.

Internationale Patentklassifikation

B 21 J 5/02
C 22 C 9/00

DK 621.73.043 : 669.3 Dezember 1973

Gesenkschmiedestücke aus Kupfer und Kupfer-Knetlegierungen

Technische Lieferbedingungen

DIN 17 673 Blatt 2

Drop forgings of wrought copper and copper alloys; technical terms of delivery

Pièces matricées en cuivre et en alliages de cuivre corroyés; conditions techniques de livraison

Maße in mm

1. Geltungsbereich

Diese Norm enthält Technische Lieferbedingungen für Gesenkschmiedestücke aus Kupfer und Kupfer-Knetlegierungen und gilt für allgemeine Anforderungen, die an Gesenkschmiedestücke gestellt werden können.

Weitergehende Anforderungen müssen besonders vereinbart werden.

Diese Norm gilt nicht für Freiformschmiedestücke, siehe DIN 17 678.

2. Begriffe, Herstellverfahren

Schmiedestücke sind spanlos umgeformtes Halbzeug im Gegensatz zu Gußstücken oder Schnitt-, Stanz- und Ziehteilen. Nach dem Herstellverfahren werden Gesenkschmiedestücke und Freiformschmiedestücke unterschieden.

Ein Gesenkschmiedestück ist ein spanlos durch Schlag oder Druck umgeformtes Halbzeug, das in meist den Werkstoff allseitig umschließenden, mehrteiligen Werkzeugen (Gesenken) hergestellt worden ist.

3. Werkstoffeigenschaften

3.1. Chemische Zusammensetzung

Kupfer nach DIN 1787

Kupfer-Zink-Legierungen (Messing, Sondermessing) nach DIN 17 660

Kupfer-Nickel-Legierungen nach DIN 17 664

Kupfer-Aluminium-Legierungen (Aluminiumbronze) nach DIN 17 665

Kupfer-Knetlegierungen, niedriglegiert nach DIN 17 666

3.2. Festigkeitseigenschaften

nach DIN 17 673 Blatt 1

4. Maßnormen

Zulässige Abweichungen für Gesenkschmiedestücke aus Kupfer- und Kupfer-Knetlegierungen nach DIN 17 673 Blatt 4.

5. Bestellangaben

5.1. Werkstoff, Lieferzustand

Der Besteller wählt den Werkstoff und den Lieferzustand nach den in Abschnitt 3 angegebenen Normen.

Hierzu siehe Abschnitte 6 bis 9.

Das Herstellverfahren bleibt dem Hersteller überlassen. Da Lieferzustand und Verwendungszustand nicht unbedingt übereinstimmen müssen, sollte der Besteller dem Hersteller die vorgesehene Weiterverarbeitung und Wärmebehandlung bekanntgeben.

Bei der Bezeichnung oder Bestellung von Gesenkschmiedestücken aus Kupfer und Kupfer-Knetlegierungen sind die Kurzzeichen oder Werkstoffnummern nach DIN 17 673 Blatt 1 zu verwenden.

5.2. Zeichnungsunterlagen

Für das Konstruieren von Gesenkschmiedestücken ist DIN 17 673 Blatt 3 maßgebend. Dem Hersteller ist eine Fertigteilzeichnung, gegebenenfalls auch zusätzlich eine Rohteilzeichnung einzureichen. aus der die Maße und die Aufnahmestellen für die Erstbearbeitung zu ersehen sind.

Nach den übersandten Unterlagen fertigt der Hersteller eine Rohteilzeichnung mit den zulässigen Abweichungen an. Die Zeichnung ist vor der Gesenkanfertigung vom Besteller zu prüfen und zu genehmigen. Der Besteller übernimmt mit der Bestätigung der Zeichnung die Verantwortung für deren Richtigkeit.

Vom Hersteller werden im allgemeinen ein bis drei Ausfallmuster hergestellt, die dem Bestelller zur Prüfung zugehen. Die genehmigten Muster gelten mit der Rohteilzeichnung als Unterlage für die serienmäßige Herstellung der Gesenkschmiedestücke.

5.2.1. Rohteilzeichnungen (siehe Bild, als Beispiel)

Das Rohteil ist so zu zeichnen, wie es im Gesenk liegt. Für die Maße in der Rohteilzeichnung gelten die zulässigen Abweichungen nach DIN 17 673 Blatt 4.

Schrägen werden nicht in die Nennmaße einbezogen, es sei denn, daß sie konstruktiv bedingt sind.

Fortsetzung Seite 2 und 3

Fachnormenausschuß Nichteisenmetalle im Deutschen Normenausschuß (DNA)

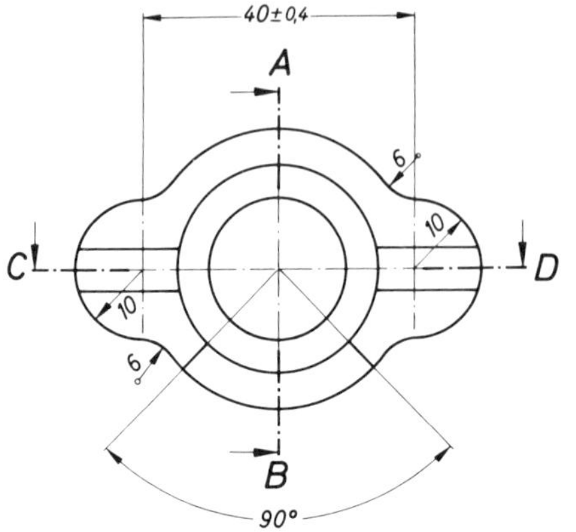

Schnitt A–B

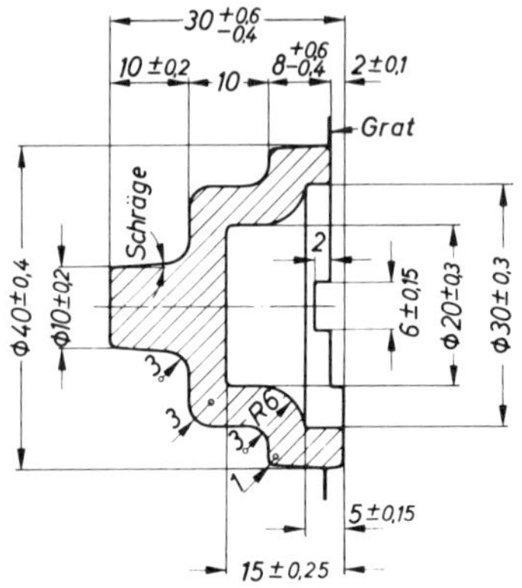

Schnitt C–D

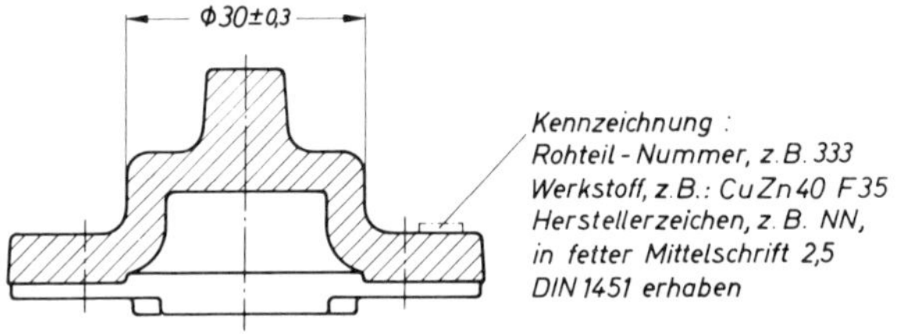

Wird das Rohteil später weiter bearbeitet, so können die Umrisse des Fertigteils strichpunktiert eingezeichnet werden, jedoch ohne Maße für spätere spanabhebende Bearbeitung und ohne bezügliche Oberflächenzeichen. Ist das Rohteil für verschiedene Fertigteile bestimmt, so sind die Umrisse des größten Fertigteiles einzuzeichnen.

Querschnittsformen sind maßstäblich herauszuzeichnen und zu bemaßen. Schrägen und Kantenrundungen, die allgemein gelten, können statt an jeder einzelnen Stelle des Stückes allgemein vorgeschrieben werden. Schrägen werden als Winkel angegeben.

Auf der Rohteilzeichnung ist in besonderen Fällen der Faserverlauf, die Lage der Proben, die Richtung der angreifenden Kräfte (z. B. bei Hohlkörpern der Innendruck) anzugeben.

Die Gratlagen sind anzudeuten.

5.2.2. Kennzeichnung

Gesenkschmiedestücke werden im allgemeinen mit dem Herstellerzeichen versehen. Sollen weitere Kennzeichnungen angebracht werden, z. B. Rohteil-Nummer und Werkstoffangaben, so sind diese sowie ihre Lage, Größe und Schriftfeld in die Rohteilzeichnung einzutragen. Für diese Kennzeichnung wird fette Mittelschrift nach DIN 1451 empfohlen. Die Kennzeichnung erscheint auf dem Gesenkschmiedestück erhaben. Das Anbringen der erhabenen Kennzeichnung in einer besonderen Vertiefung (vertieft erhaben) ist zu vereinbaren.

Andere Kennzeichnungen, z. B. durch Gummistempel, sind besonders zu vereinbaren.

6. Anforderungen

Gesenkschmiedestücke müssen hinsichtlich der Zusammensetzung, der Festigkeitseigenschaften und der Maße den in den Abschnitten 3 und 4 aufgeführten Normen entsprechen. Weitere Anforderungen sind in den nachstehenden Abschnitten festgelegt.

6.1. Oberflächenbeschaffenheit

Gesenkschmiedestücke haben als Rohteile eine dem Herstellverfahren entsprechende saubere Oberfläche. Sie werden im allgemeinen gebeizt geliefert.

Ausfallmuster sind von Hand entgratet und deshalb für die Güte der Entgratung nicht bindend. Bei Lieferung von serienmäßig hergestellten Teilen gilt der zulässige Gratüberstand nach DIN 17 673 Blatt 4.

Erhöhungen an den Oberflächen der Gesenkschmiedestücke, die z. B. durch kleine Gesenkrisse entstehen können, und auch Falten und Eindrücke, die die Verwendung der Stücke nicht beeinträchtigen, sollen kein Hindernis für die Abnahme sein. Sie können unter Anwenden geeigneter Mittel beseitigt werden. Die dadurch unter Umständen entstehenden Vertiefungen müssen jedoch innerhalb der zulässigen Abweichungen liegen.

6.2. Weiterverarbeitung

Für die Weiterverarbeitung der Gesenkschmiedestücke sind die für den Lieferzustand vereinbarten Werkstoffeigenschaften maßgebend.

7. Werkzeuge (Gesenke)

Werkzeuge werden, sofern nichts anderes vereinbart, 3 Jahre lang nach der letzten Lieferung aufbewahrt.

8. Prüfverfahren

8.1. Prüfung der Zusammensetzung

Das Analysenverfahren bleibt dem Hersteller überlassen. In Zweifelsfällen entscheidet die Naßanalyse nach der neuesten Ausgabe der „Analyse der Metalle" des Chemikerausschusses der Gesellschaft Deutscher Metallhütten- und Bergleute e. V. (Berlin — Göttingen — Heidelberg: Springer-Verlag).

Auf jeden gefundenen Einzelwert ist die Rundungsregel nach DIN 1333 anzuwenden. Die gerundete Zahl darf die für die Zusammensetzung festgelegten Grenzwerte nicht überschreiten.

8.2. Prüfung der Festigkeitseigenschaften

Es gelten folgende Normen:

DIN 50 125 Zugproben

DIN 50 145 Zugversuch

DIN 50 351 Härteprüfung nach Brinell

Zu verwenden ist eine Kugel von $D = 2{,}5$ mm Durchmesser und die zugehörige Prüfkraft $F = 613$ N (62,5 kp): Kurzzeichen HB 2,5/62,5

Andere Prüfverfahren, z. B. Härteprüfung nach Vickers (nach DIN 50 133), sind besonders zu vereinbaren.

8.3. Prüfung der Oberflächenbeschaffenheit

Die Oberflächenbeschaffenheit wird durch Sichtprüfung festgestellt und nach Abschnitt 6.1 beurteilt.

9. Prüfumfang und Loseinteilung

9.1. Der Hersteller führt bei Gesenkschmiedestücken Prüfungen im Rahmen innerbetrieblicher Gütesicherung durch. Bei Gesenkschmiedestücken im ausgehärteten Zustand können zusätzlich durchgeführt werden:

a) Zugversuch nach DIN 50 145. Er wird nur dann durchgeführt, wenn sich in Faserrichtung eine Zugprobe entnehmen läßt. Die Probenlage ist zu vereinbaren.

b) Härteprüfung nach Brinell nach DIN 50 351. Entstehende Kugeleindrücke dürfen nicht beanstandet werden.

Hierüber werden im allgemeinen keine Bescheinigungen nach DIN 50 049 ausgestellt.

9.2. Soll eine zusätzliche Prüfung durch einen vom Besteller Beauftragten durchgeführt werden, so sind bei Anfrage und Auftragsvergabe folgende Vereinbarungen zu treffen:

a) Nennung des Beauftragten

b) Art der durchzuführenden Prüfungen, z. B.

ba) Nachweis der Zusammensetzung des Werkstoffes je Lieferung

bb) Faserverlauf in den Ausfallmustern

bc) Zugversuch nach DIN 50 145
Zugversuche sind im allgemeinen auf Ausfallmuster zu beschränken und werden nur dann durchgeführt, wenn sich längs des Faserverlaufes ohne Schwierigkeiten eine Zugprobe (kurzer Proportionalstab nach DIN 50 125) aus dem Gesenkschmiedestück herausarbeiten läßt. Die Probenlage ist zu vereinbaren.

bd) Härteprüfung nach Brinell nach DIN 50 351
Die Prüfstelle am Gesenkschmiedestück ist zu vereinbaren und auf der Rohteilzeichnung einzutragen. Entstehende Kugeleindrücke dürfen nicht beanstandet werden.

be) Bei Gesenkschmiedestücken in ausgehärtetem Zustand wird der Aushärtungszustand durch geeignete Verfahren, z. B. Messen der Leitfähigkeit, geprüft.

c) Anzahl der Proben,

d) eventuelle zusätzliche Forderungen

Bei der Prüfung ist die Lieferung nach Losen getrennt vorzulegen. Zu einem Los gehören Gesenkschmiedestücke einheitlicher Herstellungsart, gleichen Werkstoffes, gleichen Zustandes und gleicher Dicke. Es ist nich erforderlich, daß ein Los nur aus einer Schmelze oder nur aus einer Wärmebehandlung stammt.

Wenn eine Probe bei einer Prüfung den Anforderungen nicht genügt, so sind Wiederholungsprüfungen durchzuführen. Wenn davon wiederum eine Probe den Vorschriften nicht entspricht, darf die zugehörige Lieferung zurückgewiesen werden.

Über die durchgeführten Prüfungen wird vom jeweiligen Beauftragten eines der in DIN 50 049 genannten Abnahmeprüfzeugnisse ausgestellt.

10. Beanstandungen

Äußere und innere Fehler dürfen nur dann beanstandet werden, wenn sie eine dem Werkstoff und der Ezeugnisform angemessene Verarbeitung und Verwendung mehr als unerheblich beeinträchtigen.

Der Besteller muß dem Lieferwerk Gelegenheit geben, sich von der Berechtigung von Beanstandungen zu überzeugen, soweit möglich durch Vorlage des beanstandeten und von Belegstücken des angelieferten Werkstoffes.

DK 621.73.043 : 669.3 Januar 1974

Gesenkschmiedestücke aus Kupfer und Kupfer-Knetlegierungen

Grundlagen für die Konstruktion

DIN 17 673 Blatt 3

Drop forgings of wrought copper and copper alloys; directives for the design

Pièces matricées en cuivre et en alliages de cuivre corroyés conditions; directives pour la construction

Maße in mm

1. Geltungsbereich

Diese Norm soll als Grundlage für das Konstruieren neuer Gesenkschmiedestücke dienen. Sie soll dem Besteller ermöglichen, beim Entwerfen von Gesenkschmiedestücken die fertigungstechnischen Voraussetzungen des Herstellers zu berücksichtigen. Bei schwierig herzustellenden Gesenkschmiedestücken muß der Hersteller den Besteller beraten.

2. Hinweise für die Verwendung und Konstruktion

2.1. Gesenkschmiedestücke sind im allgemeinen Rohteile und können mit guter Maßgenauigkeit gefertigt werden. Sie haben eine saubere Oberfläche sowie ein lunkerfreies Gefüge und halten bei entsprechender konstruktiver Gestaltung hohen Beanspruchungen stand. Nachträglich erforderliche spanabhebende Bearbeitung soll sich auf ein Mindestmaß beschränken. Es ist anzustreben, den natürlichen Faserverlauf möglichst zu erhalten.

2.2. Gesenkschmiedestücke werden zweckmäßigerweise verwendet, wenn

a) durch Schmieden eine höhere Festigkeit bei dichtem Gefüge und/oder auch ein der Beanspruchung entsprechender Faserverlauf erreicht werden sollen (siehe Bilder 1 und 2)

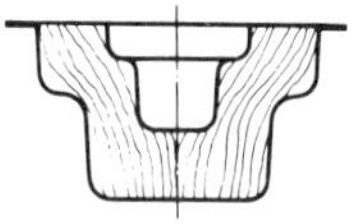

Bild 1.
Im Gesenk von der Stange geschmiedet:
Günstiger Faserverlauf

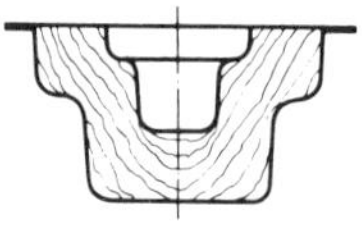

Bild 2.
Im Gesenk vom Vorschmiedestück geschmiedet:
Günstiger Faserverlauf

b) eine große Anzahl gleicher Teile gebraucht wird

c) es unzweckmäßig ist, aus formtechnischen, Kosten- oder anderen Gründen, die Teile z. B. aus Blechen, Stangen oder gepreßten Profilen herzustellen oder zu gießen (siehe Bilder 3 und 4).

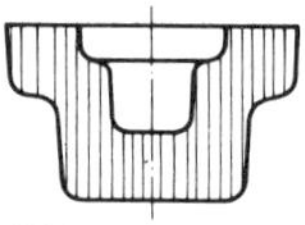

Bild 3.
Aus der Stange bearbeitet:
Ungünstiger Faserverlauf

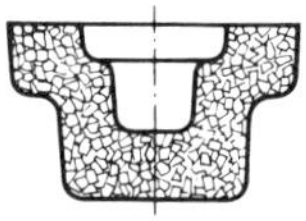

Bild 4.
Gußteil:
Ohne Faserverlauf

2.3. Sind aus zwingenden Gründen kleinere Maße erforderlich als in dieser Norm vorgesehen, so wird durch längere Schmiededauer und dadurch bedingte verkürzte Lebensaduer der Gesenke die Fertigung verteuert.

2.4. Großflächige Stücke mit geringer Dicke sind schwer herstellbar; sie können sich außerdem leicht verziehen, so daß schwieriges Richten notwendig wird.

2.5. Schroffe Übergänge, erhebliche Querschnittsunterschiede und Werkstoffanhäufungen sind zu vermeiden.

2.6. Änderungen nach Beginn der Werkzeuganfertigung sind zu vermeiden. Es ist zweckmäßig, vorher zu prüfen, ob spätere Änderungen in Betracht kommen. Dies ist dem Hersteller rechtzeitig bekanntzugeben. Die Werkzeuge können dann gegebenenfalls entsprechend entworfen und später leichter geändert werden.

3. Werkstoffe

Gesenkschmiedestücke können aus Werkstoffen nach DIN 17 673 Blatt 1 hergestellt werden. Entsprechend ihrem Umformverhalten werden die Werkstoffe in vier Gruppen eingeteilt (siehe Tabelle 1).

Die angegebenen Werkstoffgruppen gelten außerdem stellvertretend für Werkstoffe ähnlicher Zusammensetzungen. In solchen Fällen können die Angaben dieser Norm als Anhalt dienen.

Fortsetzung Seite 2 bis 7

Fachnormenausschuß Nichteisenmetalle im Deutschen Normenausschuß (DNA)

Tabelle 1. **Werkstoffgruppen**

Werkstoffgruppe	Kurzzeichen	Werkstoffnummer	Früheres Kurzzeichen
I	CuZn38Pb1,5	2.0372	Ms60Pb
	CuZn40	2.0360	Ms60
	CuZn39Pb3	2.0401	Ms58
	CuZn40Pb2	2.0402	
	CuZn40Ni	2.0571	SoMs58
	CuZn40Mn	2.0572	
	CuZn40MnPb	2.0580	SoMs58Pb
II	E-Cu	2.0060	—
	SF-Cu	2.0090	—
	CuZn31Si	2.0490	SoMs68
	CuZn35Ni	2.0540	SoMs59
	CuZn40Al1	2.0572	SoMs58Al1
	CuZn40Al2	2.0550	SoMs58Al2
III	CuAl8	2.0920	AlBz8
	CuAl8Fe	2.0932	AlBz8Fe
	CuAl10Fe	2.0936	AlBz10Fe
	CuAl9Mn	2.0960	AlBz9Mn
	CuAl10Ni	2.0966	AlBz10Ni
	CuAl11Ni	2.0978	AlBz11Ni
IV	CuZn20Al	2.0460	SoMs76
	CuNi10Fe	2.0872	—
	CuCd1	2.1266	—
	CuCr	2.1291	—
	CuNi2Si	2.0855	—
	CuNi3Si	2.0857	—

4. Schrägen

4.1. Alle Flächen, die in Bewegungsrichtung der Gesenkpartien liegen, müssen im allgemeinen außen 0° 30′ und innen 1° Preßschräge aufweisen, damit die Teile leicht aus dem Gesenk gehoben werden können. In besonderen Fällen können aus gesenk- und preßtechnischen Gründen größere oder auch kleinere Schrägen erforderlich sein.

4.2. Bodenschrägen sind vor allem bei großflächigen Teilen mit relativ dünnen Wanddicken zu empfehlen, damit der Werkstoff leicht von der Mitte nach den Seiten fließen kann (siehe Bild 5).

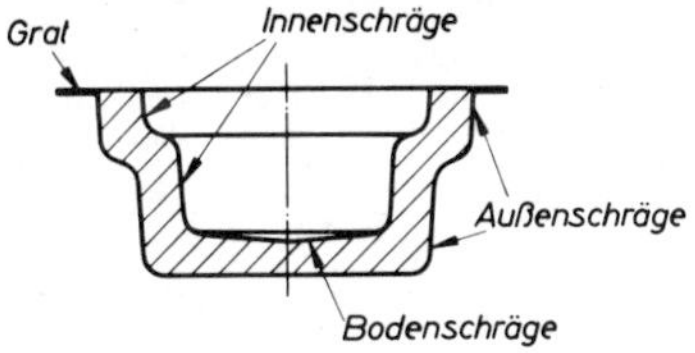

Bild 5.

5. Bodendicken

Die kleinste Bodendicke s_1 richtet sich nach der größten Fläche A des Gesenkschmiedestückes quer zur Schlagrichtung, die bei runden Teilen gleich der Kreisfläche und bei anders geformten Teilen gleich dem umschreibenden Rechteck ist (siehe Bild 6 und Tabelle 2).

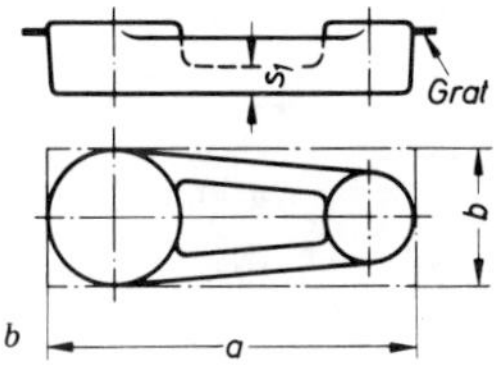

Bild 6.
Fläche A (in cm^2) = $a \cdot b$

6. Seitenwanddicken

6.1. Seitenwanddicken s_2 gelten für gleichmäßige und symmetrische Querschnitte (siehe Bild 7 und Tabelle 3).

Tabelle 2. **Bodendicken**

Nennmaß	Werkstoffgruppe	Fläche A in cm^2 — bis 25	über 25 bis 50	über 50 bis 100	über 100 bis 200	über 200 bis 400	über 400 bis 800
s_1 min.	I	2	3	4	5,5	7	10
	II	3	4,5	6	8,25	10,5	15
	III	4	6	8	11	14	20
	IV	5	7,5	10	13,75	17,5	25

6.2. Sind aus konstruktiven Gründen Querschnittsverjüngungen nicht zu umgehen, so ist eine allmähliche Verjüngung der Wanddicke vom Boden zur Grataustrittsebene eines Querschnittes zweckmäßig. Hierbei ist für die Seitenwanddicke s_2 die kleinste Wanddicke zugrunde zu legen (siehe Bild 8 und Tabelle 3).

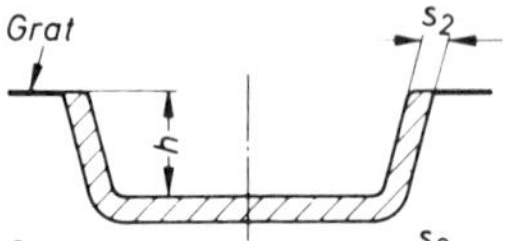

Bild 7.

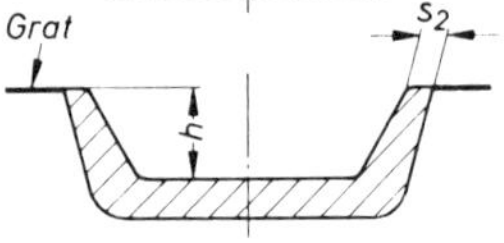

Bild 8.

6.3. Querschnittsunterschiede von kleinen zu größeren Wanddicken in Richtung der Grataustrittsebene sind ebenfalls zu vermeiden. Sind diese nicht zu umgehen, sollen die Unterschiede möglichst klein bleiben und mit allmählichen Übergängen versehen werden (siehe Bilder 9 und 10).

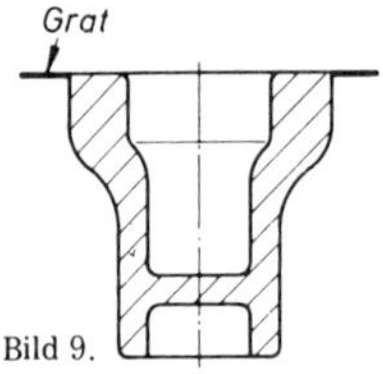

Bild 9.

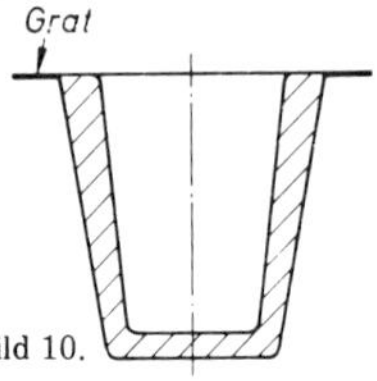

Bild 10.

7. Rippen

7.1. Schrägen der Rippen nach Abschnitt 4

Die Rippenstirnseiten müssen gerundet sein. Die Rundung r_1 soll möglichst gleich der halben Rippendicke s_3 sein (siehe Bild 11 und Tabelle 4).

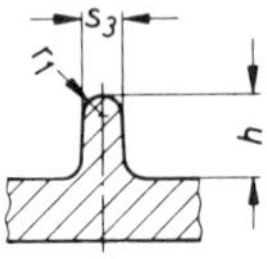

Bild 11.

7.2. Müssen aus Festigkeitsgründen Rippen vorgesehen werden, so sollen diese höchstens halb so hoch wie die Außenstege sein (siehe Bilder 12 und 13).

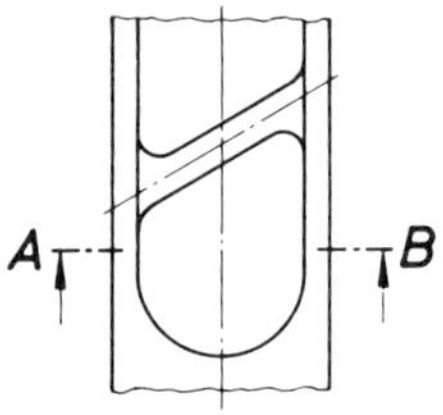

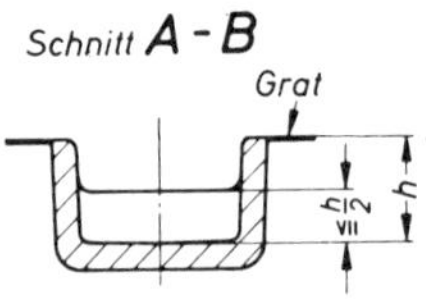

Bild 12. Zulässige Rippengestaltung

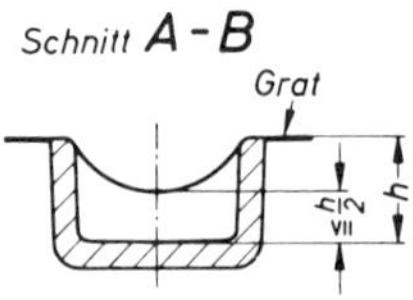

Bild 13. Günstige Rippengestaltung

Tabelle 3. Seitenwanddicken

Nennmaß	Werkstoff-gruppe	Nennmaß h						
		— bis 10	über 10 bis 14	über 14 bis 20	über 20 bis 32	über 32 bis 50	über 50 bis 80	über 80 —
s_2 min.	I	2	2,5	3	3,5	4	5	6
	II	3	3,75	4,5	5,25	6	7,5	9
	III	4	5	6	7	8	10	12
	IV	5	6,25	7,5	8,75	10	12,5	15

Tabelle 4. Rippen

Nennmaß	Werkstoff-gruppe	Nennmaß h						
		— bis 4	über 4 bis 6	über 6 bis 10	über 10 bis 16	über 16 bis 25	über 25 bis 40	über 40 —
s_3 min.	I	2	2,5	3	4	5,5	7	>10
	II	3	3,75	4,5	6	8,25	10,5	>15
	III	4	5	6	8	11	14	>20
	IV	5	6,25	7,5	10	13,75	17,5	>25
r_1 min.	I	0,5	0,5	0,5	1	1	1,5	2
	II	0,75	0,75	0,75	1,5	1,5	2,25	3
	III	1	1	1	2	2	3	4
	IV	1,25	1,25	1,25	2,5	2,5	3,75	5

7.3. Rippen mit weichen Übergängen sind zu bevorzugen (siehe Bild 13).

7.4. Rippen sollen an der Stirnseite möglichst überall die gleiche Dicke s_3 haben, da hierdurch in der Gesenkherstellung (durch Wegfall des sonst notwendigen Kopierfräsens) eine Verbilligung erzielt wird (siehe Bild 14).

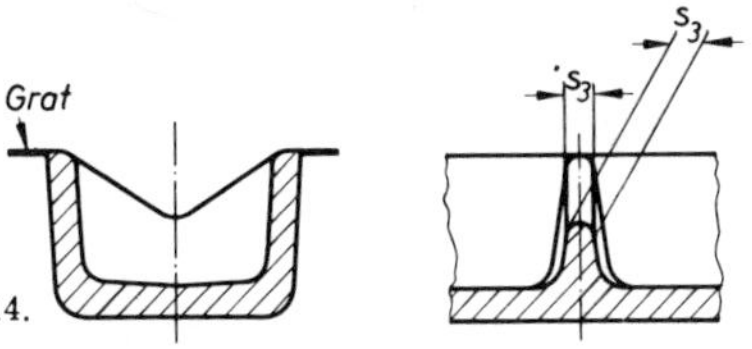

Bild 14.

7.5. Um gut ausgepreßte Rippen zu erhalten, soll das Verhältnis Höhe : Dicke der Rippe möglichst klein gewählt werden.

8. Einpressungen

8.1. Bohrungen und Ausnehmungen können vielfach mitgepreßt werden. Der Werkstoff wird dadurch besser durchgeknetet. Bei richtiger Anordnung wird auch der Faserverlauf günstig beeinflußt. Die spanabhebende Bearbeitung wird verringert.

8.2. Für einseitige Einpressungen gelten die in den Bildern 15 und 16 dargestellten Konstruktionsrichtlinien und Werte.

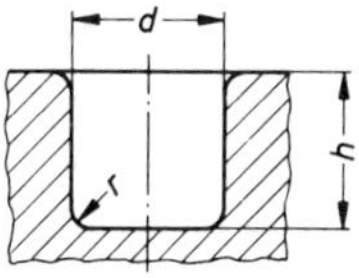

d = 8 bis 25 mm
$h = d$

Bild 15.

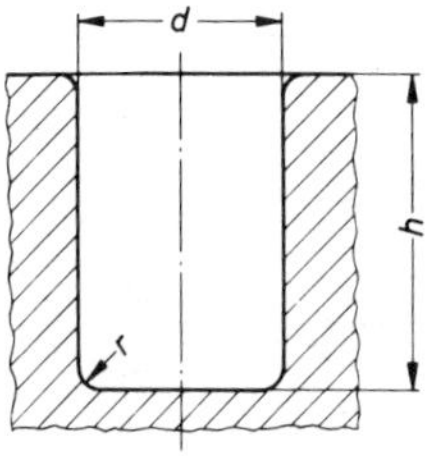

Bild 16.

d = über 25 mm für symmetrische Stücke $h \leqq 1{,}5\ d$
für unsymmetrische Stücke $h \leqq 1{,}2\ d$

Rundungen siehe Abschnitt 10

8.3. Für beiderseitige Einpressungen gelten die in den Bildern 17 und 18 dargestellten Konstruktionsrichtlinien und Werte.

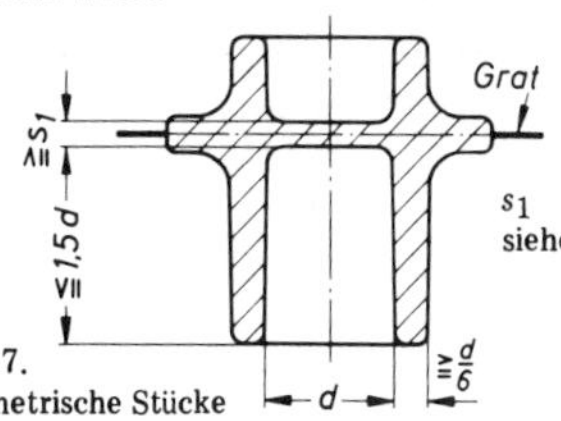

s_1
siehe Abschnitt 5

Bild 17.
Symmetrische Stücke

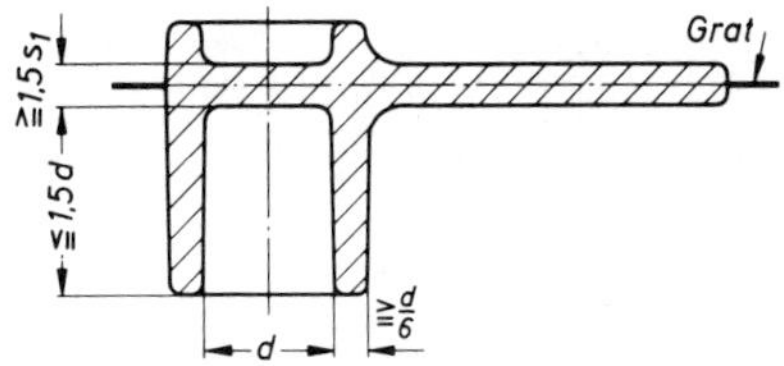

Bild 18. Unsymmetrische Stücke

9. Grate

9.1. Grate entstehen durch die Teilung der Gesenke und an Trennstellen, z. B. durch Einsätze. Sie können in verschiedenen Ebenen liegen. Man unterscheidet:

a) Grate, die durch Gesenkteilung entstanden sind und maschinell abgetrennt werden können (siehe z. B. Bilder 17 und 18),

b) Grate, die entweder durch das Entgraten oder durch das Stanzen bzw. Lochen entstanden sind (siehe G_1 und G_2 in Bild 19).

c) Grate, die durch Gesenkeinsätze, z. B. Stempel entstanden sind (siehe G_3 und G_4 in Bild 19).

Die Beseitigung der unter b) und c) genannten Grate erfordert einen zusätzlichen Arbeitsaufwand. Deshalb sollen diese Grate möglichst an den Stellen liegen, an denen sie durch vorgesehene spanende Bearbeitung beseitigt werden. Wenn sie an den Aufnahmeflächen für die Weiterverarbeitung liegen, sollen an den Spannvorrichtungen entsprechende Ausnehmungen vorgesehen werden (siehe Bild 19).

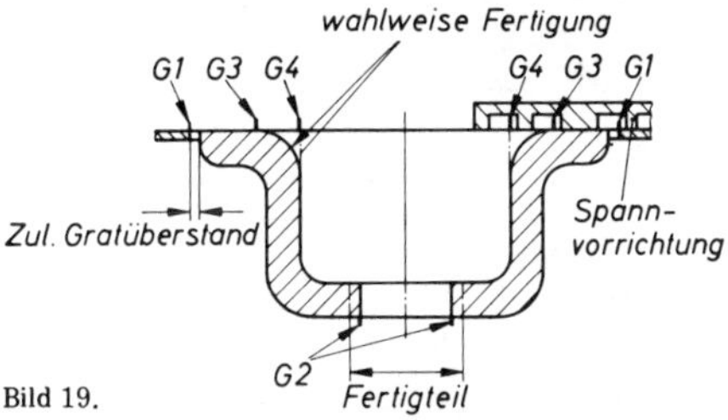

Bild 19.

9.2. Die Gratlage soll möglichst so angeordnet werden, daß Gratsprünge, welche Stufen in der Gesenkteilung bedingen und die Werkzeugherstellung verteuern, vermieden werden (siehe Bilder 20 und 21).

Bild 20. Gesenkteilung mit Gratsprung

Bild 21. Gesenkteilung ohne Gratsprung

9.3. Es ist darauf zu achten, daß durch zweckmäßige Gratanordnung Doppelungen, Falten und andere Werkstofftrennungen vermieden werden (siehe Bilder 22 und 23).

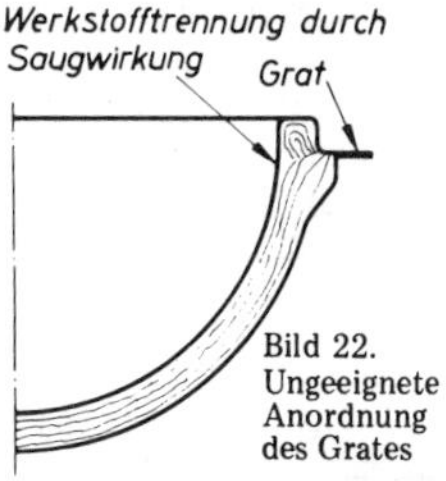

Bild 22. Ungeeignete Anordnung des Grates

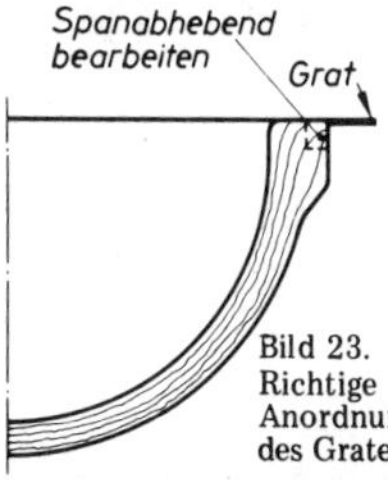

Bild 23. Richtige Anordnung des Grates

10. Rundungen und Übergänge

10.1. Alle Rundungen sind weitgehend einheitlich festzulegen, weil dadurch bei der Fertigung des Gesenkes das Umspannen der Werkzeuge vermieden und der Herstellpreis gesenkt wird (siehe Bilder 24 und 25).

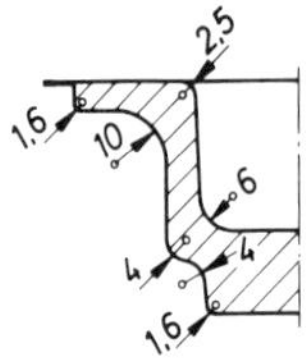

Bild 24. Ungünstig (teuer), da 5 verschiedene Rundungen

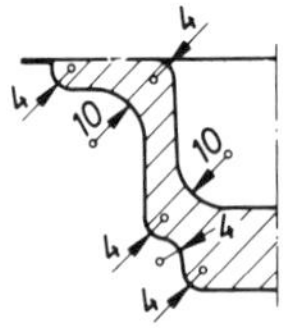

Bild 25. Günstig (billig), da nur 2 verschiedene Rundungen

10.2. Rundungen nach DIN 250. Die kleinsten zweckmäßigen Rundungen zeigt Tabelle 5. Sie sind in den Beispielen erläutert (siehe Bilder 26 bis 30).

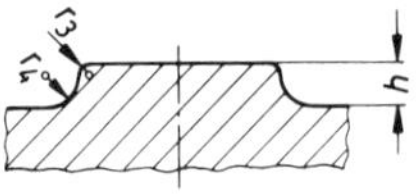

Bild 26. Augen

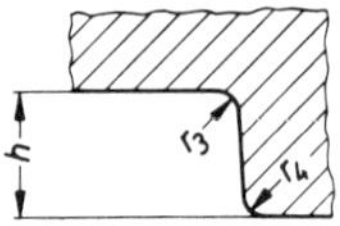

Bild 27.

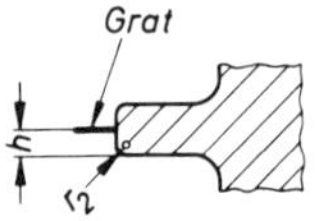

Bild 28.

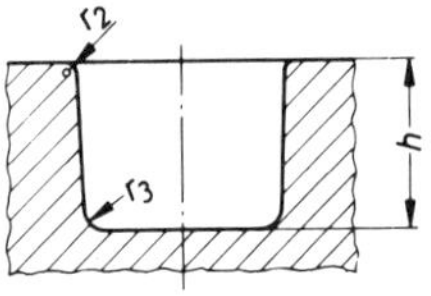

Bild 29. Einpressungen

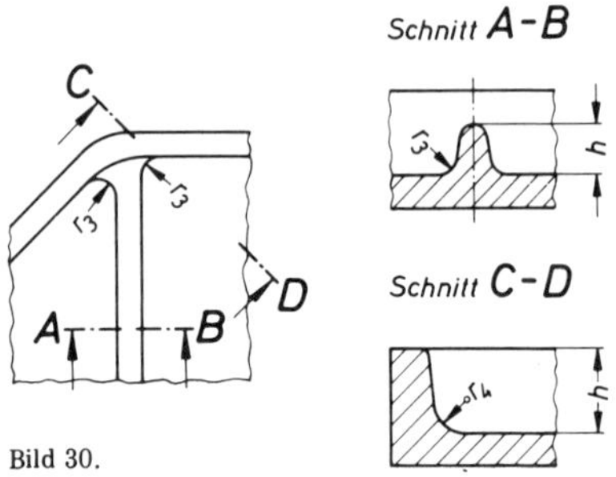

Bild 30.

Tabelle 5. **Rundungen**

Nennmaß	Werkstoff-gruppe	— bis 4	über 4 bis 10	über 10 bis 25	über 25 bis 40	über 40 bis 63	über 63 bis 100	über 100 —
		Nennmaß *h*						
r_2	I	0,5	1	1,6	2,5	4	6	10
	II	0,75	1,5	2,4	3,75	6	9	15
	III	1	2	3,2	5	8	12	20
	IV	1,25	2,5	4	6,25	10	15	25
r_3	I	1	1,6	1,6	2	4	4	6
	II	1,5	2,4	2,4	3	6	6	9
	III	2	3,2	3,2	4	8	8	12
	IV	2,5	4	4	5	10	10	15
r_4 min.	I	2,5	4	6	10	12	16	16
	II	3,75	6	9	15	18	24	24
	III	5	8	12	20	24	32	32
	IV	6,25	10	15	25	30	40	40

11. Spannflächen und Einpressungen für spanende Fertigbearbeitung

11.1. Sollen Spannflächen, insbesondere bei schwer spannbaren konischen Teilen, vorgesehen werden, ist es möglich, diese sowohl im inneren als auch im äußeren Bereich der Teile mit geringster Schräge anzubringen. Diese müssen dann aber auf ein kleinstmögliches Maß *a* beschränkt bleiben (siehe Bilder 31 und 32 und Tabelle 6).

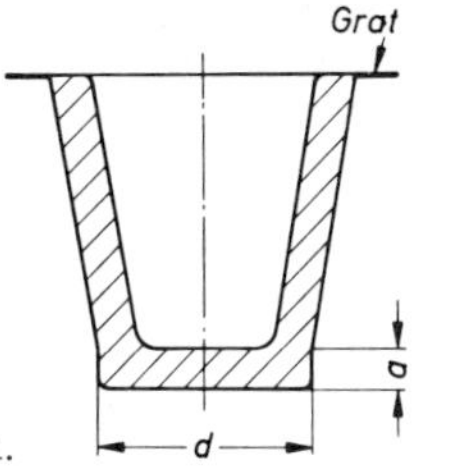

Bild 31.

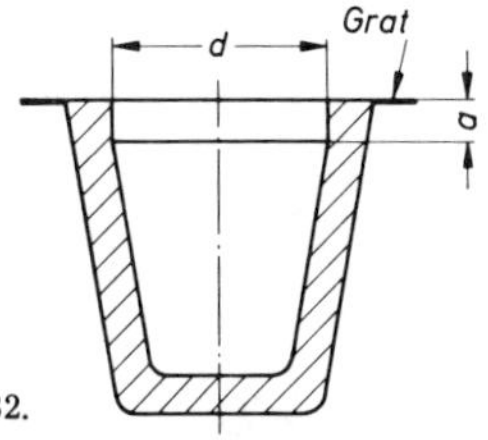

Bild 32.

Tabelle 6. **Spannflächen und Einpressungen für spanende Fertigbearbeitung**

Nennmaß	Werkstoffgruppe	Nennmaß *d*: — bis 25	über 25 bis 50	über 50 bis 100	über 100 bis 200	über 200 —
a	I	4	6	8	10	12
	II	6	9	12	15	18
	III	8	12	16	20	24
	IV	10	15	20	25	30

11.2. Körnersenkungen (Zentrierungen zum Bohren) sind möglichst zu vermeiden, vor allem dort, wo der Werkstoff durch das Fließen solche Werkstückvorsprünge leicht verschieben oder verschleißen würde und wo das Auspressen der Teile infolge Behinderung des Werkstoffflusses besonders erschwert ist. Kann aus wichtigen Gründen nicht auf solche Zentrierungen verzichtet werden, so ist deren Ausbildung mit dem Hersteller zu vereinbaren. In jedem Fall ist die Körnerspitze gerundet auszuführen.

12. Querschnittsformen

12.1. T-Querschnitt

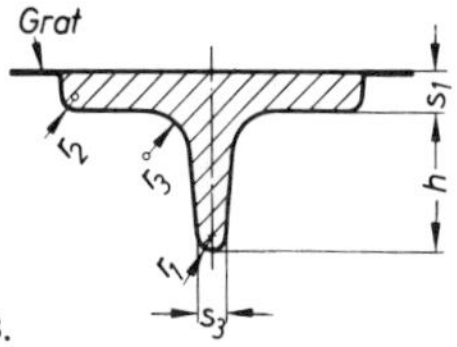

Bild 33.

12.2. Kreuz-Querschnitt

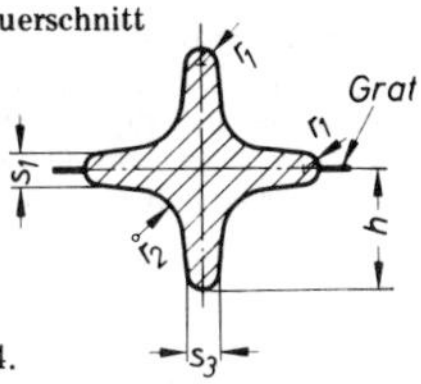

Bild 34.

Flächen in Richtung der Gesenkteilungen können ohne Schrägen ausgebildet werden.

s_1 siehe Abschnitt 5

h, s_3 und r_1 siehe Abschnitt 7

r_2 und r_3 siehe Abschnitt 10.2

13. Bearbeitungszugaben

13.1. Die Bearbeitungszugaben sind nach Tabelle 7 für formgebundene Maße (n) und nichtformgebundene Maße (t) zu wählen. Nicht formgebundene Maße (t) sind die Maße in Schlagrichtung (siehe auch DIN 17 673 Blatt 4). Anwendung siehe Bilder 35 und 36.

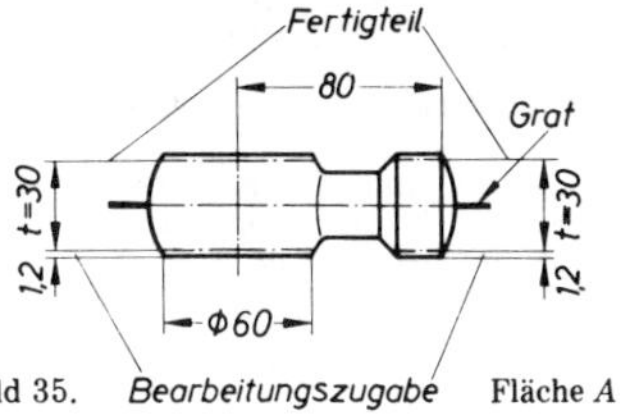

Bild 35. Fläche A = 66 cm²

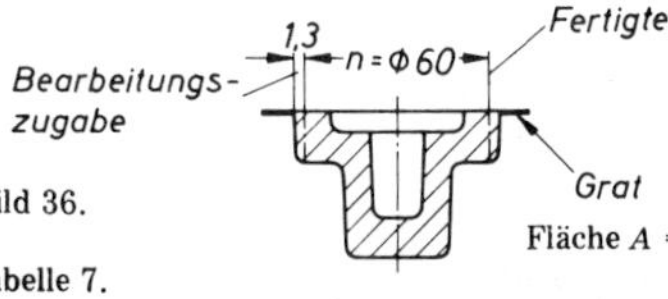

Bild 36. Fläche A = 28 cm²

Tabelle 7.

Nennmaßbereich über	Nennmaßbereich bis	formgebundene Maße *n*	Bearbeitungszugaben für nichtformgebundene Maße *t* bei Fläche *A* in cm²: — bis 25	über 25 bis 50	über 50 bis 100	über 100 bis 200	über 200 —
—	50	1	1,1	1,1	1,2	1,3	1,4
50	120	1,3	1,4	1,4	1,5	1,6	1,6
120	250	1,6	1,8	1,9	2,0	2,0	2,1
250	500	2	2,4	2,5	2,5	2,5	2,5
500	—	3	3,1	3,1	3,1	3,1	3,1

13.2. Erforderliche Bearbeitungszugaben richten sich nach Form und Größe der Teile sowie nach der Art der Aufnahme der Bearbeitung. Die Aufnahmestellen, besonders für die Erstbearbeitung sind in der Zeichnung, die dem Hersteller des Gesenkschmiedestückes eingereicht wird, anzugeben.

Unter Berücksichtigung der Toleranzen der zu bearbeitenden Flächen, d. h. der zulässigen form- und nichtformgebundenen Maße, der zulässigen Abweichungen und dem zulässigen Versatz sind die in Tabelle 7 angegebenen Bearbeitungszugaben zusätzlich anzuwenden (siehe Bilder 36 und 37 und nachfolgende Beispiele).

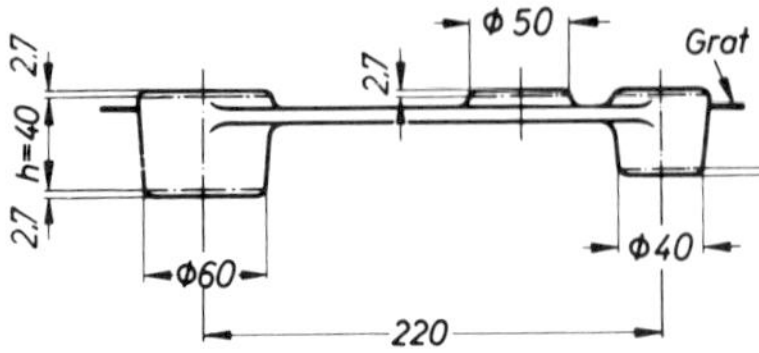

Bild 37.
Fläche A = 162 cm² Bearbeitungszugabe = 2,7

Beispiel zu Bild 37
Fläche A = 162 cm², Werkstoffgruppe I
Größtes Maß zur Schlagrichtung n_{max}
= 220 mm + 30 mm + 20 mm = 270 mm
Die Bearbeitungszugabe ergibt sich aus der Ebenheitstoleranz U_{max} = 1,4 mm
(siehe DIN 17 673 Blatt 4)
plus dem Wert nach Tabelle 7
(h = 40 mm, A = 162 cm²) = 1,3 mm
Bearbeitungszugabe = 2,7 mm

13.3. Bei Bestimmung der Bearbeitungszugaben für parallel zur Schlagrichtung liegende Flächen ist der zulässige Versatz nach DIN 17 673 Blatt 4 zu berücksichtigen (siehe Bild 38 und Beispiel).

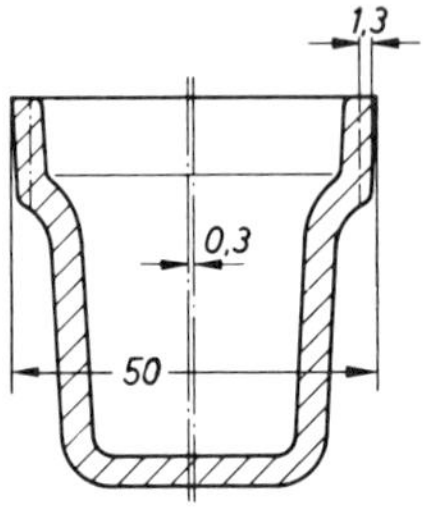

Bild 38.
Fläche A = 19,64 cm²

Beispiel zu Bild 38
Fläche A = 19,64 cm²
Größtes formgebundenes Maß n = 50 mm Durchmesser
Die Bearbeitungszugabe ergbit sich aus dem
zulässigen Versatz nach DIN 17 673 Blatt 4 = 0,3 mm
plus dem Wert nach Tabelle 7 (n = 50 mm) = 1,0 mm
Bearbeitungszugabe = 1,3 mm

DK 621.73.043 : 669.3 : 621.753.1 Januar 1974

Gesenkschmiedestücke aus Kupfer und Kupfer-Knetlegierungen

Zulässige Abweichungen

DIN 17 673 Blatt 4

Drop forgings of wrought copper and copper alloys; tolerances

Pièces matricées en cuivre et en alliages de cuivre corroyés conditions; tolérances

Maße in mm

1. Geltungsbereich

Diese Norm enthält die zulässigen Abweichungen für Gesenkschmiedestücke aus Kupfer und Kupfer-Knetlegierungen bis zu einer Flächengröße von 800 cm^2. Sie wird ergänzt durch die Technischen Lieferbedingungen nach DIN 17 673 Blatt 2.

2. Zulässige Maßabweichungen, Allgemeines und Anwendung

Zulässige Abweichungen, die in den Rohteilzeichnungen eingetragen werden, sollen grundsätzlich dieser Norm entsprechen. Wenn in diesen Zeichnungen keine zulässigen Abweichungen eingetragen sind, gelten die zulässigen Abweichungen dieser Norm ebenfalls; es empfiehlt sich aber dann in die Zeichnungen einen entsprechenden Hinweis auf DIN 17 673 Blatt 4 aufzunehmen.

Die Maßabweichungen werden beeinflußt von der Herstellungsgenauigkeit der Gesenke, dem Werkzeugverschleiß und den beim Schmiedevorgang unvermeidlichen fertigungsbedingten Schwankungen. Am Gesenkschmiedestück sind formgebundene Maße und nichtformgebundene Maße zu unterscheiden.

Formgebundene Maße entstehen beim Gesenkschmieden in den einzelnen Gesenkpartien, die keine zueinander beweglichen Partien aufweisen (siehe Bild 1). Diese Gesenkpartien können aus einem Stück bestehen oder aus mehreren nicht zueinander beweglichen Elementen zusammengefügt sein.

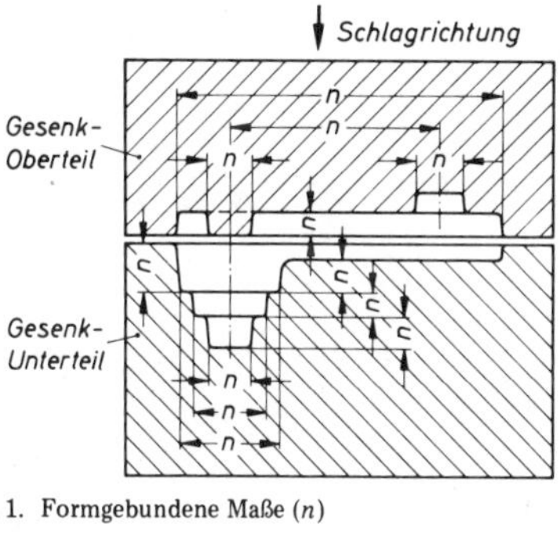

Bild 1. Formgebundene Maße (n)

Nichtformgebundene Maße entstehen beim Gesenkschmieden zwischen zwei oder mehreren zueinander beweglichen Gesenkpartien (siehe Bild 2).

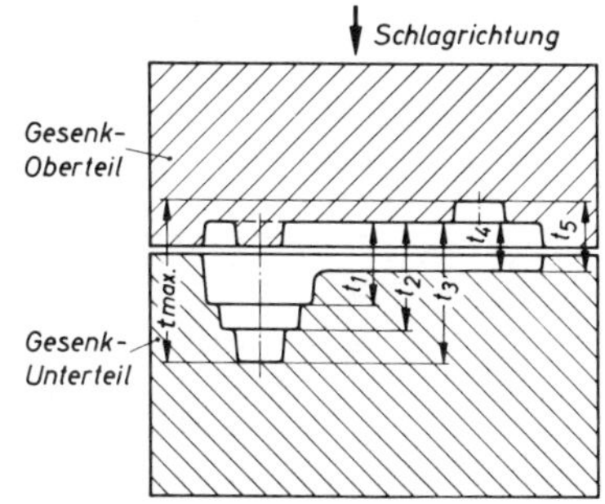

Bild 2. Nichtformgebundene Maße (t)

Die verschiedenen Werkstoffe aus Kupfer und Kupfer-Knetlegierungen zeigen erhebliche Unterschiede in ihren Verformungswiderständen, den Schmiedetemperaturen und den Gesenkbeanspruchungen. Dadurch sind unterschiedliche zulässige Abweichungen für die verschiedenen Kupferwerkstoffe und für die aus fertigungsbedingten Gründen unterschiedlichen Maßarten erforderlich.

Die in den Tabellen 1 bis 3 angegebenen Werkstoffgruppen gelten außerdem stellvertretend für Werkstoffe ähnlicher Zusammensetzungen. In solchen Fällen können die zulässigen Abweichungen nach dieser Norm als Anhalt dienen.

Sind aus zwingenden Gründen bei einzelnen Maßen kleinere zulässige Abweichungen notwendig als in der Norm festgelegt, so sind sie mit dem Hersteller zu vereinbaren. Es wird empfohlen, die Zeichnungen mit eingetragenen zulässigen Abweichungen jeweils vom Besteller prüfen und genehmigen zulassen.

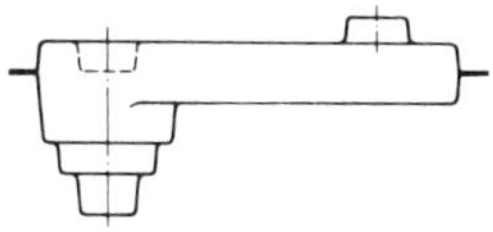

Bild 3. Ansicht eines Schmiedestückes aus den Gesenken nach den Bildern 1 und 2

Fortsetzung Seite 2 bis 7

Fachnormenausschuß Nichteisenmetalle im Deutschen Normenausschuß (DNA)

3. Zulässige Abweichungen für formgebundene und nichtformgebundene Maße
(siehe Tabellen 1 bis 3)

Ausgangsmaß für die Festlegung der zulässigen Abweichungen für nichtformgebundene Maße, z. B. t_1 bis t_5 im Bild 2, ist das größte Maß t_{max} in Schlagrichtung. Alle kleineren Maße t haben die gleichen zulässigen Abweichungen wie t_{max}. Die zulässige Abweichung für t_{max} richtet sich nach der Fläche A des in Schlagrichtung gesehenen Teiles. Die Fläche A ist bei runden Teilen gleich der Kreisfläche und bei anders geformten Teilen gleich dem umschreibenden Rechteck (siehe Bild 4).

Beispiel für die Flächenberechnung: A (in cm²) $= n_1 \cdot n_2$

Die in den Tabellen 1, 2 und 3 aufgeführten zulässigen Abweichungen gelten auch für Gesenkschmiedestücke, die mit einem einseitig eingearbeiteten Gesenk, dem ein ebenes Oberteil gegenübersteht, hergestellt werden.

Soll aus zwingenden Gründen die Lage der zulässigen Abweichung zum Nennmaß einseitig, also als Plus- oder Minusabweichung, ausgeführt sein, so gilt der Gesamtwert der zulässigen Abweichung.

Beispiel

Für Nennmaß 8 mm (formgebundenes Maß n) ist nach Tabelle 2 die zulässige Abweichung = ± 0,25 mm; bei einseitiger Lage n = + 0,5 mm oder n = — 0,5 mm.

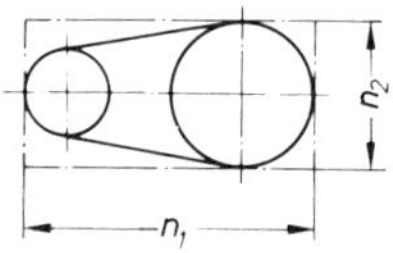

Bild 4.

Tabelle 1. **Zulässige Abweichungen für formgebundene und nichtformgebundene Maße für Werkstoffgruppe I: CuZn39Pb3 (Ms58), CuZn39Pb2 (Ms58), CuZn40Pb2 (Ms58), CuZn40 (Ms60), CuZn38Pb1,5 (Ms60Pb), CuZn39Pb0,5 (Ms60Pb), CuZn40Mn (SoMs58), CuZn40Ni (SoMs58), CuZn40MnPb (SoMs58Pb), (Zusammensetzung nach DIN 17 660)**

Nennmaßbereich		Zulässige Abweichungen für formgebundene Maße n	Bereich für Fläche A in cm²					
			— bis 25	über 25 bis 50	über 50 bis 100	über 100 bis 200	über 200 bis 400	über 400 bis 800
über	bis		Zulässige Abweichungen für nichtformgebundene Maße $t_{max} = t$					
—	3	± 0,10	+ 0,30 - 0,10	—	—	—	—	—
3	6	± 0,15	+ 0,40 - 0,20	+ 0,50 - 0,30	+ 0,50 - 0,40	+ 0,60 - 0,40	—	—
6	10	± 0,20	+ 0,50 - 0,30	+ 0,50 - 0,40	+ 0,60 - 0,40	+ 0,70 - 0,50	+ 0,80 - 0,50	+ 1,00 - 0,60
10	18	± 0,25	+ 0,50 - 0,40	+ 0,70 - 0,40	+ 0,70 - 0,50	+ 0,80 - 0,50	+ 1,00 - 0,60	+ 1,20 - 0,70
18	30	± 0,30	+ 0,60 - 0,40	+ 0,70 - 0,50	+ 0,80 - 0,60	+ 0,90 - 0,60	+ 1,10 - 0,70	+ 1,20 - 0,80
30	50	± 0,40	+ 0,70 - 0,50	+ 0,80 - 0,60	+ 1,00 - 0,60	+ 1,00 - 0,70	+ 1,20 - 0,80	+ 1,30 - 0,80
50	80	± 0,50	+ 0,80 - 0,60	+ 1,00 - 0,60	+ 1,10 - 0,70	+ 1,10 - 0,80	+ 1,30 - 0,90	+ 1,40 - 1,00
80	120	± 0,65	+ 1,00 - 0,60	+ 1,10 - 0,70	+ 1,20 - 0,80	+ 1,30 - 0,90	+ 1,40 - 1,00	+ 1,60 - 1,00
120	180	± 0,80	+ 1,10 - 0,80	+ 1,30 - 0,80	+ 1,40 - 0,90	+ 1,50 - 1,00	+ 1,60 - 1,00	+ 1,70 - 1,20
180	250	± 0,90	+ 1,30 - 0,90	+ 1,40 - 1,00	+ 1,60 - 1,00	+ 1,60 - 1,10	+ 1,70 - 1,20	+ 1,90 - 1,20
250	315	± 1,00	+ 1,60 - 1,00	+ 1,60 - 1,10	+ 1,70 - 1,20	+ 1,80 - 1,20	+ 1,90 - 1,30	+ 2,00 - 1,30
315	400	± 1,20	+ 1,70 - 1,20	+ 1,90 - 1,20	+ 1,90 - 1,30	+ 2,00 - 1,30	+ 2,00 - 1,40	+ 2,20 - 1,40
400	500	± 1,30	+ 1,90 - 1,30	+ 2,00 - 1,30	+ 2,00 - 1,40	+ 2,10 - 1,40	+ 2,20 - 1,40	+ 2,20 - 1,50
500	—	nach Vereinbarung						

In den zulässigen Abweichungen ist die Parallelitätstoleranz enthalten. Sie kann innerhalb der angegebenen Grenzen voll in Anspruch genommen werden.

Tabelle 2. Zulässige Abweichungen für formgebundene und nichtformgebundene Maße für Werkstoffgruppe II:
E-Cu, SF-Cu (Zusammensetzung nach DIN 1787)
CuZn40Al1 (SoMs58Al1), CuZn40Al2 (SoMs58Al2), CuZn35Ni (SoMs59),
(Zusammensetzung nach DIN 17 660)

Nennmaßbereich		Zulässige Abweichungen für formgebundene Maße n	Bereich für Fläche A in cm^2					
			— bis 25	über 25 bis 50	über 50 bis 100	über 100 bis 200	über 200 bis 400	über 400 bis 800
über	bis		Zulässige Abweichungen für nichtformgebundene Maße $t_{max} = t$					
—	3	± 0,15	+ 0,4 – 0,2	—	—	—	—	—
3	6	± 0,20	+ 0,5 – 0,3	+ 0,5 – 0,4	+ 0,6 – 0,4	+ 0,7 – 0,5	—	—
6	10	± 0,25	+ 0,5 – 0,4	+ 0,7 – 0,4	+ 0,7 – 0,5	+ 0,8 – 0,5	+ 1,0 – 0,6	+ 1,1 – 0,7
10	18	± 0,30	+ 0,6 – 0,4	+ 0,7 – 0,5	+ 0,8 – 0,6	+ 0,9 – 0,6	+ 1,1 – 0,7	+ 1,2 – 0,8
18	30	± 0,40	+ 0,7 – 0,5	+ 0,8 – 0,6	+ 1,0 – 0,6	+ 1,0 – 0,7	+ 1,2 – 0,8	+ 1,3 – 0,9
30	50	± 0,50	+ 0,8 – 0,6	+ 1,0 – 0,6	+ 1,1 – 0,7	+ 1,1 – 0,8	+ 1,3 – 0,9	+ 1,4 – 1,0
50	80	± 0,65	+ 1,0 – 0,6	+ 1.1 – 0,7	+ 1,2 – 0,8	+ 1,3 – 0,9	+ 1,4 – 1,0	+ 1,6 – 1,0
80	120	± 0,80	+ 1,1 – 0,8	+ 1,3 – 0,8	+ 1,4 – 0,9	+ 1,4 – 1.0	+ 1,6 – 1,0	+ 1,7 – 1,2
120	180	± 0,90	+ 1,3 – 0,9	+ 1,4 – 1,0	+ 1,6 – 1,0	+ 1,6 – 1,1	+ 1,7 – 1,2	+ 1,9 – 1,2
180	250	± 1,00	+ 1,6 – 1,0	+ 1,6 – 1,1	+ 1,7 – 1,2	+ 1,8 – 1,2	+ 1,9 – 1,3	+ 2,0 – 1,3
250	315	± 1,20	+ 1,7 – 1,2	+ 1,9 – 1,2	+ 1,9 – 1,3	+ 2,0 – 1,3	+ 2,0 – 1,4	+ 2,2 – 1,4
315	400	± 1,30	+ 1,9 – 1,3	+ 2,0 – 1,3	+ 2,0 – 1,4	+ 2,1 – 1,4	+ 2,2 – 1,4	+ 2,2 – 1,5
400	500	± 1,50	+ 2,2 – 1,4	+ 2,2 – 1,5	+ 2,2 – 1,5	+ 2,3 – 1,5	+ 2,3 – 1,5	+ 2,3 – 1,6
500	—	nach Vereinbarung						

In den zulässigen Abweichungen ist die Parallelitätstoleranz enthalten. Sie kann innerhalb der angegebenen Grenzen voll in Anspruch genommen werden.

Tabelle 3. **Zulässige Abweichungen für formgebundene und nichtformgebundene Maße für Werkstoffgruppe III: CuAl8 (AlBz8), CuAl8Fe (AlBz8Fe), CuAl10Fe (AlBz10Fe), CuAl9Mn (AlBz9Mn), CuAl10Ni (AlBz10Ni), CuAl11Ni (CuAlBz11Ni), (Zusammensetzung nach DIN 17 655)**

Nennmaßbereich		Zulässige Abweichungen für formgebundene Maße n	Bereich für Fläche A in cm^2					
			— bis 25	über 25 bis 50	über 50 bis 100	über 100 bis 200	über 200 bis 400	über 400 bis 800
über	bis		Zulässige Abweichungen für nichtformgebundene Maße $t_{max} = t$					
—	3	± 0,2	+ 0,5 - 0,3	—	—	—	—	—
3	6	± 0,25	+ 0,5 - 0,4	+ 0,7 - 0,4	+ 0,7 - 0,5	+ 0,8 - 0,5	—	—
6	10	± 0,30	+ 0,6 - 0,4	+ 0,7 - 0,5	+ 0,8 - 0,6	+ 0,9 - 0,6	+ 1,1 - 0,7	+ 1,2 - 0,8
10	18	± 0,40	+ 0,7 - 0,5	+ 0,8 - 0,6	+ 1,0 - 0,6	+ 1,0 - 0,7	+ 1,2 - 0,8	+ 1,3 - 0,9
18	30	± 0,50	+ 0,8 - 0,6	+ 1,0 - 0,6	+ 1,1 - 0,7	+ 1,1 - 0,8	+ 1,3 - 0,9	+ 1,4 - 1,0
30	50	± 0,65	+ 1,0 - 0,6	+ 1,1 - 0,7	+ 1,2 - 0,8	+ 1,3 - 0,9	+ 1,4 - 1,0	+ 1,6 - 1,0
50	80	± 0,80	+ 1,1 - 0,8	+ 1,3 - 0,8	+ 1,4 - 0,9	+ 1,4 - 1,0	+ 1,6 - 1,0	+ 1,7 - 1,2
80	120	± 0,90	+ 1,3 - 0,9	+ 1,4 - 1,0	+ 1,6 - 1,1	+ 1,6 - 1,1	+ 1,7 - 1,2	+ 1,9 - 1,2
120	180	± 1,00	+ 1,6 - 1,0	+ 1,6 - 1,1	+ 1,7 - 1,2	+ 1,8 - 1,2	+ 1,9 - 1,3	+ 2,0 - 1,3
180	250	± 1,20	+ 1,7 - 1,2	+ 1,9 - 1,2	+ 1,9 - 1,3	+ 2,0 - 1,3	+ 2,0 - 1,4	+ 2,2 - 1,4
250	315	± 1,30	+ 1,9 - 1,3	+ 2,0 - 1,3	+ 2,0 - 1,4	+ 2,1 - 1,4	+ 2,2 - 1,4	+ 2,2 - 1,5
315	400	± 1,50	+ 2,2 - 1,4	+ 2,2 - 1,5	+ 2,2 - 1,5	+ 2,3 - 1,5	+ 2,3 - 1,5	+ 2,3 - 1,6
400	500	± 1,70	+ 2,4 - 1,6	+ 2,4 - 1,6	+ 2,5 - 1,6	+ 2,5 - 1,6	+ 2,5 - 1,6	+ 2,5 - 1,6
500	—	nach Vereinbarung						

In den zulässigen Abweichungen ist die Parallelitätstoleranz enthalten. Sie kann innerhalb der angegebenen Grenzen voll in Anspruch genommen werden.

Tabelle 4. **Zulässige Abweichungen für formgebundene und nichtformgebundene Maße für Werkstoffgruppe IV: CuZn20Al (SoMs76), (Zusammensetzung nach DIN 17 660) CuNi10Fe (Zusammensetzung nach DIN 17 664) CuCd1, CuCr, CuNi2Si, CuNi3Si (Zusammensetzung nach DIN 17 666)**

Nennmaßbereich		Zulässige Abweichungen für formgebundene Maße n	Bereich für Fläche A in cm^2					
			— bis 25	über 25 bis 50	über 50 bis 100	über 100 bis 200	über 200 bis 400	über 400 bis 800
über	bis		Zulässige Abweichungen für nichtformgebundene Maße $t_{max} = t$					
—	3	± 0,25	+ 0,6 − 0,35	—	—	—	—	—
3	6	± 0,3	+ 0,6 − 0,5	+ 0,8 − 0,5	+ 0,8 − 0,6	+ 0,9 − 0,6	—	—
6	10	± 0,4	+ 0,7 − 0,5	+ 0,8 − 0,6	+ 0,9 − 0,7	+ 1,0 − 0,7	+ 1,15 − 0,8	+ 1,3 − 0,9
10	18	± 0,5	+ 0,8 − 0,6	+ 1,0 − 0,7	+ 1,1 − 0,7	+ 1,1 − 0,8	+ 1,3 − 0,95	+ 1,45 − 1,0
18	30	± 0,65	+ 1,0 − 0,7	+ 1,2 − 0,7	+ 1,3 − 0,8	+ 1,3 − 0,95	+ 1,5 − 1,05	+ 1,6 − 1,2
30	50	± 0,8	+ 1,2 − 0,7	+ 1,2 − 0,8	+ 1,4 − 1	+ 1,5 − 1,1	+ 1,6 − 1,2	+ 1,8 − 1,3
50	80	± 1	+ 1,4 − 1,0	+ 1,5 − 1,0	+ 1,6 − 1,1	+ 1,6 − 1,2	+ 1,8 − 1,3	+ 2,0 − 1,45
80	120	± 1,1	+ 1,6 − 1,1	+ 1,7 − 1,2	+ 1,8 − 1,3	+ 1,8 − 1,3	+ 2,0 − 1,45	+ 2,2 − 1,45
120	180	± 1,2	+ 1,8 − 1,2	+ 1,8 − 1,3	+ 2,0 − 1,4	+ 2,0 − 1,5	+ 2,2 − 1,6	+ 2,4 − 1,6
180	250	± 1,4	+ 2,0 − 1,5	+ 2,0 − 1,4	+ 2,2 − 1,6	+ 2,2 − 1,7	+ 2,4 − 1,7	+ 2,6 − 1,7
250	315	± 1,6	+ 2,2 − 1,6	+ 2,4 − 1,6	+ 2,4 − 1,7	+ 2,6 − 1,7	+ 2,6 − 1,8	+ 2,6 − 1,8
315	400	± 1,8	+ 2,4 − 1,7	+ 2,6 − 1,8	+ 2,6 − 1,8	+ 2,8 − 1,8	+ 2,8 − 1,9	+ 2,8 − 1,9
400	500	± 2	+ 2,8 − 1,9	+ 2,8 − 1,9	+ 3,0 − 1,9	+ 3 − 1	+ 3 − 1	+ 3 − 1
500	—	nach Vereinbarung						

In den zulässigen Abweichungen ist die Parallelitätstoleranz enthalten. Sie kann innerhalb der angegebenen Grenzen voll in Anspruch genommen werden.

4. Zulässiger Versatz (siehe Tabelle 5)

Der Versatz entsteht durch die in Abschnitt 2 beschriebene Einflüsse und ist nicht an eine bestimmte Richtung gebunden (siehe Bild 5).

Der zulässige Versatz wird mit Bezug auf das größte Nennmaß, gesehen in Schlagrichtung, festgelegt (siehe Bild 5).

Der zulässige Versatz ist über oder in dem Schriftfeld der Rohteilzeichnung anzugeben, z. B.: zulässiger Versatz 0,5 mm.

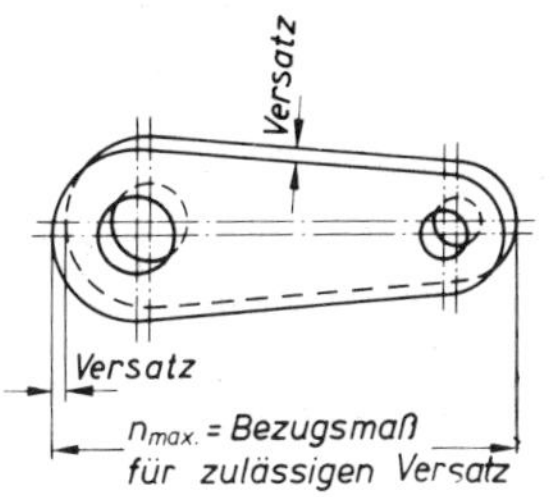

Bild 5.

Der Versatz ist nicht in die zulässigen Abweichungen für formgebundene Maße einbezogen; es werden dann die zulässigen Abweichungen für formgebundene Maße und Versatz je für sich ausgenutzt (siehe Bilder 6 und 7).

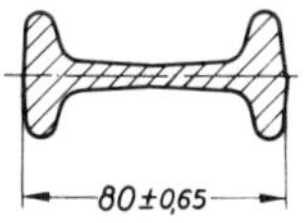

Bild 6.
Vorgesehene Ausführung

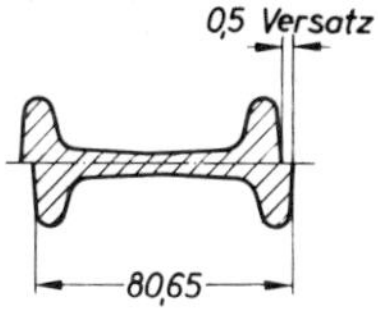

Bild 7.
Zulässige Istmaße

Tabelle 5. **Zulässiger Versatz**

Nennmaßbereich n_{max}	— bis 50	über 50 bis 120	über 120 bis 315	über 315 —
Zulässiger Versatz	0,3	0,5	0,8	1,25

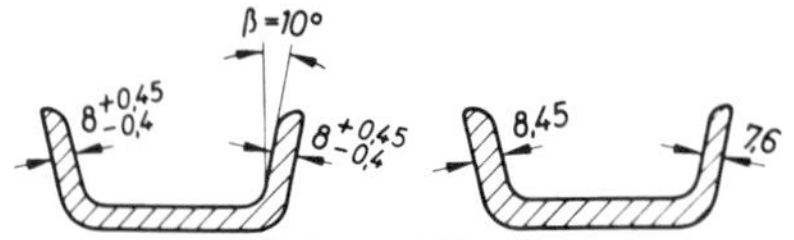

Fläche A = 120 cm²

Bild 8.
Vorgesehene Ausführung

Bild 9.
Zulässige Istmaße

Der Versatz wird bei Wanddicken mit Bezug auf das größte Nennmaß der Wanddicke festgelegt. Dem zulässigen Versatz nach Tabelle 4 muß in diesem Falle der sich aus dem Verhältnis des Winkels β zu den zulässigen Abweichungen nach Tabelle 1, 2 oder 3 für nichtformgebundene Maße t ergebende Wert $t \cdot \tan\beta$ zugeschlagen werden (siehe Bilder 8 und 9 und Beispiel für Versatzermittlung).

Beispiel für Versatzermittlung bei Wanddicken

Gegeben: Werkstoffgruppe II
Fläche A = 120 cm²
Wanddicke = 8 mm
zulässige Abweichung t nach Tabelle 2: $^{+\,0{,}8\text{ mm}}_{-\,0{,}5\text{ mm}}$
$n_{max} \leqq 50$ mm
Versatz für Wanddicke nach Tabelle 5: ± 0,3 mm
∢ β = 10° ($\tan\beta$ = 0,1763)

Gefunden:
Versatz für Wanddicke + ($t \cdot \tan\beta$)

$$= \pm 0{,}3\text{ mm} + \left(\begin{matrix}+\,0{,}8\text{ mm}\\-\,0{,}5\text{ mm}\end{matrix} \cdot 0{,}1763\right)$$

$$= \begin{matrix}+\,0{,}3\text{ mm} + 0{,}15\text{ mm} = +\,0{,}45\text{ mm}\\-\,0{,}3\text{ mm} - 0{,}10\text{ mm} = -\,0{,}40\text{ mm}\end{matrix}$$

5. Augen

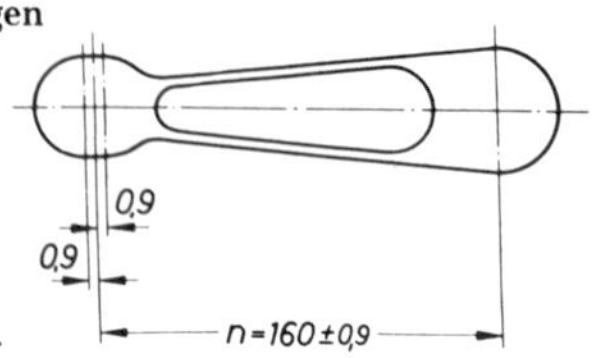

Bild 10.

Augen dürfen mit einer Unrundheit ausgeführt werden, die der zulässigen Abweichung des Mittenabstandes der Augen untereinander entspricht.

Beispiel

In Bild 10 gilt für den Augenabstand n = 160 mm nach Tabelle 2 eine Abweichung von ± 0,9 mm. Um diesen Betrag dürfen die Augen unrund sein.

6. Rundungen und Übergänge

Als zulässige Abweichung gelten ± 10 %, mindestens jedoch ± 1 mm.

7. Grate

7.1. Zulässiger Gratüberstand

Ausfallmuster sind von Hand entgratet und deshalb für die Güte der Entgratung nicht bindend. Bei Lieferung von serienmäßig hergestellten Teilen gilt der in Tabelle 6 aufgeführte zulässige Gratüberstand (siehe auch DIN 17 673 Blatt 2).

Der beim Schmieden durch die Werkzeugteilung entstandene Grat wird vom Hersteller abgetrennt.

Abnutzung der Schneidwerkzeuge wie auch Fertigungsschwankungen innerhalb der zulässigen Abweichungen der Gesenkschmiedestücke bedingen einen Gratüberstand, der je nach Größe der Stücke verschieden ist.

Der zulässige Gratüberstand wird, bezogen auf das größte Nennmaß n gesehen in Schlagrichtung, festgelegt (siehe Bild 11 und Tabelle 6).

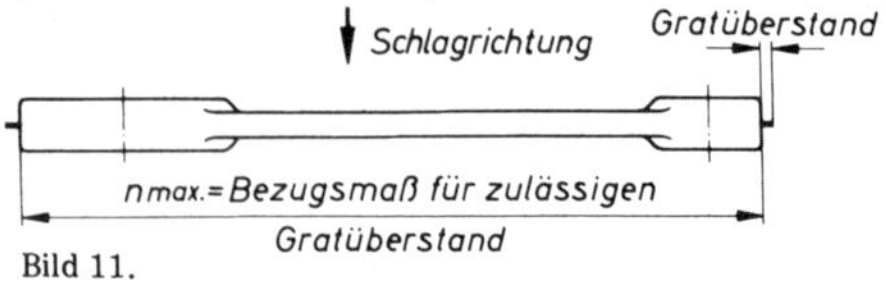

Bild 11.

Tabelle 6. **Zulässiger Gratüberstand**

Nennmaßbereich n_{max}	— bis 50	über 50 bis 120	über 120 bis 180	über 180 bis 250	über 250 bis 400	über 400 —
Zulässiger Gratüberstand	0,4	0,6	0,8	1,0	1,5	2,0

7.2. Zulässige Grathöhen

Grate, die durch das Entgraten, Stanzen, Lochen oder durch Gesenkeinsätze entstanden sind (siehe G_1 und G_2 in Bild 12), sind zulässig, sofern sie bei der spanenden Bearbeitung entfernt werden bzw. im Fertigteil nicht stören. Sie dürfen jedoch die in der Tabelle 7 genannten Grathöhen nicht überschreiten.

Tabelle 7. **Zulässige Grathöhen**

Zulässige Grathöhe			
G_1	G_2	G_3	G_4
1,5	1,5	3	3

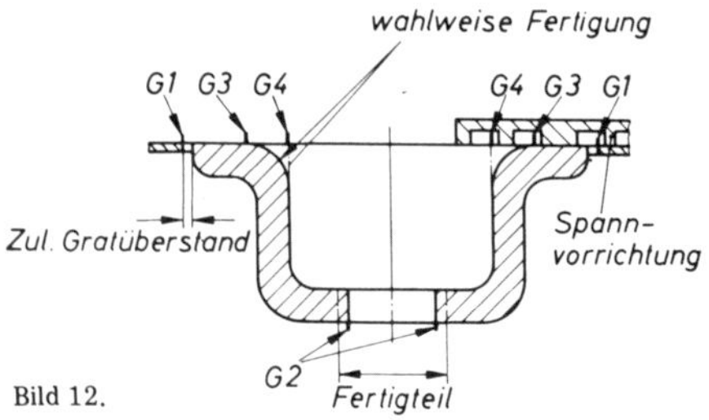

Bild 12.

8. Auswerfermarken

Sind aus fertigungsbedingten Gründen Auswerfereinrichtungen erforderlich, so können Auswerfermarken mit einer Erhöhung oder Vertiefung entstehen (siehe Bild 13 und Tabelle 8). Falls diese aus zwingenden Gründen nur vertieft oder nur erhaben sein dürfen, so gilt der Gesamtwert der zulässigen Abweichung.

Beispiel

Zulässige Auswerfermarke: ± 0,4 mm

Auswerfermarke nur erhaben: + 0,8 mm

Auswerfermarke nur vertieft: – 0,8 mm

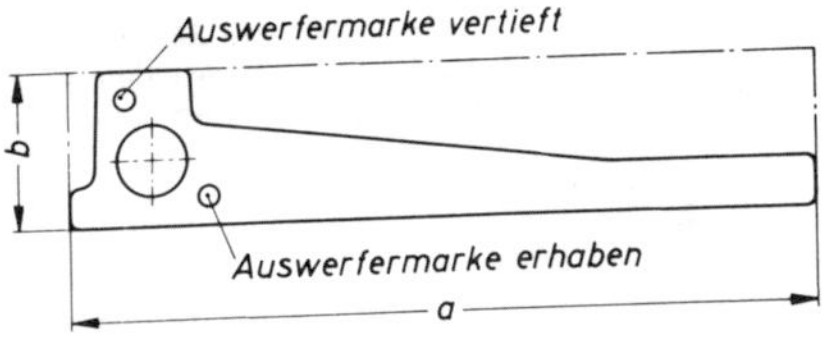

Bild 13.

Tabelle 8. **Zulässige Erhöhung oder Vertiefung der Auswerfermarken**

Fläche $A = a \cdot b$ cm²	— bis 100	über 100 bis 200	über 200 bis 400	über 400 —
Zulässige Auswerfermarke	± 0,4	± 0,7	± 1,1	± 1,5

9. Ebenheitstoleranzen

Über die fertigungsbedingten zulässigen Abweichungen hinaus ergeben sich durch Verbiegen, Verwinden oder Auslösen von Spannungen, insbesondere auch bei der nachträglichen Wärmebehandlung, Abweichungen von der Ebene.

Die Ebenheitstoleranzen werden, bezogen auf das größte Nennmaß, gesehen in Schlagrichtung, festgelegt (siehe Bild 14 und Tabelle 9).

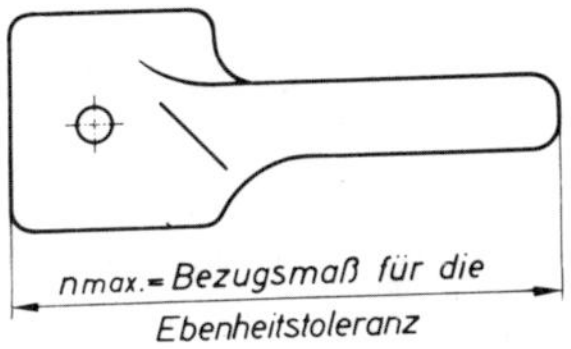

Bild 14.

Tabelle 9. **Ebenheitstoleranzen**

Nennmaßbereich n_{max}		— bis 50	über 50 bis 120	über 120 bis 250	über 250 bis 400	über 400 —
Ebenheitstoleranz U_{max} für	Werkstoffgruppe I und II	0,3	0,5	0,9	1,4	2
	Werkstoffgruppe III	0,5	0,7	1,2	1,8	2,5
	Werkstoffgruppe IV	0,6	0,8	1,4	2,2	3,0

Die Abweichung von der Ebenheit wird von einer Bezugsebene aus gemessen, die aus drei Punkten auf der Oberfläche des Gesenkschmiedestückes gebildet wird (siehe Bild 15).

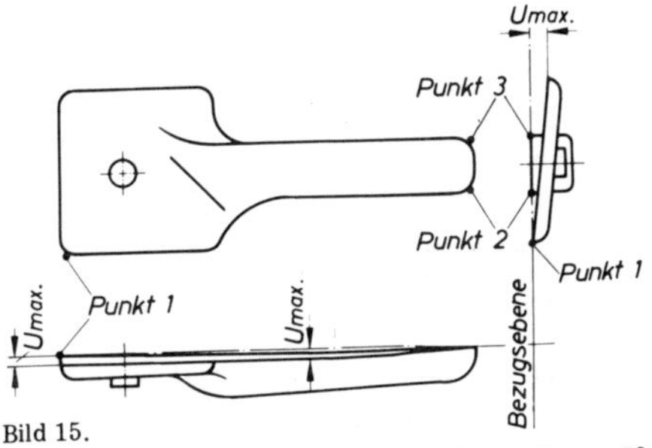

Bild 15.

Bei gebogenen Teilen gilt die Ebenheitstoleranz sinngemäß.

10. Zulässige Winkelabweichungen

Es gelten die Werte nach Tabelle 10. Diese Werte gelten nicht für Aushebeschrägen.

Tabelle 10. **Zulässige Winkelabweichungen**

Nennmaßbereich des kürzeren Schenkels	Zulässige Abweichung
bis 10	± 2°
über 10 bis 50	± 1°
über 50 bis 120	± 0° 30′
über 120 bis 180	± 0° 30′
über 180 bis 250	± 0° 25′
über 250 bis 400	± 0° 20′

11. Zulässige Winkelabweichungen der Schrägen

Die in der Rohteilzeichnung angegebenen Außen-, Innen- und Bodenschrägen (siehe DIN 17 673 Blatt 2 und Blatt 3) sind Höchstwerte. Es sind nur kleinere Neigungen zulässig. Die Schrägen werden, wenn nicht anders angegeben, wie Bearbeitungszugaben behandelt.

12. Gewichte und zulässige Gewichtsabweichungen

Das Gewicht errechnet sich aus den Nennmaßen des jeweiligen Schmiedestückes und der Dichte des Werkstoffes.

Die zulässige Gewichtsabweichung ergibt sich aus den zulässigen Abweichungen der Nennmaße und den zulässigen Abweichungen in der Zusammensetzung.

DK 669.3-42-126 : 669.35.018.26-42-126 : 539.4
: 620.1

Dezember 1983

Strangpreßprofile aus Kupfer und Kupfer-Knetlegierungen
Eigenschaften

DIN 17 674 Teil 1

Wrought copper and copper alloys extruded profiles; properties
Profilés filés en cuivre et en alliages de cuivre corroyés; caractéristiques

Ersatz für Ausgabe 06.74

1 Anwendungsbereich

In Verbindung mit den Technischen Lieferbedingungen nach DIN 17 674 Teil 2 legt diese Norm die Eigenschaften von Strangpreßprofilen aus Kupfer und Kupfer-Knetlegierungen fest.

2 Bestellangaben

Die Auswahl des Werkstoffes und des Lieferzustandes ist Sache des Bestellers. Empfohlen wird, bei der Bestellung den Verwendungszweck und die vorgesehene Weiterverarbeitung anzugeben.

Bei der Bezeichnung oder Bestellung von Strangpreßprofilen aus Kupfer und Kupfer-Knetlegierungen sind die Werkstoff-Kurzzeichen und Werkstoff-Nummern dieser Norm zu verwenden, wie in den Bezeichnungsbeispielen der Maßnormen angegeben.

3 Eigenschaften

3.1 Mechanische Eigenschaften

Für die mechanischen Eigenschaften werden Werkstoffkenndaten in den Tabellen 1 bis 3 angegeben, die durch den Zugversuch oder die Härteprüfung ermittelt werden.

Es müssen folgende Werte eingehalten werden:

- Zugfestigkeit: Mindestwerte
- 0,2%-Dehngrenze: Höchst- oder Mindestwerte
- Bruchdehnung: Mindestwerte

Die mechanischen Eigenschaften von Strangpreßprofilen hängen weitgehend von Form und Größe des Querschnittes, von einer eventuellen Wärmebehandlung und der Lage des Probestabes ab.

Die angegebenen Werte gelten in Preß- bzw. Ziehrichtung; Werte in anderen Richtungen liegen niedriger und sind mit dem Hersteller zu vereinbaren.

Werte für die Bruchdehnung unter 5 % werden aus Gründen der Meßunsicherheit nicht angegeben.

Für die Brinellhärte sind Ungefährwerte angegeben, die nicht verbindlich sind.

3.2 Elektrische Eigenschaften

Für eine Auswahl von Werkstoffen, an die in Sonderfällen Anforderungen an die elektrische Leitfähigkeit gestellt werden können, sind Mindestwerte in Tabelle 4 angegeben.

4 Maß- und Formtoleranzen

Siehe DIN 17 674 Teil 4 und Teil 5.

5 Prüfung

5.1 Prüfung der mechanischen Eigenschaften

Für den Zugversuch gelten die Normen DIN 50 125 und DIN 50 145, für die Härteprüfung DIN 50 351.

5.2 Prüfung der elektrischen Eigenschaften

Im allgemeinen wird die elektrische Leitfähigkeit nach werkseignen Verfahren geprüft.

In Schiedsfällen wird — falls nicht anders vereinbart — das Routineverfahren nach DIN IEC 468 durchgeführt.

5.3 Runden von Meßergebnissen

Zum Vergleich mit den Grenzwerten dieser Norm ist jedes Meßergebnis entsprechend der Rundungsregel nach DIN 1333 Teil 2 auf dieselbe Genauigkeit wie die des Grenzwertes wie folgt zu runden:

a) Werte der Zugfestigkeit und der 0,2%-Dehngrenze auf die nächste Zehnerstelle,
b) Werte der Bruchdehnung auf die nächste Einerstelle,
c) Werte der Brinellhärte entsprechend den Angaben in DIN 50 351,
d) Werte der elektrischen Leitfähigkeit entsprechend den Angaben in DIN IEC 468.

Fortsetzung Seite 2 und 3

Normenausschuß Nichteisenmetalle (FNNE) im DIN Deutsches Institut für Normung e. V.

Tabelle 1. **Kupfer-Zink-Legierungen mit Blei (Messing)** (Zusammensetzung nach DIN 17 660)

Werkstoff- Kurzzeichen		Werkstoff- Nummer 1)	Zugfestigkeit R_m N/mm² min.	0,2%-Dehngrenze $R_{p\,0,2}$ N/mm²	Bruchdehnung A_5 % min.	Brinellhärte HB 2,5/62,5 ≈
CuZn38Pb1.5		**2.0371**				
	P	**.08**	ohne vorgeschriebene Festigkeitswerte			
	zh	**.20**	ohne vorgeschriebene Festigkeitswerte			
	F33	**.10**	330	min. 250	35	90
	F40	**.26**	400	min. 250	20	120
CuZn39Pb3 **CuZn40Pb2**		**2.0401** **2.0402**				
	P	**.08**	ohne vorgeschriebene Festigkeitswerte			
	zh	**.20**	ohne vorgeschriebene Festigkeitswerte			
	F36	**.10**	360	max. 250	30	100
	F43	**.26**	430	min. 250	15	130
CuZn44Pb2	**p**	**2.0410.08**	ohne vorgeschriebene Festigkeitswerte			

1) Die Anhängezahl .26 gilt für den nicht entspannten Zustand. Für kaltverfestigte, entspannte Zustände sind keine Werte festgelegt.

Tabelle 2. **Kupfer-Zink-Legierungen mit weiteren Legierungselementen (Sondermessing)** (Zusammensetzung nach DIN 17 660)

Werkstoff- Kurzzeichen *)		Werkstoff- Nummer	Zugfestigkeit R_m N/mm² min.	0,2%-Dehngrenze $R_{p\,0,2}$ N/mm² min.	Bruchdehnung A_5 % min.	Brinellhärte HB 2,5/62,5 ≈
CuZn37Al1 **CuZn40Al1**		**2.0510** **2.0561**				
	F39	**.08**	390	150	20	110
	F44 1)	**.27**	440	180	15	125
CuZn40Al2	**F54**	**2.0550.08**	540	230	12	150
CuZn40Mn2 (CuZn40Mn) **CuZn40Mn1Pb** (CuZn40MnPb)		**2.0572** **2.0580**				
	F39	**.08**	390	150	20	100
	F44	**.27**	440	180	18	110

*) Einige Kurzzeichen wurden entsprechend DIN 17 660 geändert; die bisherigen Kurzzeichen sind zur Information zusätzlich in Klammern angegeben.

1) Nur für gezogene Profile mit einfachen geometrischen Querschnittsformen

Tabelle 3. **Niedriglegierte Kupfer-Knetlegierungen** (Zusammensetzung nach DIN 17 666)

Werkstoff- Kurzzeichen		Werkstoff- Nummer	Zugfestigkeit R_m N/mm² min.	0,2%-Dehngrenze $R_{p\,0,2}$ N/mm² min.	Bruchdehnung A_5 % min.	Brinellhärte HB 2,5/62,5 ≈
CuCrZr		**2.1293**				
	F37	**.60**	370	270	15	125
	F44	**.73**	440	370	10	140

Tabelle 4. **Elektrische Leitfähigkeit**

Werkstoff- Kurzzeichen		Werkstoff- Nummer	Elektrische Leitfähigkeit $\frac{m}{\Omega \cdot mm^2}$ min.
CuCrZr		**2.1293**	
	F37	**.60**	44
	F44	**.73**	43

Zitierte Normen

DIN 1333 Teil 2	Zahlenangaben, Runden
DIN 17 660	Kupfer-Knetlegierungen; Kupfer-Zink-Legierungen, (Messing, Sondermessing), Zusammensetzung
DIN 17 666	Niedriglegierte Kupfer-Knetlegierungen; Zusammensetzung
DIN 17 674 Teil 2	Strangpreßprofile aus Kupfer und Kupfer-Knetlegierungen; Technische Lieferbedingungen
DIN 17 674 Teil 4	Strangpreßprofile aus Kupfer und Kupfer-Knetlegierungen; gepreßt, zulässige Abweichungen
DIN 17 674 Teil 5	Strangpreßprofile aus Kupfer und Kupfer-Knetlegierungen; gezogen, zulässige Abweichungen
DIN 50 125	Prüfung metallischer Werkstoffe; Zugproben, Richtlinien für die Herstellung
DIN 50 145	Prüfung metallischer Werkstoffe; Zugversuch
DIN 50 351	Prüfung metallischer Werkstoffe; Härteprüfung nach Brinell
DIN IEC 468	Verfahren zur Messung des spezifischen (elektrischen) Widerstandes metallischer Werkstoffe

Frühere Ausgaben

DIN 17 674 Teil 1: 01.63, 02.69, 06.74

Änderungen

Gegenüber der Ausgabe Juni 1974 wurden folgende Änderungen vorgenommen:

a) Tabelle 1 wurde ersatzlos gestrichen.

b) Folgende Legierungen wurden gestrichen: CuZn39Pb0,5, CuZn40Ni, CuCd1, CuSi3Mn, CuSP, CuTeP und CuCr.

c) Der Text wurde redaktionell überarbeitet, z. B.
- Die F-Zahl wurde einheitlich für alle Werkstoffe als 1/10 des Mindestwertes der Zugfestigkeit in N/mm^2 eingeführt.
- Die Rundungsregel für Meßergebnisse von Prüfungen wurde aufgenommen.

Internationale Patentklassifikation

B 21 C 23/00
C 22 C 9/00

DK 669.3-42-126 Juni 1963

Strangpreßprofile aus Kupfer und Kupfer-Knetlegierungen
Technische Lieferbedingungen

DIN 17 674 Blatt 2

Extruded sections of wrought copper and copper alloys; technical terms of delivery

Profilés filés en cuivre et alliages de cuivre corroyés; conditions techniques de livraison

1. Geltungsbereich

Diese Norm enthält Technische Lieferbedingungen für Strangpreßprofile aus Kupfer und Kupfer-Knetlegierungen (siehe Abschnitt 3), und zwar für Profile unterschiedlicher Schwierigkeitsgrade wie Vollprofile, Hohlprofile (einschließlich Formrohre), offene Profile und geschlossene Profile.

2. Herstellungsverfahren

Man unterscheidet zwischen stranggepreßten Profilen und gezogenen Strangpreßprofilen.

Unter Strangpressen von Metallen versteht man ein Verfahren, bei dem Blöcke im plastischen Zustand unter erheblicher Querschnittsverminderung zu Halbzeug verschiedener Querschnittsformen und Längen warm verpreßt werden. Bei bestimmten Werkstoffen und besonderen Profilen kann aus Festigkeits-, Form- und Genauigkeitsgründen kalt verformt, z. B. gezogen werden. Diese Entscheidung liegt beim Hersteller.

3. Werkstoffeigenschaften

3.1. Zusammensetzung

Kupfer nach DIN 1787
Messing nach DIN 17 660
Sondermessing nach DIN 17 661

3.2. Festigkeitseigenschaften

Kupfer und Kupfer-Knetlegierungen nach DIN 17 674 Blatt 1 (Vornorm) und DIN 40 500 Blatt 3 (Kupfer für die Elektrotechnik).

Profile mit erheblichen Dickenunterschieden in der Querschnittsform: Festigkeitseigenschaften nach Vereinbarung.

4. Maßnormen

DIN 17 674 Strangpreßprofile aus Kupfer und Kupfer-Knetlegierungen
Blatt 4 gepreßt, zulässige Abweichungen
Blatt 5 gezogen, zulässige Abweichungen

5. Bestellangaben

5.1. Werkstoff und Lieferzustand

Die Auswahl des Werkstoffes und Lieferzustandes ist Sache des Bestellers. Siehe hierzu auch die entsprechenden Hinweise in den Abschnitten 6 bis 12.

Da Liefer- und Verwendungszustand nicht unbedingt übereinstimmen müssen, sollte der Besteller den Verwendungszweck und die vorgesehene Weiterverarbeitung bekanntgeben.

Bei der Bezeichnung oder Bestellung von Strangpreßprofilen aus Kupfer und Kupfer-Knetlegierungen sind die Kurzzeichen oder Werkstoffnummern nach DIN 17 674 Blatt 1 oder aus Kupfer für die Elektrotechnik nach DIN 40 500 Blatt 3 zu verwenden. Wegen der unterschiedlichen zulässigen Abweichungen muß bei Bestellung zusätzlich im Klartext angegeben werden, ob gepreßte oder gezogene Profile gewünscht werden.

5.2. Zeichnungsunterlagen

Für die Gestaltung neuer Querschnittsformen ist DIN 17 674 Blatt 3 maßgebend. Bei nicht genormten Querschnittsformen fertigt der Hersteller nach den eingereichten Unterlagen Zeichnungen an, die vom Besteller zu prüfen sind. Der Besteller übernimmt mit der Bestätigung der Zeichnung die Verantwortung für deren Richtigkeit. Die Anfertigung von Ausfallmustern kann vereinbart werden. Maßgebend für die Abnahme bleibt die bestätigte Zeichnung.

Wird der Umriß des Profilquerschnittes durch spanabhebende Bearbeitung geändert, so ist die endgültige Form, jedoch ohne Maße, durch strichpunktierte Linien einzutragen.

6. Anforderungen

Strangpreßprofile müssen hinsichtlich der Zusammensetzung, der Festigkeitseigenschaften und der Maße den in den Abschnitten 3 und 4 aufgeführten Normen entsprechen. Weitere Forderungen sind in den Abschnitten 6.1 bis 6.4 festgelegt.

6.1. Oberflächenbeschaffenheit

Preß- und Ziehriefen, Verfärbungen und ähnliches sind durch die Herstellungsverfahren bedingt. Auch Kratzer, Schrammen, Scheuerstellen, Eindrücke und andere mechanische Beschädigungen lassen sich nicht ganz vermeiden.

Für die Zulässigkeit gelten folgende Richtlinien:

Schwere Fehler, die die Festigkeit und die konstruktive Verwendung beeinträchtigen, z. B. starke Querrisse, schwere mechanische Beschädigungen, starke Schalenbildung, große Blasen und Fremdeinschlüsse sind unzulässig.

Aufrauhungen, die bei der späteren Verwendung oder bei einer nachfolgenden Oberflächenbearbeitung wesentlich stören, werden im allgemeinen verputzt, wobei die zulässigen Maßabweichungen nicht überschritten werden dürfen.

Sonstige Oberflächenerscheinungen, die bei der späteren Verwendung nicht stören oder durch die nachfolgende Oberflächenbearbeitung beseitigt werden, wie leichte Preßriefen, leichte Aufrauhungen, Verfärbungen, welche von einer Wärmebehandlung herrühren, sind zulässig.

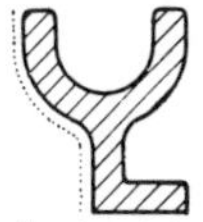

Flächenbereiche, an die besondere Ansprüche gestellt werden, sind in der Zeichnung, z. B. durch Punkte (siehe Bild), zu kennzeichnen.

Für Strangpreßprofile aus Kupfer und Kupfer-Knetlegierungen:
Festigkeitseigenschaften siehe DIN 17 674 Blatt 1 (Vornorm)
Gestaltung siehe DIN 17 674 Blatt 3
Gepreßt, Zulässige Abweichungen siehe DIN 17 674 Blatt 4
Gezogen, Zulässige Abweichungen siehe DIN 17 674 Blatt 5

Fortsetzung Seite 2

Fachnormenausschuß Nichteisenmetalle im Deutschen Normenausschuß (DNA)

6.2. Schnittkanten

Die Schnittkanten von Profilen werden auch bei Lieferungen in festen Längen nicht entgratet. Lieferung ohne Grat ist bei Bestellung besonders zu vereinbaren.

6.3. Verarbeitbarkeit

Für die Verarbeitbarkeit der Profile sind die Festigkeitseigenschaften nach DIN 17 674 Blatt 1 maßgebend.

Besondere Ansprüche an die Verformbarkeit, Zerspanbarkeit, Schweißbarkeit oder andere Eigenschaften sind bei der Bestellung ausdrücklich mitzuteilen.

6.4. Gefüge

Lunker, Risse und Dopplungen sind unzulässig.

Handelsübliche Profile unterliegen keinen Anforderungen an bestimmte Korngrößen. Je nach Werkstoff und Lieferzustand kann bei Verformungen Narbigkeit durch Sichtbarwerden des Kornes auftreten.

7. Wärmebehandlung

Wärmebehandlungen von Profilen können zu stärkerem Verzug führen. Profile mit schroffen Querschnittsübergängen und solche mit verhältnismäßig geringen Dicken sind besonders anfällig gegen Verziehen. Ein Nachrichten ist nur bedingt und gegebenenfalls mit erheblichem Aufwand möglich.

Eine Wärmebehandlung kann außerdem eine Verschlechterung der Oberfläche bewirken und einen erhöhten Aufwand (z. B. Entfetten und Beizen) verursachen.

Eigenspannungen, die die Weiterverarbeitung ungünstig beeinflussen können, lassen sich in vielen Fällen durch Entspannen vermindern. Falls ein Entspannen für erforderlich gehalten wird, ist dies bei der Bestellung in jedem Falle besonders zu vereinbaren.

8. Kennzeichnung

Strangpreßprofile werden ohne Kennzeichnung geliefert. Wird eine Kennzeichnung auf den Profilen oder auf der Verpackung verlangt, so ist diese bei Bestellung besonders zu vereinbaren.

9. Verpackung

Die Verpackung ist durch die Art und die Verwendung der Profile bedingt und der Wahl des Herstellers überlassen oder bei Bestellung zu vereinbaren.

10. Prüfung

10.1. Prüfung der Zusammensetzung

Das Analysenverfahren bleibt dem Hersteller überlassen.

In Zweifelsfällen entscheidet die Naßanalyse nach der neuesten Ausgabe der „Analyse der Metalle" des Chemikerausschusses der Gesellschaft Deutscher Metallhütten- und Bergleute e. V. (Berlin — Göttingen — Heidelberg: Springer-Verlag).

10.2. Prüfung der Festigkeitseigenschaften

nach folgenden Normen:

DIN 50 144 Ermittlung der 0,2-Grenze
DIN 50 145 Zugversuch
DIN 50 146 Zugversuch ohne Feindehnungsmessung
DIN 50 125 Zugproben
DIN 50 351 Härteprüfung nach Brinell

Andere Prüfverfahren, z. B. Härteprüfung nach Vickers (nach DIN 50 133), sind zu vereinbaren.

Die Lage der Probenentnahmestelle ist zu vereinbaren.

10.3. Prüfung der Oberflächenbeschaffenheit

Durch Sichtprüfung ohne optische Hilfsmittel. Beurteilung nach Abschnitt 6.1.

10.4. Prüfung auf Wasserstoffbeständigkeit

Geltungsbereich: Sauerstofffreie Kupfersorten

Aus Strangpreßprofilen sind Proben bis zu einer Dicke von 8 mm herzustellen. Diese werden 30 Minuten lang bei 800 bis 850 °C in einer reduzierenden Atmosphäre (Wasserstoff oder Heizgas) geglüht und abgekühlt.

Diese Proben werden um 180° gefaltet. Die Faltstelle darf weder Querrisse zeigen noch brechen.

10.5. Prüfung der elektrischen Eigenschaften

Geltungsbereich: E-Cu und SE-Cu

Für die Beurteilung ist die elektrische Leitfähigkeit bzw. der spezifische elektrische Widerstand nach DIN 40 500 Blatt 3 Kupfer für die Elektrotechnik, Stangen, Profile, Technische Lieferbedingungen, maßgebend.

10.6. Wiederholungen von Prüfungen

Wenn die vorgeschriebenen Werte nicht erreicht werden, sind Wiederholungsprüfungen an zwei neu entnommenen Proben durchzuführen. Wenn davon wiederum eine Probe den Vorschriften nicht entspricht, darf die zugehörige Lieferung zurückgewiesen werden.

11. Prüfumfang und Loseinteilung [1])

11.1. Handelsübliche Qualität

Bei handelsüblicher Qualität wird vom Hersteller eine Prüfung im Rahmen der innerbetrieblichen Gütesicherung durchgeführt.

11.2. Erhöhter Prüfumfang

Bei Profilen für besonders hohe Beanspruchung können erhöhter Prüfumfang bzw. zusätzliche Prüfungen vereinbart werden.

11.3. Anzahl der Proben

Liefergewicht kg		Anzahl der Proben für Zugversuch oder für Härteprüfung für Strangpreßprofile mit einem Gewicht	
über	bis	bis 1 kg/m	über 1 kg/m
200	500	1	1
500	1000	2	1
1000	2000	3	2
2000	3000	4	3
je weitere 1000		1 mehr	1 mehr

Bei Lieferungen unter 200 kg können keine Proben verlangt werden.

11.4. Abnahme

Unter Abnahme wird eine Prüfung verstanden, die unter Aufsicht eines beauftragten Sachverständigen des Bestellers oder eines Sachverständigen des Herstellerwerkes, der von den beteiligten Fertigungsbetrieben unabhängig ist, durchgeführt wird.

Die Bedingungen unterliegen besonderer Vereinbarung. Bei der Prüfung ist die Lieferung nach Losen getrennt vorzulegen. Zu einem Los gehören Profile einheitlicher Herstellungsart, gleichen Werkstoffs, gleichen Zustands und gleicher Abmessung. Es ist nicht erforderlich, daß ein Los nur aus einer Schmelze oder nur aus einer Wärmebehandlung stammt.

12. Nachweis der gelieferten Qualität

12.1. Profile handelsüblicher Qualität nach Abschnitt 11.1 werden ohne Bescheinigung geliefert.

12.2. Bei besonderer Vereinbarung, z. B. erhöhtem Prüfumfang nach Abschnitt 11.2, und bei Abnahme nach Abschnitt 11.4 kann zum Nachweis durchgeführter Prüfungen Werksbescheinigung, Werkszeugnis oder Abnahmezeugnis nach DIN 50 049 verlangt werden.

[1]) Die Prüfungen können auch zwischen Hersteller und Verbraucher nach bestimmten Prüfplänen (statistische Qualitätskontrolle) vereinbart werden.

DK 669.3-42-126 Juni 1963

Strangpreßprofile aus Kupfer und Kupfer-Knetlegierungen
Gestaltung

DIN 17 674 Blatt 3

Extruded sections of wrought copper and copper alloys; shaping
Profilés filés en cuivre et alliages de cuivre corroyés; configuration

Maße in mm

1. Geltungsbereich

Diese Norm ist eine Arbeitsgrundlage für die Gestaltung von gepreßten und von gezogenen Strangpreßprofilen. Sie soll dem Besteller ermöglichen, beim Entwerfen von Profilen die fertigungstechnischen Voraussetzungen des Herstellers zu berücksichtigen.

2. Allgemeine Richtlinien für die Gestaltung

2.1. Das Strangpressen von Kupfer und Kupfer-Knetlegierungen ermöglicht bei der Herstellung von Profilen eine weitgehende Variation von Querschnittsformen, die sich bei der Gestaltung den jeweiligen Konstruktionserfordernissen leicht anpassen lassen.

Man unterscheidet Vollprofile, Hohlprofile (einschließlich Formrohre), offene Profile und geschlossene Profile.

Vor der Gestaltung neuer Querschnittsformen ist zweckmäßigerweise an Hand der Normen und der Unterlagen der Herstellerwerke zu prüfen, ob vorhandene Werkzeuge den jeweiligen Konstruktionsbedingungen genügen.

Die Herstellung neuer Werkzeuge, z. B. Preßmatrizen, für das Strangpressen von Kupfer und Kupfer-Knetlegierungen ist verhältnismäßig einfach. Voraussetzung ist, daß die benötigte Menge einer neuen Querschnittsform die Herstellung der erforderlichen Werkzeuge rechtfertigt.

2.2. Strangpreßprofile bieten unter Berücksichtigung der in DIN 17 674 Blatt 1 (Vornorm) angegebenen Festigkeitseigenschaften die Möglichkeit, die Querschnittsformen auf die Beanspruchung so abzustimmen, daß eine gute Ausnutzung des Werkstoffes gewährleistet ist.

2.3. Strangpreßprofile können je nach Werkstoff und Querschnittsform durch Ziehen kalt verformt werden. Dadurch sind eine noch höhere Maßgenauigkeit und unter Umständen eine Verbesserung der Oberflächenbeschaffenheit sowie durch Werkstoffverfestigung höhere Festigkeitswerte erreichbar. Das Ziehen von Strangpreßprofilen bedingt aber immer einen erhöhten Aufwand, so daß auch hier Voraussetzung ist, daß Profilmenge und Profilform die Herstellung der Werkzeuge rechtfertigen.

2.4. Die mögliche Formgebung ist vom Werkstoff und vom Endzustand des Profiles abhängig (siehe Abschnitte 4 und 7).

3. Voraussetzung bei der Gestaltung

3.1. Stranggepreßte wie auch gezogene Profile sind Halbzeug. Jede nachträgliche mechanische Bearbeitung der Querschnittsform auf der gesamten Profillänge wird sich meist erheblich teurer stellen als die Berücksichtigung dieser Forderung beim Konstruieren bzw. Pressen und Ziehen des Profiles. Erforderliche spanabhebende Bearbeitungen sollen sich deshalb auf ein Mindestmaß beschränken.

Nachträgliche Änderungen der Querschnittsform in den Werkzeugen sind nur bedingt möglich. Derartige Korrekturen müssen zwischen Besteller und Hersteller abgestimmt werden. Der Hersteller kann das Risiko für die Werkzeugänderung ablehnen und dem Besteller gegebenenfalls die Anfertigung neuer Werkzeuge vorschlagen. Die Verringerung der Außen- und Dickenmaße von Profilen ist durch Änderung vorhandener Werkzeuge nicht möglich.

3.2. Scharfe Kanten, schroffe Querschnittsübergänge, erhebliche Querschnittsunterschiede und Werkstoffanhäufungen sind möglichst zu vermeiden.

3.3. Für Rundungen von Hohlkehlen und Kanten werden die in Tabelle 1 angegebenen Radien empfohlen (siehe Bilder 1 und 2).

Tabelle 1

Dicke[1]) s über	bis	Empfohlene Rundungen für Hohlkehlen r_1	Kanten r_2
–	**2**	2	1
2	**4**	2,5	1,5
4	**6**	4	2
6	**10**	6	3
10	**20**	10	5
20	**40**	15	10

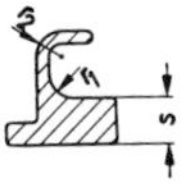
Bild 1

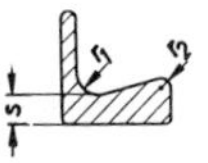
Bild 2

Falls scharfe Kanten erforderlich sind, gelten die in der Tabelle 2 angegebenen Rundungen als Mindestwerte. Eine schärfere Ausbildung der Kanten kann zwar gelegentlich auftreten, aber grundsätzlich nicht gewährleistet werden.

3.4. Bei Gestaltung von Profilen mit ebenen Flächen ist zu beachten, daß die Gestalt der Fläche bestimmten Abweichungen (siehe DIN 17 674 Blatt 4) unterliegt. Wird bei nachträglicher Oberflächenbehandlung ein besonders gleichmäßiges Aussehen erwartet, so ist zu empfehlen, die Flächen zu unterbrechen (siehe Bilder 3 und 4).

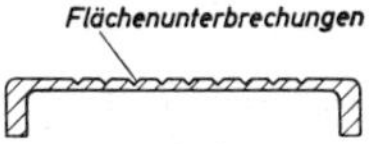

Bild 3

Bild 4

[1]) Die Dicke s wird am Ansatz der Hohlkehle des dickeren Schenkels gemessen.

Fortsetzung Seite 2 und 3

Für Strangpreßprofile aus Kupfer und Kupfer-Knetlegierungen:
Festigkeitseigenschaften siehe DIN 17 674 Blatt 1 (Vornorm)
Technische Lieferbedingungen siehe DIN 17 674 Blatt 2
Gepreßt, Zulässige Abweichungen siehe DIN 17 674 Blatt 4
Gezogen, Zulässige Abweichungen siehe DIN 17 674 Blatt 5

Fachnormenausschuß Nichteisenmetalle im Deutschen Normenausschuß (DNA)

Tabelle 2

Dicke²) *s* über	bis	Rundungen scharfer Kanten mindestens³)
–	2	0,5
2	4	0,6
4	6	0,7
6	10	0,8
10	20	1,0
20	40	1,2

In Profilen mit Stegen werden sich diese auf der Gegenseite (siehe Bilder 5 und 6, Punkte *a* auch nach einer Oberflächenbehandlung mehr oder weniger stark abzeichnen. Hier ist zu empfehlen, die Fläche zu unterbrechen.

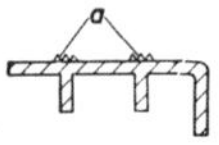

Bild 5

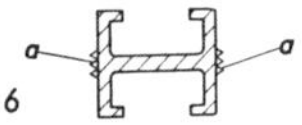

Bild 6

4. Richtlinien für die Konstruktion

4.1. Vollprofile

Bei derartigen Profilen ist zu beachten, daß flache, dünne Querschnitte schwer herstellbar sind. Mit wachsenden Profilbreiten oder Schenkellängen nehmen deshalb auch die kleinstmöglichen Dicken zu. In ungünstigen Fällen kann der Hersteller für nur gepreßte Profile auch ein Formziehen, Walzen oder ähnliches vorsehen.

In gleicher Weise wirken sich schwer preßbare Werkstoffe aus. Man kann deshalb als Richtlinie aufstellen: Je höher die Festigkeit, mit der das Profil das Werkzeug verläßt, um so kleiner ist das mögliche Verhältnis der Breite zur Dicke (siehe Bilder 7 und 8).

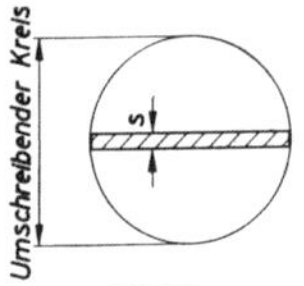

Bild 7

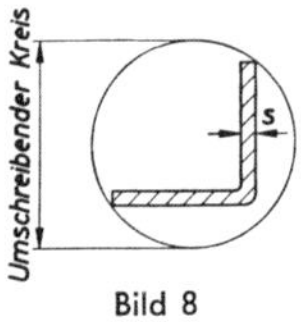

Bild 8

Als Anhalt für die kleinstmöglichen Dicken *s* von Profilen in Abhängigkeit vom umschreibenden Kreis bzw. der möglichen Breite gelten Werte nach den Tabellen 3 und 4.

4.2. Hohlprofile, geschlossene Profile

Diese Profile können nahtlos (Hohlprofile) oder mit Trennfuge (geschlossene Profile) nur beschränkt hergestellt werden. Bei diesen Profilen ist auch die kleinstmögliche Wanddicke von dem umschreibenden Kreis des Profiles abhängig. In den Tabellen 3 und 4 sind Werte für die kleinsten Wanddicken von Profilen aus den verschiedenen Werkstoffen aufgeführt. Für die eingeschlossene Fläche eines Hohlprofiles muß ein bestimmtes Verhältnis von Breite zu Dicke vorausgesetzt werden. Für solche Profile sind zwischen Besteller und Hersteller besondere Vereinbarungen erforderlich.

Unsymmetrische Hohlprofile bedingen besondere Maßnahmen bei der Herstellung der Werkzeuge und erfordern erhöhten Aufwand sowohl bei der Werkzeugherstellung als auch bei der Fertigung der Profile. Deshalb wird empfohlen, nach Möglichkeit bei der Konstruktion die in Abschnitt 5 vorgeschlagenen Vereinfachungen zu beachten.

²) Die Dicke *s* bezieht sich auf den dickeren Schenkel (siehe Bild 2).

³) Bei schwer preßbaren Werkstoffen können sich diese Werte auf das Doppelte erhöhen. Sie sind zwischen Besteller und Hersteller zu vereinbaren.

Tabelle 3. **Gepreßte Profile**

Werkstoffe	Kleinste Dicke *s* bei umschreibendem Kreis über – bis 25	25 bis 50	50 bis 80	80 bis 100	100 bis 150
Ms 56, Ms 58, Ms 60, Ms 60 Pb, SoMs 58, SoMs 58 Pb, SoMs 58 Al 1, SoMs 58 Al 2	2	2,5	3,5	4	5
Ms 63, Ms 63 Pb, SoMs 59, SoMs 64	3	3,5	4	5	6
Kupfer	nicht handelsüblich				

Tabelle 4. **Gezogene Profile**

Werkstoffe	Kleinste Dicke *s* bei umschreibendem Kreis über – bis 25	25 bis 50	50 bis 80	80 bis 100	100 bis 150
Ms 58, Ms 60, Ms 60 Pb, SoMs 58, SoMs 58 Pb, SoMs 58 Al 1	2	2,5	3,5	4	5
Ms 63, Ms 63 Pb	1,5	2	3	–	–
Kupfer	1,5	2	3	–	–

4.3. Offene Profile

Bei diesen Profilen gelten zunächst die Ausführungen wie in Abschnitt 4.1. Überschreitet die eingeschlossene Fläche im Verhältnis zur Breite *a* des Verbindungssteges im Werkzeug eine bestimmte Größe, so sind solche Profile wegen der damit verbundenen Überbeanspruchung der Werkzeuge (siehe Bilder 9 und 10) nicht mehr in der vorgesehenen Form preßbar.

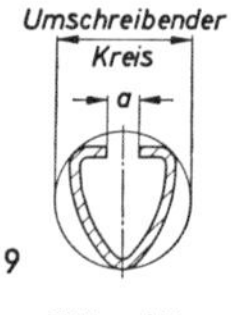

Bild 9

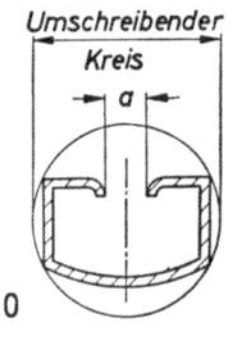

Bild 10

In solchen Fällen können die Profile offen gepreßt und z. B. durch Ziehen auf die gewünschte Form gebracht werden (siehe Bild 11).

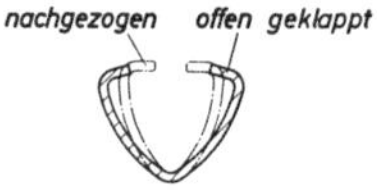

Bild 11

Die Grenzen dieser Profilausführungen sind zwischen Besteller und Hersteller zu vereinbaren. Als Richtwerte für die kleinste Breite *a* des Verbindungssteges in Abhängigkeit vom umschreibenden Kreis offener Profile gelten die Angaben der Tabelle 5.

Tabelle 5

Durchmesser des umschreibenden Kreises über	bis	Kleinste Stegbreite *a*
–	20	8 bis 10
20	30	10 bis 15
30	50	15 bis 20
50	75	20 bis 30

4.4. Formrohre

Formrohre mit symmetrischem Querschnitt und gleichmäßiger Form werden nur gezogen geliefert (siehe Tabelle 6).

Tabelle 6

Werkstoffe	Kleinste Wanddicke *s* bei umschreibendem Kreis über		
	–	25	50
	bis		
	25	50	80
Ms 58, Ms 60, Ms 60 Pb	2	3	4
Ms 63	2	2,5	3,5
Kupfer	1,5	2	3

5. Ausführungsbeispiele für fertigungsgerechte Herstellung

(siehe Tabelle 7)

Die Bilder 12 bis 20 in Tabelle 7 zeigen Ausführungsbeispiele von Profilen, deren Querschnittsform fertigungstechnisch günstig und ungünstiger ausgelegt wurde.

Übergänge von dickwandigen zu dünnwandigen Querschnitten sind preßtechnisch schwierig. Ist eine derartige Ausführung unvermeidlich, müssen entsprechende Übergänge vorgesehen werden (siehe Bilder 12 und 13).

Es kann durchaus sein, daß ein gewünschtes Profil durch entsprechende Kombination mehrerer Teilprofile günstiger hergestellt werden kann als in ungeteilter Form (siehe Bilder 21 bis 23).

6. Wärmebehandlung

Wärmebehandlungen von Profilen können zu stärkerem Verzug führen. Profile mit erheblichen Querschnittsübergängen und solche mit verhältnismäßig geringen Dicken sind besonders anfällig gegen Verziehen. Ein Nachrichten ist nur bedingt und gegebenenfalls mit erheblichem Aufwand möglich.

Eine Wärmebehandlung kann außerdem eine Verschlechterung der Oberfläche bewirken und einen erhöhten Aufwand (z. B. Entfetten und Beizen) verursachen.

Eigenspannungen, die die Weiterverarbeitung ungünstig beeinflussen können, lassen sich in vielen Fällen durch Entspannen vermindern. Falls ein Entspannen für erforderlich gehalten wird, ist dies bei Bestellung in jedem Falle besonders zu vereinbaren.

Tabelle 7

Beispiele von Profilen mit Querschnittsformen fertigungstechnisch günstig	fertigungstechnisch ungünstig
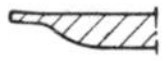	
Bild 12	
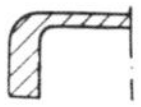	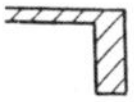
Bild 13	

Bild 14	
	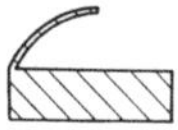
Bild 15	
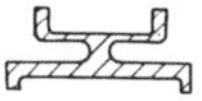	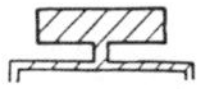
Bild 16	
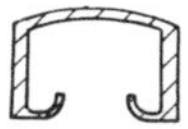	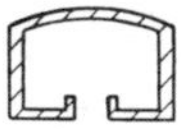
Bild 17	

Bild 18	

Bild 19	

Bild 20	
	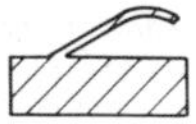
Bild 21	
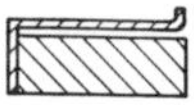	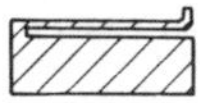
Bild 22	
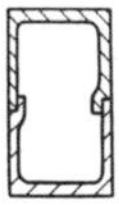	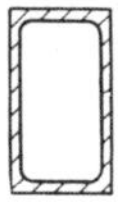
Bild 23	

DK 669.3-42-126 Juni 1963

Strangpreßprofile aus Kupfer und Kupfer-Knetlegierungen

gepreßt zulässige Abweichungen

DIN 17674 Blatt 4

Extruded sections of wrought copper and copper alloys; extruded, tolerances

Profilés filés en cuivre et alliages de cuivre corroyés; filés, tolérances

Maße in mm

1. Geltungsbereich

Diese Norm enthält zulässige Abweichungen für gepreßte Strangpreßprofile aus

Ms 56, Ms 58, Ms 60, Ms 60 Pb, Ms 63, Ms 63 Pb, SoMs 58, SoMs 58 Pb, SoMs 58 Al 1, SoMs 58 Al 2, SoMs 59 und SoMs 64,

ausgenommen Kupfer, da nicht handelsüblich; sie ergänzt die Technischen Lieferbedingungen nach DIN 17 674 Blatt 2.

Die zulässigen Abweichungen gelten für Strangpreßprofile, die innerhalb eines umschreibenden Kreises von einem Durchmesser bis 150 mm liegen. Der umschreibende Kreis entspricht dem kleinsten Kreis, der den Umriß des Profiles völlig einschließt (siehe Bild 1).

Bild 1

Um das Herstellen und Verwenden von Strangpreßprofilen zu vereinfachen und zu erleichtern, sind in dieser Norm die zulässigen Abweichungen für alle stranggepreßten Profile einheitlich festgelegt. Sie sollen auch für nicht genormte Profile gelten.

Die in den Zeichnungen eingetragenen zulässigen Abweichungen sollen grundsätzlich dieser Norm entsprechen. Wenn in den Zeichnungen gepreßter Profile keine zulässigen Abweichungen aufgeführt sind, gelten die Festlegungen dieser Norm. Es empfiehlt sich, in die Zeichnungen einen entsprechenden Hinweis auf DIN 17 674 Blatt 4 aufzunehmen.

2. Zulässige Maßabweichungen, allgemein

Die Maßabweichungen werden beeinflußt von der Herstellungsgenauigkeit der Werkzeuge, dem Werkzeugverschleiß und den beim Preßvorgang unvermeidlichen, fertigungsbedingten Schwankungen. Kleinere zulässige Maßabweichungen bedingen immer einen erhöhten Fertigungsaufwand.

Sind aus zwingenden Gründen kleinere als die in dieser Norm festgelegten zulässigen Abweichungen notwendig, so sind sie mit dem Hersteller zu vereinbaren.

Bei Profilen in preßtechnisch besonders ungünstiger Ausbildung müssen besondere Vereinbarungen getroffen werden.

3. Zulässige Abweichungen für Querschnittsmaße

3.1. Zulässige Abweichungen für Querschnittsmaße an offenen Profilen mit gleicher oder fast gleicher Wanddicke und für Vollprofile

Bei einem Verhältnis b_{max} oder h_{max} zu s_{min} kleiner als 20 : 1 gelten die zulässigen Abweichungen nach Tabelle 1 (siehe Bild 2).

Für Wanddicken s bei einem Verhältnis s_{max} zu s_{min} kleiner als 5 : 1 gelten die zulässigen Abweichungen nach Tabelle 2 (siehe Bild 2).

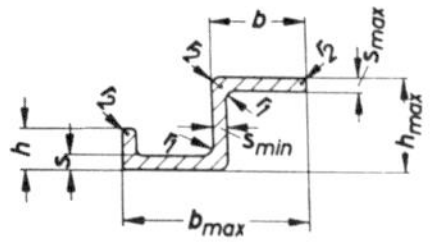

Bild 2

Tabelle 1

Nennmaßbereich b und h über	Nennmaßbereich b und h bis	Zulässige ± Abweichungen für Maße b und h bei umschreibendem Kreis über – bis 25	über 25 bis 50	über 50 bis 80	über 80 bis 100	über 100 bis 150
–	10	0,20	0,25	0,30	0,35	0,40
10	15	0,30	0,35	0,40	0,45	0,50
15	25	0,40	0,45	0,50	0,55	0,60
25	50	–	0,55	0,60	0,65	0,70
50	80	–	–	0,80	0,85	0,90
80	100	–	–	1,00	1,05	1,15
100	120	–	–	–	–	1,30
120	150	–	–	–	–	1,50

Für Strangpreßprofile aus Kupfer und Kupfer-Knetlegierungen:

Festigkeitseigenschaften siehe DIN 17 674 Blatt 1 (Vornorm)

Technische Lieferbedingungen siehe DIN 17 674 Blatt 2

Gestaltung siehe DIN 17 674 Blatt 3

Gezogen, Zulässige Abweichungen siehe DIN 17 674 Blatt 5

Fortsetzung Seite 2 und 3

Fachnormenausschuß Nichteisenmetalle im Deutschen Normenausschuß (DNA)
Ausschuß Toleranzen und Passungen im DNA

Tabelle 2

Nennmaß-bereich s		Zulässige ± Abweichungen für Maße s bei umschreibendem Kreis über				
		—	25	50	80	100
		bis				
über	bis	25	50	80	100	150
—	3	0,20	0,25	0,30	—	—
3	6	0,25	0,30	0,35	0,40	—
6	10	0,30	0,35	0,40	0,45	0,50
10	15	0,40	0,45	0,50	0,55	0,60
15	25	—	0,55	0,60	0,65	0,70
25	40	—	—	0,70	0,75	0,80

3.2. Zulässige Abweichungen für Querschnittsmaße an offenen Profilen, Hohlprofilen und geschlossenen Profilen mit ungleicher Wanddicke

Bei einem Verhältnis b_{max} oder h_{max} zu s_{min} größer oder gleich 20 : 1 gelten die zulässigen Abweichungen nach Tabelle 3 (siehe Bild 3).

Für Wanddicken s bei einem Verhältnis s_{max} zu s_{min} größer oder gleich 5 : 1 gelten die zulässigen Abweichungen nach Tabelle 4 (siehe Bild 4).

Für Formrohre, symmetrische Hohlprofile und geschlossene Profile beträgt die Wanddickenabweichung ± 10 % vom Nennmaß. Der Mittenversatz (Exzentrizität) darf ebenfalls 10 % vom Nennmaß betragen. Bei runden Hohlprofilen ist für die Unrundheit das 1,5fache der zulässigen Abweichung des Außendurchmessers zulässig.

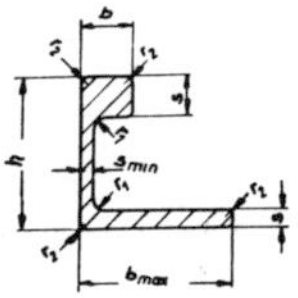

Bild 3

Tabelle 3

Nennmaß-bereich b und h		Zulässige ± Abweichungen für Maße b und h bei umschreibendem Kreis über				
		—	25	50	80	100
		bis				
über	bis	25	50	80	100	150
—	10	0,35	0,40	0,45	0,50	0,55
10	15	0,45	0,50	0,55	0,60	0,65
15	25	0,55	0,60	0,65	0,70	0,75
25	50	—	0,70	0,75	0,80	0,85
50	80	—	—	0,95	1,00	1,05
80	100	—	—	1,15	1,20	1,25
100	120	—	—	—	—	1,45
120	150	—	—	—	—	1,65

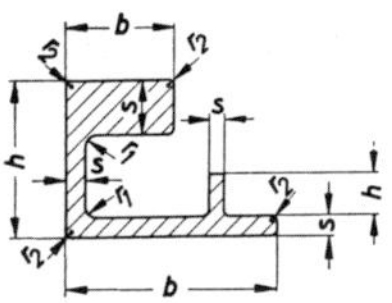

Bild 4

Tabelle 4

Nennmaß-bereich s		Zulässige ± Abweichungen für Maße s bei umschreibendem Kreis über				
		—	25	50	80	100
		bis				
über	bis	25	50	80	100	150
—	3	0,30	0,35	0,40	—	—
3	6	0,35	0,40	0,45	0,50	—
6	10	0,40	0,45	0,50	0,55	0,60
10	15	0,50	0,55	0,60	0,65	0,70
15	25	—	0,65	0,70	0,75	0,80
25	40	—	—	0,80	0,85	0,90

3.3. Zulässige Abweichungen für Rundungen und Radien

Es sind zu unterscheiden:

Rundungen von Hohlkehlen und Kanten
Radien als konstruktionsgebundene Maße

Für Rundungen und Radien gilt eine zulässige Abweichung von ± 10 %, mindestens aber von ± 0,5 mm.

Übergeordnet bleiben jedoch für Rundungen das Maß s und für Radien die Maße b und h mit ihren zulässigen Abweichungen nach den Tabellen 1 bis 4.

4. Zulässige Abweichungen von der Geraden

Die Profile müssen gerichtet sein. Für gerichtete Profile gilt folgende Richtlinie:

Zulässige Abweichung h_1 (siehe Bild 5) 3 mm je m linear zunehmend mit der Profillänge l (z. B. $h_1 = 9$ mm bei $l = 3$ m). Auf jeden Längenabschnitt ≦ 400 mm darf die Abweichung h_2 jedoch nicht größer als 1,2 mm sein.

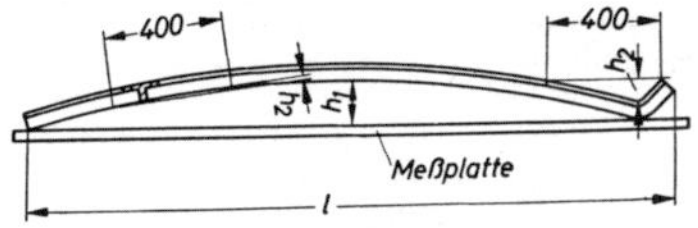

Bild 5

5. Zulässige Abweichungen der Profilflächen von der Ebene bei offenen Profilen

Für die zulässigen Abweichungen der Profilflächen von der Ebene (siehe Bilder 6, 7 und 8) gilt folgende Richtlinie:

Abweichung $e = 0{,}01 \cdot b$
jedoch mindestens 0,25 mm

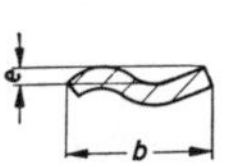

Bild 6

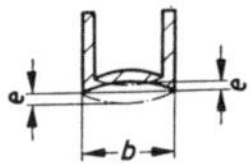

Bild 7

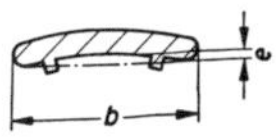

Bild 8

6. Zulässige Winkelabweichungen

Für die zulässigen Winkelabweichungen (siehe Bilder 9, 10 und 11) gelten folgende Werte:

Abweichung: $w = \pm 0{,}02 \cdot h$

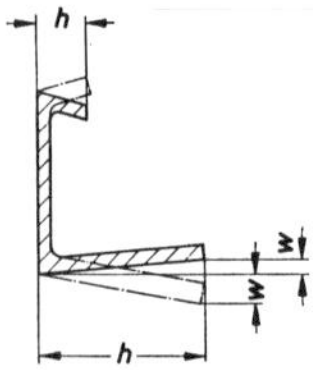

Bild 9

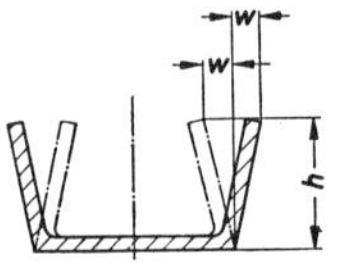

Bild 10

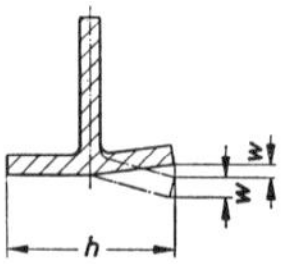

Bild 11

7. Zulässige Verwindung

Ausgangsmaß für die Festlegung der zulässigen Verwindung *v* ist der umschreibende Kreis (siehe Bild 1) des Profiles. Die Verwindung *v* richtet sich nach der Breite *b* des Profiles und dem dazu festgelegten Wert *f* (siehe Tabelle 5 und Bild 12). Sie wird durch Multiplikation der Breite *b* des Profiles mit dem Wert *f* bestimmt.

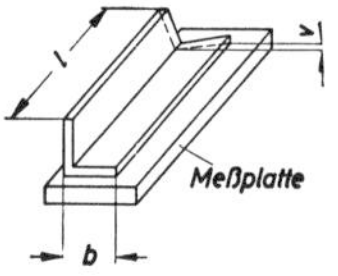

Bild 12

Tabelle 5

Durchmesser des umschreibenden Kreises		Werte *f* für zulässige Verwindung *v*		
über	bis	auf ges. Profillänge *l*	je lfd. m	je 0,4 m
–	**25**	0,20	0,10	0,05
25	**50**	0,15	0,08	0,04
50	**100**	0,10	0,05	0,03
100	**150**	0,08	0,04	0,02

8. Lieferart

8.1. Herstellängen sollen mindestens 2000 mm betragen. Unterlängen von mindestens 1000 mm sind bis zu 10 % der Liefermenge zulässig.

8.2. Ungefährlängen sind in der Bestellung ausdrücklich zu vermerken. Die zulässige Abweichung von der bestellten Länge beträgt ± 15 %.

8.3. Festlängen sind in der Bestellung ausdrücklich zu vermerken. Für Festlängen gelten zulässige Abweichungen nach Tabelle 6. Ausgangsmaß für die Festlegung der Längenabweichung ist der umschreibende Kreis (siehe Bild 1).

8.4. Der Sägeschnitt darf bei Festlängen vom rechten Winkel um die halbe Längentoleranz der Tabelle 6 abweichen.

Tabelle 6

Durchmesser des umschreibenden Kreises		Zulässige Plus-Abweichung bei Festlängen über		
		–	**1000**	**2000**
		bis		
über	bis	**1000**	**2000**	**5000**
–	**25**	4	5	8
25	**50**	5	6	9
50	**100**	6	7	10
100	**150**	7	8	11

9. Zulässige Gewichtsabweichung

Bei Profilen beziehen sich die Gewichtsangaben auf die Nennmaße. Die zulässige Gewichtsabweichung ergibt sich aus den zulässigen Abweichungen der Nennmaße.

DK 669.3-42-126 Juni 1963

Strangpreßprofile aus Kupfer und Kupfer-Knetlegierungen

gezogen zulässige Abweichungen

DIN 17 674 Blatt 5

Extruded sections of wrought copper and copper alloys, drawn, tolerances

Profilés filés en cuivre et alliages de cuivre corroyés, étirés, tolérances

Maße in mm

1. Geltungsbereich

Diese Norm enthält zulässige Abweichungen für gezogene Strangpreßprofile aus

Ms 58, Ms 60, Ms 60 Pb, Ms 63, Ms 63 Pb, SoMs 58, SoMs 58 Pb und SoMs 58 Al 1

und Kupfer; sie ergänzt die Technischen Lieferbedingungen nach DIN 17 674 Blatt 2.

Die zulässigen Abweichungen gelten für Strangpreßprofile, die innerhalb eines umschreibenden Kreises von einem Durchmesser bis 150 mm liegen. Der umschreibende Kreis entspricht dem kleinsten Kreis, der den Umriß des Profiles völlig einschließt (siehe Bild 1).

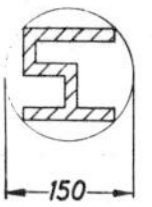

Bild 1

Um das Herstellen und Verwenden von Strangpreßprofilen zu vereinfachen und zu erleichtern, sind in dieser Norm die zulässigen Abweichungen für alle stranggepreßten Profile einheitlich festgelegt. Sie sollen auch für nicht genormte Profile gelten.

Die in den Zeichnungen eingetragenen zulässigen Abweichungen sollen grundsätzlich dieser Norm entsprechen. Wenn in den Zeichnungen gezogener Profile keine zulässigen Abweichungen aufgeführt sind, gelten die Festlegungen dieser Norm. Es empfiehlt sich, in die Zeichnungen einen entsprechenden Hinweis auf DIN 17 674 Blatt 5 aufzunehmen.

2. Zulässige Maßabweichungen, allgemein

Die Maßabweichungen werden beeinflußt von der Herstellungsgenauigkeit der Werkzeuge, dem Werkzeugverschleiß und den beim Ziehvorgang unvermeidlichen, fertigungsbedingten Schwankungen. Kleinere zulässige Maßabweichungen bedingen immer einen erhöhten Fertigungsaufwand.

Sind aus zwingenden Gründen kleinere als die in dieser Norm festgelegten zulässigen Abweichungen notwendig, so sind sie mit dem Hersteller zu vereinbaren.

Bei Profilen in ziehtechnisch besonders ungünstiger Ausbildung müssen besondere Vereinbarungen getroffen werden.

3. Zulässige Abweichungen für Querschnittsmaße

3.1. Zulässige Abweichungen für Querschnittsmaße an offenen Profilen mit gleicher oder fast gleicher Wanddicke und für Vollprofile

Bei einem Verhältnis b_{max} oder h_{max} zu s_{min} kleiner als 20 : 1 gelten die zulässigen Abweichungen nach Tabelle 1 (siehe Bild 2).

Für Wanddicken s bei einem Verhältnis s_{max} zu s_{min} kleiner als 5 : 1 gelten die zulässigen Abweichungen nach Tabelle 2 (siehe Bild 2).

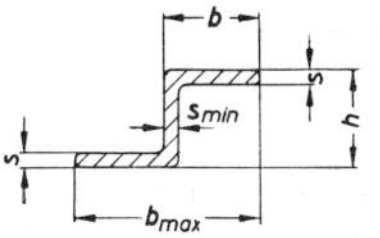

Bild 2

Tabelle 1

Nennmaßbereich b und h		Zulässige ±Abweichungen für Maße b und h bei umschreibendem Kreis über				
		—	25	50	80	100
		bis				
über	bis	25	50	80	100	150
—	10	0,10	0,13	0,15	0,18	0,20
10	15	0,15	0,18	0,20	0,23	0,25
15	25	0,20	0,23	0,25	0,28	0,30
25	50	—	0,28	0,30	0,33	0,35
50	80	—	—	0,40	0,43	0,45
80	100	—	—	0,50	0,53	0,55
100	120	—	—	—	—	0,65
120	150	—	—	—	—	0,75

Für Strangpreßprofile aus Kupfer und Kupfer-Knetlegierungen:

Festigkeitseigenschaften siehe DIN 17 674 Blatt 1 (Vornorm)

Technische Lieferbedingungen siehe DIN 17 674 Blatt 2

Gestaltung siehe DIN 17 674 Blatt 3

Gepreßt, Zulässige Abweichungen siehe DIN 17 674 Blatt 4

Fortsetzung Seite 2 und 3

Fachnormenausschuß Nichteisenmetalle im Deutschen Normenausschuß (DNA)
Ausschuß Toleranzen und Passungen im DNA

Tabelle 2

Nennmaß-bereich s		Zulässige ± Abweichungen für Maße s bei umschreibendem Kreis über				
		–	25	50	80	100
		bis				
über	bis	25	50	80	100	150
–	1,5	0,08	0,10	–	–	–
1,5	3	0,10	0,13	0,15	–	–
3	6	0,13	0,15	0,18	0,20	–
6	10	0,15	0,18	0,20	0,23	0,25
10	15	0,20	0,23	0,25	0,28	0,30
15	25	–	0,28	0,30	0,33	0,35
25	40	–	–	0,35	0,38	0,40

3.2. Zulässige Abweichungen für Querschnittsmaße an offenen Profilen, Hohlprofilen und geschlossenen Profilen mit ungleicher Wanddicke

Bei einem Verhältnis b_{max} oder h_{max} zu s_{min} größer oder gleich 20 : 1 gelten die zulässigen Abweichungen nach Tabelle 3 (siehe Bild 3).

Für Wanddicken s bei einem Verhältnis s_{max} zu s_{min} größer oder gleich 5 : 1 gelten die zulässigen Abweichungen nach Tabelle 4 (siehe Bild 4).

Für Formrohre, symmetrische Hohlprofile und geschlossene Profile beträgt die Wanddickenabweichung ± 10 % vom Nennmaß. Der Mittenversatz (Exzentrizität) darf ebenfalls 10 % vom Nennmaß betragen. Bei runden Hohlprofilen ist die zulässige Unrundheit in der zulässigen Abweichung des Außendurchmessers enthalten.

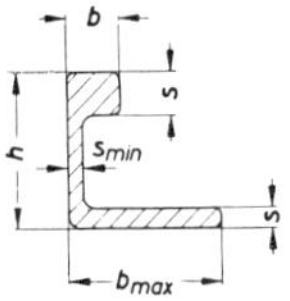

Bild 3

Tabelle 3

Nennmaß-bereich b und h		Zulässige ± Abweichungen für Maße b und h bei umschreibendem Kreis über				
		–	25	50	80	100
		bis				
über	bis	25	50	80	100	150
–	10	0,18	0,20	0,23	0,25	0,28
10	15	0,23	0,25	0,28	0,30	0,33
15	25	0,28	0,30	0,33	0,35	0,38
25	50	–	0,35	0,38	0,40	0,43
50	80	–	–	0,48	0,50	0,53
80	100	–	–	0,58	0,60	0,63
100	120	–	–	–	–	0,73
120	150	–	–	–	–	0,83

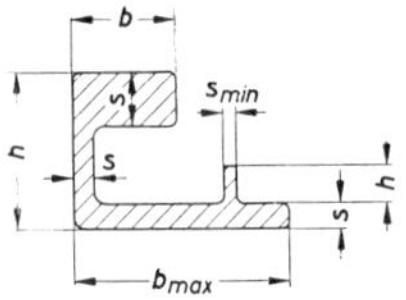

Bild 4

Tabelle 4

Nennmaß-bereich s		Zulässige ± Abweichungen für Maße s bei umschreibendem Kreis über				
		–	25	50	80	100
		bis				
über	bis	25	50	80	100	150
–	1,5	0,13	0,15	–	–	–
1,5	3	0,15	0,18	0,20	–	–
3	6	0,18	0,20	0,23	0,25	–
6	10	0,20	0,23	0,25	0,28	0,30
10	15	0,25	0,28	0,30	0,33	0,35
15	25	–	0,33	0,35	0,38	0,40
25	40	–	–	0,40	0,43	0,45

3.3. Zulässige Abweichungen für Rundungen und Radien

Es sind zu unterscheiden:

Rundungen von Hohlkehlen und Kanten

Radien als konstruktionsgebundene Maße

Für Rundungen und Radien gilt eine zulässige Abweichung von ± 10 %, mindestens aber von ± 0,5 mm.

Übergeordnet bleiben jedoch für Rundungen das Maß s und für Radien die Maße b und h mit ihren zulässigen Abweichungen nach den Tabellen 1 bis 4.

4. Zulässige Abweichungen von der Geraden

Die Profile müssen gerichtet sein. Für gerichtete Profile gilt folgende Richtlinie:

Zulässige Abweichung h_1 (siehe Bild 5) 3 mm je m linear zunehmend mit der Profillänge l (z. B. $h_1 = 9$ mm bei $l = 3$ m). Auf jeden Längenabschnitt ≦ 400 mm darf die Abweichung h_2 jedoch nicht größer als 1,2 mm sein.

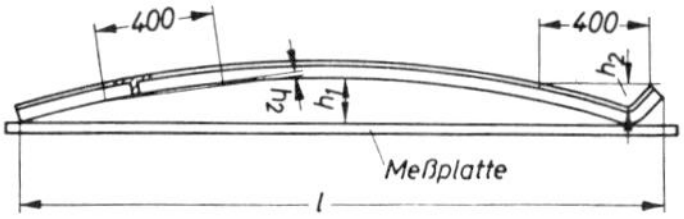

Bild 5

5. Zulässige Abweichungen der Profilflächen von der Ebene bei offenen Profilen

Für die zulässigen Abweichungen der Profilflächen von der Ebene (siehe Bilder 6, 7 und 8) gilt folgende Richtlinie:

Abweichung $e = 0{,}01 \cdot b$

jedoch mindestens 0,25 mm

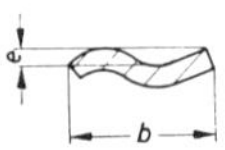

Bild 6

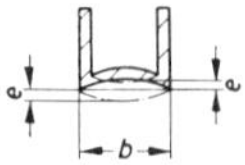

Bild 7

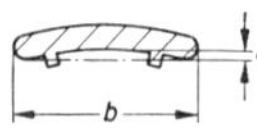

Bild 8

6. Zulässige Winkelabweichungen

Für die zulässigen Winkelabweichungen (siehe Bilder 9, 10 und 11) gelten folgende Werte:

Abweichung: $w = \pm 0{,}02 \cdot h$

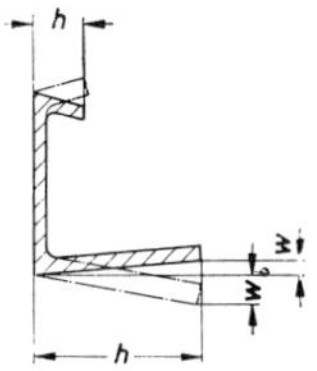

Bild 9

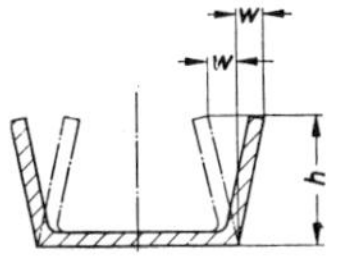

Bild 10

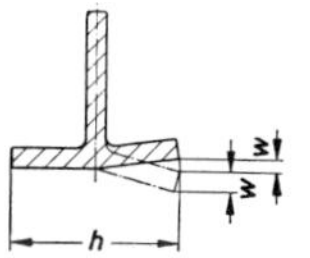

Bild 11

7. Zulässige Verwindung

Ausgangsmaß für die Festlegung der zulässigen Verwindung *v* ist der umschreibende Kreis (siehe Bild 1) des Profiles. Die Verwindung *v* richtet sich nach der Breite *b* des Profiles und dem dazu festgelegten Wert *f* (siehe Tabelle 5 und Bild 12). Sie wird durch Multiplikation der Breite *b* des Profiles mit dem Wert *f* bestimmt.

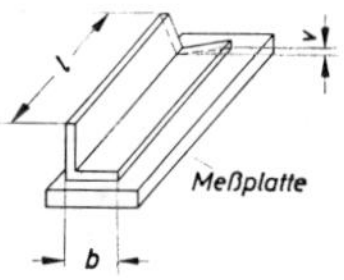

Bild 12

Tabelle 5

Durchmesser des umschreibenden Kreises		Werte *f* für zulässige Verwindung *v*		
über	bis	auf gesamte Profillänge *l*	je lfd. m	je 0,4 m
—	**25**	0,20	0,10	0,05
25	**50**	0,15	0,08	0,04
50	**100**	0,10	0,05	0,03
100	**150**	0,08	0,04	0,02

8. Lieferart

8.1. Herstellängen sollen mindestens 2000 mm betragen. Unterlängen von mindestens 1000 mm sind bis zu 10 % der Liefermenge zulässig.

8.2. Ungefährlängen sind in der Bestellung ausdrücklich zu vermerken. Die zulässige Abweichung von der bestellten Länge beträgt ± 15 %.

8.3. Festlängen sind in der Bestellung ausdrücklich zu vermerken. Für Festlängen gelten zulässige Abweichungen nach Tabelle 6. Ausgangsmaß für die Festlegung der Längenabweichung ist der umschreibende Kreis (siehe Bild 1).

8.4. Der Sägeschnitt darf bei Festlängen vom rechten Winkel um die halbe Längentoleranz der Tabelle 6 abweichen.

Tabelle 6

Durchmesser des umschreibenden Kreises		Zulässige Plus-Abweichung bei Festlängen über		
		—	**1000**	**2000**
		bis		
über	bis	**1000**	**2000**	**5000**
—	**25**	4	5	8
25	**50**	5	6	9
50	**100**	6	7	10
100	**150**	7	8	11

9. Zulässige Gewichtsabweichung

Bei Profilen beziehen sich die Gewichtsangaben auf die Nennmaße. Die zulässige Gewichtsabweichung ergibt sich aus den zulässigen Abweichungen der Nennmaße.

DK 669.3-41 : 669.35.018.26-41 : 66.048.28
: 66.045.1 : 539.4

Juli 1980

Platten aus Kupfer und Kupfer-Knetlegierungen für Kondensatoren und Wärmeaustauscher

Festigkeitseigenschaften

DIN 17 675 Teil 1

Copper and copper alloys plates for condensers and heat exchangers; mechanical properties

Plaques en cuivre et alliages de cuivre pour condenseurs et échangeurs thermiques; caractéristiques mécaniques

1 Geltungsbereich

Diese Norm gilt für die Festigkeitseigenschaften von gewalzten und geschmiedeten Platten, die vorzugsweise für Oberflächenkondensatoren und Wärmeaustauscher (z. B. Dampfkondensatoren, Ölkühler, Gaskühler) und für den allgemeinen Apparatebau bestimmt sind, aus den in Tabelle 1 aufgeführten Legierungen. Die Hinweise auf Eigenschaften und Verwendung in den genannten Zusammensetzungsnormen gelten auch für diese Norm.

Sollen Platten mit anderen als in Tabelle 1 angegebenen Dickenabmessungen jedoch mit den Festigkeitseigenschaften dieser Norm geliefert werden, so ist dies bei Bestellung zu vereinbaren.

2 Bestellangaben

Für die Bestellangaben gelten die Festlegungen in DIN 17 675 Teil 2.

3 Festigkeitseigenschaften

Die Angaben in der Tabelle 1 über die Festigkeitseigenschaften sind mit Ausnahme der Zahlenwerte der Brinellhärte, die ungefähre Mittelwerte sind, verbindlich.

4 Zusammensetzung

Die chemische Zusammensetzung des Werkstoffes der Platten muß den in Tabelle 1 aufgeführten DIN-Normen entsprechen.

5 Physikalische Eigenschaften

Die in Tabelle 2 angegebenen Werte über die physikalischen Eigenschaften werden nicht geprüft; sie sind unverbindliche Ungefährwerte.

6 Maße

Für Maße, zulässige Maß- und Formabweichungen der Platten gelten die Festlegungen in DIN 17 675 Teil 3.

7 Prüfung

Für die Prüfung der Platten gelten die Festlegungen in DIN 17 675 Teil 2.

Fortsetzung Seite 2 und 3
Erläuterungen Seite 4

Normenausschuß Nichteisenmetalle (FNNE) im DIN Deutsches Institut für Normung e. V.

Tabelle 1. **Werkstoffe und mechanische Eigenschaften (Querproben)**

Kurzzeichen *)		Werkstoff- *) nummer	Plattendicke mm	0,2-Grenze $R_{p\,0,2}$ N/mm² min.	Zugfestigkeit R_m N/mm² min.	Bruchdehnung A_5 % min.	Brinellhärte HB 2,5/62,5 Ungefährer Mittelwert	Zusammensetzung nach
SF-Cu	**F20**	**2.0090.07**	15 bis 120	max. 100 [5]	200	40	55	DIN 1787
	F25	**.26**	15 bis 40	180	240	15	80	
CuZn40	**F34**	**2.0360.07** [1]	15 bis 40	120	340	35	85	DIN 17 660
			über 40 bis 80	100	310	35	80	
			über 80 bis 120	90	280	35	80	
	F40	**.26** [2]	15 bis 40	200	400	20	100	
			über 40 bis 80	180	370	20	90	
			über 80 bis 120	160	340	25	80	
CuZn39Pb0,5	**F34**	**2.0372.07** [1]	15 bis 40	120	340	35	85	DIN 17 660
			über 40 bis 80	100	310	35	80	
			über 80 bis 120	90	280	35	80	
	F40	**.26** [2]	15 bis 40	200	400	20	100	
			über 40 bis 80	180	370	20	90	
			über 80 bis 120	160	340	25	80	
CuZn39Sn	**F34**	**2.0530.07** [1]	15 bis 40	140	340	30	85	DIN 17 660
			über 40 bis 80	130	340	30	80	
			über 80 bis 120	120	340	30	80	
	F40	**.26** [2]	15 bis 40	200	400	20	100	
			über 40 bis 80	180	370	20	90	
			über 80 bis 120	160	340	25	80	
CuZn38SnAl	**F39**	**2.0525.07** [1]	15 bis 120	140 [6]	390	25	100	DIN 17 660 Teil 100 [8]
	F43	**.26** [2]	15 bis 40	200	430	20	115	
			über 40 bis 80	190	410	20	110	
			über 80 bis 120	180	390	20	105	
CuZn20Al	**F30**	**2.0460.07** [1]	15 bis 80	90	300	30	70	DIN 17 660
	F39	**.26** [2]	15 bis 40	240	390	25	110	
CuNi10Fe	**F30**	**2.0872.07** [1], [3]	15 bis 60	120	300	30	80	DIN 17 664
		[1]	über 60 bis 120	100	280	30	80	
	F29	**.08**	über 60 bis 120	120	290	30	70	
	F32	**.26** [2]	15 bis 60	200	320	15	100	
	F35	**.30**	15 bis 60	250	350	14	110	
CuNi30Fe	**F35**	**2.0882.07** [1], [3]	15 bis 60	150	350	30	90	DIN 17 644
		[1]	über 60 bis 120	120	310	30	90	
	F34	**.08**	über 60 bis 120	150	340	30	90	
	F41	**.26** [2]	15 bis 60	300	410	14	130	
CuAl8Fe	**F48**	**2.0932.07** [1], [3]	15 bis 40	210	480	30	120	DIN 17 665
			über 40 bis 80	200	460	30	110	
	F46	**.08**	über 80 bis 120	200	460	25	110	
CuAl9Ni2	**F49**	**2.0971.07** [1]	15 bis 80	180	490	25	120	[7]
	F62	**.08**	15 bis 80	290	620	22	150	
			über 80 bis 120	270	600	20	140	
CuAl10Ni	**F63**	**2.0966.07** [1], [4]	15 bis 80	270	630	14	150	DIN 17 665
	F72	**.08**	15 bis 80	360	720	12	175	
			über 80 bis 120	340	700	12	170	

*) Die Abhängigkeit des Mindestwertes der Zugfestigkeit eines Zustandes von der Plattendicke ist zu beachten.

1) Statt Zustand .07 (warmgewalzt) kann auch Zustand .10 (weich) vereinbart werden. Die mechanischen Eigenschaften sind für beide Zustände gleich.

2) Statt Zustand .26 (halbhart) kann auch Zustand .27 (halbhart, entspannt) vereinbart werden. Die mechanischen Eigenschaften sind für beide Zustände gleich.

3) Statt Zustand .07 (warmgewalzt) kann auch Zustand .08 (warmgeschmiedet) vereinbart werden. Die mechanischen Eigenschaften sind für beide Zustände gleich.

4) Siehe Erläuterungen

5) Bei abnahmepflichtigen Druckbehältern muß $R_{p\,0,2}$ min. 40 N/mm² oder $R_{p\,1,0}$ min. 60 N/mm² vereinbart werden.

6) 1,0 %-Dehngrenze $R_{p\,1,0}$ min. 180 N/mm²

7) Diese Legierung soll bei Überarbeitung in DIN 17 665 aufgenommen werden.

8) Z. Z. noch Entwurf

alle 2. **Physikalische Eigenschaften**

Kurzzeichen	Werkstoffnummer	Dichte kg/dm³ ≈	E-Modul kN/mm² ≈	Elektrische Leitfähigkeit bei 20 °C $\frac{m}{\Omega\ mm^2}$ ≈	Wärmeleitfähigkeit bei 20 °C $\frac{W}{mK}$ ≈	Mittlerer Längenausdehnungskoeffizient zwischen 20 und 300 °C $\frac{10^{-6}}{K}$ ≈
SF-Cu	**2.0090**	8,9	123	45	310	17,6
CuZn40	**2.0360**	8,4	102	16	125	21,0
CuZn39Pb0,5	**2.0372**	8,4	98	16	120	21,0
CuZn39Sn	**2.0530**	8,4	103	15	115	22,0
CuZn38SnAl	**2.0525**	8,3	100	14	110	22,0
CuZn20Al	**2.0460**	8,3	103	12,5	100	19,0
CuNi10Fe	**2.0872**	8,9	132	5,3	45	17,0
CuNi30Fe	**2.0882**	8,9	152	2,7	30	16,0
CuAl8Fe	**2.0932**	7,7	120	8	65	17,0
CuAl9Ni2	**2.0971**	7,5	120	6	50	17,0
CuAl10Ni	**2.0966**	7,5	127	5	40	17,0

Weitere Normen

DIN 1714 Kupfer-Aluminium-Gußlegierungen (Guß-Aluminiumbronze); Gußstücke

DIN 1785 Rohre aus Kupfer und Kupfer-Knetlegierungen für Kondensatoren und Wärmeübertrager (Wärmeaustauscher)

DIN 1787 Kupfer; Halbzeug

DIN 17 660 Kupfer-Knetlegierungen; Kupfer-Zink-Legierungen (Messing) (Sondermessing); Zusammensetzung

DIN 17 664 Kupfer-Knetlegierungen; Kupfer-Nickel-Legierungen; Zusammensetzung

DIN 17 665 Kupfer-Knetlegierungen; Kupfer-Aluminium-Legierungen (Aluminiumbronze); Zusammensetzung

DIN 17 670 Teil 1 Bleche und Bänder aus Kupfer und Kupfer-Knetlegierungen; Festigkeitseigenschaften

DIN 17 675 Teil 2 Platten aus Kupfer und Kupfer-Knetlegierungen für Kondensatoren und Wärmeaustauscher; Technische Lieferbedingungen

DIN 17 675 Teil 3 Platten aus Kupfer und Kupfer-Knetlegierungen für Kondensatoren und Wärmeaustauscher; Maße

DIN 17 678 Teil 1 Freiformschmiedestücke aus Kupfer und Kupfer-Knetlegierungen; Festigkeitseigenschaften

Erläuterungen

Der Bedarf an Platten (Rohrböden) für Kondensatoren und Wärmeaustauscher sowie für den allgemeinen Apparatebau hat nach Mengen und Abmessungen zugenommen. Die bestehenden Normen für Bleche (DIN 17 670) und für Freiformschmiedestücke (DIN 17 678) aus Kupfer und Kupfer-Knetlegierungen erfassen diesen Bereich nicht bzw. nur unvollkommen.

Deshalb entstand der Wunsch, zu der bewährten Norm über Rohre aus Kupfer und Kupfer-Knetlegierungen für Kondensatoren und Wärmeübertrager (Wärmeaustauscher) (DIN 1785) eine eigene Norm für Platten zu schaffen, die die Kupfer-Knetlegierungen erfaßt, welche für den vorgenannten Zweck handelsüblich sind.

Die Beratungen ließen es in Anlehnung an andere FNNE-Normen sinnvoll erscheinen, in der neuen Norm zwar alle Festlegungen über Kondensatorplatten zusammenzufassen, aber aus Gründen der Zweckmäßigkeit den Inhalt aufzuteilen in:

Teil 1 Festigkeitseigenschaften

Teil 2 Technische Lieferbedingungen

Teil 3 Maße.

Auf folgende Einzelheiten ist besonders hinzuweisen:

Zum Teil 1: Festigkeitseigenschaften

Die Festigkeitseigenschaften der vorzugsweise für Kondensatorplatten eingesetzten Werkstoffe sind so festgelegt, daß sie die Anforderungen erfüllen, die an sie gestellt werden. Die AD-Verbände, die einen Entwurf eines Werkstoffblattes über Kupfer-Knetlegierungen (W 6/2) beraten, erwägen, auf die Festlegungen dieser Norm Bezug zu nehmen; es müssen aber noch Werte für die 1,0 %-Dehngrenze gesammelt werden, um diese in die Norm aufzunehmen.

Platten aus CuAl10Ni mit den mechanischen Eigenschaften des Zustandes F63 können auch als Gußstück aus GK-CuAl10Ni nach DIN 1714 hergestellt werden.

Es wurden zwei neue Legierungen CuZn38SnAl und CuAl9Ni2 aufgenommen, die sich auf Grund ihrer Eigenschaften für Kondensatorböden empfehlen. Die Zusammensetzungen der Legierungen werden in naher Zukunft in DIN 17 660 bzw. DIN 17 665 aufgenommen.

Zum Teil 2: Technische Lieferbedingungen

Wenn auch DIN 1785 über Kondensatorrohre als Modell für die Technischen Lieferbedingungen der Kondensatorplatten diente, konnten nicht alle Festlegungen von DIN 1785 ohne weiteres übertragen werden, sondern sie mußten auf die Anforderungen und Gegebenheiten der Kondensatorplatten abgewandelt bzw. angepaßt werden, z. B. an DIN 17 670 Teil 2.

Zum Teil 3: Maße

Für gewalzte Platten aus Kupfer und Kupfer-Knetlegierungen (im Sinne von Blechen mit großen Dicken) gibt es bisher noch keine Maßnorm, so daß auch die Festlegungen für Maße und zulässige Maß- und Formabweichungen in DIN 17 675 angegeben werden.

Die Stellungnahmen zum Entwurf DIN 17 675 Teil 3 brachten noch keine befriedigende Lösung zur Frage der Aufnahme von Angaben über die Abweichung von der Ebenheit und ihre Prüfung. Die Ebenheitsabweichung muß deshalb vorerst noch vereinbart werden; ihre Problematik wird jedoch weiterhin untersucht.

DK 669.3-41 : 669.35.018.26-41 : 66.048.28
: 66.045.1 : 620.1

Juli 1980

Platten aus Kupfer und Kupfer-Knetlegierungen für Kondensatoren und Wärmeaustauscher

Technische Lieferbedingungen

DIN 17 675 Teil 2

Copper and copper alloys plates for condensers and heat exchangers; technical conditions of delivery

Plaques en cuivre et alliages de cuivre pour condenseurs et échangeurs thermiques; conditions techniques de livraison

1 Geltungsbereich

Diese Technischen Lieferbedingungen gelten für gewalzte und geschmiedete Platten aus Kupfer und Kupfer-Knetlegierungen, die vorzugsweise für Oberflächenkondensatoren und Wärmeaustauscher (z. B. Dampfkondensatoren, Ölkühler, Gaskühler) und für den allgemeinen Apparatebau bestimmt sind.

2 Bestellangaben

Die Bestellung muß folgende Angaben enthalten:

Werkstoff

Lieferzustand

Abmessungen

Art und Umfang der Prüfung.

Das Herstellverfahren bleibt dem Hersteller überlassen.

Bei der Bezeichnung oder Bestellung von Platten aus Kupfer und Kupfer-Knetlegierungen sind die Kurzzeichen oder Werkstoffnummern nach DIN 17 675 Teil 1 anzuwenden, wie in den Bezeichnungs- und Bestellbeispielen der Maßnorm (DIN 17 675 Teil 3) angegeben.

3 Anforderungen

3.1 Chemische Zusammensetzung, Eigenschaften

Die Platten müssen hinsichtlich der chemischen Zusammensetzung, der Festigkeitseigenschaften und der physikalischen Eigenschaften den Festlegungen in DIN 17 675 Teil 1 entsprechen.

3.2 Oberflächenbeschaffenheit

Die Platten haben eine ihrem Herstellungsverfahren entsprechende Oberfläche.

Ungleichmäßigkeiten der Oberfläche, wie Streifen, Narben, Putzstellen, und gelegentliche Unregelmäßigkeiten, wie Kratzer, Schiefer und Scheuerstellen, sind zulässig, soweit sie die Verarbeitbarkeit und Verwendbarkeit nicht beeinträchtigen. Oberflächenfehler dürfen innerhalb der zulässigen Maßabweichungen verputzt werden.

3.3 Innere Fehler

Innere Fehler, z. B. Dopplungen, sind unzulässig, soweit sie die Verwendbarkeit beeinträchtigen.

3.4 Maße

3.4.1 Gewalzte Platten

Für Maße sowie zulässige Maß- und Formabweichungen der Platten gelten die Festlegungen in DIN 17 675 Teil 3.

3.4.2 Geschmiedete Platten

Geschmiedete Platten werden im allgemeinen vorgearbeitet und mit Schnittzugaben und Allgemeintoleranzen nach DIN 7168 – mittel geliefert.

4 Prüfung

4.1 Prüfort

Die Platten werden im Herstellerwerk geprüft.

4.2 Prüfer

Der Hersteller führt Prüfungen im Rahmen seiner innerbetrieblichen Gütesicherung durch.

Darüber hinaus können Prüfungen durch einen vom Besteller beauftragten Sachverständigen vorgenommen werden. Art und Umfang der durchzuführenden Prüfungen sowie die Nennung des Beauftragten sind bei Anfrage und Auftragsvergabe anzuführen.

4.3 Bescheinigungen über Werkstoffprüfungen

Wird für die Lieferung eine Bescheinigung über Werkstoffprüfungen vereinbart, ist sie nach DIN 50 049 auszustellen.

Es werden bestätigt z. B. die chemische Zusammensetzung durch ein Werkszeugnis (DIN 50 049 – 2.2), die mechanischen Eigenschaften durch ein Abnahmeprüfzeugnis (DIN 50 049 – 3.1 B).

4.4 Prüfumfang und Loseinteilung

Bei der Prüfung ist die Lieferung nach Losen getrennt vorzulegen. Zu einem Los gehören Platten einheitlicher Herstellungsart, gleichen Werkstoffes, gleicher Schmelze, gleichen Zustandes, gleicher Wärmebehandlung und gleicher Dicke.

Bei Prüfung durch den Sachverständigen ist pro gewalzte Platte eine Zerreißprobe zu entnehmen. Bei Prüfung von geschmiedeten Platten wird ab 400 kg Liefergewicht je Platte eine Zerreißprobe entnommen. Geschmiedete Platten mit kleineren Stückgewichten können zu einem Los bis zu 500 kg Gewicht zusammengefaßt werden; der Unterschied in der Dicke der Einzelplatten darf jedoch ± 20 % nicht überschreiten.

Es bleibt dem Hersteller überlassen, ob er für die benötigte Anzahl Proben einzelne Platten größer schmiedet oder zusätzliche Platten entsprechender Dicke fertigt.

4.5 Prüfverfahren

4.5.1 Zusammensetzung

Das Analysenverfahren bleibt dem Hersteller überlassen. Im Zweifelsfall entscheidet die Naßanalyse nach der neuesten Ausgabe der „Analyse der Metalle" des Chemikerausschusses der Gesellschaft Deutscher Metallhütten- und Bergleute e. V. (Berlin, Göttingen, Heidelberg: Springer-Verlag).

Auf jeden gefundenen Einzelwert ist die Rundungsregel (siehe DIN 1333 Teil 2) anzuwenden. Die gerundete Zahl darf die für die Zusammensetzung festgelegten Grenzwerte nicht überschreiten.

Fortsetzung Seite 2
Erläuterungen Seite 3

Normenausschuß Nichteisenmetalle (FNNE) im DIN Deutsches Institut für Normung e. V.

4.5.2 Prüfung der mechanischen Eigenschaften

Die mechanischen Eigenschaften werden durch den Zugversuch nach DIN 50 145 geprüft.

Die Brinell-Härteprüfung nach DIN 50 351 soll vornehmlich mit einer Kugel von 2,5 mm Durchmesser und einer Prüfkraft von 613 N durchgeführt werden, Kurzzeichen: HB 2,5/62,5.

Andere Prüfverfahren sind zu vereinbaren.

4.5.3 Prüfung der Oberflächenbeschaffenheit

Die Oberflächenbeschaffenheit wird durch eine Sichtprüfung ohne optische Vergrößerungsmittel durchgeführt. Sie wird nach Abschnitt 3.2 beurteilt.

Eine Prüfung mit einem Farbeindringverfahren kann vereinbart werden.

4.5.4 Prüfung auf innere Fehler

Eine zerstörungsfreie Prüfung, z. B. Ultraschall, Wirbelstromverfahren, kann vereinbart werden.

4.5.5 Maßprüfung

Es ist mit den üblichen Längenmeßgeräten zu prüfen, ob die in DIN 17 675 Teil 3 angegebenen Maße innerhalb der zulässigen Abweichungen liegen.

4.6 Wiederholung von Prüfungen

Hat eine Probe bei der Prüfung nach Abschnitt 4.5 den Anforderungen nicht entsprochen, ist eine Ersatzprobe zu prüfen. Wenn auch diese Probe den Anforderungen nicht genügt, ist das weitere Vorgehen zwischen Hersteller und Besteller zu vereinbaren.

5 Kennzeichnung

Bei der Prüfung durch den Sachverständigen werden Platten nach dieser Norm mit folgenden Angaben gekennzeichnet:

- Name oder Bezeichnung des Herstellers,
- Werkstoffangabe (Kurzzeichen oder Werkstoffnummer),
- Schmelzennummer,
- Probennummer,
- Zeichen des Sachverständigen.

Wenn bei der Bestellung nicht besonders vereinbart, bleibt die Art der Lage und Größe der Kennzeichnung dem Hersteller überlassen.

6 Beanstandungen

Äußere und innere Fehler dürfen nur dann beanstandet werden, wenn sie eine dem Werkstoff und der Erzeugnisform angemessene Verarbeitung und Verwendung mehr als unerheblich beeinträchtigen.

Der Besteller muß dem Lieferwerk Gelegenheit geben, sich von der Berechtigung von Beanstandungen zu überzeugen, soweit möglich durch Vorlage des beanstandeten und von Belegstücken des angelieferten Werkstoffes.

Weitere Normen

DIN 1333 Teil 2	Zahlenangaben; Runden
DIN 7168 Teil 1	Allgemeintoleranzen (Freimaßtoleranzen); Längen- und Winkelmaße
DIN 17 675 Teil 1	Platten aus Kupfer und Kupfer-Knetlegierungen für Kondensatoren und Wärmeaustauscher; Festigkeitseigenschaften
DIN 17 675 Teil 3	Platten aus Kupfer und Kupfer-Knetlegierungen für Kondensatoren und Wärmeaustauscher; Maße
DIN 50 049	Bescheinigungen über Werkstoffprüfungen
DIN 50 145	Prüfung metallischer Werkstoffe; Zugversuch
DIN 50 351	Prüfung metallischer Werkstoffe; Härteprüfung nach Brinell

Erläuterungen

Der Bedarf an Platten (Rohrböden) für Kondensatoren und Wärmeaustauscher sowie für den allgemeinen Apparatebau hat nach Mengen und Abmessungen zugenommen. Die bestehenden Normen für Bleche (DIN 17 670) und für Freiformschmiedestücke (DIN 17 678) aus Kupfer und Kupfer-Knetlegierungen erfassen diesen Bereich nicht bzw. nur unvollkommen.

Deshalb entstand der Wunsch, zu der bewährten Norm über Rohre aus Kupfer und Kupfer-Knetlegierungen für Kondensatoren und Wärmeübertrager (Wärmeaustauscher) (DIN 1785) eine eigene Norm für Platten zu schaffen, die die Kupfer-Knetlegierungen erfaßt, welche für den vorgenannten Zweck handelsüblich sind.

Die Beratungen ließen es in Anlehnung an andere FNNE-Normen sinnvoll erscheinen, in der neuen Norm zwar alle Festlegungen über Kondensatorplatten zusammenzufassen, aber aus Gründen der Zweckmäßigkeit den Inhalt aufzuteilen in:

Teil 1 Festigkeitseigenschaften

Teil 2 Technische Lieferbedingungen

Teil 3 Maße.

Auf folgende Einzelheiten ist besonders hinzuweisen:

Zum Teil 1: Festigkeitseigenschaften

Die Festigkeitseigenschaften der vorzugsweise für Kondensatorplatten eingesetzten Werkstoffe sind so festgelegt, daß sie die Anforderungen erfüllen, die an sie gestellt werden. Die AD-Verbände, die einen Entwurf eines Werkstoffblattes über Kupfer-Knetlegierungen (W 6/2) beraten, erwägen, auf die Festlegungen dieser Norm Bezug zu nehmen; es müssen aber noch Werte für die 1,0 %-Dehngrenze gesammelt werden, um diese in die Norm aufzunehmen.

Platten aus CuAl10Ni mit den mechanischen Eigenschaften des Zustandes F63 können auch als Gußstück aus GK-CuAl10Ni nach DIN 1714 hergestellt werden.

Es wurden zwei neue Legierungen CuZn38SnAl und CuAl9Ni2 aufgenommen, die sich auf Grund ihrer Eigenschaften für Kondensatorböden empfehlen. Die Zusammensetzungen der Legierungen werden in naher Zukunft in DIN 17 660 bzw. DIN 17 665 aufgenommen.

Zum Teil 2: Technische Lieferbedingungen

Wenn auch DIN 1785 über Kondensatorrohre als Modell für die Technischen Lieferbedingungen der Kondensatorplatten diente, konnten nicht alle Festlegungen von DIN 1785 ohne weiteres übertragen werden, sondern sie mußten auf die Anforderungen und Gegebenheiten der Kondensatorplatten abgewandelt bzw. angepaßt werden, z. B. an DIN 17 670 Teil 2.

Zum Teil 3: Maße

Für gewalzte Platten aus Kupfer und Kupfer-Knetlegierungen (im Sinne von Blechen mit großen Dicken) gibt es bisher noch keine Maßnorm, so daß auch die Festlegungen für Maße und zulässige Maß- und Formabweichungen in DIN 17 675 angegeben werden.

Die Stellungnahmen zum Entwurf DIN 17 675 Teil 3 brachten noch keine befriedigende Lösung zur Frage der Aufnahme von Angaben über die Abweichung von der Ebenheit und ihre Prüfung. Die Ebenheitsabweichung muß deshalb vorerst noch vereinbart werden; ihre Problematik wird jedoch weiterhin untersucht.

DK 669.3-41 : 669.35.018.26-41 : 66.048.28
: 66.045.1

Juli 1980

Platten aus Kupfer und Kupfer-Knetlegierungen für Kondensatoren und Wärmeaustauscher

Maße

DIN 17 675 Teil 3

Copper and copper alloys plates for condensers and heat exchangers; dimensions

Plaques en cuivre et alliages de cuivre pour condenseurs et échangeurs thermiques; dimensions

Maße in mm

1 Geltungsbereich

Diese Norm gilt für gewalzte Platten (und daraus hergestellte Ronden)

mit Dicken von 15 bis 120 mm,
Breiten (und Durchmessern) bis 3000 mm und
Längen bis 3000 mm

aus den in DIN 17 675 Teil 1 genannten Werkstoffen, die vorzugsweise für Oberflächenkondensatoren, Wärmeaustauscher und für den allgemeinen Apparatebau verwendet werden.

Diese Norm gilt nicht für geschmiedete Platten, die im allgemeinen vorgearbeitet und mit Schnittzugaben und Allgemeintoleranzen nach DIN 7168 – mittel geliefert werden.

2 Bezeichnung

2.1 Norm-Bezeichnung

2.1.1 Die Norm-Bezeichnung ist in folgender Reihenfolge anzugeben:

Die Benennung (Platte),
DIN-Hauptnummer,
Werkstoffangabe (Kurzzeichen oder Werkstoffnummer),
Dicke in mm.

2.1.2 Beispiele für die Norm-Bezeichnung

Bezeichnung einer Platte aus CuZn39Sn F34 (Werkstoffnummer 2.0530.07) von 20 mm Dicke:

Platte DIN 17 675 – CuZn39Sn F34 – 20

oder Platte DIN 17 675 – 2.0530.07 – 20

2.2 Bestellbezeichnung

2.2.1 Für die Abwicklung einer Bestellung ist die Norm-Bezeichnung um folgende Angaben zu ergänzen:

Bestellte Menge (Angabe **vor** der Norm-Bezeichnung)
Breite und Länge (Angaben **hinter** der Norm-Bezeichnung)

2.2.2 Beispiele für die Bestellbezeichnung

2 Stück Platten von 20 mm Dicke, 1000 mm Breite und 2000 mm Länge aus CuZn39Sn F34 oder Werkstoffnummer 2.0530.07:

2 St Platte DIN 17 675 – CuZn39Sn F34 – 20 × 1000 × 2000

oder 2 St Platte DIN 17 675 – 2.0530.07 – 20 × 1000 × 2000

3 Maße und zulässige Abweichungen

3.1 Tabelle 1 enthält die zulässigen Dickenabweichungen für Platten und Ronden im unbearbeiteten (gewalzten) Zustand. Bei der Dickenmessung muß ein Streifen von 40 mm Breite vom Rand unberücksichtigt bleiben.

3.2 Tabelle 2 enthält die zulässigen Breiten- und Längenabweichungen bei rohen und gesägten Kanten.

3.3 Tabelle 3 enthält die zulässigen Durchmesserabweichungen bei Ronden.

3.4 Die Schnittkanten haben eine ihrem Herstellungsverfahren entsprechende Form.

3.5 Die zulässige Abweichung von der Rechtwinkligkeit ist in den zulässigen Breiten- und Längenabweichungen enthalten (siehe Tabelle 2).

3.6 Die Abweichung von der Ebenheit und deren Prüfverfahren sind zwischen Besteller und Hersteller bei Bestellung zu vereinbaren (siehe Erläuterungen).

Fortsetzung Seite 2 und 3
Erläuterungen Seite 3

Normenausschuß Nichteisenmetalle (FNNE) im DIN Deutsches Institut für Normung e. V.

Tabelle 1. **Zulässige Dickenabweichung *) für Platten und Ronden im unbearbeiteten (gewalzten) Zustand**

Dicke Nennmaß	Zulässige Abweichung der Dicken *) bei Breiten oder Durchmessern bis 1000	über 1000 bis 1500	über 1500 bis 3000 **)
15 bis 25	± 0,8	± 1,0	± 1,5
über 25 bis 40	± 1,0	± 1,2	± 1,5
über 40 bis 60	± 1,3	± 1,5	± 1,8
über 60 bis 80	± 1,5	± 1,7	± 2,0
über 80 bis 120	± 1,8	± 1,8	± 2,0

*) Wünscht der Besteller nur Plus-Abweichungen, so werden die Zahlenwerte verdoppelt.
**) Breiten und Durchmesser über 3000 mm nach Vereinbarung

Tabelle 2. **Zulässige Breiten- und Längenabweichungen**

Breite und Länge Nennmaß über	bis	Zulässige Abweichungen der Breite und der Länge bei rohen Kanten	bei gesägten Kanten für Dicken von 15 bis 40	über 40 bis 120
–	500	+ 10 / 0	+ 3 / 0	+ 5 / 0
500	1000		+ 5 / 0	+ 7 / 0
1000	3000 *)	+ 20 / 0	+ 7 / 0	+ 9 / 0

*) Breiten und Längen über 3000 mm nach Vereinbarung

Tabelle 3. **Zulässige Durchmesserabweichungen bei Ronden**

Bearbeitung des Umfangs	Dicke Nennmaß	Zulässige Abweichung des Durchmessers bis 500	über 500 bis 1000	über 1000 bis 1500 *)
spanlos	von 15 bis 40	+ 30 / + 10	+ 30 / + 10	+ 30 / + 10
spanend, grob	von 15 bis 40	+ 2 / 0	+ 3 / 0	+ 4 / 0
	über 40 bis 120	+ 4 / 0	+ 5 / 0	+ 6 / 0
spanend, mittel	von 15 bis 120	+ 0,5 / 0	+ 1,0 / 0	+ 2,5 / 0

*) Über 1500 mm Durchmesser nach Vereinbarung

4 Werkstoff- und Festigkeitseigenschaften

Platten nach dieser Norm werden aus Kupfer und Kupfer-Knetlegierungen nach DIN 17 675 Teil 1 hergestellt.

5 Ausführung

Es gelten die Technischen Lieferbedingungen nach DIN 17 675 Teil 2.

6 Gewichte und zulässige Gewichtsabweichungen

Das Gewicht in kg errechnet sich aus den Nennmaßen der jeweiligen Platte sowie der Dichte des Werkstoffes.

Die zulässige Gewichtsabweichung ergibt sich aus den zulässigen Abweichungen der Nennmaße und den zulässigen Abweichungen in der Zusammensetzung.

7 Lieferart

Platten nach dieser Norm werden in den bei Bestellung angegebenen Herstellmaßen geliefert.

Weitere Normen

DIN 7168 Teil 1 Allgmeintoleranzen (Freimaßtoleranzen); Längen- und Winkelmaße

DIN 17 675 Teil 1 Platten aus Kupfer und Kupfer-Knetlegierungen für Kondensatoren und Wärmeaustauscher; Festigkeitseigenschaften

DIN 17 675 Teil 2 Platten aus Kupfer und Kupfer-Knetlegierungen für Kondensatoren und Wärmeaustauscher; Technische Lieferbedingungen

Erläuterungen

Der Bedarf an Platten (Rohrböden) für Kondensatoren und Wärmeaustauscher sowie für den allgemeinen Apparatebau hat nach Mengen und Abmessungen zugenommen. Die bestehenden Normen für Bleche (DIN 17 670) und für Freiformschmiedestücke (DIN 17 678) aus Kupfer und Kupfer-Knetlegierungen erfassen diesen Bereich nicht bzw. nur unvollkommen.

Deshalb entstand der Wunsch, zu der bewährten Norm über Rohre aus Kupfer und Kupfer-Knetlegierungen für Kondensatoren und Wärmeübertrager (Wärmeaustauscher) (DIN 1785) eine eigene Norm für Platten zu schaffen, die die Kupfer-Knetlegierungen erfaßt, welche für den vorgenannten Zweck handelsüblich sind.

Die Beratungen ließen es in Anlehnung an andere FNNE-Normen sinnvoll erscheinen, in der neuen Norm zwar alle Festlegungen über Kondensatorplatten zusammenzufassen, aber aus Gründen der Zweckmäßigkeit den Inhalt aufzuteilen in:

Teil 1 Festigkeitseigenschaften

Teil 2 Technische Lieferbedingungen

Teil 3 Maße.

Auf folgende Einzelheiten ist besonders hinzuweisen:

Zum Teil 1: Festigkeitseigenschaften

Die Festigkeitseigenschaften der vorzugsweise für Kondensatorplatten eingesetzten Werkstoffe sind so festgelegt, daß sie die Anforderungen erfüllen, die an sie gestellt werden. Die AD-Verbände, die einen Entwurf eines Werkstoffblattes über Kupfer-Knetlegierungen (W 6/2) beraten, erwägen, auf die Festlegungen dieser Norm Bezug zu nehmen; es müssen aber noch Werte für die 1,0 %-Dehngrenze gesammelt werden, um diese in die Norm aufzunehmen.

Platten aus CuAl10Ni mit den mechanischen Eigenschaften des Zustandes F63 können auch als Gußstück aus GK-CuAl10Ni nach DIN 1714 hergestellt werden.

Es wurden zwei neue Legierungen CuZn38SnAl und CuAl9Ni2 aufgenommen, die sich auf Grund ihrer Eigenschaften für Kondensatorböden empfehlen. Die Zusammensetzungen der Legierungen werden in naher Zukunft in DIN 17 660 bzw. DIN 17 665 aufgenommen.

Zum Teil 2: Technische Lieferbedingungen

Wenn auch DIN 1785 über Kondensatorrohre als Modell für die Technischen Lieferbedingungen der Kondensatorplatten diente, konnten nicht alle Festlegungen von DIN 1785 ohne weiteres übertragen werden, sondern sie mußten auf die Anforderungen und Gegebenheiten der Kondensatorplatten abgewandelt bzw. angepaßt werden, z. B. an DIN 17 670 Teil 2.

Zum Teil 3: Maße

Für gewalzte Platten aus Kupfer und Kupfer-Knetlegierungen (im Sinne von Blechen mit großen Dicken) gibt es bisher noch keine Maßnorm, so daß auch die Festlegungen für Maße und zulässige Maß- und Formabweichungen in DIN 17 675 angegeben werden.

Platten mit Breiten und Durchmessern größer als 3000 mm sind in dieser Norm nicht enthalten; ihre Liefermöglichkeiten sind im Bedarfsfalle zwischen Besteller und Hersteller besonders zu vereinbaren.

Die Stellungnahmen zum Entwurf DIN 17 675 Teil 3 brachten noch keine befriedigende Lösung zur Frage der Aufnahme von Angaben über die Abweichung von der Ebenheit und ihre Prüfung. Die Ebenheitsabweichung muß deshalb vorerst noch vereinbart werden; ihre Problematik wird jedoch weiterhin untersucht.

DK 669.3-426 : 669.35.018.26-426 : 539.4 : 620.1

Dezember 1983

Drähte aus Kupfer und Kupfer-Knetlegierungen
Eigenschaften

DIN 17 677 Teil 1

Wrought copper and copper alloys, wire; properties

Fils en cuivre et en alliages de cuivre corroyés; caractéristiques

Ersatz für Ausgabe 06.74

1 Anwendungsbereich

In Verbindung mit den Technischen Lieferbedingungen nach DIN 17 677 Teil 2 legt diese Norm die Eigenschaften von Drähten aus Kupfer und Kupfer-Knetlegierungen für die in den Tabellen angegebenen Maßbereiche fest.

Für Drähte mit Maßen außerhalb der angegebenen Maßbereiche sind die Eigenschaften bei Bestellung zu vereinbaren.

Diese Norm gilt nicht für:

Drähte aus Kupfer für die Elektrotechnik nach DIN 40 500 Teil 4 und Teil 5.

Drähte für Leitungsseile; Drähte aus Kupfer nach DIN 48 200 Teil 1.

Drähte für Fernmeldefreileitungen nach DIN 48 300.

Runder Federdrähte nach DIN 17 682.

2 Bestellangaben

Die Auswahl des Werkstoffes und des Lieferzustandes ist Sache des Bestellers. Empfohlen wird, bei der Bestellung den Verwendungszweck und die vorgesehene Weiterverarbeitung anzugeben.

Bei der Bezeichnung oder Bestellung von Drähten aus Kupfer und Kupfer-Knetlegierungen sind die Werkstoff-Kurzzeichen und Werkstoff-Nummern dieser Norm zu verwenden, wie in den Bezeichnungsbeispielen der Maßnormen angegeben.

3 Eigenschaften

Für die mechanischen Eigenschaften von Rund-, Vierkant- und Sechskantdrähten sowie querschnittsgleiche Flachdrähte und Profildrähte mit einfachen geometrischen Querschnittsformen werden Werkstoffkenndaten in den Tabellen 1 bis 5 angegeben, die durch den Zugversuch ermittelt werden.

Es müssen folgende Werte eingehalten werden:

– Zugfestigkeit: Bereiche oder Mindestwerte

– Bruchdehnung: Mindestwerte

Die Anforderungen an einen bestellten Zustand gelten auch dann als erfüllt, wenn der obere Grenzwert eines Bereiches für die Zugfestigkeit um max. 10 N/mm^2 überschritten wird, vorausgesetzt, daß der Mindestwert der Bruchdehnung eingehalten wird.

Werte für die Bruchdehnung unter 5 % werden aus Gründen der Meßunsicherheit nicht angegeben.

Anforderungen an bestimmte Korngrößen sind bei Bestellung zu vereinbaren.

4 Maßnormen

Siehe DIN 17 677 Teil 2

5 Prüfung

Für den Zugversuch gilt DIN 51 210 Teil 1.

Zum Vergleich mit den Grenzwerten dieser Norm ist jedes Meßergebnis entsprechend der Rundungsregel nach DIN 1333 Teil 2 auf dieselbe Genauigkeit wie die des Grenzwertes wie folgt zu runden:

a) Werte der Zugfestigkeit auf die nächste Zehnerstelle,

b) Werte der Bruchdehnung auf die nächste Einerstelle.

Fortsetzung Seite 2 bis 7

Normenausschuß Nichteisenmetalle (FNNE) im DIN Deutsches Institut für Normung e. V.

Tabelle 1. **Kupfer** (Zusammensetzung nach DIN 1787)

Werkstoff- Kurzzeichen *)	Werkstoff- Nummer	Durchmesser 1) in mm über 3,0 bis 8,0 Zugfestigkeit R_m N/mm²	über 3,0 bis 8,0 Bruchdehnung $A_{L=100}$ % min.	über 1,5 bis 3,0 Zugfestigkeit R_m N/mm²	über 1,5 bis 3,0 Bruchdehnung $A_{L=100}$ % min.	über 0,8 bis 1,5 Zugfestigkeit R_m N/mm²	über 0,8 bis 1,5 Bruchdehnung $A_{L=100}$ % min.	über 0,3 bis 0,8 Zugfestigkeit R_m N/mm²	über 0,3 bis 0,8 Bruchdehnung $A_{L=100}$ % min.	von 0,1 bis 0,3 Zugfestigkeit R_m N/mm²	von 0,1 bis 0,3 Bruchdehnung $A_{L=100}$ % min.
SF-Cu	**2.0090**										
F20	**.10**	200 bis 250	35	200 bis 250	33	200 bis 260	30	200 bis 260	25	200 bis 270	20
F24	**.26**	240 bis 300	8	250 bis 310	8	260 bis 320	6	260 bis 330	5	270 bis 340	5
F29	**.30**	290 bis 360	–	310 bis 390	–	320 bis 410	–	330 bis 420	–	340 bis 420	–
F36	**.32**	min. 360	–	min. 390	–	min. 410	–	min. 420	–	min. 420	–

*) Die F-Zahlen im Kurzzeichen entsprechen 1/10 des Mindestwertes der Zugfestigkeit für den Durchmesserbereich über 3,0 bis 8,0 mm.

1) Die angegebenen Durchmesserbereiche gelten gleichzeitig für Vierkant- und Sechskantdrähte sowie querschnittsgleiche Flachdrähte und Profildrähte mit einfachen geometrischen Formen. Da die Bruchdehnung von Profildrähten niedriger als die angegebenen Mindestwerte sein kann, ist der Mindestwert bei Bestellung zu vereinbaren.

Tabelle 2. **Kupfer-Zink-Legierungen ohne weitere Legierungsbestandteile [Messing]** (Zusammensetzung nach DIN 17 660)

Werkstoff- Kurzzeichen *)	Werkstoff- Nummer	Durchmesser [1]) in mm: über 3,0 bis 8,0 Zugfestigkeit R_m N/mm²	über 3,0 bis 8,0 Bruchdehnung A_{10} % min.	über 3,0 bis 8,0 Bruchdehnung $A_{L=100}$ % min.	über 1,5 bis 3,0 Zugfestigkeit R_m N/mm²	über 1,5 bis 3,0 Bruchdehnung $A_{L=100}$ % min.	über 0,8 bis 1,5 Zugfestigkeit R_m N/mm²	über 0,8 bis 1,5 Bruchdehnung $A_{L=100}$ % min.	über 0,3 bis 0,8 Zugfestigkeit R_m N/mm²	über 0,3 bis 0,8 Bruchdehnung $A_{L=100}$ % min.	von 0,1 bis 0,3 Zugfestigkeit R_m N/mm²	von 0,1 bis 0,3 Bruchdehnung $A_{L=100}$ % min.
CuZn15	**2.0240**											
F26	**.10**	260 bis 310	38	38	260 bis 310	35	280 bis 340	33	300 bis 360	32	320 bis 380	30
F31	**.26**	310 bis 370	18	15	310 bis 370	15	340 bis 410	14	360 bis 450	13	380 bis 470	12
F37	**.30**	370 bis 460	11	11	370 bis 460	10	410 bis 510	9	440 bis 550	8	470 bis 590	–
F46	**.32**	min. 460 [2])	5	5	min. 460	–	min. 510	–	min. 550	–	min. 590	–
CuZn20	**2.0250**											
F27	**.10**	270 bis 320	41	40	270 bis 320	40	290 bis 340	40	310 bis 360	39	330 bis 390	38
F59	**.34**	min. 590 [2])	–	–	min. 590	–	min. 640	–	min. 690	–	min. 740	–
CuZn30	**2.0265**											
F28	**.10**	280 bis 370	45	35	–	–	–	–	–	–	–	–
F37	**.26**	370 bis 440	30	20	–	–	–	–	–	–	–	–
CuZn36	**2.0335**											
CuZn37	**2.0321**											
zh	**.20**	ohne vorgeschriebene Festigkeitswerte										
F29	**.10**	290 bis 370	40	40	290 bis 370	37	320 bis 390	35	340 bis 410	33	360 bis 440	30
F35	**.24**	350 bis 410	29	25	350 bis 410	22	380 bis 440	20	–	–	–	–
F37	**.26**	370 bis 440	24	20	370 bis 440	18	400 bis 490	15	–	–	–	–
F44	**.30**	440 bis 540	11	8	440 bis 540	5	490 bis 580	–	–	–	–	–
F54	**.32**	min. 540 [2])	5	–	min. 540	–	min. 580	–	–	–	–	–
CuZn40	**2.0360**											
zh	**.20**	ohne vorgeschriebene Festigkeitswerte										
F34	**.10**	min. 340	30	28	min. 340	28	–	–	–	–	–	–
F41	**.26**	min. 410	17	14	min. 410	14	–	–	–	–	–	–
F47	**.30**	–	–	–	min. 470	7	min. 470	5	min. 470	–	–	–

*) Die F-Zahlen im Kurzzeichen entsprechen 1/10 des Mindestwertes der Zugfestigkeit für den Durchmesserbereich über 3,0 bis 8,0 mm.

[1]) Die angegebenen Durchmesserbereiche gelten gleichzeitig für Vierkant- und Sechskantdrähte sowie querschnittsgleiche Flachdrähte und Profildrähte mit einfachen geometrischen Formen. Da die Bruchdehnung von Profildrähten niedriger als die angegebenen Mindestwerte sein kann, ist der Mindestwert bei Bestellung zu vereinbaren.

[2]) Nur für Runddrähte mit Durchmesser über 3,0 bis 5,0 mm.

Tabelle 3. **Kupfer-Zink-Legierungen mit Blei [Messing]** (Zusammensetzung nach DIN 17 660)

Werkstoff-Kurzzeichen *)		Werkstoff-Nummer	über 8 bis 12: Zugfestigkeit R_m N/mm²	über 8 bis 12: Bruchdehnung A_{10} % min.	über 3,0 bis 8,0: Zugfestigkeit R_m N/mm²	über 3,0 bis 8,0: Bruchdehnung A_{10} % min.	über 1,5 bis 3,0: Zugfestigkeit R_m N/mm²	über 1,5 bis 3,0: Bruchdehnung $A_{L=100}$ % min.	von 0,5 bis 1,5: Zugfestigkeit R_m N/mm²	von 0,5 bis 1,5: Bruchdehnung $A_{L=100}$ % min.
CuZn36Pb1,5		2.0331								
	zh	.20	ohne vorgeschriebene Festigkeitswerte							
	F37	.26	370 bis 440	24	370 bis 440	24	370 bis 440	18	400 bis 490	15
	F44	.30	440 bis 540	11	440 bis 540	11	440 bis 540	5	490 bis 600	–
CuZn36Pb3		2.0375								
	zh	.20	ohne vorgeschriebene Festigkeitswerte							
	F40	.26	min. 400	15	min. 400	15	min. 400	12	–	–
	F46	.30	min. 460	7	min. 460	7	min. 460	5	–	–
CuZn38Pb1,5		2.0371								
	zh	.20	ohne vorgeschriebene Festigkeitswerte							
	F41	.26	min. 410	17	min. 410	17	–	–	–	–
	F47	.30	min. 470	9	min. 470	9	min. 470	5	min. 470	–
CuZn39Pb2		2.0380								
	zh	.20	ohne vorgeschriebene Festigkeitswerte							
	F43	.26	min. 430	17	min. 430	17	–	–	–	–
	F49	.30	–	–	min. 490	7	min. 490	5	min. 490	–
CuZn39Pb3		2.0401								
	zh	.20	ohne vorgeschriebene Festigkeitswerte							
	F43	.26	min. 430	17	min. 430	16	–	–	–	–
	F50	.30	–	–	min. 500	8	min. 500	5	min. 500	–

Durchmesser [1]) in mm

*) Die F-Zahlen im Kurzzeichen entsprechen 1/10 des Mindestwertes der Zugfestigkeit für den Durchmesserbereich über 3,0 bis 8,0 mm.

[1]) Die angegebenen Durchmesserbereiche gelten gleichzeitig für Vierkant- und Sechskantdrähte sowie querschnittsgleiche Flachdrähte und Profildrähte mit einfachen geometrischen Formen. Da die Bruchdehnung von Profildrähten niedriger als die angegebenen Mindestwerte sein kann, ist der Mindestwert bei Bestellung zu vereinbaren.

Tabelle 4. **Kupfer-Zinn-Legierungen [Zinnbronze]** (Zusammensetzung nach DIN 17 662)

Werkstoff- Kurzzeichen *)		Werkstoff- Nummer	Durchmesser 1) in mm: über 3,0 bis 8,0 Zugfestigkeit R_m N/mm²	über 3,0 bis 8,0 Bruchdehnung $A_{L=100}$ % min.	über 1,5 bis 3,0 Zugfestigkeit R_m N/mm²	über 1,5 bis 3,0 Bruchdehnung $A_{L=100}$ % min.	über 0,8 bis 1,5 Zugfestigkeit R_m N/mm²	über 0,8 bis 1,5 Bruchdehnung $A_{L=100}$ % min.	über 0,3 bis 0,8 Zugfestigkeit R_m N/mm²	über 0,3 bis 0,8 Bruchdehnung $A_{L=100}$ % min.	von 0,1 bis 0,3 Zugfestigkeit R_m N/mm²	von 0,1 bis 0,3 Bruchdehnung $A_{L=100}$ % min.
CuSn6		2.1020										
	F35	.10	350 bis 420	55	370 bis 440	52	380 bis 460	50	400 bis 480	48	420 bis 500	40
	F42	.26	420 bis 520	25	440 bis 540	20	460 bis 570	16	480 bis 600	13	500 bis 620	10
	F52	.30	520 bis 650	10	540 bis 680	6	570 bis 720	5	600 bis 760	–	620 bis 800	–
	F65	.32	650 bis 800 2)	–	680 bis 850	–	720 bis 900	–	760 bis 950	–	800 bis 1000	–
	F80	.34	min. 800 2), 3)	–	min. 850 3)	–	min. 900 3)	–	min. 950 3)	–	min. 1000 3)	–
CuSn8		2.1030										
	F40	.10	400 bis 470	60	410 bis 490	57	420 bis 510	55	430 bis 520	53	440 bis 530	45
	F47	.26	470 bis 570	26	490 bis 600	24	510 bis 620	18	520 bis 640	15	530 bis 670	10
	F57	.30	570 bis 710	12	600 bis 740	8	620 bis 770	6	640 bis 810	–	670 bis 850	–
	F71	.32	710 bis 850 2)	–	740 bis 900	–	770 bis 950	–	810 bis 1000	–	850 bis 1050	–
	F85	.34	min. 850 2), 3)	–	min. 900 3)	–	min. 950 3)	–	min. 1000 3)	–	min. 1050 3)	–

*) Die F-Zahlen im Kurzzeichen entsprechen 1/10 des Mindestwertes der Zugfestigkeit für den Durchmesserbereich über 3,0 bis 8,0 mm.

1) Die angegebenen Durchmesserbereiche gelten gleichzeitig für Vierkant- und Sechskantdrähte sowie querschnittsgleiche Flachdrähte und Profildrähte mit einfachen geometrischen Formen. Da die Bruchdehnung von Profildrähten niedriger als die angegebenen Mindestwerte sein kann, ist der Mindestwert bei Bestellung zu vereinbaren.

2) Nur für Runddrähte mit Durchmesser über 3,0 bis 5,0 mm.

3) Drähte, die in diesem Werkstoffzustand geliefert werden, dürfen keine Anrisse zeigen, wenn sie um einen Dorn gewickelt werden, dessen Durchmesser gleich dem dreifachen Drahtdurchmesser ist.

Tabelle 5. **Kupfer-Nickel-Zink-Legierungen [Neusilber]** (Zusammensetzung nach DIN 17 663)

Werkstoff- Kurzzeichen *)	Nummer	Durchmesser 1) in mm über 3,0 bis 8,0 Zugfestigkeit R_m N/mm²	über 3,0 bis 8,0 Bruchdehnung $A_{L=100}$ % min.	über 1,5 bis 3,0 Zugfestigkeit R_m N/mm²	über 1,5 bis 3,0 Bruchdehnung $A_{L=100}$ % min.	über 0,8 bis 1,5 Zugfestigkeit R_m N/mm²	über 0,8 bis 1,5 Bruchdehnung $A_{L=100}$ % min.	über 0,3 bis 0,8 Zugfestigkeit R_m N/mm²	über 0,3 bis 0,8 Bruchdehnung $A_{L=100}$ % min.	von 0,1 bis 0,3 Zugfestigkeit R_m N/mm²	von 0,1 bis 0,3 Bruchdehnung $A_{L=100}$ % min.
CuNi12Zn24	**2.0730**										
F36	**.10**	360 bis 450	35	370 bis 460	35	390 bis 480	30	410 bis 500	25	430 bis 520	20
F45	**.26**	450 bis 540	15	460 bis 560	12	480 bis 580	8	500 bis 600	5	–	–
F54	**.30**	540 bis 630	5	560 bis 660	5	580 bis 680	–	600 bis 700	–	–	–
F63	**.32**	630 bis 750 2)	–	660 bis 780	–	680 bis 800	–	700 bis 820	–	–	–
F75	**.34**	min. 750 2), 3)	–	min. 780 3)	–	min. 800 3)	–	min. 820 3)	–	min. 850 3)	–
CuNi18Zn20	**2.0740**										
F41	**.10**	410 bis 500	32	420 bis 510	32	430 bis 520	26	440 bis 530	23	450 bis 540	18
F50	**.26**	500 bis 580	12	510 bis 600	10	520 bis 610	6	530 bis 620	–	–	–
F58	**.30**	580 bis 660	–	600 bis 690	–	610 bis 710	–	620 bis 730	–	–	–
F66	**.32**	660 bis 770 2)	–	690 bis 800	–	710 bis 830	–	730 bis 860	–	–	–
F77	**.34**	min. 770 2), 3)	–	min. 800 3)	–	min. 830 3)	–	min. 860 3)	–	min. 880 3)	–

*) Die F-Zahlen im Kurzzeichen entsprechen 1/10 des Mindestwertes der Zugfestigkeit für den Durchmesserbereich über 3,0 bis 8,0 mm.

1) Die angegebenen Durchmesserbereiche gelten gleichzeitig für Vierkant- und Sechskantdrähte sowie querschnittsgleiche Flachdrähte und Profildrähte mit einfachen geometrischen Formen. Da die Bruchdehnung von Profildrähten niedriger als die angegebenen Mindestwerte sein kann, ist der Mindestwert bei Bestellung zu vereinbaren.

2) Nur für Runddrähte mit Durchmesser über 3,0 bis 5,0 mm.

3) Drähte, die in diesem Werkstoffzustand geliefert werden, dürfen keine Anrisse zeigen, wenn sie um einen Dorn gewickelt werden, dessen Durchmesser gleich dem dreifachen Drahtdurchmesser ist.

Zitierte Normen

DIN 1333 Teil 2	Zahlenangaben, Runden
DIN 1787	Kupfer; Halbzeug
DIN 17 660	Kupfer-Knetlegierungen; Kupfer-Zink-Legierungen (Messing) (Sondermessing), Zusammensetzung
DIN 17 662	Kupfer-Knetlegierungen; Kupfer-Zinn-Legierungen (Zinnbronze), Zusammensetzung
DIN 17 663	Kupfer-Knetlegierungen; Kupfer-Nickel-Zink-Legierungen (Neusilber), Zusammensetzung
DIN 17 677 Teil 2	Drähte aus Kupfer und Kupfer-Knetlegierungen; Technische Lieferbedingungen
DIN 17 682	Runde Federdrähte aus Kupfer-Knetlegierungen; Festigkeitseigenschaften, Technische Lieferbedingungen
DIN 40 500 Teil 4	Kupfer für die Elektrotechnik; Drähte aus Kupfer und silberlegiertem Kupfer, Technische Lieferbedingungen
DIN 40 500 Teil 5	Kupfer für die Elektrotechnik; Verzinnte Drähte, Technische Lieferbedingungen
DIN 48 200 Teil 1	Drähte für Leitungsseile; Drähte aus Kupfer
DIN 48 300	Drähte für Fernmeldefreileitungen
DIN 51 210 Teil 1	Prüfung metallischer Werkstoffe; Zugversuch an Drähten, ohne Feindehnungsmessung

Frühere Ausgaben:

DIN 1714: 02.36x; DIN 1773: 07.27; DIN 1776: 12.29, 01.36, 01.39, 07.41; DIN 17 672: 04.57; DIN 17 672 Teil 1: 08.61, 02.69; DIN 17 677 Teil 1: 06.74

Änderungen

Gegenüber der Ausgabe Juni 1974 wurden folgende Änderungen vorgenommen:

a) Tabelle 1: SW-Cu wurde ersatzlos gestrichen.

b) Tabelle 2: Die Legierung CuZn33 wurde gestrichen, die Legierung CuZn30 wurde neu aufgenommen.

c) Tabelle 3: Die Legierung CuZn39Pb05 wurde gestrichen, die Legierung CuZn36Pb3 wurde neu aufgenommen.

d) Tabelle 4: Die Legierung CuSn2 wurde gestrichen.

e) Tabelle 6: Die Kupfer-Nickel-Legierungen wurden ersatzlos gestrichen.

f) Der Text wurde redaktionell überarbeitet, z. B.

- Die F-Zahl wurde einheitlich für alle Werkstoffe als 1/10 des Mindestwertes der Zugfestigkeit in N/mm² eingeführt.
- Die Rundungsregel für Meßergebnisse von Prüfungen wurde aufgenommen.

Internationale Patentklassifikation

B 21 F
C 22 C 9/00

DK 669.3-426 : 669.3.018.26-426 Juni 1974

Drähte aus Kupfer und Kupfer-Knetlegierungen
Technische Lieferbedingungen

DIN 17 677 Blatt 2

Wire of wrought copper and copper alloys; technical conditions of delivery

Fils en cuivre et en alliages de cuivre corroyés, conditions techniques de livraison

Mit DIN 17 672 Blatt 2 Ersatz für DIN 17 672 Blatt 2, Ausgabe Juni 1969

1. Geltungsbereich

Diese Technischen Lieferbedingungen gelten für Drähte in handelsüblicher Qualität aus Kupfer und Kupfer-Knetlegierungen.

2. Werkstoffeigenschaften

2.1. Chemische Zusammensetzung

Kupfer nach DIN 1787

Kupfer-Zink-Legierungen (Messing, Sondermessing) nach DIN 17 660

Kupfer-Zinn-Legierungen (Zinnbronze) nach DIN 17 662

Kupfer-Nickel-Zink-Legierungen (Neusilber) nach DIN 17 663

Kupfer-Nickel-Legierungen nach DIN 17 664

2.2. Festigkeitseigenschaften

Nach DIN 17 677 Blatt 1

3. Maße

DIN 1757 Drähte aus Kupfer und Kupfer-Knetlegierungen, gezogen, Maße

4. Bestellunterlagen

Die Auswahl des Werkstoffes und möglichen Lieferzustandes ist Sache des Bestellers. Das Herstellungsverfahren bleibt dem Hersteller überlassen. Bei der Bestellung sollen die Abschnitte 5 bis 10 beachtet werden.

Empfohlen wird, bei der Bestellung den Verwendungszweck oder das Bearbeitungsverfahren anzugeben.

Bei der Bezeichnung oder Bestellung von Drähten aus Kupfer und Kupfer-Knetlegierungen sind die Kurzzeichen oder Werkstoffnummern nach DIN 17 677 Blatt 1 anzuwenden, wie in den Bezeichnungsbeispielen der Maßnorm angegeben.

5. Anforderungen

Drähte müssen hinsichtlich der chemischen Zusammensetzung, der Festigkeitseigenschaften und der Maße den in den Abschnitten 2 und 3 aufgeführten Normen entsprechen. Weitere Forderungen sind in den Abschnitten 5.1 bis 5.3 festgelegt.

5.1. Oberflächenbeschaffenheit

Drähte haben eine ihrem Herstellungsverfahren entsprechende Oberfläche.

Ungleichmäßigkeiten der Oberfläche sind innerhalb der Maßabweichungen zulässig, soweit sie die Verarbeitbarkeit nicht beeinträchtigen. Das gleiche gilt für rote Flecken, z. B. bei Kupfer-Zink-Legierungen (Messing- und Sondermessing).

Weitergehende Ansprüche an die Oberflächenbeschaffenheit sind bei Bestellung besonders zu vereinbaren.

5.2. Verarbeitbarkeit

Für die Verarbeitbarkeit der Drähte sind die Festigkeitseigenschaften nach DIN 17 677 Blatt 1 maßgebend.

Je nach Werkstoff und Lieferzustand kann bei Umformung Narbigkeit durch Sichtbarwerden des Kornes auftreten. Besondere Forderungen an Umformbarkeit oder andere Eigenschaften sind bei Bestellung zu vereinbaren.

5.3. Gefüge

Gefügetrennungen, z. B. Doppelungen, sind nicht zulässig. Eine bei der Umformung auftretende Struktur ist zulässig. Wird ein bestimmter Korngrößenbereich verlangt, so ist dieser bei Bestellung zu vereinbaren.

6. Kennzeichnung

Drähte werden durch Angabe des Werkstoffzustandes und der Maße gekennzeichnet. Zusätzliche Angaben zur Kennzeichnung sind bei Bestellung besonders zu vereinbaren.

Erläuterungen siehe DIN 17 677 Blatt 1

Fortsetzung Seite 2

Fachnormenausschuß Nichteisenmetalle (FNNE) im Deutschen Normenausschuß (DNA)

F20		.08	jede	(200)	(40)		

2. Kupfer-Zink-Knetlegierungen (Zusammensetzung nach DIN 17 660)

Werkstoff- Kurzzeichen		Nummer	Dicke mm	Zugfestigkeit R_m N/mm² min.	0,2%-Dehngrenze $R_{p0,2}$ N/mm² min.	Bruchdehnung A_5 % min.	Brinellhärte HB 2,5/62,5 min.
CuZn40	F34	2.0360.08	jede	(340)	(115)	(30)	75
CuZn38Pb1,5	F34	2.0371.08	jede	(340)	(115)	(30)	75
CuZn40Pb2	F36	2.0402.08	jede	(360)	(145)	(20)	85
CuZn40Al1		2.0561					
	F44	.08	bis 80	(440)	(165)	(20)	100
	F41	.08	über 80	(410)	(155)	(22)	90
CuZn40Al2		2.0550					
	F49	.08	bis 80	(490)	(195)	(14)	130
	F47	.08	über 80	(470)	(175)	(16)	[illegible]

Zitierte Normen

DIN 1333 Teil 2	Zahlenangaben, Runden
DIN 1787	Kupfer; Halbzeug
DIN 17 660	Kupfer-Knetlegierungen, Kupfer-Zink-Legierungen, (Messing, Sondermessing); Zusammensetzung
DIN 17 665	Kupfer-Knetlegierungen, Kupfer-Aluminium-Legierungen, (Aluminiumbronze); Zusammensetzung
DIN 17 666	Niedriglegierte Kupfer-Knetlegierungen, Zusammensetzung
DIN 17 678 Teil 2	Freiformschmiedestücke aus Kupfer und Kupfer-Knetlegierungen, Technische Lieferbedingungen
DIN 17 678 Teil 4	Freiformschmiedestücke aus Kupfer und Kupfer-Knetlegierungen; Zulässige Abweichungen
DIN 50 125	Prüfungen metallischer Werkstoffe; Zugproben, Richtlinien für die Herstellung
DIN 50 145	Prüfung metallischer Werkstoffe; Zugversuch
DIN 50 351	Prüfung metallischer Werkstoffe; Härteprüfung nach Brinell
DIN IEC 468	Verfahren zur Messung des spezifischen (elektrischen) Widerstandes metallischer Werkstoffe

Frühere Ausgaben

DIN 17 678 Teil 1: 12.73

Änderungen

Gegenüber der Ausgabe Dezember 1973 wurden folgende Änderungen vorgenommen:

a) Folgende Legierungen wurden gestrichen: CuZn39Pb1,5, CuZn39Pb3, CuZn40Ni, CuCd1 und CuCr.

b) Folgende Legierungen wurden neu aufgenommen: SE-Cu57, SE-Cu und CuCrZr.

c) Der Text wurde redaktionell überarbeitet, z. B.

– Die F-Zahl wurde einheitlich für alle Werkstoffe als 1/10 des Mindestwertes der Zugfestigkeit in N/mm² eingeführt.

– Die Rundungsregel für Meßergebnisse von Prüfungen wurde aufgenommen.

Internationale Patentklassifikation

B 21 J 13/00
C 22 C 9/00

7. Oberflächenschutz

Ein Oberflächenschutz ist bei Bestellung zu vereinbaren.

8. Verpackung

Verpackung nach Wahl des Herstellers.
Besondere Verpackung ist bei Bestellung zu vereinbaren.

9. Prüfung

9.1. Zusammensetzung

Ein besonderer Nachweis ist nicht erforderlich, es sei denn, daß Sondervereinbarungen getroffen werden. Das Analysenverfahren bleibt dem Hersteller überlassen. Im Zweifelsfall entscheidet die Naßanalyse nach der neuesten Ausgabe der „Analyse der Metalle" des Chemikerausschusses der Gesellschaft Deutscher Metallhütten- und Bergleute e. V. (Berlin, Göttingen, Heidelberg: Springer-Verlag).

Auf jeden gefundenen Einzelwert ist die Rundungsregel nach DIN 1333 Blatt 2 anzuwenden. Die gerundete Zahl darf die Grenzwerte für die Zusammensetzung nicht überschreiten.

9.2. Mechanische Eigenschaften

DIN 51 210 Zugversuch ohne Feindehnungsmessung an Drähten

Zum Vergleich mit den in DIN 17 677 Blatt 1 festgelegten Werten ist jeder gefundene Einzelwert auf dieselbe Genauigkeit, d. h. auf die nächsten 10 N/mm², entsprechend der Rundungsregel nach DIN 1333 Blatt 2, zu runden.

9.3. Wasserstoffbeständigkeit

Geltungsbereich: Sauerstofffreie Kupfersorte

Aus Drähten sind Proben bis zu einer Dicke von 8 mm herzustellen. Diese werden 30 Minuten lang bei 800 bis 850 °C in einer wasserstoffhaltigen Atmosphäre geglüht und abgekühlt;

Proben bis 8 mm Durchmesser werden nach obiger Behandlung durch den Hin- und Herbiegeversuch nach DIN 51 211 geprüft.

Sie dürfen nach 4 Biegungen weder Anrisse zeigen noch brechen.

Proben von Flachdrähten bis 8 mm Dicke werden nach obiger Behandlung um 180° gefaltet. Die Faltstellen dürfen weder Anrisse zeigen noch brechen.

9.4. Oberflächenbeschaffenheit

Die Sichtprüfung wird ohne optische Hilfsmittel durchgeführt.

Beurteilung nach Abschnitt 5.1

Andere Prüfverfahren sind bei Bestellung zu vereinbaren.

10. Prüfumfang und Loseinteilung [1]

10.1. Der Hersteller führt Prüfungen im Rahmen seiner innerbetrieblichen Gütesicherung durch. Hierüber werden im allgemeinen keine Bescheinigungen nach DIN 50 049 ausgestellt.

10.2. Soll eine zusätzliche Prüfung durch einen vom Besteller Beauftragten durchgeführt werden, so sind bei Anfrage und Auftragsvergabe folgende Vereinbarungen zu treffen:

a) Nennung des Beauftragten
b) Art der durchzuführenden Prüfungen
c) Anzahl der Proben (Richtwerte siehe Tabelle)
d) zusätzliche Forderungen.

Bei der Prüfung ist die Lieferung nach Losen getrennt vorzulegen. Zu einem Los gehören Drähte einheitlicher Herstellungsart, gleichen Werkstoffes, gleichen Zustandes und gleicher Dicke. Es ist nicht erforderlich, daß ein Los nur aus einer Schmelze oder nur aus einer Wärmebehandlung stammt.

Richtwerte für die Anzahl der Proben bei Prüfung durch einen Beauftragten

Los kg über	bis	Anzahl der Proben für Zugversuch
200	500	1
500	1000	2
1000	2000	3
2000	3000	4
je weitere 1000		1 mehr
Bei Liefermengen unter 200 kg sind Proben nicht vorgeschrieben, sofern sie nicht besonders vereinbart wurden.		

Wenn eine Probe bei einer Prüfung den Anforderungen nicht genügt, so sind Wiederholungsprüfungen durchzuführen. Wenn davon wiederum eine Probe den Vorschriften nicht entspricht, darf die zugehörige Lieferung zurückgewiesen werden.

Über die durchgeführten Prüfungen wird vom jeweiligen Beauftragten eines der in DIN 50 049 genannten Abnahmeprüfzeugnisse ausgestellt.

11. Beanstandungen

Äußere und innere Fehler dürfen nur dann beanstandet werden, wenn sie eine dem Werkstoff und der Erzeugnisform angemessene Verarbeitung und Verwendung mehr als unerheblich beeinträchtigen.

Der Besteller muß dem Lieferwerk Gelegenheit geben, sich von der Berechtigung von Beanstandungen zu überzeugen, soweit möglich durch Vorlage des beanstandeten und von Belegstücken des angelieferten Werkstoffes.

[1] Die Prüfungen können zwischen Hersteller und Verbraucher auch nach bestimmten Prüfplänen (Statistische Qualitätskontrolle) vereinbart werden.

DK 669.3-4 : 669.35.018.26-4 : 621.73.042 : 539.4
: 620.1

Freiformschmiedestücke aus Kupfer und Kupfer-Knetlegierungen

Eigenschaften

Wrought copper and copper alloys handforging; properties

Pieces forgées en cuivre et en alliages de cuivre corroyés; caractéristiques

1 Anwendungsbereich

In Verbindung mit den Technischen Lieferbedingungen nach DIN 17 678 Teil 2 legt diese Norm die Eigenschaften von Freiformschmiedestücken aus Kupfer und Kupfer-Knetlegierungen fest.

2 Bestellangaben

Die Auswahl des Werkstoffes und des Lieferzustandes ist Sache des Bestellers. Empfohlen wird, bei der Bestellung den Verwendungszweck und die vorgesehene Weiterverarbeitung anzugeben.

Bei der Bezeichnung oder Bestellung von Freiformschmiedestücken aus Kupfer und Kupfer-Knetlegierungen sind die Werkstoff-Kurzzeichen und Werkstoff-Nummern dieser Norm zu verwenden, wie in den Bezeichnungsbeispielen der Maßnormen angegeben.

3 Eigenschaften

3.1 Mechanische Eigenschaften

Für die mechanischen Eigenschaften werden Werkstoffkenndaten in den Tabellen 1 bis 4 angegeben, die durch den Zugversuch oder die Härteprüfung ermittelt werden.

Es müssen folgende Werte eingehalten werden:

- Brinellhärte: Mindestwerte
- Zugfestigkeit: Mindestwerte
- 0,2%-Dehngrenze: Mindestwerte
- Bruchdehnung: Mindestwerte

Die in den Tabellen angegebenen Mindestwerte der Brinellhärte sind verbindlich.

Die für Zugfestigkeit, 0,2%-Dehngrenze und Bruchdehnung in Klammern angegebenen Mindestwerte gelten nur in Richtung des Faserverlaufes. Sollen diese Werte durch den Zugversuch nachgewiesen werden, so muß die Prüfung und die Lage des Probestabes bei Bestellung vereinbart werden.

3.2 Elektrische Eigenscha

Für eine Auswahl von W
fällen Anforderungen an
gestellt werden können,
angegeben.

4 Maß- und Formto

Siehe DIN 17 678 Teil 4

5 Prüfung

5.1 Prüfung der mech

Für den Zugversuch g
DIN 50 145, für die H

5.2 Prüfung der elek

Im allgemeinen wird
werkseignen Verfahr

In Schiedsfällen w
das Routineverfahr

5.3 Runden von M

Zum Vergleich mi
jedes Meßergebnis
DIN 1333 Teil 2
Grenzwertes wie f

a) Werte der Zugf
die nächste Ze
b) Werte der Bru
c) Werte der Bri
DIN 50 351,
d) Werte der elel
Angaben in D

Fortsetzung Seite 2 und 3

Normenausschuß Nichteisenmetalle (FNNE) im DIN Deutsches Institut für Normung e. V.

Tabelle 3. **Kupfer-Aluminium-Knetlegierungen** (Zusammensetzung nach DIN 17 665)

Werkstoff- Kurzzeichen *)		Nummer		Dicke mm	Zugfestigkeit R_m N/mm² min.	0,2%-Dehngrenze $R_{p0,2}$ N/mm² min.	Bruchdehnung A_5 % min.	Brinellhärte HB 2,5/62,5 min.
CuAl8		2.0920						
	F44		.08	bis 80	(440)	(145)	(18)	[illegible]
	F37		.08	über 80	(370)	(115)	(33)	[illegible]
CuAl9Mn2 (CuAl9Mn)		2.0960						
	F51		.08	bis 80	(510)	(205)	(22)	120
	F49		.08	über 80	(490)	(195)	(25)	110
CuAl10Fe3Mn2 (CuAl10Fe)		2.0936						
	F59		.08	bis 80	(590)	(245)	(10)	140
	F54		.08	über 80	(540)	(195)	(10)	130
CuAl10Ni5Fe4 (CuAl10Ni)		2.0966						
	F72		.08	bis 80	(720)	(360)	(12)	175
	F70		.08	über 80	(700)	(340)	(15)	170
CuAl11Ni6Fe5 (CuAl11Ni)		2.0978						
	F74		.08	bis 80	(740)	(420)	(5)	205
				über 80	(740)	(410)	(4)	205
	F80		.09	bis 80	(800)	(570)	(4)	215
				über 80	(800)	(540)	(4)	215

*) Einige Kurzzeichen wurden entsprechend DIN 17 665 geändert; die bisherigen Kurzzeichen sind zur Information zusätzlich in Klammern angegeben.

Tabelle 4. **Niedriglegierte Kupfer-Knetlegierungen** (Zusammensetzung nach DIN 17 666)

Werkstoff- Kurzzeichen		Nummer		Dicke mm	Zugfestigkeit R_m N/mm² min.	0,2%-Dehngrenze $R_{p0,2}$ N/mm² min.	Bruchdehnung A_5 % min.	Brinellhärte HB 2,5/62,5 min.
CuCrZr	F37	2.1293.60		über 80	(3[illegible])	(300)	(10)	120
CuNi2Si		2.0855						
	F45		.60	bis 80	(450)	(320)	(12)	150
	F44		.60	über 80	(440)	(320)	(12)	140

Tabelle 5. **Elektrische Leitfähigkeit**

Werkstoff- Kurzzeichen		Nummer	Elektrische Leitfähigkeit $\frac{m}{\Omega \cdot mm^2}$ min.
E-Cu57	F20	2.0060.08	55
SE-Cu	F20	2.0070.08	55
CuCrZr	F37	2.1293.60	43
CuNi2Si	F50	2.0855.60	18

DK 621.73.042 : 669.3 : 669.35.018.26 November 1973

Freiformschmiedestücke aus Kupfer und Kupfer-Knetlegierungen

Technische Lieferbedingungen

DIN 17 678 Blatt 2

Forgings of wrought copper and copper alloys; technical conditions of delivery

Pièces forgées en cuivre et alliages de cuivre corroyés; conditions techniques de livraison

Maße in mm

1. Geltungsbereich

Diese Technischen Lieferbedingungen gelten für Freiformschmiedestücke aus Kupfer und Kupfer-Knetlegierungen, vorzugsweise aus den in Abschnitt 3 aufgeführten Werkstoffen. Diese Norm gilt nicht für Gesenkschmiedestücke, siehe DIN 17 673.

2. Begriffe, Herstellverfahren

Schmiedestücke sind spanlos umgeformtes Halbzeug im Gegensatz zu Gußstücken oder Schnitt-, Stanz- und Ziehteilen. Nach dem Herstellverfahren werden Gesenkschmiedestücke und Freiformschmiedestücke unterschieden.

Ein **Freiformschmiedestück** ist ein spanlos durch Schlag oder Druck umgeformtes Halbzeug, das vorwiegend mit einfachen, den Werkstoff nicht allseitig umschließenden Werkzeugteilen (z. B. Flachbahnen, Sättel) hergestellt worden ist.

Das Herstellverfahren bleibt dem Hersteller überlassen.

3. Werkstoffeigenschaften

3.1. Zusammensetzung

Kupfer nach DIN 1787

Kupfer-Zink-Legierungen (Messing, Sondermessing) nach DIN 17 660

Kupfer-Nickel-Legierungen nach DIN 17 664

Kupfer-Aluminium-Legierungen (Aluminiumbronze) nach DIN 17 665

Kupfer-Knetlegierungen, niedrig legiert nach DIN 17 666

3.2. Festigkeitseigenschaften

Kupfer und

Kupfer-Knetlegierungen nach DIN 17 678 Blatt 1.

4. Maßnormen

Zulässige Abweichungen für Freiformschmiedestücke aus Kupfer- und Kupfer-Knetlegierungen nach DIN 17 678 Blatt 4

5. Bestellangaben

5.1. Werkstoff, Lieferzustand

Die Auswahl des Werkstoffes und des Lieferzustandes ist Sache des Bestellers. Hierzu siehe auch die entsprechenden Hinweise in den Abschnitten 6 bis 9.

Da Lieferzustand und Verwendungszustand nicht unbedingt übereinstimmen müssen, sollte der Besteller dem Hersteller die vorgesehene Weiterverarbeitung und Wärmebehandlung angeben (siehe Abschnitt 6.2).

Bei der Bezeichnung oder Bestellung sind die Kurzzeichen oder Werkstoffnummern nach DIN 17 678 Blatt 1 anzuwenden.

5.2. Schmiedestückzeichnung

Für das Konstruieren von Freiformschmiedestücken sind die Richtlinien nach DIN 17 678 Blatt 3 maßgebend.

Dem Hersteller ist eine Fertigteilzeichnung einzureichen, aus der alle Maße und möglichst die Hauptbeanspruchungsrichtung zu ersehen ist. Nach diesen Unterlagen fertigt der Hersteller eine Schmiedestückzeichnung (siehe Bild) an, in der die zur Herstellung des Freiformschmiedestückes notwendigen Maße mit den zulässigen Abweichungen nach DIN 17 678 Blatt 4 einzutragen sind. Fertigteilumrisse sollen mit Maßen punktiert eingezeichnet werden.

Die Zeichnung ist vor Beginn der Fertigung vom Besteller zu prüfen und zu genehmigen. Der Besteller übernimmt mit der Bestätigung der Zeichnung die Verantwortung für deren Richtigkeit.

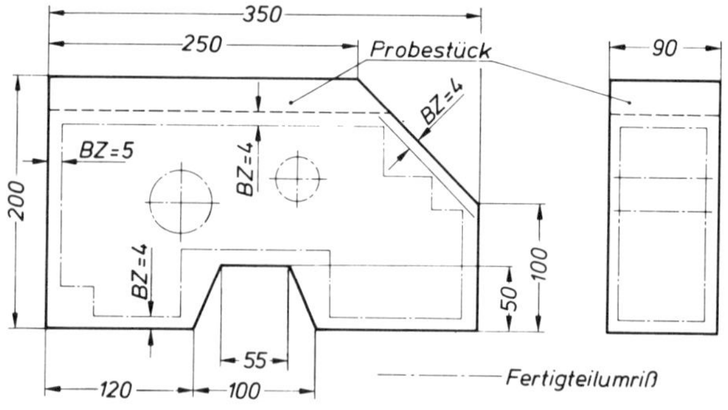

Fortsetzung Seite 2

Fachnormenausschuß Nichteisenmetalle im Deutschen Normenausschuß (DNA)

26/11*

Falls erforderlich können in der Zeichnung weitere Angaben eingetragen werden, z. B. die Faserrichtung, das Probestück, die Lage der Proben, die Richtung der angreifenden Kräfte.

6. Anforderungen

Freiformschmiedestücke müssen hinsichtlich der Zusammensetzung, Festigkeitseigenschaften und zulässigen Maßabweichungen den in den Abschnitten 3 und 4 aufgeführten Normen entsprechen.

Weitere Anforderungen sind in den nachstehenden Abschnitten festgelegt.

6.1. Oberflächenbeschaffenheit

Freiformschmiedestücke haben als Rohteile eine dem Herstellverfahren entsprechende Oberfläche. Sie werden im allgemeinen mit dieser Oberfläche geliefert, falls in den Bestellunterlagen keine anderen Vereinbarungen festgelegt wurden.

Erhöhungen an den Oberflächen der Freiformschmiedestücke und auch Falten, Eindrücke, die die Verwendung der Stücke nicht beeinträchtigen, sind zulässig.

Die Beseitigung solcher Fehler ist unter Anwendung geeigneter Mittel gestattet. Die dadurch unter Umständen entstehenden Vertiefungen dürfen die zulässigen Abweichungen auch unterschreiten, sofern sie innerhalb der vorgesehenen Bearbeitungszugabe liegen.

6.2. Weiterbearbeitung

Für die Weiterbearbeitung der Freiformschmiedestücke sind die für den Lieferzustand vereinbarten Werkstoffeigenschaften maßgebend.

Dem Besteller wird empfohlen, die vorgesehene Weiterbearbeitung, z. B. spanende Formgebung, Schweißen und Wärmebehandlung mit dem Hersteller abzustimmen.

7. Kennzeichnung

Freiformschmiedestücke werden nur auf besondere Vereinbarung mit Farb- oder Schlagzeichen gekennzeichnet, z. B. Werkstoff, Faserrichtung.

8. Prüfverfahren

8.1. Prüfung der Zusammensetzung

Das Analysenverfahren bleibt dem Hersteller überlassen. In Zweifelsfällen entscheidet die Naßanalyse nach der neuesten Ausgabe der „Analyse der Metalle" des Chemikerausschusses der Gesellschaft Deutscher Metallhütten- und Bergleute e. V., (Berlin — Göttingen — Heidelberg: Springer-Verlag).

Auf jeden gefundenen Einzelwert ist die Rundungsregel nach DIN 1333 anzuwenden. Die gerundete Zahl darf die für die Zusammensetzung festgelegten Grenzwerte nicht überschreiten.

8.2. Prüfung der Festigkeitseigenschaften

Es gelten folgende Normen:

DIN 50 125 Zugproben

DIN 50 145 Zugversuch

DIN 50 351 Härteprüfung nach Brinell

Zu verwenden ist eine Kugel von D = 2,5 mm und die dazugehörige Prüfkraft F = 613 N (62,5 kp): HB 2,5/62,5.

Andere Prüfverfahren, z. B. Härteprüfung nach Vickers (nach DIN 50 133), sind besonders zu vereinbaren.

8.3. Prüfung der Oberflächenbeschaffenheit

Die Oberflächenbeschaffenheit wird durch Sichtprüfung festgestellt und nach Abschnitt 6.1 beurteilt.

9. Prüfumfang und Loseinteilung

9.1. Der Hersteller führt bei Freiformschmiedestücken Prüfungen im Rahmen innerbetrieblicher Gütesicherung durch. Bei Freiformschmiedestücken im ausgehärteten Zustand können zusätzlich durchgeführt werden:

a) Zugversuch nach DIN 50 145. Er wird nur dann durchgeführt, wenn sich in Faserrichtung eine Zugprobe entnehmen läßt. Die Probenlage ist zu vereinbaren.

b) Härteprüfung nach Brinell nach DIN 50 351. Entstehende Kugeleindrücke dürfen nicht beanstandet werden.

Hierüber werden im allgemeinen keine Bescheinigungen nach DIN 50 049 ausgestellt.

9.2. Soll eine zusätzliche Prüfung durch einen vom Besteller Beauftragten durchgeführt werden, so sind bei Anfrage und Auftragsvergabe folgende Vereinbarungen zu treffen:

a) Nennung des Beauftragten

b) Art der durchzuführenden Prüfungen, z. B.

ba) Nachweis der Zusammensetzung des Werkstoffes je Lieferung

bb) Zugversuch nach DIN 50 145. Er kann, sofern die Abmessungen des Freiformschmiedestückes dies zulassen, in Längs-; Quer- und/oder Vertikalrichtung durchgeführt werden. Die Probenlagen sind zu vereinbaren.

bc) Härteprüfung nach Brinell nach DIN 50 351. Die Prüfstelle am Freiformschmiedestück kann beliebig gewählt werden, sie bleibt dem Hersteller überlassen.

Entstehende Kugeleindrücke dürfen nicht beanstandet werden.

bd) Bei Freiformschmiedestücken im ausgehärteten Zustand wird der Aushärtungszustand durch geeignete Verfahren, z. B. Messen der Leitfähigkeit, geprüft.

c) Anzahl der Proben,

d) eventuelle zusätzliche Forderungen

Bei der Prüfung ist die Lieferung nach Losen getrennt vorzulegen. Zu einem Los gehören Freiformschmiedestücke einheitlicher Herstellungsart, gleichen Werkstoffes, gleichen Zustandes und gleicher Dicke. Es ist nicht erforderlich, daß ein Los nur aus einer Schmelze oder nur aus einer Wärmebehandlung stammt.

Wenn eine Probe bei einer Prüfung den Anforderungen nicht genügt, so sind Wiederholungsprüfungen durchzuführen. Wenn davon wiederum eine Probe den Vorschriften nicht entspricht, darf die zugehörige Lieferung zurückgewiesen werden.

Über die durchgeführten Prüfungen wird vom jeweiligen Beauftragten eines der in DIN 50 049 genannten Abnahmeprüfzeugnisse ausgestellt.

10. Beanstandungen

Äußere und innere Fehler dürfen nur dann beanstandet werden, wenn sie eine dem Werkstoff und der Erzeugnisform angemessene Verarbeitung und Verwendung mehr als unerheblich beeinträchtigen.

Der Besteller muß dem Lieferwerk Gelegenheit geben, sich von der Berechtigung von Beanstandungen zu überzeugen, soweit möglich durch Vorlage des beanstandeten und von Belegstücken des angelieferten Werkstoffes.

DK 621.73.042 : 669.3 : 669.35.018.26 Dezember 1973

Freiformschmiedestücke aus Kupfer und Kupfer-Knetlegierungen

Grundlagen für die Konstruktion

DIN 17 678 Blatt 3

Handforgings of wrought copper and copper alloys; directives for the design

Pièces forgées en cuivre et alliages de cuivre corroyés; directives pour la construction

1. Geltungsbereich

Diese Norm soll als Grundlage für die Konstruktion von Freiformschmiedestücken dienen. Sie soll dem Besteller ermöglichen, beim Entwerfen von Freiformschmiedestücken die fertigungstechnischen Voraussetzungen des Herstellers zu berücksichtigen. Bei schwierig herzustellenden Freiformschmiedestücken ist die Beratung des Bestellers durch den Hersteller empfehlenswert.

2. Allgemeine Richtlinien für Konstruktion und Verwendung

2.1. Freiformschmiedestücke werden zweckmäßigerweise verwendet, wenn

a) durch Schmieden eine höhere Festigkeit und/oder auch eine der Beanspruchung entsprechende Faserorientierung erreicht werden sollen (siehe Bilder 1 und 2),

b) ein Einzelstück oder eine geringe Anzahl gleicher Stücke gebraucht werden,

c) aus formtechnischen, Kosten- oder anderen Gründen unzweckmäßig ist, die Teile, z. B. aus Blechen, Stangen oder Profilen herzustellen oder zu gießen (siehe Bilder 3 und 4).

2.2. Freiformschmiedestücke werden mit einfachen, beim Hersteller meist vorhandenen Werkzeugen, z. B. Flachbahnen, Sätteln, hergestellt und sind entsprechend durchgeknetet. Sie haben als Rohteile eine durch das Herstellverfahren bedingte Oberfläche. Durch Freiformschmieden wird die Endform des Fertigteils nur annähernd erreicht, so daß meistens eine spanende Bearbeitung notwendig ist. Es ist zu beachten, daß bei komplizierten Fertigteilen die spanende Bearbeitung einen erheblichen Fertigungsaufwand bedeutet.

2.3. Eine gewünschte Faserrichtung ist anzugeben. In vielen Fällen ist mit Rücksicht auf fertigungstechnische Gründe eine Vereinbarung über die Faserrichtung zwischen Hersteller und Besteller erforderlich.

2.4. Großflächige Stücke mit geringer Dicke sind schwierig herzustellen. Je nach Werkstoff und Zustand neigen sie zum Verzug sowohl beim Schmieden und bei der Wärmebehandlung als auch bei der mechanischen Bearbeitung. Deshalb sind meist ein aufwendiges Richten und fachgerechte Maßnahmen beim Bearbeiten erforderlich.

3. Werkstoffe

Freiformschmiedestücke werden aus den in DIN 17 678 Blatt 1 angegebenen Werkstoffen hergestellt.

4. Einpressungen (siehe Bilder 5 und 6)

Bohrungen und Ausnehmungen des Fertigteiles können u. U. vorgeschmiedet werden. Der Werkstoff wird dadurch in diesen Bereichen besser durchgeknetet und die Faserorientierung günstiger beeinflußt. Hierbei können Wülste entstehen, die die zulässigen Maßabweichungen überschreiten.

5. Querschnittssprünge und Übergänge

Erhebliche Querschnittsunterschiede und schroffe Übergänge sollten bei einem Freiformschmiedestück möglichst vermieden werden. Auf jeden Fall sind an Querschnittssprüngen ausreichende Übergänge vorzusehen. Besondere Maßanforderungen können nicht gestellt werden.

6. Bearbeitungszugaben

Da Freiformschmiedestücke der Endform des Fertigteils nur angenähert werden können, sind in der Tabelle Richtwerte für Bearbeitungszugaben angegeben (siehe Bilder 7 und 8). Diese Werte gelten für alle Maße eines Freiformschmiedestückes (auch an vorbearbeiteten Freiformschmiedestücken, siehe Abschnitt 7). Bezugsmaß für die Bearbeitungszugaben aller Maße ist das größte Nennmaß eines Schmiedestückes.

7. Wärmebehandlung

Für aushärtbare Legierungen ist zu beachten, daß eine weitgehend gleichmäßige Aushärtung über den gesamten Querschnitt nur bis zu bestimmten Dicken möglich ist (siehe DIN 17 678 Blatt 1). Gegebenenfalls sind Freiformschmiedestücke vor der Wärmebehandlung spanend so vorzubearbeiten (siehe Abschnitt 6), daß Dicken erreicht werden, bei denen eine weitgehend gleichmäßige Aushärtung möglich ist (siehe Bilder 9 und 10).

Fortsetzung Seite 2

Fachnormenausschuß Nichteisenmetalle im Deutschen Normenausschuß (DNA)

Beispiele für Freiformschmiedestücke —·—·— = *Fertigteilumriß*

Bild 1.

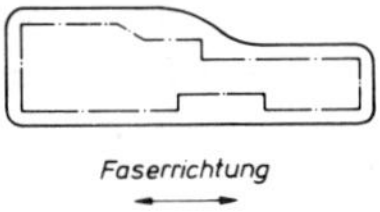

Bild 2.

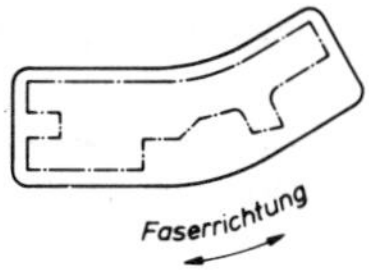

Bild 3.

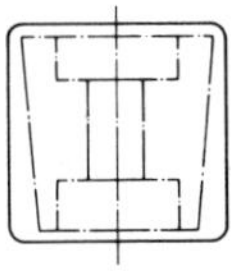

Bild 4.

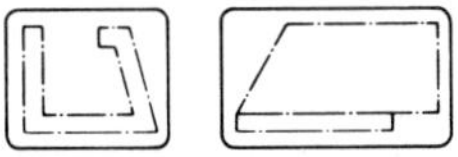

Bild 5.

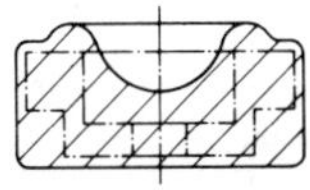

Bild 6.

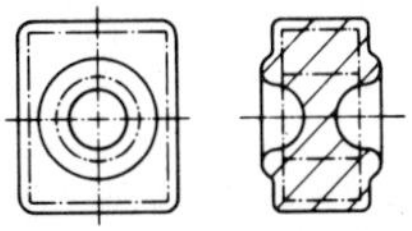

Bild 7.

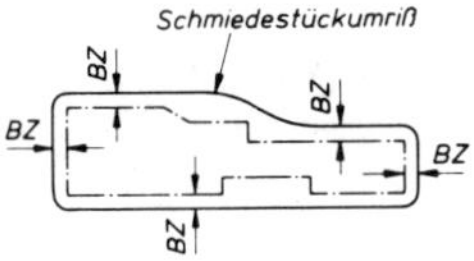

Bild 8.

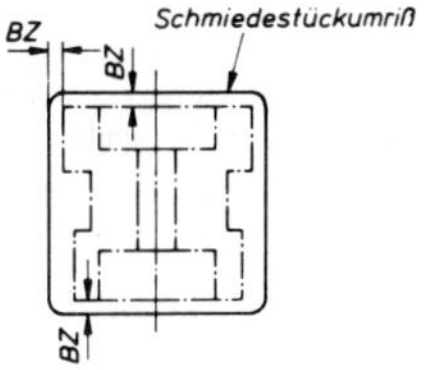

Bild 9.

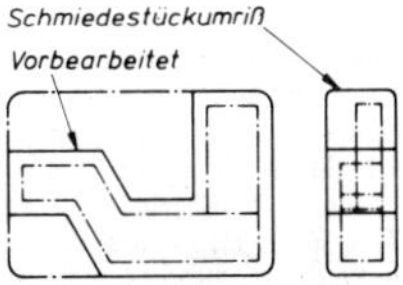

Bild 10.

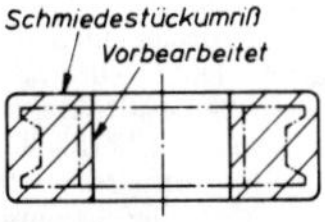

Bearbeitungszugabe BZ (Richtwerte)

Gewicht kg		Bearbeitungszugabe BZ für größtes Nennmaß			
über	bis	— bis 250	über 250 bis 500	über 500 bis 1000	über 1000
—	20	3	5	8	10
20	50	4	5	8	10
50	120	—	8	8	12
120	250	—	8	10	12
250	400	—	10	12	15

DK 621.73.042 : 669.3 : 669.35.018.26 : 621.753.1 Dezember 1973

Freiformschmiedestücke aus Kupfer und Kupfer-Knetlegierungen

Zulässige Abweichungen

DIN 17 678
Blatt 4

Handforgings of wrought copper and copper alloys; tolerances
Pièces forgées en cuivre et alliages de cuivre corroyés; tolérances

Maße in mm

1. Geltungsbereich

Diese Norm gilt für die zulässigen Abweichungen von Freiformschmiedestücken aus Kupfer- und Kupfer-Knetlegierungen bis zu einem Gewicht von 400 kg. Sie wird ergänzt durch die Technischen Lieferbedingungen nach DIN 17 678 Blatt 2 und durch die Grundlagen für die Konstruktion nach DIN 17 678 Blatt 3.

2. Zulässige Maßabweichungen

Zulässige Abweichungen, die in Schmiedestückzeichnungen eingetragen werden, sollen grundsätzlich dieser Norm entsprechen. Dabei ist zu beachten, daß es sich bei den Außenmaßen um Plus-Abweichungen, bei den Innenmaßen um Minus-Abweichungen handelt (Abmaß *a* in Bild 1). Wenn in diesen Zeichnungen keine zulässigen Abweichungen eingetragen sind, gilt diese Norm; es empfiehlt sich aber, dann in der Zeichnung einen entsprechenden Hinweis auf DIN 17 678 Blatt 4 aufzunehmen.

Die Werte für Abmaß *a* sind in Tabelle 1 in Abhängigkeit vom Gewicht und den Nennmaßen angegeben. Diese Werte gelten auch für Maße an vorbearbeiteten Stücken.

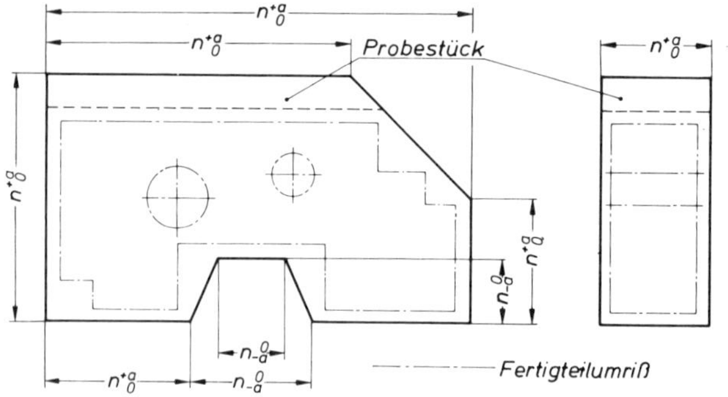

Bild 1.

Tabelle 1. **Werte für Abmaß** ***a***

Gewicht kg über	Gewicht kg bis	Bereich für Nennmaß *n*: — bis 50	über 50 bis 150	über 150 bis 300	über 300 bis 500	über 500 bis 800	über 800 bis 1200	über 1200 bis 2000	über 2000 —
		Werte für Abmaß *a*							
	5	3	4	5	6	7	8	9	10
55	15	3	4	5	6	7	8	9	10
15	40	4	5	6	7	8	9	10	12
40	100	6	7	8	9	10	11	12	14
100	200	8	9	10	11	12	13	14	16
200	300	10	11	12	13	14	16	18	20
300	400	12	13	14	16	18	20	22	25

In den zulässigen Abweichungen ist die Parallelitätstoleranz enthalten. Sie kann innerhalb der angegebenen Grenzen voll in Anspruch genommen werden.

Fortsetzung Seite 2

Fachnormenausschuß Nichteisenmetalle im Deutschen Normenausschuß (DNA)

3. Ebenheitstoleranz

Über die fertigungsbedingten zulässigen Abweichungen hinaus ergeben sich Abweichungen von der Ebene durch Verbiegen, Verwinden oder Auslösen von Spannungen, insbesondere bei Wärmebehandlung.

Die Ebenheitstoleranzen sind in Tabelle 2 in Abhängigkeit von der Länge des Freiformschmiedestückes angegeben.

Die zulässige Abweichung für die Ebenheitstoleranz U_{max} wird von einer Bezugsebene aus gemessen, die aus drei Punkten auf der Oberfläche des Freiformschmiedestückes gebildet wird (siehe Bild 2).

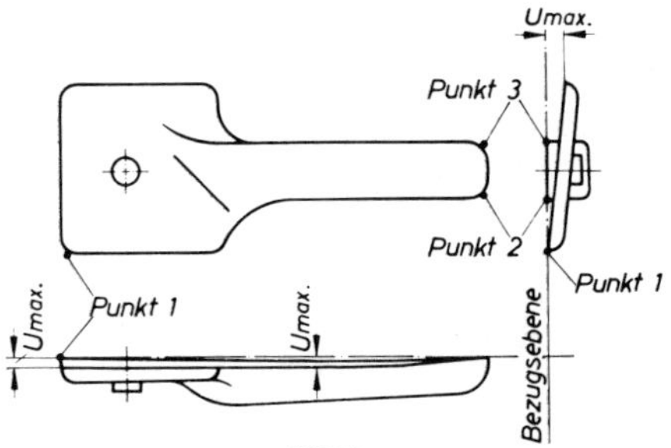

Bild 2.

Tabelle 2. Ebenheitstoleranz

Nennmaßbereich n_{max}		— bis 50	über 50 bis 120	über 120 bis 250	über 250 bis 400	über 400 bis 1000	über 1000 bis 2000	über 2000 —
Ebenheitstoleranz U_{max} für Schmiedestücke	nicht ausgehärtet	0,5	0,7	1,2	2	3	6	10
	ausgehärtet	0,8	1	1,8	3	4	7,5	13

DK 621.643.2-462.3-034.3:621.643.2-462.3-034.35.018.26
:621.175:66.045:001.4:620.1

Oktober 1983

Rohre aus Kupfer und Kupfer-Knetlegierungen mit gewalzten Rippen für Wärmeaustauscher

DIN 17 679

Rolled finned tubes for heat exchangers of wrought copper and copper alloys

Cuivre et alliages de cuivre; tubes à ailettes laminées pour échangeurs thermiques

Ersatz für Ausgabe 05.74

Maße in mm

1 Anwendungsbereich

1.1 Diese Norm gilt für nahtlose Rohre mit gewalzten, schraubenlinienförmig angeordneten Außenrippen (Rippenrohre), die für Wärmeaustauscher, z. B. Dampfkondensatoren, Ölkühler, Luftkühler und ähnliche Apparate bestimmt sind, aus den in Tabelle 2 aufgeführten Werkstoffen.

Rohre nach dieser Norm werden mit einer Rippenhöhe von 1,5 mm und einer Rippenteilung 1,0 oder 1,35 mm geliefert.

1.2 Für den Einsatz der Rohre in Druckbehältern im Sinne der Druckbehälter-Verordnung gelten zusätzlich die Festlegungen des VdTÜV-Werkstoffblattes 420.

2 Benennungen (siehe Tabelle 1 und Bild)

Die Rippenrohre haben unberippte Rohrenden und im Bedarfsfall unberippte Zwischenstücke, deren Außendurchmesser größer ist als der Rippendurchmesser.

Tabelle 1. **Benennungen bei gewalzten Rippenrohren**

Maßbuchstabe	Benennung
d_1	Außendurchmesser des unberippten Rohrendes und der unberippten Zwischenstücke
d_2	Innendurchmesser des unberippten Rohrendes und der unberippten Zwischenstücke
d_3	Innendurchmesser des berippten Rohres
d_4	Kernrohrdurchmesser
d_5	Rippendurchmesser
l_1	Länge des Rohres
l_2	Länge des unberippten Rohrendes
l_3	Länge des unberippten Zwischenstückes
l_4	Abstand der Mitte des unberippten Zwischenstückes vom Rohrende
$l_{41}, l_{42}, \ldots l_{4n}$	Abstand der Mitte mehrerer unberippter Zwischenstücke, die alle nur von einem Rohrende bemaßt werden.
h	Rippenhöhe
m	Rippenteilung
s_1	Wanddicke des unberippten Rohrendes
s_2	Kernrohrwanddicke

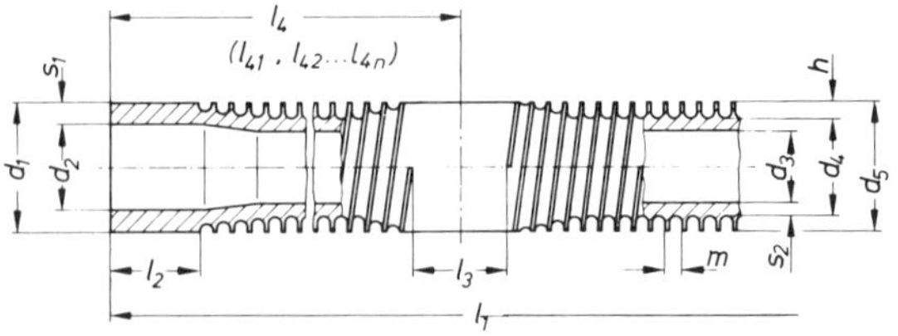

Fortsetzung Seite 2 bis 8

Normenausschuß Nichteisenmetalle (FNNE) im DIN Deutsches Institut für Normung e. V.
Normenausschuß Rohre, Rohrverbindungen und Rohrleitungen (FR) im DIN

3 Bestellangaben

3.1 Die Auswahl des Werkstoffes und des Lieferzustandes der Rohre ist Sache des Bestellers. Das Fertigungsverfahren der Rohre bleibt jedoch dem Hersteller überlassen.

3.2 Bei der Bestellung von Rohren nach dieser Norm müssen folgende Angaben gemacht werden:

1. Werkstoff-Kurzzeichen oder Werkstoff-Nummer (siehe Tabelle 2)
2. Maße
   - Außendurchmesser
   - Kernrohrwanddicke
   - Rippenteilung
   - Rohrlänge
   - falls erforderlich Lage und Länge der unberippten Rohrenden
   - falls erforderlich Lage und Länge der unberippten Zwischenstücke auf Zeichnung
3. Menge (Stückzahl oder Gewicht)
4. Besondere Vereinbarungen:
   a) Weichglühen oder Entfetten der Rohre aus Kupfer und Kupfer-Knetlegierungen.
   b) Verfahren für die Prüfung der Eigenspannungen von Rohren aus Kupfer-Zink-Legierungen, siehe Abschnitt 5.4.6.
   c) Beizen oder Strahlen der Rohre aus Kupfer-Zink-Legierungen, siehe Abschnitt 4.7.
   d) Stückanalyse am fertigen Rohr, siehe Abschnitt 5.4.1.
   e) Sondervorschrift für die Zusammensetzung der Kupfer-Nickel-Legierungen, siehe Fußnote 1 zu Tabelle 2.
   f) Zugversuch, siehe Abschnitt 5.4.7.
   g) Dichtheitsprüfung, siehe Abschnitt 5.4.4.
   h) Abnahmeprüfung durch einen Beauftragten des Bestellers, siehe Abschnitt 5.2.
   i) Abnahmeprüfzeugnis, siehe Abschnitt 6.

3.3 Bezeichnungen

Aus den Tabellen 4 und 5 ist ersichtlich, daß mit dem jeweiligen Außendurchmesser ein bestimmter Kernrohrdurchmesser und – je nach Werkstoff – eine bestimmte Kernrohrwanddicke gekoppelt ist; ferner ergeben sich – je nach Rippenteilung – die zugehörige Außenoberfläche, das Flächenverhältnis und das Gewicht.

3.3.1 Normbezeichnung

Die Normbezeichnung ist in folgender Reihenfolge anzugeben:

- Benennung: Rohr
- DIN-Nummer
- Werkstoff-Kurzzeichen oder Werkstoff-Nummer
- Außendurchmesser d_1
- Kernrohrwanddicke
- Rippenteilung

Bezeichnungsbeispiel

Bezeichnung eines Rohres mit gewalzten Rippen aus dem Werkstoff mit dem Werkstoff-Kurzzeichen CuZn20Al2 F34 oder der Werkstoff-Nummer 2.0460.19 mit dem Außendurchmesser-Nennmaß 19,0 mm, Kernrohrwanddicke 1,25 mm und mit einer Rippenteilung 1,0 mm (T 1,0):

Rohr DIN 17 679 – CuZn20Al2 F 34 – 19,0 × 1,25 × T 1,0

oder Rohr DIN 17 679 – 2.0460.19 – 19,0 × 1,25 × T 1,0

3.3.2 Bestellbezeichnung

Für die Abwicklung einer Bestellung ist die Normbezeichnung um folgende Angaben zu ergänzen:

- Bestellte Menge (Angabe vor der Normbezeichnung)
- Festlänge in mm
- falls erforderlich, Lage und Länge der unberippten Rohrbereiche nach Zeichnung

Bestellbeispiel

1000 Stück Rohre mit gewalzten Rippen aus dem Werkstoff mit dem Werkstoff-Kurzzeichen CuZn20Al2 F34 oder der Werkstoff-Nummer 2.0460.19 mit dem Außendurchmesser-Nennmaß 19,0 mm, Kernrohrwanddicke 1,25 mm und mit einer Rippenteilung 1,0 mm (T 1,0) in Festlängen von 6000 mm:

1000 Stück Rohr DIN 17 679 – CuZn20Al2 F 34 – 19,0 × 1,25 × T 1,0 × 6000

oder **1000 Stück Rohr DIN 17 679 – 2.0460.19 – 19,0 × 1,25 × T 1,0 × 6000**

4 Anforderungen

4.1 Zusammensetzung

Die Zusammensetzung des Werkstoffes der Rohre muß den in Tabelle 2 genannten Normen entsprechen. Andere Werkstoffe können zwischen Hersteller und Besteller vereinbart werden.

4.2. Eigenschaften

4.2.1 Unberippte Rohrabschnitte

Die unberippten Rohrabschnitte (Enden bzw. Zwischenstücke) liegen im weichen Zustand vor und entsprechen den in Tabelle 2 genannten Werten für die 0,2%-Dehngrenze, Zugfestigkeit und Bruchdehnung. Das Vorliegen des weichen Zustandes und die Umformbarkeit werden durch den Aufweitversuch nachgewiesen, siehe Abschnitt 5.4.8.

4.2.2 Berippte Rohrabschnitte

Die berippten Rohrabschnitte liegen nach dem Walzen der Rippen in kaltverfestigtem Zustand vor. Rohre aus spannungskorrosionsempfindlichen Werkstoffen (CuZn28Sn1 und CuZn20Al2) müssen anschließend an das Berippen einer Entspannungsglühung unterzogen werden (siehe Abschnitt 5.4.6).

Nach Vereinbarung können die Rohre nach dem Berippen auch weichgeglüht werden. Diese Glühbehandlung wird durch eine Gefügeuntersuchung im berippten Bereich der Rohre nachgewiesen. Für die Beurteilung gelten die Festlegungen nach Abschnitt 4.3.

4.3 Gefüge

Das Gefüge muß weitgehend frei von nichtmetallischen Einschlüssen sein.

Die Korngrößenbestimmung wird an den unberippten Rohrstücken vorgenommen. Der mittlere Korndurchmesser darf 0,01 mm nicht unterschreiten und 0,05 mm nicht überschreiten.

Bei Rohren, die nach dem Berippen weichgeglüht werden, muß das Gefüge der Kernrohrwand im berippten Teil

vollständige Rekristallisation zeichen, wobei die Korngröße fertigungsbedingt über die Wanddicke unterschiedlich sein kann.

4.4 Eigenspannungen

Die Rohre aus CuZn28Sn1 und CuZn20Al2 dürfen keine Eigenspannungen enthalten, die den Verwendungszweck beeinträchtigen. Nachweis nach Abschnitt 5.4.6.

4.5 Maße, Gewichte und zulässige Abweichungen

4.5.1 Tabellen 3 und 4 enthalten zu bevorzugende Maße, deren zulässige Abweichungen und längenbezogene Gewichte.

4.5.2 Die Konzentrizitätstoleranz (Ungleichwandigkeit) und die Rundheitstoleranz (Unrundheit) sind in den zulässigen Maßabweichungen enthalten.

Der Rippendurchmesser darf an keiner Stelle den zulässigen Außendurchmesser der unberippten Rohrteile überschreiten.

4.5.3 Rohre nach dieser Norm werden vorwiegend in Festlängen geliefert. Es gelten die zulässigen Längenabweichungen nach Tabelle 5.

4.5.4 Die Länge der unberippten Rohrenden l_2, gemessen vom Rohrende bis zum ersten Eindruck der Walzwerkzeuge, darf nicht kürzer als vorgeschrieben, darf aber 5 mm länger sein. Dasselbe gilt sinngemäß auch für die Länge unberippter Zwischenstücke l_3.

4.5.5 Die zulässige Abweichung des Abstandes der Mitte unberippter Zwischenstücke vom Rohrende l_4 (l_{41}, l_{42}, ... l_{4n}) beträgt ± 3 mm.

4.5.6 Die zulässige Gewichtsabweichung ergibt sich aus den zulässigen Maßabweichungen und den Abweichungen in der Zusammensetzung.

4.6. Geradheitstoleranz und Schnittkanten

4.6.1 Die Rohre müssen so gerade sein, daß sie sich ohne Schwierigkeiten in Böden und Zwischenböden einschieben lassen.

4.6.2 Die Rohrenden müssen rechtwinklig zur Rohrachse geschnitten und gratfrei sein.

4.7 Beschaffenheit der Oberfläche

Die während der Wärmebehandlung entstehenden Anlaufschichten müssen fest haften. Auf besondere Vereinbarung können die Rohre aus Kupfer-Zink-Legierungen auch gebeizt oder innen gestrahlt werden. Gebeizte Rohre müssen frei von Kupferflecken und Beizrückständen sein.

Die innere Oberfläche der Rohre sowie die äußere Oberfläche der unberippten Rohrteile müssen glatt und sauber sein und dürfen weder Herstellfehler, noch mechanische Beschädigungen aufweisen, die die Verwendung beeinträchtigen. Örtliche Anreicherungen von verbrannten Ziehmitteln oder anderen Reaktionsprodukten sind nicht zulässig.

Risse in den Rippen sind zulässig, soweit sie die Verwendung nicht beeinträchtigen und bei der Wirbelstromprüfung (siehe Abschnitt 5.4.4.1) nicht ausgeschieden werden. Rippendeformationen sind zulässig, soweit sich die Rippen nicht berühren.

4.8 Dichtheit

Die Rohre müssen dicht sein. Nachweis nach Abschnitt 5.4.4.

5 Prüfung

5.1 Prüfort

Die Rohre werden im Herstellerwerk geprüft.

5.2 Prüfverantwortlichkeit

5.2.1 Werkssachverständiger (Regelfall)

Die Prüfungen nach Abschnitt 5.4 sind unter Verantwortlichkeit des Werkssachverständigen [1]) des Rohrherstellers durchzuführen. Falls es der Besteller in der Bestellung angibt, kann ein Beauftragter des Bestellers sich – gegebenenfalls durch Stichproben – von der Richtigkeit der vom Hersteller durchgeführten Prüfungen nach den Abschnitten 5.4.2 bis 5.4.8 überzeugen. Der Beauftragte des Bestellers ist rechtzeitig zu benachrichtigen.

5.2.2 Beauftragter Sachverständiger

Auf besondere Vereinbarung bei der Bestellung können Prüfungen nach Abschnitt 5.4 auch unter der Verantwortlichkeit eines vom Besteller beauftragten Sachverständigen durchgeführt werden.

5.3 Prüfumfang

Die Anzahl der Proben für die Prüfungen nach den Abschnitten 5.4.5 bis 5.4.8 und – falls erforderlich – auch nach Abschnitt 5.4.1 ist in der Tabelle 6 angegeben.

5.4 Art der Prüfung

5.4.1 Prüfung der Zusammensetzung

Der Hersteller überprüft die Zusammensetzung einer jeden Schmelze [2]). Die Ergebnisse aller Schmelzanalysen müssen protokolliert werden. Falls es der Besteller in der Bestellung verlangt, kann am fertigen Rohr eine Stückanalyse durchgeführt werden, die dann in einem Abnahmeprüfzeugnis B nach DIN 50 049 bescheinigt wird. Der Prüfumfang wird in Tabelle 6 angegeben.

5.4.2 Maßprüfung

Es ist zu prüfen, ob die im Abschnitt 4.5 angegebenen zulässigen Maßabweichungen eingehalten wurden.

5.4.3 Prüfung der äußeren Beschaffenheit

Die in den Abschnitten 4.6 und 4.7 angegebenen Anforderungen der Rohre sind zu prüfen. Die Prüfung der inneren Oberfläche soll in der Weise vorgenommen werden, daß der Prüfer durch das Rohr gegen eine am anderen Rohrende befindliche Lampe oder einen Leuchtschirm blickt.

Zur Beurteilung der Rohrinnenoberfläche können gegebenenfalls die nach den Prüfungen gemäß den Abschnitten 5.4.1 und 5.4.5 bis 5.4.8 verbleibenden Rohrabschnitte in Längsrichtung geteilt werden.

Die Rohraußenoberfläche ist einer Sichtprüfung ohne optische Hilfsmittel zu unterziehen. Die Sichtprüfung kann durch eine Wirbelstromprüfung nach Abschnitt 5.4.4 ersetzt werden.

Werden bei der Wirbelstromprüfung (siehe Abschnitt 5.4.4) die Berippungsein- und ausläufe ausgeblendet und die unberippten Rohrteile nicht nach diesem Verfahren geprüft, so sind diese Rohrabschnitte einer Sichtprüfung zu unterziehen.

---

[1]) Siehe DIN 50 049.

[2]) Im Rahmen der modernen Gießverfahren (z. B. kontinuierliches Stranggußverfahren) ist eine unmittelbare Zuordnung der Rohre zu einer bestimmten Schmelze nicht immer möglich. In diesem Falle ist der Begriff „Schmelze" als Folge zeitlich unmittelbar nacheinander hergestellter Abgüsse aufzufassen.

5.4.4 Dichtheitsprüfung

Die Dichtheitsprüfung kann mit der Wirbelstromprüfung, der Prüfung Luft unter Wasser oder dem Innendruckversuch durchgeführt werden. Dem Wirbelstromprüfverfahren ist der Vorzug zu geben.

5.4.4.1 Wirbelstromprüfung

Die Wirbelstromprüfung wird nach dem DKI-Werkstoffprüfblatt 801 durchgeführt.

5.4.4.2 Prüfung mit Luft unter Wasser

Die Rohre sind mit einem Prüfdruck von 18 bis 20 bar unter Wasser zu prüfen.

5.4.4.3 Innendruckversuch

Der Innendruckversuch wird nach DIN 50 104 durchgeführt. Die Höhe des Prüfdruckes ist bei der Bestellung zu vereinbaren.

5.4.5 Prüfung der Gefügebeschaffenheit

Es wird die in Abschnitt 4.3 geforderte Beschaffenheit des Gefüges durch die Anfertigung einer Schliffprobe und durch mikroskopische Betrachtung der Probe geprüft. Der mittlere Korndurchmesser wird durch Auszählen oder durch Vergleichsbilder bestimmt.

5.4.6 Prüfung der Eigenspannungen

Die Spannungsfreiheit der Rohre aus CuZn28Sn1 und CuZn20Al2 (siehe Abschnitt 4.4) wird entweder durch den Quecksilbernitratversuch nach DIN 50 911 oder durch den Ammoniakversuch nach DIN 50 916 Teil 1 nachgewiesen. Das anzuwendende Prüfverfahren ist bei der Bestellung anzugeben.

5.4.7 Zugversuch

Der Zugversuch kann nur am Vormaterial durchgeführt werden und ist besonders zu vereinbaren. In diesem Fall werden die Festigkeitseigenschaften nach Abschnitt 4.2 im Zugversuch nach DIN 50 140 und DIN 50 145 ermittelt.

5.4.8 Aufweitversuch

Beim Aufweitversuch nach DIN 50 135 ist die Länge des unberippten Rohrabschnittes, der entgratet ist, so zu wählen, daß sich der untere Teil der Probe, der nicht aufgeweitet wird, nicht staucht. Eine Aufweitung des Außendurchmessers um 30 % darf zu keinem mit dem Auge erkennbaren Anriß führen.

5.5 Wiederholungsprüfungen

5.5.1 Rohre, die nicht den Anforderungen der Abschnitte 5.4.2 bis 5.4.4 entsprechen, sind aus der Lieferung zu entfernen. Findet der Beauftragte des Bestellers bei seinen Prüfungen fehlerhafte Rohre, so kann er sämtliche Rohre auf die festgestellten Fehler prüfen oder eine nochmalige Vorlage der Rohre verlangen.

5.5.2 Werden bei den Prüfungen nach den Abschnitten 5.4.1 und 5.4.5 bis 5.4.8 Rohre festgestellt, die nicht den Anforderungen entsprechen, so sind Wiederholungsprüfungen mit der doppelten Zahl der Proben durchzuführen. Bei schwerwiegenden Fehlern darf die Anzahl der neu zu entnehmenden Proben erhöht werden. Wenn eine Probe wiederum den Anforderungen nicht entspricht, genügen die Rohre nicht den Festlegungen dieser Norm.

6 Bescheinigungen über Werkstoffprüfungen

6.1 Über die Prüfungen nach Abschnitt 5.2.1 durch den Werkssachverständigen kann nach Vereinbarung ein Abnahmeprüfzeugnis B nach DIN 50 049 ausgestellt werden.

6.2 Über Prüfungen nach Abschnitt 5.2.2 wird durch einen beauftragten Sachverständigen ein Abnahmeprüfzeugnis C nach DIN 50 049 ausgestellt.

6.3 Die Zusammensetzung wird nur dann bescheinigt, wenn es der Besteller ausdrücklich verlangt.

7 Kennzeichnung

Jede Lieferung, gebündelt oder verpackt, ist deutlich sichtbar an der Verpackung mit folgenden Angaben zu kennzeichnen:

a) Herstellerzeichen

b) DIN-Nummer

c) Werkstoff-Kurzzeichen oder Werkstoff-Nummer

d) gegebenenfalls Kennzeichnung des Lieferzustandes.

Tabelle 2. **Werkstoffe und Eigenschaften**

Werkstoff- Kurzzeichen *)	Werkstoff- Nummer	0,2%-Dehngrenze 1) $R_{p\,0,2}$ N/mm² min.	Zugfestigkeit R_m N/mm² min.	Bruchdehnung A_5 % min.	E-Modul kN/mm² ≈	Elektrische Leitfähigkeit bei 20 °C $\frac{m}{\Omega \cdot mm^2}$ ≈	Wärme-Leitfähigkeit bei 20 °C $\frac{W}{m\,K}$ ≈	Mittlerer Längenausdehnungskoeffizient zwischen 20 und 300 °C 10^{-6}/K ≈	Zusammensetzung nach	Dichte kg/dm³ ≈
SF-Cu F22	**2.0090.19**	45 bis 120	220	40	123	45	310	17,6	DIN 1787	8.9
CuZn28Sn1 F32	**2.0470.19**	100 bis 170	320	55	103	14	110	20,0	DIN 17 660	8.5
CuZn20Al2 F34	**2.0460.19**	120 bis 180	340	55	103	12,5	100	19,0		8.3
CuNi10Fe1Mn F29 2)	**2.0872.19** 2)	90 bis 180	290	30	132	5,3	45	17,0	DIN 17 664 2)	8.9
CuNi30Mn1Fe F37 2)	**2.0882.19** 2)	120 bis 220	370	35	152	2,7	30	16,0		

*) Folgende Kurzzeichen wurden geändert; die bisherigen Kurzzeichen sind zusätzlich zur Information angegeben:
- CuZn28Sn1 anstelle CuZn28Sn } siehe DIN 17 660
- CuZn20Al2 anstelle CuZn20Al }
- CuNi10Fe1Mn anstelle CuNi10Fe } siehe DIN 17 664
- CuNi30Mn1Fe anstelle CuNi30Fe }

1) Zulässige Berechnungskennwerte für überwachungsbedürftige Anlagen siehe VdTÜV-Werkstoffblatt 420.

2) Wenn Rohre bei der Weiterverarbeitung geschweißt werden, so sind bei der Bestellung besondere Vereinbarungen mit dem Hersteller zu treffen.

Tabelle 3. **Vorzugsmaße für Rippenrohre mit einer Rippenhöhe 1,5 mm (± 10 %) mit 26 Rippen je 25,4 mm (Rippenteilung 1,0 mm)**

Außendurchmesser d_1 Nennmaß $^{0}_{-0,20}$	Werkstoff	Wanddicke s_1 ± 10 % mm	Kernrohrwanddicke s_2 [1] ± 10 % mm	Kernrohrdurchmesser d_4 ± 0,15 mm	Außenoberfläche längenbezogen m²/m	Flächenverhältnis [2]	Gewicht längebezogen kg/m ≈
12,7	SF-Cu	1,20	0,8	9,5	0,12	5,0	0,34
	CuZn28Sn1	1,40	1,0			5,3	0,37
	CuZn20Al2					5,3	0,36
	CuNi10Fe1Mn					5,3	0,39
	CuNi30Mn1Fe					5,3	0,39
15,9	SF-Cu	1,25	0,8	12,7	0,16	4,6	0,46
	CuZn28Sn1	1,45	1,0			4,8	0,51
	CuNi10Fe1Mn					4,8	0,53
	CuZn20Al2					4,8	0,56
	CuNi30Mn1Fe					4,8	0,60
19,0	SF-Cu	1,35	0,9	15,8	0,20	4,5	0,64
	CuNi10Fe1Mn	1,45	1,0			4,6	0,66
	CuZn28Sn1	1,70	1,25			4,8	0,71
	CuZn20Al2					4,8	0,69
	CuNi30Mn1Fe					4,8	0,74
22,2	SF-Cu	1,50	1,0	19,0	0,23	4,4	0,83
	CuNi10Fe1Mn	1,70	1,25			4,5	0,93
	CuZn28Sn1	1,95	1,5			4,7	0,99
	CuZn20Al2					4,7	0,96
	CuNi30Mn1Fe					4,7	1,03
25,4	SF-Cu	1,70	1,25	22,2	0,27	4,4	1,08
	CuNi10Fe1Mn					4,4	1,08
	CuZn28Sn1	1,95	1,5			4,5	1,16
	CuZn20Al2					4,5	1,12
	CuNi30Mn1Fe					4,5	1,20

[1] Andere Kernrohrwanddicken sind zwischen Besteller und Hersteller zu vereinbaren.
[2] Flächenverhältnis: Außenoberfläche zu Innenoberfläche des berippten Bereiches.

Tabelle 4. **Vorzugsmaße für Rippenrohre mit einer Rippenhöhe 1,5 mm (± 10 %) mit 19 Rippen je 25,4 mm (Rippenteilung 1,35 mm)**

Außendurchmesser d_1 Nennmaß $^{0}_{-0,20}$	Werkstoff	Wanddicke s_1 ± 10 % mm	Kernrohrwanddicke s_2 1) ± 10 % mm	Kernrohrdurchmesser d_4 ± 0,15 mm	Außenoberfläche längenbezogen m²/m	Flächenverhältnis 2)	Gewicht längenbezogen kg/m ≈
12,7	SF-Cu	1,20	0,8	9,5	0,10	4,0	0,32
	CuZn28Sn1	1,40	1,0			4,2	0,36
	CuZn20Al2					4,2	0,34
	CuNi10Fe1Mn					4,2	0,37
	CuNi30Mn1Fe					4,2	0,37
15,9	SF-Cu	1,25	0,8	12,7	0,12	3,6	0,44
	CuZn28Sn1	1,45	1,0			3,8	0,49
	CuNi10Fe1Mn					3,8	0,51
	CuZn20Al2					3,8	0,53
	CuNi30Mn1Fe					3,8	0,57
19,0	SF-Cu	1,35	0,9	15,8	0,15	3,5	0,61
	CuNi10Fe1Mn	1,45	1,0			3,6	0,63
	CuZn28Sn1	1,70	1,25			3,7	0,68
	CuZn20Al2					3,7	0,66
	CuNi30Mn1Fe					3,7	0,71
22,2	SF-Cu	1,50	1,0	19,0	0,18	3,4	0,80
	CuNi10Fe1Mn	1,70	1,25			3,5	0,89
	CuZn28Sn1	1,95	1,5			3,6	0,95
	CuZn20Al2					3,6	0,92
	CuNi30Mn1Fe					3,6	0,99
25,4	SF-Cu	1,70	1,25	22,2	0,21	3,4	1,04
	CuNi10Fe1Mn					3,4	1,04
	CuZn28Sn1	1,95	1,5			3,5	1,12
	CuZn20Al2					3,5	1,09
	CuNi30Mn1Fe					3,5	1,17

1) Andere Kernrohrwanddicken sind zwischen Besteller und Hersteller zu vereinbaren.
2) Flächenverhältnis: Außenoberfläche zu Innenoberfläche des berippten Bereiches.

Tabelle 5. **Zulässige Längenabweichungen**

Festlänge über mm	Festlänge bis mm	Zulässige Abweichungen
–	2000	$^{+2}_{0}$ mm
2000	8000	$^{+1}_{0}$ ‰, jedoch höchstens 7,5 mm
8000	–	$^{+0,7}_{0}$ ‰

Tabelle 6. **Prüfumfang**

Anzahl der Rohre einer Lieferung über	Anzahl der Rohre einer Lieferung bis	Anzahl der Rohre für Prüfungen Nach Abschnitt 5.3
–	2000	0,4 %, jedoch mindestens 2 Rohre
2000	4000	0,25 %, jedoch mindestens 8 Rohre
4000	–	0,2 %, jedoch mindestens 10 Rohre

Zitierte Normen und andere Unterlagen

DIN 1787	Kupfer; Halbzeug
DIN 17 660	Kupfer-Knetlegierungen; Kupfer-Zink-Legierungen (Messing) (Sondermessing), Zusammensetzung
DIN 17 664	Kupfer-Knetlegierungen; Kupfer-Nickel-Legierungen, Zusammensetzung
DIN 50 049	Bescheinigungen über Materialprüfungen
DIN 50 104	Innendruckversuch an Hohlkörpern; Dichtheitsprüfung bis zu einem bestimmten Innendruck; Allgemeine Festlegungen
DIN 50 135	Prüfung metallischer Werkstoffe; Aufweitversuch an Rohren
DIN 50 140	Prüfung metallischer Werkstoffe; Zugversuch an Rohren und Rohrstreifen
DIN 50 145	Prüfung metallischer Werkstoffe; Zugversuch
DIN 50 911	Prüfung von Kupferlegierungen; Quecksilbernitratversuch
DIN 50 916 Teil 1	Prüfung von Kupferlegierungen; Spannungsrißkorrosionsversuch mit Ammoniak, Prüfung von Rohren, Stangen und Profilen

VdTÜV-Werkstoffblatt 420
Rippenrohe aus Kupfer und Kupfer-Knetlegierungen
(zu beziehen durch Maximilian-Verlag, Postfach 23 52, 4900 Herford)

DKI-Werkstoffprüfblatt 801
Wirbelstromprüfung vorwiegend zum Nachweis der Dichtheit von Rohren aus Kupfer und Kupfer-Knetlegierungen mit gewalzten Rippen
(zu beziehen durch Deutsches Kupferinstitut, Knesebeckstraße 96, 1000 Berlin 12)

Frühere Ausgaben

DIN 17 679: 05.74

Änderungen

Gegenüber der Ausgabe Mai 1974 wurden folgende Änderungen vorgenommen:

a) Der Charakter einer Vornorm wurde aufgehoben.
b) Die Benennung „Wärmeaustauscher" wurde wieder eingeführt.
c) Der Werkstoff CuAsP und der Ringfaltversuch wurden gestrichen.
d) Die Tabellen 2 und 3 wurden zusammengelegt, die Beispiele für die Verwendung wurden gestrichen.
e) Die Werte der Bruchdehnung wurde von A_{10} in A_5 umgewandelt.
f) Der Hinweis auf abnahmeprüfpflichtige Rohre nach VdTÜV-Werkstoffblatt 420 im Anwendungsbereich wurde aufgenommen.
g) Die Tabellen 3 und 4 mit Vorzugsmaßen wurden aufgenommen.
h) Die Abschnitte 2, 3 und 4 wurden sachlich, der übrige Text wurde redaktionell überarbeitet.
i) Der Abschnitt 8 „Beanstandungen" wurde gestrichen.

Erläuterungen

DIN 17 679, Ausgabe Mai 1974, wurde vollständig überarbeitet und in wesentlichen Punkten verändert.

Im Titel der Norm erscheint wieder die Benennung „Wärmeaustauscher", nachdem sie in der Ausgabe Mai 1974 nur als Untertitel neben Wärmeübertrager eingesetzt war.

Im Anwendungsbereich wird auf das VdTÜV-Werkstoffblatt 420 hingewiesen. Mit diesem Hinweis wird klar abgegrenzt, daß Rohre für Druckbehälter nach dem VdTÜV-Werkstoffblatt zu prüfen und zu bescheinigen sind. Rohre für Wärmeaustauscher, die nicht der Druckbehälterverordnung unterliegen, werden wie bisher nach DIN 17 679 geprüft.

Die Wirbelstromprüfung nach DKI-Werkstoffprüfblatt 801 wurde aufgenommen und als Dichtheitsprüfung anerkannt, da es sich gezeigt hat, daß die Wirbelstromprüfung dem Innendruckversuch deutlich überlegen ist. Diese Wirbelstromprüfung ist ferner in der Lage, schwerwiegende Inhomogenitäten in den Rippen und in der Kernrohrwand nachzuweisen. Sie ersetzt damit die Sichtprüfung. Es muß darauf hingewiesen werden, daß bei der Wirbelstromprüfung das Verfahren mit der Außensonde vorgesehen ist. Prüfungen mit der Wirbelstrominnensonde, die die Innenoberfläche der Rohre mit höherer Empfindlichkeit prüft, müssen zwischen Besteller und Hersteller speziell vereinbart werden.

Wichtig ist die Fußnote in Tabelle 2 für Besteller der Werkstoffe CuNi10Fe1Mn und CuNi30Mn1Fe, falls die Rohre durch Schweißen weiterverarbeitet werden. In diesem Falle müssen besondere Einschränkungen für die Zusammensetzung beachtet werden.

Um die Einheitlichkeit der F-Zahl für alte und neue Legierungen und/oder Werkstoffzustände herzustellen, wurde für das Gebiet von Kupfer und Kupfer-Knetlegierungen entschieden, die F-Zahl zweistellig als 1/10 des Mindestwertes der Zugfestigkeit zu bilden, wie es bereits auf dem Gebiet der Aluminium- und Nickel-Knetwerkstoffe durchgeführt wurde.

Internationale Patentklassifikation

F 28 F 1/24

DK 669.35.018.26-426.2 : 62-272 : 539.2 August 1979

Runde Federdrähte aus Kupfer-Knetlegierungen
Festigkeitseigenschaften
Technische Lieferbedingungen

DIN 17 682

Round spring wire of wrought copper alloys; mechanical properties, technical conditions of delivery

Fils ronds pour ressorts en alliages de cuivre corroyés; caractéristiques mécaniques, conditions techniques de livraison

1 Geltungsbereich

Diese Norm gilt für runde Federdrähte aus kaltverfestigten Kupfer-Knetlegierungen im angelassenen Zustand (siehe Tabelle 1) sowie aus aushärtbaren Kupfer-Knetlegierungen (siehe Tabelle 2).

Diese Norm gilt nicht für Drähte aus kaltverfestigten Kupfer-Knetlegierungen im nicht angelassenen Zustand nach DIN 17 677 Teil 1.

2 Mitgeltende Normen

DIN 2076	Runder Federdraht; Maße, Gewichte, Zulässige Abweichungen
DIN 17 660	Kupfer-Knetlegierungen; Kupfer-Zink-Legierungen (Messing), (Sondermessing); Zusammensetzung
DIN 17 662	Kupfer-Knetlegierungen; Kupfer-Zinn-Legierungen (Zinnbronze); Zusammensetzung
DIN 17 663	Kupfer-Knetlegierungen; Kupfer-Nickel-Zink-Legierungen (Neusilber); Zusammensetzung
DIN 17 666	Kupfer-Knetlegierungen, niedriglegiert; Zusammensetzung
DIN 51 210 Teil 1	Prüfung metallischer Werkstoffe; Zugversuch an Drähten, ohne Feindehnungsmessung
DIN 51 215	Prüfung metallischer Werkstoffe; Wickelversuch an Drähten; Allgemeine Angaben

3 Bestellangaben

Die Auswahl des Werkstoffes und des Lieferzustandes ist Sache des Bestellers. Das Herstellungsverfahren bleibt dem Hersteller überlassen.

Empfohlen wird, bei der Bestellung den Verwendungszweck und das Verarbeitungsverfahren anzugeben.

Bei der Bezeichnung oder Bestellung von Federdrähten aus Kupfer-Knetlegierungen sind die Kurzzeichen oder Werkstoffnummern dieser Norm zu verwenden, wie in den Bezeichnungs- oder Bestellbeispielen der Maßnorm angegeben.

Kurzzeichen mit anderen F-Zahlen als in den Tabellen angegeben entsprechen nicht dieser Norm und sollen nicht für Federdrähte angewendet werden.

4 Werkstoffe und Festigkeitseigenschaften

4.1 Kaltverfestigte Legierungen

Federdrähte aus kaltverfestigten Legierungen werden im angelassenen Zustand geliefert (siehe Tabelle 1).

4.2 Aushärtbare Legierungen

Bei Federdrähten aus aushärtbaren Legierungen ist zwischen den Zuständen „aushärtbar" und „ausgehärtet" zu unterscheiden. Die einander zugeordneten Werte sind der Tabelle 2 zu entnehmen.

Der Lieferzustand dieser Federdrähte wird im allgemeinen durch die Angaben für den Zustand „aushärtbar" gekennzeichnet. Die Weiterverarbeitung wird durch eine Auslagerung abgeschlossen (siehe auch Abschnitt 9.2). Diesem Endzustand entsprechen die Angaben für den Zustand „ausgehärtet".

5 Maße und zulässige Abweichungen

Federdrähte aus Kupfer-Knetlegierungen werden mit den zulässigen Abweichungen der Maßgenauigkeit C nach DIN 2076 geliefert.

6 Anforderungen

Federdrähte müssen hinsichtlich der Zusammensetzung, der Festigkeitseigenschaften und der Maße den Festlegungen in den Abschnitten 4 und 5 entsprechen. Außerdem müssen sie den weiteren Anforderungen in den Abschnitten 6.1 bis 6.4 genügen.

6.1 Federdrähte bis 1,5 mm Durchmesser haben dem Wickelversuch nach Abschnitt 7.3 zu genügen. Sie müssen nach dem Auseinanderziehen und Rückfedern eine gleichmäßige Steigung der Windungen haben.

6.2 Federdrähte haben dem Abkantversuch nach Abschnitt 7.4 zu genügen. Der Draht darf während des Abkantens nicht brechen.

6.3 Der Draht soll drallfrei gezogen sein, d. h., seine Krümmung muß über die ganze Länge gleichmäßig sein und der Draht muß in der Ringebene liegenbleiben. Die Probe nach Abschnitt 7.5 darf keinen kleineren Durchmesser annehmen als den der Ringe oder der Spulen, denen sie entnommen wurde; die Drahtenden dürfen sich höchstens 10 mm von der Unterlage abheben.

6.4 Die Oberfläche der Drähte soll glatt sein; die zulässige Riefentiefe darf höchstens 1 % des Drahtdurchmessers, jedoch nicht mehr als 6 μm betragen.

7 Prüfung

7.1 Zusammensetzung

Das Analysenverfahren bleibt dem Hersteller überlassen. In Zweifelsfällen entscheidet die Naßanalyse nach der neuesten Ausgabe der „Analyse der Metalle" des Chemikerausschusses der Gesellschaft Deutscher Metallhütten- und Bergleute e. V. (Berlin – Göttingen – Heidelberg: Springer-Verlag).

Fortsetzung Seite 2 und 3

Normenausschuß Nichteisenmetalle (FNNE) im DIN Deutsches Institut für Normung e. V.
Ausschuß Federn im DIN

Auf jeden gefundenen Einzelwert ist die Rundungsregel (siehe DIN 1333 Teil 2) anzuwenden. Die gerundete Zahl darf die für die Zusammensetzung festgelegten Grenzwerte nicht überschreiten.

7.2 Zugversuch

Der Zugversuch ohne Feindehnungsmessung an Drähten wird nach DIN 51 210 Teil 1 durchgeführt.

7.3 Wickelversuch

Der Wickelversuch wird nach DIN 51 215 folgendermaßen durchgeführt: Eine 500 mm lange Probe wird auf einen Dorn mit einem Dorndurchmesser nach Tabelle 3 eng aufgewickelt. Dann wird die Probe zunächst auf die 5fache Länge, anschließend auf die 10fache Länge der aufgewickelten Schraubenfeder auseinandergezogen (siehe Abschnitt 6.1).

7.4 Abkantversuch

Zum Nachweis der Biegbarkeit der Werkstoffe im kaltverfestigten bzw. nicht ausgehärteten Zustand werden Proben um 90° mit einem Biegeradius abgekantet, der 1/3 des Drahtdurchmessers entspricht; dabei sind die Biegeradien die Radien des Biegestempels.

7.5 Prüfung der Krümmung und des Dralls

Dem Drahtring oder der Spule werden als Probe 3 Drahtumgänge entnommen und auf eine ebene Unterlage gelegt. Es werden das Aufweiten der Drahtumgänge und das Abheben der Drahtenden nach Abschnitt 6.3 gemessen.

7.6 Oberflächenbeschaffenheit

Die Oberflächenbeschaffenheit wird mit einer Lupe (10fache Vergrößerung) nach Abschnitt 6.4 beurteilt. Wenn die Riefentiefe bestimmt werden muß, ist sie durch mikroskopische Messung am Querschliff zu ermitteln.

8 Prüfumfang

Bei Federdrähten wird vom Hersteller eine Prüfung im Rahmen der innerbetrieblichen Gütesicherung durchgeführt. Ein erhöhter Prüfumfang ist besonders zu vereinbaren.

9 Prüfbescheinigungen

9.1 Federdrähte werden im allgemeinen ohne Prüfbescheinigung geliefert.

Bei besonderer Vereinbarung kann zum Nachweis durchgeführter Prüfungen eine der Prüfbescheinigungen nach DIN 50 049 verlangt werden.

9.2 Den Lieferungen von Federdrähten aus CuBe-Legierungen nach Tabelle 2 ist eine Auslagerungsanweisung beizufügen.

Tabelle 1. **Kaltverfestigte Legierungen (im angelassenen Zustand)**

Kurzzeichen 1)	Werkstoff-nummer	Zusammen-setzung nach DIN	Durchmesser mm >	Durchmesser mm ≦	Zugfestigkeit R_m (σ_B) N/mm²	E-Modul 2), 3) kN/mm² ≈	Gleit-modul 2), 3) kN/mm² ≈	Elektrische Leitfähigkeit 3) m/Ωmm² ≈	Hinweise für die Verwendung
CuZn36 F70 (Ms63 F70)	**2.0335.39**	17 660	≧0,3 0,8 1,5 3,0	0,8 1,5 3,0 –	750 bis 930 700 bis 850 650 bis 770 nach Vereinb.	110	39	15	Federn aller Art; bei Gefahr von Spannungsrißkorrosion andere Werkstoffe verwenden.
CuSn6 F95 (SnBz6 F95) **CuSn8 F95** 4) (SnBz8 F95)	**2.1020.39** **2.1030.39** 4)	17 662	0,1 0,3 0,8 1,5 3,0	0,3 0,8 1,5 3,0 –	1050 bis 1230 1000 bis 1180 950 bis 1100 900 bis 1020 nach Vereinb.	115	42	9	Federn aller Art; besonders bei Gefahr von Spannungsrißkorrosion. Besonders für stromführende Federn nach DIN 43 801 Teil 1.
CuNi18Zn20 F83 (Ns6218 F80)	**2.0740.39**	17 663	≧0,3 0,8 1,5 3,0	0,8 1,5 3,0 –	860 bis 1040 830 bis 980 800 bis 920 nach Vereinb.	135	45	3	Relaisfedern

1) Die F-Zahlen im Kurzzeichen entsprechen 1/10 des Mindestwertes der Zugfestigkeit für den Durchmesserbereich über 0,8 bis 1,5 mm.

2) Die Ungefährwerte gelten vorwiegend für Drähte bis 2 mm Durchmesser. Im allgemeinen streuen der E-Modul und der Gleitmodul um ± 5 %.

3) Für die Abnahme nicht bindend.

4) Für Neukonstruktionen nicht mehr zu verwenden, da dieser Werkstoff bei der nächsten Überarbeitung gestrichen wird. Es wird empfohlen, auf den Werkstoff CuSn6 umzustellen.

Tabelle 2. **Aushärtbare Legierungen (Zusammensetzung nach DIN 17 666)**

Die in Tabelle 2 angegebenen Werte gelten für Durchmesser von 0,1 bis 3,0 mm im Werkstoffzustand aushärtbar.

Kurzzeichen Werkstoff	Werkstoffzustand aushärtbar [1]	Werkstoffzustand ausgehärtet [2]	Werkstoffnummer	Zugfestigkeit R_m (σ_B) N/mm²	E-Modul [3] kN/mm² ≈	Gleitmodul [3] kN/mm² ≈	Elektrische Leitfähigkeit m/Ωmm² min.	Hinweise für die Verwendung
CuBe2	F42		2.1247.40	420 bis 550	120	–	9	Federn aller Art. Die bei Schraubenzugfedern eingewickelte Vorspannung geht während der Aushärtung verloren.
		F120	2.1247.60	1200 bis 1300	135	47	13	
	F65		2.1247.55	650 bis 800	120	–	9	
		F125	2.1247.75	1250 bis 1400	135	47	13	
	F80		2.1247.56	800 bis 950	120	–	8	
		F135	2.1247.76	1350 bis 1450	135	47	12	
	F95		2.1247.57	950 bis 1150	120	–	8	
		F140	2.1247.97	1400 bis 1550	135	47	12	
CuCoBe	F25		2.1285.40	250 bis 370	130	–	11	
		F65	2.1285.60	650 bis 800	138	48	25	
	F50		2.1285.56	500 bis 650	130	–	12	
		F75	2.1285.76	750 bis 900	138	48	25	
	F60		2.1285.57	600 bis 750	130	–	12	
		F80	2.1285.97	800 bis 1000	138	48	25	

1) Dieser Werkstoffzustand ist der Lieferzustand der Drähte vor dem Formen der Feder.

2) Dieser Werkstoffzustand wird durch eine Aushärtung nach Angaben des Herstellers erreicht.

3) Die Ungefährwerte gelten vorwiegend für Drähte bis 2 mm Durchmesser. Im allgemeinen streuen der E-Modul und der Gleitmodul um ± 5 %. Für die Abnahme nicht bindend.

Tabelle 3. **Dorndurchmesser für Wickelversuch nach DIN 51 215**

Drahtdurchmesser mm über	Drahtdurchmesser mm bis	Dorndurchmesser mm
0,1	0,5	0,8
0,5	0,8	1,2
0,8	1,0	1,8
1,0	1,5	2,5

Die Dorndurchmesser gelten für die kaltverfestigten Legierungen in Tabelle 1 sowie für die aushärtbaren Legierungen im aushärtbaren Werkstoffzustand in Tabelle 2.

Weitere Normen

DIN 1333 Teil 2 Zahlenangaben; Runden

DIN 17 677 Teil 1 Drähte aus Kupfer und Kupfer-Knetlegierungen; Festigkeitseigenschaften

DIN 50 049 Bescheinigungen über Werkstoffprüfungen

DK 669.3-41 : 621.315.5 : 620.1 April 1980

Kupfer für die Elektrotechnik
Bleche und Bänder aus Kupfer und silberlegiertem Kupfer Technische Lieferbedingungen

DIN 40 500 Teil 1

Copper for electrical purposes sheet and strip – Technical terms of delivery

Cuivre pour usages électriques tôles et bandes – Conditions techniques de livraison

Für den Geltungsbereich dieser Norm bestehen keine entsprechenden regionalen oder internationalen Normen.

Inhalt

	Seite
1 Geltungsbereich	1
2 Mitgeltende Normen	1
3 Bestellangaben	1
4 Werkstoffeigenschaften	1
4.1 Zusammensetzung	1
4.2 Festigkeits- und elektrische Eigenschaften	1
5 Maßnormen	3
6 Anforderungen	3
6.1 Oberflächenbeschaffenheit	3
6.2 Umformbarkeit	3
6.3 Schweißen und Hartlöten	3
7 Prüfungen	3
7.1 Mechanische Eigenschaften	3
7.2 Elektrische Eigenschaften	3
7.3 Oberflächenbeschaffenheit	3
7.4 Weitere Prüfungen	3
8 Bescheinigungen	3
9 Beanstandungen	3

1 Geltungsbereich

Diese technischen Lieferbedingungen gelten für Bleche und Bänder aus den in Abschnitt 4.1 genannten Werkstoffen für die Elektrotechnik.

2 Mitgeltende Normen

DIN 1787	Kupfer; Halbzeug
DIN 17 666	Kupfer-Knetlegierungen, niedriglegiert; Zusammensetzung
DIN 50 049	Bescheinigung über Werkstoffprüfungen
DIN 50 114	Prüfung metallischer Werkstoffe; Zugversuch ohne Feindehnungsmessung an Blechen, Bändern oder Streifen mit einer Dicke unter 3 mm
DIN 50 125	Prüfung metallischer Werkstoffe; Zugproben, Richtlinien für die Herstellung
DIN 50 133 Teil 1	Prüfung metallischer Werkstoffe; Härteprüfung nach Vickers, Prüfkraftbereich: 49 bis 980 N (5 bis 100 kp)
DIN 50 133 Teil 2	Prüfung metallischer Werkstoffe; Härteprüfung nach Vickers; Prüfkraftbereich: 1,96 bis 49 N (0,2 bis 5 kp) (Kleinlastbereich)
DIN 50 145	Prüfung metallischer Werkstoffe; Zugversuch
DIN 50 351	Prüfung metallischer Werkstoffe; Härteprüfung nach Brinell
DIN IEC 468	(z. Z. noch Entwurf) Verfahren zur Messung des spezifischen (elektrischen) Widerstandes metallischer Werkstoffe

*) Siehe Erläuterungen

3 Bestellangaben

Die Auswahl des Werkstoffes und des Lieferzustandes ist Sache des Bestellers. Das Herstellungsverfahren bleibt dem Hersteller überlassen.

Empfohlen wird, bei der Bestellung den Verwendungszweck und das Verarbeitungsverfahren anzugeben. Außerdem sollen die Abschnitte 6 bis 9 beachtet werden.

Bei der Bezeichnung oder Bestellung von Blechen und Bändern aus Kupfer und silberlegiertem Kupfer für die Elektrotechnik sind die Kurzzeichen oder Werkstoffnummern der Tabelle dieser Norm zu verwenden, wie in den Bezeichnungsbeispielen der Maßnormen angegeben.

4 Werkstoffeigenschaften

4.1 Zusammensetzung

Kupfer nach DIN 1787:

E-Cu 57*)
E-Cu 58*)
SE-Cu

Silberlegiertes Kupfer nach DIN 17 666:

CuAg0,1
CuAg0,1P

4.2 Festigkeits- und elektrische Eigenschaften

Die Festigkeitseigenschaften gelten für die angegebenen Abmessungsbereiche innerhalb der durch die Maßnormen gezogenen Grenzen.

Die in der Tabelle angegebenen Werte für Zugfestigkeit, 0,2-Grenze und Bruchdehnung sind für die Abnahmeprüfung bindend, die Werte der Brinellhärte und des Elastizitätsmoduls sind nicht bindend.

Tabelle siehe Seite 2.

Fortsetzung Seite 2 und 3
Erläuterungen Seite 4

Deutsche Elektrotechnische Kommission im DIN und VDE (DKE)
Normenausschuß Nichteisenmetalle (FNNE) im DIN Deutsches Institut für Normung e.V.

Kurzzeichen	Werkstoffnummer	Festigkeitszustand[1]) Kurzzeichen	Festigkeitszustand[1]) Anhängezahl zur Werkstoffnummer	Abmessungen entsprechend den Maßnormen Dicke mm	Festigkeitseigenschaften Zugfestigkeit[2]) R_m (σ_B) N/mm²	Festigkeitseigenschaften 0,2-Grenze $R_{p0,2}$ ($\sigma_{0,2}$) N/mm²	Bruchdehnung A_5 (δ_5) % (min.)	Bruchdehnung A_{10} (δ_{10}) % (min.)	Brinellhärte[5]) HB 2,5/62,5	Elastizitätsmodul[5]) E kN/mm² (Anhaltswert)	Elektrische Eigenschaften Spezifischer Widerstand[6]) bei 20 °C ϱ $\frac{\Omega \cdot mm^2}{m}$ (max.)	Elektrische Eigenschaften Leitfähigkeit bei 20 °C $\varkappa = \frac{1}{\varrho}$ $\frac{m}{\Omega \cdot mm^2}$ (min.)
E-Cu 57 E-Cu 58 SE-Cu[7])	2.0060 2.0065 2.0070	F 20	.10	0,1 bis 1	200 bis 250	max. 120[3])	38	32	45 bis 70		0,01754 0,01724 0,01754	57 58 57
				über 1 bis 5			45	38				
		F 25	.26	0,1 bis 1	250 bis 300	min. 200 (bis 290)[4])	17	14	70 bis 90		0,01786	56
				über 1 bis 5			20	16				
E-Cu 57 SE-Cu[7]) CuAg0,1 CuAg0,1P	2.0060 2.0070 2.1203 2.1191	F 30	.30	0,1 bis 1	300 bis 360	min. 250 (bis 350)[4])	7	4	85 bis 105		0,01818	55
				über 1 bis 5			8	5			0,01786	56
		F 37	.32	0,1 bis 1	min. 360	min. 320	3	2	95 bis 120	110	0,01818	55
				über 1 bis 3			5	3				
		F 25	.26	0,1 bis 1	250 bis 300	min. 200 (bis 290)[4])	17	14	70 bis 90		0,01737	57,5
				über 1 bis 5			20	16				
E-Cu 58	2.0065	F 30	.30	0,1 bis 1	300 bis 360	min. 250 (bis 350)[4])	7	4	85 bis 105		0,01786	56
				über 1 bis 5			8	5			0,01770	56,5
		F 37	.32	0,1 bis 1	min. 360	min. 320	3	2	95 bis 120		0,01786	56
				über 1 bis 3			5	3				

SE-Cu und CuAg0,1P: Schweißbar, siehe Abschnitt 6.3
CuAg0,1 und CuAg0,1P: Erhöhte Erweichungsbeständigkeit, erhöhte Zeitstandfestigkeit, der Einfluß des Festigkeitszustandes, der Temperatur und der Zeit ist zu beachten.

[1]) Diese Kurzzeichen oder Anhängezahlen können dem Kurzzeichen oder der Werkstoffnummer jeder angegebenen Kupfersorte zugeordnet werden, z. B. E-Cu 57 F37 oder 2.0060.32.

[2]) Überschneidungen mit den benachbarten Festigkeitsstufen von max. 10 N/mm² dürfen nicht beanstandet werden.

[3]) Bei besonderen Anforderungen an Umformbarkeit kann je nach Abmessung ein niedrigerer Maximalwert vereinbart werden. Beachte hierzu die Abschnitte 6.1 bis 6.3.

[4]) Die eingeklammerten Werte sind nur dann für die Abnahme bindend, wenn sie bei der Bestellung vereinbart werden; gegebenenfalls können auch niedrigere Werte vereinbart werden.

[5]) Für die Abnahme nicht bindend.

[6]) Wird bei abweichenden Temperaturen gemessen, ist die Änderung des spezifischen elektrischen Widerstandes um $68 \cdot 10^{-6} \frac{\Omega \cdot mm^2}{m}$ je K zu berücksichtigen.

Der Querschnitt ist aus der Masse und der Länge eines geraden Abschnittes des Leiters unter Annahme einer Dichte von 8,9 kg/dm³ zu berechnen.

[7]) Auf Vereinbarung kann SE-Cu auch mit einer elektrischen Leitfähigkeit mindestens $58 \frac{m}{\Omega \cdot mm^2}$ im weichen Zustand geliefert werden (vgl. DIN 1787).

Die Werte der elektrischen Leitfähigkeit der verschiedenen Festigkeitszustände entsprechen denen von E-Cu 58.

5 Maßnormen

Für Maße und zulässige Maß- und Formabweichungen von Blechen und Bändern bestehen folgende Normen:

DIN 1751 Bleche und Blechstreifen aus Kupfer und Kupfer-Knetlegierungen, kaltgewalzt; Maße

DIN 1791 Bänder und Bandstreifen aus Kupfer und Kupfer-Knetlegierungen, kaltgewalzt; Maße

DIN 46 415 Bänder aus Kupfer und Kupferlegierungen, kaltgewalzt, mit gerundeten (angerollten) Kanten; Maße

6 Anforderungen

Bleche und Bänder müssen hinsichtlich der Maße und der Werkstoffeigenschaften den in den Abschnitten 4 und 5 aufgeführten Normen entsprechen.

Weitere Anforderungen sind in den Abschnitten 6.1 bis 6.3 festgelegt.

6.1 Oberflächenbeschaffenheit

Bleche und Bänder haben eine ihrem Herstellungsverfahren entsprechende Oberfläche. Kaltgewalzte Bleche und Bänder werden im Regelfall mit blanker Oberfläche geliefert.

Ungleichmäßigkeiten der Oberfläche, wie Streifigkeit in Walzrichtung und verwalzte Putzstellen, sind zulässig, soweit sie die Verarbeitbarkeit nicht beeinträchtigen.

Gelegentliche geringfügige Ungleichmäßigkeiten der Oberfläche, wie leichte Kratzer, Schiefer- und Scheuerstellen, sind zulässig und dürfen innerhalb der zulässigen Maßabweichung verputzt sein.

Oberflächenbeschaffenheit von Blechen und Bändern mit besonderen Anforderungen an die Umformbarkeit siehe Abschnitt 6.2.

Eine andere Oberflächenbeschaffenheit, z. B. gebeizt, ist bei Bestellung besonders zu vereinbaren.

6.2 Umformbarkeit

Für die Umformbarkeit der Bleche und Bänder sind die Festigkeitseigenschaften nach der Tabelle dieser Norm maßgebend.

Werden besondere Anforderungen an die Umformbarkeit im Zustand F20 (siehe Fußnote 3 zur Tabelle) gestellt, so bedingen diese geringere Anforderungen an die Planheit, Oberflächenbeschaffenheit usw., z. B. sind Verfärbungen und uneinheitliches Oberflächenaussehen infolge Wärmebehandlung zulässig.

6.3 Schweißen und Hartlöten

Schweißen und Hartlöten von E-Cu 57, E-Cu 58 und CuAg0,1 mit offener Flamme, insbesondere bei hohen Arbeitstemperaturen und längerer Dauer, können zur Versprödung (Wasserstoffkrankheit) führen. Daher sind z. B. Gasschweißen und Flammenlöten nach Möglichkeit zu vermeiden; geeignet dafür sind SE-Cu und CuAg0,1P.

7 Prüfungen

Wenn die in der Tabelle angegebenen Eigenschaften nachgewiesen werden sollen, so ist dies bei der Bestellung zu vereinbaren (siehe Abschnitt 8).

7.1 Mechanische Eigenschaften

Zugproben werden nach DIN 50 125 hergestellt. Der Zugversuch wird nach DIN 50 114 und DIN 50 145 durchgeführt. Bei Blechen und Bändern mit Dicken unter 0,2 mm kann ein Nachweis der Bruchdehnung nicht verlangt werden.

Die Härteprüfung nach Brinell wird nach DIN 50 351 im allgemeinen mit einer Kugel von 2,5 mm Durchmesser und mit einer Prüfkraft von 613 N (62,5 kp) durchgeführt, Kurzzeichen HB 2,5/62,5. Bei geringen Prüfdicken gelten die Prüfbedingungen für den Belastungsgrad $F/D^2 = 10$ nach DIN 50 351, Ausgabe Januar 1973, Bilder 2 und 3.

Bei dünnen Blechen und Bändern ist die Bestimmung der Härte nach Brinell ungenau und die Bestimmung der Härte nach Vickers nach DIN 50 133 Teil 1 und Teil 2 vorzuziehen. Es ist zu beachten, daß die Härtewerte nach Vickers 15 % höher sein können als die Härtewerte nach Brinell.

Andere Prüfverfahren sind zu vereinbaren.

7.2 Elektrische Eigenschaften

Die elektrischen Eigenschaften werden nach DIN IEC 468 (zur Zeit noch Entwurf) geprüft.

7.3 Oberflächenbeschaffenheit

Die Sichtprüfung wird ohne optische Hilfsmittel durchgeführt.

7.4 Weitere Prüfungen

Weitere Prüfungen können vereinbart werden, z. B. Tiefungsversuch nach DIN 50 101 Teil 1 und Teil 2, auf Wasserstoffbeständigkeit nach DIN 17 670 Teil 2.

8 Bescheinigungen

Bescheinigungen über Werkstoffprüfungen nach DIN 50 049 werden nur nach Vereinbarung ausgestellt.

9 Beanstandungen

Äußere und innere Fehler dürfen nur dann beanstandet werden, wenn sie einer der Kupfersorte und Erzeugnisform angemessene Verarbeitung und Verwendung mehr als unerheblich beeinträchtigen.

Der Besteller muß dem Lieferwerk Gelegenheit geben, sich von der Berechtigung der Beanstandungen zu überzeugen, soweit möglich durch Vorlage des beanstandeten und von Belegstücken des angelieferten Werkstoffes.

Weitere Normen

DIN 17 670 Teil 1 Bleche und Bänder aus Kupfer und Kupfer-Knetlegierungen; Festigkeitseigenschaften

DIN 17 670 Teil 2 Bleche und Bänder aus Kupfer und Kupfer-Knetlegierungen; Technische Lieferbedingungen

DIN 40 500 Teil 2 Kupfer für die Elektrotechnik; Rohre aus Kupfer und silberlegiertem Kupfer; Technische Lieferbedingungen

DIN 40 500 Teil 3 Kupfer für die Elektrotechnik; Stangen, Profile aus Kupfer und silberlegiertem Kupfer; Technische Lieferbedingungen

DIN 40 500 Teil 4 Kupfer für die Elektrotechnik; Drähte aus Kupfer und silberlegiertem Kupfer; Technische Lieferbedingungen

DIN 40 500 Teil 5 (Vornorm) Kupfer für die Elektrotechnik; Verzinnte Drähte; Technische Lieferbedingungen

Erläuterungen

Die vorliegende Norm ist die überarbeitete Fassung der Ausgabe (September 1970). Sie wurde vom Komitee 811 „Leiterwerkstoffe“ der Deutschen Elektrotechnischen Kommission erstellt. Die Norm unterscheidet sich in Inhalt und Aufbau von der vorangegangenen Ausgabe außer redaktionellen Verbesserungen in folgenden Punkten:

- Die in dieser Norm enthaltenen Einheiten entsprechen dem Gesetz über Einheiten im Meßwesen vom 2. Juli 1969 und der Ausführungsverordnung zu diesem Gesetz vom 26. Juni 1970. Sie sind umgerechnet und geringfügig korrigiert, so daß die Angaben der Festigkeitseigenschaften mit den in DIN 17 670 Teil 1 genannten Festlegungen in Übereinstimmung sind.
- Bisher E-Cu ist entsprechend DIN 1787 in E-Cu 57 und E-Cu 58 aufgeteilt.
- CuAg0,03 ist gestrichen.
- Für die elektrischen Eigenschaften wird das in DIN IEC 468 (z. Z. noch Entwurf) beschriebene Prüfverfahren empfohlen.

DK 669.3-462 : 621.315.5 : 620.1 April 1980

Kupfer für die Elektrotechnik
Rohre
aus Kupfer und silberlegiertem Kupfer
Technische Lieferbedingungen

DIN 40 500 Teil 2

Copper for electrical purposes, tubes – Technical terms of delivery

Cuivre pour usages électriques, tubes, conditions techniques de livraison

Für den Geltungsbereich dieser Norm bestehen keine entsprechenden regionalen oder internationalen Normen.

Inhalt

Seite
1 Geltungsbereich . . . 1
2 Mitgeltende Normen . . . 1
3 Bestellangaben . . . 1
4 Werkstoffeigenschaften . . . 1
4.1 Zusammensetzung . . . 1
4.2 Festigkeits- und elektrische Eigenschaften . . . 1
5 Maßnormen . . . 3
6 Anforderungen . . . 3
6.1 Oberflächenbeschaffenheit . . . 3
6.2 Umformbarkeit . . . 3
6.3 Schweißen und Hartlöten . . . 3
7 Prüfungen . . . 3
7.1 Mechanische Eigenschaften . . . 3
7.2 Elektrische Eigenschaften . . . 3
7.3 Oberflächenbeschaffenheit . . . 3
7.4 Weitere Prüfungen . . . 3
8 Bescheinigungen . . . 3
9 Beanstandungen . . . 3

1 Geltungsbereich

Diese technischen Lieferbedingungen gelten für Rohre aus den in Abschnitt 4.1 genannten Werkstoffen für die Elektrotechnik.

2 Mitgeltende Normen

DIN 1787	Kupfer; Halbzeug
DIN 17 666	Kupfer-Knetlegierungen, niedriglegiert; Zusammensetzung
DIN 50 049	Bescheinigung über Werkstoffprüfungen
DIN 50 125	Prüfung metallischer Werkstoffe; Zugproben, Richtlinien für die Herstellung
DIN 50 133 Teil 1	Prüfung metallischer Werkstoffe; Härteprüfung nach Vickers, Prüfkraftbereich: 49 bis 980 N (5 bis 100 kp)
DIN 50 133 Teil 2	Prüfung metallischer Werkstoffe; Härteprüfung nach Vickers, Prüfkraftbereich: 1,96 bis 49 N (0,2 bis 5 kp) (Kleinlastbereich)
DIN 50 140	Prüfung metallischer Werkstoffe; Zugversuch ohne Feindehnungsmessung an Rohren und Rohrstreifen
DIN 50 145	Prüfung metallischer Werkstoffe; Zugversuch
DIN 50 351	Prüfung metallischer Werkstoffe; Härteprüfung nach Brinell
DIN IEC 468	(z. Z. noch Entwurf) Verfahren zur Messung des spezifischen (elektrischen) Widerstandes metallischer Werkstoffe

*) Siehe Erläuterungen

3 Bestellangaben

Die Auswahl des Werkstoffes und des Lieferzustandes ist Sache des Bestellers. Das Herstellungsverfahren bleibt dem Hersteller überlassen.

Empfohlen wird, bei der Bestellung den Verwendungszweck und das Verarbeitungsverfahren anzugeben. Außerdem sollen die Abschnitte 6 und 9 beachtet werden.

Bei der Bezeichnung oder Bestellung von Rohren aus Kupfer und silberlegiertem Kupfer für die Elektrotechnik sind die Kurzzeichen oder Werkstoffnummern der Tabelle dieser Norm zu verwenden, wie in den Bezeichnungsbeispielen der Maßnormen angegeben.

4 Werkstoffeigenschaften

4.1 Zusammensetzung

Kupfer nach DIN 1787:

E-Cu 57 *)
SE-Cu

Silberlegiertes Kupfer nach DIN 17 666:

CuAg0,1
CuAg0,1P

4.2 Festigkeits- und elektrische Eigenschaften

Die Festigkeitseigenschaften gelten für die angegebenen Abmessungsbereiche innerhalb der durch die Maßnormen gezogenen Grenzen.

Die in der Tabelle angegebenen Werte für Zugfestigkeit, 0,2-Grenze und Bruchdehnung sind für die Abnahmeprüfung bindend, die Werte der Brinellhärte und des Elastizitätsmoduls sind nicht bindend.

Tabelle siehe Seite 2

Fortsetzung Seite 2 und 3
Erläuterungen Seite 4

Deutsche Elektrotechnische Kommission im DIN und VDE (DKE)
Normenausschuß Nichteisenmetalle (FNNE) im DIN Deutsches Institut für Normung e.V.

Kurzzeichen	Werkstoffnummer	Festigkeitszustand[1)]		Abmessungen entsprechend den Maßnormen		Zugfestigkeit[2)]	Festigkeitseigenschaften 0,2-Grenze	Bruchdehnung		Brinellhärte[5)]	Elastizitätsmodul[5)]	Elektrische Eigenschaften Spezifischer Widerstand[6)] bei 20 °C	Leitfähigkeit bei 20 °C
		Kurzzeichen	Anhängezahl zur Werkstoffnummer	Außendurchmesser	Wanddicke	R_m (σ_B)	$R_{p0,2}$ ($\sigma_{0,2}$)	A_5 (δ_5)	A_{10} (δ_{10})	HB 2,5/62,5	E	ϱ	$\varkappa = \frac{1}{\varrho}$
				mm	mm	N/mm²	N/mm²	% (min.)			kN/mm² (Anhaltswert)	$\frac{\Omega \cdot mm^2}{m}$ (max.)	$\frac{m}{\Omega \cdot mm^2}$ (min.)
E-Cu 57 SE-Cu	2.0060 2.0070	F 20	.10	jeder	jede	200 bis 250	max. 120[3)]	38	32	45 bis 70	110	0,01754	57
E-Cu 57 SE-Cu CuAg0,1 CuAg0,1P	2.0060 2.0070 2.1203 2.1191	F 25	.26	jeder	bis 10	250 bis 300	min. 190[4)] (bis 290)	17	14	70 bis 90		0,01786	56
		F 30	.30	bis 160	bis 5	300 bis 360	min. 250[4)] (bis 350)	7	4	85 bis 105		0,01818	55
		F 37	.32	bis 50	bis 3	min. 360	min. 320[4)] (bis 390)	3	2	95 bis 120		0,01818	55

SE-Cu und CuAg0,1P: Schweißbar, siehe Abschnitt 6.3.
CuAg0,1 und CuAg0,1P: Erhöhte Erweichungsbeständigkeit, erhöhte Zeitstandfestigkeit, der Einfluß des Festigkeitszustandes, der Temperatur und der Zeit ist zu beachten.

1) Diese Kurzzeichen oder Anhängezahlen können dem Kurzzeichen oder der Werkstoffnummer jeder angegebenen Kupfersorte zugeordnet werden, z. B. E-Cu 57 F37 oder 2.0060.32.

2) Überschneidungen mit den benachbarten Festigkeitsstufen von max. 10 N/mm² dürfen nicht beanstandet werden.

3) Bei besonderen Anforderungen an Umformbarkeit kann je nach Abmessungen ein niedrigerer Maximalwert vereinbart werden. Beachte hierzu die Abschnitte 6.1 bis 6.3.

4) Die eingeklammerten Werte sind nur dann für die Abnahme bindend, wenn sie bei der Bestellung vereinbart werden; gegebenenfalls können auch niedrigere Werte vereinbart werden.
Für Berechnungen im Schaltanlagenbau gelten die in der Tabelle in Klammern angegebenen Werte als Anhaltswerte für die obere 0,2-Grenze ($R_{p0,2}$ siehe DIN 57 103/ VDE 0103).

5) Für die Abnahme nicht bindend.

6) Wird bei abweichenden Temperaturen gemessen, ist die Änderung des spezifischen Widerstandes um $68 \cdot 10^{-6} \frac{\Omega \cdot mm^2}{m}$ je K zu berücksichtigen.
Der Querschnitt ist aus der Masse und der Länge eines geraden Abschnittes des Leiters unter Annahme einer Dichte von 8,9 kg/dm³ zu berechnen.

5 Maßnormen

Für Maße und zulässige Maß- und Formabweichungen von Rohren bestehen folgende Normen:

DIN 1754 Teil 1	Rohre aus Kupfer, nahtlosgezogen; Maßbereiche und Toleranzzuordnungen
DIN 47 302 Teil 2	Hochfrequenz (HF)-Hohlleiter; Rund-Rohr, Leiterabmessungen

6 Anforderungen

Rohre müssen hinsichtlich der Maße und der Werkstoffeigenschaften den in den Abschnitten 4 und 5 aufgeführten Normen entsprechen. Weitere Anforderungen sind in den Abschnitten 6.1 bis 6.3 festgelegt.

6.1 Oberflächenbeschaffenheit

Rohre haben eine ihrem Herstellungsverfahren entsprechende Oberfläche. Gezogene Rohre werden in der Regel mit blanker Oberfläche geliefert.

Ungleichmäßigkeiten der Oberfläche sind zulässig, soweit sie die Verarbeitbarkeit nicht beeinträchtigen.

Gelegentliche geringfügige Ungleichmäßigkeiten der Oberfläche, wie leichte Kratzer, Schiefer und Scheuerstellen, sind zulässig und dürfen innerhalb der zulässigen Maßabweichung verputzt sein.

Oberflächenbeschaffenheit von Rohren mit besonderen Anforderungen an die Umformbarkeit siehe Abschnitt 6.2. Eine andere Oberflächenbeschaffenheit, z. B. gebeizt, ist bei Bestellung besonders zu vereinbaren.

6.2 Umformbarkeit

Für die Umformbarkeit der Rohre sind die Festigkeitseigenschaften nach der Tabelle dieser Norm maßgebend. Werden besondere Anforderungen an die Umformbarkeit im Zustand F 20 (siehe Fußnote 3 zur Tabelle) gestellt, so bedingen diese geringere Anforderungen an die Geradheit, Oberflächenbeschaffenheit usw., z. B. sind Verfärbungen und uneinheitliches Oberflächenaussehen infolge Wärmebehandlung zulässig.

6.3 Schweißen und Hartlöten

Schweißen und Hartlöten von E-Cu 57 und CuAg0,1 mit offener Flamme, insbesondere bei hohen Arbeitstemperaturen und längerer Dauer, können zur Versprödung (Wasserstoffkrankheit) führen. Daher sind z. B. Gasschweißen und Flammenlöten nach Möglichkeit zu vermeiden; geeignet dafür sind SE-Cu und CuAg0,1P.

7 Prüfungen

Wenn die in der Tabelle angegebenen Eigenschaften nachgewiesen werden sollen, so ist dies bei der Bestellung zu vereinbaren (siehe Abschnitt 8).

7.1 Mechanische Eigenschaften

Zugproben werden nach DIN 50 125 hergestellt. Der Zugversuch wird nach DIN 50 140 und DIN 50 145 durchgeführt. Soweit möglich, werden als Proben Rohrabschnitte verwendet, in deren Enden Dorne eingesetzt werden.

Die Härteprüfung nach Brinell wird nach DIN 50 351 im allgemeinen mit einer Kugel von 2,5 mm Durchmesser und mit einer Prüfung von 613 N (62,5 kp) durchgeführt, Kurzzeichen: HB 2,5/62,5.

Bei geringeren Prüfdicken gelten die Prüfbedingungen für den Belastungsgrad $F/D^2 = 10$ nach DIN 50 351, Ausgabe Januar 1973, Bilder 2 und 3.

Bei dünnwandigen Rohren ist die Bestimmung der Härte nach Brinell ungenau und die Bestimmung der Härte nach Vickers nach DIN 50 133 Teil 1 und Teil 2 vorzuziehen. Es ist zu beachten, daß die Härtewerte nach Vickers 15 % höher sein können als die Härtewerte nach Brinell.

Andere Prüfverfahren sind zu vereinbaren.

7.2 Elektrische Eigenschaften

Die elektrischen Eigenschaften werden nach DIN IEC 468 (z. Z. noch Entwurf) geprüft.

7.3 Oberflächenbeschaffenheit

Die Sichtprüfung wird ohne optische Hilfsmittel durchgeführt.

7.4 Weitere Prüfungen

Weitere Prüfungen können vereinbart werden, z. B. Prüfung auf Wasserstoffbeständigkeit nach DIN 17 671 Teil 2.

8 Bescheinigungen

Bescheinigungen über Werkstoffprüfungen nach DIN 50 049 werden nur nach Vereinbarung ausgestellt.

9 Beanstandungen

Äußere und innere Fehler dürfen nur dann beanstandet werden, wenn sie eine der Kupfersorte und Erzeugnisform angemessene Verarbeitung und Verwendung mehr als unerheblich beeinträchtigen. Der Besteller muß dem Lieferwerk Gelegenheit geben, sich von der Berechtigung von Beanstandungen zu überzeugen, soweit möglich durch Vorlage des beanstandeten und von Belegstücken des angelieferten Werkstoffes.

Weitere Normen

DIN 17 671 Teil 1	Rohre aus Kupfer und Kupfer-Knetlegierungen; Festigkeitseigenschaften
DIN 17 671 Teil 2	Rohre aus Kupfer und Kupfer-Knetlegierungen; Technische Lieferbedingungen
DIN 40 500 Teil 1	Kupfer für die Elektrotechnik; Bleche und Bänder aus Kupfer und silberlegiertem Kupfer; Technische Lieferbedingungen
DIN 40 500 Teil 3	Kupfer für die Elektrotechnik; Stangen, Profile aus Kupfer und silberlegiertem Kupfer; Technische Lieferbedingungen
DIN 40 500 Teil 4	Kupfer für die Elektrotechnik; Drähte aus Kupfer und silberlegiertem Kupfer; Technische Lieferbedingungen
DIN 40 500 Teil 5	(Vornorm) Kupfer für die Elektrotechnik; Verzinnte Drähte; Technische Lieferbedingungen
DIN 57 103/ VDE 0103	VDE-Leitsätze für die Bemessung von Starkstromanlagen auf mechanische und thermische Kurzschlußfestigkeit

Erläuterungen

Die vorliegende Norm ist die überarbeitete Fassung der Ausgabe (September 1970). Sie wurde vom Komitee 811 „Leiterwerkstoffe“ der Deutschen Elektrotechnischen Kommission erstellt. Die Norm unterscheidet sich in Inhalt und Aufbau von der vorangegangenen Ausgabe außer redaktionellen Verbesserungen in folgenden Punkten:

- Die in dieser Norm enthaltenen Einheiten entsprechen dem Gesetz über Einheiten im Meßwesen vom 2. Juli 1969 und der Ausführungsverordnung zu diesem Gesetz vom 26. Juni 1970. Sie sind umgerechnet und geringfügig korrigiert, so daß die Angaben der Festigkeitseigenschaften mit den in DIN 17 671 Teil 1 genannten Festlegungen in Übereinstimmung sind.
- Bisher E-Cu ist entsprechend DIN 1787 in E-Cu 57 und E-Cu 58 aufgeteilt, wobei die hier behandelten Rohre nur in E-Cu 57 genormt sind.
- CuAg0,1 und CuAg0,1P sind in dieser Norm neu aufgenommen.
- Für die elektrischen Eigenschaften wird das in DIN IEC 468 (z. Z. noch Entwurf) beschriebene Prüfverfahren empfohlen.

DK 669.3-42 : 621.315.5 : 620.1 April 1980

Kupfer für die Elektrotechnik

Stangen Profile
aus Kupfer und silberlegiertem Kupfer
Technische Lieferbedingungen

DIN 40 500 Teil 3

Copper for electrical purposes, sections, rods, bars – Technical terms of delivery

Cuivre pour usages électriques, profilés, barres, conditions techniques de livraison

Für den Geltungsbereich dieser Norm bestehen keine entsprechenden regionalen oder internationalen Normen.

Inhalt

	Seite
1 Geltungsbereich	1
2 Mitgeltende Normen	1
3 Bestellangaben	1
4 Werkstoffeigenschaften	1
4.1 Zusammensetzung	1
4.2 Festigkeits- und elektrische Eigenschaften	2
5 Maßnormen	2
6 Anforderungen	2
6.1 Oberflächenbeschaffenheit	2
6.2 Umformbarkeit	2
6.3 Schweißen und Hartlöten	2
7 Prüfungen	2
7.1 Mechanische Eigenschaften	2
7.2 Elektrische Eigenschaften	4
7.3 Oberflächenbeschaffenheit	4
7.4 Weitere Prüfungen	4
8 Bescheinigungen	4
9 Beanstandungen	4

1 Geltungsbereich

Die technischen Lieferbedingungen gelten für Stangen und Profile aus den in Abschnitt 4.1 genannten Werkstoffen.

2 Mitgeltende Normen

DIN 1787	Kupfer; Halbzeug
DIN 17 666	Kupfer-Knetlegierungen, niedriglegiert; Zusammensetzung
DIN 50 049	Bescheinigung über Werkstoffprüfungen
DIN 50 125	Prüfung metallischer Werkstoffe; Zugproben; Richtlinien für die Herstellung
DIN 50 133 Teil 1	Prüfung metallischer Werkstoffe; Härteprüfung nach Vickers, Prüfkraftbereich: 49 bis 980 N (5 bis 100 kp)
DIN 50 133 Teil 2	Prüfung metallischer Werkstoffe; Härteprüfung nach Vickers, Prüfkraftbereich: 1,96 bis 49 N (0,2 bis 5 kp) (Kleinlastbereich)
DIN 50 145	Prüfung metallischer Werkstoffe; Zugversuch
DIN 50 351	Prüfung metallischer Werkstoffe; Härteprüfung nach Brinell
DIN IEC 468	(z. Z. noch Entwurf) Verfahren zur Messung des spezifischen (elektrischen) Widerstandes metallischer Werkstoffe

3 Bestellangaben

Die Auswahl des Werkstoffes und des Lieferzustandes ist Sache des Bestellers. Das Herstellungsverfahren bleibt dem Hersteller überlassen.

Empfohlen wird, bei der Bestellung den Verwendungszweck und das Verarbeitungsverfahren anzugeben. Außerdem sollen die Abschnitte 6 bis 9 beachtet werden.

Bei der Bezeichnung oder Bestellung von Stangen und Profilen aus Kupfer und silberlegiertem Kupfer für die Elektrotechnik sind die Kurzzeichen oder Werkstoffnummern der Tabelle dieser Norm zu verwenden, wie in den Bezeichnungsbeispielen der Maßnormen angegeben.

4 Werkstoffeigenschaften

4.1 Zusammensetzung

Kupfer nach DIN 1787:

E-Cu 57*)
SE-Cu

Silberlegiertes Kupfer nach DIN 17 666:

CuAg0,1
CuAg0,1P

*) Siehe Erläuterungen

Fortsetzung Seite 2 bis 4
Erläuterungen Seite 4

Deutsche Elektrotechnische Kommission im DIN und VDE (DKE)
Normenausschuß Nichteisenmetalle (FNNE) im DIN Deutsches Institut für Normung e.V.

4.2 Festigkeits- und elektrische Eigenschaften

Die Festigkeitseigenschaften gelten für die angegebenen Abmessungsbereiche innerhalb der durch die Maßnormen gezogenen Grenzen.

Die in der Tabelle angegebenen Werte für Zugfestigkeit, 0,2-Grenze und Bruchdehnung sind für die Abnahmeprüfung bindend, die Werte der Brinellhärte und des Elastizitätsmoduls sind nicht bindend.

Tabelle siehe Seite 3.

5 Maßnormen

Für Maße und zulässige Maß- und Formabweichungen bestehen folgende Normen:

DIN 1756	Rundstangen aus Kupfer und Kupfer-Knetlegierungen; gezogen, Maße
DIN 1759	Rechteckstangen aus Kupfer und Kupfer-Knetlegierungen; gezogen, mit scharfen Kanten, Maße, zulässige Abweichungen, statische Werte
DIN 1761	Vierkantstangen aus Kupfer und Kupfer-Knetlegierungen; gezogen, mit scharfen Kanten, Maße
DIN 1763	Sechskantstangen aus Kupfer und Kupfer-Knetlegierungen; gezogen, mit scharfen Kanten, Maße
DIN 17 674 Teil 4	Strangpreßprofile aus Kupfer und Kupfer-Knetlegierungen; gepreßt, zulässige Abweichungen
DIN 17 674 Teil 5	Strangpreßprofile aus Kupfer und Kupfer-Knetlegierungen; gezogen, zulässige Abweichungen
DIN 43 671	Stromschienen aus Kupfer, Bemessung für Dauerstrom
DIN 46 433	Flachdrähte und Flachstangen, gezogen, mit gerundeten Kanten, Maße
DIN 46 433 Auswahl 1	Flachdrähte und Flachstangen, gezogen, mit gerundeten Kanten, Maße, Auswahl für elektrische Maschinen und Schaltgeräte
DIN 46 433 Auswahl 2	Flachdrähte und Flachstangen, gezogen, mit gerundeten Kanten, Maße, Auswahl für Transformatoren
DIN 46 433 Auswahl 3	Flachstangen, gezogen, mit gerundeten Kanten, Maße, Auswahl für Schaltanlagen

6 Anforderungen

Stangen und Profile müssen hinsichtlich der Maße und Werkstoffeigenschaften den in den Abschnitten 4 und 5 aufgeführten Normen entsprechen.

Weitere Anforderungen sind in den Abschnitten 6.1 und 6.3 festgelegt.

6.1 Oberflächenbeschaffenheit

Stangen und Profile haben einem ihrem Herstellungsverfahren entsprechende Oberfläche. Gezogene oder geschälte Stangen und Profile werden in der Regel mit blanker Oberfläche geliefert.

Preß- und Ziehstreifen, Verfärbungen und ähnliches sind durch die Herstellungsverfahren bedingt. Auch Kratzer, Schrammen, Scheuerstellen, Eindrücke und andere mechanische Beschädigungen lassen sich nicht ganz vermeiden.

Für die Zulässigkeit gelten folgende Richtlinien:

- Schwere Fehler, z. B. starke Querrisse, schwere mechanische Beschädigungen, starke Schalenbildung, große Blasen und Fremdeinschlüsse, die die Festigkeit und die konstruktive Verwendung beeinträchtigen, sind unzulässig.
- Aufrauhungen, die bei der späteren Verwendung oder bei einer nachfolgenden Oberflächenbearbeitung wesentlich stören, werden im allgemeinen verputzt, wobei die zulässigen Maßabweichungen nicht überschritten werden dürfen.
- Sonstige Oberflächenerscheinungen, die bei der späteren Verwendung nicht stören oder durch die nachfolgende Oberflächenbearbeitung beseitigt werden, wie leichte Preßriefen, leichte Aufrauhungen, Verfärbungen, welche von einer Wärmebehandlung herrühren, sind zulässig.
- Oberflächenbeschaffenheit von Stangen und Profilen mit besonderen Anforderungen an die Umformbarkeit siehe Abschnitt 6.2. Eine andere Oberflächenbeschaffenheit, z. B. gebeizt, ist bei Bestellung besonders zu vereinbaren.

6.2 Umformbarkeit

Für die Umformbarkeit der Stangen und Profile sind die Festigkeitseigenschaften nach der Tabelle dieser Norm maßgebend.

Werden besondere Anforderungen an die Umformbarkeit im Zustand F 20 (siehe Fußnote 5 zur Tabelle) gestellt, so bedingen diese geringere Anforderungen an die Geradheit, Oberflächenbeschaffenheit usw., z. B. sind Verfärbungen und uneinheitliches Oberflächenaussehen infolge Wärmebehandlung zulässig.

6.3 Schweißen und Hartlöten

Schweißen und Hartlöten von E-Cu 57 und CuAg0,1 mit offener Flamme, insbesondere bei hohen Arbeitstemperaturen und längerer Dauer, können zur Versprödung (Wasserstoffkrankheit) führen. Daher sind z. B. Gasschweißen und Flammenlöten nach Möglichkeit zu vermeiden; geeignet dafür sind SE-Cu und CuAg0,1P.

7 Prüfungen

Wenn die in der Tabelle angegebenen Eigenschaften nachgewiesen werden sollen, so ist dies bei der Bestellung zu vereinbaren (siehe Abschnitt 8).

7.1 Mechanische Eigenschaften

Zugproben werden nach DIN 50 125 hergestellt. Der Zugversuch wird nach DIN 50 145 durchgeführt.

Stangen mit Querschnitten bis zu 500 mm^2 können als Ganzes geprüft werden. Bei Stangen mit Querschnitten über 2000 mm^2 sind die Proben außermittig, etwa ein Drittel des Durchmessers vom Rande entfernt, bei Flachstangen etwa ein Drittel von einer Schmalseite entfernt, zu entnehmen. Bei Profilen ist die Lage der Probenahmestelle zu vereinbaren.

Die Härteprüfung nach Brinell wird nach DIN 50 351 im allgemeinen mit einer Kugel von 2,5 mm Durchmesser und mit einer Prüfkraft von 613 N (62,5 kp) durchgeführt, Kurzzeichen HB 2,5/62,5.

Bei geringen Prüfdicken gelten die Prüfbedingungen für den Belastungsgrad $F/D^2 = 10$ nach DIN 50 351, Ausgabe Januar 1973, Bilder 2 und 3.

Bei dünnen Stangen und Profilen ist die Bestimmung der Härte nach Brinell ungenau und die Bestimmung der Härte nach Vickers nach DIN 50 133 Teil 1 und Teil 2 vorzuziehen. Es ist zu beachten, daß die Härtewerte nach Vickers 15 % höher sein können als die Härtewerte nach Brinell.

Andere Prüfverfahren sind zu vereinbaren.

Kurzzeichen	Werkstoffnummer	Festigkeitszustand[1]) Kurzzeichen	Festigkeitszustand[1]) Anhängezahl zur Werkstoffnummer	Abmessungen entsprechend den Maßnormen: Stangen: Rund, Vierkant, Sechskant, Durchmesser oder Schlüsselweite	Stangen: Rechteck: Dicke	Stangen: Rechteck: Breite	Profile: Stegdicke	Festigkeitseigenschaften: Zugfestigkeit[4])	0,2-Grenze	Bruchdehnung		Brinellhärte[7])	Elastizitätsmodul[7])	Elektrische Eigenschaften: Spezifischer Widerstand[8]) bei 20 °C	Leitfähigkeit bei 20 °C
								R_m (σ_B)	$R_{p0,2}$ ($\sigma_{0,2}$)	A_5 (δ_5)	A_{10} (δ_{10})	HB 2,5/62,5	E	ϱ	$\varkappa = \frac{1}{\varrho}$
				mm	mm	mm	mm	N/mm²	N/mm²	% (min.)			kN/mm² (Anhaltswert)	$\frac{\Omega \cdot mm^2}{m}$ (max.)	$\frac{m}{\Omega \cdot mm^2}$ (min.)
E-Cu 57	2.0060	p	.08	alle			–	ohne vorgeschriebene Festigkeitswerte (Vormaterial für Gesenkschmiedestücke nach DIN 17 673 Teil 1)						0,01818	55
E-Cu 57 SE-Cu	2.0060 2.0070	F 20	.10	10 bis 100	2 bis 40	10 bis 100	2 bis 20	200 bis 250	max. 120[5])	38	32	45 bis 70	110	0,01754	57
					5 bis 30	über 100 bis 200[2])									
CuAg 0,1 CuAg 0,1 P	2.1203 2.1191	w	.19	alle			–	ohne vorgeschriebene Festigkeitswerte (Vormaterial für Ziehereien)						0,01754	57
E-Cu 57 SE-Cu	2.0060 2.0070	zh	.20	alle			–	ohne vorgeschriebene Festigkeitswerte						0,01818	55
E-Cu 57 SE-Cu CuAg 0,1 CuAg 0,1 P	2.0060 2.0070 2.1203 2.1191	F 25	.26	6 bis 70	2 bis 30	10 bis 100	2 bis 14	250 bis 300	min. 200 (bis 280)[6])	14	10	70 bis 95	110	0,01786	56
					5 bis 20	über 100 bis 200[2])									
		F 30	.30	4 bis 40	2 bis 12	10 bis 100	2 bis 8	300 bis 360	min. 250 (min. 350)[6])	10	7	80 bis 105		0,01786	56
					5 bis 10	über 100 bis 200[3])									
		F 37	.32	2 bis 10	2 bis 3	10 bis 100	–	min. 360	min 320 (bis 390)[6])	7	5	95 bis 115		0,01818	55
					über 3 bis 6	10 bis 50									

SE-Cu und CuAg0,1P: Schweißbar, siehe Abschnitt 6.3.
CuAg0,1 und CuAg0,1P: Erhöhte Erweichungsbeständigkeit, erhöhte Zeitstandfestigkeit, der Einfluß des Festigkeitszustandes, der Temperatur und der Zeit ist zu beachten.

Fußnoten siehe Seite 4

7.2 Elektrische Eigenschaften

Die elektrischen Eigenschaften werden nach DIN IEC 468 (z. Z. noch Entwurf) geprüft.

7.3 Oberflächenbeschaffenheit

Die Sichtprüfung wird ohne optische Mittel durchgeführt.

7.4 Weitere Prüfungen

Weitere Prüfungen können vereinbart werden, z. B. Prüfung auf Wasserstoffbeständigkeit nach DIN 17 672 Teil 2 und DIN 17 674 Teil 2.

8 Bescheinigungen

Bescheinigungen über Werkstoffprüfungen nach DIN 50 049 werden nur nach Vereinbarung ausgestellt.

9 Beanstandungen

Äußere und innere Fehler dürfen nur dann beanstandet werden, wenn sie eine der Kupfersorte und Erzeugnisform angemessene Verarbeitung und Verwendung mehr als unerheblich beeinträchtigen.

Der Besteller muß dem Lieferwerk Gelegenheit geben, sich von der Berechtigung von Beanstandungen zu überzeugen, soweit möglich durch Vorlage des beanstandeten und von Belegstücken des angelieferten Werkstoffes.

Weitere Normen

DIN 17 672 Teil 1	Stangen aus Kupfer und Kupfer-Knetlegierungen; Festigkeitseigenschaften
DIN 17 672 Teil 2	Stangen aus Kupfer und Kupfer-Knetlegierungen; Technische Lieferbedingungen
DIN 17 674 Teil 1	Strangpreßprofile aus Kupfer und Kupfer-Knetlegierungen; Festigkeitseigenschaften
DIN 17 674 Teil 2	Strangpreßprofile aus Kupfer und Kupfer-Knetlegierungen; Technische Lieferbedingungen
DIN 17 674 Teil 3	Strangpreßprofile aus Kupfer und Kupfer-Knetlegierungen; Gestaltung
DIN 40 500 Teil 1	Kupfer für die Elektrotechnik; Bleche und Bänder aus Kupfer und silberlegiertem Kupfer; Technische Lieferbedingungen
DIN 40 500 Teil 2	Kupfer für die Elektrotechnik; Rohre aus Kupfer und silberlegiertem Kupfer; Technische Lieferbedingungen
DIN 40 500 Teil 4	Kupfer für die Elektrotechnik; Drähte aus Kupfer und silberlegiertem Kupfer; Technische Lieferbedingungen
DIN 40 500 Teil 5	(Vornorm) Kupfer für die Elektrotechnik; Verzinnte Drähte; Technische Lieferbedingungen

---

1) Diese Kurzzeichen oder Anhängezahlen können dem Kurzzeichen oder der Werkstoffnummer jeder angegebenen Kupfersorte zugeordnet werden, z. B. E-Cu 57 F 37 oder 2.0060.32

2) Bei einem Verhältnis Dicke : Breite ≧ 1 : 20 (≧ 0,05) und einem Querschnitt von höchstens 5000 mm^2.

3) Bei einem Verhältnis Dicke : Breite ≧ 1 : 20 (≧ 0,05).

4) Überschneidungen mit den benachbarten Festigkeitsstufen von max. 10 N/mm^2 dürfen nicht beanstandet werden.

5) Dieser Wert oder nach Vereinbarung bei bestimmten Abmessungen auch niedrigere Werte können nur eingehalten werden, wenn geringere Anforderungen an die Oberflächenbeschaffenheit usw. gestellt werden. Beachte hierzu die Abschnitte 5.1 bis 5.3.

6) Die eingeklammerten Werte sind nur dann für die Abnahme bindend, wenn sie bei der Bestellung vereinbart werden; gegebenenfalls können auch niedrigere Werte vereinbart werden.
Für Berechnungen im Schaltanlagenbau gelten die in der Tabelle in Klammern angegebenen Werte als Anhaltswerte für die obere 0,2-Grenze ($R_{p0,2}$ siehe DIN 57 103/VDE 0103).

7) Für die Abnahme nicht bindend.

8) Wird bei abweichenden Temperaturen gemessen, ist die Änderung des spezifischen elektrischen Widerstandes um $68 \cdot 10^{-6} \frac{\Omega \cdot mm^2}{m}$ je K zu berücksichtigen.

Der Querschnitt ist aus der Masse und der Länge eines geraden Abschnittes des Leiters unter Annahme einer Dichte von 8,9 kg/dm^3 zu berechnen.

Erläuterungen

Die vorliegende Norm ist die überarbeitete Fassung der Ausgabe (September 1970). Sie wurde vom Komitee 811 „Leiterwerkstoffe“ der Deutschen Elektrotechnischen Kommission erstellt. Die Norm unterscheidet sich in Inhalt und Aufbau von der vorangegangenen Ausgabe außer redaktionellen Verbesserungen in folgenden Punkten:

- Die in dieser Norm enthaltenen Einheiten entsprechen dem Gesetz über Einheiten im Meßwesen vom 2. Juli 1969 und der Ausführungsverordnung zu diesem Gesetz vom 26. Juni 1970. Sie sind umgerechnet und geringfügig korrigiert, so daß die Angaben der Festigkeitseigenschaften mit den in DIN 17 672 Teil 1 und DIN 17 674 Teil 1 genannten Festlegungen in Übereinstimmung sind.
- Bisher E-Cu ist entsprechend DIN 1787 in E-Cu 57 und E-Cu 58 aufgeteilt, wobei die hier behandelten Stangen und Profile nur in E-Cu 57 genormt sind.
- CuAg0,03 ist gestrichen.
- Für die elektrischen Eigenschaften wird das in DIN IEC 468 (z. Z. noch Entwurf) beschriebene Prüfverfahren empfohlen.
- Die in der Tabelle getroffenen Festlegungen über die Abmessungen sind korrigiert und berücksichtigen den Stand der Maßnormen.

DK 669.3-426:621.315.5

Entwurf November 1988

Kupfer für die Elektrotechnik

Drähte aus Kupfer und silberlegiertem Kupfer
Technische Lieferbedingungen

DIN 40 500 Teil 4

Copper for electrical purposes; wires of copper and silver-alloyed copper; terms of delivery

Cuivre pour usages électriques; fils en cuivre et en alliage d'argent; conditions de livraison

Einsprüche bis 28. Feb 1989
Anwendungswarnvermerk auf der letzten Seite beachten!

Vorgesehen als Ersatz für Ausgabe 09.73

Für den Anwendungsbereich dieser Norm bestehen keine internationalen oder regionalen Normen, siehe Erläuterungen.

Inhalt Seite

1 Anwendungsbereich 1
2 Bestellangaben 1
3 Werkstoffeigenschaften 2
3.1 Zusammensetzung 2
3.2 Mechanische und elektrische Eigenschaften 3
4 Maße, Maß- und Formtoleranzen 2
5 Anforderungen 2
5.1 Oberflächenbeschaffenheit 3
5.2 Umformbarkeit 3
5.3 Schweißen und Hartlöten 3
6 Prüfungen 3
6.1 Mechanische Eigenschaften 3
6.2 Elektrische Eigenschaften 3
6.3 Oberflächenbeschaffenheit 4
6.4 Weitere Prüfungen 4
7 Bescheinigungen 4

1 Anwendungsbereich

Diese Technischen Lieferbedingungen gelten für Drähte aus den in Abschnitt 3 genannten Werkstoffen.

2 Bestellangaben

Die Auswahl des Werkstoffes und des Lieferzustandes ist Sache des Bestellers. Das Herstellungsverfahren bleibt dem Hersteller überlassen.

Es wird empfohlen, bei der Bestellung und bei notwendigen Vereinbarungen den Verwendungszweck und das Weiterverarbeitungsverfahren anzugeben. Außerdem sind die Abschnitte 5 bis 7 zu beachten.

Fortsetzung Seite 2 bis 11

Deutsche Elektrotechnische Kommission im DIN und VDE (DKE)
Normenausschuß Nichteisenmetalle (FNNE) im DIN Deutsches Institut für Normung e.V.

Bei der Bezeichnung oder Bestellung von Drähten aus Kupfer für die Elektrotechnik sind die Kurzzeichen oder Werkstoffnummern nach den Tabellen dieser Norm zu verwenden, wie in den Bezeichnungsbeispielen der Maßnormen angegeben.

3 Werkstoffeigenschaften

3.1 Zusammensetzung

Kupfer	
E-Cu58	nach DIN 1787
E-Cu57	nach DIN 1787
OF-Cu	nach DIN 1787
SE-Cu	nach DIN 1787

Silberlegiertes Kupfer	
CuAg0,1	nach DIN 17 666
CuAg0,1P	nach DIN 17 666
CuAg0,03	*)
CuAg0,03P	*)

3.2 Mechanische und elektrische Eigenschaften

Die Festigkeitseigenschaften gelten für die angegebenen Abmessungsbereiche innerhalb der durch die Maßnormen gezogenen Grenzen.

Die Werte für die Zugfestigkeit, Bruchdehnung und elektrische Leitfähigkeit werden gewährleistet. Der Nachweis der gewährleisteten Eigenschaften muß vereinbart werden, siehe auch Abschnitt 7.

3.2.1 Elektrische und physikalische Eigenschaften, siehe Tabelle 1.

3.2.2 Mechanische Eigenschaften von Vormaterial, z. B. für Leitungsseile, Freileitungen, Fahrdrähte, siehe Tabelle 2.

3.2.3 Mechanische Eigenschaften von Drähten für Wickeldrähte, siehe Tabelle 3.

3.2.4 Mechanische Eigenschaften von Drähten als Vormaterial, z. B. für Kabel, isolierte Leitungen und sonstige Anwendungen, siehe Tabelle 4.

4 Maße, Maß- und Formtoleranzen

Für Maße und Maß- und Formtoleranzen gelten DIN 43 141 Teil 1, DIN 48 300, DIN 46 431, DIN 46 432, DIN 46 433 und DIN 46 452.

5 Anforderungen

Drähte müssen hinsichtlich der Werkstoffeigenschaften und der Maße den in den Abschnitten 3 und 4 aufgeführten Normen entsprechen.

Weitere Anforderungen sind in den Abschnitten 5.1 bis 5.3 festgelegt.

---

*) Z. Z. nicht genormt.

5.1 Oberflächenbeschaffenheit

Drähte haben eine ihrem Herstellungsverfahren entsprechende Oberfläche. Gezogene Drähte werden mit blanker Oberfläche geliefert. Ungleichmäßigkeiten der Oberfläche sind zulässig, soweit sie die Verarbeitbarkeit nicht beeinträchtigen.

Oberflächenbeschaffenheit von Drähten mit besonderen Anforderungen an die Umformbarkeit, siehe Abschnitt 5.2. Weitere Anforderungen an die Oberflächenbeschaffenheit sind zu vereinbaren.

Drähte zur Herstellung von Wickeldrähten müsen eine blanke glatte Oberfläche haben. Sie dürfen keine Oberflächenfehler aufweisen, die die Verwendung als Lackdraht bzw. als umsponnenen Draht ausschließen. Die auf dem Blankdraht verbleibenden Ziehmittelrückstände und sonstige Verunreinigungen dürfen die Isolierbarkeit nicht beeinträchtigen.

5.2 Umformbarkeit

Für die Umformbarkeit der Drähte sind die Festigkeitseigenschaften nach den Tabellen dieser Norm maßgebend. Werden besondere Anforderungen an die Umformbarkeit im Zustand F21 (siehe Fußnote 4 in Tabelle 4) gestellt, so bedingen diese geringere Anforderungen an die Oberflächenbeschaffenheit infolge Wärmebehandlung.

5.3 Schweißen und Hartlöten

Schweißen und Hartlöten von E-Cu58, E-Cu57, CuAgO,03 und CuAgO,1 mit offener Flamme, insbesondere bei hohen Arbeitstemperaturen und längerer Dauer können zur Versprödung (Wasserstoffkrankheit) führen. Bei in dieser Hinsicht kritischen Verhältnissen sind SE-Cu, OF-Cu, CuAgO,1P und CuAgO,03P geeigneter.

6 Prüfungen

6.1 Mechanische Eigenschaften

Nach DIN 50 125, DIN 50 145, DIN 50 351 und DIN 51 210.

Andere Prüfverfahren sind zu vereinbaren.

Drähte unter 28 mm² Querschnitt werden als Ganzes, Drähte ab 28 mm² Querschnitt als Ganzes oder geteilt bzw. als Proportionalstab geprüft.

6.2 Elektrische Eigenschaften

Nach DIN IEC 468.

6.3 Oberflächenbeschaffenheit

Die Sichtprüfung wird ohne optische Hilfsmittel durchgeführt. Für Drähte, die als Wickeldrähte Verwendung finden, können geeignete Prüfverfahren vereinbart werden.

6.4 Weitere Prüfungen

Weitere Prüfungen können vereinbart werden, z. B. Wasserstoffbeständigkeit nach DIN 17 677 Teil 1 an den sauerstoffreien und desoxidierten Kupfersorten.

7 Bescheinigungen

Werkbescheinigungen, Werkzeugnisse oder Abnahmezeugnisse nach DIN 50 049 werden nur nach Vereinbarung ausgestellt.

Tabelle 1. Elektrische und physikalische Eigenschaften

Werkstoff- Kurzzeichen	Werkstoff- Nummer	Festigkeitszustand 1) Kurzzeichen	Festigkeitszustand 1) Anhängezahl zur Werkstoffnummer	Elektrische Eigenschaften bei 20 °C: Spezifischer Widerstand ϱ $\frac{\Omega \cdot mm^2}{m}$ max	Elektrische Eigenschaften bei 20 °C: Leitfähigkeit $\chi = \frac{1}{\varrho}$ $\frac{m}{\Omega \cdot mm^2}$ min	Wärme-Ausdehnungskoeffizient je K	Elastizitätsmodul 2) E N/mm² (Richtwert)
		wh 3)	.07	0,01724	58,0		
		p 4)	.08	0,01724	58,0		
		F20	.19	0,01724	58,0		
E-Cu58	2.0065	F21	.10	0.01724	58,0	$17 \cdot 10^{-6}$	$110 \cdot 10^3$
OF-Cu	2.0040	F29	.26	0.01770	56,5		
		F35	.39	0.01786	56,0		
		F36	.30	0,01786	56,0		
		wh 3)	.07	0,01754	57,0		
		p 4)	.08	0,01754	57,0		
E-Cu57	2.0060	F21	.10	0,01754	57,0	$17 \cdot 10^{-6}$	$110 \cdot 10^3$
SE-Cu	2.0070	F29	.26	0,01786	56,0		
		F36	.30	0,01818	55,0		
		wh 3)	.07	0,01754	57,0		
CuAg0,03P	2.1192	p 4)	.08	0,01754	57,0		
CuAg0,03	2.1201						
CuAg0,1	2.1203	F21	.10	0,01754	57,0	$17 \cdot 10^{-6}$	$110 \cdot 10^3$
CuAg0,1P	2.1191	F29	.26	0,01786	56,0		
		F36	.30	0,01818	55,0		

1) Diese Kurzzeichen oder Anhängezahlen dürfen dem Kurzzeichen oder der Werkstoffnummer jeder angegebenen Kupfersorte zugeordnet werden, z. B. E-Cu58 F37 oder 2.0065.30, CuAg0,1 F30 oder 2.1203.26.

2) Der Elastizitätsmodul ist bei Kupferdrähten stark texturabhängig und ist für die Abnahme nicht bindend.

3) wh bedeutet warmgewalzt.

4) p bedeutet gepreßt.

Tabelle 2. Mechanische Eigenschaften von Vormaterial, z. B. für Leitungsseile, Freileitungen, Fahrdrähte

Werkstoff-		Festigkeitszustand 1)		Abmessungen entsprechend den Maßnormen			Festigkeitseigenschaften			
Kurzzeichen	Nummer	Kurzzeichen	Anhängezahl zur Werkstoffnummer	Rund	Flach		Zugfestigkeit	0,2-Grenze	Bruchdehnung	Brinellhärte 2)
				Durchmesser mm	Dicke mm	Breite mm	R_m N/mm^2	$R_{p0,2}$ N/mm^2	A %	HB 2,5/62,5
E-Cu58	2.0065									
E-Cu57	2.0060									
OF-Cu	2.0040			Vormaterial, nur zur Weiter-						
SE-Cu	2.0070	wh	.07	verarbeitung, ohne Abmes-						
CuAg0,03	2.1201	p	.08	sungsbegrenzung			höchstens	ohne Vorschriften		40 bis 65
CuAg0,03P	2.1192						270			
CuAg0,1	2.1203									
CuAg0,1P	2.1191									

1) siehe Tabelle 1
2) Für die Abnahme nicht bindend

Tabelle 3. Mechanische Eigenschaften von Drähten für Wickeldrähte

Werkstoff- Kurzzeichen	Werkstoff- Nummer	Festigkeitszustand 1) Kurzzeichen	Festigkeitszustand 1) Anhängezahl zur Werkstoffnummer	Abmessungen entsprechend den Maßnormen: Rund Durchmesser mm	Flach Dicke mm	Flach Breite mm	Zugfestigkeit R_m N/mm²	0,2-Grenze $R_{p0,2}$ N/mm²	Bruchdehnung A $A_{L=200}$ % min	$A_{L=100}$ % min	A_{10} % min	A_5 % min	Brinellhärte 2) HB 2,5/62,5
		F20	.19	von 0,03 bis 0,05	-	-	200 bis 290	höchstens 180	11	-	-	-	-
		F20	.19	über 0,05 bis 0,08	-	-	200 bis 290	höchstens 180	15	-	-	-	-
		F20	.19	über 0,08 bis 0,1	-	-	200 bis 280	höchstens 180	17	-	-	-	-
		F20	.19	über 0,1 bis 0,16	-	-	200 bis 280	höchstens 180	20	-	-	-	-
		F20	.19	über 0,16 bis 0,2	-	-	200 bis 280	höchstens 150	22	-	-	-	-
		F20	.19	über 0,2 bis 0,315	-	-	200 bis 280	höchstens 150	24	-	-	-	-
E-Cu58	2.0065	F20	.19	über 0,315 bis 0,5	-	-	200 bis 270	höchstens 150	26	-	-	-	-
		F20	.19	über 0,5 bis 0,9	-	-	200 bis 270	höchstens 150	30	-	-	-	-
OF-Cu	2.0040	F20	.19	über 0,9 bis 1,5	über 0,9 bis 1,5	jede	200 bis 270	höchstens 150	33	34	36 3)	-	-
		F20	.19	über 1,5 bis 3	über 1,5 bis 3	jede	200 bis 270	höchstens 100	35	36	37 3)	-	40 bis 65
		F20	.19	über 3 bis 8	über 3	jede	200 bis 260	höchstens 100	37	38	38	40	40 bis 65
		F35 4)	.39	bis 1,5	bis 1.5	bis 30	mindestens 350	mindesten 320	1	1	2 3)	-	-
		F35 4)	.39	über 1,5 bis 3	über 1,5 bis 3	bis 30	mindestens 350	mindesten 320	1	2	3 3)	-	mindestens 95
		F35 4)	.39	über 3 bis 6	über 3 bis 6	bis 12	mindestens 350	mindesten 320	-	3	5	7	mindestens 95

1) Siehe Tabelle 1
2) Siehe Tabelle 2
3) Nur für Flachdrähte
4) Es kann vereinbart werden, daß Drähte des Festigkeitszustandes F35 bis 1,5 mm Durchmesser bzw. Dicke nach einer Glühung 1 min lang bei (280 ± 2)°C in einem Salzbad die Werte des Festigkeitzustandes F20 erreichen müssen. Für Drähte über 1,5 mm sind die Glühbedingungen zu vereinbaren.

Tabelle 4. Mechanische Eigenschaften von Drähten als Vormaterial, z. B. für Kabel, isolierte Leitungen und sonstige Anwendungen

Werkstoff- Kurzzeichen	Werkstoff- Nummer	Festigkeitszustand 1) Kurzzeichen	Festigkeitszustand 1) Anhängezahl zur Werkstoffnummer	Abmessungen entsprechend den Maßnormen: Rund Durchmesser mm	Flach Dicke mm	Flach Breite mm	Zugfestigkeit R_m N/mm²	0,2-Grenze 2) $R_{p0,2}$ N/mm²	Bruchdehnung A $A_{L=200}$ % min	$A_{L=100}$ % min	A_{10} % min	A_5 % min	Brinellhärte 3) HB 2,5/62,5
		F21	.10	von 0,05 bis 0,08	-	-	210 bis 290	-	10	11	-	-	-
		F21	.10	über 0,08 bis 0,16	-	-	210 bis 280	-	15	16	-	-	-
		F21	.10	über 0,16 bis 0,315	-	-	210 bis 280	4)	21	22	-	-	-
		F21	.10	über 0,315 bis 0,4	-	-	210 bis 270	höchstens 160	24	25	-	-	-
		F21	.10	über 0,4 bis 0,9	-	-	210 bis 270	höchstens 160	26	27	-	-	-
E-Cu58 E-Cu57	2.0065 2.0060	F21	.10	über 0,9 bis 1,5	0,5 bis 1,5	jede	210 bis 270	höchstens 160	28	30	32 5)	-	-
OF-Cu SE-Cu	2.0040 2.0070	F21	.10	über 1,5 bis 3	über 1,5 bis 3	jede	210 bis 270	höchstens 160	30	33	35 5)	-	40 bis 65
CuAg0,03 CuAg0,03P	2.1201 2.1192	F21	.10	über 3	über 3	jede	210 bis 260	höchstens 120	-	35	36	38	40 bis 65
		F29	.26	über 1	über 1	jede	290 bis 360	mindestens 250	1	2	3	-	mindestens 80
		F36	.30	bis 1,5	bis 1,5	bis 30	mindestens 360	mindesten 320	1	1	2 5)	-	-
		F36	.30	über 1,5 bis 3	über 1,5 bis 3	bis 30	mindestens 360	mindesten 320	1	2	3 5)	-	mindestens 95
		F36	.30	über 3 bis 6	über 3 bis 6	bis 12	mindestens 360	mindesten 320	-	3	5	7	mindestens 95

1) siehe Tabelle 1
2) Nachweis nur nach Vereinbarung
3) siehe Tabelle 2
4) Bei besonderen Anforderungen an die Umformbarkeit kann ein Höchstwert für die 0,2-Grenze vereinbart werden.
5) nur für Flachdrähte

Zitierte Normen

DIN 1787	Kupfer; Halbzeug
DIN 17 666	Niedriglegierte Kupfer-Knetlegierungen; Zusammensetzung
DIN 17 677 Teil 2	Drähte aus Kupfer und Kupfer-Knetlegierungen; Technische Lieferbedingungen
DIN 43 141 Teil 1	Fahrdrähte; Rillen-Fahrdrähte für elektrische Bahnen, Maße und Dauerstrombelastbarkeit
DIN 46 431	Runddrähte aus Kupfer, für die Elektrotechnik, genau gezogen; Maße
DIN 46 432 Teil 1	Runddrähte für die Elektrotechnik aus Kupfer; Halbzeug für lackisolierte Wickeldrähte, Maße
DIN 46 432 Teil 2	Runddrähte für die Elektrotechnik aus Kupfer; Halbzeug für umsponnene Wickeldrähte, Maße
DIN 46 433	Flachdrähte und Flachstangen, gezogen, mit gerundeten Kanten; Maße, Auswahl für elektrische Maschinen und Schaltgeräte
DIN 46 452	Flachdrähte für die Elektrotechnik; Halbzeug für Wickeldrähte, Maße
DIN 48 200 Teil 1	Drähte für Leitungsseile; Drähte aus Kupfer
DIN 48 300	Drähte für Fernmeldefreileitungen
DIN 50 049	Bescheinigungen über Materialprüfungen
DIN 50 125	Prüfung metallischer Werkstoffe; Zugproben, Richtlinien für die Herstellung
DIN 50 145	Prüfung metallischer Werkstoffe; Zugversuch
DIN 50 351	Prüfung metallischer Werkstoffe; Härteprüfung nach Brinell
DIN 51 210 Teil 1	Prüfung metallischer Werkstoffe; Zugversuch an Drähten, ohne Feindehnungsmessung
DIN 51 210 Teil 2	Prüfung metallischer Werkstoffe; Zugversuch an Drähten, mit Feindehnungsmessung
DIN IEC 468	Verfahren zur Messung des spezifischen (elektrischen) Widerstandes metallischer Werkstoffe

Weitere Normen

DIN 40 500 Teil 1	Kupfer für die Elektrotechnik; Bleche und Bänder aus Kupfer und silberlegiertem Kupfer; Technische Lieferbedingungen
DIN 40 500 Teil 2	Kupfer für die Elektrotechnik; Rohre aus Kupfer und silberlegiertem Kupfer; Technische Lieferbedingungen
DIN 40 500 Teil 3	Kupfer für die Elektrotechnik; Stangen, Profile aus Kupfer und silberlegiertem Kupfer; Technische Lieferbedingungen
DIN 40 500 Teil 5	Kupfer für die Elektrotechnik; Verzinnte Drähte; Technische Lieferbedingungen

Änderungen

Gegenüber der Ausgabe 09.73 wurden folgende Änderungen vorgenommen:

a) Neu aufgenommen wurde die Kupfersorte CuAg0,03P.
b) Es entfällt der Abschnitt Beanstandungen.
c) In Tabelle 3 entfällt die Festigkeitsstufe F27.
d) In Tabelle 4 werden die Festigkeitsstufen F27 und F31 zu F29 zusammengefaßt.
e) In Tabelle 4 wurde für die Festigkeitsstufe F21 die $R_{p0,2}$-Grenze um 10 bzw. 20 N/mm² angehoben.
d) Die Kurzzeichen für die Festigkeitsstufen wurden vollständig auf 1/10 der Mindestfestigkeit um N/mm² umgestellt.

Erläuterungen:

Dieser Norm-Entwurf wurde vom Komitee 811 "Leitwerkstoffe" ausgearbeitet.

Nach fast 15 Jahren wurde die Norm überprüft. Es zeigte sich, daß die Einteilung der Drähte in Wickeldrähte (Tabelle 3) Drähte für Kabel und Leitungen und sonstige Anwendungen (Tabelle 4) mit unterschiedlichen Festigkeitsanforderungen sich bewährt hat. Im Rahmen von Rationalisierungen wurden die Zwischenstufen der Festigkeiten F26, F27 und F31 zu einer Klasse F29 zusammengefaßt.

Die Erfahrung hat gezeigt, daß Wickeldrähte in den Zwischenhärten jeweils Sonderanfertigungen mit weiteren Einschränkungen sind.

Die Werkstoffe CuAg0,03 und CuAg0,03P werden noch in größeren Mengen für den Elektromaschinenbau benötigt und sollen demnächst wieder als Norm-Werkstoff in DIN 17 666 aufgenommen werden.

Die chemische Zusammensetzung in Gew.% ist für
CuAg0,03: Ag0,025 bis 0,05 %; Rest Cu
zulässige Beimengungen
O_2 ungefähr 0,04 % Sonstige: zusammen 0,05 %

CuAGO,03P: Ag0,025 bis 0,05 %; P = 0,001 bis 0,007 % Rest Cu
zulässige Beimengungen: zusammen 0,05 %

Zur Zeit bestehen zum Anwendungsbereich dieser Norm weder international noch regional entsprechende Festlegungen; es ist daher vorgesehen, später die hier beschriebenen Technischen Lieferbedingungen als internationale Norm vorzuschlagen.

Anwendungswarnvermerk

Dieser Norm-Entwurf wird der Öffentlichkeit zur Prüfung und Stellungnahme vorgelegt.

Weil die beabsichtigte Norm von der vorliegenden Fassung abweichen kann, ist die Anwendung dieses Entwurfes besonders zu vereinbaren.

Stellungnahmen werden erbeten an die Deutsche Elektrotechnische Kommission im DIN und VDE (DKE), Stresemannallee 15, 6000 Frankfurt am Main 70.

DK 669.369.9-426 : 669.68 : 621.315.55 Juni 1983

Kupfer für die Elektrotechnik
Verzinnte Drähte
Technische Lieferbedingungen

DIN 40 500 Teil 5

Copper for electrical purposes; tinned wires; technical terms of delivery

Cuivre pour usages électriques; fils étamés; conditions techniques de livraison

Ersatz für Ausgabe 03.78

Für den Anwendungsbereich dieser Norm bestehen keine internationalen oder regionalen Normen.

Inhalt

	Seite
1 Anwendungsbereich	1
2 Verzinnungsklassen	1
3 Bestellangaben	1
4 Werkstoffeigenschaften	1
4.1 Zusammensetzung	1
4.2 Festigkeitseigenschaften, elektrische Eigenschaften, Zinnschichtdicken	1
4.3 Art der Verzinnung	1
5 Maßabweichungen	2
6 Anforderungen	2
6.1 Dicke der Zinnschicht	2
6.2 Oberflächenbeschaffenheit	2
7 Prüfungen	2
7.1 Lötbarkeit	2
7.2 Festigkeitseigenschaften	2
7.3 Elektrische Eigenschaften	2
7.4 Oberflächenbeschaffenheit	2
7.5 Zinnschichtdicke	2
7.6 Weitere Prüfungen	2
7.7 Prüfumfang	2
8 Bescheinigungen	2
9 Beanstandungen	2

1 Anwendungsbereich

Diese technischen Lieferbedingungen gelten für verzinnte Drähte aus den im Abschnitt 4 genannten Werkstoffen. Diese Norm kann auch für Drähte mit Zinn-Blei-Legierungsschicht (Mischverzinnung) und für Drähte mit Sperr- oder Zwischenschichten oder Drähten aus anderen Werkstoffen sinngemäß angewendet werden.

2 Verzinnungsklassen

Verzinnte Drähte werden in folgende Klassen eingeteilt:

Klasse 1:

Keine besonderen Anforderungen an die Lötbarkeit (Kurzzeichen: V 1)

Klasse 2:

Lötbar nach DIN IEC 68 Teil 2–20 ohne Alterung (Kurzzeichen: V 2)

Klasse 3:

Lötbar nach DIN IEC 68 Teil 2–20 mit geringer Alterung (Kurzzeichen: V 3)

Klasse 4:

Lötbar nach DIN IEC 68 Teil 2–20 mit mittlerer Alterung (Kurzzeichen: V 4)

Klasse 5:

Lötbar nach DIN IEC 68 Teil 2–20 mit verschärfter Alterung (Kurzzeichen: V 5)

3 Bestellangaben

Die Auswahl des Werkstoffes und des Lieferzustandes ist Sache des Bestellers. Das Herstellungsverfahren bleibt dem Hersteller überlassen.

Es wird empfohlen, bei der Bestellung und bei notwendigen Vereinbarungen den Verwendungszweck und das Weiterverarbeitungsverfahren anzugeben.

Bei der Bezeichnung oder Bestellung von verzinnten Drähten aus Kupfer für die Elektrotechnik sind die Kurzzeichen der Tabelle dieser Norm zu verwenden.

Das Kurzzeichen der Verzinnungsklasse aus der Tabelle (z. B. V 2) ist an das Kurzzeichen der Kupfersorte anzuhängen, z. B.

E-Cu58 F21 – V 2 oder
2.0065.10 – V 2.

4 Werkstoffeigenschaften

4.1 Zusammensetzung

Draht: E-Cu58, SE-Cu, OF-Cu nach DIN 1787

Zinnschicht: Sn99,90 nach DIN 1704

4.2 Festigkeitseigenschaften, elektrische Eigenschaften, Zinnschichtdicken

Siehe Tabelle.

Andere Festigkeiten müssen vereinbart werden.

4.3 Art der Verzinnung

Das Verfahren der Verzinnung bleibt dem Hersteller überlassen, sofern keine besondere Vereinbarung getroffen wird.

Fortsetzung Seite 2 bis 4

Deutsche Elektrotechnische Kommission im DIN und VDE (DKE)
Normenausschuß Nichteisenmetalle (FNNE) im DIN Deutsches Institut für Normung e. V.

5 Maßabweichungen

Es gelten Maßabweichungen in Anlehnung an DIN 46431 und DIN 46433, jedoch mit einer verdoppelten Plusabweichung. Andere Maßabweichungen sind zu vereinbaren.

6 Anforderungen

6.1 Dicke der Zinnschicht

Die mittlere Schichtdicke muß mindestens dem in der Tabelle angegebenen Nennwert entsprechen. Die Zinnschicht darf bei Klasse 5 an der dünnsten Stelle nicht unter dem Kleinstwert liegen.

6.2 Oberflächenbeschaffenheit

Die Drähte haben eine ihrem Herstellungsverfahren entsprechende Oberfläche. Die Verzinnung muß lückenlos sein. Riefen, Fettrückstände, Pickel und andere Rauheit dürfen die Weiterverarbeitung nicht beeinträchtigen. Farbliche Ungleichmäßigkeiten der Oberfläche sind zulässig.

7 Prüfungen

7.1 Lötbarkeit

Vorrangiges Kennzeichen ist die Lötbarkeit. Sie ist nach DIN IEC 68 Teil 2–20, Ausgabe Dezember 1980, Abschnitt 4, nachzuweisen; bei Anwendung der Lotkugel-Methode darf die Umschließungsdauer 2 Sekunden nicht überschreiten. Die Drahtprobe ist zwischen den Einzelprüfungen jeweils um 120° zu drehen. Lötbadmethode und Lötkolbenmethode sind ebenfalls zugelassen.

Bei der Anwendung der Lötbad- bzw. Lötkolbenmethode müssen mindestens 90 % der Oberfläche gleichmäßig neu mit Lot bedeckt sein. Der Mittelwert über alle Prüflinge soll bei mindestens 95 % liegen. Lotfreie Schnittkanten werden nicht bewertet.

Es darf in einzelnen Bereichen der gelöteten Teile keine Konzentrierung unbedeckter Stellen vorhanden sein.

Drähte der Verzinnungsklasse 2 sind lötbar.

Drähte der Verzinnungsklasse 3 bis 0,29 mm Durchmesser sind auch nach einer Wärmelagerung von 1 Stunde bei 155 °C, über 0,29 mm Durchmesser nach Wärmelagerung von 2 Stunden, noch lötbar.

Drähte der Verzinnungsklasse 4 sind auch nach einer Wärmelagerung von 2 Stunden bei 155 °C oder 7 × 24 Stunden bei 80 °C noch lötbar; das anzuwendende Verfahren ist bei Bestellung zu vereinbaren.

Drähte der Verzinnungsklasse 5 sind auch nach einer Wärmelagerung von 24 Stunden bei 155 °C noch lötbar.

Andere Alterungsverfahren nach DIN IEC 68 Teil 2–20 auf Vereinbarung.

7.2 Festigkeitseigenschaften

Nach DIN 51 210 Teil 1.

Andere Prüfarten sind zu vereinbaren.

7.3 Elektrische Eigenschaften

Nach DIN IEC 468.

7.4 Oberflächenbeschaffenheit

Sichtprüfung nach den Anforderungen in Abschnitt 6.2 mit max. 10facher Vergrößerung.

7.5 Zinnschichtdicke

Bei Drähten der Verzinnungsklassen 2 bis 5:

Nennwert nach Vereinbarung durch chemische oder elektrochemische Verfahren. Auf Anforderung ist der Kleinstwert nachzuweisen, je nach Vereinbarung durch Schliffbild oder elektrochemische Ablösung mit anschließender Einfärbung.

7.6 Weitere Prüfungen

Weitere Prüfungen können vereinbart werden, z. B. Persulfatprobe oder Polysulfidtest.

7.7 Prüfumfang

Für den Prüfumfang gilt:

$$N = 2 \times \sqrt{L}$$

Es bedeuten:

L Gesamtanzahl der Spulen einer Lieferung

N Anzahl der zu prüfenden Spulen

n Anzahl der Proben an jeder zu prüfenden Spule

7.7.1 Lötbarkeit nach Abschnitt 7.1: n = 6

Die Lieferung erfüllt die Bedingungen, wenn folgende Ausfallquoten nicht überschritten werden:

$n \cdot N$	zulässige Ausfallquote
bis 13	0
> 13 bis 50	1
> 50 bis 80	2
> 80 bis 125	3
> 125 bis 200	5
> 200 bis 315	8
> 315 bis 500	12

7.7.2 Prüfungen

nach den Abschnitten 7.2 bis 7.6: $n = 1$

Alle Proben müssen die Anforderungen erfüllen.

8 Bescheinigungen

Werkbescheinigungen, Werkzeugnisse oder Abnahmezeugnisse nach DIN 50 049 werden nur nach Vereinbarung ausgestellt.

9 Beanstandungen

Äußere und innere Fehler dürfen nur dann beanstandet werden, wenn sie eine dem Werkstoff und der Erzeugnisform angemessene Verarbeitung und Verwendung beeinträchtigen.

Der Besteller muß dem Lieferwerk Gelegenheit geben, sich von der Berechtigung von Beanstandungen zu überzeugen, soweit möglich, durch Vorlage des beanstandeten und von Belegmustern des angelieferten Drahtes.

Kupfersorte Kurzzeichen	Kupfersorte Werkstoffnummer	Runddraht Durchmesser mm	Flachdraht Dicke mm	Flachdraht Breite mm	Zinnschichtdicke in µm für Verzinnungsklasse V 1	V 2 Nennwert	V 3 Nennwert	V 4 Nennwert	V 5 Nennwert	V 5 Kleinstwert	Festigkeitseigenschaften Zugfestigkeit R_m N/mm²	Bruchdehnung A ($A_L = 100$) % (min.)	Elektrische Eigenschaften: Spezifischer Widerstand bei 20 °C ϱ $\frac{\Omega \cdot mm^2}{m}$ Klasse 1 (max.)	Klasse 2 und 3 (max.)	Klasse 4 und 5 (max.)	Leitfähigkeit bei 20 °C $\varkappa = \frac{1}{\varrho}$ $\frac{m}{\Omega \cdot mm^2}$ Klasse 1 (min.)	Klasse 2 und 3 (min.)	Klasse 4 und 5 (min.)
		0,05 bis 0,09	–	–		0,4	1,0	–				7	0,01852	–	–	54,0	–	–
		über 0,09 bis 0,14	–	–								12						
		über 0,14 bis 0,19	–	–		0,6	1,5		–	–	210 bis 290	15	0,01802	0,01818	0,01835	55,5	55,0	54,5
		über 0,19 bis 0,29	–	–								20						
		über 0,29 bis 0,39	–	–								22						
E-Cu58 F21	2.0065.10	über 0,39 bis 0,49	–	–								24						
OF-Cu F21	2.0040.10				ohne Anforderungen													
SE-Cu F21	2.0070.10	über 0,49 bis 0,59	–	–								25						
		über 0,59 bis 0,79	–	–		0,8	2,0	3,0	6 ± 3	1,5 [1])	210 bis 270	27	0,01770	0,01786	0,01802	56,5	56,0	55,5
		über 0,79 bis 0,99	–	–								28						
		über 0,99 bis 1,49	0,5 bis 1,5	jede								30						
		über 1,49 bis 2,99	über 1,5 bis 3	jede								32						
		über 2,99	über 3	jede		–	–	–		–		34						

1) Freies Zinn ohne Legierungsschicht (bei Anlieferung).

Zitierte Normen

DIN 1704	Zinn
DIN 1787	Kupfer; Halbzeug
DIN 46 431	Runddrähte aus Kupfer, für die Elektrotechnik, genau gezogen; Maße
DIN 46 433	Flachdrähte und Flachstangen, gezogen, mit gerundeten Kanten; Maße
DIN 50 049	Bescheinigungen über Materialprüfungen
DIN 51 210 Teil 1	Prüfung metallischer Werkstoffe; Zugversuch an Drähten, ohne Feindehnungsmessung
DIN IEC 68 Teil 2–20	Grundlegende Umweltprüfverfahren; Teil 2: Prüfungen, Prüfgruppe T: Löten
DIN IEC 468	Verfahren zur Messung des spezifischen (elektrischen) Widerstandes metallischer Werkstoffe

Weitere Normen

DIN 40 500 Teil 1	Kupfer für die Elektrotechnik; Bleche und Bänder aus Kupfer und silberlegiertem Kupfer, Technische Lieferbedingungen
DIN 40 500 Teil 2	Kupfer für die Elektrotechnik; Rohre aus Kupfer und silberlegiertem Kupfer, Technische Lieferbedingungen
DIN 40 500 Teil 3	Kupfer für die Elektrotechnik; Stangen, Profile aus Kupfer und silberlegiertem Kupfer, Technische Lieferbedingungen
DIN 40 500 Teil 4	Kupfer für die Elektrotechnik; Drähte aus Kupfer und silberlegiertem Kupfer, Technische Lieferbedingungen
DIN 51 213	Prüfung metallischer Überzüge auf Drähten; Überzüge aus Zinn oder Zink

Frühere Ausgaben

DIN 40 500 Teil 5: 03.78

Änderungen

Gegenüber der Ausgabe März 1978 wurden folgende Änderungen vorgenommen:

a) Vornorm in Norm umgewandelt.

b) Neu aufgenommen wurde, daß für Drähte mit Sperr- oder Zwischenschichten zwischen Leiterwerkstoff und Verzinnung diese Norm sinngemäß ebenfalls angewendet werden kann.

c) Die Prüfung der Lötbarkeit ist nach DIN IEC 68 Teil 2–20, Ausgabe Dezember 1980, Abschnitt 4, anstelle der bisherigen Vornorm DIN 40 046 Teil 18 durchzuführen.

d) Die Prüfung der elektrischen Eigenschaften ist nach der zwischenzeitlich veröffentlichten Norm DIN IEC 468 durchzuführen.

e) Bei der Bestimmung der Zinnschichtdicke wurde folgende Erweiterung aufgenommen:

   . . . Auf Anforderung ist der Kleinstwert nachzuweisen, je nach Vereinbarung durch Schliffbild oder elektrochemische Ablösung mit anschließender Einfärbung.

Erläuterungen

Nach Veröffentlichung der Vornorm DIN 40 500 Teil 5 „Kupfer für die Elektrotechnik; Verzinnte Drähte, Technische Lieferbedingungen", Ausgabe März 1978, wurden in Vorberatungen im November 1980 im früheren Arbeitskreis 811.0.2 „Verzinnte Cu-Drähte" wesentliche Erfahrungen diskutiert und notwendige Änderungen vom neu gegründeten Unterkomitee 811.1 „Kupfer- und Aluminiumdrähte" im Mai 1981 und März 1982 beschlossen.

Falls für verarbeitete Drähte keine einschlägigen Normen vorliegen, kann diese Norm sinngemäß angewendet werden.

Beim Einsatz galvanisch verzinnter Drähte muß Whiskerbildung verhindert werden. Dazu kann es erforderlich sein, daß die Zinnschicht bis zum Kerndraht aufgeschmolzen wird.

Internationale Patentklassifikation

C 25 D 7-06

DK 620.1(087.8) August 1986

Bescheinigungen über Materialprüfungen

DIN 50 049

Documents on materials testing

Documents de contrôle des matériaux

Ersatz für Ausgabe 07.82

Zusammenhang mit der von der International Organization for Standardization (ISO) herausgegebenen Internationalen Norm ISO 404 – 1981 und mit der von der Europäischen Gemeinschaft für Kohle und Stahl herausgegebenen EURONORM 21-78, siehe Erläuterungen.

1 Anwendungsbereich

Diese Norm gilt für Bescheinigungen, mit denen Materialprüfungen, insbesondere an Werkstoffen, Werkstücken und Bauteilen, bestätigt [1]) werden.

Sie enthält keine Festlegungen über die anzuwendenden Prüfverfahren und den Prüfumfang. Diese sind den betreffenden Liefernormen zu entnehmen oder bei der Bestellannahme zu vereinbaren.

Bei der Bestellannahme muß die Art der Bescheinigung vereinbart sein.

Bescheinigungen nach dieser Norm dienen zum Nachweis der Qualität eines Erzeugnisses. Sie setzen voraus, daß

- der mit der Bestätigung Beauftragte nach Ausbildung und Berufserfahrung befähigt ist, die Prüfergebnisse im Hinblick auf die Vereinbarungen bei der Bestellannahme zu beurteilen,
- die für die Prüfung verwendeten Prüfeinrichtungen und -geräte den hierfür maßgebenden Normen genügen,
- bei Werkstoffprüfmaschinen der Zeitpunkt ihrer letzten Untersuchung durch eine zugelassene Prüfstelle den Festlegungen in DIN 51300 entspricht.

2 Bescheinigungen über Materialprüfungen vom herstellenden oder verarbeitenden Werk

2.1 Werksbescheinigung

In der Werksbescheinigung bestätigt das herstellende oder verarbeitende Werk in Form eines Textes ohne ausdrücklich angeführte Prüfergebnisse, daß die Lieferung den Vereinbarungen bei der Bestellannahme entspricht.

2.2 Werkszeugnis

Im Werkszeugnis bestätigt das herstellende oder verarbeitende Werk mit Prüfergebnissen aus der laufenden betrieblichen Prüfung von Erzeugnissen aus dem gleichen Werkstoff und der gleichen Herstellungsart wie die Lieferung selbst, daß die Lieferung den Vereinbarungen bei der Bestellannahme entspricht.

2.3 Werksprüfzeugnis

Im Werksprüfzeugnis bestätigt das herstellende oder verarbeitende Werk mit Ergebnissen aus Prüfungen an der Lieferung selbst oder an den in Normen angegebenen Prüfeinheiten, von denen die Lieferung ein Teil ist, daß die Lieferung den Vereinbarungen bei der Bestellannahme entspricht.

---

[1]) Siehe Erläuterungen, letzter Absatz

3 Bescheinigungen über Materialprüfungen von Sachverständigen, die von der Fertigung im herstellenden oder verarbeitenden Werk unabhängig sind

3.1 Abnahmeprüfzeugnis

Im Abnahmeprüfzeugnis wird von Sachverständigen, die von der Fertigung im herstellenden oder verarbeitenden Werk unabhängig sind, mit Ergebnissen aus Prüfungen an der Lieferung selbst oder an den in Normen, amtlichen Vorschriften oder technischen Lieferbedingungen angegebenen Prüfeinheiten, von denen die Lieferung ein Teil ist, bestätigt, daß die Lieferung den Vereinbarungen bei der Bestellannahme entspricht.

Man unterscheidet:

Abnahmeprüfzeugnis A

Nach amtlichen Vorschriften und den zugehörigen Technischen Regeln, bestätigt von einem in den amtlichen Vorschriften genannten Sachverständigen.

Abnahmeprüfzeugnis B

Nach Lieferbedingungen des Bestellers oder, falls vorgesehen, nach amtlichen Vorschriften und den zugehörigen Technischen Regeln, bestätigt von einem vom Werk ernannten Sachverständigen (Werkssachverständigen).

Die erforderlichen Prüfungen müssen von einer von der Fertigung des herstellenden oder verarbeitenden Werkes unabhängigen Prüfstelle durchgeführt worden sein, die über die erforderlichen Einrichtungen verfügt.

Abnahmeprüfzeugnis C

Nach Lieferbedingungen des Bestellers, bestätigt von einem durch den Besteller beauftragten Sachverständigen.

3.2 Abnahmeprüfprotokolle

Abnahmeprüfzeugnisse A und C, die aufgrund einer besonderen Vereinbarung von

- einem in der amtlichen Vorschrift und den zugehörigen Technischen Regeln genannten Sachverständigen (bei 3.2 A) oder
- einem durch den Besteller beauftragten Sachverständigen (bei 3.2 C)

und zusätzlich von einem Werkssachverständigen bestätigt werden, heißen Abnahmeprüfprotokolle.

Man unterscheidet:

Abnahmeprüfprotokoll A

entsprechend Abnahmeprüfzeugnis A

Abnahmeprüfprotokoll C

entsprechend Abnahmeprüfzeugnis C

Fortsetzung Seite 2 bis 4

Normenausschuß Materialprüfung (NMP) im DIN Deutsches Institut für Normung e.V.
Normenausschuß Eisen und Stahl (FES) im DIN
Normenausschuß Nichteisenmetalle (FNNE) im DIN

4 Bezeichnung

Für die in den Abschnitten 2 und 3 festgelegten Bescheinigungen über Materialprüfungen gelten die Bezeichnungen nach Tabelle 1.

Tabelle 1. **Bezeichnung der Bescheinigungen**

Bescheinigung	Norm-Bezeichnung [1)]	Bescheinigung	Norm-Bezeichnung [1)]
Werksbescheinigung	Bescheinigung DIN 50 049 – 2.1	Abnahmeprüfzeugnis B	Bescheinigung DIN 50 049 – 3.1 B
Werkszeugnis	Bescheinigung DIN 50 049 – 2.2	Abnahmeprüfzeugnis C	Bescheinigung DIN 50 049 – 3.1 C
Werksprüfzeugnis	Bescheinigung DIN 50 049 – 2.3	Abnahmeprüfprotokoll A	Bescheinigung DIN 50 049 – 3.2 A
Abnahmeprüfzeugnis A	Bescheinigung DIN 50 049 – 3.1 A	Abnahmeprüfprotokoll C	Bescheinigung DIN 50 049 – 3.2 C

1) Als Kurzbezeichnung darf die Benennung Bescheinigung und, wenn der Bezug auf DIN 50 049 eindeutig ist, auch die DIN-Nummer weggelassen werden.

5 Tabellarische Übersicht der Bescheinigungen über Materialprüfungen

Tabelle 2. **Anwendung der Bescheinigungen**

<table>
<tr><th>Bescheinigung</th><th colspan="2">Bestätigung durch</th><th>Lieferbedingungen</th><th colspan="2">Grundlage, Inhalt</th></tr>
<tr><td>Werksbescheinigung</td><td colspan="2" rowspan="3">Herstellendes oder verarbeitendes Werk</td><td rowspan="3">Nach Angaben des Bestellers, gegebenenfalls auch nach amtlichen Vorschriften und den zugehörigen Technischen Regeln</td><td rowspan="2">Kenntnisse über die Fertigung</td><td>ohne Ergebnisse aus laufenden betrieblichen Prüfungen</td></tr>
<tr><td>Werkszeugnis</td><td>mit Ergebnissen aus laufenden betrieblichen Prüfungen</td></tr>
<tr><td>Werksprüfzeugnis</td><td colspan="2" rowspan="7">Ergebnisse aus Prüfungen an der Lieferung oder an den angegebenen Prüfeinheiten</td></tr>
<tr><td>Abnahmeprüfzeugnis A</td><td rowspan="3">Von der Fertigung unabhängigen Sachverständigen</td><td>In der amtlichen Vorschrift genannten Sachverständigen</td><td>Nach amtlichen Vorschriften und den zugehörigen Technischen Regeln</td></tr>
<tr><td>Abnahmeprüfzeugnis B</td><td>Werkssachverständigen</td><td>Nach Angaben des Bestellers, gegebenenfalls auch nach amtlichen Vorschriften und den zugehörigen Technischen Regeln</td></tr>
<tr><td>Abnahmeprüfzeugnis C</td><td>Vom Besteller beauftragten Sachverständigen</td><td>Nach Angaben des Bestellers</td></tr>
<tr><td>Abnahmeprüfprotokoll A</td><td>Wie für Abnahmeprüfzeugnis A</td><td rowspan="2">Zusätzlich durch den Werkssachverständigen</td><td>Wie für Abnahmeprüfzeugnis A</td></tr>
<tr><td>Abnahmeprüfprotokoll C</td><td>Wie für Abnahmeprüfzeugnis C</td><td>Wie für Abnahmeprüfzeugnis C</td></tr>
</table>

Anhang A

Internationale Anwendung der Bescheinigungen über Materialprüfungen

Zur Erleichterung der internationalen Verständigung sind in Tabelle A.1 die Bezeichnungen der Bescheinigungen nach DIN 50049 den Bezeichnungen der gleichartigen Bescheinigungen nach EURONORM 21-78 in englischer, französischer, italienischer und niederländischer Sprache gegenübergestellt. Die Bezeichnungen stimmen mit den Angaben in EURONORM 168-86 überein. Zu ISO 404 – 1981 sind geringe Unterschiede vorhanden, auf die in den Fußnoten hingewiesen wird. Weil eine dem Werksprüfzeugnis gleichartige Bescheinigung in EURONORM 21-78 und in ISO 404 – 1981 nicht enthalten ist, werden hierfür in Tabelle A.1 keine fremdsprachigen Bezeichnungen angegeben.

Beispielhaft ausgefüllte Vordrucke für Bescheinigungen als Anregung für die Gestaltung solcher Vordrucke für die verschiedenen Erzeugnisse enthält das Beiblatt 1 zu DIN 50049, und zwar für die Werksbescheinigung, das Werkszeugnis und das Abnahmeprüfzeugnis B in den Fassungen deutsch/englisch, deutsch/französisch und deutsch/italienisch.

Tabelle A.1. **Bezeichnung gleichartiger Bescheinigungen über Materialprüfungen nach DIN 50049 und EURONORM 21-78 in verschiedenen Sprachen**

Bescheinigung nach DIN 50 049	Gleichartige Bescheinigung nach EURONORM 21-78				
	Englisch	Französisch Frankreich	Französisch Belgien	Italienisch	Niederländisch
Werks-bescheinigung	Certificate of compliance with the order [2]	Attestation de conformité à la commande	Attestation de conformité à la commande	Attestato di conformità all' ordinazione	Fabrieks-verklaring
Werkszeugnis	Test report	Relevé de contrôle	Relevé de contrôle	Attestato di controllo	Fabrieks-controlattest
Werks-prüfzeugnis [1]	–	–	–	–	–
Abnahme-prüfzeugnis	Inspection certificate	Certificat de réception oder Certificat de contrôle des produits par l'usine (CCPU) [3]	Certificat de réception	Certificato di collaudo	Keuringsrapport
Abnahme-prüfprotokoll	Inspection report	Procès-verbal de réception	Procès-verbal de réception	Verbale di collaudo	Procesverbaal van Keuring

[1] Eine gleichartige Bescheinigung ist in EURONORM 21-78 und ISO 404 – 1981 nicht enthalten. Für die Anwendung des Werksprüfzeugnisses nach DIN 50 049 in englischer Sprache wird die Übersetzung „Manufacturer's test certificate" empfohlen.

[2] Die Bezeichnung der gleichartigen Bescheinigung nach ISO 404 – 1981 lautet: Statement of compliance with the order.

[3] Diese in Frankreich übliche Bescheinigung (CCPU) entspricht dem Abnahmeprüfzeugnis B nach DIN 50 049.

Zitierte Normen und andere Unterlagen

Beiblatt 1 zu DIN 50 049	Bescheinigungen über Werkstoffprüfungen; Beispiele für die Gestaltung von Bescheinigungen
DIN 51 300	Werkstoffprüfmaschinen; Prüfung von Werkstoffprüfmaschinen; Allgemeines
EURONORM 21-78	Allgemeine Technische Lieferbedingungen für Stahl und Stahlerzeugnisse, 2. Ausgabe November 1978 [2]
EURONORM 168-86	Inhalt von Bescheinigungen über Werkstoffprüfungen für Stahlerzeugnisse [2]
ISO 404 – 1981	E: Steel and steel products – General technical delivery requirements D: Stahl und Stahlerzeugnisse – Allgemeine technische Lieferbedingungen [2]

Frühere Ausgaben

DIN 50 049: 12.51, 04.55, 04.60, 07.72, 07.82

[2] Zu beziehen durch Beuth Verlag GmbH, Burggrafenstraße 6, Postfach 11 07, 1000 Berlin 30

Änderungen

Gegenüber der Ausgabe Juli 1982 wurden folgende Änderungen vorgenommen:

a) Anstelle von „Ausstellen" oder „Unterschreiben" in Zusammenhang mit den Bescheinigungen wird nun einheitlich der Ausdruck „Bestätigen" benutzt (siehe Erläuterungen).

b) Der Text ist redaktionell überarbeitet worden.

Erläuterungen

Diese Norm ist vom Arbeitsausschuß NMP 892 „Probenahme, Abnahme" im Normenausschuß Materialprüfung (NMP) erarbeitet worden.

Von der International Organization for Standardization (ISO) ist die Internationale Norm ISO 404–1981 veröffentlicht worden. Die Europäische Gemeinschaft für Kohle und Stahl hat die EURONORM 21-78 herausgegeben.

Die vorliegende Norm berücksichtigt diejenigen Abschnitte der genannten Internationalen Normen, die sich mit Bescheinigungen über Materialprüfungen befassen. In der EURONORM 21-78 wird unterschieden zwischen Bescheinigungen über „Nichtspezifische Prüfung" und über „Spezifische Prüfung". Bei der nichtspezifischen Prüfung wird die Prüfung durch das herstellende oder verarbeitende Werk im Regelfall nicht an der Lieferung selbst durchgeführt. Zum Beispiel können Ergebnisse aus fertigungsbegleitenden Prüfungen für Bescheinigungen über nichtspezifische Prüfungen herangezogen werden. Bei der spezifischen Prüfung ist die Prüfung unbedingt an dem zu liefernden Erzeugnis selbst durchzuführen. Die genannten Internationalen Normen enthalten als Bescheinigungen über nichtspezifische Prüfungen die Werksbescheinigung und das Werkszeugnis und als Bescheinigungen über spezifische Prüfungen Abnahmeprüfzeugnis und Abnahmeprüfprotokoll. Eine dem in DIN 50 049 festgelegten Werksprüfzeugnis entsprechende Bescheinigung gibt es in den Internationalen Normen nicht.

Auf die verschiedenen Arten von Sachverständigen, zwischen denen die vorliegende Norm unterscheidet, wird in den Internationalen Normen nicht eingegangen. In der EURONORM 21-78 wird lediglich vom Besteller oder vom Vertreter einer von dem Besteller beauftragten Organisation oder von der zuständigen unabhängigen Prüfabteilung des Herstellerwerkes gesprochen.

Die genannten Internationalen Normen gelten nur für Stahl. Dagegen ist die vorliegende Norm so abgefaßt, daß sie für alle Werkstoffe, z. B. metallische, nichtmetallisch-anorganische und organische, anwendbar ist.

Die Textfassung „Materialprüfungen, insbesondere an Werkstoffen, Werkstücken und Bauteilen" im Abschnitt 1 soll nicht bedeuten, daß unter der Prüfung von Bauteilen auch Funktionsprüfungen und ähnliche Aufgaben zu verstehen sind. Vielmehr soll dadurch zum Ausdruck gebracht werden, daß neben den zerstörenden und zerstörungsfreien Prüfungen des Werkstoffs eines Erzeugnisses auch solche Prüfungen gemeint sind, die streng genommen keine reinen Werkstoffprüfungen, sondern Materialprüfungen im weiteren Sinne sind. Als Beispiele hierfür seien die Maßprüfung, der Innendruckversuch an Rohren und die Rauheitsmessung der Oberfläche von Erzeugnissen genannt.

Die Formulierung „herstellendes oder verarbeitendes Werk" in den Abschnitten 2 und 3 soll klarstellen, daß der Handel mit seiner Tätigkeit nicht unter diesen Begriff fällt. Er hat seiner Lieferung die zugehörige Bescheinigung nach DIN 50 049 des herstellenden oder verarbeitenden Werkes beizufügen. Ist es dem Handel im Falle von Bescheinigungen nach Abschnitt 2 im Einzelfall nicht möglich, seiner Lieferung diese Bescheinigung eindeutig zuzuordnen, so hat er – im Einvernehmen mit dem Besteller – zu bestätigen, daß für die Lieferung die entsprechende Bescheinigung nach Abschnitt 2 dieser Norm vorgelegen hat. Darüber hinaus hat er durch die Angabe eigener Prüfergebnisse nachzuweisen, daß die Anforderungen an die Lieferung eingehalten sind. Dabei müssen die Prüfeinrichtungen und -geräte den Angaben nach Abschnitt 1 dieser Norm entsprechen. Im Falle von Bescheinigungen nach Abschnitt 3 ist diese Vorgehensweise nicht zulässig.

Dem liegt die Auffassung zugrunde, daß nur das herstellende Werk das erforderliche Gesamtwissen über die Herstellung des Materials hat, das Voraussetzung für die Ausstellung einer Bescheinigung nach DIN 50 049 sein muß. Daraus ergibt sich folgerichtig, daß verarbeitende Werke oder Sachverständige aus diesen nur die ihre Lieferung nach Verarbeitung betreffenden und dabei eventuell veränderten Eigenschaften oder Abmessungen in einer Bescheinigung nach DIN 50 049 bestätigen dürfen. Für ein Werk, das Erzeugnisse nur spangebend bearbeitet, trifft der Begriff „verarbeitendes Werk" nur eingeschränkt zu. In einem solchen Fall kann zum Beispiel bestätigt werden, daß nach Zeichnung gearbeitet worden ist, die Maße eingehalten sind und daß die geforderte Bescheinigung nach DIN 50 049 des herstellenden Werkes vorgelegen hat.

Unter dem Begriff Abnahmeprüfung nach Abschnitt 3 ist nicht etwa eine Prüfung zu verstehen, durch die die Übernahme erfolgt, sondern eine Prüfung durch einen unabhängigen Sachverständigen, die der Übernahme vorangeht. Die Bescheinigung darüber soll nicht bezeugen, daß die „Abnahme" im Rechtssinn erfolgt ist, sondern nur, daß und mit welchem Ergebnis eine Materialprüfung stattgefunden hat. Deshalb war vorgeschlagen worden, anstelle des früher gebräuchlichen Ausdrucks „Abnahmezeugnis" den Ausdruck „Sachverständigenzeugnis" oder „Prüfzeugnis" vorzusehen. Der Ausschuß führte daraufhin bereits in der Ausgabe Juli 1972 den Ausdruck „Abnahmeprüfzeugnis" ein, um deutlich zum Ausdruck zu bringen, daß bei Abnahmeprüfungen diese Art von Bescheinigungen ausgestellt wird. Seit der Ausgabe Juli 1982 ist der in der Ausgabe Juli 1972 noch in Klammern angegebene Ausdruck „Abnahmezeugnis" weggelassen worden.

Der Ausdruck „verfügt" im Abschnitt 3.1 zum Abnahmeprüfzeugnis B bedeutet nicht unbedingt den eigenen Besitz der Prüfeinrichtungen. Die Prüfstelle kann auch in Zusammenarbeit mit anderen Stellen die erforderlichen Prüfungen durchführen.

Im Vergleich zur Ausgabe Juli 1982 ist in dieser Folgeausgabe auf die Frage der Unterschrift von Bescheinigungen über Materialprüfungen nicht eingegangen, sondern die Formulierung „wird bestätigt" gewählt worden. Vielfach ist es üblich, daß die Bescheinigungen von dem für die Bestätigung Zuständigen unterschrieben werden. Falls die Bescheinigungen durch ein geeignetes Datenverarbeitungssystem ausgefertigt werden, dürfen sie anstelle der eigenhändigen Unterschrift die Namenswiedergabe und Dienstanschrift des für die Bestätigung Zuständigen tragen.

Internationale Patentklassifikation

G 01 M

DK 669.35.018.26 : 620.194.2 : 546.49'175 Juni 1980

Prüfung von Kupferlegierungen

Quecksilbernitratversuch

DIN 50 911

Testing of copper alloys; method of mercurous nitrate test

Essais des alliages de cuivre, méthode d'essai au nitrate mercureux

Zusammenhang mit der von der International Organization for Standardization (ISO) herausgegebenen Internationalen Norm ISO 196 – 1978 siehe Erläuterungen.

1 Anwendungsbereich und Zweck

Der Anwendungsbereich dieser Norm ist in den Technischen Lieferbedingungen für Halbzeug oder für Fertigerzeugnisse aus Kupfer-Knetlegierungen festgelegt oder muß vereinbart werden.

Die Norm legt die Bedingungen für die Durchführung des Quecksilbernitratversuches fest. Dieser Versuch ist ein Schnellprüfverfahren zum Feststellen solcher Eigenspannungen im Halbzeug und in Fertigerzeugnissen aus Kupfer-Knetlegierungen, die unter bestimmten Bedingungen zur Spannungsrißkorrosion führen können.

2 Mitgeltende Normen

DIN 50 905 Teil 1 Korrosion der Metalle; Chemische Korrosionsuntersuchungen, Allgemeines

3 Kurzbeschreibung des Verfahrens

Die zu untersuchenden Proben werden in einer schwach salpetersauren Quecksilbernitrat-Lösung 30 Minuten lang behandelt und danach visuell nach vorgegebenen Kriterien beurteilt.

4 Bezeichnung des Verfahrens

Prüfung DIN 50 911 – . .

Benennung (Prüfung)

DIN-Hauptnummer (DIN 50 911)

Zwei letzte Ziffern des Ausgabejahres (. .)

5 Prüflösung

5.1 Chemikalien

Als Reagenzien sind nur die des Reinheitsgrades „zur Analyse" und als Wasser destilliertes oder durch Ionenaustauschverfahren vollentsalztes Wasser (Deionat) zu verwenden.

Salpetersäure HNO_3, Dichte 1,40 bis 1,42 g/ml

Quecksilber(I)-nitrat-2-Hydrat $Hg_2(NO_3)_2 \cdot 2H_2O$

5.2 Herstellen der Prüflösung

10,7 g Quecksilber(I)-nitrat-2-Hydrat (= 10,0 g Quecksilber(I)-nitrat) werden in etwa 40 ml Wasser, das mit 10 ml Salpetersäure angesäuert wurde, vollständig gelöst. Danach wird mit Wasser auf 1000 ml aufgefüllt und gut durchgemischt.

6 Proben

Bei Halbzeug bis zu einem Durchmesser [1]) von 75 mm soll die Probenlänge etwa 150 mm betragen. Bei Halbzeug mit Durchmessern größer als 75 mm ist die Probenlänge zu vereinbaren.

Fertigerzeugnisse sollen möglichst als Ganzes geprüft werden.

In die Probe dürfen keine Kennzeichen eingeschlagen werden.

Im übrigen ist DIN 50 905 Teil 1 „Korrosion der Metalle; Chemische Korrosionsuntersuchungen, Allgemeines" zu beachten.

7 Durchführung

Die Proben werden zunächst entfettet und anschließend in verdünnter Salpetersäure (60 Volumenteile Wasser und 40 Volumenteile Salpetersäure) nicht länger als 30 Sekunden lang gebeizt. Dann werden die Proben sofort in fließendem Wasser abgespült und nach Abschütteln des anhaftenden Wassers vollständig in die Prüflösung eingetaucht. Die Menge der Prüflösung soll mindestens 1,5 ml je 100 mm² Probenfläche betragen.

Die Proben verbleiben 30 Minuten lang in der Prüflösung. Nach Herausnahme werden sie sofort in fließendem Wasser abgespült. Überschüssiges Quecksilber wird von der Probenoberfläche abgewischt.

1) Bei Proben, deren Querschnitt nicht kreisförmig ist, gilt als Durchmesser der Durchmesser des kleinsten, den Querschnitt umschreibenden Kreises, der mindestens 2 Punkte des Querschnittes berührt.

Fortsetzung Seite 2
Erläuterungen Seite 2

Normenausschuß Materialprüfung (NMP) im DIN Deutsches Institut für Normung e.V.

26/13*

8 Auswertung

Wenn nichts anderes vorgeschrieben ist, werden die Proben unmittelbar nach dem Abwischen aus der Bezugssehweite von etwa 250 mm mit normaler Sehschärfe allseitig auf Risse geprüft. In Zweifelsfällen verdampft man das Quecksilber durch Erwärmen der Proben auf 200 bis 300 °C unter Beachtung der wegen der Giftigkeit des Quecksilberdampfes notwendigen Sicherheitsmaßnahmen und nimmt dann eine optische Rißprüfung bei einer Vergrößerung von 10 : 1 vor.

Anmerkung: Quecksilber ist gesundheitsschädigend. Es sollen während der Versuchsdurchführung und -auswertung stets Gummihandschuhe getragen werden. Das Erwärmen der Proben zum Verdampfen des Quecksilbers soll unter einem Abzug vorgenommen werden. Ferner sind beim Umgang mit Quecksilber die gesetzlich vorgeschriebenen Sicherheitsbestimmungen zu beachten.

9 Prüfbericht

Im Prüfbericht sind unter Hinweis auf diese Norm anzugeben:

- Probenform und Probenahme
- Falls keine Risse gefunden wurden: Spannungsrißfrei nach DIN 50 911
- Falls Risse gefunden wurden: Lage und Gestalt der Risse, möglichst im Bild.

Erläuterungen

Diese Norm ist vom Arbeitsausschuß 171 im Normenausschuß Materialprüfung (NMP) herausgegeben worden.

Sie stimmt im wesentlichen überein mit der von der International Organization for Standardization (ISO) herausgegebenen internationalen Norm ISO 196 – 1978

„Wrought copper and copper alloys – Detection of residual stress – Mercury(I) nitrate test"

„Cuivre et alliages de cuivre corroyés – Détection des contraintes résiduelles – Essai au nitrate de mercure (I)"

„Kupfer und Kupfer-Knetlegierungen; Nachweis von Restspannungen, Quecksilbernitratversuch".

Gegenüber der ISO-Norm sind bei der Auswertung ergänzende Angaben aufgenommen worden. Dabei sind die Bedingungen für die Sichtprüfung genauer definiert, Temperaturangaben zum gegebenenfalls notwendigen Verdampfen von Quecksilber gemacht und die Vergrößerung für die optische Rißprüfung mit 10 : 1 festgelegt worden, sowie die im Prüfbericht nötigen Angaben einzeln aufgezählt.

DK 669.35-4 : 620.194.2
: 620.193.46 : 546.171.1

August 1976

Prüfung von Kupferlegierungen

Spannungsrißkorrosionsversuch mit Ammoniak

Prüfung von Rohren, Stangen und Profilen

DIN 50 916 Teil 1

Testing of copper alloys; stress corrosion cracking test in ammonia; testing of tubes, rods and profiles

Essai des alliages du cuivre; essai de corrosion sous tension dans la solution en ammoniaque; essai des tubes, des barres et des profilés

In dieser Norm bedeutet % Gewichts(Masse)-Prozent.

1 Allgemeines

An Kupferwerkstoffen – vor allem Kupfer-Zinklegierungen –, die unter Eigenspannungen stehen, können bei gleichzeitiger Gegenwart von Ammoniak, Wasser und Sauerstoff – oft ohne Bildung sichtbarer Korrosionsprodukte – Risse entstehen. Diese Art der Korrosion wird nach DIN 50 900 Teil 1 als Spannungskorrosion bezeichnet.

2 Zweck und Anwendungsbereich

In der vorliegenden Norm wird die Prüfung von Kupferwerkstoffen durch Ammoniak oder alternativ durch stark ammoniakalische Kupfertetramminkomplex-Lösung beschrieben. Diese Versuche dienen zur Feststellung von Spannungszuständen, die zur Spannungsrißkorrosion führen können.

Die bisherigen Untersuchungen haben offengelassen, welchem der beiden Verfahren der Vorzug zu geben ist und ob die Ergebnisse aus beiden Versuchen miteinander identisch oder vergleichbar sind. Die Art des Prüfverfahrens ist daher von Fall zu Fall zu vereinbaren.

Der Anwendungsbereich dieser Norm ist in den Technischen Lieferungsbedingungen für Halbzeug aus Kupfer-Knetlegierungen festgelegt oder muß vereinbart werden. Für die Prüfung von Bauteilen ist eine Norm in Vorbereitung.

Anmerkung: Dem gleichen Zweck dient der Quecksilbernitratversuch nach DIN 50 911. Der Quecksilbernitratversuch zeigt nur höhere Spannungen an, während die Versuche mit Ammoniak bereits beim Vorliegen geringerer Spannungen zum Aufreißen der Proben führen.

3 Proben und Probenvorbereitung

3.1 Probenform

Die Prüfung wird an Abschnitten des zu untersuchenden Halbzeugs durchgeführt, die z. B. durch Zersägen hergestellt werden.

3.2 Probenahme

Falls in den Technischen Lieferbedingungen keine Angaben über die Probenahme und Probenanzahl gemacht sind, ist eine entsprechende Vereinbarung zu treffen.

3.3 Probenvorbehandlung

Eine Verformung darf nur soweit erfolgen, wie sie zur Probenherstellung erforderlich ist. Bei der Prüfung auf einen kritischen Eigenspannungszustand ist eine zusätzliche Verformung des Probenstückes, z. B. durch Einspannen, Richten oder Einschlagen von Kennzeichen, nicht zulässig. Sichtbare Oxidschichten auf den Proben sind durch Beizen in 10%iger Schwefelsäure und anschließendes Spülen zu entfernen. Metallisch blanke Proben sind zu entfetten. Die Proben müssen vor dem Einsetzen trocken sein.

4 Reagenzien und Prüflösungen

Zum Ansetzen der Prüflösungen sind Reagenzien mit dem Reinheitsgrad „zur Analyse" und destilliertes oder vollentsalztes Wasser (Deionat) zu verwenden.

4.1 Prüflösungen für den Ammoniakversuch

Ammoniaklösung, 25%ig, wird mit Wasser im Volumenverhältnis 1 + 1 verdünnt. (Dichte ϱ_{20} = 0,946 bis 0,950 g/cm^3)

4.2 Prüflösung für den Kupfertetramminversuch

5,0 g Kupferpulver (elektrolytisch hergestellt) werden in 1 l Ammoniaklösung (12,5%ig, Dichte ϱ_{20} = 0,948 g/cm^3) gegeben, die sich in einer Glasflasche mit Stopfen befindet. Nach vorsichtigem Zufügen von 10 ml Wasserstoffperoxid, 30%ig, wird der Stopfen lose aufgesetzt und die Flasche bei Raumtemperatur stehengelassen. Von Zeit zu Zeit wird kurz geschüttelt, und nach etwa 6 Stunden werden nochmals 10 ml Wasserstoffperoxid zugegeben. Nach weiteren rund 12 Stunden Stehzeit und kurzem Schütteln ist die Lösung gebrauchsfertig. Die Dichte wird vor der Verwendung nochmals geprüft und gegebenenfalls durch Zusatz von konzentrierter Ammoniaklösung korrigiert.

4.3 Schwefelsäure, etwa 10%ig

4.4 Salpetersäure, etwa 30%ig

5 Geräte

Auflage oder Aufhängevorrichtungen für die Proben aus Glas oder Porzellan

Lupe oder Stereomikroskop mit 6- bis 10facher Vergrößerung

Prüfgefäße. Es sind abgedeckte Glasgefäße, z. B. Exsikkatoren oder Wannen mit ähnlichen Abmessungsverhältnissen zu verwenden. Es ist dafür zu sorgen, daß auch nach dem Abdecken des Gefäßes ein Druckausgleich mit der Umgebung möglich ist.

Fortsetzung Seite 2
Erläuterungen Seite 2

Fachnormenausschuß Materialprüfung (FNM) im DIN Deutsches Institut für Normung e.V.

6 Versuchsdurchführung

6.1 Ammoniakversuch

6.1.1 Die nach Abschnitt 4.1 hergestellte Prüflösung wird in das Prüfgefäß eingefüllt, wobei ein Verhältnis Prüfraum zu Volumen der Prüflösung von etwa 20 : 1 bis 10 : 1 einzuhalten ist. Die Proben sind so in das Gefäß einzubringen, daß der Dampf ungehindert einwirken kann. Die Proben dürfen nicht in die Prüflösung eintauchen und dürfen sich nicht berühren. Auflage oder Aufhängevorrichtungen müssen aus Glas oder Porzellan bestehen.

Die Gesamtanzahl der Proben, die gleichzeitig der Prüfung in einem bestimmten Prüfgefäß unterzogen werden können, hängt von der Größe des Gefäßes ab und hat keinen Einfluß auf das Prüfergebnis. Die Prüflösung kann wieder verwendet werden, solange die Dichte ϱ_{20} zwischen 0,946 bis 0,950 g/cm³ liegt.

6.1.2 Die Prüfung wird bei 18 bis 28 °C durchgeführt, wobei die Temperaturschwankungen während eines Versuches möglichst gering sein sollen. Die Versuchsdauer beträgt 24 Stunden.

6.2 Kupfertetramminversuch

6.2.1 Für den Kupfertetramminversuch ist die Menge der Prüflösung nach Abschnitt 4.2 so zu wählen, daß das Verhältnis zur Probenoberfläche abweichend von DIN 50 905 Teil 1 mindestens 1 ml/cm² beträgt.

Die Proben werden vollständig in die Lösung getaucht und dürfen sich nicht berühren. Das Versuchsgefäß ist abzudecken. Die Auflage- oder Aufhängevorrichtungen müssen aus Glas oder Porzellan bestehen. Die Prüflösung darf nur einmal verwendet werden.

6.2.2 Die Prüfung wird bei 18 bis 28 °C durchgeführt. Die Versuchsdauer beträgt 24 Stunden.

7 Auswertung des Ammoniak- und Kupfertetramminversuches

Die Proben werden nach Ablauf der Versuchsdauer in Schwefelsäure (etwa 10%ig) oder Salpetersäure (etwa 30%ig) 30 bis 60 Sekunden lang bei Raumtemperatur gebeizt und visuell mit Hilfe einer Lupe oder eines Stereomikroskops bei 6- bis 10facher Vergrößerung auf Risse geprüft. Eine Verformung vor dieser Beurteilung ist nicht zulässig. Risse in der Nähe von Sägeschnitten dürfen nicht gewertet werden.

8 Prüfbericht

Im Prüfbericht ist unter Hinweis auf diese Norm anzugeben:

Art und Bezeichnung des Probenwerkstoffs

Probenform und gegebenenfalls Probenahme

Anzahl der Proben

Prüflösung

Befund der visuellen Rißprüfung

Gegebenenfalls Abweichungen von dieser Norm

Prüfdatum

Erläuterungen

Diese Norm ist vom Arbeitsausschuß D 5 „Korrosion und Korrosionsschutz“ ausgearbeitet worden.

Die Norm behandelt Prüfverfahren, die bisher nur in DIN 1785 erwähnt wurden.

Die Prüfung ist vor allem als Abnahmeprüfung für Halbzeuge gedacht. Auf Wunsch des Fachnormenausschusses Nichteisenmetalle (FNNE) sollte hierfür eine eigene Prüfnorm geschaffen werden. Für die Prüfung von Bauteilen durch den Spannungsrißkorrosionsversuch in Ammoniak ist ein Folgeteil zu DIN 50 916 Teil 1 in Vorbereitung.

DK 669.35-4 : 620.194.2 : 620.193.461.711 September 1985

Prüfung von Kupferlegierungen

Spannungsrißkorrosionsprüfung mit Ammoniak

Prüfung von Bauteilen

DIN 50 916 Teil 2

Testing of copper alloys; stress corrosion cracking test using ammonia; testing of components

Essai des alliages du cuivre; essai de corrosion sous tension dans l'ammoniaque; essai des pièces de construction

1 Allgemeines

An Bauteilen aus Kupferlegierungen – vor allem aus Kupfer-Zink-Legierungen – die unter Zugspannungen stehen, können bei gleichzeitiger Anwesenheit von Ammoniak, Wasser bzw. Wasserdampf und Sauerstoff – oft ohne Bildung sichtbarer Korrosionsprodukte – Risse entstehen. Diese Art der Korrosion wird nach DIN 50 900 Teil 1 als Spannungsrißkorrosion bezeichnet.

2 Zweck

In der vorliegenden Norm wird die Prüfung von Bauteilen aus Kupferlegierungen, vor allem Kupfer-Zink-Legierungen, in feuchtem Ammoniakdampf beschrieben. Sie dient zur Feststellung von Spannungszuständen, die zu einer Spannungsrißkorrosion führen können. Darüber hinaus können mit Hilfe dieser Prüfung folgende Fragen geklärt werden:

- Vergleich verschiedener Kupferlegierungen als Bauteilwerkstoffe in bezug auf ihre Anfälligkeit für Spannungsrißkorrosion.
- Schutzwirkung eventuell vorhandener Überzüge oder anderer Maßnahmen zum Schutz von gefährdeten Bauteilen gegen Spannungsrißkorrosion.

3 Geräte

Für die Prüfung sind verschließbare Glasgefäße zu verwenden. Dies können z. B. Exsikkatorgefäße oder einfache Glaswannen mit Schliffrand und Deckel sein. Das Gefäßvolumen sollte mindestens 10 Liter betragen. Es ist ein bestimmtes Verhältnis Prüfraum: Volumen der Prüflösung einzuhalten (20 : 1 bis 10 : 1), z. B. sind bei einem Prüfgefäß von 10 Liter Inhalt 0,5 bis 1 l Prüflösung zu verwenden.

4 Prüflösung

Es sind zur Prüfung nach dieser Norm zwei Lösungen festgelegt, die wahlweise verwendet werden können.

Es handelt sich um gepufferte Lösungen aus Ammoniumchlorid und Natriumhydroxid mit den pH-Werten 9 (Lösung B) oder 10 (Lösung A) [1]. Die Prüfung wird im Dampfraum über diesen Lösungen durchgeführt.

Üblicherweise ist die Lösung A (pH = 10) anzuwenden. Die Lösung B (pH = 9) sollte nur in solchen Ausnahmefällen verwendet werden, in denen die Lösung A wegen ihrer Korrosivität zu wenig differenzierte Ergebnisse liefert.

Ansatz der Prüflösungen

Herstellung von 1 Liter dieser Lösung: 107 g Ammoniumchlorid (NH_4Cl p.a.) in etwa 0,75 l destilliertem oder vollentsalztem Wasser auflösen und so viel 30%ige Natronlauge (hergestellt aus NaOH p.a. und destilliertem oder vollentsalztem Wasser), zugeben, bis bei 22 °C der pH-Wert 10 bzw. pH-Wert 9 erreicht wird. Für abweichende Temperaturen sind die entsprechenden pH-Werte nach Tabelle 1 einzustellen.

Tabelle 1.

Temperatur °C	Lösung A pH-Wert	Lösung B pH-Wert
22 ± 1	10,0 ± 0,1	9,0
25 ± 1	9,9 ± 0,1	8,9
27 ± 1	9,8 ± 0,1	8,8
30 ± 1	9,7 ± 0,1	8,7

Nach der pH-Wert-Einstellung wird mit destilliertem oder vollentsalztem Wasser auf 1 Liter aufgefüllt. Der pH-Wert ändert sich dabei nicht mehr.

Die Temperatur ist in jedem Fall während der pH-Einstellung – gegebenenfalls mittels eines Thermostaten – auf ± 1 °C konstant zu halten. Die pH-Messung erfolgt mit Hilfe eines Gerätes, das eine Einstellung des pH-Wertes auf ± 0,02 zuläßt (Glaselektrode).

Die Prüflösungen können längere Zeit verwendet werden, doch sollte der pH-Wert, der ein Maß für die Ammoniakkonzentration im Dampfraum darstellt, mindestens alle 3 Wochen überprüft und gegebenenfalls korrigiert werden.

Fortsetzung Seite 2 und 3

Normenausschuß Materialprüfung (NMP) im DIN Deutsches Institut für Normung e. V.

5 Proben

5.1 Art

Als Proben dienen Bauteile aus Kupferlegierungen, z. B. Klemmen, Zahnräder, Ritzel, Schrauben, Schalthebel, Stanzbiegeteile oder tiefgezogene Teile. Die Proben sollen unter den auch in der Praxis vorkommenden Spannungsbedingungen, also entweder für sich oder in Verbindung mit anderen Bauteilen, im fertigmontierten Zustand, eventuell auch als ganzes Gerät, geprüft werden.

Die Bauteile können aus Halbzeug, z. B. Blech, hergestellt sein oder als Gußteile bzw. als Schmiedestücke vorliegen.

5.2 Anzahl

Die Anzahl der Proben, die gleichzeitig in einem Prüfgefäß geprüft werden können, hängt von der Größe des Gefäßes bzw. der Proben ab und hat keinen Einfluß auf das Prüfergebnis.

Wegen der unvermeidlichen Streuung sollen, wenn nicht anders vereinbart, mindestens 6 Parallelproben verwendet werden.

5.3 Vorbehandlung

Die Proben werden vor der Ammoniakprüfung entfettet. Falls danach noch eine Handhabung der Bauteile (Endmontage) erforderlich ist, dann ist diese so durchzuführen, daß eine erneute Befettung vermieden wird.

6 Prüfdauer

Für die beiden Prüflösungen sind folgende Prüfdauern anzuwenden:

Tabelle 2.

Lösung A	Lösung B
Prüfdauer	
4 h	16 h
8 h	24 h
16 h	2 d
24 h	4 d
2 d	7 d
4 d	14 d
7 d	28 d

7 Durchführung

7.1 Verfahren I

Die Proben sind so in das Prüfgefäß einzubringen – am besten zu hängen –, daß der Ammoniakdampf ungehindert einwirken kann. Die Proben dürfen nicht in die Prüflösung eintauchen oder sich gegenseitig berühren. Auflage- oder Aufhängevorrichtungen müssen aus Werkstoffen bestehen, die von Ammoniakdampf nicht angegriffen werden, z. B. Glas oder Porzellan.

Die Prüfung erfolgt bei konstanter Temperatur von (30 ± 1) °C, um eine durch Temperaturschwankungen hervorgerufene sichtbare Kondenswasserbildung, die das Prüfergebnis stark verfälschen könnte, auszuschließen.

Vor Beginn der Prüfung muß das Prüfgefäß mit der Prüflösung auf die Temperatur von (30 ± 1) °C gebracht werden. Danach wird das Prüfgefäß möglichst rasch mit den auf 30 °C vorgewärmten Proben beschickt und geschlossen. In diesem Augenblick beginnt die Prüfung.

7.2 Verfahren II

Die Prüfung erfolgt bei einer gewählten Temperatur, die auf ± 2 °C konstant zu halten ist. Bei der Wahl der Temperatur ist sicherzustellen, daß keine sichtbare Kondensatbildung an der Probe auftritt.

Im übrigen wird wie bei Verfahren I vorgegangen.

Das Verfahren II ist für eine vergleichende Werkstoffprüfung vorgesehen.

7.3 Beurteilung

Nach den angegebenen Prüfdauern werden die Proben für kurze Zeit aus dem Prüfgefäß entnommen und unter einem Stereomikroskop bei 6- bis 10facher Vergrößerung auf Risse untersucht. Als Ende der Prüfung für eine bestimmte Probe gilt der Zeitpunkt des ersten Anrisses. Nach jeder Beurteilung müssen die noch intakten Proben zunächst auf Prüftemperatur erwärmt werden, bevor sie wieder in das Prüfgefäß gebracht werden.

8 Auswertung

Aus den Lebensdauerwerten sämtlicher Proben derselben Art wird der Median, das ist der mittlere Einzelwert, als Repräsentativwert ermittelt. Außerdem wird der Größt- und der Kleinstwert der Lebensdauer festgehalten. Das Ergebnis der Prüfung kann dann als „relative Lebensdauer" in bezug auf eine Vergleichsprobe angegeben werden.

9 Prüfbericht

Im Prüfbericht ist unter Hinweis auf diese Norm anzugeben:

a) Art und Bezeichnung des Probenwerkstoffes
b) Art der Probe, gegebenenfalls Angaben über Zusammenbau mit anderen Bauteilen (Endmontage)
c) Anzahl der Proben
d) Prüflösung
e) Gewähltes Prüfverfahren, gegebenenfalls Prüftemperatur
f) Befund der visuellen Rißprüfung (Lebensdauer, Median, gegebenenfalls relative Lebensdauer, Größt- und Kleinstwert der Lebensdauer)
g) Gegebenenfalls Abweichungen von dieser Norm
h) Prüfdatum.

Zitierte Normen und andere Unterlagen

DIN 50 900 Teil 1 Korrosion der Metalle; Begriffe; Allgemeine Begriffe

[1] F. Aebi, Zeitschrift Metallkunde 49 (1958) S. 63/68

Erläuterungen

Die Norm wurde vom Arbeitsausschuß NMP 171 „Korrosion und Korrosionsschutz" des Normenausschusses Materialprüfung (NMP) ausgearbeitet.

Die Gefahr von Spannungsrißkorrosion hängt unter sonst gleichen Umständen besonders von der Höhe der Ammoniakkonzentration ab, die örtlich z. B. im Inneren von Gehäusen, welche NH_3-abgebende Kunststoffe (z. B. Phenolharz, Melaminharz) enthalten, stark erhöht sein kann.

Z. B. wurden gemessen

Tabelle 3.

Ort		Massenkonzentration
Freie Atmosphäre		bis 60 µg/m³
Geschlossenes Preßstoffgehäuse	bei 20 °C	1 000 mg/m³ (nach 30 Tagen)
(Phenolharz)	bei 70 °C	5 000 mg/m³ (nach 4 Tagen)
Bei Prüfung über Lösung A	bei 30 °C	29 500 mg/m³
Bei Prüfung über Lösung B	bei 30 °C	5 500 mg/m³

Internationale Patentklassifikation

G 01 M 13/00

G 01 N 17/00

Rohre aus Kupfer und Kupfer-Knetlegierungen
gepreßt Maße

DIN 59 750

Tube of wrought copper and copper alloys; extruded, dimensions

Tubes en cuivre et alliages de cuivre corroyés; filées, dimensions

Maße in mm

1. Geltungsbereich

Diese Norm gilt für gepreßte Rohre von 10 bis 450 mm Innendurchmesser und von 2 bis 20 mm Wanddicke.

Gepreßte Rohre nach dieser Norm werden aus den in Abschnitt 4 aufgeführten Werkstoffen der Werkstoffgruppen I und II hergestellt; die angegebenen Einschränkungen sind zu beachten.

2. Bezeichnung

Gepreßte Rohre werden grundsätzlich mit Innendurchmesser x Außendurchmesser bezeichnet.

Bezeichnung eines gepreßten Rohres von Innendurchmesser d_2 = 50 mm und Außendurchmesser d_1 = 58 mm aus dem Werkstoff mit dem Kurzzeichen CuZn39Pb3 p oder der Werkstoffnummer 2.0401.08:

Rohr 50 x 58 DIN 59 750 – CuZn39Pb3 p
oder Rohr 50 x 58 DIN 59 750 – 2.0401.08

3. Maße und zulässige Abweichungen

3.1. Vorzugsmaße (siehe Tabelle 1, Seite 2)

3.2. Zulässige Abweichungen (siehe Tabelle 2, Seite 3)

Die zulässigen Abweichungen sind nach Maßbereichen geordnet.

Tabelle 2 enthält die zulässigen Abweichungen für Innendurchmesser d_2 und Außendurchmesser d_1 sowie die zulässige Ungleichwandigkeit.

3.2.1. Zulässige Abweichungen der Durchmesser (Außen- und Innendurchmesser siehe Tabelle 2)

Der mittlere Durchmesser $\bar{d}$ ist das arithmetische Mittel des größten Durchmessers d_{max}, und des kleinsten Durchmessers d_{min}, gemessen in derselben senkrecht zur Rohrachse stehenden Ebene.

$$\bar{d} = \frac{d_{max} + d_{min}}{2}$$

Der errechnete Wert $\bar{d}$ muß innerhalb der zulässigen Abweichungen liegen.

Die Angaben der zulässigen Abweichungen der Durchmesser einschließlich Rundheitstoleranz besagt, daß jeder gemessene Durchmesser innerhalb dieser zulässigen Abweichungen liegen muß.

Beim Messen der Durchmesser muß ein Abstand von mindestens d_1, höchstens jedoch 100 mm, von beiden Enden des Rohres unberücksichtigt bleiben.

Fortsetzung Seite 2 bis 5
Erläuterungen Seite 5

Fachnormenausschuß Nichteisenmetalle (FNNE) im Deutschen Normenausschuß (DNA)
Fachnormenausschuß Rohre, Rohrverbindungen und Rohrleitungen (FR) im DNA

Tabelle 1. **Vorzugsmaße**

Die Vorzugsmaße sind durch Angabe des Außendurchmessers d_1 und des Längengewichtes 1) gekennzeichnet.

Innen-durch-messer d_2	Wanddicke s 2)								
	2	**2,5**	**3**	**3,5**	**4**	**5**	**10**	**15**	**20**
	Außendurchmesser d_1 und Längengewicht (kg/m)								
10	14 0,67	15 0,87	16 1,09	—	—	—	—	—	—
12	16 0,78	17 1,01	18 1,26	—	—	—	—	—	—
14	18 0,89	19 1,15	20 1,43	—	—	—	—	—	—
16	20 1,00	21 1,29	22 1,59	23 1,91	—	—	—	—	—
18	22 1,12	23 1,43	24 1,76	25 2,10	26 2,46	—	—	—	—
20	24 1,23	25 1,57	26 1,93	27 2,30	28 2,68	—	—	—	—
22	26 1,34	27 1,71	28 2,10	29 2,49	30 2,91	—	—	—	—
24	28 1,45	29 1,85	30 2,27	31 2,69	32 3,13	34 4,05	—	—	—
27	—	32 2,06	33 2,52	34 2,99	35 3,47	37 4,47	—	—	—
30	—	35 2,27	36 2,77	37 3,28	38 3,80	40 4,89	50 11,18	—	—
35	—	40 2,62	41 3,19	42 3,77	43 4,36	45 5,59	55 12,58	—	—
40	—	45 2,97	46 3,61	47 4,25	48 4,92	50 6,29	60 13,97	—	—
45	—	50 3,32	51 4,02	52 4,75	53 5,48	55 6,99	65 15,37	—	—
50	—	55 3,67	56 4,44	57 5,23	58 6,04	60 7,69	70 16,77	80 27,24	—
60	—	—	66 5,28	67 6,21	68 7,15	70 9,09	80 19,56	90 31,44	—
70	—	—	—	77 7,19	78 8,27	80 10,49	90 22,36	100 35,63	—
80	—	—	—	—	88 9,39	90 11,88	100 25,15	110 39,82	120 55,89
90	—	—	—	—	—	100 13,28	110 27,95	120 44,01	130 61,48
100	—	—	—	—	—	110 14,68	120 30,74	130 48,21	140 67,07
120	—	—	—	—	—	—	140 36,33	150 56,59	160 78,25
140	—	—	—	—	—	—	160 41,92	170 64,97	180 89,43
160	—	—	—	—	—	—	180 47,51	190 73,36	200 100,61
180	—	—	—	—	—	—	200 53,10	210 81,74	220 111,78
200	—	—	—	—	—	—	220 58,69	230 90,13	240 122,96

1) Errechnet mit einer Dichte von 8,90 kg/dm³.
Für Werkstoffe mit einer anderen Dichte sind die Gewichte entsprechend den Umrechnungsfaktoren der Tabellen 4 und 5 zu errechnen.

2) Die angegebenen Maße für die Wanddicke dienen als Grundlage für die Berechnung der in Tabelle 2 auf die Nennwanddicke bezogene Ungleichwandigkeit.

3.2.2. Ungleichwandigkeit

Die Ungleichwandigkeit U ist die Abweichung der größten bzw. der kleinsten Wanddicke von der mittleren Wanddicke:

$$U = s_{max} - \bar{s} = \bar{s} - s_{min}$$

Die Ungleichwandigkeit wird zweckmäßig errechnet als die halbe Differenz zwischen der größten und kleinsten Wanddicke, gemessen in derselben senkrecht zur Rohrachse stehenden Ebene:

$$U = \frac{s_{max} - s_{min}}{2} \text{ in mm}$$

Die auf die Nennwanddicke bezogene Ungleichwandigkeit U_b in % ist in Tabelle 1 angegeben.

$$\pm\ U_b = \pm \frac{U}{s} \cdot 100 = \pm \frac{s_{max} - s_{min}}{2s} \cdot 100$$

Aus den Prozent-Angaben errechnete Abweichungen in Millimeter sind auf zwei Dezimalen anzugeben (Runden nach DIN 1333 Blatt 2).

Tabelle 2. **Zulässige Abweichungen**

Die angegebenen zulässigen Abweichungen gelten für gepreßte Rohre in gestreckten Längen. Sie gelten auch für gepreßte Rohre in Ringen, ausgenommen die zulässigen Abweichungen des Durchmessers einschließlich Rundheitstoleranz, die besonders vereinbart werden müssen.

Maß-bereich	Innendurchmesser d_2 Zulässige Abweichung Obere Zeile: des mittleren Durchmessers Untere Zeile: des Durchmessers einschließlich Rundheitstoleranz		Außendurchmesser d_1 Obere Zeile: Zulässige Abweichung des mittleren Durchmessers Mittlere Zeile: Zulässige Abweichung des Durchmessers einschließlich Rundheitstoleranz Untere Zeile: Zulässige Ungleichwandigkeit U_b für den Maßbereich des Außendurchmessers															
	für Werkstoffgruppe I bei einem Verhältnis $d_2 : s$ bis 20 : 1	für Werkstoffgruppe II bei einem Verhältnis $d_2 : s$ bis 20 : 1	von 10 bis 18		über 18 bis 30		über 30 bis 50		über 50 bis 80		über 80 bis 120		über 120 bis 200		über 200 bis 315		über 315 bis 450	
			für Werkstoffgruppe															
			I	II	I	II	I	II	I	II	I	II	I	II	I	II	I	II
von 10 bis 18	± 0,3 ± 0,9	± 0,4 ± 1,4	± 0,6 ± 1,2 ± 9%	± 0,8 ± 1,8	± 0,8 ± 1,6 ± 9%	± 1,2 ± 2,4	–		–		–		–		–		–	
über 18 bis 30	± 0,4 ± 1,2	± 0,6 ± 1,8	–		± 0,8 ± 1,6 ± 9%	± 1,2 ± 2,4	± 1,0 ± 2,0 ± 9%	± 1,4 ± 2,9	–		–		–		–		–	
über 30 bis 50	± 0,5 ± 1,5	± 0,7 ± 2,2	–		–		± 1,0 ± 2,0 ± 9%	± 1,4 ± 2,9	± 1,4 ± 2,5 ± 9% 1)	± 2,0 ± 3,7	–		–		–		–	
über 50 bis 80	± 0,7 ± 1,8	± 1,0 ± 2,7	–		–		–		± 1,4 ± 2,5 ± 9%	± 2,0 ± 3,7	± 1,8 ± 3,0 ± 9% 2)	± 2,8 ± 4,6	–		–		–	
über 80 bis 120	± 0,9 ± 2,1	± 1,4 ± 3,2	–		–		–		–		± 1,8 ± 3,0 ± 9% 3)	± 2,8 ± 4,6	± 2,4 ± 3,7 ± 9% 3)	± 3,6 ± 5,7	–		–	
über 120 bis 200	± 1,2 ± 2,5	± 1,8 ± 3,7	–		–		–		–		–		± 2,4 ± 3,7 ± 9%	± 3,6 ± 5,7	± 3,0 ± 4,5 ± 9%	± 4,6 ± 6,8	–	
über 200 bis 315	± 1,5 ± 3,0	± 2,3 ± 4,5	–		–		–		–		–		–		± 3,0 ± 4,5 ± 12%	± 4,6 ± 6,8	nach Verein-barung	
über 315 bis 450	nach Vereinbarung		nach Vereinbarung															

1) Über 4 mm Wanddicke U_b = ± 8%

2) Über 10 mm Wanddicke U_b = ± 8%

3) Über 15 mm Wanddicke U_b = ± 8%

3.2.3. Geradheitstoleranz

Gepreßte Rohre in gestreckten Längen haben eine ihrem Herstellverfahren entsprechende Geradheit.

Besondere Anforderungen an die Geradheit sind zu vereinbaren.

4. Werkstoffe

Auswahl von Kupfer und Kupfer-Knetlegierungen nach DIN 17 671 Blatt 1, siehe Tabellen 3 und 4.

Anmerkung: Für Rohre aus Werkstoffen, die nicht in den Tabellen 3 und 4 aufgeführt sind, müssen die zulässigen Abweichungen vereinbart werden.

Gepreßte Rohre nach dieser Norm sind nicht in allen Abmessungen aus allen aufgeführten Werkstoffen lieferbar.

Die Werkstoffgruppen I und II berücksichtigen das unterschiedliche Umformverhalten der Werkstoffe.

Tabelle 3. **Werkstoffgruppe I**

Kurzzeichen	Werkstoffnummer	Dichte kg/dm³	Umrechnungsfaktor für Gewicht	Früheres Kurzzeichen
CuZn36 p	**2.0335.08**	8,4	0,944	Ms63
CuZn37 p	**2.0321.08**	8,4	0,944	
CuZn40 p	**2.0360.08**	8,4	0,944	Ms60
CuZn36Pb1,5 p	**2.0331.08**	8,5	0,955	Ms63Pb
CuZn37Pb0,5 p	**2.0332.08**	8,5	0,955	
CuZn36Pb3 p	**2.0375.08**	8,5	0,955	—
CuZn38Pb1,5 p	**2.0371.08**	8,4	0,944	Ms60Pb
CuZn39Pb0,5 p	**2.0372.08**	8,4	0,944	
CuZn39Pb3 p	**2.0401.08**	8,5	0,955	Ms58
CuZn40Pb2 p	**2.0402.08**	8,4	9,944	
CuZn37Al p	**2.0510.08**	8,3	0,932	SoMs58Al1
CuZn40Al p	**2.0560.08**	8,2	0,921	
CuZn40Al2 p	**2.0550.08**	8,1	0,910	SoMs58Al2
CuZn35Ni p	**2.0540.08**	8,3	0,932	SoMs59
CuZn40Mn p	**2.0572.08**	8,3	0,932	SoMs58

Tabelle 4. **Werkstoffgruppe II**

Kurzzeichen	Werkstoffnummer	Dichte kg/dm³	Umrechnungsfaktor für Gewicht	Früheres Kurzzeichen
SF-Cu p	**2.0090.08**	8,9	1	—
SW-Cu p	**2.0076.08**	8,9	1	—
CuAsP p	**2.1491.08**	8,9	1	SB-Cu
CuZn5 p	**2.0220.08**	8,9	1	Ms95
CuZn10 p	**2.0230.08**	8,8	0,989	Ms90
CuZn15 p	**2.0240.08**	8,8	0,989	Ms85
CuZn20 p	**2.0250.08**	8,7	0,977	Ms80
CuZn28 p	**2.0261.08**	8,6	0,966	Ms72
CuZn30 p	**2.0265.08**	8,5	0,955	Ms70
CuZn33 p	**2.0280.08**	8,5	0,955	Ms67
CuZn20Al p	**2.0460.08**	8,3	0,932	SoMs76
CuZn28Sn p	**2.0470.08**	8,5	0,955	SoMs71
CuZn31Si p	**2.0490.08**	8,4	0,944	SoMs68
CuSn2 p	**2.1010.08**	8,9	1	SnBz2
CuSn6 p	**2.1020.08**	8,8	0,989	SnBz6
CuSn8 p	**2.1030.08**	8,8	0,989	SnBz8
CuNi5Fe p	**2.0862.08**	8,9	1	—
CuNi10Fe p	**2.0872.08**	8,9	1	—
CuNi30Fe p	**2.0882.08**	8,9	1	—
CuAl5 p	**2.0916.08**	8,2	0,921	AlBz5
CuAl8 p	**2.0920.08**	7,7	0,865	AlBz8
CuNi12Zn24 p	**2.0730.08**	8,7	0,977	Ns6512
CuNi18Zn20 p	**2.0740.08**	8,7	0,977	Ns6218

5. Ausführung

Nach den Technischen Lieferbedingungen DIN 17 671 Blatt 2.

6. Gewicht und zulässige Gewichtsabweichung

Das Gewicht errechnet sich aus den jeweiligen Nennmaßen und der Dichte des Werkstoffes. Umrechnungsfaktoren siehe Tabellen 3 und 4.

Die zulässige Gewichtsabweichung ergibt sich aus den zulässigen Abweichungen der Nennmaße und den zulässigen Abweichungen der Zusammensetzung.

7. Lieferart

7.1. Rohre in gestreckten Längen

Gepreßte Rohre werden in Herstellängen von 1000 bis 8000 mm geliefert in Abhängigkeit von Werkstoff und längenbezogenem Gewicht (kg/m).

7.2. Rohre in Ringen

Gepreßte Rohre mit Innendurchmesser d_2 bis 40 mm und Wanddicke s bis 4 mm können aus bestimmten Werkstoffen auch in Ringen geliefert werden. Die Lieferung in Ringen ist bei Bestellung zu vereinbaren.

7.3. Bestellbeispiel

2 t gepreßte Rohre von Innendurchmesser d_2 = 50 mm und Wanddicke s = 4 mm in Herstellängen aus dem Werkstoff mit dem Kurzzeichen CuZn39Pb3 p oder der Werkstoffnummer 2.0401.08:

2 t Rohr 50 × 4 DIN 59 750 — CuZn39Pb3 p
oder 2 t Rohr 50 × 4 DIN 59 750 — 2.0401.08

Erläuterungen

Die vorliegende Norm wurde in Anlehnung an DIN 9107 über gepreßte Rohre aus Aluminium erarbeitet. Gegenüber DIN 9107 ist jedoch folgender Unterschied zu beachten:

Während in DIN 9107 der Außendurchmesser als das kennzeichnende Maß hervorgehoben wird, stellt diese Norm den Innendurchmesser als kennzeichnendes Maß heraus.

Gepreßte Rohre nach dieser Norm werden als Vormaterial für gezogene Rohre hergestellt, d. h. sie werden durch Kaltziehen weiter umgeformt, bevor sie dem endgültigen Verwendungszweck zugeführt werden. Deshalb wird der Zustand „gepreßt" in den Tabellen 3 und 4 im Kurzzeichen mit „p" und in der Werkstoffnummer mit der Anhängezahl „.08" angegeben, damit der Zusammenhang mit DIN 17 671 Blatt 1 als zugehörige Werkstoff-Nummer erkennbar ist.

DK 669.35.018.26-462.3 : 621.9.04-52 November 1973

Rohre und Sechskanthohlprofile aus Kupfer-Knetlegierungen für die spanende Bearbeitung auf Automaten nahtlosgezogen Maße

DIN 59 752

Tubes and hexagonal hollow sedions of wrought copper alloys for freecutting, seamless drawn, dimensions

Tubes et profiles hexagonales en alliages de cuivre corroyés pour decolletage, etirés sans soudure, dimensions

Maße in mm

1. Geltungsbereich

Diese Norm gilt für nahtlosgezogene Rohre mit Außendurchmessern von 10 bis 60 mm und mit Wanddicken von 2,5 bis 12 mm sowie für Sechskanthohlprofile mit Schlüsselweiten von 10 bis 65 mm und mit Wanddicken von 2,5 bis 12 mm aus den in Abschnitt 4 genannten Werkstoffen.

2. Bezeichnung

2.1. Rohre

Form R

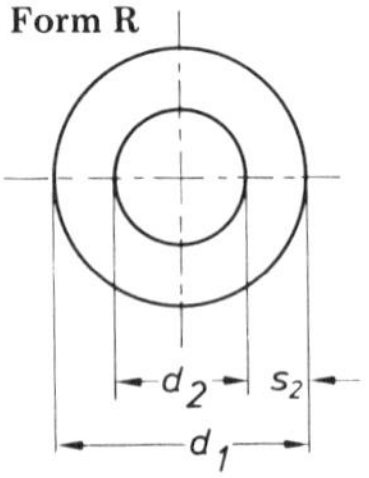

Bezeichnung eines nahtlosgezogenen Rohres (R) von Außendurchmesser d_1 = 50 mm und Wanddicke s_2 = 10 mm aus dem Werkstoff mit dem Kurzzeichen CuZn38Pb1,5 F48 (bisher Ms60Pb F48) oder der Werkstoffnummer 2.0371.30:

Rohr R 50 x 10 DIN 59 752 — CuZn38Pb1,5 F48

oder Rohr R 50 x 10 DIN 59 752 — 2.0371.30

2.2. Sechskanthohlprofile

Form S

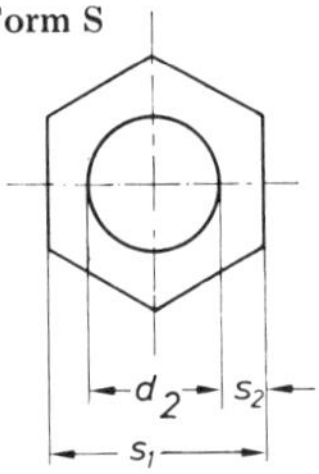

Bezeichnung eines nahtlosgezogenen Sechskanthohlprofiles (S) von Schlüsselweite s_1 = 50 mm und Wanddicke s_2 = 10 mm aus dem Werkstoff mit dem Kurzzeichen CuZn38Pb1,5 F48 (bisher Ms60Pb F48) oder der Werkstoffnummer 2.0371.30:

Sechskant S 50 x 10 DIN 59 752 — CuZn38Pb1,5 F48

oder Sechskant S 50 x 10 DIN 59 752 — 2.0371.30

3. Maße und zulässige Abweichungen

3.1. Außendurchmesser, Schlüsselweite und Wanddicke (siehe Tabellen 1 bis 4)

Rohre und Sechskanthohlprofile werden entsprechend der Toleranzzuordnung C bemaßt, d. h. zulässige Abweichungen werden den Außenmaßen (Außendurchmesser bzw. Schlüsselweite) und dem Innendurchmesser zugeordnet; außerdem gilt die zulässige Ungleichwandigkeit (vgl. DIN 1755) *).

*) Siehe „Toleranzzuordnungen für Querschnittsmaße von Rohren aus Nichteisenmetallen" DIN-Mitteilungen Bd. 45 (1966) H. 11, S. 597—603.
Als Sonderdruck D-346 zu beziehen durch Beuth-Vertrieb GmbH, 1 Berlin 30 und 5 Köln 1.

Fußnoten zu den Tabellen 1 bis 4

1) Für Zwischenmaße der Wanddicke gelten die zulässigen Abweichungen der nächsthöheren Wanddicke.

2) Die kleinste Wanddicke errechnet sich aus dem zulässigen Kleinstmaß des Außendurchmessers oder Schlüsselweite, dem zulässigen Größtmaß des Innendurchmessers und der zulässigen größten Ungleichwandigkeit.
Die angegebenen kleinsten Wanddicken können innerhalb einer Lieferung auftreten und sind deshalb nur Konstruktionsberechnungen zugrunde zu legen.

Fortsetzung Seite 2 bis 6

Fachnormenausschuß Nichteisenmetalle im Deutschen Normenausschuß (DNA)

Tabelle 1. Rohre (R) Wanddicken 2,5 bis 4,5 mm

Außendurchmesser d_1			Nennwanddicke s_1 1)																				
			2,5				3				3,5				4				4,5			
Vorzugsmaße	Maßbereiche	zul. Abw. h11	Innendurchmesser d_2	zul. Abw.	Zul. Ungleichwandigkeit	Kleinste Wanddicke 2)	Innendurchmesser d_2	zul. Abw.	Zul. Ungleichwandigkeit	Kleinste Wanddicke 2)	Innendurchmesser d_2	zul. Abw.	Zul. Ungleichwandigkeit	Kleinste Wanddicke 2)	Innendurchmesser d_2	zul. Abw.	Zul. Ungleichwandigkeit	Kleinste Wanddicke 2)	Innendurchmesser d_2	zul. Abw.	Zul. Ungleichwandigkeit	Kleinste Wanddicke 2)
10	—	0 −0,09	5	± 0,09	± 0,25	2,16	4	± 0,09	± 0,30	2,61	—	—	—	—	—	—	—	—	—	—	—	—
11	über 10 bis 18	0 −0,11	6	± 0,09	± 0,25	2,15	5	± 0,09	± 0,30	2,60	—	—	—	—	—	—	—	—	—	—	—	—
12			7	± 0,11	± 0,25	2,14	6	± 0,09	± 0,30	2,60	—	—	—	—	—	—	—	—	—	—	—	—
14			9	± 0,11	± 0,25	2,14	8	± 0,11	± 0,30	2,59	—	—	—	—	—	—	—	—	—	—	—	—
16	von 16 bis 18	0 −0,11	11	± 0,13	± 0,25	2,13	10	± 0,11	± 0,30	2,59	—	—	—	—	—	—	—	—	—	—	—	—
18			13	± 0,13	± 0,25	2,13	12	± 0,13	± 0,30	2,58	11	± 0,13	± 0,28	3,10	10	± 0,11	± 0,32	3,57	—	—	—	—
20	über 18 bis 30	0 −0,13	15	± 0,13	± 0,25	2,12	14	± 0,13	± 0,30	2,57	13	± 0,13	± 0,28	3,09	12	± 0,13	± 0,32	3,55	11	± 0,13	± 0,36	4,01
22			17	± 0,13	± 0,25	2,12	16	± 0,13	± 0,30	2,57	15	± 0,13	± 0,28	3,09	14	± 0,13	± 0,32	3,55	13	± 0,13	± 0,36	4,01
25			20	± 0,15	± 0,25	2,11	19	± 0,15	± 0,30	2,56	18	± 0,13	± 0,28	3,09	17	± 0,13	± 0,32	3,55	16	± 0,13	± 0,36	4,01
28			23	± 0,15	± 0,25	2,11	22	± 0,15	± 0,30	2,56	21	± 0,15	± 0,28	3,08	20	± 0,15	± 0,32	3,54	19	± 0,15	± 0,36	4,00
30			25	± 0,15	± 0,25	2,11	24	± 0,15	± 0,30	2,56	23	± 0,15	± 0,28	3,08	22	± 0,15	± 0,32	3,54	21	± 0,15	± 0,36	4,00
32	über 30 bis 50	0 −0,16	—	—	—	—	26	± 0,15	± 0,30	2,54	25	± 0,15	± 0,28	3,06	24	± 0,15	± 0,32	3,52	23	± 0,15	± 0,36	3,98
36			—	—	—	—	30	± 0,15	± 0,30	2,54	29	± 0,15	± 0,28	3,06	28	± 0,15	± 0,32	3,52	27	± 0,15	± 0,36	3,98
40			—	—	—	—	—	—	—	—	33	± 0,18	± 0,28	3,05	32	± 0,18	± 0,32	3,51	31	± 0,18	± 0,36	3,97
45			—	—	—	—	—	—	—	—	38	± 0,18	± 0,28	3,05	37	± 0,18	± 0,32	3,51	36	± 0,18	± 0,36	3,97
50			—	—	—	—	—	—	—	—	—	—	—	—	42	± 0,18	± 0,32	3,51	41	± 0,18	± 0,36	3,97

Tabelle 2. Rohre (R) Wanddicken 5 bis 12 mm

Außendurchmesser d_1			Nennwanddicke s_2 1)																				
			5				6				8				10				12			
Vorzugsmaße	Maßbereich	zul. Abw. h11	Innendurchmesser d_2	zul. Abw.	Zul. Ungleichwandigkeit	Kleinste Wanddicke 2)	Innendurchmesser d_2	zul. Abw.	Zul. Ungleichwandigkeit	Kleinste Wanddicke 2)	Innendurchmesser d_2	zul. Abw.	Zul. Ungleichwandigkeit	Kleinste Wanddicke 2)	Innendurchmesser d_2	zul. Abw.	Zul. Ungleichwandigkeit	Kleinste Wanddicke 2)	Innendurchmesser d_2	zul. Abw.	Zul. Ungleichwandigkeit	Kleinste Wanddicke 2)
20	über 18 bis 30	0 −0,13	10	± 0,11	± 0,40	4,48	—	—	—	—	—	—	—	—	—	—	—	—	—	—	—	—
22			12	± 0,13	± 0,40	4,47	10	± 0,11	± 0,48	5,40	—	—	—	—	—	—	—	—	—	—	—	—
25			15	± 0,13	± 0,40	4,47	13	± 0,13	± 0,48	5,39	—	—	—	—	—	—	—	—	—	—	—	—
28			18	± 0,13	± 0,40	4,47	16	± 0,13	± 0,48	5,39	12	± 0,13	± 0,64	7,23	—	—	—	—	—	—	—	—
30			20	± 0,15	± 0,40	4,46	18	± 0,13	± 0,48	5,39	14	± 0,13	± 0,64	7,23	10	± 0,11	± 0,80	9,08	—	—	—	—
32	über 30 bis 50	0 −0,16	22	± 0,15	± 0,40	4,44	20	± 0,15	± 0,48	5,36	16	± 0,13	± 0,64	7,21	12	± 0,13	± 0,80	9,05	—	—	—	—
36			26	± 0,15	± 0,40	4,44	24	± 0,15	± 0,48	5,36	20	± 0,15	± 0,64	7,20	16	± 0,13	± 0,80	9,05	—	—	—	—
40			30	± 0,15	± 0,40	4,44	28	± 0,15	± 0,48	5,36	24	± 0,15	± 0,64	7,20	20	± 0,15	± 0,80	9,04	16	± 0,13	± 0,96	10,89
45			35	± 0,18	± 0,40	4,43	33	± 0,18	± 0,48	5,35	29	± 0,15	± 0,64	7,20	25	± 0,15	± 0,80	9,04	21	± 0,15	± 0,96	10,88
50			40	± 0,18	± 0,40	4,43	38	± 0,18	± 0,48	5,35	34	± 0,18	± 0,64	7,19	30	± 0,15	± 0,80	9,04	26	± 0,15	± 0,96	10,88
55	über 50 bis 60	0 −0,19	45	± 0,18	± 0,40	4,41	43	± 0,18	± 0,48	5,33	39	± 0,18	± 0,64	7,17	35	± 0,18	± 0,80	9,01	31	± 0,18	± 0,96	10,85
60			50	± 0,18	± 0,40	4,41	48	± 0,18	± 0,48	5,33	44	± 0,18	± 0,64	7,17	40	± 0,18	± 0,80	9,01	36	± 0,18	± 0,96	10,85

1) und 2) siehe Seite 1

Tabelle 3. **Sechskanthohlprofile (S) Wanddicken 2,5 bis 4,5 mm**

Schlüsselweite s_1			Nennwanddicke s_2 [1)]																			
			2,5				3				3,5				4				4,5			
Vorzugsmaße	Maßbereiche	zul. Abw. h11	Innendurchmesser d_2	zul. Abw.	Zul. Ungleichwandigkeit	Kleinste Wanddicke [2)]	Innendurchmesser d_2	zul. Abw.	Zul. Ungleichwandigkeit	Kleinste Wanddicke [2)]	Innendurchmesser d_2	zul. Abw.	Zul. Ungleichwandigkeit	Kleinste Wanddicke [2)]	Innendurchmesser d_2	zul. Abw.	Zul. Ungleichwandigkeit	Kleinste Wanddicke [2)]	Innendurchmesser d_2	zul. Abw.	Zul. Ungleichwandigkeit	Kleinste Wanddicke [2)]
10		0 −0,09	5	±0,09	±0,25	2,16	4	±0,09	±0,30	2,61	—	—	—	—	—	—	—	—	—	—	—	—
11	über 10 bis 18	0 −0,11	6	±0,09	±0,25	2,15	5	±0,09	±0,30	2,60	—	—	—	—	—	—	—	—	—	—	—	—
12			7	±0,11	±0,25	2,14	6	±0,09	±0,30	2,60	—	—	—	—	—	—		—	—	—	—	—
13			8	±0,11	±0,25	2,14	7	±0,11	±0,30	2,59	—	—	—	—	—	—	—	—	—	—	—	—
14			9	±0,11	±0,25	2,14	8	±0,11	±0,30	2,59	—	—	—	—	—	—	—	—	—	—	—	—
17			12	±0,13	±0,25	2,13	11	±0,13	±0,30	2,58	—	—	—	—	—	—	—	—	—	—	—	—
19	über 18 bis 30	0 −0,13	14	±0,13	±0,25	2,12	13	±0,13	±0,30	2,57	12	±0,13	±0,28	3,09	11	±0,13	±0,32	3,55	10	±0,13	±0,36	4,01
22			17	±0,13	±0,25	2,12	16	±0,13	±0,30	2,57	15	±0,13	±0,28	3,09	14	±0,13	±0,32	3,55	13	±0,13	±0,36	4,01
24			19	±0,15	±0,25	2,11	18	±0,15	±0,30	2,56	17	±0,13	±0,28	3,09	16	±0,13	±0,32	3,55	15	±0,13	±0,36	4,01
27			22	±0,15	±0,25	2,11	21	±0,15	±0,30	2,56	20	±0,15	±0,28	3,08	19	±0,15	±0,32	3,54	18	±0,15	±0,36	4,00
30			25	±0,15	±0,25	2,11	24	±0,15	±0,30	2,56	23	±0,15	±0,28	3,08	22	±0,15	±0,32	3,54	21	±0,15	±0,36	4,00
32	über 30 bis 50	0 −0,16	—	—	—	—	26	±0,15	±0,30	2,54	25	±0,15	±0,28	3,06	24	±0,15	±0,32	3,52	23	±0,15	±0,36	3,98
36			—	—	—	—	30	±0,15	±0,30	2,54	29	±0,15	±0,28	3,06	28	±0,15	±0,32	3,52	27	±0,15	±0,36	3,98
41			—	—	—	—	—	—	—	—	34	±0,18	±0,28	3,05	33	±0,18	±0,32	3,51	32	±0,18	±0,36	3,97
46			—	—	—	—	—	—	—	—	39	±0,18	±0,28	3,05	38	±0,18	±0,32	3,51	37	±0,18	±0,36	3,97
50			—	—	—	—	—	—	—	—	—	—	—	—	42	±0,18	±0,32	3,51	41	±0,18	±0,36	3,97

Tabelle 4. **Sechskanthohlprofile (S) Wanddicken 5 bis 12 mm**

Schlüsselweite s_1			Nennwanddicke s_2 [1)]																			
			5				6				8				10				12			
Vorzugsmaße	Maßbereiche	zul. Abw. h11	Innendurchmesser d_2	zul. Abw.	Zul. Ungleichwandigkeit	Kleinste Wanddicke [2)]	Innendurchmesser d_2	zul. Abw.	Zul. Ungleichwandigkeit	Kleinste Wanddicke [2)]	Innendurchmesser d_2	zul. Abw.	Zul. Ungleichwandigkeit	Kleinste Wanddicke [2)]	Innendurchmesser d_2	zul. Abw.	Zul. Ungleichwandigkeit	Kleinste Wanddicke [2)]	Innendurchmesser d_2	zul. Abw.	Zul. Ungleichwandigkeit	Kleinste Wanddicke [2)]
19	über 18 bis 30	0 −0,13	9	±0,11	±0,40	4,48	—	—	—	—	—	—	—	—	—	—	—	—	—	—	—	—
22			12	±0,13	±0,40	4,47	10	±0,11	±0,48	5,40	—	—	—	—	—	—	—	—	—	—	—	—
24			14	±0,13	±0,40	4,47	12	±0,13	±0,48	5,39	—	—	—	—	—	—	—	—	—	—	—	—
27			17	±0,13	±0,40	4,47	15	±0,13	±0,48	5,39	11	±0,13	±0,64	7,23	—	—	—	—	—	—	—	—
30			20	±0,15	±0,40	4,46	18	±0,13	±0,48	5,39	14	±0,13	±0,64	7,23	10	±0,11	±0,80	9,08	—	—	—	—
32	über 30 bis 50	0 −0,16	22	±0,15	±0,40	4,44	20	±0,15	±0,48	5,36	16	±0,13	±0,64	7,21	12	±0,13	±0,80	9,05	—	—	—	—
36			26	±0,15	±0,40	4,44	24	±0,15	±0,48	5,36	20	±0,15	±0,64	7,20	16	±0,13	±0,80	9,05	12	±0,13	±0,96	10,89
41			31	±0,15	±0,40	4,44	29	±0,15	±0,48	5,36	25	±0,15	±0,64	7,20	21	±0,15	±0,80	9,04	17	±0,13	±0,96	10,89
46			36	±0,18	±0,40	4,43	34	±0,18	±0,48	5,35	30	±0,15	±0,64	7,20	26	±0,15	±0,80	9,04	22	±0,15	±0,96	10,88
50			40	±0,18	±0,40	4,43	38	±0,18	±0,48	5,35	34	±0,18	±0,64	7,19	30	±0,15	±0,80	9,04	26	±0,15	±0,96	10,88
55	über 50 bis 65	0 −0,19	45	±0,18	±0,40	4,41	43	±0,18	±0,48	5,33	39	±0,18	±0,64	7,17	35	±0,18	±0,80	9,01	31	±0,18	±0,96	10,85
60			50	±0,18	±0,40	4,41	48	±0,18	±0,48	5,33	44	±0,18	±0,64	7,17	40	±0,18	±0,80	9,01	36	±0,18	±0,96	10,85
65			55	±0,21	±0,40	4,40	53	±0,21	±0,48	5,32	49	±0,21	±0,64	7,16	45	±0,21	±0,80	9,00	41	±0,21	±0,96	10,84

1) und 2) siehe Seite 1

3.2. Kantenradien von Sechskanthohlprofilen

Tabelle 5.

Schlüsselweite s_1	Kantenradius maximal
10 11 12 13 14 17	0,5
19 22 24 27	0,7
30 32 36	0,9
41 46 50	1,2
55 60 65	1,5

3.3. Geradheit (siehe Tabelle 6 und Bild 1)

Für Rohre und Sechskanthohlprofile gelten die Geradheitstoleranzen nach Tabelle 6 (siehe Bild 1).

Tabelle 6. **Geradheitstoleranz**

Maßbereich d_1 : s_2	Geradheitstoleranz			
	h_1		h_2	
	Rohre	Sechskant-hohlprofile	Rohre	Sechskant-hohlprofile
5 bis 40	1	1,5	0,4	0,6

h_1 ist die Geradheitstoleranz in mm/m für Längen l_1 größer als 400 mm.
h_2 ist die Geradheitstoleranz für Meßlängen l_2 gleich 400 mm.

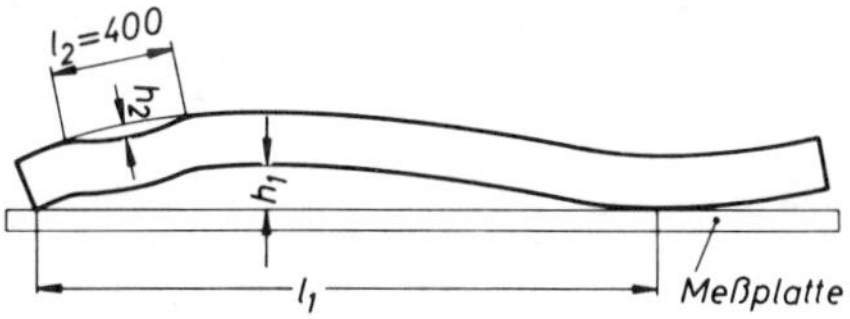

Bild 1.

Für Sechskanthohlprofile beträgt h_1 = 1,5 mm, h_2 = 0,6 mm.

3.4. Verwindung (siehe Tabelle 7 und Bild 2)

Tabelle 7. **Verwindungstoleranz für Sechskanthohlprofile**

Verwindungstoleranz	
auf gesamte Stangenlänge l	je 1000 mm l
3	2

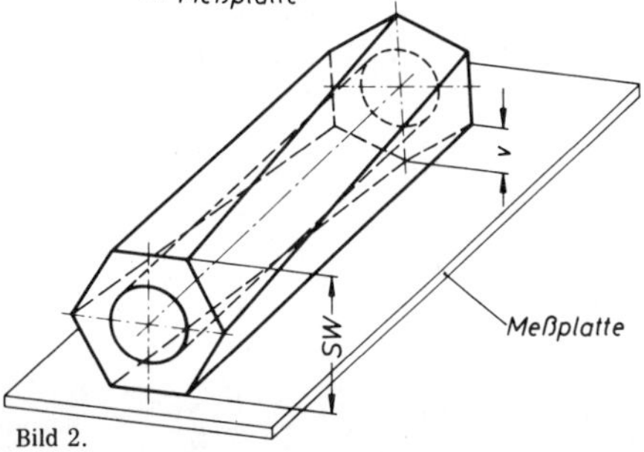

Bild 2.

4. Werkstoffe und Festigkeitseigenschaften

Auswahl von Kupfer-Knetlegierungen nach DIN 17 671 Blatt 1

Tabelle 8.

Kurzzeichen *)	Werkstoff-nummer *)	Wanddicke	Dichte kg/dm³	Umrechnungs-faktor für Gewichte	Früheres Kurzzeichen in DIN 17 671 Blatt 1 Ausgabe August 1961
CuZn36Pb1 F38	**2.0330.26**	bis 10	8,5	1	Ms63Pb F38
CuZn36Pb1 F45	**2.0330.30**	bis 5	8,5	1	Ms63Pb F45
CuZn36Pb3 F41	**2.0375.26**	bis 10	8,5	1	–
CuZn36Pb3 F47	**2.0375.30**	bis 5	8,5	1	–
CuZn38Pb1,5 F42	**2.0371.26**	bis 5	8,4	0,988	Ms60Pb F41
CuZn38Pb1,5 F48	**2.0371.30**	bis 5	8,4	0,988	Ms60Pb F48
CuZn39Pb3 zh	**2.0401.20**	n. V.	8,5	1	–
CuZn39Pb3 F44	**2.0401.26**	bis 10	8,5	1	Ms58 F44
CuZn39Pb3 F51	**2.0401.30**	bis 5	8,5	1	Ms58 F51
CuZn40Pb2 zh	**2.0402.20**	n. V.	8,4	0,988	–
CuZn40Pb2 F44	**2.0402.26**	bis 10	8,4	0,988	Ms58 F44
CuZn40Pb2 F51	**2.0402.30**	bis 5	8,4	0,988	Ms58 F51
CuSP F27	**2.1498.26**	4 bis 12	8,9	1,47	–
CuTeP F27	**2.1546.26**	4 bis 12	8,9	1,47	SF-CuTe F27

*) Andere Werkstoffzustände können vereinbart werden, z. B. Zustand weich, gekennzeichnet durch die entsprechende F-Zahl oder die Anhängezahl .10.

5. Ausführung

Siehe Technische Lieferbedingungen nach DIN 17 671 Blatt 2

6. Gewichte und zulässige Gewichtsabweichungen

Die in Tabellen 9 und 10 angegebenen Gewichte für Rohre und Sechskanthohlprofile errechnen sich aus den Nennmaßen des Außendurchmessers bzw. der Schlüsselweite und der Wanddicke sowie der Dichte 8,5 kg/dm³ für Kupfer-Knetlegierungen. Für Werkstoffe mit einer anderen Dichte sind die Gewichte entsprechend dem Umrechnungsfaktor der Tabelle 8 zu errechnen.

Die zulässige Gewichtsabweichung ergibt sich aus den zulässigen Abweichungen der Nennmaße und den zulässigen Abweichungen in der Zusammensetzung.

Tabelle 9. **Gewichte für Rohre (R)**

Außen-durchmesser d_1	Gewichte in kg/m für Rohre mit Wanddicken									
	2,5	**3**	**3,5**	**4**	**4,5**	**5**	**6**	**8**	**10**	**12**
16	0,90	1,04	–	–	–	–	–	–	–	–
18	1,03	1,20	1,36	1,50						
20	1,17	1,36	1,54	1,71	1,86	2,00				
22	1,30	1,52	1,73	1,92	2,10	2,27	2,55	–	–	–
25	1,50	1,76	2,01	2,24	2,46	2,67	3,04	–	–	–
28	1,70	2,00	2,29	2,56	2,82	3,07	3,53	4,27	–	–
30	1,84	2,16	2,48	2,78	3,06	3,34	3,85	4,70	5,34	–
32	–	2,32	2,66	2,99	3,30	3,61	4,17	5,12	5,87	–
36	–	2,64	3,04	3,42	3,79	4,14	4,81	5,98	6,94	–
40	–	–	3,41	3,85	4,27	4,67	5,45	6,84	8,01	8,97
45	–	–	3,88	4,38	4,87	5,34	6,25	7,90	9,35	10,6
50	–	–	–	4,91	5,47	6,01	7,05	8,97	10,7	12,2
55	–	–	–	–	–	6,68	7,85	10,0	12,0	13,8
60	–	–	–	–	–	7,34	8,65	11,1	13,3	15,4

Tabelle 10. **Gewichte für Sechskanthohlprofile (S)**

Schlüsselweite s_1	Gewichte in kg/m für Sechskanthohlprofile mit Wanddicken									
	2,5	**3**	**3,5**	**4**	**4,5**	**5**	**6**	**8**	**10**	**12**
13	0,82	0,92	—	—	—	—	—	—	—	—
14	0,90	1,02	—	—	—	—	—	—	—	—
17	1,17	1,32	1,46	—	—	—	—	—	—	—
19	1,35	1,53	1,70	1,85	1,99	—	—	—	—	—
22	1,63	1,85	2,06	2,25	2,43	2,90	2,90	—	—	—
24	1,83	2,08	2,31	2,53	2,74	3,28	2,93	—	—	—
27	2,14	2,42	2,70	2,96	3,20	3,44	3,86	4,56	—	—
30	2,45	2,78	3,09	3,39	3,68	3,95	4,46	5,32	5,96	—
32	2,67	3,02	3,37	3,69	4,01	4,31	4,87	5,83	6,58	—
36	3,12	3,53	3,93	4,31	4,67	5,03	5,69	6,87	7,83	8,53
41	3,72	4,20	4,66	5,10	5,54	5,96	6,76	8,20	9,43	10,44
46	4,35	4,89	5,42	5,94	6,44	6,92	7,86	9,57	11,1	12,3
50	4,88	5,48	6,06	6,63	7,18	7,72	8,76	10,7	12,4	13,9
55	—	—	—	7,52	8,14	8,75	9,92	12,1	14,1	15,8
60	—	—	—	—	—	9,81	11,1	13,58	15,8	17,8
65	—	—	—	—	—	10,9	12,3	15,1	17,6	19,9
Für Zwischenmaße der Wanddicke gelten die zulässigen Abweichungen der nächsthöheren Wanddicke.										

7. Lieferart

Rohre und Sechskanthohlprofile nach dieser Norm haben im allgemeinen folgende Längen:

bis 45 mm Durchmesser oder Schlüsselweite: max. 3000 mm

über 45 mm Durchmesser oder Schlüsselweite: max. 2000 mm

Größere Längen müssen vereinbart werden.

7.1. Ungefährlängen

Ungefährlängen sind besonders zu vereinbaren. Zur Kennzeichnung ist dann die Längenangabe „ungefähr" zu setzen.

Die zulässige Abweichung der bestellten Länge beträgt ± 10 %.

Unterlängen von mindestens 1000 mm sind bis zu 10 % des Liefergewichts zulässig.

7.2. Festlängen

Festlängen sind besonders zu vereinbaren. Zur Kennzeichnung wird dann hinter die Längenangabe das Kennwort „fest" eingesetzt. Für Festlängen gelten die zulässigen Abweichungen nach Tabelle 11.

Sägeschnitte dürfen bei Festlängen nur mit der halben zulässigen Abweichung nach Tabelle 11 vom rechten Winkel abweichen.

Tabelle 11.

Außendurchmesser d_1 bzw. Schlüsselweite s_1		Zulässige Abweichungen für Festlängen		
über	bis	— bis 1000	über 1000 bis 2000	über 2000 bis 3000
—	**30**	2,5	3	4
30	**65**	3	3,5	5

DK 621.643.2-462.3-034.3 : 621.643.411.3

Mai 1980

Rohre aus Kupfer und Kupfer-Knetlegierungen für Kapillarlötverbindungen

nahtlosgezogen Maße

DIN 59 753

Tubes of wrought copper and copper alloys for capillary soldering, seamless drawn; dimensions

Tubes en cuivre et en alliages de cuivre corroyés à braser par capillarité, étirés sans soudure; dimensions

Maße in mm

1 Geltungsbereich

Diese Norm gilt für nahtlos gezogene Rohre aus Kupfer und Kupfer-Knetlegierungen für Kapillarlötverbindungen für die in Abschnitt 2 genannten Anwendungsbereiche.

Sie unterscheidet sich von Rohren nach DIN 1786 durch die Aufnahme einer Auswahl von Kupfer-Knetlegierungen; ferner gelten nicht die besonderen Bedingungen der DIN 1786 in bezug auf Festigkeitszustand und Lieferform.

Rohre nach dieser Norm unterscheiden sich von Rohren nach DIN 1754 und DIN 1755 durch eingeengte zulässige Abweichungen des Außendurchmessers, wie sie für Kapillarlötverbindungen notwendig sind. Deshalb enthält sie auch nur eine begrenzte Anzahl entsprechender Außendurchmesser.

2 Anwendungsbereich

Rohre nach dieser Norm sind in zahlreichen industriellen und handwerklichen Anwendungsbereichen eingesetzt, z. B. Fahrzeugbau, Heizungsbau, Kältetechnik, Maschinenbau, Schiffbau.

3 Bezeichnung

3.1 Norm-Bezeichnung

Bezeichnung eines Rohres aus einem Werkstoff mit dem Kurzzeichen SF-Cu F30 oder der Werkstoffnummer 2.0090.30 mit einem Außendurchmesser von 18 mm und einer Wanddicke von 1 mm:

Rohr DIN 59 753 – SF-Cu F30 – 18 × 1

oder Rohr DIN 59 753 – 2.0090.30 – 18 × 1

3.2 Bestellbezeichnung

Für die Lieferformen nach Abschnitt 7 wird nachstehend je ein Bestellbeispiel angegeben.

3.2.1 Rohre in Herstellängen

2000 Kilogramm Rohre aus einem Werkstoff mit dem Kurzzeichen SF-Cu F30 oder mit der Werkstoffnummer 2.0090.30 mit einem Außendurchmesser von 20 mm und einer Wanddicke von 2 mm in Herstellängen:

2000 kg Rohr DIN 59 753 – SF-Cu F30 – 20 × 2 Herstellänge

oder 2000 kg Rohr DIN 59 753 – 2.0090.30 – 20 × 2 Herstellänge

3.2.2 Rohre in Festlängen

100 Stück Rohre aus einem Werkstoff mit dem Kurzzeichen CuZn20Al F34 oder mit der Werkstoffnummer 2.0460.10 mit einem Außendurchmesser von 35 mm und einer Wanddicke von 2,5 mm in Festlängen von 3500 mm:

100 Stück Rohr DIN 59 753 – CuZn20Al F34 – 35 × 2,5 × 3500 fest

oder 100 Stück Rohr DIN 59 753 – 2.0460.10 – 35 × 2,5 × 3500 fest

3.2.3 Rohre in Ringen

1500 Kilogramm Rohre aus einem Werkstoff mit dem Kurzzeichen SF-Cu F22 oder der Werkstoffnummer 2.0090.10 mit einem Außendurchmesser von 10 mm und einer Wanddicke von 0,8 mm in Ringen von 600 mm Innendurchmesser:

1500 kg Rohr DIN 59 753 – SF-Cu F22 – 10 × 0,8 – 600 Ring

oder 1500 kg Rohr DIN 59 753 – 2.0090.10 – 10 × 0,8 – 600 Ring

Fortsetzung Seite 2 bis 4
Erläuterungen Seite 5

Normenausschuß Nichteisenmetalle (FNNE) im DIN Deutsches Institut für Normung e. V.
Normenausschuß Rohre, Rohrverbindungen und Rohrleitungen (FR) im DIN

4 Maße und zulässige Abweichungen

4.1 Außendurchmesser und Wanddicke

Rohre nach dieser Norm werden nur mit den Außendurchmessern nach Tabelle 1 geliefert. Für die Wanddicke sollen die in Tabelle 1 genannten Nennmaße bevorzugt angewendet werden.

4.2 Zulässige Abweichungen

Für die zulässigen Abweichungen des Außendurchmessers und der Wanddicke gelten die Werte in Tabelle 1.

4.2.1 Zulässige Abweichungen des Außendurchmessers

Der mittlere Außendurchmesser ist das arithmetische Mittel aus dem größten und kleinsten Durchmesser, gemessen in derselben senkrecht zur Rohrachse stehenden Ebene.

Beim Messen der Außendurchmesser muß ein Abstand von mindestens dem Nennmaß des Außendurchmessers von beiden Enden des Rohres unberücksichtigt bleiben; bei Außendurchmessern größer als 100 mm beträgt der Abstand jedoch höchstens 100 mm.

Rohre in Ringen sind vor dem Messen zu kalibrieren.

4.2.2 Zulässige Abweichungen der Wanddicke

Die mittlere Wanddicke ist das arithmetische Mittel der größten Wanddicke und der kleinsten Wanddicke gemessen in derselben senkrecht zur Rohrachse stehenden Ebene.

Die Ungleichwandigkeit ist die Plus-Minus-Abweichung der größten bzw. der kleinsten Wanddicke von der mittleren Wanddicke.

4.3 Geradheitstoleranz von Rohren in gestreckter Länge

Für Rohre mit Außendurchmessern über 2 mm in Herstell- und Festlängen (ausgenommen für Rohre im Zustand weich, gekennzeichnet durch die Anhängezahl .10) gelten die zulässigen Abweichungen nach Tabelle 2.

Tabelle 2. **Geradheitstoleranz**

Außendurchmesser Nennmaße	Geradheitstoleranz je Meter h_1	je 400 mm h_2
von 2 bis 10	3	1,2
von 12 bis 54	4	1,6
von 57 bis 76,1	5	2,0
88,9 und 108	6	2,5

h_1 ist die zulässige Abweichung je Meter, linear zunehmend bei Meßlängen l_1 über 400 mm. Auf jeden Längenabschnitt l_2 = 400 mm darf die zulässige Abweichung jedoch nicht mehr als h_2 betragen, siehe Bild.

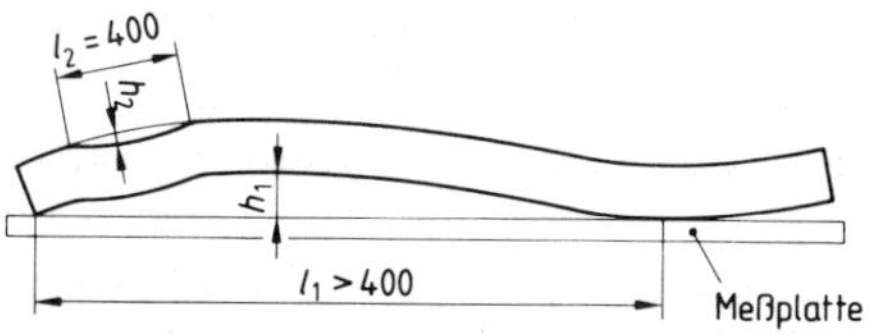

5 Werkstoffe

Rohre nach dieser Norm werden aus SF-Cu, CuAsP, CuZn20Al und CuNi10Fe mit den Festigkeitseigenschaften nach DIN 17 671 Teil 1 geliefert.

6 Ausführung

Es gelten die Festlegungen der Technischen Lieferbedingungen nach DIN 17 671 Teil 2.

7 Lieferform

7.1 Rohre in gestreckten Längen

Herstellängen bis 8000 mm. Unterlängen von mindestens 1000 mm sind bis zu 10 % des Liefergewichtes zulässig.

Festlängen sind bei Bestellung besonders zu vereinbaren. Zur Bezeichnung wird dann hinter die Längenangabe das Kennwort „fest" eingesetzt.

Für Festlängen gelten die zulässigen Abweichungen nach Tabelle 3.

Sägeschnitte dürfen bei Festlängen nur mit der halben zulässigen Abweichung der Tabelle 3 vom rechten Winkel abweichen.

Tabelle 3. **Längentoleranz**

Außendurchmesser d_1 über	Außendurchmesser d_1 bis	Zulässige Abweichungen für Festlängen bis 100	über 100 bis 250	über 250 bis 500	über 500 bis 1000	über 1000 bis 2000	über 2000 bis 5000	über 5000
–	10	nach Vereinbarung						
10	54	$^{+1}_{0}$	$^{+1,5}_{0}$	$^{+2}_{0}$	$^{+3}_{0}$	$^{+4}_{0}$	$^{+5}_{0}$	nach Vereinbarung
54	108	$^{+1,5}_{0}$	$^{+2}_{0}$	$^{+3}_{0}$	$^{+4}_{0}$	$^{+5}_{0}$	$^{+6}_{0}$	

7.2 Rohre in Ringen

Die Lieferform von Rohren in Ringen ist auf die nachstehenden Bedingungen begrenzt, wobei der Ringinnendurchmesser bei Bestellung zu vereinbaren ist.

Bedingungen an den Werkstoff:

SF-Cu, CuAsP, CuZn20Al und CuNi10Fe im Zustand weich, gekennzeichnet durch die Anhängezahl .10.

Bedingungen an die Maße:

Rohraußendurchmesser: höchstens 22 mm.

Wanddicke: höchstens 2 mm.

8 Kennzeichnung

Rohre können gekennzeichnet werden. Wird keine oder eine fortlaufende Kennzeichnung gewünscht, so ist dies bei Bestellung zu vereinbaren.

9 Zugehörige Fittings

Fittings für Kapillarlötverbindungen sind in DIN 2856 festgelegt.

Weitere Normen

DIN 1754 Teil 1	Rohre aus Kupfer, nahtlosgezogen; Maßbereiche und Toleranzzuordnungen
DIN 1754 Teil 2	Rohre aus Kupfer, nahtlosgezogen; Vorzugsmaße für allgemeine Verwendung
DIN 1754 Teil 3	Rohre aus Kupfer, nahtlosgezogen; Vorzugsmaße für Rohrleitungen
DIN 1755 Teil 1	Rohre aus Kupfer-Knetlegierungen, nahtlosgezogen; Maßbereiche und Toleranzuordnungen
DIN 1755 Teil 2	Rohre aus Kupfer-Knetlegierungen, nahtlosgezogen; Vorzugsmaße für allgemeine Verwendung
DIN 1755 Teil 3	Rohre aus Kupfer-Knetlegierungen, nahtlosgezogen; Vorzugsmaße für Rohrleitungen
DIN 1786	Installationsrohre aus Kupfer, nahtlosgezogen
DIN 2856	Fittings für Lötverbindungen; Technische Lieferbedingungen
DIN 17 671 Teil 1	Rohre aus Kupfer und Kupfer-Knetlegierungen; Festigkeitseigenschaften
DIN 17 671 Teil 2	Rohre aus Kupfer und Kupfer-Knetlegierungen; Technische Lieferbedingungen

Tabelle 1. **Zulässige Abweichungen für Außendurchmesser und Wanddicke für SF-Cu, CuAsP, CuZn20Al und CuNi10Fe**

Außendurchmesser			Wanddicke 1)													
			0,5		0,8		1,0		1,5		2,0		2,5		3,0	
			Zul. Abw. für		Zul. Abw. für		Zul. Abw. für		Zul. Abw. für		Zul. Abw. für		Zul. Abw. für		zul. Abw. für	
Nennmaß	Zul. Abw. des mittleren Außendurchmessers 4)	Zul. Abw. einschließlich Unrundheit	mittlere Wanddicke 2)	Ungleichwandigkeit 3)	mittlere Wanddicke 2)	Ungleichwandigkeit 3)	mittlere Wanddicke 2)	Ungleichwandigkeit 3)	mittlere Wanddicke 2)	Ungleichwandigkeit 3)	mittlere Wanddicke 2)	Ungleichwandigkeit 3)	mittlere Wanddicke 2)	Ungleichwandigkeit 3)	mittlere Wanddicke 2)	Ungleichwandigkeit 3)
2 3	± 0,045		± 0,03	± 0,05	–	–	–	–	–	–	–	–	–	–	–	–
4 5 6			± 0,03	± 0,05	± 0,03	± 0,08	± 0,03	± 0,09	–	–	–	–	–	–	–	–
8 10			± 0,03 ± 0,05*	± 0,05	± 0,03 ± 0,05*	± 0,08	± 0,03 ± 0,05*	± 0,10	± 0,04 ± 0,07*	± 0,14	± 0,04 ± 0,07*	± 0,18	–	–	–	–
12 14			± 0,03 ± 0,05*	± 0,05	± 0,03 ± 0,05*	± 0,08	± 0,03 ± 0,05*	± 0,10	± 0,04 ± 0,07*	± 0,14	± 0,05 ± 0,09*	± 0,18	± 0,05 ± 0,09*	± 0,23	–	–
15 16			± 0,04 ± 0,07*	± 0,05	± 0,04 ± 0,07*	± 0,08	± 0,04 ± 0,07*	± 0,10	± 0,05 ± 0,07*	± 0,14	± 0,06 ± 0,11*	± 0,18	± 0,07 ± 0,13*	± 0,23	–	–
18			–	–												
20 22 25 28 30	± 0,055		–	–	–	–	± 0,05 ± 0,09*	± 0,10	± 0,06 ± 0,11*	± 0,15	± 0,08 ± 0,14*	± 0,18	± 0,08 ± 0,14*	± 0,23	± 0,10 ± 0,18*	± 0,27
35 38 42 44,5	± 0,07		–	–	–	–	–	–	± 0,08 ± 0,14*	± 0,15	± 0,10 ± 0,18*	± 0,18	± 0,10 ± 0,18*	± 0,23	± 0,12 ± 0,22*	± 0,27
54 57			–	–	–	–	–	–	± 0,10 ± 0,18*	± 0,15	± 0,12 ± 0,22*	± 0,20	± 0,12 ± 0,22*	± 0,25	± 0,14 ± 0,25*	± 0,27
64 76,1	± 0,07	± 0,08	–	–	–	–	–	–	–	–	± 0,12 ± 0,22*	± 0,20	± 0,12 ± 0,22*	± 0,25	± 0,14 ± 0,25*	± 0,27
88,9	± 0,07	± 0,10	–	–	–	–	–	–	–	–	± 0,14 ± 0,25*	± 0,20	± 0,15 ± 0,27*	± 0,25	± 0,16 ± 0,29*	± 0,27
108	± 0,07	± 0,12														

1) Für Zwischenmaße der Wanddicke gelten die zulässigen Abweichungen des nächstgrößeren Vorzugsmaßes.

2) Mittlere Wanddicke siehe Abschnitt 4.2.2. Die mit einem Stern versehenen Werte gelten nur für den Werkstoff CuZn20Al.

3) Ungleichwandigkeit siehe Abschnitt 4.2.2.

4) Der mittlere Außendurchmesser ist das arithmetische Mittel aus dem größten und kleinsten Durchmesser, gemessen in derselben senkrecht zur Rohrachse stehenden Ebene.

Erläuterungen

Die Erfahrungen mit der Norm DIN 1786 vom Mai 1969 haben gezeigt, daß ca. 80 % der Produktion von Kupferrohren mit engen Toleranzen für Kapillarlötverbindungen für die Gas- und Wasserinstallation verwendet werden.

Es lag also nahe, diese Norm bei der Überarbeitung auf die für diesen Anwendungsbereich spezifischen Bedingungen auszurichten. Dazu war es notwendig, die bisherige Maßnorm in eine Norm über nahtlosgezogene „Leitungsrohre aus Kupfer" umzuwandeln, die alle wesentlichen Bedingungen, z. B. Werkstoff, Eigenschaften, Maße, zulässige Maß- und Formabweichungen, Lieferform, Kennzeichnung, Oberflächenbeschaffenheit, Prüfverfahren, zusammenfaßt, so daß vor allem das Installationsgewerbe alle Angaben in einer Norm vereint findet.

Gegen diese Umwandlung bestanden insofern Bedenken, als andere Anwendungsbereiche, z. B. die Kältetechnik, ihre Kupferrohre mit engen Toleranzen nicht mehr nach DIN 1786 bestellen können. Die neuen Bedingungen der DIN 1786 – außer den Toleranzen für Kapillarlötverbindungen – können nicht auf diese Anwendungsbereiche übertragen werden. Es mußte überlegt werden, wie man den Anforderungen und Wünschen der anderen Anwender gerecht werden konnte.

Gespräche ergaben, daß ein gewisser Bedarf an Rohren aus einigen wenigen korrosionsbeständigen Kupfer-Knetlegierungen mit engen Toleranzen für Kapillarlötverbindungen besteht, z. B. im Schiffbau, so daß sich eine neue Maßnorm als zweckmäßige Lösung anbietet, die den Anforderungen der Anwender außerhalb der Gas- und Wasserinstallation gerecht wird.

Außerdem zeigte sich, daß Kühlschrankrohre für Kleinkälteanlagen nach DIN 8905 zwar mit Toleranzen nach DIN 1786 gezogen, aber sonst nach besonderen Bedingungen, z. B. Festigkeitszustände, Lieferform: gewickelt mit zugeschlagenen Enden, geliefert werden, so daß sich bei der anstehenden Überarbeitung von DIN 8905 eine gleiche Lösung wie für DIN 1786 anbot.

Auf Grund dieser Überlegungen wurde die neue Maßnorm DIN 59 753 „Rohre aus Kupfer und Kupfer-Knetlegierungen für Kapillarlötverbindungen, nahtlosgezogen; Maße" erstellt.

Eine tabellarische Gegenüberstellung zeigt die wesentlichen Unterschiede zwischen DIN 1786 und DIN 59 753.

Bei den abschließenden Beratungen zur Folgeausgabe von DIN 1786 wurde ein Arbeitskreis gebildet, der das Überführen des DVGW-Arbeitsblattes GW 392 in DIN 1786 prüfen und entsprechende Vorschläge ausarbeiten soll. Damit der Arbeitskreis nicht unter Zeitdruck beraten muß, kamen der FNNE und der DVGW überein, ihre technischen Regeln zunächst getrennt in ihrer endgültigen Fassung zu veröffentichen, da alle Beteiligten an deren baldigem Erscheinen interessiert waren.

	DIN 1786	DIN 59 753
Anwendungsbereich	Gas- und Wasserinstallation (andere Anwendung nur, falls keine anderen Bedingungen)	alle Anwendungsbereiche, für die die Bedingungen der DIN 1786 nicht zutreffen
Normart	Liefernorm	Maßnorm
Außendurchmesser	Maßreihe von 6 bis 267 mm (keine Zwischenmaße)	Maßreihe von 2 bis 108 mm (keine Zwischenmaße)
Wanddicke	Maßreihe von 0,8 bis 3,0 mm in bestimmter Kombination mit dem Außendurchmesser	Vorzugsmaße von 0,5 bis 3,0 mm in freier Kombination mit dem Außendurchmesser
Verbindungsverfahren	Kapillarlöten und andere Verbindungsverfahren	Kapillarlöten
Werkstoffe	nur SF-Cu	SF-Cu, CuAsP, CuZn20Al, CuNi10Fe
Werkstoffzustände	nur ein Zustand je nach Lieferform und Abmessung	alle Zustände nach DIN 17 671 Teil 1
Lieferform	a) in Lieferlängen von 5 Meter b) in Ringen zu 50 bzw. 25 Meter c) Bestellung nach Meter	a) in gestreckten Längen Herstellängen, Festlängen b) in Ringen c) Bestellung nach Gewicht, Stückzahl, Meter
Kennzeichnung	verpflichtend	nur nach Vereinbarung

Verzeichnis Internationaler Normen der ISO sowie deren Zusammenhang mit DIN

Hierin bedeutet:

ISO ISO-Norm

ISO	Ausg.	Titel	Zusammenhang mit DIN
		Grundnormen	
197-1	12.83	Kupfer und Kupferlegierungen; Benennungen und Definitionen; Teil 1: Werkstoffe	–
197-2	12.83	Kupfer und Kupferlegierungen; Benennungen und Definitionen; Teil 2: Rohformen (Raffineriehalbzeuge)	–
197-3	12.83	Kupfer und Kupferlegierungen; Benennungen und Definitionen; Teil 3: Kneterzeugnisse	–
197-4	12.83	Kupfer und Kupferlegierungen; Benennungen und Definitionen; Teil 4: Gußerzeugnisse	–
1190-1	11.82	Kupfer und Kupferknetlegierungen; Bezeichnungskode; Teil 1: Werkstoffbezeichnung	–
1190-2	11.82	Kupfer und Kupferknetlegierungen; Bezeichnungskode; Teil 2: Bezeichnung des Wärmebehandlungszustandes	–
		Zusammensetzung	
		Hüttenkupfer	
431	12.81	Elektrolytisch raffiniertes sauerstoffhaltiges (zähgepoltes) Kupfer; Hüttenhalbzeug	1708
		Knetlegierungen	
426-1	12.83	Knetkupfer-Zink-Legierungen; chemische Zusammensetzung und Formen von Kneterzeugnissen; Teil 1: nicht-bleihaltige und Sonder-Kupfer-Zink-Legierungen	17 660
426-2	11.83	Knetkupfer-Zink-Legierungen; chemische Zusammensetzung und Formen von Kneterzeugnissen; Teil 2: bleihaltige Kupfer-Zink-Legierungen	17 660
427	10.83	Kupfer-Zinn-Knetlegierungen; chemische Zusammensetzung und Formen von Kneterzeugnissen	17 662
428	10.83	Kupfer-Aluminium-Knetlegierungen; chemische Zusammensetzung und Formen von Kneterzeugnissen	17 665
429	10.83	Kupfer-Nickel-Knetlegierungen; chemische Zusammensetzung und Formen von Kneterzeugnissen	17 664
430	11.83	Knetkupfer-Nickel-Zink-Legierungen; chemische Zusammensetzung und Formen von Kneterzeugnissen	17 663
1187	10.83	Sonder-Kupferknetlegierungen; chemische Zusammensetzung und Formen von Kneterzeugnissen	17 666

ISO	Ausg.	Titel	Zusammenhang mit DIN
1336	06.80	Kupferknetlegierungen (mit Mindestkupfergehalt von 97,5 %); chemische Zusammensetzung und (Liefer-)Formen der (Kupfer-)Knetprodukte	17 666
1337	05.80	Kupferknetlegierungen (mit Mindestkupfergehalt von 99,85 %); chemische Zusammensetzung und (Liefer-)Formen der (Kupfer-)Knetprodukte	1787
		Eigenschaften	
1634-1	05.87	Bleche und Bänder aus Kupfer und Kupferknetlegierungen; Teil 1: Technische Lieferbedingungen für Bleche und Bänder für allgemeine Verwendung	17 670 T 1 17 670 T 2
1634-2	05.87	Bleche und Bänder aus Kupfer und Kupferknetlegierungen; Teil 2: Technische Lieferbedingungen für Bleche für Kessel, Druckbehälter und Wärmeaustauscher	17 675 T 1 17 675 T 2 17 675 T 3
1634-3	05.87	Bleche und Bänder aus Kupfer und Kupferknetlegierungen; Teil 3: Technische Lieferbedingungen für Federbänder aus Kupferknetlegierungen	1777
1635	11.74	Knetkupfer und -legierungen; Rundrohre für allgemeine Zwecke; mechanische Eigenschaften	17 671 T 1 + T 2
1635-2	05.87	Nahtlose Rohre aus Kupfer und Kupferknetlegierungen; Teil 2: Technische Lieferbedingungen für Rohre für Kondensatoren und Wärmeaustauscher	1785
1637	05.87	Stangen aus Kupfer und Kupferknetlegierungen; Technische Lieferbedingungen	17 672 T 1 17 672 T 2
1638	05.87	Drähte aus Kupfer und Kupferknetlegierungen; Technische Lieferbedingungen	17 677 T 1 17 677 T 2
1639	11.74	Knetkupferlegierungen; extrudierte (stranggepreßte) Profile; mechanische Eigenschaften	17 674 T 1 + T 2
1640	11.74	Knetkupferlegierungen; Schmiede-(preß-)Stücke; mechanische Eigenschaften	17 673 T 1 + T 2 17 678 T 1 + T 2
4739	04.85	Erzeugnisse aus Knetkupfer und Kupferlegierungen; Auswahl und Herstellung von Mustern und Prüfstükken für mechanische Prüfungen	–
		Produkt-bezogene Norm	
4738	11.82	Gezogene Kupferstangen (Drahtstabhalbzeuge)	17 652
		Maßnormen	
274	11.75	Runde Kupferrohre; Abmessungen	1786
3486	05.80	Knetkupfer und Kupferknetlegierungen; kaltgewalzte Flachprodukte in geraden Längen (Bleche); Abmessungen und Toleranzen	1751
3487	06.80	Knetkupfer und Kupferknetlegierungen; kaltgewalzte Flachprodukte in Rollen oder auf Trommeln (Bänder); Abmessungen und Toleranzen	1791

ISO	Ausg.	Titel	Zusammenhang mit DIN
3488	10.82	Knetkupfer und Knetkupferlegierungen; stranggepreßte runde, eckige oder sechskantige Stäbe; Abmessungen und Toleranzen	1782
3489	11.84	Knetkupfer und Kupferlegierungen; gezogene runde Stäbe; Minustoleranzen auf Durchmesser und Formtoleranzen	1756
3490	11.84	Knetkupfer und Kupferlegierungen; gezogene Sechskantstäbe; Minustoleranzen auf Schlüsselweiten und Formtoleranzen	1763
3491	11.84	Knetkupfer und Kupferlegierungen; gezogene Vierkantstäbe; Minustoleranzen auf Schlüsselweiten und Formtoleranzen	1761
3492	10.82	Knetkupfer und Knetkupferlegierungen; gezogener Runddraht; Durchmessertoleranzen	1757
6958	12.84	Knetkupfer und Kupferlegierungen; gezogene rechteckige Stäbe; Abmessungen und Formtoleranzen	1759
7756	11.84	Knetkupfer und Kupferlegierungen; gezogene Rundstäbe; symmetrische Plus- und Minustoleranzen auf Durchmesser und Formtoleranzen	–
7757	11.84	Knetkupfer und Kupferlegierungen; gezogene Sechskantstäbe; symmetrische Plus- und Minustoleranzen auf Durchmesser und Formtoleranzen	–
7758	11.84	Knetkupfer und Kupferlegierungen; gezogene Vierkantstäbe; symmetrische Plus- und Minustoleranzen auf Durchmesser und Formtoleranzen	–
		Prüfverfahren	
196	04.78	Knetkupfer und Kupferlegierungen; Feststellung von Restspannungen; Quecksilber(I)nitrat-Probe	50 911
2624	02.90	Kupfer und Kupferlegierungen; Ermittlung der mittleren Korngröße	–
2626	11.73	Kupfer; Wasserstoffversprödungsprüfung	–
4746	08.77	Sauerstofffreies Kupfer; (Oxyd-)Hauthaftprüfung	–
6957	10.88	Kupferlegierungen; Spannungskorrosionsversuch mit Ammoniak	50 916 T 1
		Analysenverfahren	
1553	11.76	Unlegiertes Kupfer mit mindestens 99,9 % Reinheit; Bestimmung des Kupfergehaltes; elektrolytische Methode	50 502
1554	11.76	Kupferknet- und -gußlegierungen; Bestimmung des Kupfergehaltes; elektrolytische Methode	50 503
1810	11.76	Kupferlegierungen; niedrige Nickelgehalte; spektrophotometrische Methode mit Dimethylglyoxium	50 506
1811-1	10.88	Kupfer und Kupferlegierungen; Auswahl und Vorbereitung von Proben für die chemische Analyse; Teil 1: Probenahme an gegossenen Rohformen	50 500

ISO	Ausg.	Titel	Zusammenhang mit DIN
1811-2	10.88	Kupfer und Kupferlegierungen; Auswahl und Vorbereitung von Proben für die chemische Analyse; Teil 2: Probenahme an Halbzeug und Gußstücken	50 500
1812	11.76	Kupferlegierungen; Bestimmung des Eisengehaltes; 1,10-Phenanthrolin-spektrophotometrische Methode	50 504
2543	09.73	Kupfer und Kupferlegierungen; Manganbestimmung; spektrophotometrische Methode	50 505
3110	09.75	Kupferlegierungen; Bestimmung von Aluminium als Legierungsbestandteil; volumetrische Methode	50 509
3111	07.75	Kupferlegierungen; Bestimmung von Zinn als Legierungsbestandteil; volumetrische Methode	50 508
3112	07.75	Kupfer und Kupferlegierungen; Bleibestimmung; Titriermethode	50 507
3220	07.75	Kupfer und Kupferlegierungen; Bestimmung von Arsen; photometrische Methode	50 510
4740	07.85	Kupfer und Kupferlegierungen; Bestimmung des Zinkgehaltes; spektrometrische Flammen-Atomabsorptionsmethode	–
4742	03.84	Kupferlegierungen; Bestimmung des Nickelgehaltes; gravimetrische Methode	–
4743	10.84	Kupferlegierungen; Bestimmung des Nickelgehaltes; titrimetrische Methode	–
4748	04.84	Kupferlegierungen; Bestimmung des Gehaltes an Eisen; Maßanalytisches Verfahren mit Na_2EDTA	4748
4751	07.84	Kupfer und Kupferlegierungen; Bestimmung des Gehaltes an Zinn; Photometrisches Verfahren	4751
6437	05.84	Kupferlegierungen; Bestimmung des Chromgehaltes; titrimetrische Methode	–

Stichwortverzeichnis

Die hinter den Stichwörtern stehenden Nummern sind die DIN-Nummern (ohne die Buchstaben DIN) der abgedruckten Normen bzw. der Norm-Entwürfe.

Aluminiumbronze (Kupfer-Aluminium-Legierungen) Knetlegierungen 17 665

Ammoniakversuch 50 916 T 1

Automatenlegierungen (bleihaltige Kupfer-Zink-Legierungen)
- Rohre und Hohlprofile
  - Eigenschaften 17 671 T 1
  - Maße 59 752
  - Technische Lieferbedingungen 17 671 T 2
- Zusammensetzung 17 660

Bänder
- Eigenschaften 17 670 T 1, 17 670 T 1 A 1
- für das Bauwesen 17 650
- für die Elektrotechnik 40 500 T 1
- für Federn
  - Maße 1777
  - Technische Lieferbedingungen 1777
- Maße 1791
- Technische Lieferbedingungen 17 670 T 2

Bandstreifen, siehe Bänder

Biegeradien von Federn 1777

Bleche
- Eigenschaften 17 670 T 1, 17 670 T 1 A 1,
- für das Bauwesen 17 650
- für die Elektrotechnik 40 500 T 1
- Maße 1751
- Technische Lieferbedingungen 17 670 T 2

Blechstreifen, siehe Bleche

Bronzen, Knetlegierungen
- Aluminiumbronze (Kupfer-Aluminium-Legierungen) 17 665
- Zinnbronze (Kupfer-Zinn-Legierungen) 17 662

Drähte
- Eigenschaften 17 677 T 1
- für die Elektrotechnik E 40 500 T 4, 40 500 T 5
- für Federn
  - Maße 2076
  - Technische Lieferbedingungen 17 682
- Maße 1757
  - Technische Lieferbedingungen 17 677 T 2

Federband 1777

Federbiegegrenze 1777

Federdrähte
- Maße 2076
- Technische Lieferbedingungen 17 682

Flachstangen
- mit scharfen Kanten 1759

Freiformschmiedestücke
- Eigenschaften 17 678 T 1
- Grundlagen für die Konstruktion 17 678 T 3
- Technische Lieferbedingungen 17 678 T 2
- Zulässige Abweichungen 17 678 T 4

Gesenkschmiedestücke
- Eigenschaften 17 673 T 1
- Grundlagen für die Konstruktion 17 673 T 3
- Technische Lieferbedingungen 17 673 T 2
- Zulässige Abweichungen 17 673 T 4

Gießwalzdraht 17 652

Gußlegierungen, siehe DIN-TAB 53

Hartlote 8513 T 1 bis T 3, 8513 T 5

Hüttenkupfer 1708

Kathoden-Elektrolytkupfer 1708

Kondensatorplatten 17 675 T 1 bis T 3

Kondensatorrohre 1785, 17 679

Konstruktionsrichtlinien für
- Freiformschmiedestücke 17 678 T 3
- Gesenkschmiedestücke 17 673 T 3
- Strangpreßprofile 17 674 T 3

Kupfer in Halbzeug 1787

Kupfer-Knetlegierungen
- Kupfer-Aluminium-Legierungen 17 665
- Kupfer-Knetlegierungen, niedriglegiert 17 666

Kupfer-Nickel-Legierungen 17 664
Kupfer-Nickel-Legierungen, Zusammensetzung 17 664
Kupfer-Nickel-Zink-Legierungen 17 663
Kupfer-Zink-Legierungen 17 660
Kupfer-Zinn-Legierungen 17 662
Kupferlote 8513 T 1
Kupfer-Vorlegierungen 17 657

Lote aus
Silber 8513 T 2, 8513 T 3

Messing, Zusammensetzung 17 660
Messingdraht, rund 1757

Neusilber, Zusammensetzung 17 663
Nichteisenmetalle; Begriffe 17 600 T 1

Profile
für die Elektrotechnik 40 500 T 3
siehe Strangpreßprofile

Quecksilbernitratversuch 50 911

Rechteckstangen, gezogen 1759
Rippenrohre 17 679
Rohrböden 17 675 T 1 bis T 3
Rohre
Eigenschaften 17 671 T 1
Maße
für Automatenbearbeitung 59 752
für die Elektrotechnik 40 500 T 2
für Gas- und Wasserinstallation 1786
für Kapillarlötverbindungen 59 753
für Kondensatoren und Wärmeaustauscher 1785, 17 679
gepreßt 59 750
gezogen 1754 T 1, 1755 T 1 bis T 3
Technische Lieferbedingungen 17 671 T 2
Runddrähte
für allgemeine Verwendung, siehe Drähte
für Federn
Maße 2076
Technische Lieferbedingungen 17 682
Rundstangen
gepreßt 1782
gezogen 1756

Sauerstofffreies Kupfer 1708, 1787
Sauerstoffhaltiges Kupfer 1708, 1787
Schmiedestücke
Freiformschmiedestücke 17 678 T 1 bis T 4
Gesenkschmiedestücke 17 673 T 1 bis T 4
Schweißzusätze 1733
Sechskantdrähte 1757
Sechskanthohlprofile 59 752
Sechskantstangen 1763
Silberlote 8513 T 2, 8513 T 3
Sondermessing, Zusammensetzung 17 660
Spannungsrißkorrosionsprüfung mit Ammoniak 50 916 T 2
Spannungsrißkorrosionsversuch mit Ammoniak 50 916 T 1
mit Quecksilbernitrat 50 911
Stangen
Eigenschaften 17 672 T 1
für die Elektrotechnik 40 500 T 3
Maße
rund, gepreßt 1782
rund, gezogen 1756
Sechskant, gezogen 1763
Vierkant, gezogen 1763
Technische Lieferbedingungen 17 672 T 2
Strangpreßprofile
Eigenschaften 17 674 T 1
für die Elektrotechnik 40 500 T 3
Richtlinien für die Konstruktion 17 674 T 3
Technische Lieferbedingungen 17 674 T 2
Zulässige Abweichungen
gepreßt 17 674 T 4
gezogen 17 674 T 5
Systematik der Werkstoffnummern für NE-Metalle 17 007 T 4

Vierkantstangen, gezogen 1761
Vordraht 17 652

Walzdraht 17 652
Wärmeaustauscher
Platten
Eigenschaften 17 675 T 1
Maße 17 675 T 3
Technische Lieferbedingungen 17 675 T 2
Rohre 1785, 17 679
Weichlote 1707
Werkstoffnummern, Systematik für NE-Metalle 17 007 T 4
Widerstandslegierungen 17 471

Zinnbronze 17 662

Tabelle 4. **Kupfer-Zink-Legierungen mit weiteren Legierungselementen (Sondermessing)**
(Zusammensetzung nach DIN 17 660)

Werkstoff-Kurzzeichen *)		Werkstoff-Nummer	Maße: Rund Durchmesser mm	Maße: Vierkant Sechskant Vielkant Schlüsselweite mm	Maße: Flach Dicke mm	Zugfestigkeit R_m N/mm² min.	0,2%-Dehngrenze $R_{p0,2}$ N/mm² min.	Bruchdehnung A_5 % min.	Brinellhärte HB ≈
CuZn20Al2 (CuZn20Al)	p	**2.0460.08**	nach Vereinbarung			ohne vorgeschriebene Festigkeitswerte			
CuZn23Al6Mn4Fe3	**F78**	**2.0500.88**	10bis80	9bis70	5bis40	780	540	8	190
CuZn31Si1 (CuZn31Si)		**2.0490**							
	p	.08	nach Vereinbarung			ohne vorgeschriebene Festigkeitswerte			
	F44	.27	6bis50	5bis46	5bis20	440	200	22	120
	F49	.31	6bis25	5bis22	5bis12	490	290	15	150
CuZn35Ni2 (CuZn35Ni)		**2.0540**							
	p	.08	nach Vereinbarung			ohne vorgeschriebene Festigkeitswerte			
	F44	.09	30bis90	27bis80	20bis50	440	190	20	120
	F49	.27	15bis50	14bis46	12bis30	490	290	18	130
	F54	.31	6bis15	5bis14	5bis12	540	390	12	150
CuZn37Al1 (CuZn37Al)		**2.0510**							
	F44	.27	10bis80	9bis70	–	440	200	20	125
	F51	.31	6bis50	5bis46	–	510	280	15	145
CuZn40Al1		**2.0561**							
	p	.08	nach Vereinbarung			ohne vorgeschriebene Festigkeitswerte			
	F44	.27	10bis80	9bis70	–	440	200	20	125
	F51	.31	6bis50	5bis46	–	510	270	15	145
CuZn40Al2		**2.0550**							
	p	.08	nach Vereinbarung			ohne vorgeschriebene Festigkeitswerte			
	F54	.27	10bis80	9bis70	–	540	240	18	150
	F59	.31	8bis50	7bis46	–	590	270	14	160
	F64	.33	6bis15	–	–	640	310	10	170
CuZn40Mn2 (CuZn40Mn)		**2.0572**							
	p	.08	nach Vereinbarung			ohne vorgeschriebene Festigkeitswerte			
	F44	.27	10bis80	9bis70	5bis30	440	170	20	120
	F49	.31	6bis30	5bis27	5bis12	490	270	18	135
CuZn40Mn1Pb (CuZn40MnPb)		**2.0580**							
	p	.08	nach Vereinbarung			ohne vorgeschriebene Festigkeitswerte			
	F39	.09	10bis80	9bis70	5bis30	390	150	22	110
	F44	.27	6bis50	5bis46	5bis20	440	180	18	120
	F49	.31	4bis20	4bis17	4bis10	490	290	15	140

*) Einige Kurzzeichen wurden entsprechend DIN 17 660 geändert; die bisherigen Kurzzeichen sind zur Information zusätzlich in Klammern angegeben.

Tabelle 3. **Kupfer-Zink-Legierungen mit Blei** (Zusammensetzung nach DIN 17 660)

Werkstoff- Kurzzeichen	Nummer [1])	Maße Rund Durchmesser mm	Maße Vierkant Sechskant Vielkant Schlüsselweite mm	Maße Flach Dicke mm	Zugfestigkeit R_m N/mm² min.	0,2%-Dehngrenze $R_{p0,2}$ N/mm²	Bruchdehnung A_5 % min.	Brinellhärte HB ≈
CuZn36Pb1,5	**2.0331**							
p	**.08**	nach Vereinbarung			ohne vorgeschriebene Festigkeitswerte			
zh	**.20**							
F29	**.10**	min. 10	min. 8	min. 6	290	max. 250	45	75
F37	**.26**	bis 40	bis 35	bis 6	370	min. 250	27	110
F44	**.30**	bis 12	bis 10	bis 4	440	min. 340	14	135
CuZn36Pb3	**2.0375**							
p	**.08**	nach Vereinbarung			ohne vorgeschriebene Festigkeitswerte			
zh	**.20**							
F34	**.10**	min. 10	min. 8	min. 6	340	max. 250	35	85
F40	**.26**	bis 40	bis 35	bis 6	400	min. 250	18	115
F46	**.30**	bis 12	bis 10	bis 4	460	min. 350	12	140
CuZn38Pb1,5	**2.0371**							
p	**.08**	nach Vereinbarung			ohne vorgeschriebene Festigkeitswerte			
zh	**.20**							
F34	**.10**	min. 10	min. 8	min. 6	340	max. 250	35	90
F41	**.26**	bis 40	bis 35	bis 6	410	min. 250	18	120
F47	**.30**	bis 12	bis 10	bis 4	470	min. 350	12	140
CuZn39Pb2	**2.0380**							
p	**.08**	nach Vereinbarung			ohne vorgeschriebene Festigkeitswerte			
zh	**.20**							
F36	**.10**	min. 10	min. 8	min. 6	360	max. 250	32	90
F43	**.26**	bis 40	bis 35	bis 6	430	min. 250	18	120
F49	**.30**	bis 12	bis 10	bis 4	490	min. 390	11	145
CuZn39Pb3 **CuZn40Pb2**	**2.0401** **2.0402**							
p	**.08**	nach Vereinbarung			ohne vorgeschriebene Festigkeitswerte			
zh	**.20**							
F36	**.10**	min. 10	min. 8	min. 6	360	max. 250	32	90
F43	**.26**	bis 40	bis 35	bis 6	430	min. 250	15	125
F50	**.30**	bis 14	bis 10	bis 4	500	min. 390	11	145

[1]) Anhängezahlen .26 und .30 gelten für den nicht entspannten Zustand. Für kaltverfestigte, entspannte Zustände sind keine Werte festgelegt.

Tabelle 8. **Kupfer-Aluminium-Legierungen (Aluminiumbronze)** (Zusammensetzung nach DIN 17 665)

Werkstoff- Kurzzeichen *)	Werkstoff- Nummer 1)	Maße: Rund Durchmesser mm	Maße: Vierkant Sechskant Vielkant Schlüsselweite mm	Maße: Flach Dicke mm	Zugfestigkeit R_m N/mm² min.	0,2%-Dehngrenze $R_{p\,0,2}$ N/mm² min.	Bruchdehnung A_5 % min.	Brinellhärte HB ≈
CuAl8	**2.0920**			nicht handelsüblich				
p	.08	nach Vereinbarung			ohne vorgeschriebene Festigkeitswerte			
F37	.10	6 bis 120	5 bis 100		370	120	35	90
F49	.30	6 bis 50	5 bis 46		490	270	15	130
CuAl8Fe3 (CuAl8Fe)	**2.0932**							
p	.08	nach Vereinbarung			ohne vorgeschriebene Festigkeitswerte			
F47	.97	10 bis 80	8 bis 70		470	200	25	110
F59	.30	8 bis 50	8 bis 46		590	270	10	150
CuAl10Fe3Mn2 (CuAl10Fe)	**2.0936**							
p	.08	nach Vereinbarung			ohne vorgeschriebene Festigkeitswerte			
F59	.97	12 bis 80	10 bis 60		590	250	12	150
F69	.98	12 bis 50	10 bis 46		690	340	7	180
CuAl9Mn2 (CuAl9Mn)	**2.0960**							
p	.08	nach Vereinbarung			ohne vorgeschriebene Festigkeitswerte			
F49	.97	10 bis 80	8 bis 70		490	200	25	110
F59	.98	10 bis 50	8 bis 46		590	250	15	150
CuAl10Ni5Fe4 (CuAl10Ni)	**2.0966**							
p	.08	nach Vereinbarung			ohne vorgeschriebene Festigkeitswerte			
F64	.97	12 bis 80	10 bis 60		640	270	15	180
F74	.98	12 bis 50	10 bis 46		740	390	10	195
CuAl11Ni6Fe5 (CuAl11Ni)	**2.0978**							
p	.08	nach Vereinbarung			ohne vorgeschriebene Festigkeitswerte			
F73	.97	12 bis 80	10 bis 60		730	440	5	210
F83	.98	12 bis 50	10 bis 46		830	590	–	240

*) Einige Kurzzeichen wurden entsprechend DIN 17 665 geändert; die bisherigen Kurzzeichen sind zur Information zusätzlich in Klammern angegeben.

1) Die Anhängezahl .30 gilt für den nicht entspannten Zustand. Wird nach besonderer Vereinbarung die Lieferung im entspannten Zustand gewünscht, muß die Anhängezahl in .31 geändert werden.

Tabelle 9. **Niedriglegierte Kupfer-Knetlegierungen** (Zusammensetzung nach DIN 17 666)
Nicht aushärtbare Legierungen

Werkstoff- Kurzzeichen		Werkstoff- Nummer	Maße Rund Durchmesser mm	Maße Vierkant Sechskant Vielkant Schlüsselweite mm	Maße Flach Dicke mm	Zugfestigkeit R_m N/mm²	0,2%-Dehngrenze $R_{p0,2}$ N/mm²	Bruchdehnung A_5 % min.	Brinellhärte HB ≈
CuPb1P **CuSP** **CuTeP**		**2.1160** **2.1498** **2.1546**							
	F22	**.10**	bis 50	bis 35	über 5	220 bis 260	min. 50	35	60
	F26	**.26**	bis 50	bis 35	über 5	min. 260	min. 200	7	85
CuZr		**2.1580**							
	F35	**.70**	6 bis 25	6 bis 25	bis 10	350	310	13	115
	F30	**.70**	über 25	über 25	über 10	300	250	20	95

Tabelle 10. **Niedriglegierte Kupfer-Knetlegierungen** (Zusammensetzung nach DIN 17 666)
Aushärtbare Legierungen

Bei den aushärtbaren Legierungen sind Eigenschaften für die Zustände „nicht ausgehärtet" und „ausgehärtet" angegeben. Die jeweils zusammengehörenden Zustände „nicht ausgehärtet" und „ausgehärtet" sind in der Tabelle untereinander angeordnet.

Werkstoff- Kurzzeichen			Nummer	Maße			Zugfestigkeit R_m	0,2%-Dehngrenze $R_{p0,2}$	Bruchdehnung		Härte		
Legierung	Zustand			Rund	Vierkant Sechskant Vielkant	Flach			A_5	$A_L = 100$	Brinell HB	Vickers [1] HV	
	nicht ausgehärtet	ausgehärtet		Durchmesser	Schlüsselweite	Dicke							
				mm	mm	mm	N/mm²	N/mm²	% min.	% min.	≈	min.	max.
CuBe2 **CuBe2Pb**			**2.1247** **2.1248**										
	F42		**.40**	2bis60	bis 55	bis 50	420bis 600	140bis 210	–	35	–	90	125
		F115	**.60**				1150bis1350	1000bis1250	–	–	–	360	390
	F65		**.55**	2bis25 25bis35	bis 20 20bis30	bis 15 15bis25	650bis 800 600bis 800	500bis 750 500bis 750	– –	– –	– –	200 180	250 240
		F130	**.75**	2bis25 25bis35	bis 15 20bis30	bis 15 15bis25	1300bis1500 1200bis1500	1150bis1400 1050bis1400	– –	– –	– –	390 380	430 420
CuCo2Be **CuNi2Be**			**2.1285** **2.0850**										
	F25		**.40**	2bis60	bis 55	bis 50	250bis 370	140bis 210	–	20	–	70	100
		F65	**.60**				650bis 800	500bis 650	–	8	–	195	235
	F50		**.56**	2bis25 25bis35	bis 20 20bis30	bis 15 15bis25	500bis 600 450bis 550	430bis 530 380bis 480	– –	– –	– –	140 130	180 180
		F80	**.76**	2bis25 25bis35	bis 20 20bis30	bis 20 15bis25	800bis 950 750bis 900	730bis 880 680bis 830	– –	– –	– –	220 210	260 260
CuCrZr			**2.1293**										
	p		**.08**	nach Vereinbarung			ohne vorgeschriebene Festigkeitswerte						
		F37	**.60**	bis 120	bis 100	bis 100	min. 370	min. 270	18	–	125	–	–
		F44	**.73**	bis 50	bis 45	bis 10	min. 440	min. 350	10	–	145	–	–
		F47	**.77**	bis 25	bis 20	bis 6	min. 470	min. 440	8	–	155	–	–
CuNi1,5Si			**2.0853**										
		F44	**.60**	bis 90	bis 75	bis 40	min. 440	min. 290	17	–	140	–	–
	F41		**.53**	bis 30	bis 27	–	min. 410	min. 290	9	–	125	–	–
		F59	**.73**				min. 590	min. 540	12	–	180	–	–
CuNi2Si			**2.0855**										
	p		**.08**	nach Vereinbarung			ohne vorgeschriebene Festigkeitswerte						
	F26		**.40**	bis 90	bis 75	bis 40	min. 260	min. 60	35	–	70	–	–
		F49	**.60**				min. 490	min. 340	15	–	160	–	–
	F41		**.53**	bis 30	bis 27	–	min. 410	min. 340	8	–	140	–	–
		F64	**.73**				min. 640	min. 590	10	–	190	–	–
CuNi3Si			**2.0857**										
	p		**.08**	nach Vereinbarung			ohne vorgeschriebene Festigkeitswerte						
		F69	**.60**	bis 90	bis 75	bis 40	min. 690	min. 540	8	–	200	–	–
	F61		**.53**	bis 20	bis 17	–	min. 610	min. 550	8	–	180	–	–
		F83	**.73**				min. 830	min. 780	10	–	220	–	–

[1]) Der obere Grenzwert dient zur Information und ist für die Abnahmeprüfung nicht bindend.

Tabelle 11. **Elektrische Leitfähigkeit**

Werkstoff- Kurzzeichen		Werkstoff- Nummer	Elektrische Leitfähigkeit $\frac{m}{\Omega \cdot mm^2}$ min.
CuSP		**2.1498**	
	F22L 1)	**.10**	50
	F26L 1)	**.26**	50
CuTeP		**2.1546**	
	F22L 1)	**.10**	50
	F26L 1)	**.26**	50
CuPb1P		**2.1160**	
	F22L 1)	**.10**	50
	F26L 1)	**.26**	50
CuCo2Be		**2.1285**	
	F65	**.60**	25
	F80	**.76**	25
CuNi2Be		**2.0850**	
	F65	**.60**	25
	F80	**.76**	25
CuCrZr		**2.1293**	
	F37	**.60**	44
	F44	**.73**	43
	F47	**.77**	43
CuNi1,5Si		**2.0853**	
	F44	**.60**	18
	F59	**.73**	18
CuNi2Si		**2.0855**	
	F49	**.60**	17
	F64	**.73**	17
CuNi3Si		**2.0857**	
	F69	**.60**	15
	F83	**.73**	15
CuZr		**2.1580**	
	F35	**.70**	50
	F30	**.70**	50

1) Werden Anforderungen an die elektrische Leitfähigkeit gestellt, gelten die Mindestwerte dieser Tabelle. Das Kurzzeichen ist um den Kennbuchstaben „L" zu erweitern.

Zitierte Normen

DIN 1333 Teil 2	Zahlenangaben, Runden
DIN 1787	Kupfer; Halbzeug
DIN 17 660	Kupfer-Knetlegierungen; Kupfer-Zink-Legierungen (Messing, Sondermessing); Zusammensetzung
DIN 17 662	Kupfer-Knetlegierungen; Kupfer-Zinn-Legierungen (Zinnbronze); Zusammensetzung
DIN 17 663	Kupfer-Knetlegierungen; Kupfer-Nickel-Zink-Legierungen (Neusilber); Zusammensetzung
DIN 17 664	Kupfer-Knetlegierungen; Kupfer-Nickel-Legierungen; Zusammensetzung
DIN 17 665	Kupfer-Knetlegierungen; Kupfer-Aluminium-Legierungen (Aluminiumbronze); Zusammensetzung
DIN 17 666	Niedriglegierte Kupfer-Knetlegierungen; Zusammensetzung
DIN 17 672 Teil 2	Stangen aus Kupfer und Kupfer-Knetlegierungen; Technische Lieferbedingungen
DIN 40 500 Teil 3	Kupfer für die Elektrotechnik; Stangen, Profile aus Kupfer und silberlegiertem Kupfer; Technische Lieferbedingungen
DIN 50 125	Prüfung metallischer Werkstoffe; Zugproben, Richtlinien für die Herstellung
DIN 50 145	Prüfung metallischer Werkstoffe; Zugversuch
DIN 50 351	Prüfung metallischer Werkstoffe; Härteprüfung nach Brinell
DIN IEC 468	Verfahren zur Messung des spezifischen (elektrischen) Widerstandes metallischer Werkstoffe

Frühere Ausgaben

DIN 1714: 02.36x; DIN 1773: 07.27; DIN 1776: 12.29, 01.36, 07.41; DIN 17 672: 04.57;
DIN 17 672 Teil 1: 08.61, 02.69, 06.74

Änderungen

Gegenüber der Ausgabe Juni 1974 wurden folgende Änderungen vorgenommen:

a) Es wurden folgende Werkstoffe gestrichen:
   - Tabelle 1: SW-Cu
   - Tabelle 2: CuZn5, CuZn10, CuZn20, CuZn28, CuZn33, CuZn36
   - Tabelle 3: CuZn37Pb0,5, CuZn39Pb0,5
   - Tabelle 4: CuZn40Ni
   - Tabelle 6: CuNi10Zn42Pb
   - Tabelle 8: CuAl5
   - Tabelle 9: CuAsP, CuCd1, CuMn2, CuMn5, CuSi2Mn, CuSi3Mn
   - Tabelle 10: CuCr

b) Es wurden folgende Werkstoffe aufgenommen:
   - Tabelle 4: CuZn26Al5Mn5Fe
   - Tabelle 6: CuNi7Zn39Mn5Pb
   - Tabelle 9: CuPb1P, CuZr
   - Tabelle 10: CuBe2Pb, CuNi2Be
   - Tabelle 11: CuNi2Be

c) Der Text wurde redaktionell überarbeitet, z. B.
   - Der Aufbau der Tabellen „Zusammensetzung" und „Halbzeugarten" wurde geändert
   - Die F-Zahl wurde einheitlich für alle Werkstoffe als 1/10 des Mindestwertes der Zugfestigkeit in N/mm^2 eingeführt.
   - Die Rundungsregel für Meßergebnisse von Prüfungen wurde aufgenommen.

Internationale Patentklassifikation

F 16 S 3/00
C 22 C 9/00

Stangen aus Kupfer und Kupfer-Knetlegierungen
Technische Lieferbedingungen

DIN 17 672 Blatt 2

Bar of wrought copper and copper alloys, technical conditions of delivery

Barres en cuivre et en alliages de cuivre corroyés, conditions techniques de livraison

Mit DIN 17 677 Blatt 2 Ersatz für DIN 17 672 Blatt 2, Ausgabe Juni 1969

1. Geltungsbereich

Diese Technischen Lieferbedingungen gelten für Stangen in handelsüblicher Qualität aus Kupfer und Kupfer-Knetlegierungen.

2. Werkstoffeigenschaften

2.1. Chemische Zusammensetzung

Kupfer nach DIN 1787

Kupfer-Zink-Legierungen (Messing, Sondermessing) nach DIN 17 660

Kupfer-Zinn-Legierungen (Zinnbronze) nach DIN 17 662

Kupfer-Nickel-Zink-Legierungen (Neusilber) nach DIN 17 663

Kupfer-Nickel-Legierungen nach DIN 17 664

Kupfer-Aluminium-Legierungen (Aluminiumbronze) nach DIN 17 665

Kupfer-Knetlegierungen, niedriglegiert nach DIN 17 666.

2.2. Festigkeitseigenschaften

nach DIN 17 672 Blatt 1

2.3. Elektrische Eigenschaften

Werte für die elektrische Leitfähigkeit bzw. den spezifischen elektrischen Widerstand sind festgelegt:

für Kupfer für die Elektrotechnik in DIN 40 500 Blatt 3,

für niedriglegierte Kupfer-Knetlegierungen in DIN 17 672 Blatt 1.

3. Maße

DIN 1756	Rundstangen aus Kupfer und Kupfer-Knetlegierungen, gezogen, Maße
DIN 1759	Rechteckstangen aus Kupfer und Kupfer-Knetlegierungen, gezogen, mit scharfen Kanten, Maße
DIN 1761	Vierkantstangen aus Kupfer und Kupfer-Knetlegierungen, gezogen, mit scharfen Kanten, Maße
DIN 1763	Sechskantstangen aus Kupfer und Kupfer-Knetlegierungen, gezogen, mit scharfen Kanten, Maße
DIN 1782	Rundstangen aus Kupfer und Kupfer-Knetlegierungen, gepreßt, Maße

4. Bestellunterlagen

Die Auswahl des Werkstoffes und möglichen Lieferzustandes ist die Sache des Bestellers. Das Herstellungsverfahren bleibt dem Hersteller überlassen. Bei der Bestellung sollen die Abschnitte 5 bis 10 beachtet werden.

Empfohlen wird, bei der Bestellung den Verwendungszweck oder das Bearbeitungsverfahren anzugeben.

Bei der Bezeichnung oder Bestellung von Stangen aus Kupfer und Kupfer-Knetlegierungen sind die Kurzzeichen oder Werkstoffnummern nach DIN 17 672 Blatt 1 anzuwenden, wie in den Bezeichnungsbeispielen der Maßnormen angegeben.

5. Anforderungen

Stangen müssen hinsichtlich der chemischen Zusammensetzung, der Festigkeitseigenschaften und der Maße den in den Abschnitten 2 und 3 aufgeführten Normen entsprechen. Weitere Forderungen sind in den Abschnitten 5.1.bis 5.5 festgelegt.

5.1. Oberflächenbeschaffenheit

Stangen haben eine ihrem Herstellungsverfahren entsprechende Oberfläche. Deshalb können z. B. gepreßte Stangen mit der bei diesem Verfahren sich bildenden Oberfläche geliefert werden. Gezogene oder geschälte Stangen werden in der Regel mit blanker oder gebeizter Oberfläche geliefert.

Ungleichmäßigkeiten der Oberfläche, wie Streifigkeit in Ziehrichtung und durch Ziehen eingeebnete Putzstellen, sind zulässig, soweit sie die Verarbeitbarkeit nicht beeinträchtigen. Das gleiche gilt für rote Flecken, z. B. bei Kupfer-Zink-Legierungen (Messing und Sondermessing).

Gelegentliche Ungleichmäßigkeiten der gezogenen Oberfläche wie leichte Kratzer, Schiefer oder Scheuerstellen sind zulässig. Solche Oberflächenfehler dürfen innerhalb der zulässigen Maßabweichung verputzt sein.

Weitergehende Ansprüche an die Oberflächenbeschaffenheit sind bei Bestellung besonders zu vereinbaren.

5.2. Schnittkanten

Schnittkanten werden nicht entgratet. Sollen diese entgratet werden, ist das besonders zu vereinbaren.

5.3. Verarbeitbarkeit

Für die Verarbeitbarkeit der Stangen sind die Festigkeitseigenschaften nach DIN 17 672 Blatt 1 maßgebend.

Je nach Werkstoff und Lieferzustand kann bei Umformung Narbigkeit durch Sichtbarwerden des Kornes auftreten. Besondere Forderungen an Umformbarkeit oder andere Eigenschaften sind bei Bestellung zu vereinbaren.

5.4. Gefüge

Gefügetrennungen, z. B. Doppelungen, sind nicht zulässig. Eine bei der Umformung auftretende Struktur ist zulässig. Wird ein bestimmter Korngrößenbereich verlangt, so ist dieser bei Bestellung zu vereinbaren.

Erhöhte Anforderungen an das Gefüge sind bei Bestellung besonders zu vereinbaren, z. B. wenn ein weitgehend druckdichtes Gefüge erzielt werden soll.

Anmerkung: Bei Bestellung soll die verkürzte Schreibweise „druckdicht" angewendet werden.

Fortsetzung Seite 2

Fachnormenausschuß Nichteisenmetalle im Deutschen Normenausschuß (DNA)

6. Kennzeichnung

Die Art der Kennzeichnung ist bei Bestellung zu vereinbaren.

7. Oberflächenschutz

Stangen werden ohne Oberflächenschutz geliefert.

Besonderer Oberflächenschutz ist bei Bestellung zu vereinbaren.

8. Verpackung

Verpackung nach Wahl des Herstellers.

Besondere Verpackung ist bei Bestellung zu vereinbaren.

9. Prüfung

9.1. Zusammensetzung

Ein besonderer Nachweis ist nicht erforderlich, es sei denn, daß Sondervereinbarungen getroffen werden. Das Analysenverfahren bleibt dem Hersteller überlassen. Im Zweifelsfall entscheidet die Naßanalyse nach der neuesten Ausgabe der „Analyse der Metalle" des Chemikerausschusses der Gesellschaft Deutscher Metallhütten- und Bergleute e. V. (Berlin, Göttingen, Heidelberg: Springer-Verlag).

Auf jeden gefundenen Einzelwert ist die Rundungsregel nach DIN 1333 Blatt 2 anzuwenden. Die gerundete Zahl darf die Grenzwerte für die Zusammensetzung nicht überschreiten.

9.2. Mechanische Eigenschaften

DIN 50 125 Zugproben; Richtlinien für die Herstellung

DIN 50 145 Zugversuch; Begriffe, Zeichen

Zugproben nach DIN 50 125 werden als kurze Proportionalstäbe hergestellt. Stangen mit Querschnitten bis 500 mm^2 können als Ganzes geprüft werden. Bei Stangen mit Querschnitten über 2000 mm^2 sind die Proben außermittig, etwa ein Drittel des Durchmessers vom Rande entfernt, bei Flachstangen etwa ein Drittel der Breite von einer Schmalseite entfernt, zu entnehmen.

DIN 50 351 Härteprüfung nach Brinell

Zu verwenden ist eine Kugel von D = 2,5 mm Durchmesser und die zugehörige Prüfkraft F = 613 N (62,5 kp): Kurzzeichen HB 2,5/62,5.

Prüfstelle ist im Regelfall die Mantelfläche. Andere Prüfstellen bedürfen der Vereinbarung.

Bei dünnen Stangen ist die Bestimmung der Härte nach Brinell ungenau oder unmöglich. In solchen Fällen ist die Härteprüfung nach Vickers entsprechend DIN 50 133 durchzuführen. Es ist dabei zu beachten, daß die Härtewerte nach Vickers 15 % höher sein können als die Härtewelle nach Brinell.

Andere Prüfverfahren sind bei Bestellung zu vereinbaren.

9.3. Wasserstoffbeständigkeit

Geltungsbereich: Sauerstofffreie Kupfersorten.

Aus Stangen sind Proben bis zu einer Dicke von 8 mm herzustellen. Diese werden 30 Minuten lang bei 800 bis 850 °C in einer wasserstoffhaltigen Atmosphäre geglüht und abgekühlt.

Proben bis 8 mm Durchmesser werden nach obiger Behandlung durch den Hin- und Herbiegeversuch nach DIN 51 211 geprüft.

Sie dürfen nach 4 Biegungen weder Anrisse zeigen noch brechen.

Proben von flachen Stangen bis 8 mm Dicke werden nach obiger Behandlung um 180° gefaltet. Die Faltstellen dürfen weder Anrisse zeigen noch brechen.

9.4. Oberflächenbeschaffenheit

Die Sichtprüfung wird ohne optische Hilfsmittel durchgeführt. Beurteilung nach Abschnitt 5.1

Andere Prüfverfahren sind bei Bestellung zu vereinbaren.

10. Prüfumfang und Loseinteilung[1])

10.1. Der Hersteller führt Prüfungen im Rahmen seiner innerbetrieblichen Gütesicherung durch. Hierüber werden im allgemeinen keine Bescheinigungen nach DIN 50 049 ausgestellt.

10.2. Soll eine zusätzliche Prüfung durch einen vom Besteller Beauftragten durchgeführt werden, so sind bei Anfrage und Auftragsvergabe folgende Vereinbarungen zu treffen:

a) Nennung des Beauftragten
b) Art der durchzuführenden Prüfungen
c) Anzahl der Proben (Richtwerte siehe Tabelle)
d) zusätzliche Forderungen.

Bei der Prüfung ist die Lieferung nach Losen getrennt vorzulegen. Zu einem Los gehören Stangen einheitlicher Herstellungsart, gleichen Werkstoffes, gleichen Zustandes und gleicher Dicke. Es ist nicht erforderlich, daß ein Los nur aus einer Schmelze oder nur aus einer Wärmebehandlung stammt.

Richtwerte für die Anzahl der Proben bei Prüfung durch einen Beauftragten

Los kg		Anzahl der Proben für Zugversuch oder für Härteprüfung für Halbzeug mit Längengewicht	
über	bis	bis 1 kg/m	über 1 kg/m
200	500	1	1
500	1000	2	1
1000	2000	3	2
2000	3000	4	3
je weitere 1000		1 mehr	1 mehr
Bei Liefermengen unter 200 kg sind Proben nicht vorgeschrieben, sofern sie nicht besonders vereinbart wurden.			

Wenn eine Probe bei einer Prüfung den Anforderungen nicht genügt, so sind Wiederholungsprüfungen durchzuführen. Wenn davon wiederum eine Probe den Vorschriften nicht entspricht, darf die zugehörige Lieferung zurückgewiesen werden.

Über die durchgeführten Prüfungen wird vom jeweiligen Beauftragten eines der in DIN 50 049 genannten Abnahmeprüfzeugnisse ausgestellt.

11. Beanstandungen

Äußere und innere Fehler dürfen nur dann beanstandet werden, wenn sie eine dem Werkstoff und der Erzeugnisform angemessene Verarbeitung und Verwendung mehr als unerheblich beeinträchtigen.

Der Besteller muß dem Lieferwerk Gelegenheit geben, sich von der Berechtigung von Beanstandungen zu überzeugen, soweit möglich durch Vorlage des beanstandeten und von Belegstücken des angelieferten Werkstoffes.

---

1) Die Prüfungen können zwischen Hersteller und Verbraucher auch nach bestimmten Prüfplänen (statistische Qualitätskontrolle) vereinbart werden.

DK 669.3-4 : 669.35.018.26-4 : 621.73.043 : 539.4
: 620.1

Dezember 1983

Gesenkschmiedestücke aus Kupfer und Kupfer-Knetlegierungen
Eigenschaften

DIN 17 673 Teil 1

Wrought copper and copper alloys drop forging; properties

Pièces matricées en cuivre et en alliages de cuivre corroyés; caractéristiques

Ersatz für Ausgabe 06.74

1 Anwendungsbereich

In Verbindung mit den Technischen Lieferbedingungen nach DIN 17 673 Teil 2 legt diese Norm die Eigenschaften von Gesenkschmiedestücken aus Kupfer und Kupfer-Knetlegierungen fest.

2 Bestellangaben

Die Auswahl des Werkstoffes und des Lieferzustandes ist Sache des Bestellers. Empfohlen wird, bei der Bestellung den Verwendungszweck und die vorgesehene Weiterverarbeitung anzugeben.

Bei der Bezeichnung oder Bestellung von Gesenkschmiedestücken aus Kupfer und Kupfer-Knetlegierungen sind die Werkstoff-Kurzzeichen und Werkstoff-Nummern dieser Norm zu verwenden, wie in den Bezeichnungsbeispielen der Maßnormen angegeben.

3 Eigenschaften

3.1 Mechanische Eigenschaften

Für die mechanischen Eigenschaften werden Werkstoffkenndaten in den Tabellen 1 bis 6 angegeben, die durch den Zugversuch oder die Härteprüfung ermittelt werden.

Es müssen folgende Werte eingehalten werden:

- Brinellhärte: Mindestwerte
- Zugfestigkeit: Mindestwerte
- 0,2%-Dehngrenze: Mindestwerte
- Bruchdehnung: Mindestwerte

Die in den Tabellen angegebenen Mindestwerte der Brinellhärte sind verbindlich.

Die für Zugfestigkeit, 0,2%-Dehngrenze und Bruchdehnung in Klammern angegebenen Mindestwerte gelten nur in Richtung des Faserverlaufes. Sollen diese Werte durch den Zugversuch nachgewiesen werden, so muß die Prüfung und die Lage des Probestabes bei Bestellung vereinbart werden.

3.2 Elektrische Eigenschaften

Für eine Auswahl von Werkstoffen, an die in Sonderfällen Anforderungen an die elektrische Leitfähigkeit gestellt werden können, sind Mindestwerte in Tabelle 7 angegeben.

4 Maß- und Formtoleranzen

Siehe DIN 17 673 Teil 4.

5 Prüfung

5.1 Prüfung der mechanischen Eigenschaften

Für den Zugversuch gelten die Normen DIN 50 125 und DIN 50 145, für die Härteprüfung DIN 50 351.

5.2 Prüfung der elektrischen Eigenschaften

Im allgemeinen wird die elektrische Leitfähigkeit nach werkseigenen Verfahren geprüft.

In Schiedsfällen wird – falls nicht anders vereinbart – das Routineverfahren nach DIN IEC 468 durchgeführt.

5.3 Runden von Meßergebnissen

Zum Vergleich mit den Grenzwerten dieser Norm ist jedes Meßergebnis entsprechend der Rundungsregel nach DIN 1333 Teil 2 auf dieselbe Genauigkeit wie die des Grenzwertes wie folgt zu runden:

a) Werte der Zugfestigkeit und der 0,2%-Dehngrenze auf die nächste Zehnerstelle,
b) Werte der Bruchdehnung auf die nächste Einerstelle,
c) Werte der Brinellhärte entsprechend den Angaben in DIN 50 351,
d) Werte der elektrischen Leitfähigkeit entsprechend den Angaben in DIN IEC 468.

Fortsetzung Seite 2 bis 4

Normenausschuß Nichteisenmetalle (FNNE) im DIN Deutsches Institut für Normung e. V.